绘制卧倒的猴子

绘制卡通小猴

绘制卡通角色脸部五官

制作燃烧火焰动画效果

使用渐变填充绘制卡通场景

绘制漂亮的藤蔓效果

制作飞入动画

绘制台球场景

使用渐变填充绘制卡通屋

shee

sheept

绘制卡通城堡

将文本分散到图层

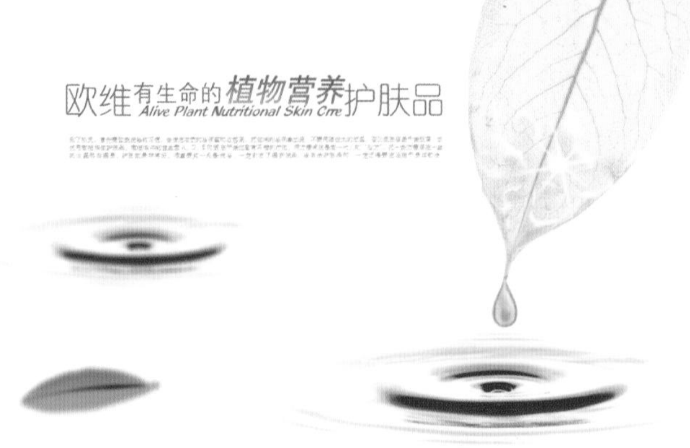

使用段落属性制作网页开场效果

制作小狗眨眼动画

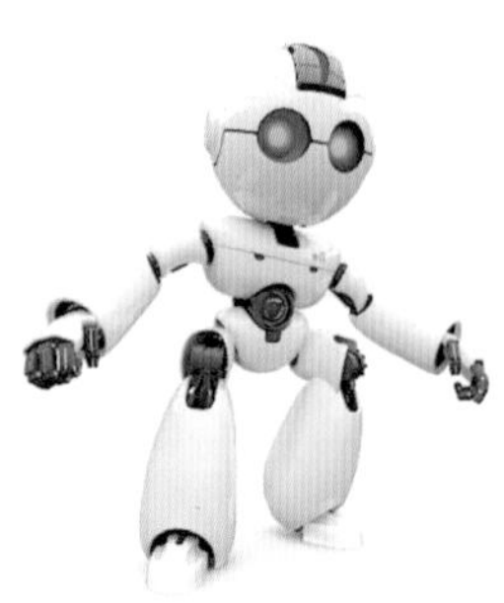

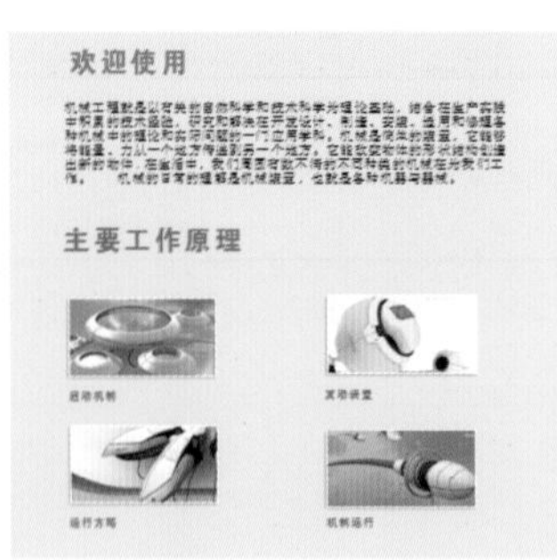

使用TLF文本排版

选中图层并调整帧上的对象

制作运动的足球

制作踢球动画

心动的礼物

使用绘图纸外观调整影片

使用循环制作角色360° 旋转

设置实例的颜色样式

使用“发光”滤镜制作闪烁发光动画效果

小幽采蘑菇

制作散步的女孩动画

制作卷轴动画

制作图像转换动画

制作啤酒广告动画

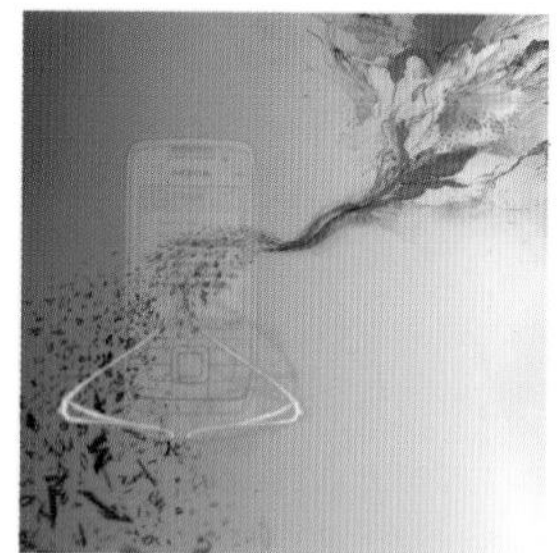
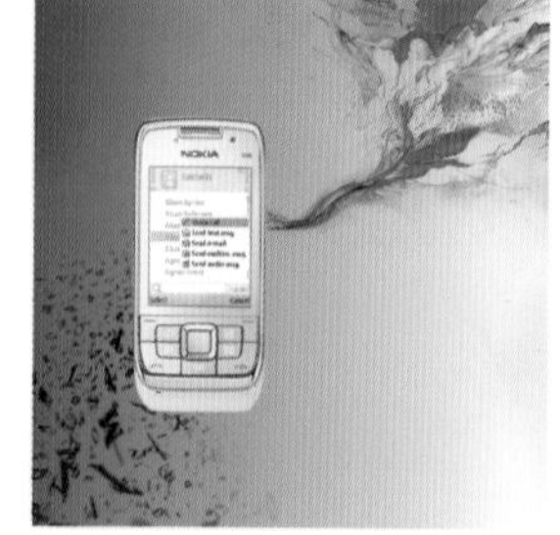

制作眩光动画

制作儿童网站动画

制作百叶窗变换动画

制作汽车登场动画

使用骨架制作皮影动画

为按钮添加声音

导入进行渐进式下载的视频

使用键盘控制游戏人物方向

动态类的使用

不使用库元件的“动态类”

使用“类包”

发布SWF加密文件

制作登入游戏按钮动画

发布Windows放映文件

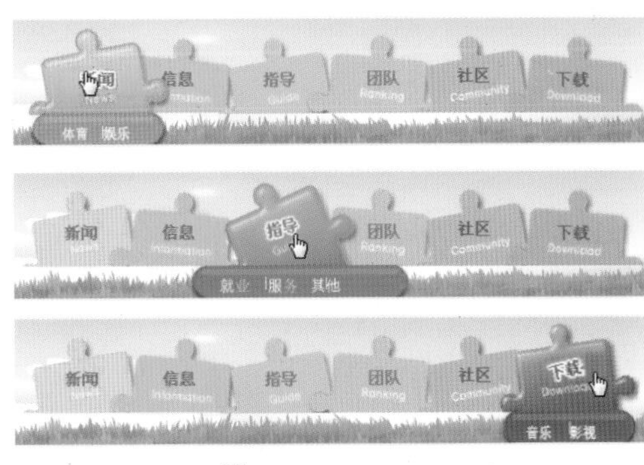

制作娱乐网站导航动画

开始游戏按钮动画

制作思念贺卡

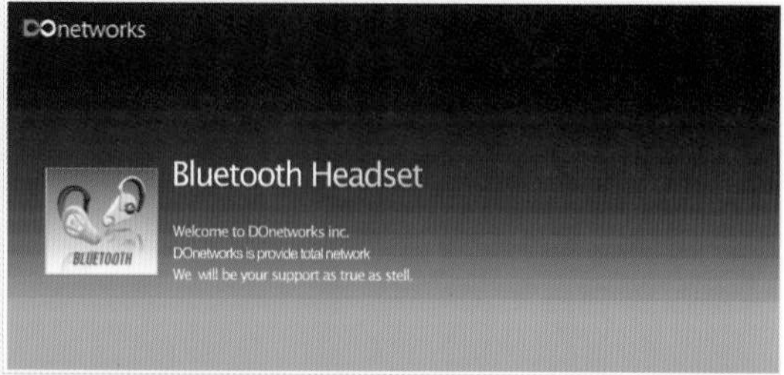

制作展示动画

制作MTV动画

制作片头动画

光盘说明

操作方式

将随书附赠的DVD光盘放入光驱中，几秒钟后，在桌面上双击“我的电脑”图标，在打开的窗口中右击光盘所在的盘符，在弹出的快捷菜单中选择【打开】命令，即可进入光盘内容界面

“源文件”文件夹中包含书中各章节的实例源文件和素材

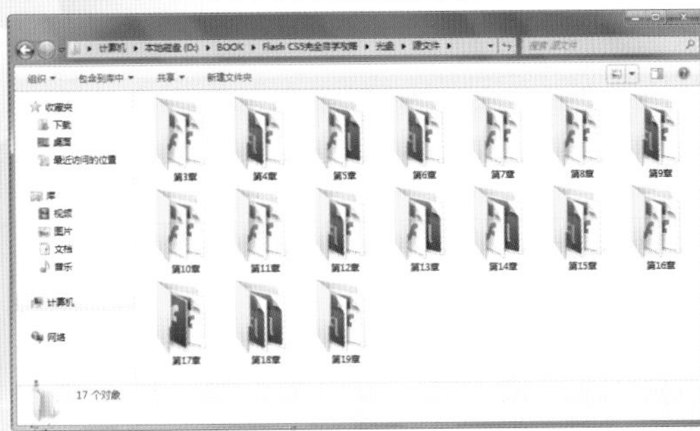

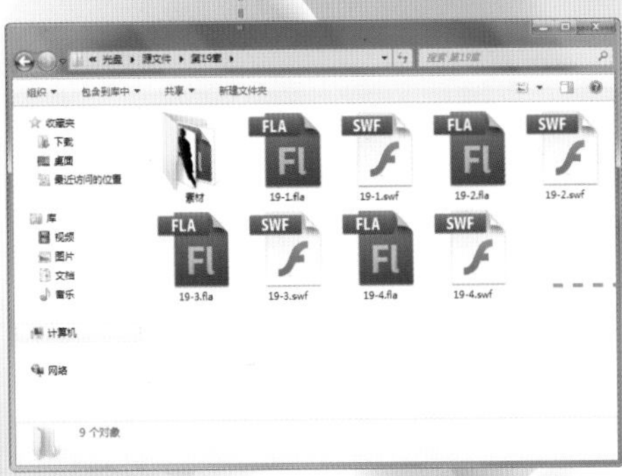

每章中的案例源文件和素材

精美案例效果

“视频”文件夹中包含书中各章节的实例视频讲解教程，全书共79个视频讲解教程，视频讲解时间长达355分钟，SWF格式视频教程方便播放和控制

实例操作SWF视频文件

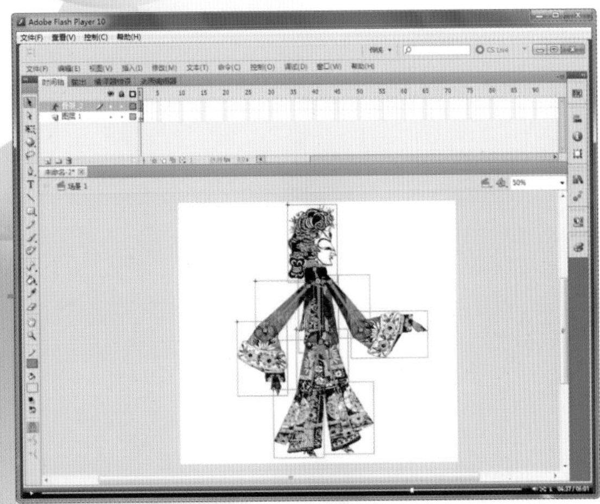

SWF视频教程播放界面

内容超值

随盘附赠50个Flash小图标、300透明Flash素材、2000多个png图标、100个音效文件、170多个矢量素材。

光盘赠送内容

50个Flash小图标

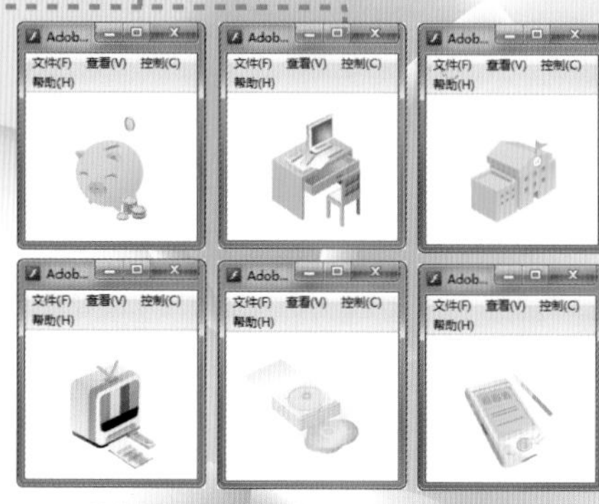

Flash小图标动画效果

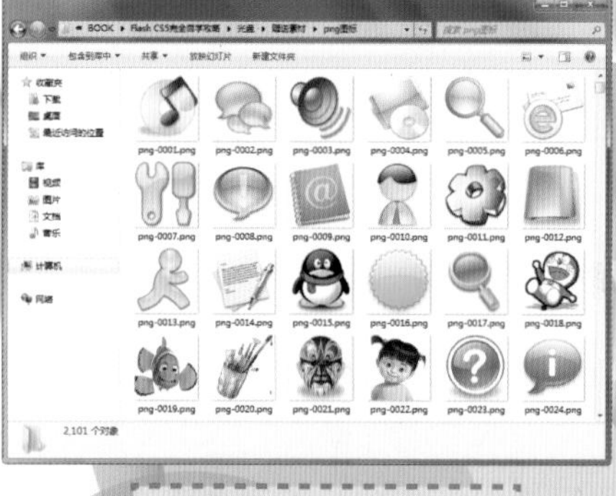

2000多个png图标

100个Flash音效文件

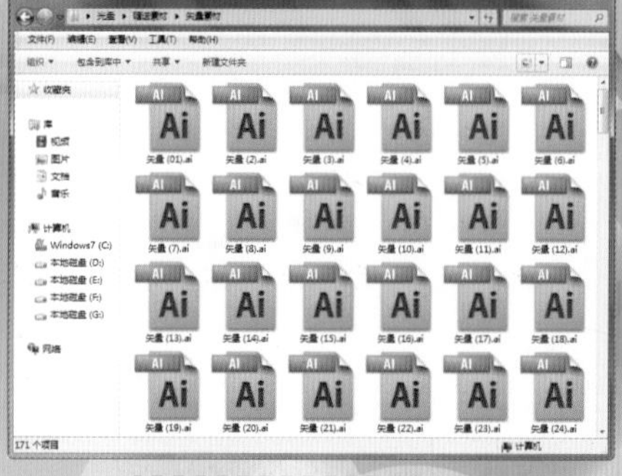

170多个矢量素材

中文版

Flash CS5 完全自学一本通

杜秋磊 郭莉 编著
飞思数字创意出版中心 监制

内容简介

Flash CS5是Adobe公司推出的一款全新的矢量动画制作和多媒体设计软件，广泛应用于网站广告、游戏设计、MTV制作、电子贺卡、多媒体课件等领域。本书由浅入深，通过循序渐进的方式介绍了Flash CS5的各种基础知识和操作，以及Flash中各种动画的创建方法和技巧。全书共分为19章，主要包括Flash动画基础知识、快速熟悉Flash CS5、Flash CS5中的图形绘制、Deco工具的使用、图形颜色处理、Flash中对象的操作、文本的使用、“时间轴”面板、元件实例和库、元件的滤镜和混合、Flash基础动画制作、Flash高级动画制作、骨骼运动和3D动画、应用声音和视频、ActionScript 3.0基础、ActionScript 3.0应用、Flash动画的测试与发布、各种类型的Flash动画制作等。

本书适合喜爱Flash动画的初、中级读者作为自学参考书，也可以作为培训学校的动画专业教学参考用书，还可以供网页设计、动画设计人员使用，是一本实用的Flash动画设计宝典。

图书在版编目（CIP）数据

中文版Flash CS5完全自学一本通 /杜秋磊，郭莉编著. --北京：电子工业出版社, 2010.10
ISBN 978-7-121-11899-9

Ⅰ.①中… Ⅱ.①杜…，②郭… Ⅲ.①动画－设计－图形软件，Flash CS5 Ⅳ.①TP391.41

中国版本图书馆CIP数据核字(2010)第187486号

责任编辑：王树伟
文字编辑：杨　源
印　　刷：北京天宇星印刷厂
装　　订：三河市皇庄路通装订厂
出版发行：电子工业出版社
北京市海淀区万寿路173信箱　邮编：100036
开　　本：787×1092　1/16　印张：34.25　字数：1088千字　彩插：12
印　　次：2011年6月第3次印刷
印　　数：6 001-8000册　　定 价：64.80元（含光盘1张）

凡所购买电子工业出版社图书有缺损问题，请向购买书店调换。若书店售缺，请与本社发行部联系，联系及邮购电话：（010）88254888。

质量投诉请发邮件至zlts@phei.com.cn，盗版侵权举报请发邮件至dbqq@phei.com.cn。

服务热线：（010）88258888。

前　言

在这个日新月异的网络时代，Flash就像一道亮丽的彩虹，闪现在我们面前，如日中天的Flash不仅在网页制作、多媒体演示、手机、电视等领域得到广泛的应用，而且已经成为了一种动画制作手段。Adobe公司最新推出的Flash CS5，将动画设计、用户界面、手机应用设计，以及HTML代码整合功能提升到了前所未有的高度。

本书从实际应用的角度出发，全面讲解了Flash CS5各方面的知识点，配合实例的制作讲解，做到活学活用，全面提升读者在Flash动画制作和应用方面的实际动手能力。

本书章节及内容安排

全书共分为19章，由浅入深、循序渐进地讲解了Flash CS5的各方面知识点。

- 第1章　Flash动画基础知识，本章主要向读者介绍了有关Flash的相关基础知识，包括Flash动画的发展和特点，以及Flash动画的应用领域、制作流程等相关内容。
- 第2章　快速熟悉Flash CS5，本章主要介绍了Flash CS5的基础知识，包括Flash CS5的安装，Flash CS5的新增功能、Flash CS5的工作界面，以及Flash CS5中文档的基本操作等相关内容，使读者能够快速了解和适应全新的Flash CS5软件。
- 第3章　Flash CS5中的图形绘制，本章主要介绍了Flash CS5的工具箱中各种绘制工具的使用，以及如何使用这些绘图工具在Flash中绘制出精美的矢量图形。
- 第4章　Deco工具的使用，本章详细介绍了Deco工具的使用方法及设置，并介绍了如何通过Deco工具绘制图形。
- 第5章　图形颜色处理，本章主要介绍了Flash CS5中对于颜色处理的方法和技巧，包括“样本”面板、“颜色”面板、笔触和填充等相关内容。
- 第6章　Flash中对象的操作，本章主要介绍了在Flash CS5中对对象的操作方法，包括选择对象、预览图形对象、图形对象的基本操作、图形对象的变形操作、3D平移和旋转图形操作，以及图形对象的合并、排列、对齐、组合、分离等操作。
- 第7章　文本的使用，本章主要对Flash中的文本进行了相关介绍，包括Flash中文本的类型、Flash中文本的创建编辑方法，以及Flash CS5中的传统文本与TLF文本等相关内容。
- 第8章　“时间轴”面板，本章主要对Flash中非常重要的“时间轴”面板进行详细介绍，包括“时间轴”面板的组成、图层的应用，以及Flash动画中各种类型的帧的基础知识和编辑方法。
- 第9章　元件、实例和库，本章主要介绍了Flash动画中元件、实例和库的相关知识，包括元件的创建和管理、编辑元件的方法、创建与编辑实例的方法以及“库”面板的相关知识。
- 第10章　元件的滤镜和混合，本章主要向读者介绍了在Flash中对元件的各种效果的设置方法，包括为元件设置循环、缩放和缓存文件、混合模式、滤镜效果等相关内容。
- 第11章　Flash基础动画制作，本章是非常重要的一章，因为本章主要介绍了Flash中的几种基本的动画类型，包括逐帧动画、形状补间动画、传统补间动画和补间动画，并通过实例的形式介绍了各种类型动画的制作方法。
- 第12章　Flash高级动画制作，本章主要介绍了Flash中的遮罩动画和引导层动画的相关知识和创建方法，并通过实例的形式介绍了这两种动画的制作方法。
- 第13章　骨骼运动和3D动画，本章主要介绍了从Flash CS4版本开始新加入的骨骼运动和3D动画的相关知识，以及骨骼动画和3D动画的创建与制作方法。
- 第14章　应用声音和视频，本章主要介绍了在Flash动画中应用声音和视频的方法和相关知识，包括Flash中所支持的声音和视频，以及Flash中导入声音和视频的方法。

- ⊙ 第15章　ActionScript 3.0基础，本章主要介绍了ActionScript 3.0的相关基础知识，包括ActionScript 3.0工作环境、ActionScript 3.0的编辑基础、ActionScript 3.0数据运算等有关ActionScript 3.0脚本代码的相关知识。
- ⊙ 第16章　ActionScript 3.0应用，本章主要介绍了ActionScript 3.0中类的使用方法，以及在Flash动画中通过ActionScript 3.0所实现的各种效果。
- ⊙ 第17章　Flash动画的测试与发布，本章介绍了在Flash CS5中测试与发布Flash动画的相关知识，包括测试Flash动画、优化Flash动画、发布Flash动画、导出Flash动画等内容。
- ⊙ 第18章　按钮、导航菜单动画制作，本章通过具有典型代表意义的4个按钮与导航菜单的Flash动画实例的制作，向读者讲解了制作Flash动画的方法和技巧。
- ⊙ 第19章　贺卡、MTV和动画短片制作，本章通过具有典型代表意义的4个Flash动画实例，向读者讲解了较为复杂的动画类型的制作方法和技巧。

本书特点

本书结构清晰，案例实用精彩，文字通俗易懂，实例讲解与Flash CS5中的各部分功能紧密结合，具有很强的实和性和较高的技术含量。书中附赠一张DVD光盘，光盘中收录了本书所有实例的素材文件和最终源文件，读者可以通过这些素材进行实例操作，通过这些实例，加深对本书内容的理解，提高软件应用能力。光盘中还加入了书中所有实例的视频教学文件，以方便读者学习。

本书适合喜爱Flash动画的初、中级读者作为自学参考书，也可以作为培训学校的动画专业教学参考用书，还可以供网页设计、动画设计人员使用，是一本实用的Flash动画设计宝典。

本书由杜秋磊、郭莉、孙立新、张晓景、李万军、高巍、王大远、罗廷兰、贺健龙、吴桂敏、王明、王权、刘强、张国勇、范明、贾勇、刘钊、孙钢参与编写。

编 著 者

目 录

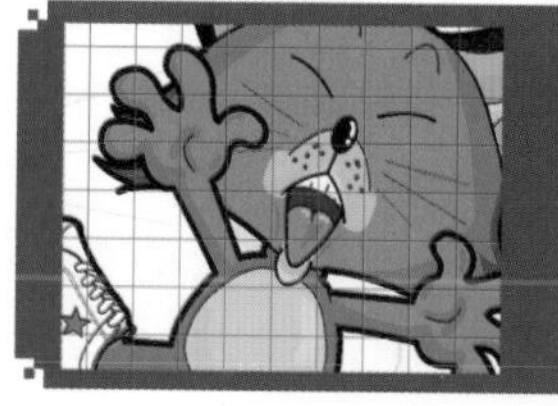

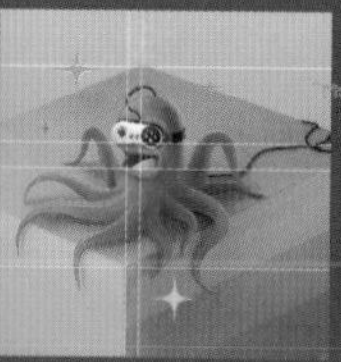

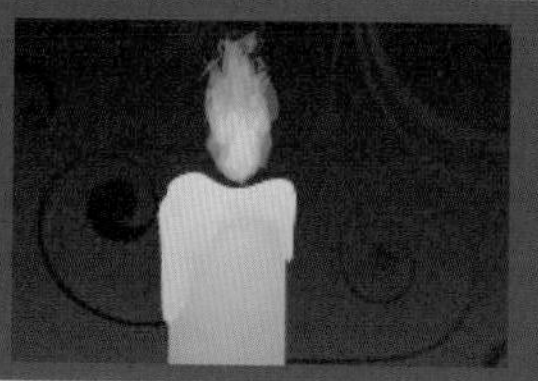

Wedding Invitation
Play

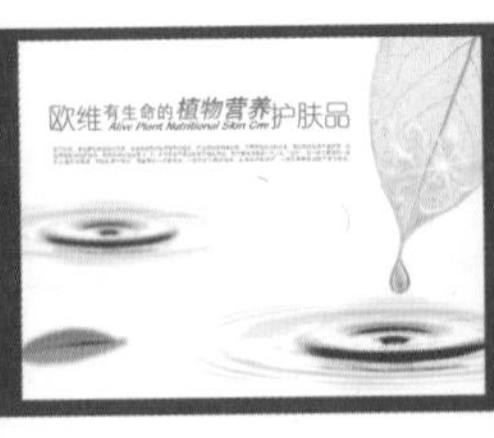
欧维有生命的植物营养护肤品

小嘀嗒

Rs
LOVE

Cass
Cass
Cass
DRAFT

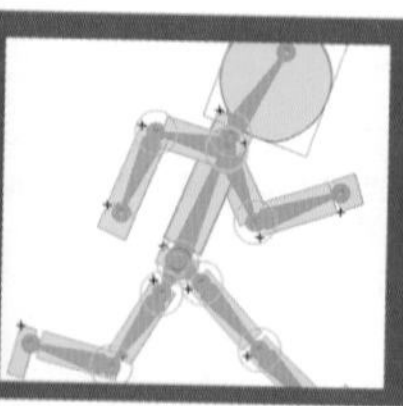

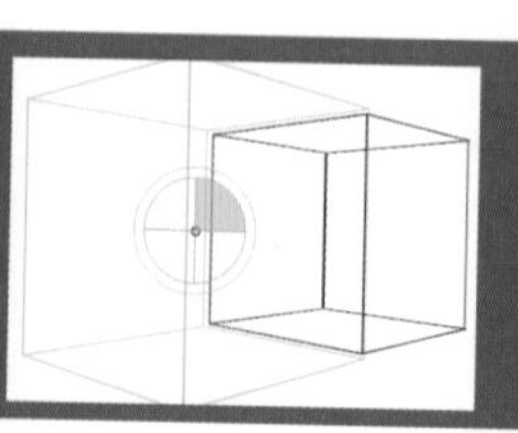

GAME
DOWNLOAD

GAME
START

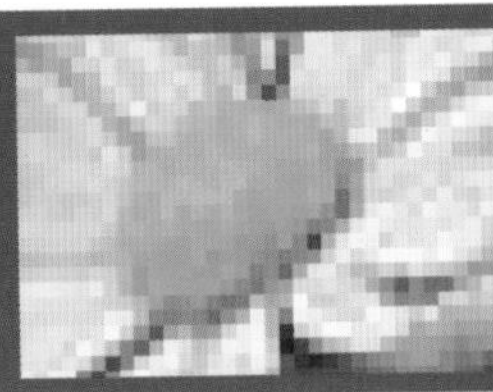

"GO! GO!
飞天忍者

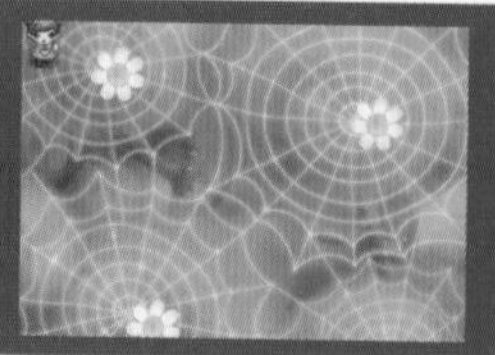

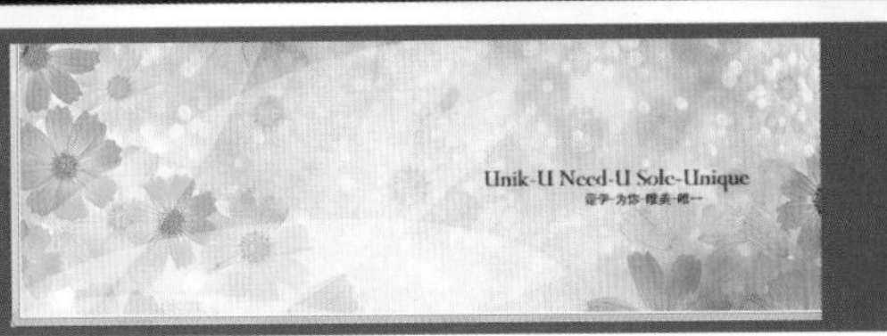

第17章　Flash动画的测试与发布 459

第18章　按钮、导航菜单动画制作 ... 483

第1章 Flash动画基础知识

Flash是一款优秀的动画软件，利用它可以制作与传统动画相同的帧动画。从工作方法和制作流程来看，传统动画的制作方法比较复杂，而Flash动画的制作简化了许多制作流程，能够为创作者节约更多的时间，所以，Flash动画的创作方式非常适合个人以及动漫爱好者。本章将向读者介绍有关Flash的一些相关知识，为学习后面的Flash动画制作打下基础。

本章学习要点

- 了解Flash的发展历史
- 掌握Flash动画的设计原则
- 了解Flash动画的应用领域
- 了解Flash动画的制作流程
- 掌握和Flash相关的基础知识

1.1 Flash发展的历史及特点

在网络盛行的今天，Flash已经成为一个新的专有名词，在全球网络中掀起了一股划时代的旋风，并成为交互式矢量动画的标准。如今Flash这种互动动画形式已经成为设计宠儿，越来越多的网站采用了整站Flash功能。

1.1.1 Flash的发展历史

Flash从FutureSplash变身过来，在1996年诞生了Flash 1.0版本。一年后推出了Flash 2.0，但是并没有引起人们的重视。直到1998，年Flash 3.0的推出才真正让Flash获得了应有的尊重，这要感谢网络在这几年的迅速普及和网速的提高，以及网络内容的丰富，加上人们对视觉效果的追求，让Flash得到了充分的认识和肯定。

经过了1999年过渡性质的Flash 4.0后，2000年Macromedia推出了酝酿已久，具有里程碑意义的Flash 5.0。在Flash 5.0中首次引入了完整的脚本语言——ActionScript 1.0，这是Flash迈向面向对象的开发环境领域的第一步。

2002年推出的Flash MX从传统Flash的角度看，似乎只是Flash 5.0的一个增强版本，但是随着Flash MX一起到来的还有两个Flash服务器产品——Flash Communication Server MX和Flash Remoting MX。Flash Communication Server MX是一个基于服务器平台，用于创建和部署令人眼花缭乱的Web音频和视频应用，例如视频点播（VOD）、可视聊天和实时协同应用等。Flash Remoting MX用于在Flash和Web服务器之间建立连接，通过强大易用的编程模块，可以很容易地把Flash内容与Java、.NET，以及ColdFusion应用结合起来，创建复杂丰富的Web应用。

Macro media公司在2004年推出了Flash MX 2004。自Flash 5.0开始，Macromedia就已经将Flash的发展方向更多地移向了多媒体和Web应用开发领域，而不再仅仅局限于交互式动画制作的范围。如果说Flash 5.0是Flash步入面向对象开发环境的第一个里程碑，那么Flash MX 2004就是Flash作为面向对象开发环境的第二个里程碑。

Flash 8是Macromedia于2006年推出的版本，Flash 8提供了两种版本：Macromedia Flash Basic 8 和Macromedia Flash Professional 8。Flash Professional 8是动画业界最为先进的创作环境，用于创建交互式网站、数字体验和移动内容，是业界创建高级交互内容的首选软件。Flash Basic 8是Flash Professional 8的一个子集，包括设计简单运动图形并实现交互性，以及发送给Flash Player所需的所有核心功能，非常适用于临时用户，是用于创建Flash动画的经济型创作工具，如图1- 1所示为Flash 8的启动界面。

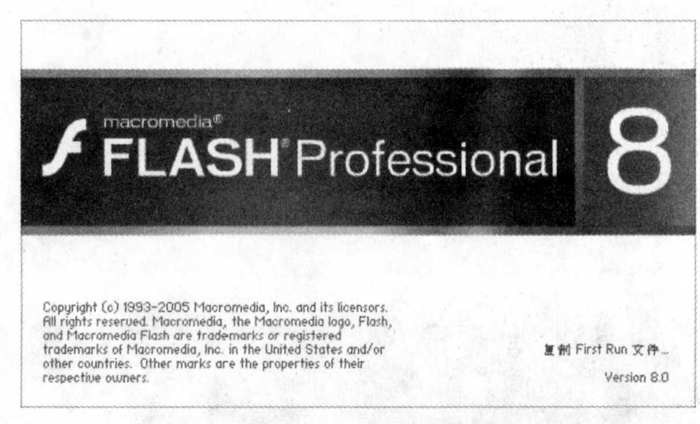

图1-1　Flash 8启动界面

2006年Macromedia公司被Adobe公司收购，Flash 8也成为Macromedia公司推出的最后一个Flash版本。2007年，Adobe公司推出了全新的Flash CS3，增加了全新的功能，包括对Photoshop和Illustrator文件的本地支持，以及复制、移动功能，并且整合了ActionScript 3.0脚本语言开发，Flash CS3的功能将更加强大，如图1- 2所示为Flash CS3的启动界面。

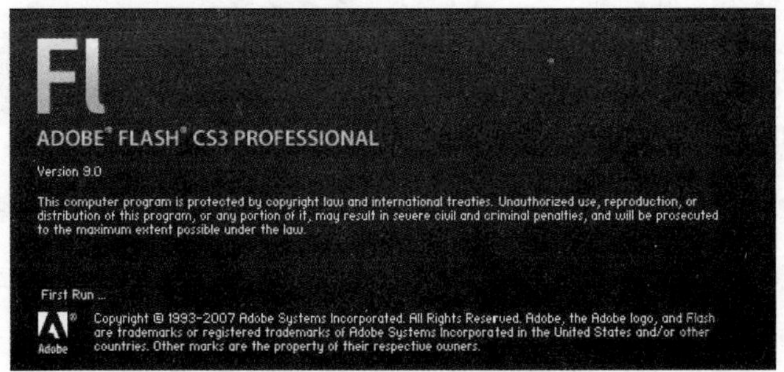

图1-2　Flash CS3启动界面

经过了Flash CS4版本后，2010年4月12日，Adobe公司推出了Flash的全新版本CS5。新版本中增加了很多实用的功能，并针对一些时下流行的软件提供了支持。使得Flash逐渐走入每个人的生活，如图1- 3所示为Flash CS5的启动界面。

图1-3　Flash CS5启动界面

1.1.2 Flash动画的特点

Flash之所以能够在短短的几年内风靡全球，和它自身鲜明的特点是分不开的。在网络动画软件竞争日益激烈的今天，Adobe公司正凭借其对Flash的正确定位和雄厚的开发实力，使Flash的新功能层出不穷，从而奠定了Flash在网络交互动画上不可动摇的霸主地位。而Flash动画的特点，则主要有以下几个方面：

体积小	在Flash动画中主要使用的是矢量图，从而使得其文件较小、效果好、图像细腻，而且对网络带宽要求低。
适用于网络传播	Flash动画可以放置于网络上，供浏览者欣赏和下载，可以利用这一优势在网络上广泛传播，比如Flash制作的MV比传统的MTV更容易在网络上传播，而且网络传播无地域之分，也无国界之别。
交互性强	这是Flash得以称雄的最主要原因之一，通过交互功能，观众不仅能够欣赏到动画，还可以成为其中的一部分，借助于鼠标触发交互功能，从而实现人机交互。
节省成本	使用Flash制作动画，极大地降低了制作成本，可以大大减少人力、物力资源的消耗。同时Flash全新的制作技术可以让动漫制作的周期大大缩短，并且可以制作出更酷更炫的效果。
跨媒体	Flash动画不仅可以在网络上传播，同时也可以在电视甚至电影中播放，大大拓宽了它的应用领域。
更具特色的视觉效果	凭借Flash交互功能强等独特的优点，Flash动画有着更新颖的视觉效果，比传统动画更加亲近观众。

1.2 Flash的设计原则和应用

对于普通用户来说，Flash的动画制作并不困难。只需要掌握基本的制作方法和技巧，就可以制作出丰富的动画效果。这使得Flash具有了更广泛的用户群，可以充分渗透到各行各业中。

1.2.1 Flash动画设计的原则

在具体的Flash动画设计过程中，图形作为Flash最主要的表现手段，应该加以重视并规范，不能只靠情节或者音乐打动人心。在Flash动画中，任何非图形类的元素都是要凭借图形使其在表达上更加丰满，因此，无论是MV或者是网站，都必须重视图形，也就是说，要形成自己的创作风格。

声音在Flash动画创作中的作用是很大的，一个Flash动画作品，如果说只有图像，而没有声音，则会显得很死板，但有声音却没有图像又会显得很空洞，现在基本上每个Flash动画作品中都会有声音的运用，这两者是相互结合的，应该说是缺一不可的。

任何的按钮或者ActionScript脚本语言，在Flash动画具体的设计制作过程中起到的是衬托、辅助的作用，使用它们仅仅是为了达到一定的欣赏水平和一定的视觉效果，一定不能够本末倒置，使图形的运用受到局限，那样制作出的Flash动画作品是不会受到广大观众欢迎的，如图1-4所示为成功的Flash动画作品。

图1-4　成功的动画作品

1.2.2 Flash动画的应用

随着互联网和Flash技术的发展，Flash动画的运用越来越广泛。目前已经有不计其数的Flash动画作品，它们主要运用于网络中。

说起动漫，很多人会想到卡通、漫画书。近年来，随着Flash动画技术的迅速发展，动漫的应用领域日益扩大，如网络广告、3D高级动画片制作、建筑及环境模拟、手机游戏制作、工业设计、卡通造型美术、音乐领域等。下面分别介绍Flash动画在以下领域的应用。

网络广告

全球有超过5.44亿在线用户安装了Flash Player，从而令浏览者可以直接欣赏Flash动画，而不需要下载和安装插件。随着经济的不断发展，大众的物质生活提高后，对娱乐服务的需求也在持续增长。在互联网上，由于Flash动画引发的对动画娱乐产品的需求，也将迅速膨胀。

越来越多的知名企业均通过Flash动画广告获得很好的宣传效果。目前越来越多的企业已经转向使用

Flash动画技术制作网络广告，以便获得更好的效果，如图1- 5所示为Flash动画在网络广告领域中的应用。

图1-5　Flash 动画在网络广告领域中的应用

电视领域

随着Flash动画的发展，Flash动画在电视领域的应用已经非常普及，不仅只应用于短片，而且已用于电视系列片的生产，并成为一种新的形式，一些动画电视台还专门开设了Flash动画的栏目，使得Flash动画在电视领域的运用越来越广泛，如图1- 6所示为Flash动画在电视领域中的应用。

图1-6　Flash 动画在电视领域的应用

电影领域

在传统的电影领域，Flash动画也越来越广泛地发挥其作用。迪斯尼的动画导演理查德·巴兹利先生完成了一个名为《The Journal Of Edwin Carp》的7分钟电影短片，而这个短片就是使用Flash生成动画的。此外，Flash在电影领域应用得比较成功的还有《花木兰》等动画片，如图1- 7所示为Flash动画在电影领域的应用。

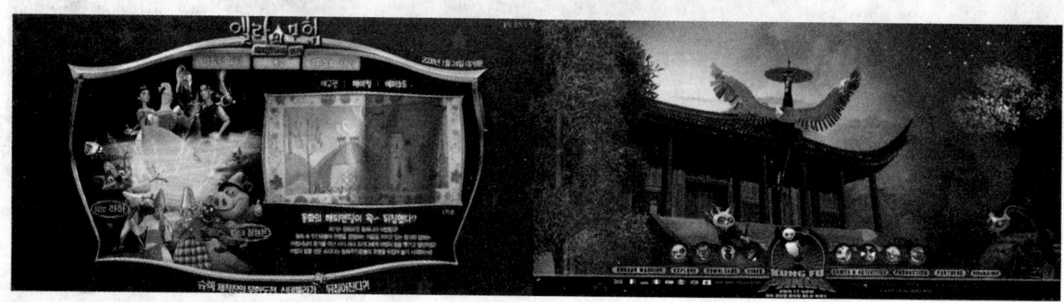

图1-7　Flash 动画在电影领域的应用

音乐领域

Flash MV提供了一条在唱片宣传上既保证质量，又降低成本的有效途径，并且成功把传统的唱片推广扩展到网络经营的更大空间，如图1- 8所示为Flash动画在音乐领域的应用。

图1-8　Flash 动画在音乐领域的应用

教学领域

随着多媒体教学的普及，Flash动画技术越来越广泛地被应用到课件制作中，使得课件功能更加完善，内容更加精彩，如图1- 9所示为Flash动画在教学领域的应用。

图1-9　Flash 动画在教学领域的应用

贺卡领域

网络发展也给网络贺卡带来了商机，越来越多的人在亲人朋友的重要日子里，通过互联网发送贺卡，传统的图片文字贺卡太过单调，这就使得具有丰富效果的Flash动画有了用武之地。如图1- 10所示为Flash动画在贺卡领域中的应用。

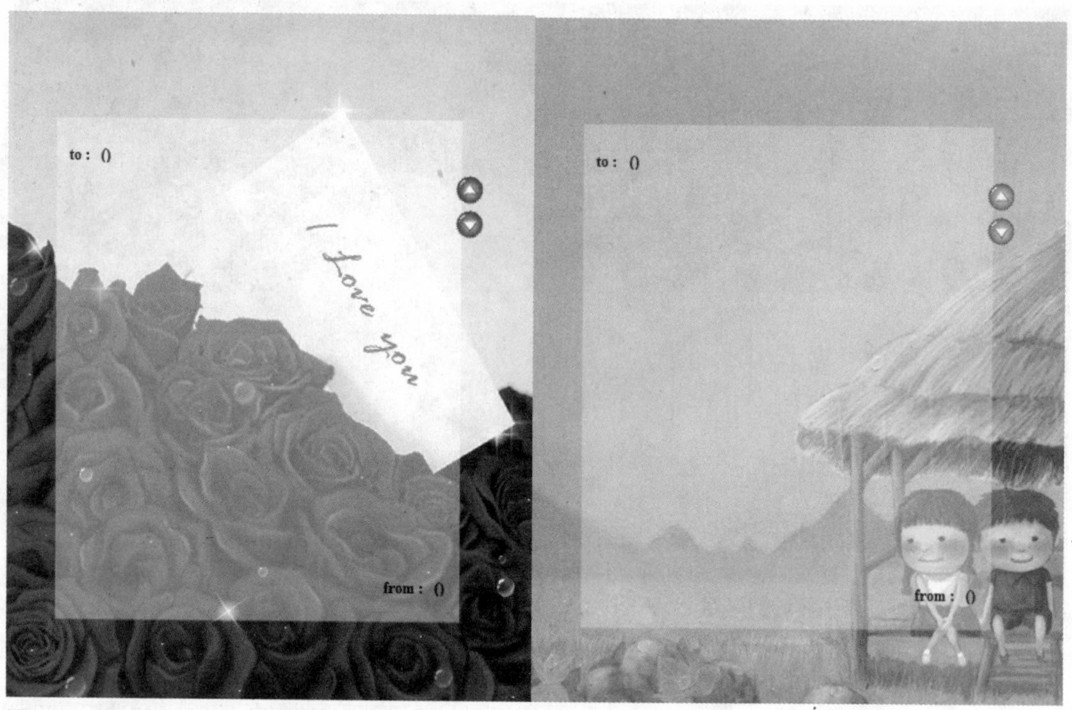

图1-10　Flash 动画在贺卡领域的应用

手机领域

手机的技术发展已经为Flash的传播提供了技术保障，而Flash动画自身的亲和力为传播Flash 动画提供了技术保障，将会给Flash动画产业带来巨大的商业空间。如图1- 11所示为Flash动画在手机领域的应用。

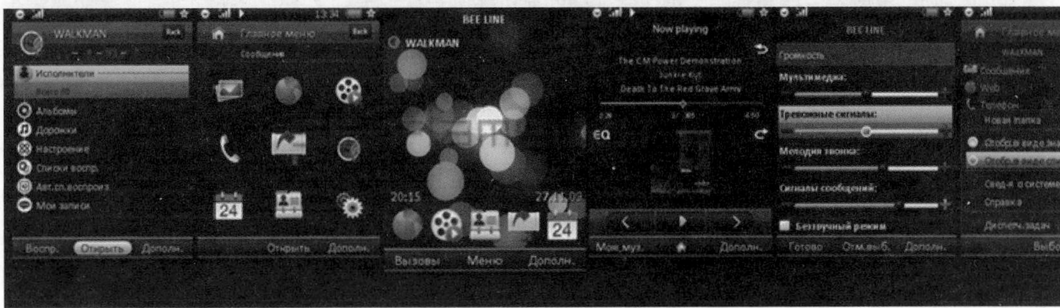

图1-11　Flash 动画在手机领域的应用

游戏领域

Flash强大的交互功能搭配其优良的动画能力，使得它能够在游戏领域中占有一席之地。Flash游戏可以实现任何内容丰富的动画效果，由于它能够减少游戏软件中的电影片段所占的数据容量，预计比DVD游戏软件节省更多的空间，如图1- 12所示为Flash动画在游戏领域的应用。

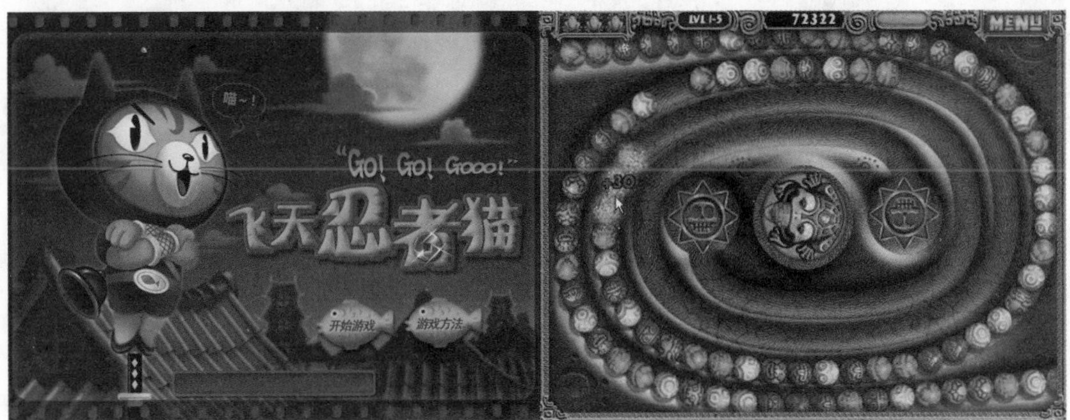

图1-12　Flash 动画在游戏领域的应用

1.3　Flash动画制作流程

Flahs动画的制作流程和传统的动画制作有很多相似的地方。只是由于应用的领域不太相同，制作的要求和流程稍有不同，并且输出动画的过程也不尽相同。接下来学习一下两者的不同之处。

传统动画制作工作流程

传统动漫创作过程是以绘图为基础，综合文学、绘画、摄影、音乐等手段进行协同创作的过程。一部传统动画片，按其制作过程，可以分为前期筹备、绘制和后期制作3大阶段，而各大阶段又可以分为具体的小步骤。

前期筹备阶段

包括企划、出剧本、导演开始为创作做前期的准备等，一直到绘制之前的工作都可以说是前期筹备阶段。前期筹备阶段的工作如下：

- 企划
- 研究文学剧本
- 撰写导演阐述
- 撰写文字和画面分镜头脚本
- 设计人物造型和背景风格
- 完成先期录音
- 进行动画风格试验
- 进行摄影试验

绘制阶段

在前期筹备阶段完成后，便进入绘制阶段。绘制阶段是从动画设计开始，正式绘制动画镜头，直到完成动画。绘制阶段包含如下内容：

- 讲解分镜头
- 完成动画绘图
- 完成镜头描线
- 完成镜头上色
- 镜头画面的校对
- 完成全片排色

后期制作

从拿到全部样片开始，到出标准复制为止，属于后期制作阶段，这个阶段包括如下内容：

- 样片剪辑
- 后期录音
- 双片鉴定和混合录音
- 底片剪辑
- 矫正复制和标准复制

以上是传统动画片的创作过程，从此可以看出传统动画片的创作工作是多么复杂。

Tips

传统的动漫制作方式是以每秒25或30张图片的速度进行播放而产生的动态效果，换句话说，制作一秒钟的传统动漫，就需要绘制出25或30张图片。从动漫制作的工作量来说，这是非常巨大的。

1.3.2 Flash动画制作工作流程

传统动画创作流程中的绝大部分环节适用于制作Flash情节动漫，利用和借鉴传统动画流程，将会大大提高Flash动画作品的制作效率。

由于Flash所具有的矢量动画功能，可以对传统动画的各个环节进行一些调整，使其更加适合发挥Flash的矢量动画功能的长处。

由于Flash动画创作从投入的成本到需要达到的效果等，都跟传统动画有很大的区别，因此在创作流程上，Flash动画要比传统动画简单得多。Flash动画创作流程可以分为前期策划、剧本、分镜头、动画、后期处理和发布这6个步骤。

前期策划

由于Flash本身的限制，Flash卡通动漫创作的前期策划工作相对于传统的动画项目，要简单很多。一般来说，相对正规一些的商业动画，通常都会有一个严谨的前期策划，以明确该动画项目的目的和一些具体的要求，方便动画制作人员能顺利开展工作。

在前期策划中，一般需要明确该Flash动画项目的目的、动画制作规划，以及组织制作的团队。

剧本

完成了前期策划后，根据策划构思，便可以创作出文学剧本，同时根据剧本进而对角色形象方面进行构思。Flash动画剧本策划除了剧情分类、剧本表现种类、Flash剧本编写原理、剧本段落分布、Flash原创剧本、Flash改编剧本等内容，还有一个最重要的剧本具体编写过程。

分镜头

完成剧本后，就可以按照剧本，将剧情通过镜头语言表达出来。这需要先做好人物造型和场景的设计，然后运用电影分镜头的方法，将人物放置在场景中，通过不同机位的镜头切换，来表达剧情故事。如图1- 13所示为某动漫作品的分镜头设计。

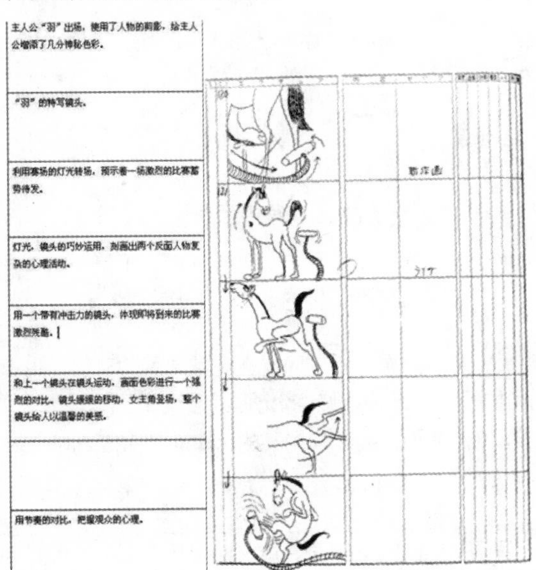

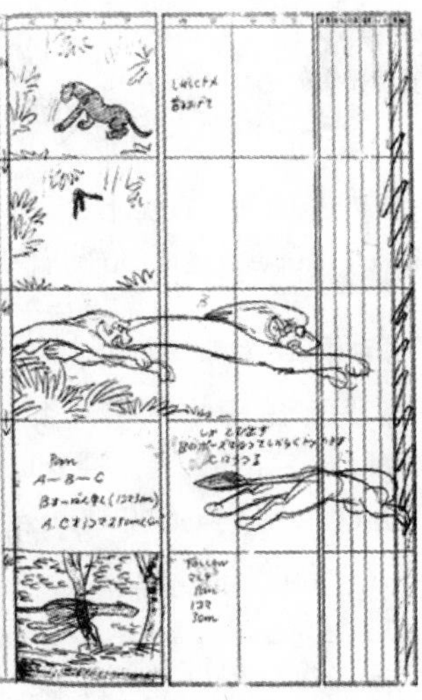

图1-13　分镜头设计

动画制作

Flash动画制作阶段是最重要的一个阶段，也是本书介绍的重点。这个阶段的主要任务是用Flash将分镜头的内容制作成动画，其具体的操作步骤可以细分为：录制声音、建立和设置电影文件、输入线稿、上色，以及动画编排。

- 录制声音

在Flash动画制作中，要估算每一个镜头的长度是很困难的，因此，在制作之前，必须先录制好背景音乐和声音对白，以此来估算镜头的长短。

- 建立和设置影片文件

在Flash软件中建立和设置影片文件。

- 输入线稿

将手绘线稿扫描，并转换为矢量图，然后导入到Flash中，以便上色。

- 上色

根据上色方案，对线稿进行上色处理。

- 动画编排

上色后，完成各镜头的动画制作，并将各镜头拼接起来。以上便是Flash动画制作阶段需要完成的工作。

后期处理

后期处理部分要完成的任务是，为动画添加特效、合成并添加音效。在本书中将通过实例的形式向读者介绍Flash中各种后期处理技术。

发布

发布是Flash动画创作特有的步骤。因为目前Flash动画主要用于网络，因此有必要对其进行优化，以便减少文件的大小，以及优化其运行效率；同时还需要为其制作一个Loading并添加结束语。

从工作方式和创作流程来看，Flash 动画的创作方式非常适合个人制作和动漫爱好者，它可以大大简化许多创作流程，并且能够为设计者节省许多时间。

1.3.3 Flash动画设计要素

Flash动画中的设计要素无非就是指一个完整的Flash动画中的所有组成部分，下面向大家介绍一下Flash动画在设计过程中的设计要素。

预载动画（Loading动画）

一个好的开始是关键，第一印象最重要。如果不希望网友在观赏动画的时候，由于网速慢的原因，而使动画经常停顿，就需要给Flash动画加一个Loading，使整个动画完全下载到本地临时文件夹后再播放，这样在整个动画作品的播放过程中会很流畅，而且一个制作精美的Loading也会使Flash动画增色不少。

图形

图形的作用贯穿整个Flash动画，只要是制作Flash动画，就必然会用到图形，最好能够做出自己的风格，尽量使图形不要有太多的多余部分，在导入图形文件时，要适当将它们转换成矢量图形。在帧和元素的运用上，尽量使用较少的关键帧并尽可能重复使用已有的各项元素，那样会使Flash动画导出后的文件小一些，缩短网络下载的时间。

按钮

按钮只是辅助的元素，不能滥用，不过在开始和结尾加一个按钮，会使Flash动画的播放具有完整性和规律性，使观众有选择的余地。而在Flash动画播放过程中加入按钮，也并不是不行的，这就要看整个Flash动画的规划是怎样的，总之要素是个规范，而不是绝对的约束。灵活运用，就能达到意想不到的效果。

音乐、音效

Flash动画中的视觉效果如果配上音乐，就能够对观众的感官冲击更加强烈，从而使Flash动画更加生动、吸引人。不过需要注意的是，要恰如其分地添加音乐文件，画面平缓时响起摇滚，跌宕起伏时却是伤感的音乐，这样的效果就很失败。

ActionScript

ActionScript脚本语言的使用需要注意的是，在设计之前就要规划好，在什么地方要添加什么脚本语言，希望能够达到什么样的效果，再添加什么语言。特别要说的是ActionScript脚本语言只是一个辅助工具，在需要的时候才会用到，只要是Flash基本操作能实现的效果，就应该用Flash来实现，而不要随意使用脚本语言，最后要强调的就是在编写完ActionScript语言之后，要检查其正确性。

其他

需要对制作的Flash动画作品进行最后的修改，检查按钮、声音，以及整体的效果，最后便是对Flash动画作品进行优化和测试，以便达到最佳的观赏效果。

如果做的是一个Flash动画MV，就得调试歌曲和歌词的同步性，如果制作的是一个Flash网站，那么除了要注意以上事项外，还必须检查链接，看是否有尚未连接或者有连接出错的情况，并加以调整。

很多人会认为所有这些都是一种限制，如果运用不当，它们确实会成为一种约束，但是在开始设计Flash动画作品时，需要尽量遵守这些规则，并不一定要遵循所有的规则，适当打破规则往往会产生创新的效果，充分发挥自己的创造力，使设计的Flash动画作品在众多的作品中脱颖而出。灵活使用文本中所述的一些规则方法，将会使设计的Flash动画作品更加出色、精美。

在学习Flash CS5的功能前，先了解一下关于图形图像方面的相关知识。Flash动画中包含了大量的图形对象，详细了解图形的基础知识，对于动画的制作，以及控制动画体积有着非常重要的作用。

1.4 图像的基础知识

1.4.1 像素和分辨率

像素是位图图像的基本单位，也是最小单位。像素是一个个有颜色的小方块，这种最小的图形单元在屏幕上通常显示为单个的染色点。图像是由许多以行和列的排列方式排列的像素组成的。每个像素都有自己特定的位置和颜色，这些按照特定位置排列的像素最终决定了图像所呈现出来的样子。用户可以根据需要，设定像素的长宽比，以及单位尺寸内所含像素的量。

如图1- 14所示为正常状态下图像文件的视觉效果，从中很难观察到像素的存在，如图1- 15所示为将该文件放大至2250%后的视觉效果，从中可以清楚地发现数字图像是由一个个正方形的单色色块组成，这些色块就是像素。

图1-14　正常大小

图1-15　放大到2250%

分辨率是图像中每单位打印长度显示的像素数目，通常用像素/英寸(PPI)表示。高分辨率的图像比相同打印尺寸的低分辨率图像包含较多的像素，因而像素点更密集。例如72ppi分辨率的1in×1in图像包含总共5184像素；同样1in×1in而分辨率为300ppi的图像则包含总共90000像素。

在日常生活中，最常使用的分辨率为300ppi和72ppi这两种。前者用于出版印刷领域，后者用于电视、电脑显示领域。对于Flash动画来说，动画的流畅性要远远比图像质量高低重要，所以一般都使用72ppi的图像制作动画。

1.4.2 矢量图和位图

虽然可以使用Flash制作出位图效果的动画，但Flash本身是一款矢量动画软件。在学习Flash动画原理之前，先来了解一下矢量图和位图图像的区别。

位图图像又称为点阵图像或绘制图像。是由作为图片元素的像素单个点组成的。这些点可以是不同的排列和色彩显示，以构成图像影像，当放大位图时，可以看见这些构成整个图像的无数单个像素。所以在放大位图的时候，总是会看见像锯齿一样的效果，如图1- 16所示，将位图头像进行放大，放大后的图像区域则显示出高低不平的锯齿效果，这些便是组成位图的像素。

图1-16　放大后的位图效果

矢量图像也称为面向对象的图像或绘图图像，在数学上定义为一系列由线连接的点。矢量文件中的图像元素称为对象，每个对象都是一个自成一体的实体，它具有颜色、形状、轮廓、大小和屏幕位置等属性。既然每个对象都是一个自成一体的实体，就可以在维持它原有清晰度和弯曲度的同时，多次移动和改变它的属性，而不会影响图例中的其他对象。这些特征使基于矢量的程序特别适用于Flash和三维建模，因为它们通常要求能创建和操作单个对象。基于矢量的绘图同分辨率无关，这意味着它们可以无限制地显示图像，如图1- 17所示为矢量图放大后的效果。

图1-17　放大后的矢量图效果

1.5 Flash动画基本术语

在正式开始学习Flash CS5之前，有很多知识需要学习。这样才不会在一些小问题上浪费时间。例如文件的格式，动画基本术语等。接下来针对这亮点进行学习。

1.5.1 文件的类型

Flash可与多种文件类型一起使用，每种类型都具有不同的用途。下表描述了每种文件类型及其用途:

FLA	它是包含Flash文档的媒体、时间轴和脚本基本信息的文件。
SWF	SW文件是FLA文件的压缩版本。一般可以直接应用到网页中，也可以直接播放。
AS	AS指ActionScript文件。可以将某些或全部ActionScript代码保存在FLA文件以外的位置，这些文件有助于代码的管理。
SWC	包含可重新使用的Flash组件。每个SWC文件都包含一个已编译的影片剪辑、ActionScript代码，以及组件所要求的任何其他资源。
ASC	用于存储将在运行Flash Communication Server的计算机上执行的ActionScript文件。这些文件提供了实现与SWF文件中的ActionScript结合使用的服务器端逻辑的功能。
JSFL	用于向Flash创作工具添加新功能的 JavaScript文件。

1.5.2 Flash术语

Flash在制作过程中，有很多和制作步骤有关的术语，掌握这些术语有利于快速理解动画制作的原理。

场景

场景是在创建Flash文档时，放置图形内容的矩形区域，这些图形内容包括矢量插图、文本框、按钮、导入的位图图形或视频剪辑等。Flash创作环境中的场景相当于Flash Player或Web浏览器窗口中在回放期间显示Flash文档的矩形空间。可以在工作时放大和缩小，以更改场景的视图。网格、辅助线和标尺有助于在舞台上精确地定位内容。

帧的类型

关键帧：在其中定义了对动画的对象属性所做的更改，或者包含了ActionScript代码，以控制文档。Flash可以在定义的关键帧之间补间或自动填充帧，从而生成动画。因为关键帧可以不用画出每个帧就可以生成动画，所以能够更轻松地创建动画。可以通过在时间轴中拖动关键帧来轻松更改补间动画的长度。

帧和关键帧在时间轴中出现的顺序决定它们在Flash应用程序中显示的顺序。可以在时间轴中排列关键帧，以便编辑动画中事件的顺序。

图层

图层是透明的，在舞台上一层层地向上叠加，图层可以帮助组织文档中的插图。可以在图层上绘制和编辑对象，而不会影响其他图层上的对象。如果一个图层上没有内容，那么就可以通过它看到下面的图层。

可以创建的图层数只受计算机内存的限制，而且图层不会增加SWF文件的大小，只有放入图层的对象，才会增加文件的大小。

1.6 总结扩展

Flash动画是一种动画类型，也归属于动漫产业。动漫产业以“创意”为核心，以动画、漫画为表现形式，包含动漫图书、报刊、电影、音像制品、舞台剧和基于现代信息传播技术手段的动漫新品种等动漫直接产品的开发、生产、出版、播出、演出和销售，以及与动漫形象有关的服装、玩具、电子游戏等衍生产品的生产和经营的产业。

动漫作为一种文化产品，有多种载体和表现平台，综合起来看，动漫产业链大体上有4个环节，漫画（图书、报刊）、动画（电影、电视、音像制品）以及舞台剧和网络动漫。漫画创作是产业的基础，影视动漫是产业的传播工具，动漫舞台剧是产业的延展和提升，网络动漫是产业在新技术条件下的运用，具有拉动和整合的作用。此外，还有游戏、玩具等周边产品开发。这几个环节是相互依存、互为拉动的关系。美国、日本等国已经过几十年的发展，而我国动漫产业还未形成完整和良好的产业链。

动漫产业是一个新兴的文化产业，近年来在全球发展迅猛。2005年动漫产业全球产值超过5000亿美元，已经成为日本、美国、韩国的第一大产业或支柱产业。国内动漫产业最早兴起于2002年，上海起步最早，目前仍居国内领先水平，现在全国已经有20多个省市提出将动漫产业作为新兴产业大力扶持。目前中国动漫产业所面临的现实是危机和机遇同时存在。

中国动漫产业处于起步阶段，但发展速度很快，空间广阔。据中国动漫协会估计，3年前中国动漫产业年总产值仅117亿元。目前年总产值为180亿元左右，其中相当一部分还是外商支付的加工费。大量“洋动漫”占领了中国动漫市场，致使国内动漫市场份额不断丧失。据国内一项调查结果显示，在青少年最喜爱的动漫作品中，日本、韩国动漫占60%，欧美动漫占29%，中国内地和港台地区原创动漫的比例仅为11%。

综上所述，就应该了解动漫产业为什么被称为朝阳产业，而作为动画制作利器的Flash，必将会得到更长远的发展。

1.6.1 本章小结

本章主要讲解了Flash的发展史，Flash动画的设计原则等，并讲解了Flash动画的制作流程，以及一些与Flash动画制作息息相关的基础知识。完成本章的学习后，读者应该对Flash有了初步的印象，了解其制作动画的类型和常用格式，并且了解了Flash在各个领域中的应用，为以后Flah动画的制作打下坚实的基础。

1.6.2 举一反三——Flash动画的分类

Flash 动画的形式主要可以分为静态的Flash动画和动态的Flash动画，静态的Flash动画类似于漫画，只不过创作的环境改在了Flash中，而动态的Flash动画，是指在Flash中创作的动画。

静态Flash动画

静态的Flash动画其实也就是单幅或者多幅的Flash动画，是利用Flash软件中的绘图工具绘制完成的，虽然Flash不能像Photoshop那样实现很多的特殊效果，但所绘制出的单幅画、连环画，甚至是CG作品都很漂亮、流畅，如图1- 18所示为使用Flash所绘制的静态Flash动画。

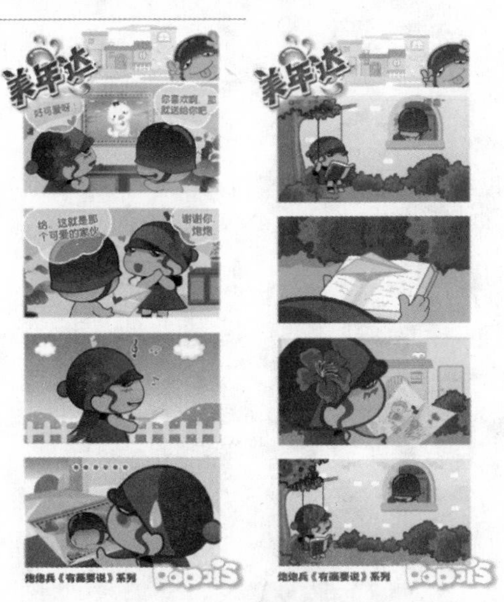

图1-18　使用Flash所绘制的静态四格漫画

动态Flash动画

动态Flash动画也就是我们所说的Flash动画，只不过它是以动画作为整个画面的表现现形式。动态的Flash动画更加生动活泼，如图1- 19所示为人物行走的动画。

图1-19　人物行走的动作

第2章 快速熟悉Flash CS5

Flash CS5是具有高效和高定制性的集成开发环境，本章通过对Flash的新增功能和对Flash开发环境的介绍，让读者从整体上把握Flash CS5可以做些什么来实现用户的设计思路。

本章学习要点

- 掌握Flash CS5的安装与启动
- 熟悉Flash CS5的工作环境
- 掌握Flash CS5文档基本操作
- 掌握Flash CS5首选项的常用配置
- 了解Flash CS5中的辅助工具

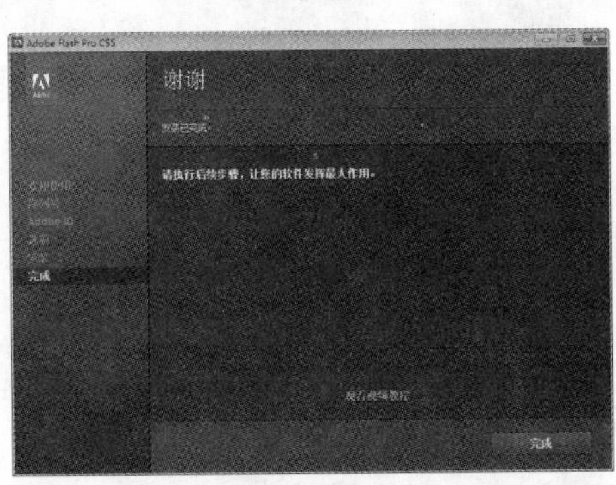

实例名称：安装Flash CS5

源 文 件：无

教学视频：光盘\视频\第2章\2-1.swf

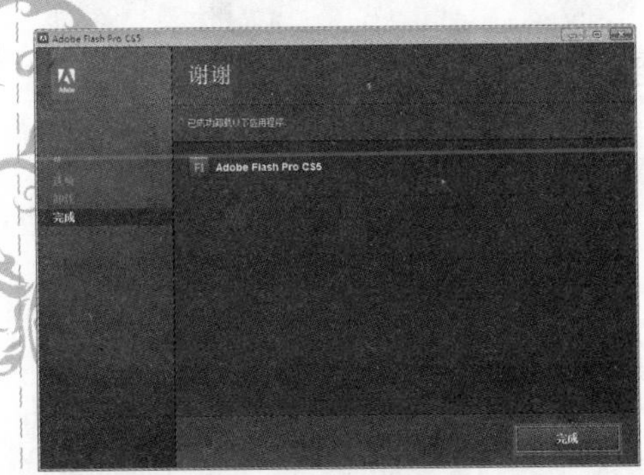

实例名称：卸载Flash CS5

源 文 件：无

教学视频：光盘\视频\第2章\2-7-2.swf

2.1 Flash的安装与启动

在使用Flash前，首先需要将Flash软件安装到计算机中。Flash CS5的安装很简单，因为Adobe系列软件的安装、卸载都具有良好的引导界面，读者只需要按照安装、卸载程序的提示信息操作，即可顺利安装或卸载Flash CS5。

2.1.1 安装Flash CS5

Flash CS5对计算机的配置要求，按操作系统可分为两类，如下表所示：

Windows系统	**处理器：** Intel Pentium 4 或 AMD Athlon 64 处理器 操作系统：Microsoft Windows XP（带有 Service Pack 2，推荐 Service Pack 3），Windows Vista Home Premium、Business、Ultimate 或 Enterprise（带有 Service Pack 1），或 Windows 7 **内存：** 1GB 内存 **硬盘空间：** 3.5GB 可用硬盘空间用于安装，安装过程中需要额外的可用空间（无法安装在基于闪存的可移动存储设备上） **显卡：** 1024×768 分辨率（推荐 1280×800），16 位显卡 **光驱：** DVD-ROM 驱动器 需要QuickTime 7.6.2 软件 **网络：** 在线服务需要宽带 Internet 连接
Mac OS	**处理器：** Intel 多核处理器 **操作系统：** Mac OS X 10.5.7 或 10.6 版 **内存：** 1GB 内存 **硬盘空间：** 4GB 可用硬盘空间用于安装，安装过程中需要额外的可用空间（无法安装在使用区分大小写的文件系统的卷或基于闪存的可移动存储设备上） **显卡：** 1024×768 分辨率（推荐 1280×800），16 位显卡 **光驱：** DVD-ROM 驱动器 **软件：** 多媒体功能需要 QuickTime 7.6.2 软件 **网络：** 在线服务需要宽带 Internet 连接

应用实例：安装Flash CS5

了解了Flash的安装要求后，接下来开始安装Flash。Flash CS5的安装大致分为6个流程，“欢迎说明”、输入“序列号”、填写“Adobe ID”、配置安装“选项”、开始“安装”和“完成”安装。

源文件：无

教学视频：光盘\视频\第2章\2-1.swf

STEP 01 将 Adobe Flash CS5 安装光盘放入 DVD 光驱中，稍等片刻，自动进入“初始化安装程序”界面，如图 2-1 所示，初始化完成后，进入“欢迎界面”，界面的左侧显示安装的流程，如图 2-2 所示。

图2-1　“初始化安装程序”界面

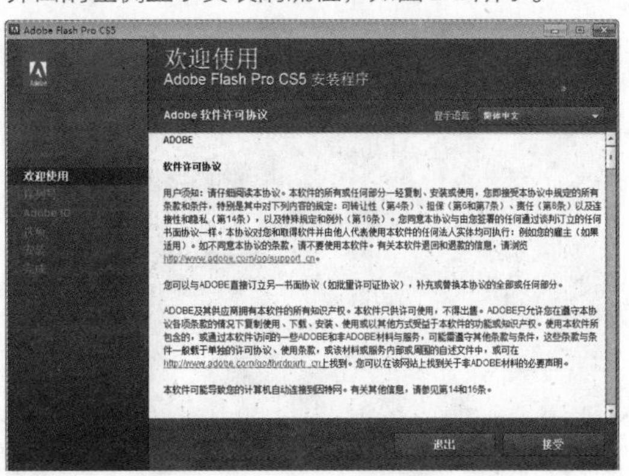

图2-2　“欢迎使用”界面

STEP 02 单击“接受”按钮，进入验证序列号的安装流程，如图 2-3 所示。在此输入所购买的序列号，单击“下一步”按钮即可。如果没有序列号，Adobe 公司提供了为期 30 天的试用版，单击“安装此产品的试用版”，在右侧下拉菜单中选择合适的语言版本，如图 2-4 所示。

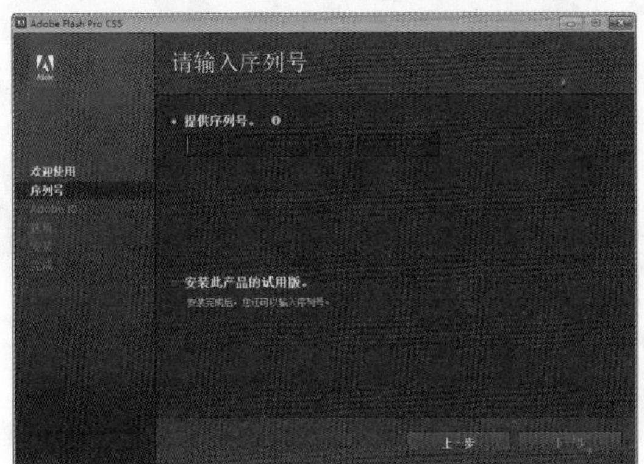

图2-3　“请输入序列号”界面

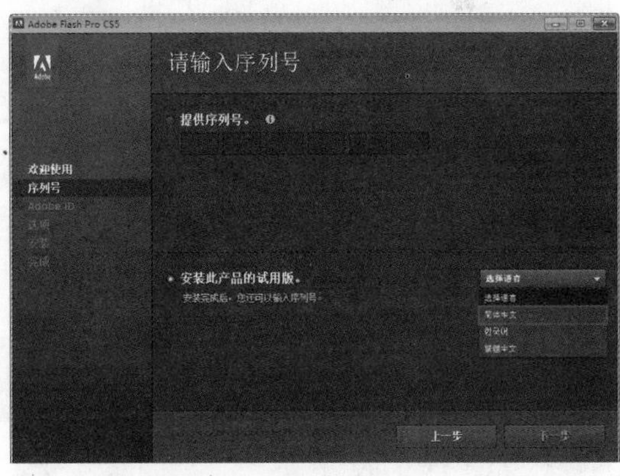

图2-4　“安装选项”界面

STEP 03 单击“下一步”按钮，进入“安装选项”界面，用户可在该界面选择所要安装的组件和自定义软件安装位置，如图 2-5 所示，单击“安装”按钮，显示“正在准备安装”，如图 2-6 所示。

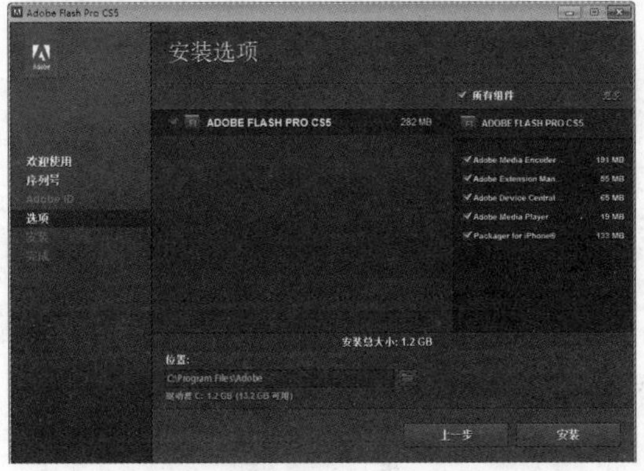

图2-5　“安装选项”界面

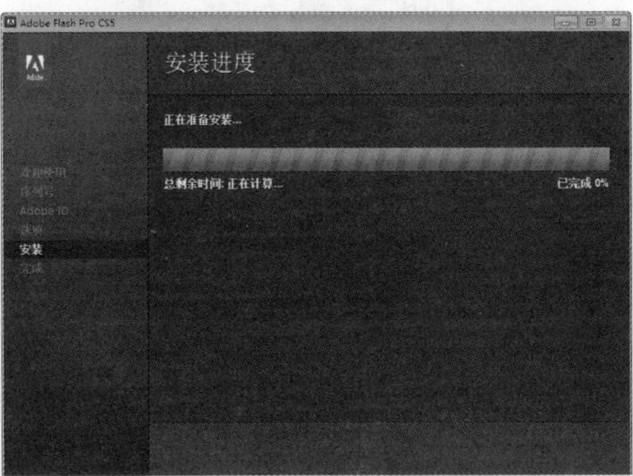

图2-6　准备安装

STEP 04 稍等片刻，自动进入“安装进度”界面，如图 2-7 所示。软件安装完成后，显示安装完成界面，如图 2-8 所示。单击“完成”按钮，关闭该界面，即可完成安装。

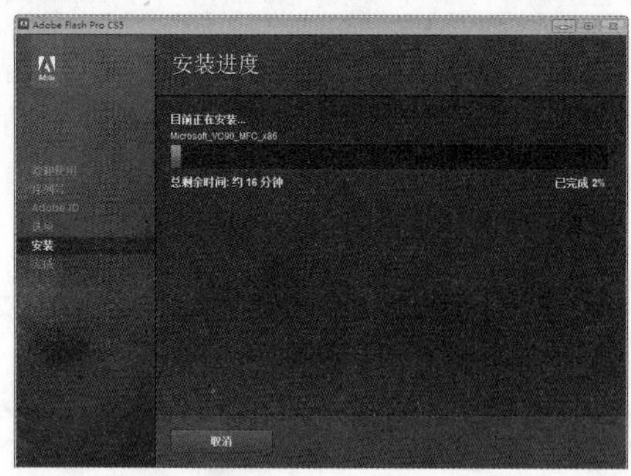

图2-7 “安装进度”界面

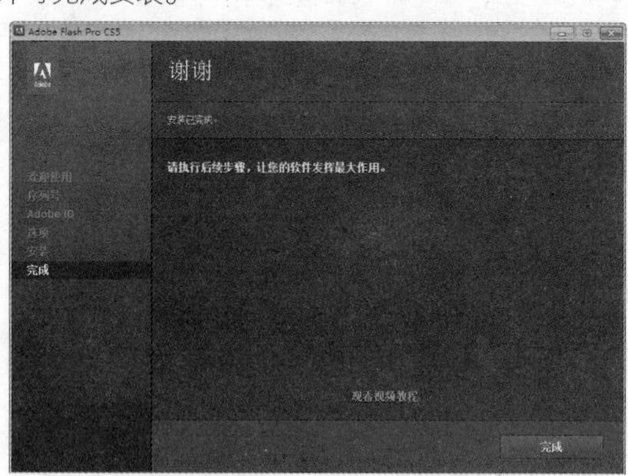

图2-8 完成安装

2.1.2 启动Flash CS5

安装完成后，Flash不会在桌面创建快捷方式，用户可在【开始】|【所有程序】菜单中找到Flash CS5的启动图标，如图2-9所示。单击图标，进入Flash CS5启动界面，如图2-10所示。待软件初始化完成后，即可进入Flash CS5界面，如图2-11所示。

Adobe Bridge CS5
Adobe Device Central CS5
Adobe ExtendScript Toolkit CS5
Adobe Extension Manager CS5
Adobe Flash Professional CS5
Adobe Help
Adobe Media Encoder CS5
Adobe Photoshop CS5
Adobe Pixel Bender Toolkit 2

图2-9 启动界面

图2-10 启动图标

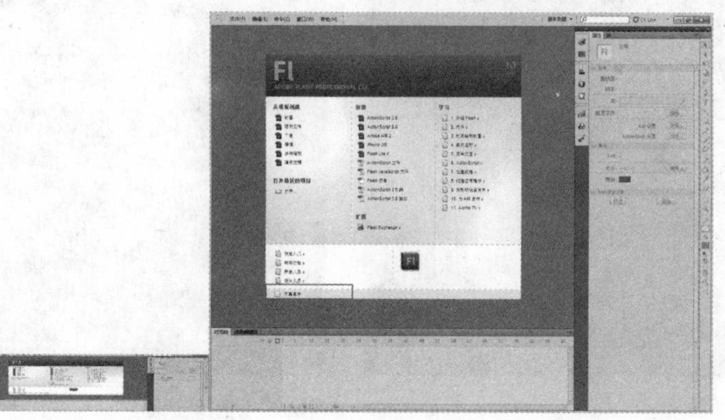
图2-11 Flash程序界面

2.2 Flash CS5的新增功能

Flash CS5在用户体验等方面做了较多的改进，比如新增了代码片断面板，让初级用户轻松使用ActionScript语言，在AS编辑器中还新增了代码完成、代码提示和括号补全，以提高编程效率，下面列举几项Flash的新增功能，希望这些新功能能为读者带来新的惊喜和灵感。

2.2.1 文本引擎

文本引擎是Flash CS5改变较大的地方，相对于之前的“传统文本”引擎，新的TLF文本引擎大大增加了对文本属性的控制。比如可以为TLF文本直接应用色彩效果、混合模式和3D旋转，而无须像以前那样要先将文本转换为影片剪辑元件，如图2-12所示。TLF文本是Flash CS5中的默认文本类型，如图2-13所示，可以看到Flash CS5在属性面板中新增的参数种类。

图2-12 “3D旋转”效果

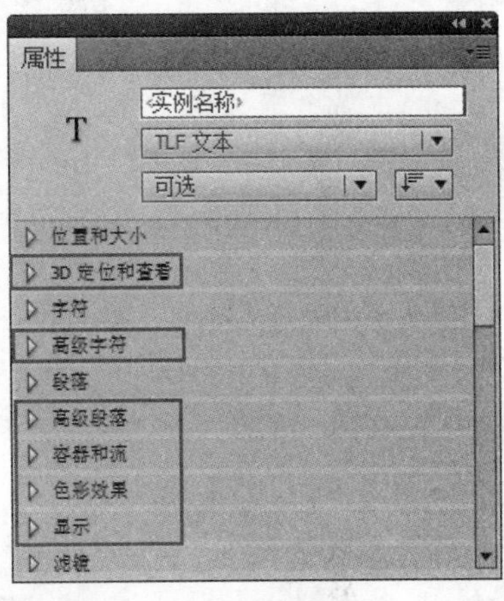

图2-13 文本“属性”面板

2.2.2 代码片断面板

Flash CS5里新增了“代码片断”面板，在“代码片断”面板里，Flash预建了多个代码块，如图2-14所示，非专业ActionScript程序员使用这些现成的代码块，即可轻松使用ActionScript，同时也可以利用它来学习ActionScript 3.0。利用“代码片断”面板，可以添加能影响行为的代码，添加能在时间轴中控制播放头移动的代码；单击右上角的下拉菜单按钮，如图2-15所示，还可以创建新的代码片断到面板。

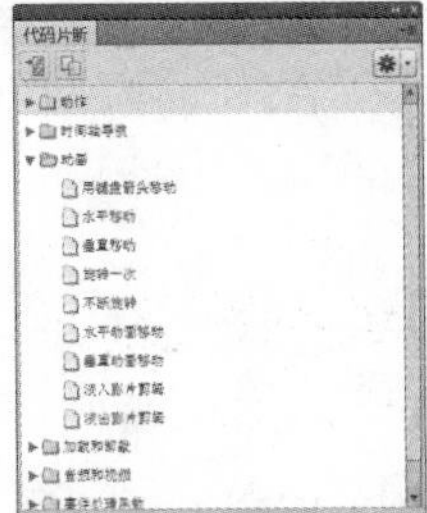

图2-14 “代码片断”面板

图2-15 “代码片断”管理菜单

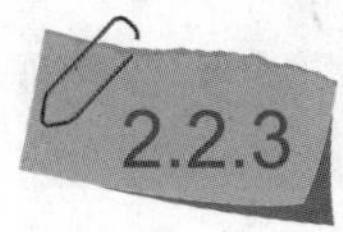

2.2.3 增强的 ActionScript 编辑器

借助经过改进的 ActionScript 编辑器加快开发流程，增强的内容包括对自定义ActionScript 3.0类启用了代码完成或代码提示，如图2-16所示。在“动作”面板或“脚本”窗口中键入一个左括号 { +Enter时，Flash 将自动添加相应的右括号 }，如图2-17所示。

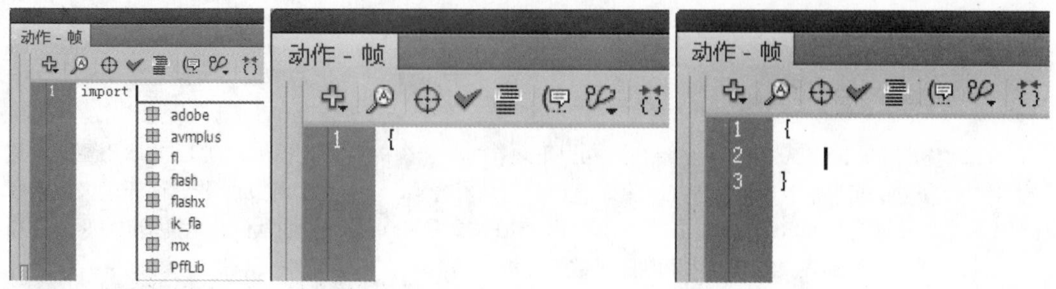

图2-16　代码提示

图2-17　括号补全

2.2.4 Creative Suite 集成

使用 Adobe Photoshop、Illustrator、InDesign 和 Flash Builder 等 Adobe Creative Suite 组件可提高工作效率。比如可以在 Photoshop CS5 中执行位图图形的往返编辑，打开属性面板，如图2-18所示，单击“编辑”按钮，在打开的Photoshop里编辑好位图后进行保存，Flash会自动更新位图为最新保存的状态，如图2-19所示。

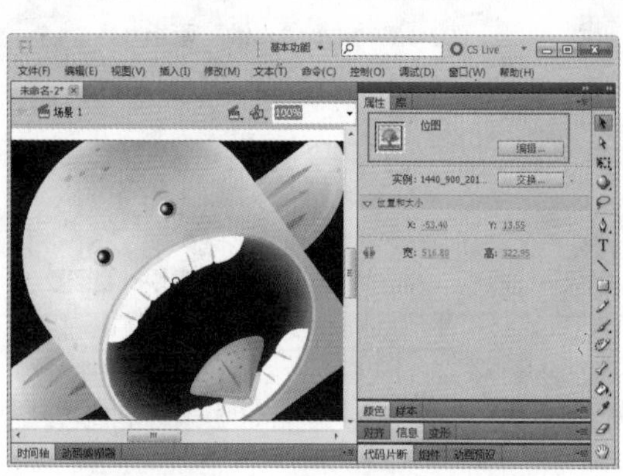

图2-18　启动Photoshop编辑位图

图2-19　在Phostoshop中编辑

2.2.5 Flash Builder 集成

Flash CS5将 Flash Builder 作为Flash Professional项目的ActionScript主编辑器。如图2-20所示为Flash Bulider编辑器。

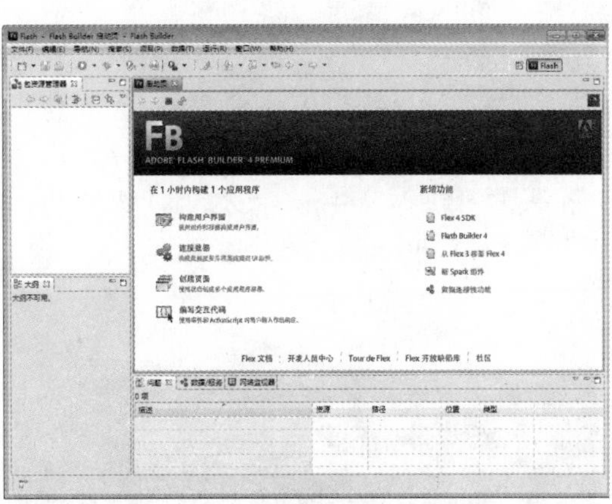

FB启动界面　　FB工作界面

图2-20　Flash Builder

2.2.6 视频改进

新“提示点”属性检查器，如图2-21所示，向 Flash 中的视频添加视频提示可允许事件在视频中的特定时间触发。

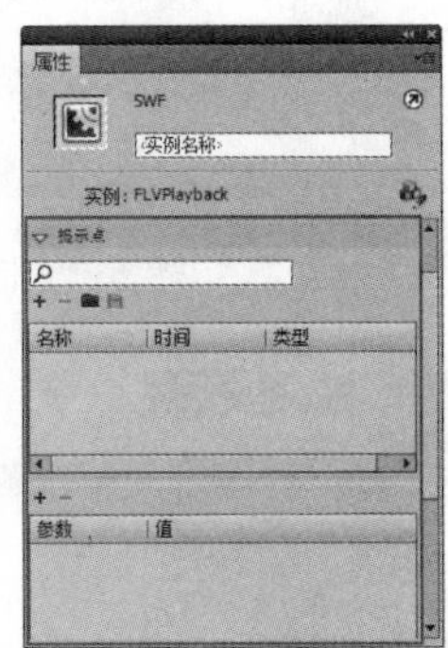

图2-21　新“提示点”属性检查器

2.2.7 基于 XML 的 FLA 源文件

新增XFL为FLA源文件的内部格式的Flash文件，如图2-22所示。借助未压缩的 XFL 格式，不同的人员可以单独使用 Flash 文件的各个部分，还可以使用源控制系统对未压缩的XFL文件中的每个子文件进行查看或更改。作为协作项目，可以使多个设计人员和开发人员在大型项目上的合作更加轻松。

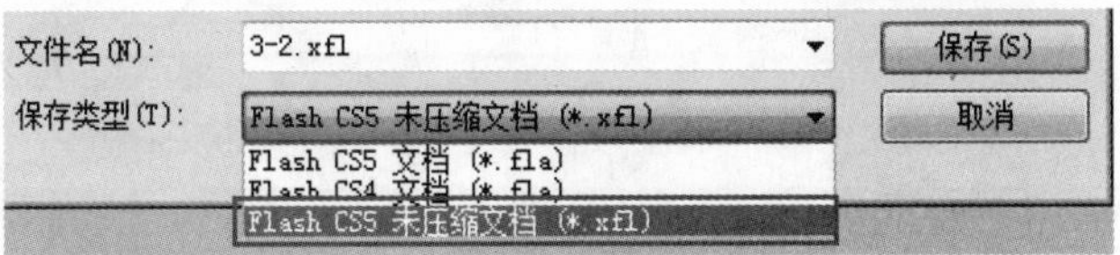

图2-22　保存为XFL文档

广泛的内容分发

实现跨任何尺寸屏幕的一次发布（包括 iPhone），Adobe Device Central 用于增强测试，如图2-23所示为Devices Central。

Device Central启动界面

Device Central工作界面

图2-23　Device Central

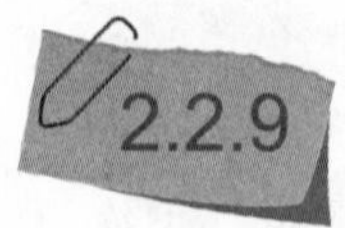

骨骼工具大幅改进

借助为骨骼工具新增的动画属性，创建出更逼真的反向运动效果，如图2-24所示，新增的“弹簧”属性如图2-25所示。

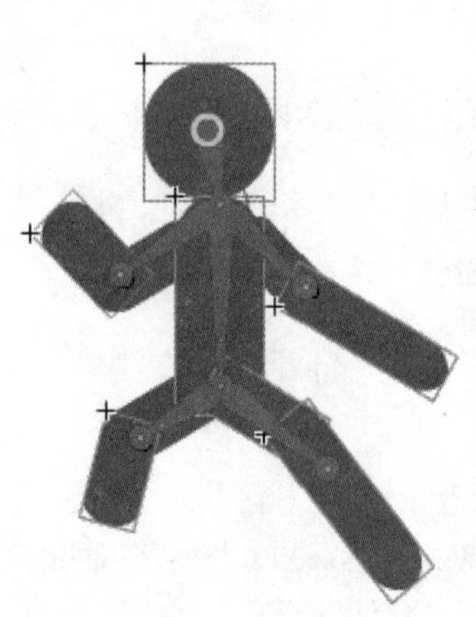

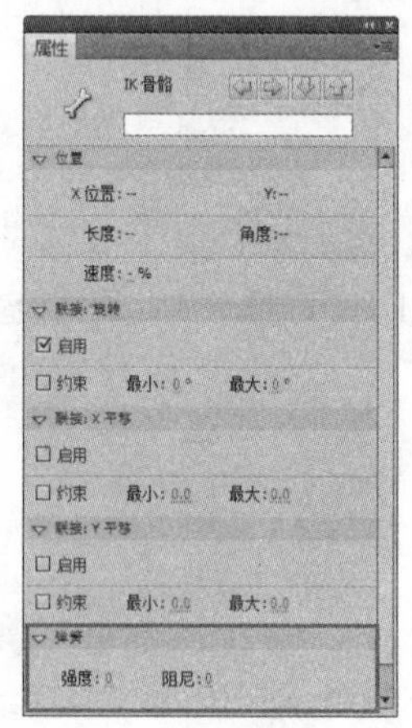

图2-24　骨骼效果

图2-25　新增“弹簧”属性

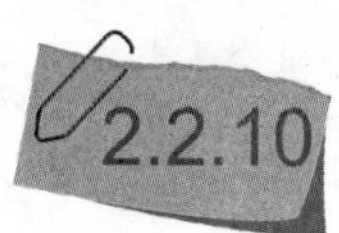

Deco 绘制工具

Flash CS5相对于上一版本新增了10款绘制效果，包括“颗粒”、“树”、“火焰动画”、“闪电”等,如图2-26所示。

“火焰动画”刷子　“树”刷子

图2-26　“Deco工具”的新增刷子

2.3 Flash CS5的工作界面

Flash CS5的工作界面进行了许多改进，图像处理区域更加开阔，文档的切换也变得更加快捷，这些改进创造了更加方便的工作环境。

2.3.1 Flash CS5的初始界面

第一次启动Flash CS5时，默认显示如图2-27所示的“欢迎屏幕”。下面介绍“欢迎屏幕”的各个组成部分。

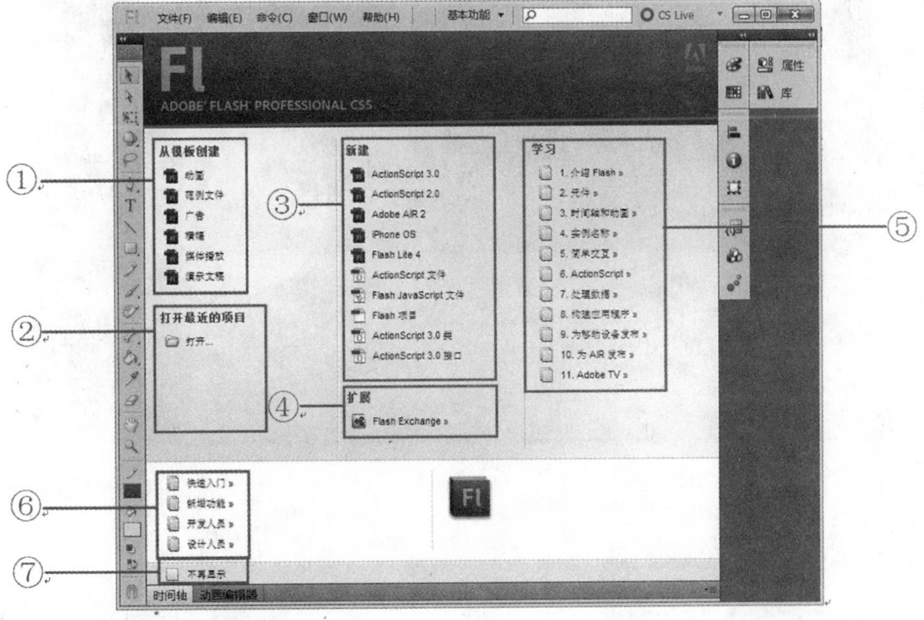

图2-27　Flash CS5初始界面

①从模板创建	在该栏目中可选择一款已保存的动画文档，作为模板进一步编辑、发布。用户可利用这些成品文档提高工作效率，初学者还可利用它们作为学习范例。
②打开最近项目	此区域含有最近打开过的文档，方便用户快速打开它们。
③新建	在“新建”栏目中，可根据需要快速新建不同的文档类型。
④扩展	单击该选项，将在浏览器中打开Flash Exchange页面，该页面提供了Adobe出品的众多软件的扩展程序、动作文件、脚本、模板等下载资源。
⑤学习	选择“学习”栏目中的相关条目，可在浏览器中查看由Adobe公司提供的Flash学习课程。
⑥相关链接	Flash在此提供了“快速入门”、“新增功能”、“开发人员”和“设计人员”的网页链接，用户可使用这些资源进一步了解Flash。
⑦不再显示	勾选此选项，Flash在下一次启动时，就不再显示“欢迎屏幕”。

2.3.2 Flash CS5的工作界面

Flash在每次版本升级时，都会对界面进行优化，以提高设计人员的工作效率。Flash CS5的风格与Flash CS4的风格相近，相信接触过Flash CS4的读者可轻松掌握本小节的内容。

打开Flash CS5，我们可以看到如图2-28所示的界面。

图2-28　Flash CS5工作界面

①应用程序栏	单击该栏右侧的“基本功能”按钮，弹出如图2-29所示的下拉列表。这里提供了默认的多种工作区预设，选择不同的项目，即可载入需要的工作区预设。在列表的最后提供了重置工作区、新建工作区、管理工作区三种功能，“重置”用于恢复工作区的默认状态，“新建工作区”用于创建个人喜好的工作区配置，“管理工作区”用于管理个人创建的工作区配置，可执行重命名或删除操作，如图2-30所示。 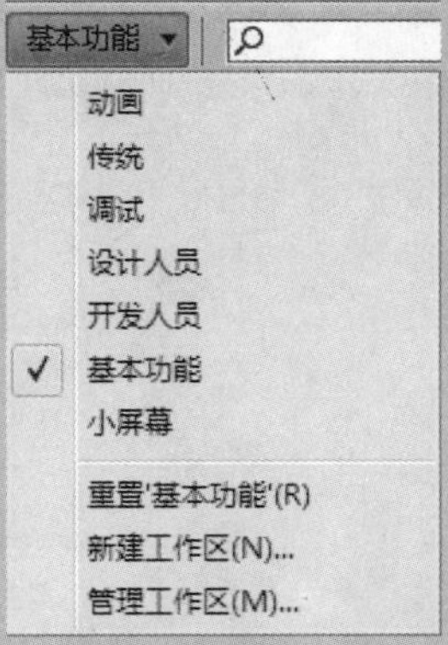 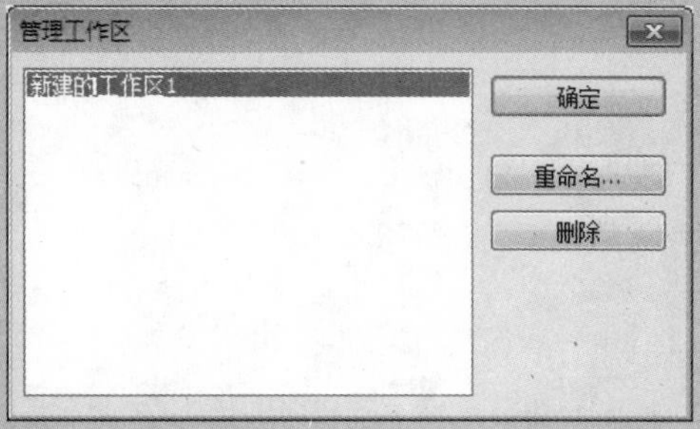 图2-29　工作区配置菜单　　图2-30　“管理工作区”对话框
②菜单栏	菜单栏是Flash提供的命令集合，几乎所有的可执行命令都可在这里直接或间接地找到相应的操作选项。
③窗口选项卡	显示文档名称，当用户对文档进行修改而未保存时，则会显示“*”作为标记。
④编辑栏	该栏左侧显示当前“场景”或“元件”，单击右侧的“编辑场景”按钮，可选择要编辑的场景，单击旁边的“编辑元件”按钮，选择要切换编辑的元件。取消显示该栏，执行【窗口】|【工具栏】|【编辑栏】命令即可。
⑤舞台	动画显示的区域，用于编辑和修改动画。
⑥时间轴面板	“时间轴”面板其实同属于面板之一，是Flash制作中操作最为频繁的面板之一。
⑦面板	用于配合场景、元件的编辑和Flash的功能设置。
⑧工具箱	可显示文档大小、文档尺寸、当前工具和窗口缩放比例等信息。

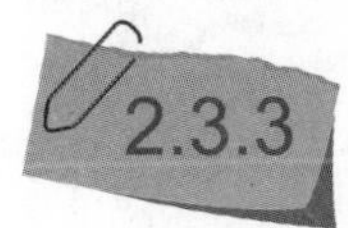

2.3.3 Flash CS5的主菜单

和其他大多数软件一样，菜单栏集合了软件的绝大多数命令，熟悉了主菜单有利于读者从整体上了解Flash中的各种功能，这对学习Flash会有很大帮助。

Flash CS5的主菜单如图2-31所示，这11组菜单包含不同的功能和命令，是Flash中重要的组成部分。

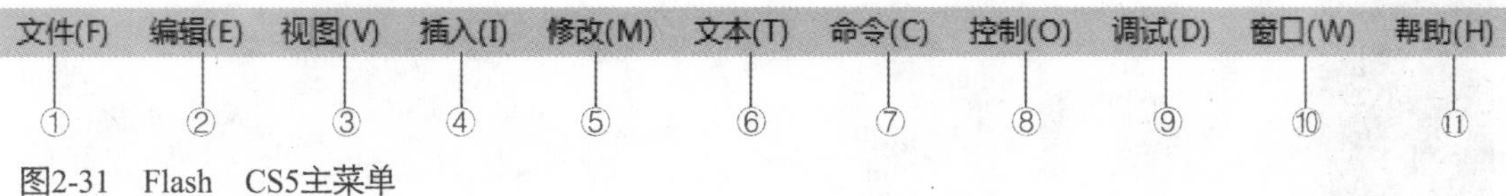

图2-31　Flash　CS5主菜单

①文件	【文件】菜单下的设置项多是具有全局性的，如新建、打开、关闭、保存文档、导入、导出选项、发布相关、AIR和ActionScript设置、打印和页面设置，以及退出Flash等命令，如图2-32所示。
②编辑	在【编辑】菜单下，一般会提供多种作用于舞台中各种元素的命令，如复制、粘贴、剪切等。另外Flash在该菜单下还提供了“首先参数”、“自定义工具面板”、“字体映射”及“快捷键”的设置项，如图2-33所示。
③视图	在【视图】菜单下，一般是用于调整Flash整个编辑环境的视图命令，如放大、缩小、标尺、网格等命令，如图2-34所示。 图2-32 【文件】菜单 图2-33 【编辑】菜单 图2-34 【视图】菜单
④插入	【插入】菜单下，一般是用于针对整个“文档”的操作，比如在文档中插入元件、场景，在时间轴中插入补间、层或帧等，如图2-35所示。
⑤修改	在【修改】菜单下，包括了一系列对舞台中元素的修改，如“转换为元件”、“变形”等，还包括了对文档的修改等命令，如图2-36所示。
⑥文本	在【文本】菜单中可以执行与文本相关的命令，如设置字体样式、大小、字母间距等，如图2-37所示。 图2-35 【插入】菜单 图2-36 【修改】菜单 图2-37 【文本】菜单
⑦命令	Flash CS5允许用户使用JSFL文件创建自己的命令，在【命令】菜单中可运行、管理这些命令或使用Flash默认提供的命令，如图2-38所示。
⑧控制	【控制】菜单下，可以选择测试影片或测试场景，还可以设置影片测试的环境，比如用户可以选择在桌面或移动设备中测试影片，如图2-39所示。

⑨调试	该菜单下提供了影片调试的相关命令，如设置影片调试的环境等，如图2-40所示。 图2-38 【命令】菜单　图2-39 【控制】菜单　图2-40 【调试】菜单
⑩窗口	【窗口】菜单下主要集合了Flash中的面板激活命令，执行一个想要激活的面板名称，即可打开该面板，如图2-41所示。
⑪帮助	在【帮助】菜单中含有Flash官方帮助文档，也可以选择【关于Adobe Flash Professional CS5(A)】命令来了解当前Flash的版权信息，如图2-42所示。 图2-41 【窗口】菜单　图2-42 【帮助】 菜单

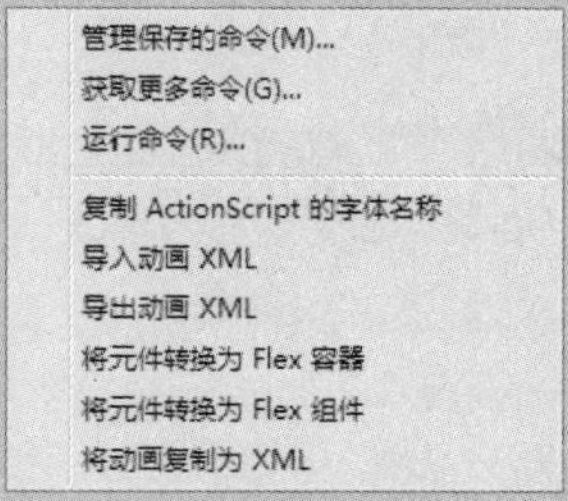

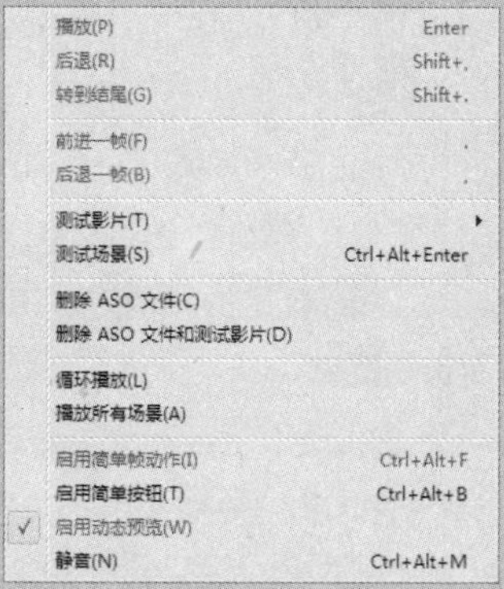

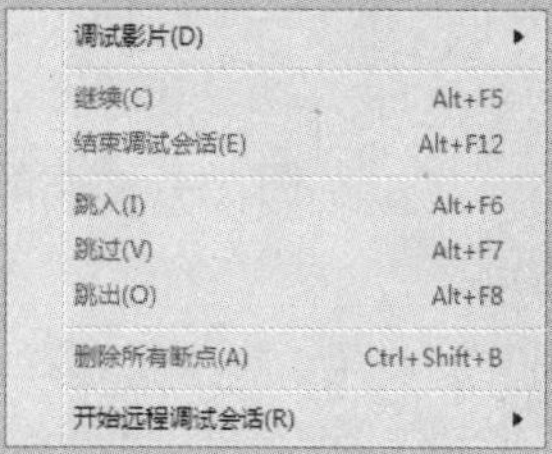

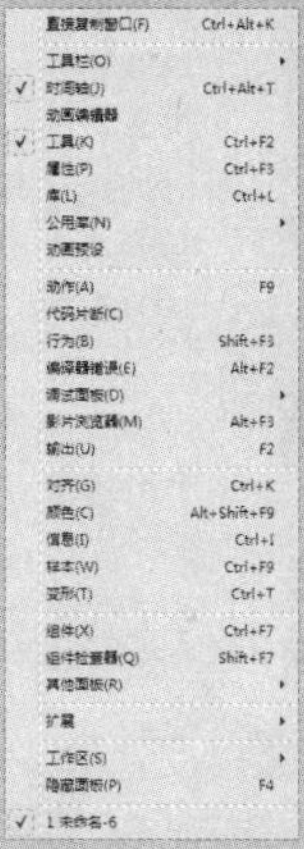

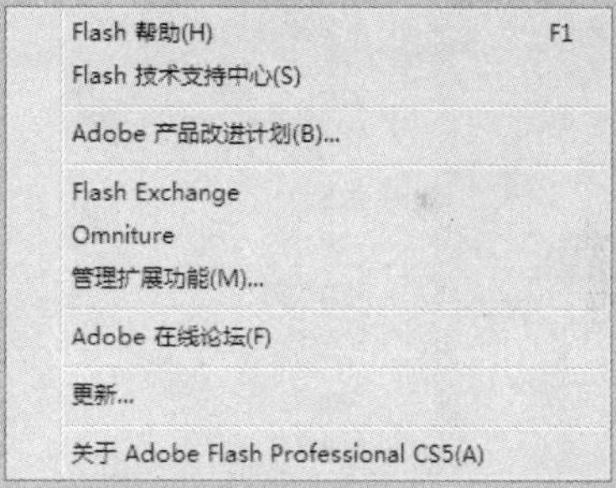

Flash CS5菜单的操作

- 打开菜单

单击一个菜单名称，即可打开该菜单，在菜单中不同功能的命令之间采用分隔线区分，带有黑色三角标记的命令表示包含扩展菜单，如图2-43所示。

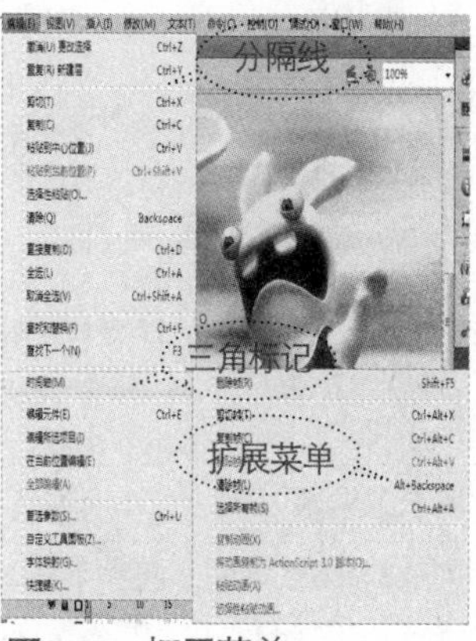

图2-43 打开菜单

- 执行菜单中的命令

选择菜单中的一个命令即可执行该命令，如果命令后面带有快捷键，如图2-44所示，则按其对应的快捷键，即可快速执行该命令。有些命令后面只提供了字母，如图2-45所示，可先按住“Alt”键，再按主菜单的字母键，打开该菜单，然后按命令后面的字母，如按“Alt+I+C”快捷键即可执行该命令。

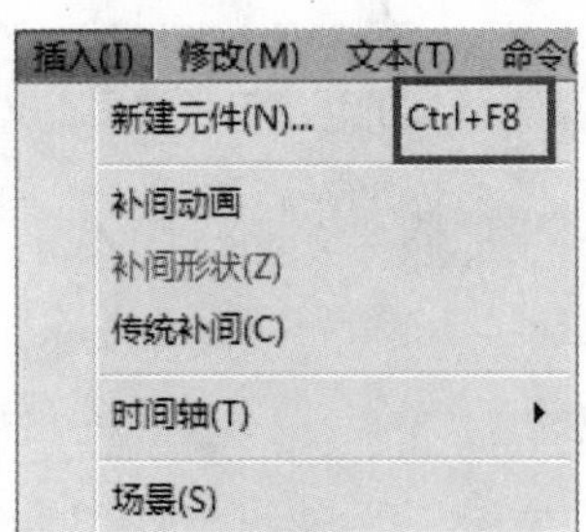

图2-44　命令后面带快捷键

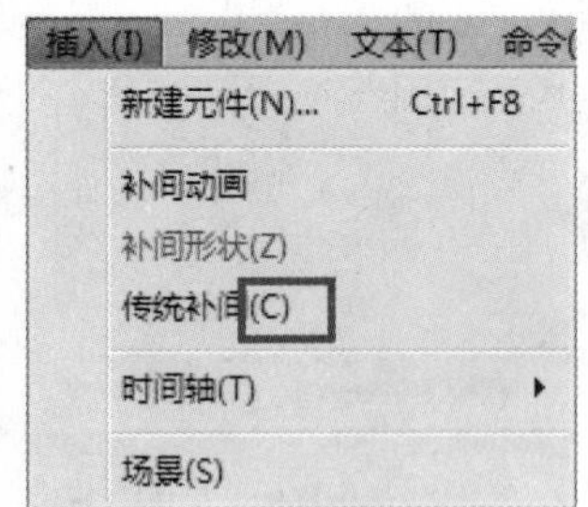

图2-45　命令后面带字母

如果菜单中的某一命令显示为灰色，表示该命令在当前状态下不可用；如果某一命令名称后代有“…”符号，表示执行该命令时，将弹出相应的对话框。

- 使用快捷菜单

在文档窗口空白处或一个对象上单击鼠标右键，可以显示快捷菜单，如图2-46所示，在面板上单击鼠标右键，也可以显示快捷菜单，如图2-47所示。

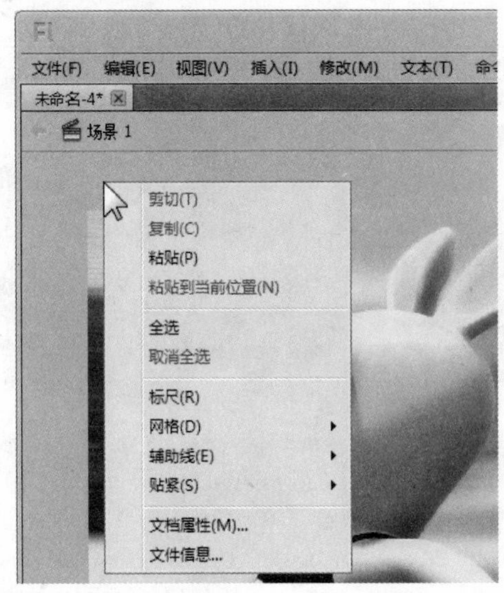

图2-46　快捷菜单

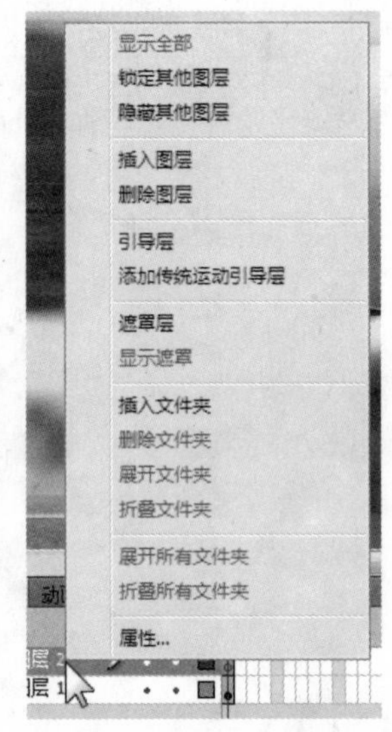

图2-47　“图层”快捷菜单

在一些书籍中，也把快捷菜单称为“上下文菜单”。

2.3.4 工具箱

工具箱中包含有很多工具，每个工具都能实现不同的效果，熟悉各个工具的功能特性是Flash学习的重点之一。

认识工具箱

Flash默认的工具箱如图2-48所示，由于工具太多，一些工具被隐藏起来。在工具箱中，如果工具按钮右下角含有黑色小箭头，则表示该工具下还有其他被隐藏的工具，下面将为读者简单介绍工具箱中的各类工具。

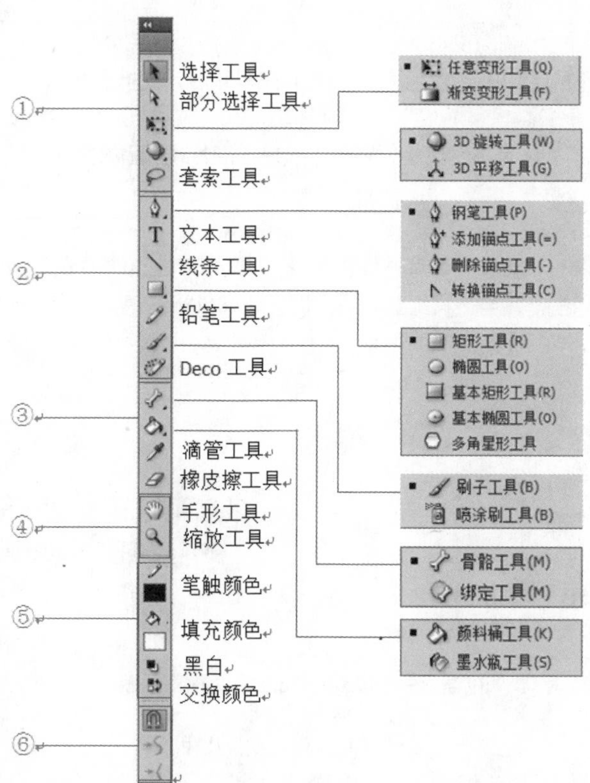

图2-48　工具箱

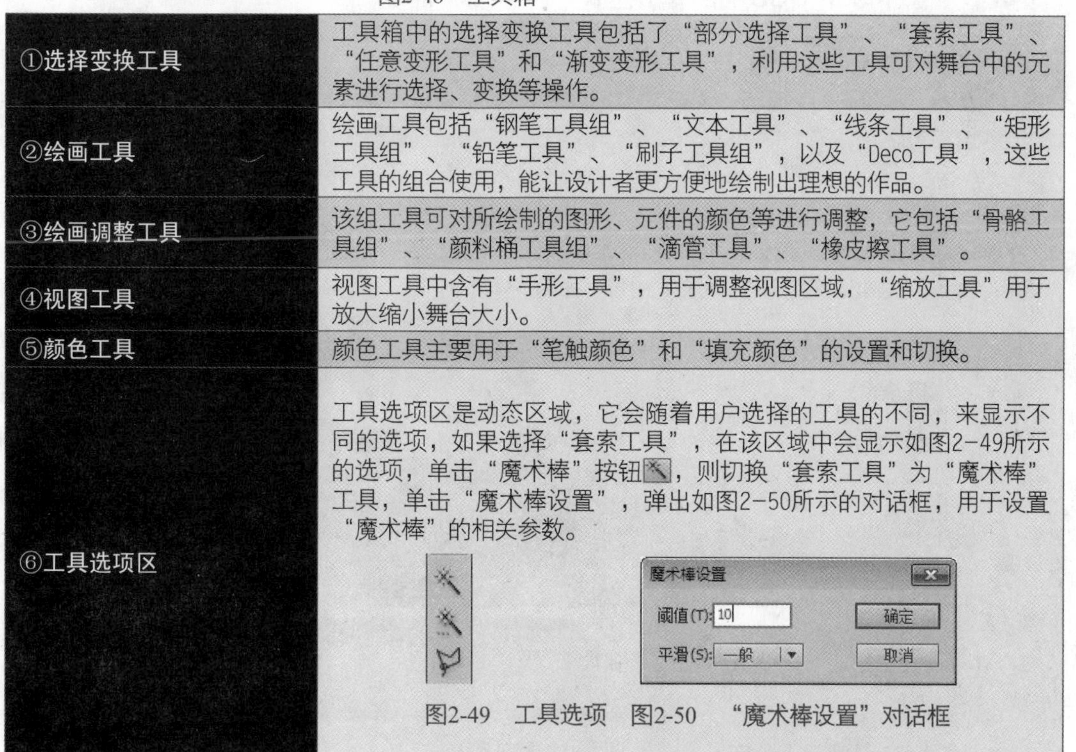

①选择变换工具	工具箱中的选择变换工具包括了“部分选择工具”、“套索工具”、“任意变形工具”和“渐变变形工具”，利用这些工具可对舞台中的元素进行选择、变换等操作。
②绘画工具	绘画工具包括“钢笔工具组”、“文本工具”、“线条工具”、“矩形工具组”、“铅笔工具”、“刷子工具组”，以及“Deco工具”，这些工具的组合使用，能让设计者更方便地绘制出理想的作品。
③绘画调整工具	该组工具可对所绘制的图形、元件的颜色等进行调整，它包括“骨骼工具组”、“颜料桶工具组”、“滴管工具”、“橡皮擦工具”。
④视图工具	视图工具中含有“手形工具”，用于调整视图区域，“缩放工具”用于放大缩小舞台大小。
⑤颜色工具	颜色工具主要用于“笔触颜色”和“填充颜色”的设置和切换。
⑥工具选项区	工具选项区是动态区域，它会随着用户选择的工具的不同，来显示不同的选项，如果选择“套索工具”，在该区域中会显示如图2-49所示的选项，单击“魔术棒”按钮，则切换“套索工具”为“魔术棒”工具，单击“魔术棒设置”，弹出如图2-50所示的对话框，用于设置“魔术棒”的相关参数。 魔术棒设置　阈值(T): 10　确定　平滑(S): 一般　取消 图2-49　工具选项　图2-50　“魔术棒设置”对话框

工具箱的操作

- 展开/折叠工具箱

单击工具箱面板顶部的▶▶图标或◀◀图标，即可将工具箱展开或折叠显示。

- 移动工具箱

启动Flash时，工具箱默认为右侧显示，将光标放在如图2-51所示的位置，按住鼠标左键拖曳，即可放置在窗口的任意位置。

- 选择工具

单击工具箱中的一个工具按钮，即可选择该工具，右下角有三角图标的工具，表示是一个工具组，在该工具按钮上按下鼠标左键，当工具组显示后，即可松开鼠标左键，然后选择显示的工具即可，如图2-52所示。

图2-51　拖动工具箱

图2-52　选择工具组

Tips

将光标停留在工具图标上稍等片刻，即可显示关于该工具的名称及快捷键的提示。

2.3.5 Flash CS5中的常用面板

面板是用于设置工具参数，以及执行编辑命令的，Flash CS5中包含了20多个面板，常用面板包括“属性”面板、“时间轴”面板、“颜色”面板等，它们被显示在窗口的右侧，可根据需要打开、关闭或自由组合面板。

认识面板

Flash中所有的面板都可以在“窗口”菜单中找到，如图2-53所示。面板是用于配置工具参数、执行具体命令的，默认情况下面板以成组形式出现，如图2-54所示。

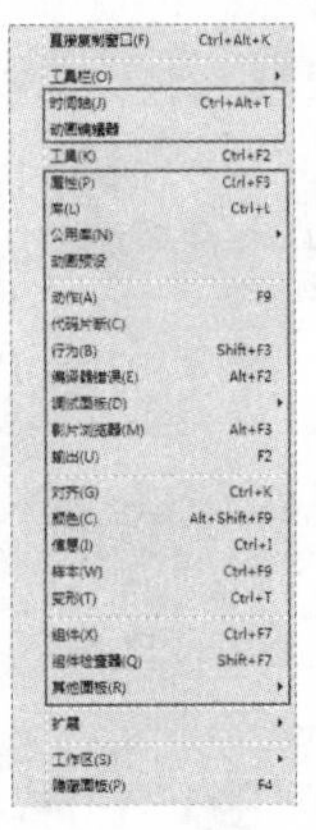

图2-53　【窗口】菜单

图2-54　默认面板

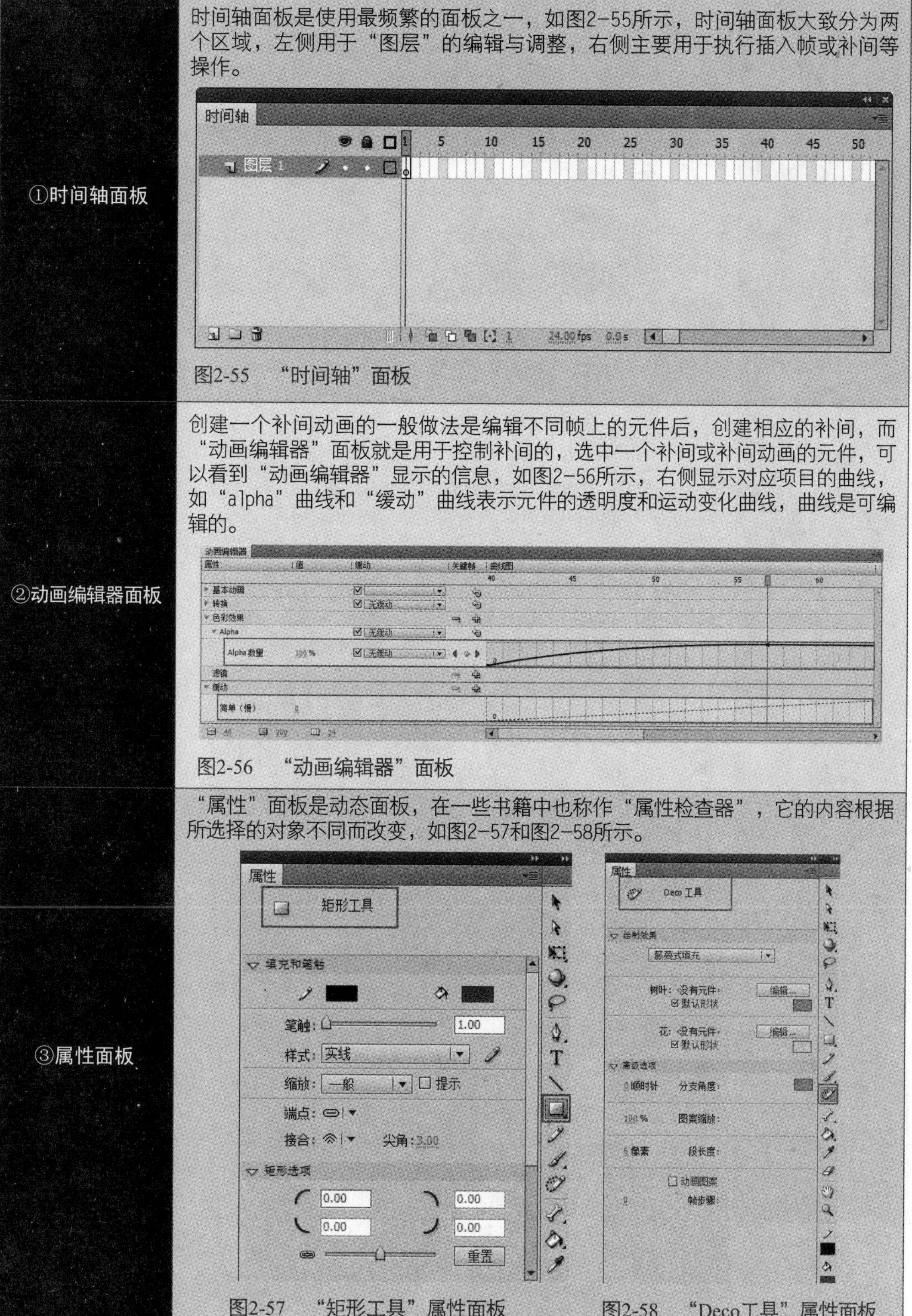

①时间轴面板	时间轴面板是使用最频繁的面板之一，如图2-55所示，时间轴面板大致分为两个区域，左侧用于“图层”的编辑与调整，右侧主要用于执行插入帧或补间等操作。 图2-55 “时间轴”面板
②动画编辑器面板	创建一个补间动画的一般做法是编辑不同帧上的元件后，创建相应的补间，而“动画编辑器”面板就是用于控制补间的，选中一个补间或补间动画的元件，可以看到“动画编辑器”显示的信息，如图2-56所示，右侧显示对应项目的曲线，如“alpha”曲线和“缓动”曲线表示元件的透明度和运动变化曲线，曲线是可编辑的。 图2-56 “动画编辑器”面板
③属性面板	“属性”面板是动态面板，在一些书籍中也称作“属性检查器”，它的内容根据所选择的对象不同而改变，如图2-57和图2-58所示。 图2-57 “矩形工具”属性面板 图2-58 “Deco工具”属性面板

④库面板

Flash的“库”用于管理动画中包含的元素面板，执行【窗口】|【库】命令打开库面板，如图2-59所示。“库”面板是可以多开的面板，单击“库”面板右上方的“新建库面板”按钮，可新建多个库，便于在设计开发工作中，对多个文档或一个文档含大量库资源时进行操作，如图2-60所示。

图2-59 “库”面板

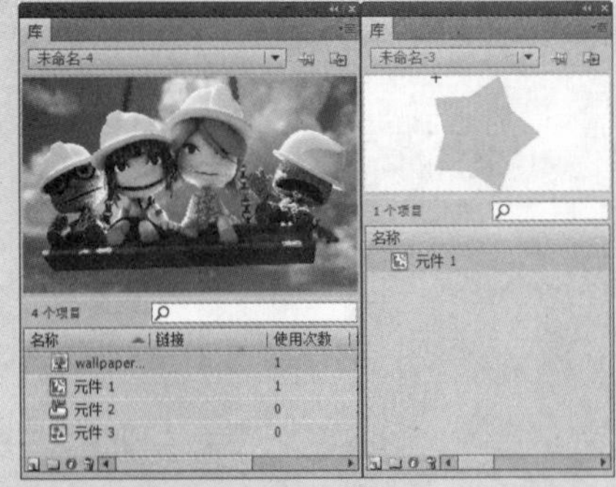

图2-60 多个“库”面板

⑤颜色面板

执行【窗口】|【颜色】命令，打开“颜色”面板，如图2-61所示。“颜色”面板可用于设置笔触和填充的颜色类型、Alpha值，还可对Flash整个工作环境进行取样等操作。

⑥样本面板

“样本”面板如图2-62所示。“样本”面板用于样本的管理，单击样本面板菜单，如图2-63所示，菜单中包含添加、删除、替换、保存样本等命令。

图2-61 “颜色”面板

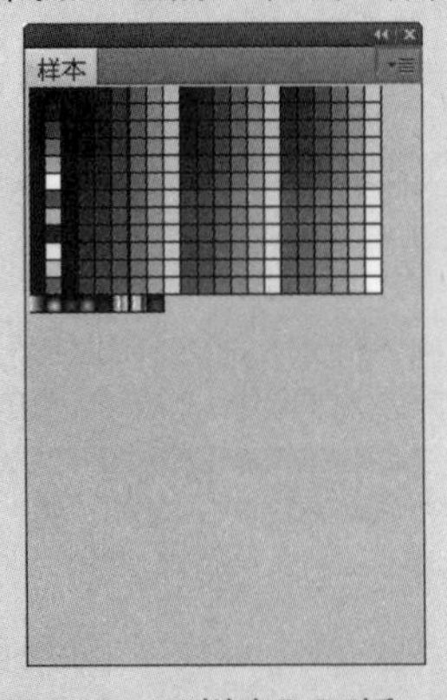

图2-62 “样本”面板

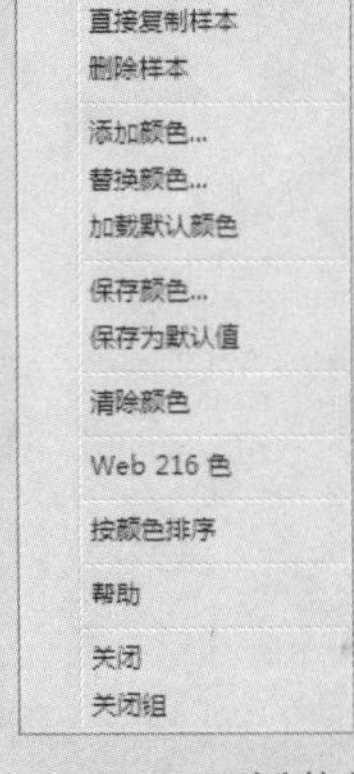

图2-63 面板菜单

⑦对齐面板

“对齐”面板如图2-64所示。选中多个元件后，可在“对齐”面板中对所选元件进行左对齐、垂直居中等操作。

⑧信息面板

“信息”面板如图2-65所示，它用于显示当前元件的宽度值、高度值、原点所在的X/Y值，及鼠标的坐标和所在区域的颜色状态。

⑨变形面板

“变形”面板如图2-66所示，“变形”面板可执行各种作用于舞台上元素的变形命令，如旋转、3D旋转等命令，其中3D旋转只适用于“电影剪辑”元件，“变形”面板还提供了【重制选区和变换】命令，以提高重复使用同一变换的效率。

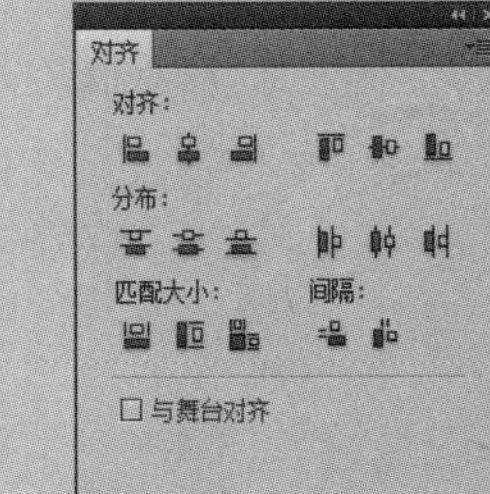

图2-64 “对齐”面板

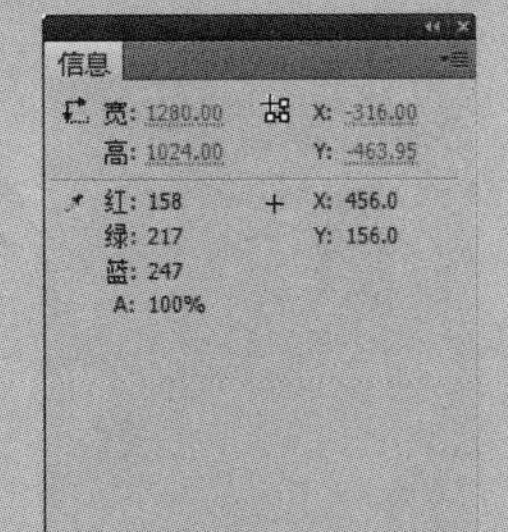

图2-65 “信息”面板

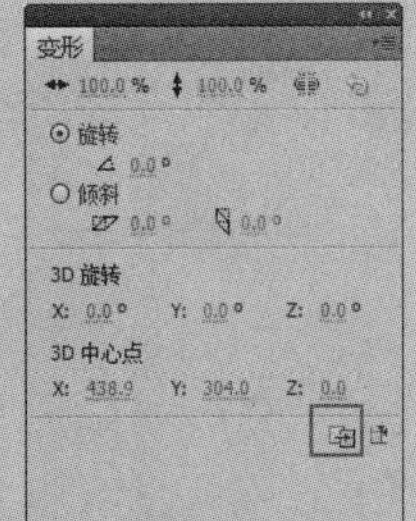

图2-66 “变形”面板

⑩代码片断

“代码片断”是FLash CS5新增的一款面板，如图2-67所示，在该面板中含有Flash为用户提供的多组常用事件，选择一个元件后，在“代码片断”中双击一个所需要的代码片断，Flash就会将该代码插入到动画中，这个过程中可能需要用户根据个人需要，手动修改少数代码，但在弹出的“动作”面板中都会有详细的修改说明，如图2-68所示。在“代码片断”面板中，还可以自行添加、编辑、或者删除代码片断。

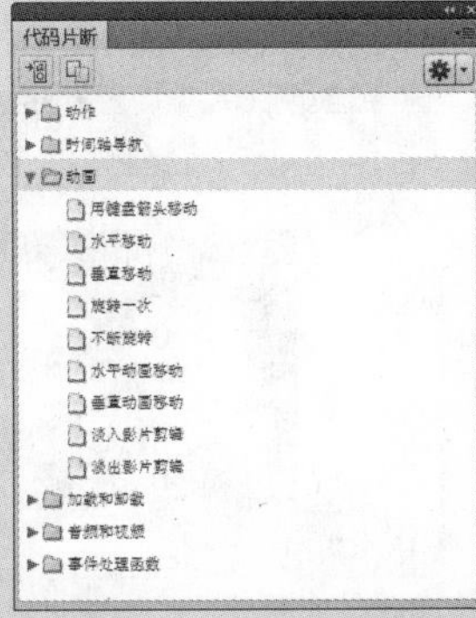

图2-67 “代码片断”面板

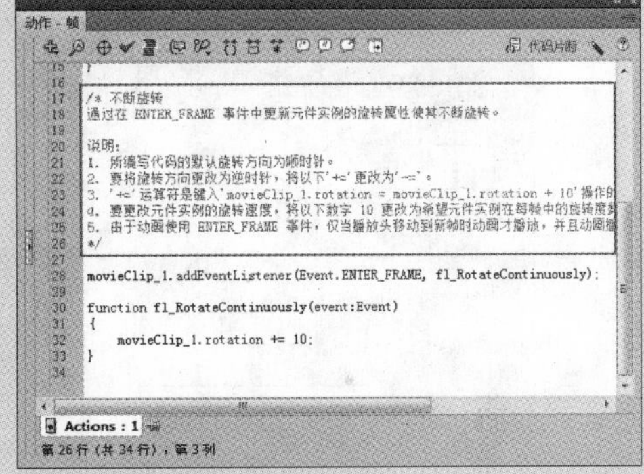

图2-68 “动作”面板

⑪组件面板

打开“组件”面板，如图2-69所示。Flash在组件面板中为ActionScript新手提供了多款可重用的预置组件，用户可向文档中添加一个组件，并在“属性”面板或“组件检查器”中设置它的参数，如图2-70所示，然后使用“行为”面板处理其事件。

图2-69 “组件”面板

图2-70 “属性”面板

12动画预设面板

打开“动画预设”面板，如图2-71所示，该面板可将其预设中的动画作为样式应用在其他元件上。只需要选中要应用预设动画的元件，打开“动画预设”面板，在列表中选择一款喜欢的动画预设，并单击“应用”按钮即可，如图2-72所示。在“动画预设”面板中除了默认提供的预设外，还可以创建个人的预设，以减少重复性的工作。

图2-71 “动画预设”面板

图2-72 应用“3D螺旋”动画

面板的操作

- 选择面板

在面板组中单击一个面板的名称，即可将该面板设置为当前面板，如图2-73所示。

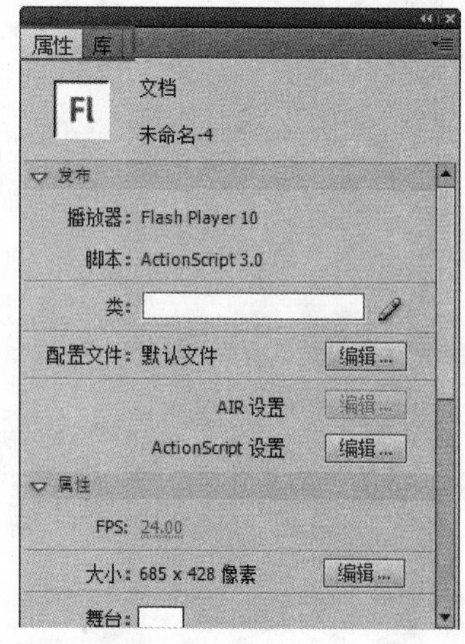

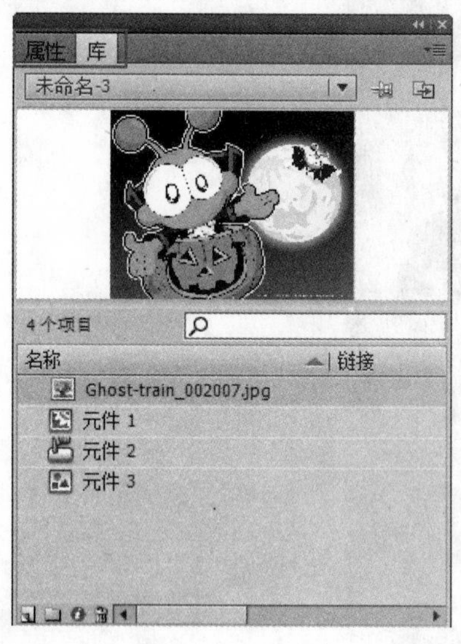

图2-73 切换选择面板

- 折叠/展开面板

单击面板组右上角的双三角按钮▶▶或◀◀图标，即可折叠、展开面板，如图2-74所示，拖动面板边界可调整面板组的宽度，如图2-75所示，单击一个图标，即可显示相应的面板，如图2-76所示。

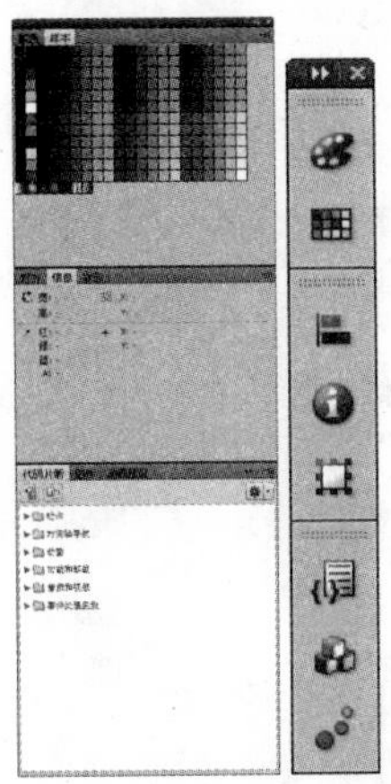

图2-74　展开/折叠面板

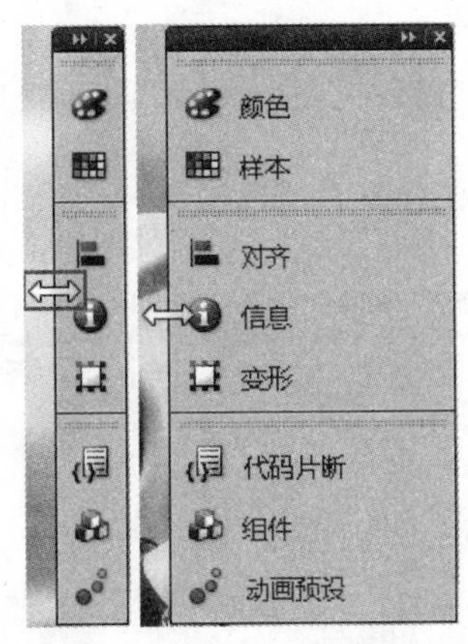

图2-75　调整面板宽度

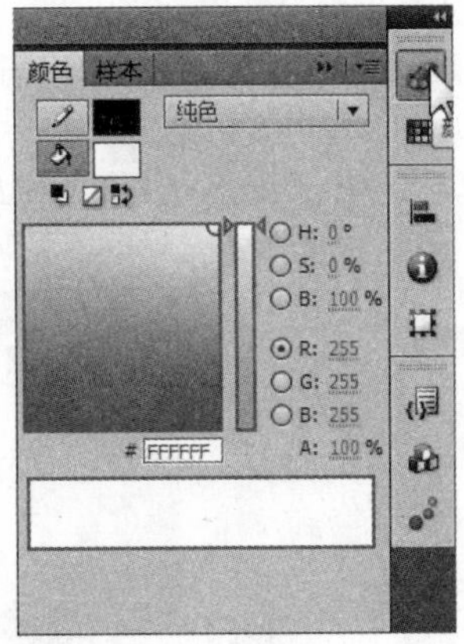

图2-76　显示面板

- 调整面板大小

把鼠标指针置于面板的左/右下角处，鼠标变成双向箭头时，即可调整面板大小。

- 移动面板

将光标放置在面板名称上，按住鼠标左键，将其拖至空白处，如图2-77所示，即可从面板组中分离出来，成为浮动面板，如图2-78所示。拖动浮动面板的名称，可将其放置在任意位置。

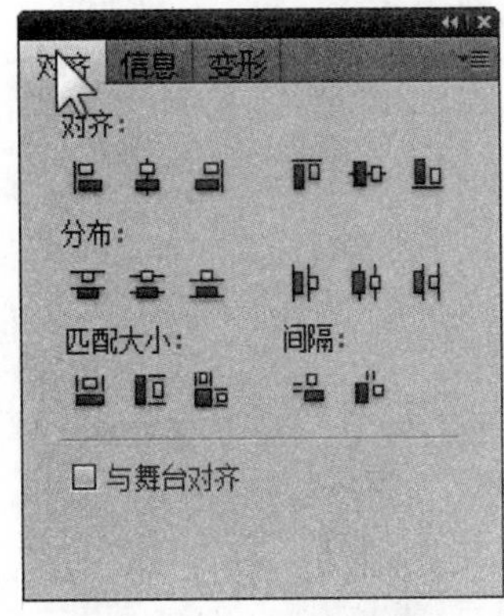

图2-77　拖动面板的位置

图2-78　拖至空白处

- 组合面板

将鼠标放置在一个面板的名称上，按住鼠标左键，拖动到另一个面板的名称位置，如图2-79所示，当出现蓝色横条时放开鼠标，可将其与目标面板组合，如图2-80所示。

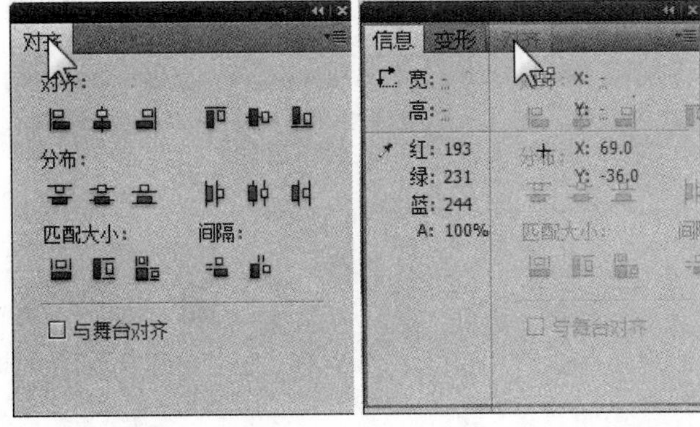

图2-79　拖动面板名称

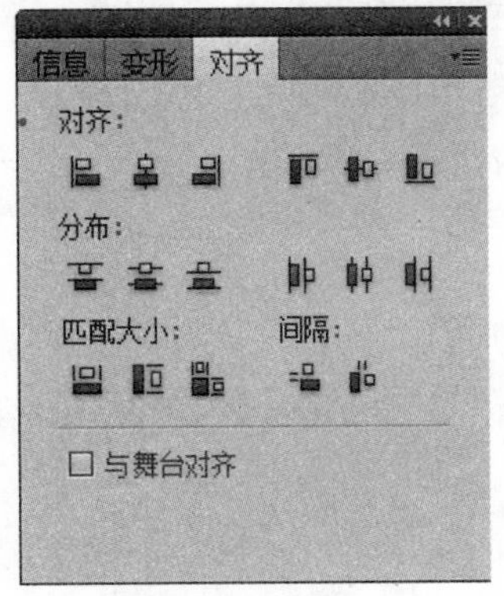

图2-80　组合面板

过多的面板会占用工作空间，通过组合面板的方法，将多个面板组成一个面板组，可增大工作空间。

- 链接面板

将光标放置在面板名称上，按住鼠标左键，将其拖至另一个面板下方，当两个面板的连接处显示为蓝色时放开鼠标，可以将两个面板链接，如图2-81所示。

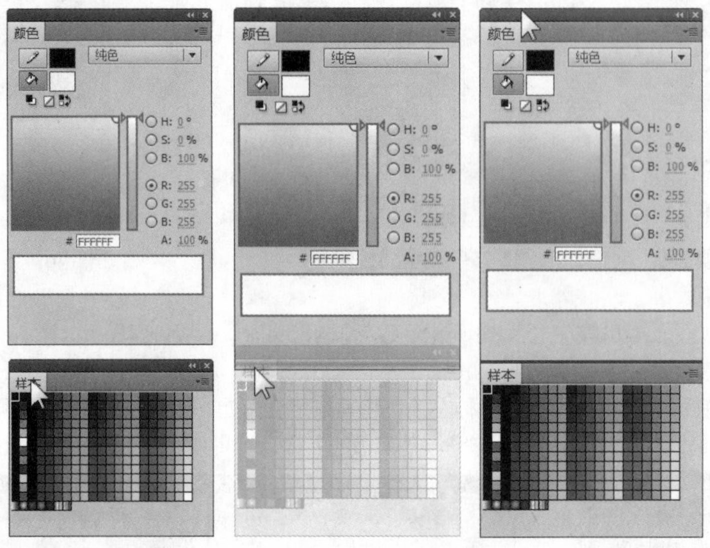

图2-81　链接面板

链接的面板可以同时移动，如果希望取消链接，可用分离面板的方法，即拖动面板的名称至窗口空白处将其分离。

- 打开面板菜单

单击面板右上角的按钮，可以打开面板菜单，如图2-82所示，面板菜单中包含了与当前面板有关的各种命令。

- 关闭面板

在某一个面板的名称上单击鼠标右键，弹出快捷菜单，如图2-83所示，选择【关闭】命令，即可关闭该面板，选择【关闭组】命令，即可关闭该面板组。对于浮动面板，则可单击右上角的“关闭”按钮，也可将其关闭。

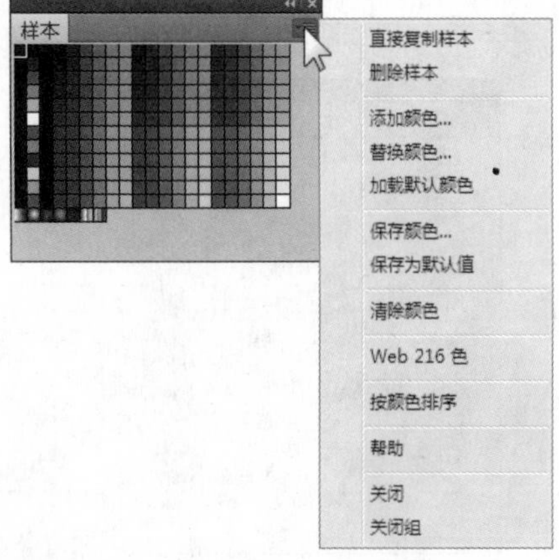

图2-82　面板菜单

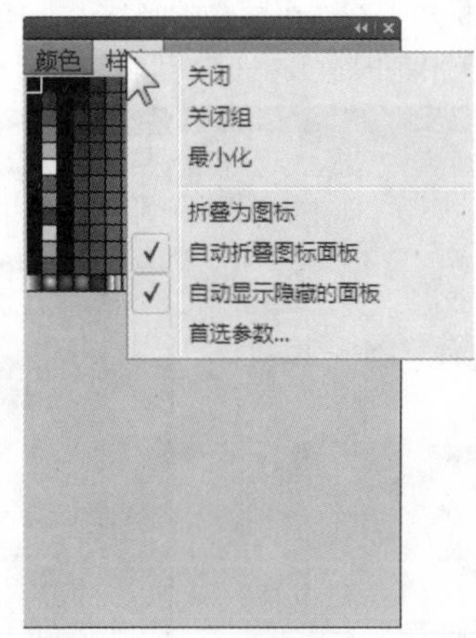

图2-83　关闭面板

Tips

在 Flash 中，按“F4”键可隐藏或显示所有面板。

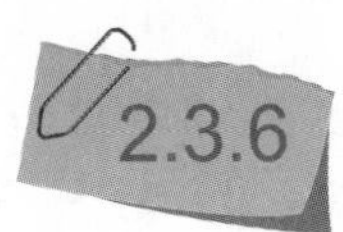

2.3.6 Flash CS5中的工作区

在Flash中所创建的文档会以选项卡的形式显示，如图2-84所示。

选择文档

单击一个文档的名称，即可将该文档设置为当前操作窗口，如图2-85所示。

图2-84　文档选项卡

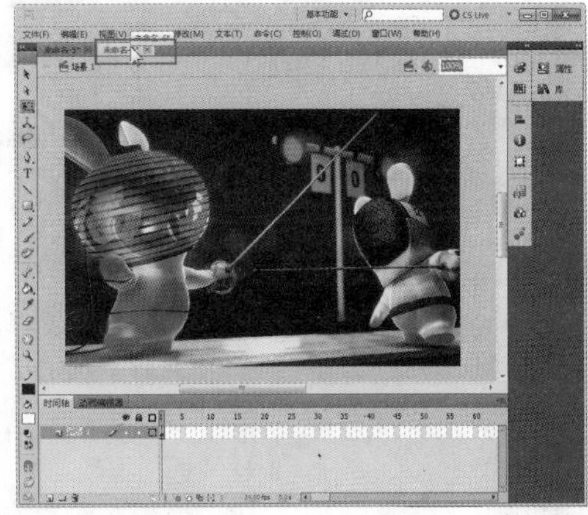

图2-85　选择文档

Tips

也可以使用快捷键来选择文档，按“Ctrl+Tab”快捷键可以按顺序切换窗口；按“Ctrl+Shift+Tab”快捷键可按相反的顺序切换窗口。

当文档窗口数量较多，标题栏中不能显示所有文档时，可以单击标题栏右侧的“双箭头”按钮>>，在弹出的菜单中选择需要的文档，如图2-86所示。

调整文档名称顺序

按住鼠标左键，拖动文档的标题栏，可以调整它在选项卡中的顺序，如图2-87所示。

图2-86　选择文档

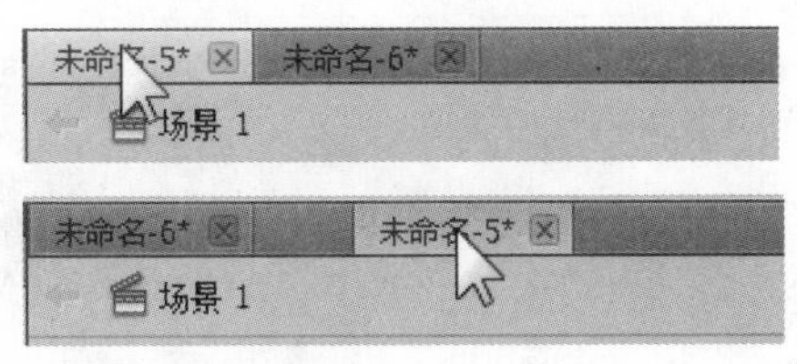

图2-87　调整文档顺序

拖动文档名称

选择一个文档的标题栏，按住鼠标左键，从选项卡中拖出，该文档便可成为任意移动位置的浮动窗口，如图2-88所示。将鼠标放置在浮动窗口的标题栏上，按住鼠标左键，拖动至工具“选项卡”栏下，当出现蓝框时放开鼠标，该窗口就会放置在选项卡中。

调整窗口大小

拖动窗口的一角，可以调整该窗口的大小，如图2-89所示。

图2-88　拖动文档名称

图2-89　调整窗口大小

合并文档窗口

不管窗口是浮动还是嵌入状态，都可以对窗口进行分离、合并操作，达到分组管理的目的，合并窗口时，只要把窗口标题拖动到目标窗口的标题旁边即可，如图2-90所示。

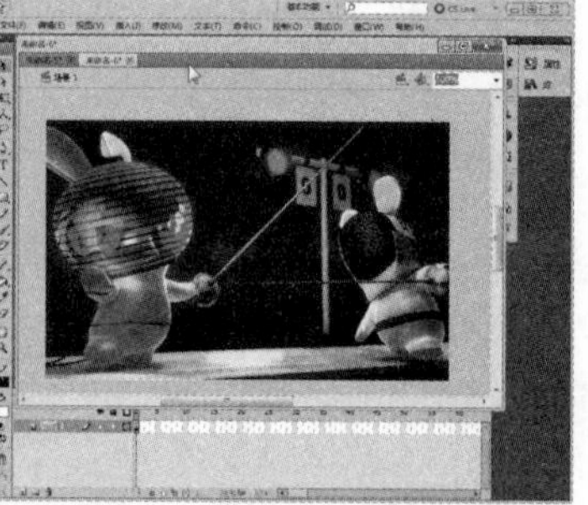

图2-90　合并文档窗口

关闭文档

关闭单个文档可以单击窗口“选项卡”的关闭按钮☒，即可关闭当前文档，或者执行【文件】|【关闭】命令，也可达到同样的效果。

Tips

快速关闭当前文档可按快捷键“Ctrl+W”，快捷键“Ctrl+Alt+W”则可关闭所有文档。

2.4 Flash 文档基本操作

本节主要介绍Flash动画文档的新建和文档的打开、保存、关闭等基本操作，文档基本的操作习惯也将影响设计师的工作效率，读者学习本节不仅要知道如何操作，还要实践如何快速操作。

2.4.1 新建动画文档

在菜单栏中执行【文件】|【新建】命令，弹出“新建文档”对话框。新建动画文档有两种方式，第一种是在“常规”选项卡中选择相应的文档类型，新建一个空白文档，如图2-91所示。

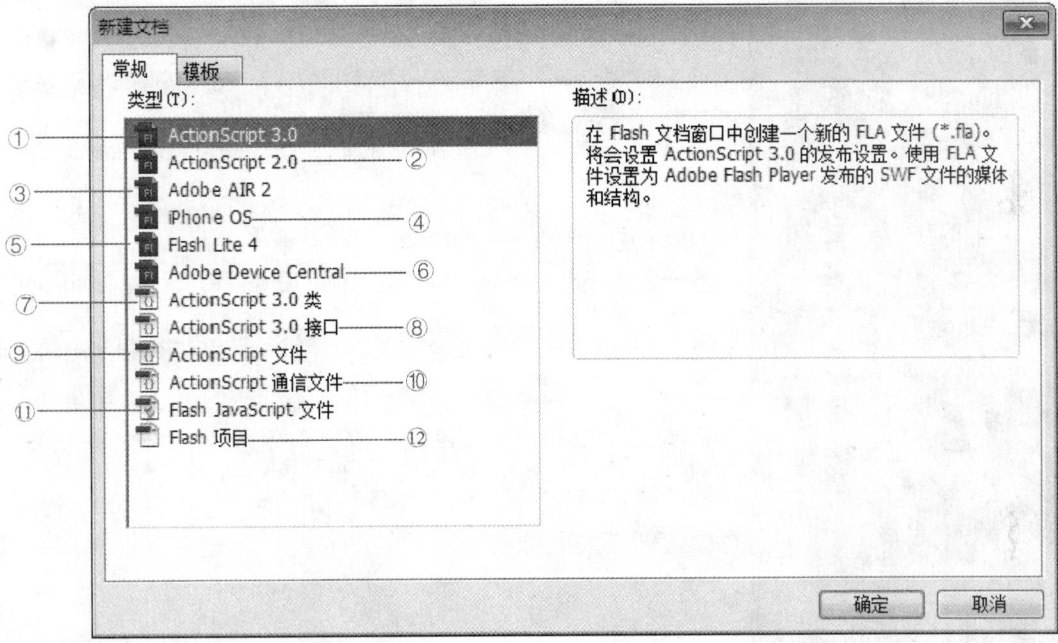

图2-91　“新建”选项卡

在“新建”选项卡下可以选择如下的文档类型：

①ActionScript 3.0	选择该项所创建的文档，在编辑时所使用的脚本语言必须是ActionScript 3.0版本，生成的文件类型为*.fla文件。
②ActionScript 2.0	表示将使用ActionScript 2.0作为脚本语言创建动画文档，生成一个*.fla文件。
③Adobe AIR2	用于开发AIR的桌面应用程序。
④iPhone OS	开发基于iPhone和iPod Touch上的应用程序，生成一个*.fla文件。
⑤Flash Lite 4	用于开发可在Flash Lite 4平台上播放的Flash。Flash Liter 4是使用手机流畅播放、运行Flash视频或程序的环境。

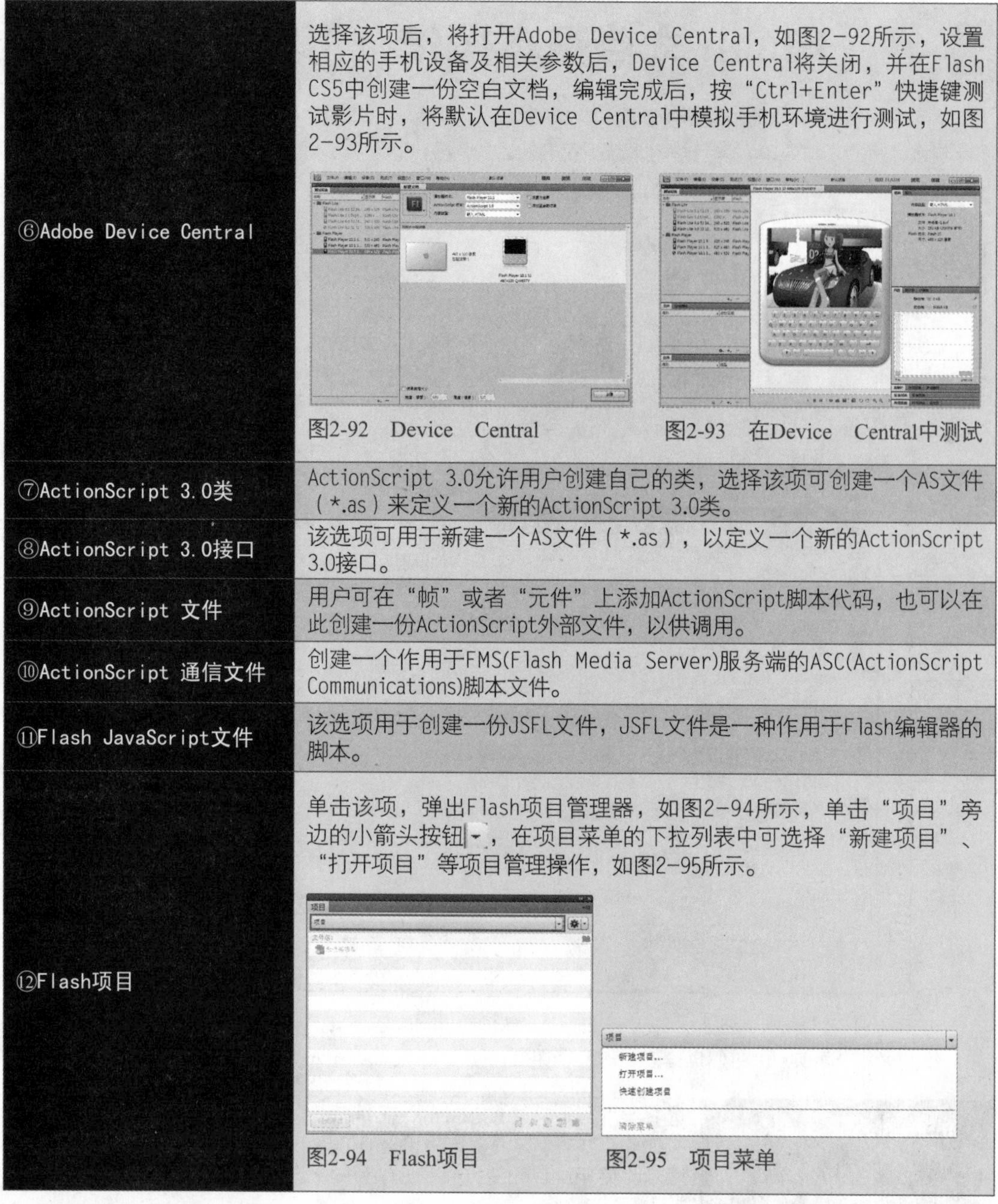

⑥Adobe Device Central	选择该项后，将打开Adobe Device Central，如图2-92所示，设置相应的手机设备及相关参数后，Device Central将关闭，并在Flash CS5中创建一份空白文档，编辑完成后，按“Ctrl+Enter”快捷键测试影片时，将默认在Device Central中模拟手机环境进行测试，如图2-93所示。 图2-92 Device Central　　图2-93 在Device Central中测试
⑦ActionScript 3.0类	ActionScript 3.0允许用户创建自己的类，选择该项可创建一个AS文件（*.as）来定义一个新的ActionScript 3.0类。
⑧ActionScript 3.0接口	该选项可用于新建一个AS文件（*.as），以定义一个新的ActionScript 3.0接口。
⑨ActionScript 文件	用户可在“帧”或者“元件”上添加ActionScript脚本代码，也可以在此创建一份ActionScript外部文件，以供调用。
⑩ActionScript 通信文件	创建一个作用于FMS(Flash Media Server)服务端的ASC(ActionScript Communications)脚本文件。
⑪Flash JavaScript文件	该选项用于创建一份JSFL文件，JSFL文件是一种作用于Flash编辑器的脚本。
⑫Flash项目	单击该项，弹出Flash项目管理器，如图2-94所示，单击“项目”旁边的小箭头按钮，在项目菜单的下拉列表中可选择“新建项目”、“打开项目”等项目管理操作，如图2-95所示。 图2-94 Flash项目　　图2-95 项目菜单

第二种创建模式是在“模板”选项卡中通过Flash为用户提供的模板，新建一个动画文档，进一步编辑后进行发布，如图2-96所示。

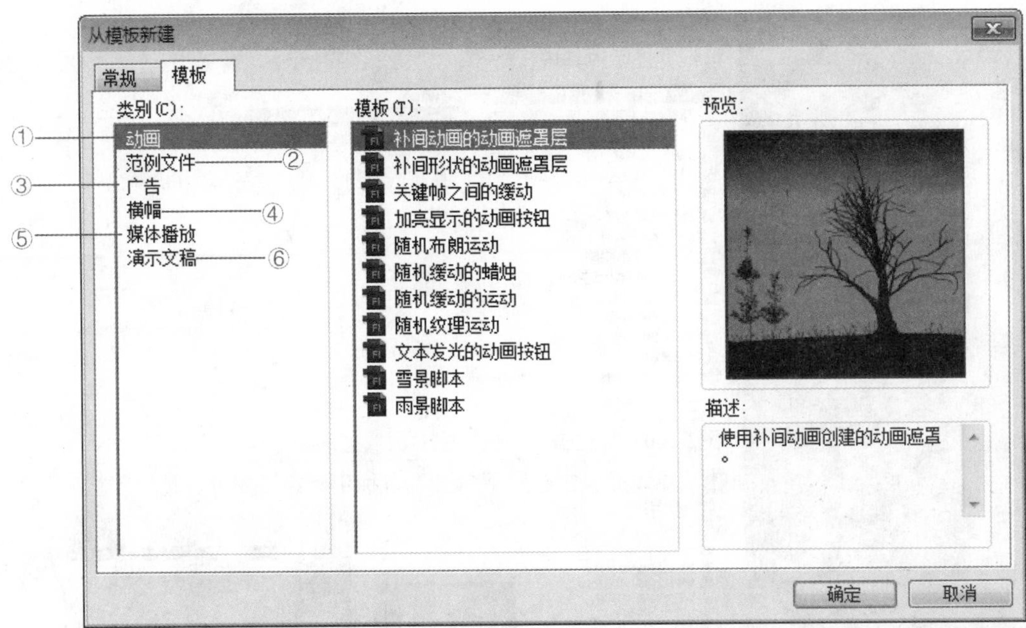

图2-96　“模板”选项卡

在“模板”选项卡下可选择如下类别的模板：

①“动画”类	动画类别中的模板是一种动画效果的应用示例，打开一个动画模板后，按“Ctrl+Enter”快捷键测试该动画，即可看到动画效果，如图2-97所示分别为“补间动画的动画遮罩层”模板和“雪景脚本”模板。  图2-97　动画类模板
②“范例文件”类	“范例文件”模板不仅限于动画的多种综合应用实例，如AIR应用程序的窗口示例，如图2-98所示，“嘴形同步”动画示例如图2-99所示。 图2-98　AIR窗口示例 　　图2-99　“嘴形同步”示例
③“广告”类	该类下的模板文件并没有真正的内容，它只是方便快速新建一类既定的文档大小的模板，如图2-100所示。

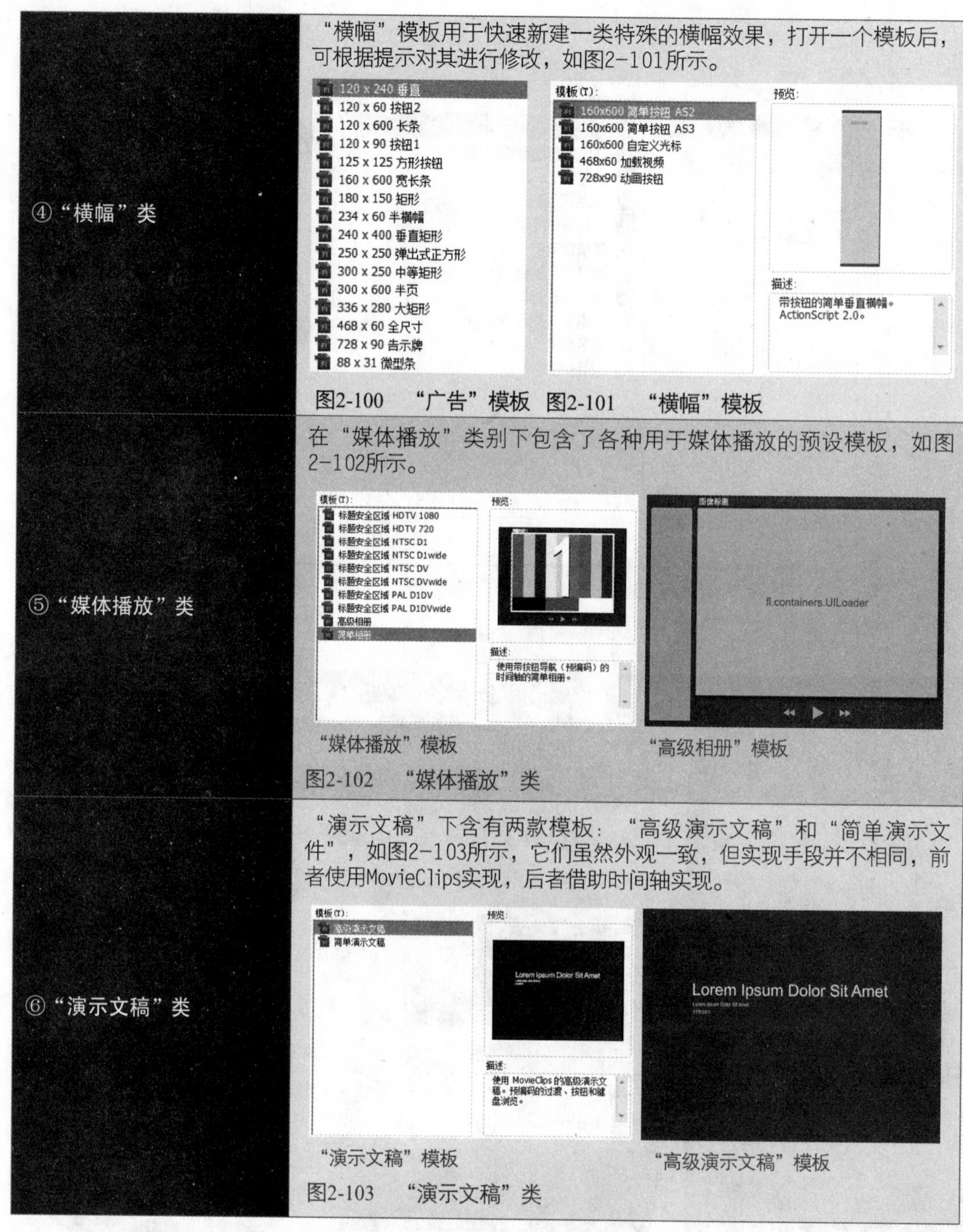

④“横幅”类	“横幅”模板用于快速新建一类特殊的横幅效果，打开一个模板后，可根据提示对其进行修改，如图2-101所示。 图2-100 “广告”模板 图2-101 “横幅”模板
⑤“媒体播放”类	在“媒体播放”类别下包含了各种用于媒体播放的预设模板，如图2-102所示。 “媒体播放”模板 “高级相册”模板 图2-102 “媒体播放”类
⑥“演示文稿”类	“演示文稿”下含有两款模板：“高级演示文稿”和“简单演示文件”，如图2-103所示，它们虽然外观一致，但实现手段并不相同，前者使用MovieClips实现，后者借助时间轴实现。 “演示文稿”模板 “高级演示文稿”模板 图2-103 “演示文稿”类

Flash模板在存储时分为默认模板和自定义模板，默认模板本地路径是“X:\Program Files\Adobe\Adobe Flash CS5\zh_CN\Configuration\Templates”，其中“X”代表Flash的安装路径盘符，自定义模板的本地路径是“X:\Users\Administrator\Local Settings\Application Data\Adobe\Flash CS5\zh_CN\Configuration\Templates”，其中“X”代表系统盘符。

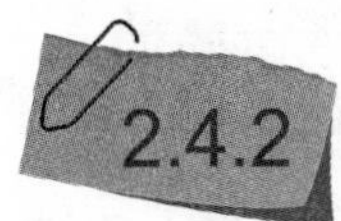

2.4.2 打开动画文档

一般打开文档的操作步骤是执行【文件】|【打开】命令，弹出“打开”对话框，如图2-104所示，选择要打开的一份或多份文档，单击“打开”按钮，即可打开一份甚至多份文档，如图2-105所示。

图2-104　打开文档

图2-105　文档打开效果

Tips

除了使用命令打开外，还可以按快捷键“Ctrl+O”或者直接拖曳打开所需的文档。如果需要打开最近打开过的文档，还可以在【文件】|【打开最近的文档】菜单中选择并打开一份文档。

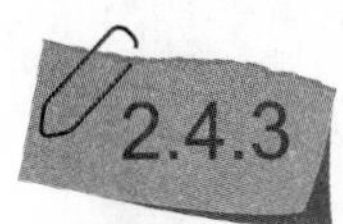

2.4.3 保存动画文档

养成随时存档的好习惯能减少数据丢失带来的损失。

保存文档可以执行【文件】|【保存】命令，如图2-106所示，弹出“另存为”对话框，选择要保存的路径、文件名、文件类型后，单击“保存”按钮，即可完成保存操作，如图2-107所示。

执行【文件】|【另存为】命令可以把文件保存到其他位置。

执行【文件】|【另存为模板】命令，弹出“另存为模板”对话框，如图2-108所示，可以把文件保存为模板，方便日后重复编辑。

执行【文件】|【全部保存】命令可一次保存所有打开的文档。

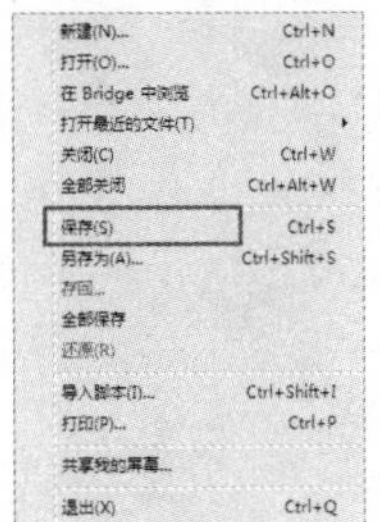

图2-106　【保存】命令

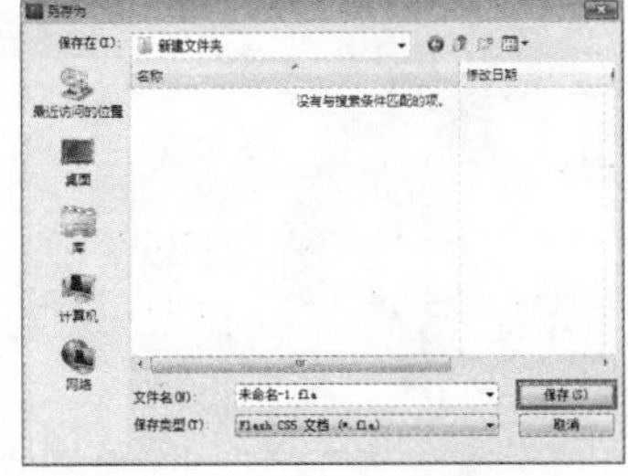

图2-107　“另存为”对话框

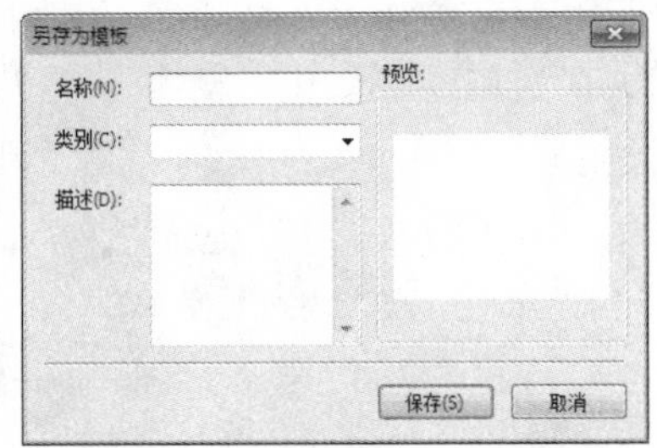

图2-108　“另存为模板”对话框

Tips

在实际操作中，经常使用快捷键“Ctrl+S”或快捷键“Shift+Ctrl+S”快速保存或另存一份动画文档，以提高工作效率。

2.4.4 关闭动画文档

要关闭当前文档，可单击该文档窗口的选项卡上的“关闭”按钮☒，也可以通过执行【文件】|【关闭】命令，或者使用快捷键“Ctrl+W”关闭当前文档。执行【文件】|【全部关闭】命令，可关闭所有已打开的文档。

Tips

关闭文档并不会退出 Flash CS5，如果既要关闭所有文档，又要退出 Flash，只需要直接单击右上角的关闭按钮 退出 Flash 即可。

2.5 设置动画环境

动画环境的设置对动画设计师来说相当重要，阅读本节后，读者可了解到文档属性的设置、舞台显示比例的调整，以及一些常用的环境参数如何配置等知识。

2.5.1 文档属性

设置好文档属性是进行Flash动画设计的基础，文档的长宽大小、帧频和使用的脚本语言都与文档属性有关。执行【窗口】|【属性】命令，打开“属性”面板，如图2-109所示。

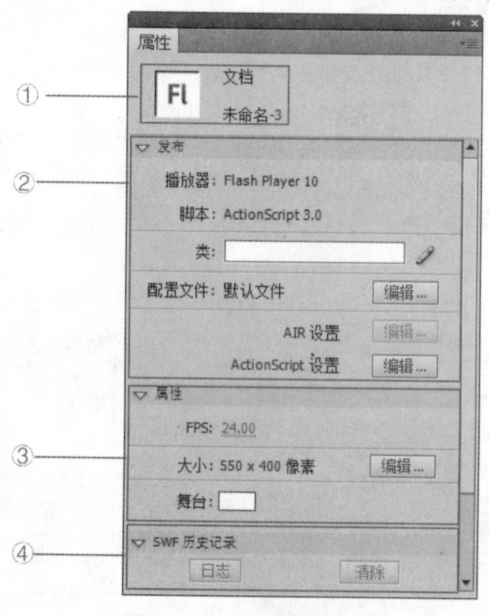

图2-109 “属性”面板

①文档	该处所显示的即为当前文档的文件名，文件名不能在此修改，只能在保存文档的时候修改它。
②发布	● “播放器”表示当前文档支持的播放器类型是Flash Player 10。 ● “脚本”表示当前文档使用的脚本语言是ActionScript 3.0。 ● “类”用于链接用户创建的后缀为as的文档类文件，在此处只需输入类名即可。
③属性	● FPS（Frames Per Second）即每秒传输的帧数，默认值为24，在Flash里称为帧频，帧频越大，画面就越细腻，但帧频值太大，超出显示芯片的处理能力范围，也会出现动画播放不流畅的问题。 ● “大小”用于设置文档大小。 ● “舞台”用于设置舞台颜色，一般默认为白色。
④SWF历史记录	该区域用于显示在“测试影片”、“发布”和“调试影片”操作期间生成的所有 SWF 文件的大小。如图2-110所示，黄色图标表示文件大小变化超过50%。 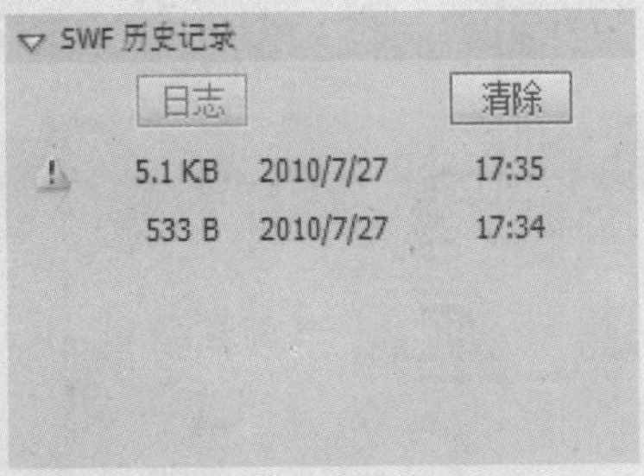 SWF 历史记录 日志 清除 5.1 KB 2010/7/27 17:35 533 B 2010/7/27 17:34 图2-110 SWF历史记录

Tips

Flash 的属性面板是动态面板，它显示的内容会因为用户所选择的工具或元件的不同而有所差异，如果要设置文档属性，可先选中工具箱中的“选择工具”，并确定未选择任何“元件”或“帧”的情况下使用“属性”面板。

2.5.2 舞台显示比例

在设计工作中，经常需要放大或缩小舞台显示比例，以设计出更为细腻的作品。在Flash里，可以在“编辑栏”的右侧单击，打开缩放菜单，如图2-111所示。除了缩放菜单中提供的选项外，用户还可以自定义输入文档的缩放比例，如图2-112所示。

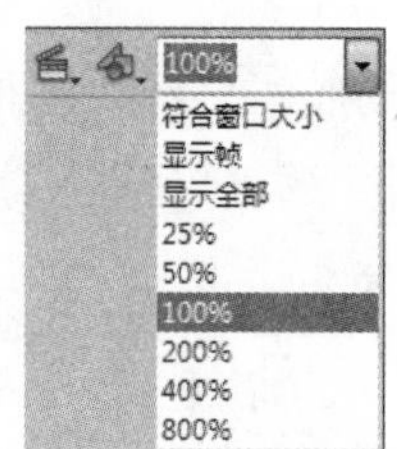

图2-111　缩放菜单

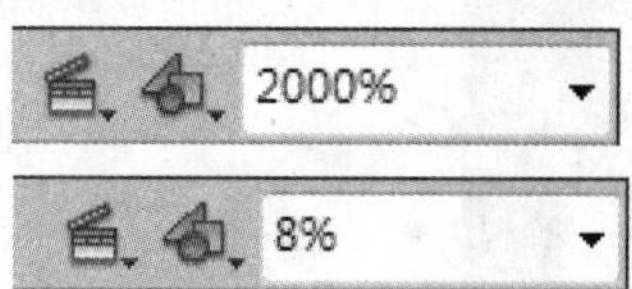

图2-112　自定义缩放比例

Tips

按住“Ctrl+Alt+Shift”快捷键配合鼠标滚轮也可调整舞台的显示比例，或者还可以按住“Ctrl”键，配合“-”、“+”键缩小、放大舞台的显示比例。

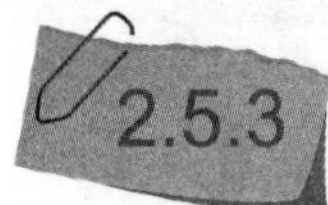

2.5.3 常用环境参数

不同的设计师在操作上会有不同的习惯，配置好常用的环境参数会让Flash使用起来更加得心应手。

执行【编辑】|【首选参数】命令，弹出“首选参数”对话框，如图2-113所示。在该对话框左侧选择要设置的类别，右侧的参数配置区就会显示所选类别下的可设置项。修改好参数后，单击“确定”按钮保存设置，或者单击“取消”按钮，退出设置。“首选参数”一共包括9类参数，如图2-114所示，下面介绍“首选参数”下的各类参数及其具体设置项。

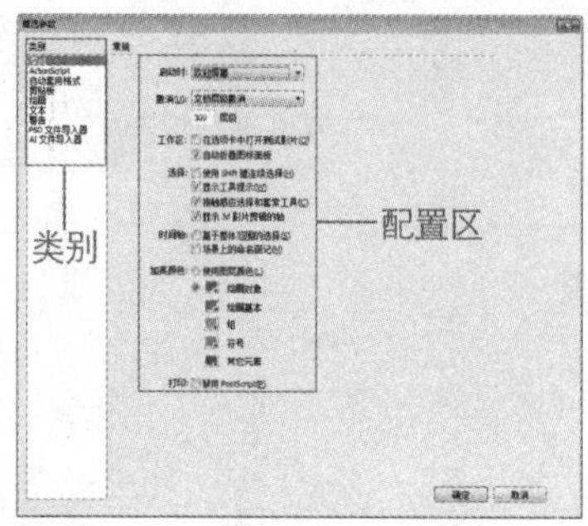

图2-113　“首选参数”对话框

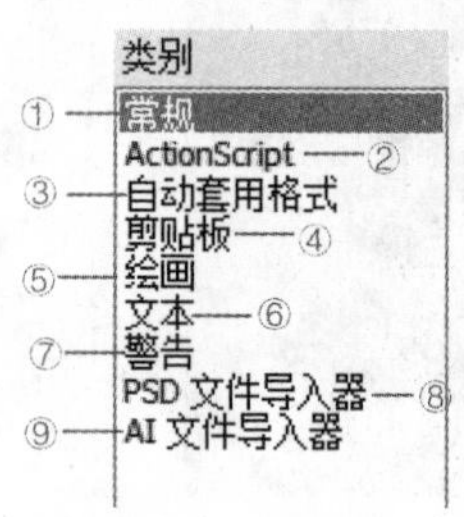

图2-114　参数类别

①常规	“常规”类别下的配置区如图2-115所示。 启动时：在此标签的下拉菜单中可设置启动Flash时执行的操作，它提供的选项有“不打开任何文档”、“新建文档”、“打开上次使用的文档”、“欢迎屏幕”4个选项，默认选项为“欢迎屏幕”。 撤销：此标签用于设置撤销的层级数，值越大，“历史记录”面板保存的记录越多，在其下拉菜单中可选择文档或对象层级撤销，它们的区别是“对象层级撤销”不记录某些操作，比如选择、编辑和移动库项目，创建、删除和移动场景等操作。 工作区：勾选“在选项卡中打开测试影片”，使得测试影片时不以弹出窗口方式打开影片，而是以选项卡窗口的方式打开。Flash安装后，“自动折叠图标面板”默认是选中的，在打开已经折叠为图标的面板后，执行其他不在该面板的操作时，该面板会再折叠回图标状态。

②ActionScript	"ActionScript"类别下的配置区如图2-116所示。在该类下可配置ActionScript编辑器的使用习惯，如开启"自动右大括号"、"自动缩进"、"代码提示"及编辑器中代码的字体、颜色和样式等。 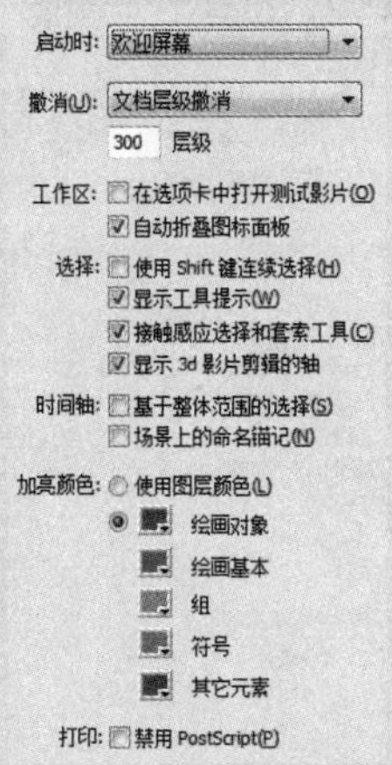 图2-115 "常规"参数 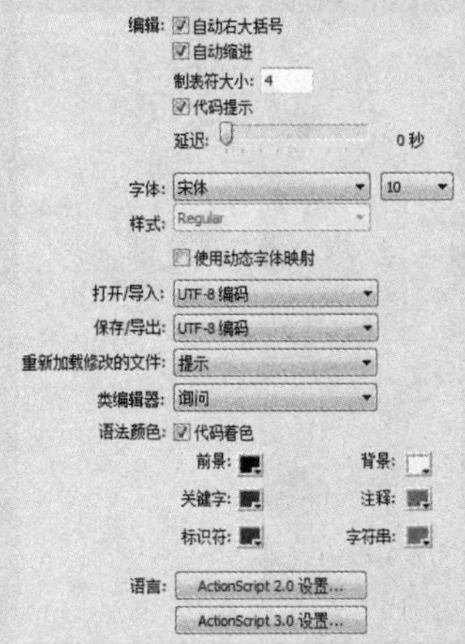　　图2-116 "ActionScript"参数
③自动套用格式	在Flash编程时，格式的自动套用可在此开启或关闭，查看选择的效果，请看"预览"窗格，如图2-117所示。
④剪贴板	该类参数用于设置剪贴板中的位图属性，如"颜色深度"、"分辨率"和它在内存中占用的大小等，如图2-118所示。 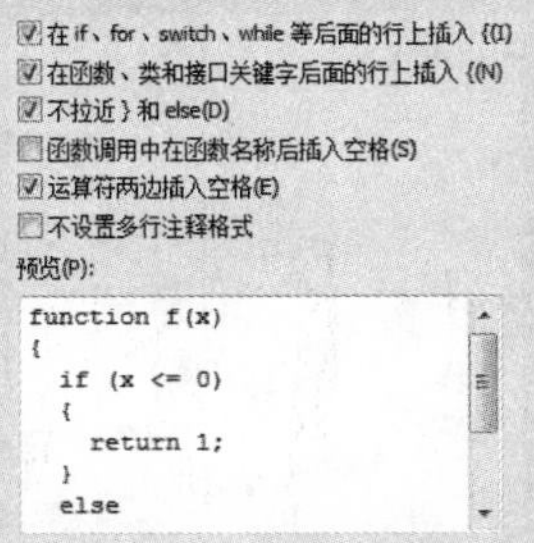 图2-117 "自动套用格式"参数 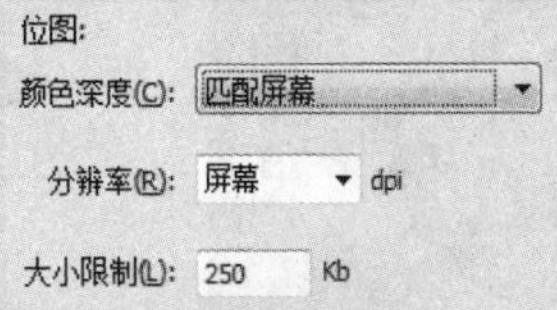　　图2-118 "剪贴板"参数
⑤绘画	"绘画"类别中可设置钢笔、线条、形状、骨骼等相关参数，如图2-119所示。 在"钢笔工具"中勾选"显示钢笔预览"，则在未创建线段端点前，就能看到绘制的线条，如图2-120所示。勾选"显示精确光标"后，钢笔工具会变成十字形指针，而不是默认的钢笔图标。 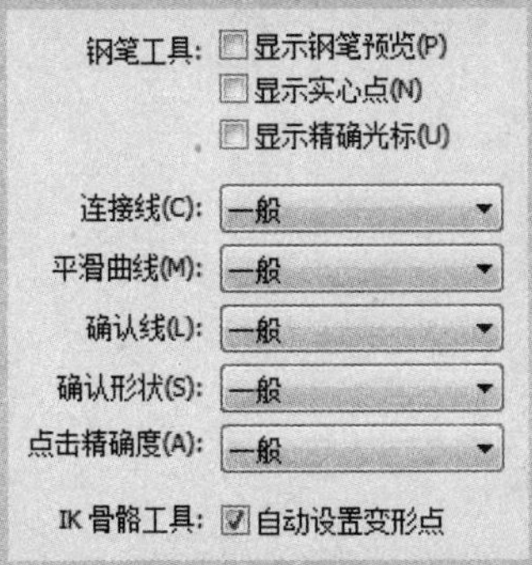 图2-119 "绘画"参数 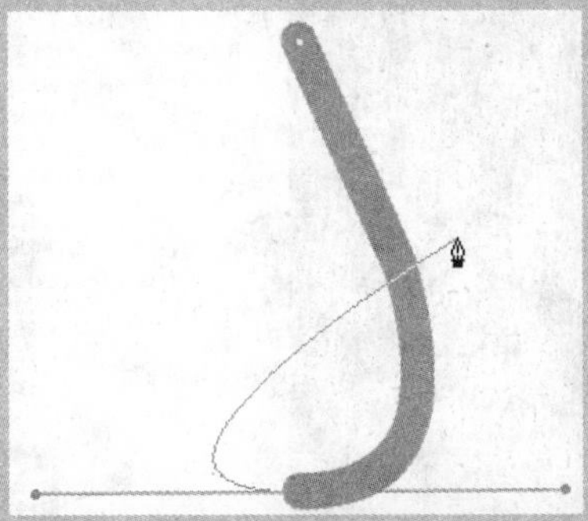　　图2-120 "显示钢笔预览"效果

⑥文本

“文本”中的参数包括 “输入方法”、“字体菜单”的设置等，如图2-121所示。“字体映射默认设置”用于设置打开Flash文档时替换缺少的字体。

“垂直文本”用于设置垂直文本显示的方向和文本字距开关。

⑦警告

Flash在用户执行危险性操作时，都会弹出一个“警告”对话框，在“警告”类别下可设置Flash的警告是否显示，勾选表示允许弹出该警告，如图2-122所示。

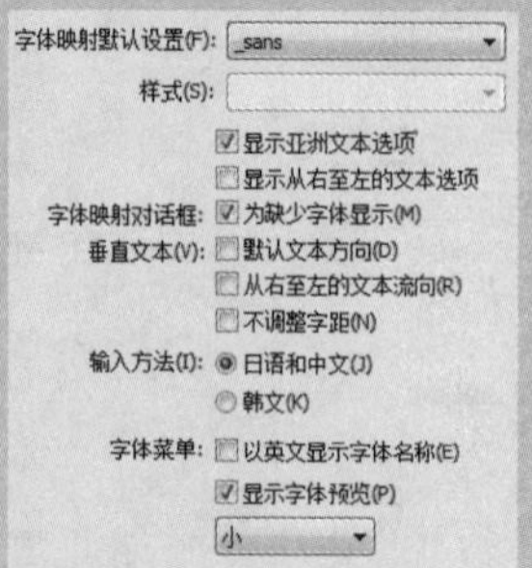

图2-121 “文本”参数

在保存时针对 Adobe Flash CS4 兼容性发出警告
启动和编辑中 URL 发生更改时发出警告
如在导入内容时插入帧则发出警告
导出 ActionScript 文件过程中编码发生冲突时发出警告
转换特效图形对象时发出警告
对包含重叠根文件夹的站点发出警告
转换行为元件时发出警告
转换元件时发出警告
从绘制对象自动转换到组时发出警告
将对象自动转换为绘制对象时发出警告
显示在功能控制方面的不兼容性警告
针对时间轴自动生成 ActionScript 类时发出警告
发出针对定义元件 ActionScript 类的编译剪辑的警告
为进行补间将所选的多项内容转换为元件时发出警告
为进行补间将所选内容转换为元件时发出警告
替换当前补间目标时发出警告
动画帧包含 ActionScript 时发出警告
动画目标对象包含 ActionScript 时发出警告
在 IK 骨骼不显示时发出警告
在文本需要嵌入字体时发出警告
在保存模板时针对清除 SWF 历史记录发出警告
当 RSL 预加载导致所有内容在第一帧播放之前下载时发出警告
从 RSL 列表中删除默认值时发出警告

图2-122 “警告”参数

⑧PSD文件导入器

“PSD文件导入器”首选参数如图2-123所示，在该类别下可设置如何导入PSD 文件中的特定对象，及指定将 PSD 文件转换为 Flash 影片剪辑，还可设置PSD插图在Flash中的默认发布设置。在“PSD文件导入器”中的设置将直接影响导入PSD文件时的“PSD文件导入”对话框，如图2-124所示。

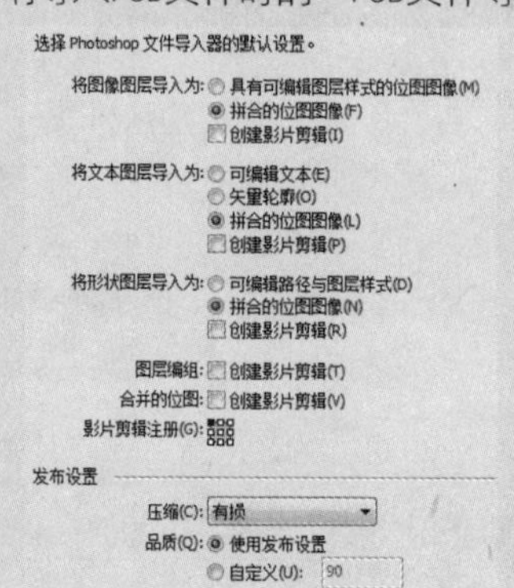

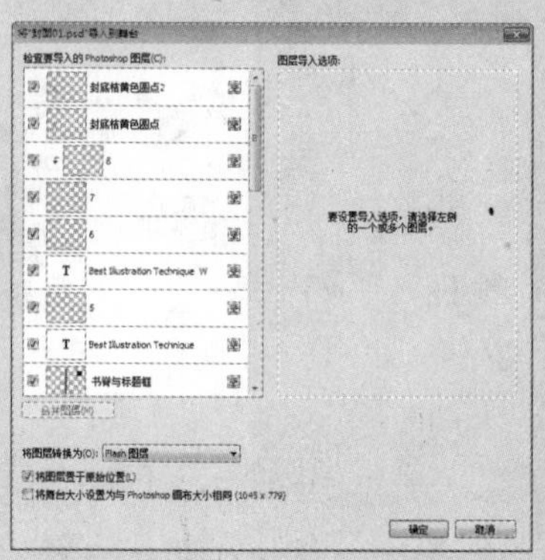

图2-123 “PSD文件导入器”参数 图2-124 “PSD导入”对话框

⑨AI文件导入器

“AI文件导入器”首选参数如图2-125所示，该类下提供了设置AI文件导入时是否显示对话框、是否导入隐藏图层等，并对文本和路径的导入提供了详细的初始设置。在“AI文件导入器”中的参数配置将直接影响导入AI文件时的“AI导入”对话框，如图2-126所示。

选择 Illustrator 文件导入器的默认设置。
常规: 显示导入对话框(W)
排除画板外的对象(E)
导入隐藏图层(H)
将文本导入为: 可编辑文本(D)
矢量轮廓(V)
位图(B)
创建影片剪辑(C)
将路径导入为: 可编辑路径(T)
位图(M)
创建影片剪辑(R)
图像: 拼合位图以保持外观(F)
创建影片剪辑(A)
组: 导入为位图(O)
创建影片剪辑(I)
图层: 导入为位图(P)
创建影片剪辑
影片剪辑注册(G):

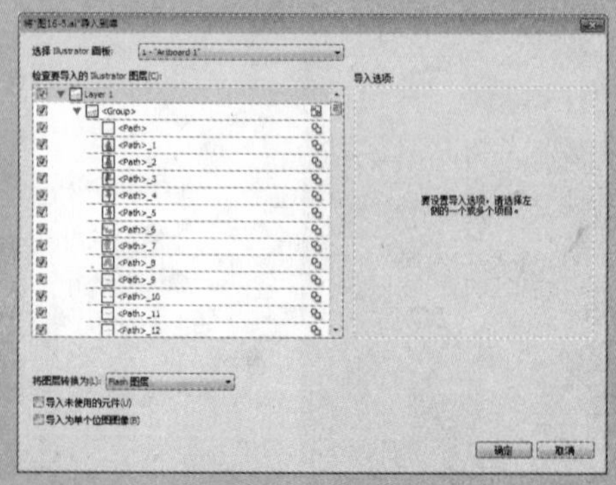

图2-125 “AI文件导入器”参数 图2-126 “AI导入”对话框

2.6 使用辅助工具

Flash CS5所提供的辅助工具包括“标尺”、“网格”、“辅助线”等辅助工具，这些辅助工具对创作的作品本身并不产生实际内容，只是作为设计师创作过程中的左膀右臂，提升设计师的工作效率和作品品质。

2.6.1 标尺

当显示标尺时，它们将显示在文档的左侧和上侧，执行【视图】|【标尺】命令，如图2-127所示，即可看到如图2-128所示的效果。

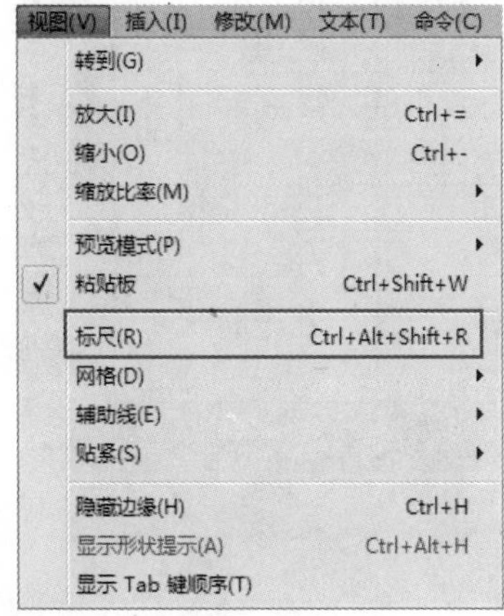

图2-127　执行命令

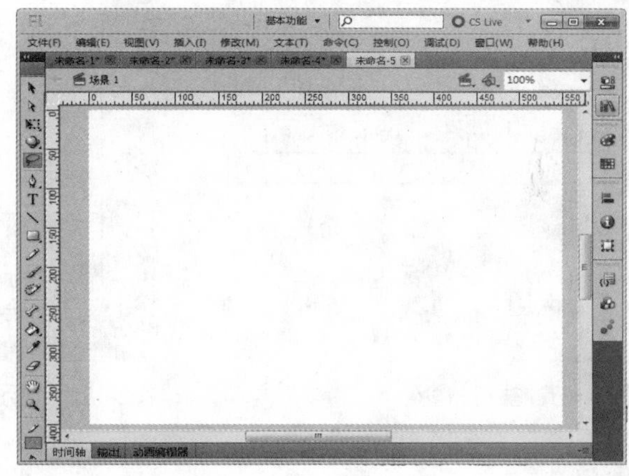

图2-128　显示标尺

更改标尺的度量单位

执行【修改】|【文档】命令，弹出“文档设置”对话框，如图2-129所示，在“标尺单位”下拉菜单中选择需要的标尺单位即可。

显示舞台元素尺寸

当选中舞台中的一个元件或其他元素时，便会在标尺上出现两条线，标示该元件的尺寸，如图2-130所示。

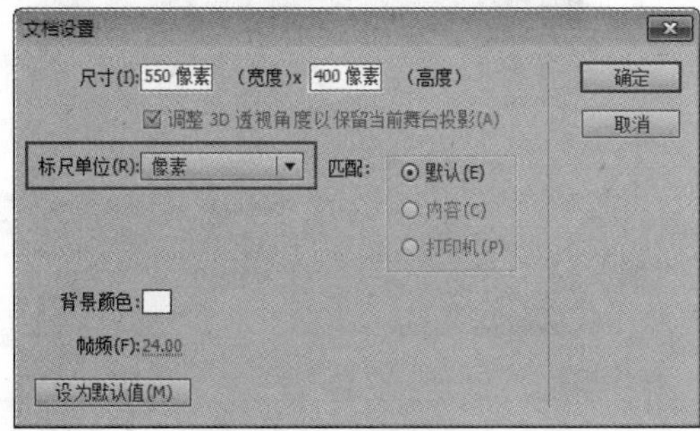

图2-129　设置标尺单位

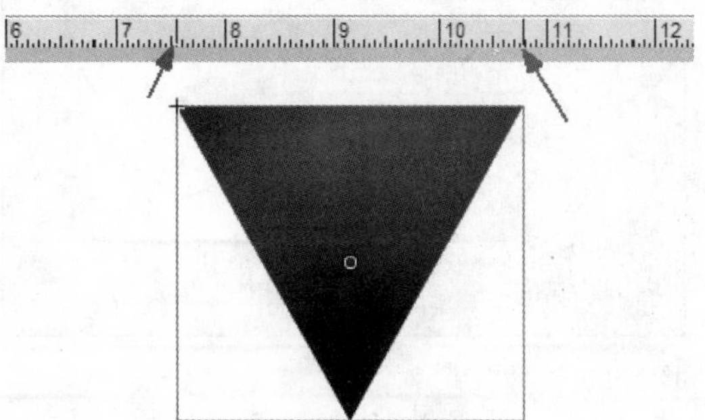

图2-130　标示元件尺寸

Tips

执行【视图】|【标尺】命令，只对当前文档有效，并不影响其他文档使用标尺。

2.6.2 网格

网格对设计师在布局动画中各种元素的时候，是非常有效的辅助工具，执行【视图】|【网格】|【显示网格】命令，如图2-131所示，即可看见舞台区域布满了类似围棋棋盘的网格，如图2-132所示。

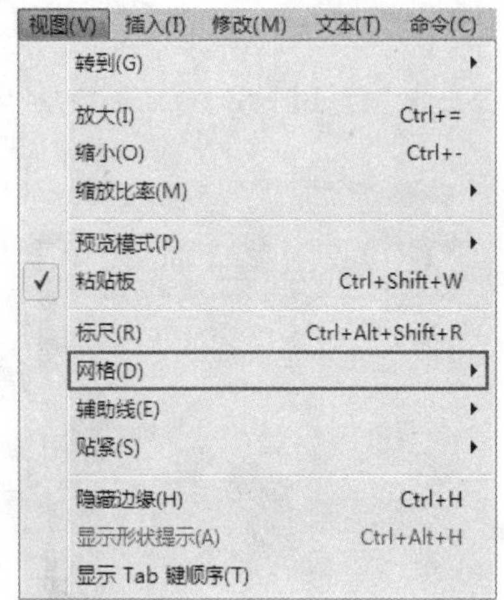

图2-131 执行命令

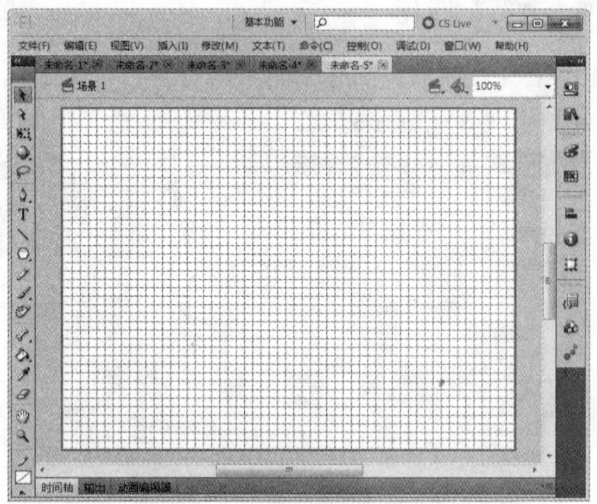

图2-132 显示网格

显示/隐藏网格

执行【视图】|【网格】|【显示网格】命令，可显示或隐藏风格，或者按快捷键“Ctrl+`”也可以快速实现网格显隐的操作。

编辑网格

执行【视图】|【网格】|【编辑网格】命令，弹出“网格”对话框，参数设置如图2-133所示，效果如图2-134所示。

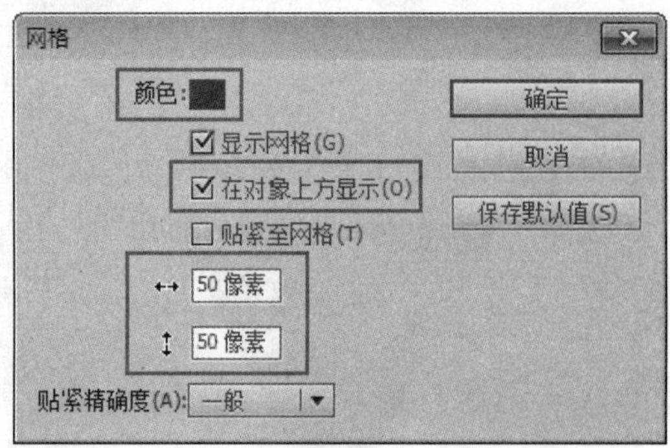

图2-133 “网格”对话框

图2-134 “网格”效果

2.6.3 辅助线

使用网格辅助设计时，网格会布满整个舞台，而且在精度上也不能让设计师满意，辅助线却可以根据设计师的需要添加少量、精确的辅助线作为参考，下面介绍辅助线的一些基本操作。

添加辅助线

在显示标尺的前提下，指针对着标尺按住鼠标左键不放，并拖到舞台区域，即可添加一条辅助线。

显示/隐藏辅助线

执行【视图】|【辅助线】|【显示辅助线】命令，即可显示或隐藏辅助线，它使用的快捷键是“Ctrl+:”。

移动辅助线

使用“选择工具”选取一条辅助线，当光标的右下角带一个倒三角形时，就可以移动它了。

锁定辅助线

执行【视图】|【辅助线】|【锁定辅助线】命令，即可锁定所有辅助线，执行该命令之后，辅助线将无法移动。

清除辅助线

清除单条辅助线的方法是把辅助线移动到标尺上即可，如果要清除舞台中所有的辅助线，可执行【视图】|【辅助线】|【清除辅助线】命令即可。

编辑辅助线

要编辑辅助线，首先需要执行【视图】|【辅助线】|【编辑辅助线】命令，弹出“辅助线”对话框，修改它的默认参数，如图2-135所示，单击“确定”按钮，可看到如图2-136所示的效果。

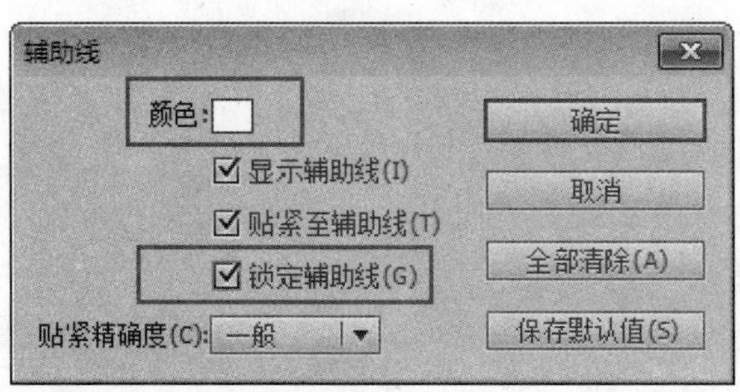

图2-135 “辅助线”对话框

图2-136 辅助线效果

2.7 总结扩展

Flash经过不断的升级和优化，如今已经成为最流行的Flash动画设计和Flash编程开发的集成环境，只有在熟悉了Flash开发环境和基本操作后，才能更好地进行下一章节的学习，利用它实现你脑海里不同寻常的创意。

2.7.1 本章小结

本章详细讲解了Flash工作环境的结构、功能和基本操作，对于一些工具或面板的使用，在后面的章节还会展开，因此本章只是略微带过，目的在于带给读者一个Flash的整体印象。

2.7.2 举一反三——卸载Flash CS5

案例文件：	无
素材文件：	无
视频文件：	光盘\视频\第2章\2-7-2.swf
难易程度：	★☆☆☆☆
学习时间：	10分钟

(1)

(2)

(3)

(4)

（1）打开“程序和功能”窗口，选择需要卸载的Flash CS5，单击“卸载”按钮。

（2）弹出Flash CS5卸载窗口，显示“卸载选项”界面。

（3）单击“卸载”按钮，进入卸载程序过程，显示卸载进度。

（4）完成Flash CS5的卸载，显示卸载完成窗口。

第3章 Flash CS5中的图形绘制

Flash CS5拥有强大的绘图功能，它提供了各种不同的绘图工具，每个工具都有着不同的选项供用户选择，使用不同的选项设置，可以绘制出不同效果的图形，本章将带领读者学习如何使用Flash中各种常用的绘图工具绘制简单的图形。

本章学习要点

- 椭圆工具和矩形工具的使用
- 线条的使用
- 铅笔工具和刷子工具的使用
- 钢笔工具的使用
- 修改线条和形状轮廓

实例名称：使用线条工具绘制卡通角色五官
源 文 件：光盘\源文件\第3章\3-4.fla
教学视频：光盘\视频\第3章\3-4.swf

实例名称：使用钢笔工具绘制卡通小猪
源 文 件：光盘\源文件\第3章\3-6-3.fla
教学视频：光盘\视频\第3章\3-6-3.swf

实例名称：绘制卡通角色脸部五官
源 文 件：光盘\源文件\第3章\3-8-1.fla
教学视频：光盘\视频\第3章\3-8-1.swf

实例名称：举一反三——绘制卡通小猴
源 文 件：光盘\源文件\第3章\3-10.fla
教学视频：光盘\视频\第3章\3-10.swf

3.1 矩形工具和椭圆工具

“椭圆工具”和“矩形工具”是创建平面图形中最为常用的工具，在使用方法上与其他绘图工具也有着很多相似之处，下面将对矩形工具和椭圆工具的使用进行讲解。

3.1.1 矩形工具

单击工具箱中的“矩形工具”按钮，在舞台中单击并拖动鼠标，直到创建了适合的形状和大小后，释放鼠标，即可绘制出一个矩形图形，得到的矩形由“笔触”和“填充”两部分组成，如图3-1所示。如果要对图形的“笔触”和“填充”进行调整，可以在其“属性”面板上进行相应的设置，如图3-2所示。

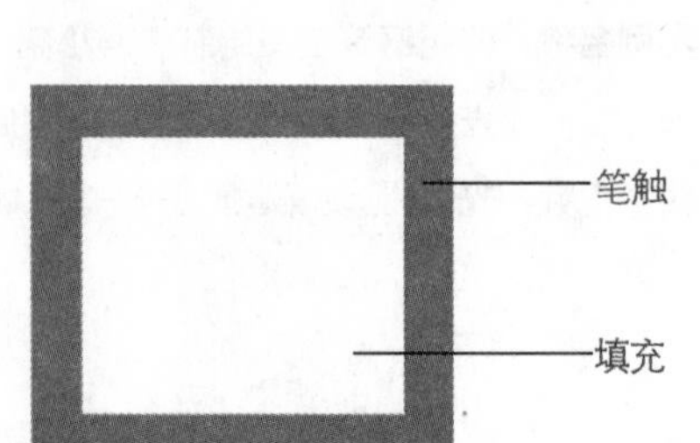

图3-1　矩形效果

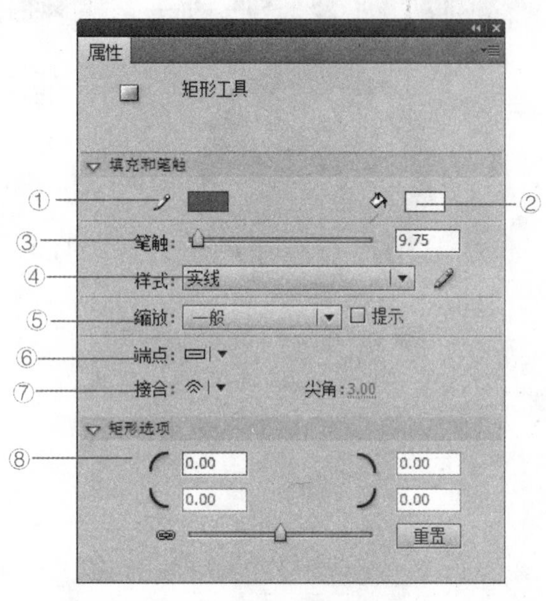

图3-2　“矩形”的“属性”面板

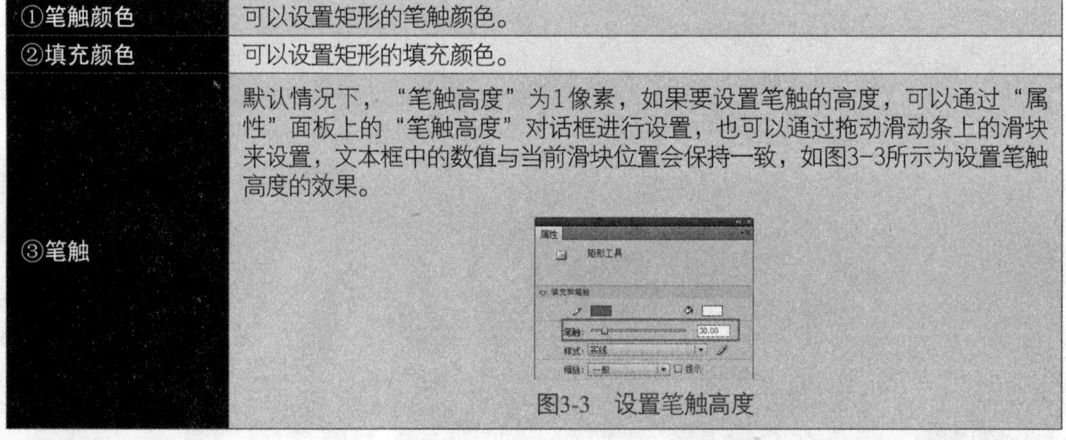

①笔触颜色	可以设置矩形的笔触颜色。
②填充颜色	可以设置矩形的填充颜色。
③笔触	默认情况下，“笔触高度”为1像素，如果要设置笔触的高度，可以通过“属性”面板上的“笔触高度”对话框进行设置，也可以通过拖动滑动条上的滑块来设置，文本框中的数值与当前滑块位置会保持一致，如图3-3所示为设置笔触高度的效果。 图3-3　设置笔触高度

④样式	单击“样式”后面的下拉按钮，在下拉列表中可以选择需要的笔触样式，如图3-4所示，也可以单击右侧的“编辑笔触样式”按钮，在弹出的“笔触样式”对话框中对笔触的样式进行设置，如图3-5所示。 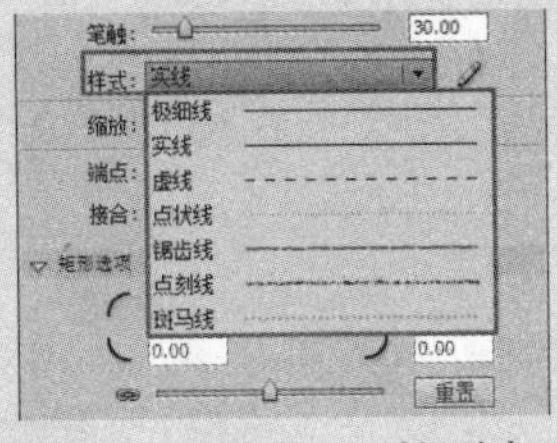 图3-4 “样式”下拉列表 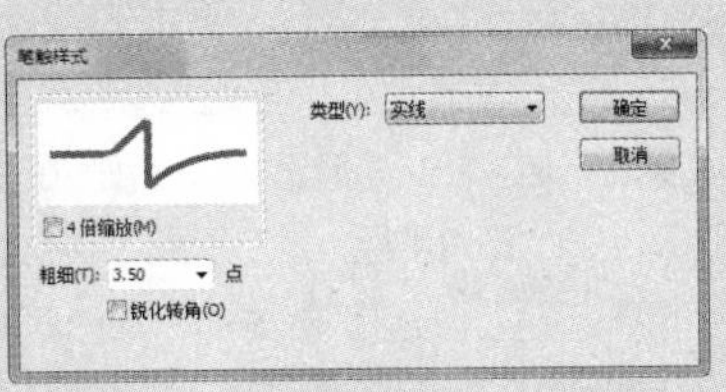　　图3-5 “笔触样式”对话框 在这里要特别说明的是极细线，当绘制一个比较复杂的图形时，不仅需要绘制图形的轮廓线，很可能还需要绘制阴影线，用来划分出阴影色块的范围。但是如何区分它们，使上色时不至于混淆呢？这个时候极细线就派上用场了，无论画面放大多少倍，它始终在屏幕上显示1像素粗细，这就有效果地与其他线区分开来，帮助用户区分色阶，使上色的条理更清楚。
⑤缩放	限制笔触在Flash播放器中的缩放。
⑥端点	用来设置图形的两个端点样式，包含“无”、“圆角”、“方形”3种样式，如图3-6所示。 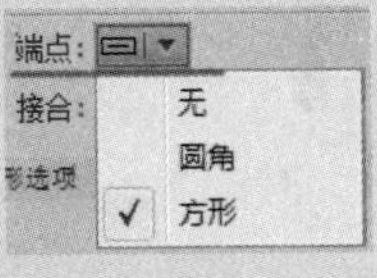 图3-6 端点样式
⑦接合	用来设置两条直线的接合方式，包含“尖角”、“圆角”、“斜角”3种相接方式，如图3-7所示，分别为矩形设置3种不同的接合方式，可以观察效果，如图3-8所示。 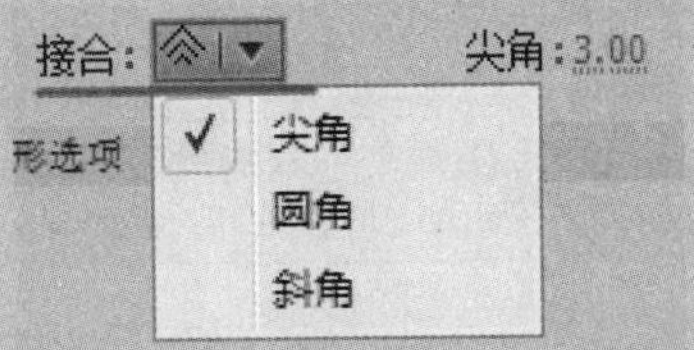 图3-7 接合样式 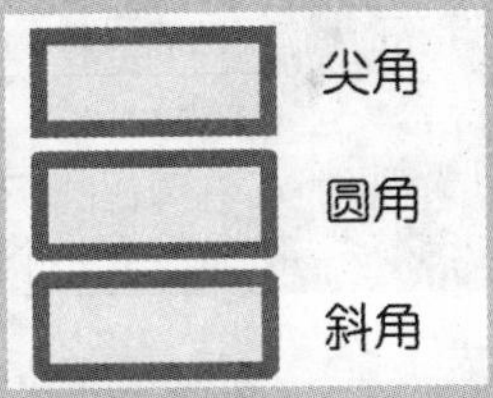　　图3-8 不同的接合效果
⑧矩形选项	用于指定矩形的角半径。直接在每个文本框中输入内径的数值，即可指定角半径，值越大，得到的角越圆，如果输入的值为负数，则创建的是反半径效果，默认情况下值为0，创建的是直角，如图3-9所示为设置“矩形边角半径”值后，绘制矩形的效果。 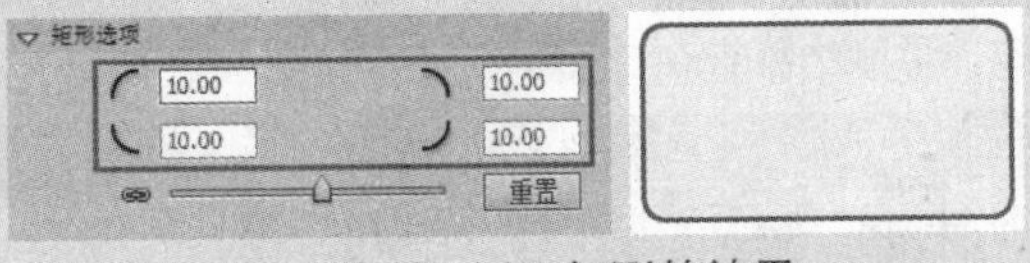 图3-9 “矩形选项”以及矩形的效果 如果取消选择限制角半径的图标，可以分别调整每个角的半径，如图3-10所示。 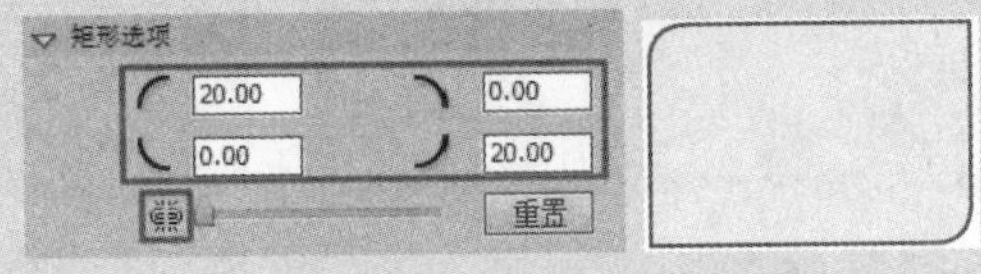 图3-10 “矩形选项”以及矩形的效果

Tips

在绘制完矩形以后，是不能在绘制好的条形图形的“属性”面板中重新设置的。因此若要改变这个属性，需要重新绘制一个新的矩形。

Tips

如果想指定矩形的像素大小，可以在选择“矩形工具”以后，按住“Alt”键，同时单击舞台区域，弹出“矩形设置”对话框，在该对话框中可以指定矩形的宽度、高度、矩形边角的圆角半径，以及是否从中心绘制矩形，如图3-11所示。

在使用“矩形工具”时，按住“Shift”键的同时，拖动鼠标可以将绘制的形状限制为正方形。

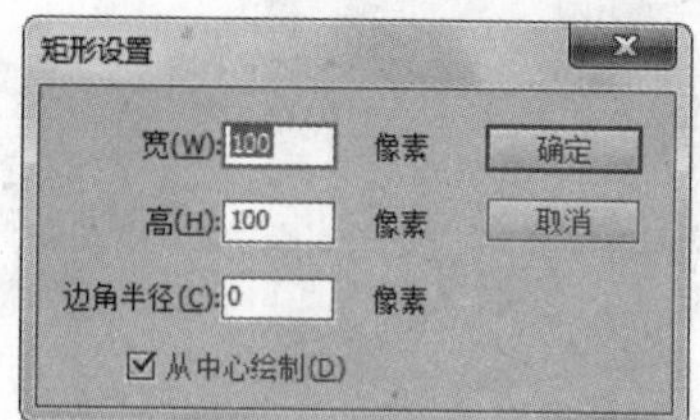

图3-11 “矩形设置”对话框

设置笔触样式

单击右侧的“编辑笔触样式”按钮，弹出的“笔触样式”对话框，默认情况下笔触样式为“实线”，如图3-12所示。

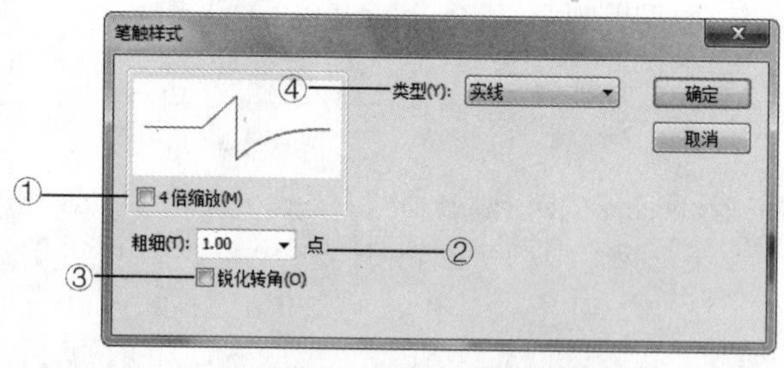

图3-12 “笔触样式”对话框

①4倍缩放	将以4倍大小显示自定义的样式。
②粗细	在该下拉列表中可以设置自定义样式的宽度。
③锐化转角	勾选“锐化转角”复选框可以锐化转角。
④类型	在弹出的下拉列表中会显示出几种不同的类型，如“实现”、“虚线”、“锯齿线”等，不同类型的样式在选项和达到的效果上也是不同的。

- 虚线

在“笔触样式”对话框中选择“虚线”样式，此时对话框中会出现虚线的相应属性，如图3-13所示。

第一个数值控制线段的长度。

第二个数值控制相邻两个线段间空白的大小。

- 点状线

在“笔触样式”对话框中选择“点状线”样式，此时对话框中会出现点状线的相应属性，如图3-14所示。通过点距可以控制相邻两点间的距离。

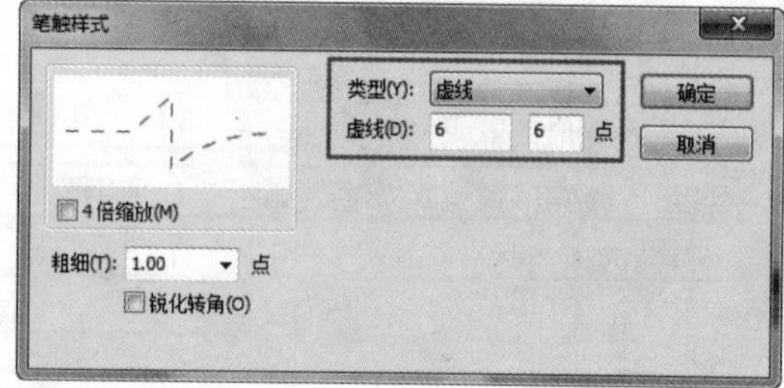

图3-13 虚线样式

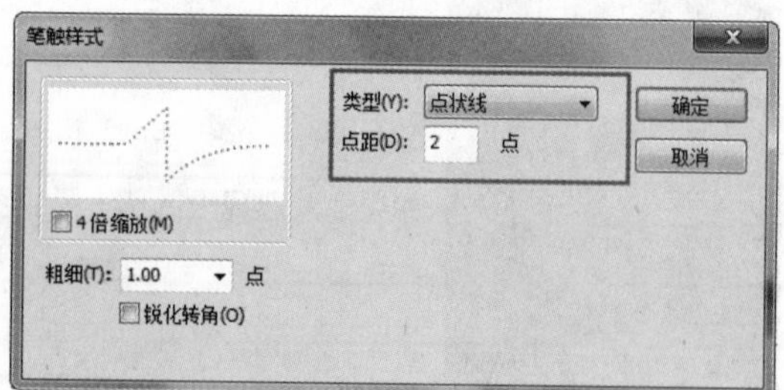

图3-14 点状样式

● 锯尺线

在“笔触样式”对话框中选择“锯尺线”样式，此时对话框中会出现锯尺线的相应属性，如图3-15所示。

①图案	该下拉列表框用来控制断线的频率和样式。
②波高	用来控制线条中起伏效果的剧烈程度。
③波长	用来控制每个起伏影响的线条长度。

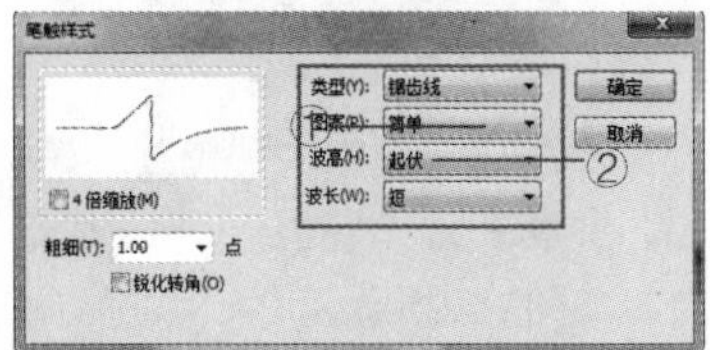

图3-15　锯尺线样式

● 点刻线

在“笔触样式”对话框中选择“点刻线”样式，此时对话框中会出现点刻线的相应属性，如图3-16所示。

①点大小	用来控制笔触中点的平均大小。
②点变化	用来控制点之间的大小差距。
③密度	用来控制笔触中点的大小。

图3-16　点刻线样式

● 斑马线

在“笔触样式”对话框中选择“斑马线”样式，此时对话框中会出现斑马线的相应属性，如图3-17所示。

①粗细	用来控制每个线段的粗细程度。
②间隔	用来控制线段间的距离长短。
③微动	用来控制在指定的间隔距离基础上，偏离原来位置的程序。
④旋转	用来控制每个线段的旋转程度。
⑤曲线	用来控制每条线段的弧度。
⑥长度	用来测量每条线段在指定笔触粗细基础上的偏移程度。

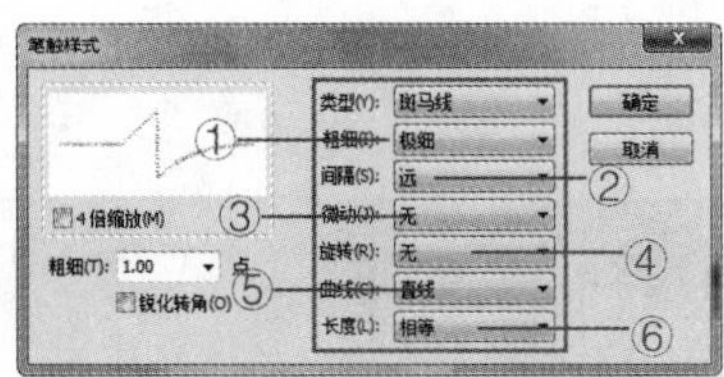

图3-17　斑马线样式

对象绘制

在使用图形绘制工具时，工具箱中都出现一个“对象绘制”按钮，以矩形工具为例，单击该按钮将其激活，绘制的每一个矩形都将作为一个对象，而不是形状。多个对象之间是相互独立的，而多个形状组合在一起则会互相影响。

在使用“矩形工具”之前，未激活“对象绘制”按钮，直接在舞台中绘制多个矩形，此时矩形将会重叠，如果图形的填充颜色相同，则会自动合并，如图3-18所示，如果选择的图形已经与另一个图形合并，且两图形填充颜色不同，移动它则会永久改变其下方的图形，如图3-19所示。

如果在使用“矩形工具”之前将“对象绘制”按钮激活，此时再绘制图形，得到的结果将是截然不同的，无论绘制几个对象，它们都将独立存在，且在叠加时不会自动合并，如图3-20所示。

图3-18　图形合并

图3-19　改变图形

图3-20　以对象绘制

3.1.2 椭圆工具

单击工具箱中的“椭圆工具”按钮，在舞台中单击并拖动鼠标，直到创建了适合的形状和大小后，释放鼠标，即可绘制出一个椭圆，如图3-21所示，在“属性”面板中可以对椭圆的相应参数进行设置，如图3-22所示。

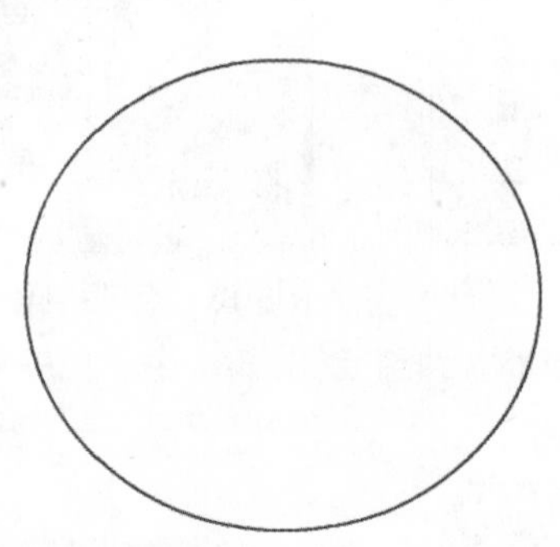

图3-21　绘制椭圆

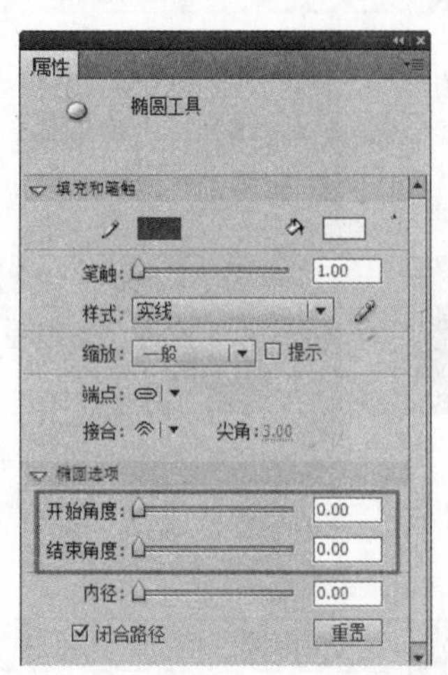

图3-22　“属性”面板

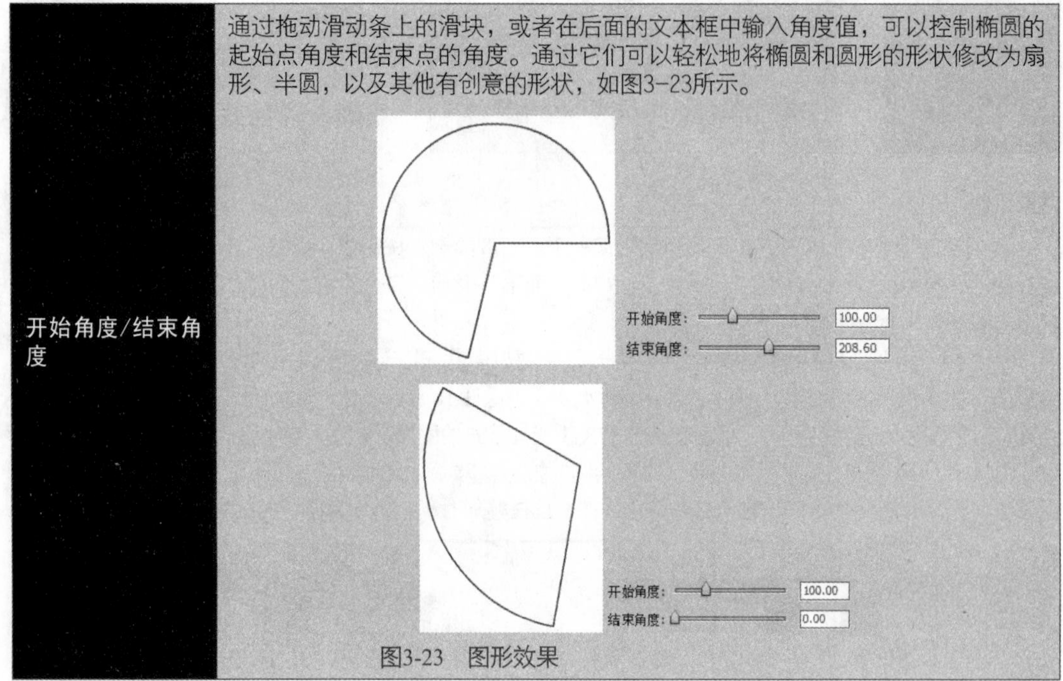

开始角度/结束角度	通过拖动滑动条上的滑块，或者在后面的文本框中输入角度值，可以控制椭圆的起始点角度和结束点的角度。通过它们可以轻松地将椭圆和圆形的形状修改为扇形、半圆，以及其他有创意的形状，如图3-23所示。

图3-23　图形效果

内径	用于调整椭圆的内径，可以直接在文本框中输入内径的数值（0~99），也可以拖动滑块调整内径的大小，如图3-24所示为设置不同内径大小时绘制图形效果。 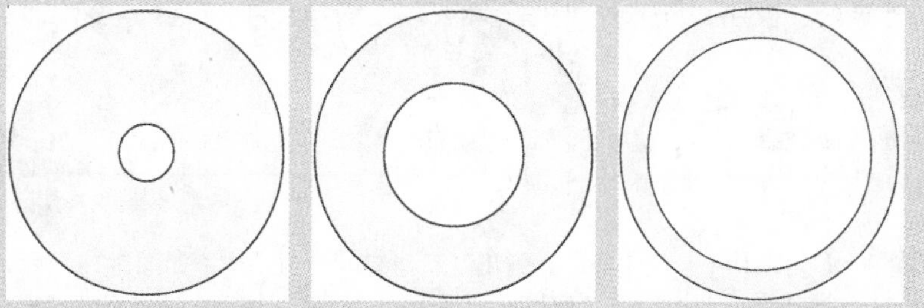 （内径为20）（内径为50）（内径为80） 图3-24　图形效果
闭合路径	用于确定椭圆的路径是否闭合，当椭圆指定了内径以后，会出现多条路径，如果不勾选该复选框，则绘制时会出现一条开放路径，此时如果未对图形应用任何填充，则绘制出的图形为笔触，如图3-25所示。默认情况下选择闭合路径，效果如图3-26所示。 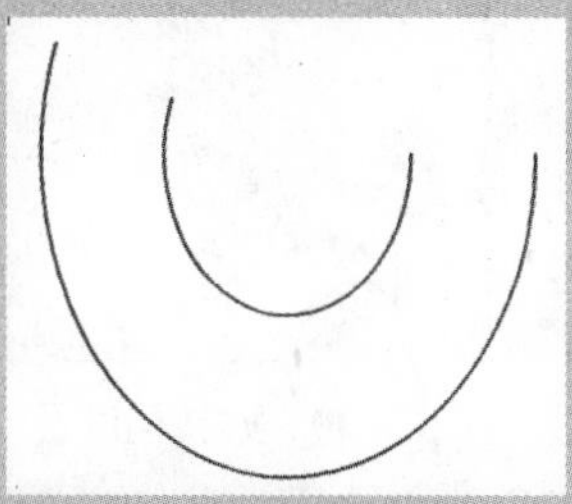 图3-25　开放路径效果 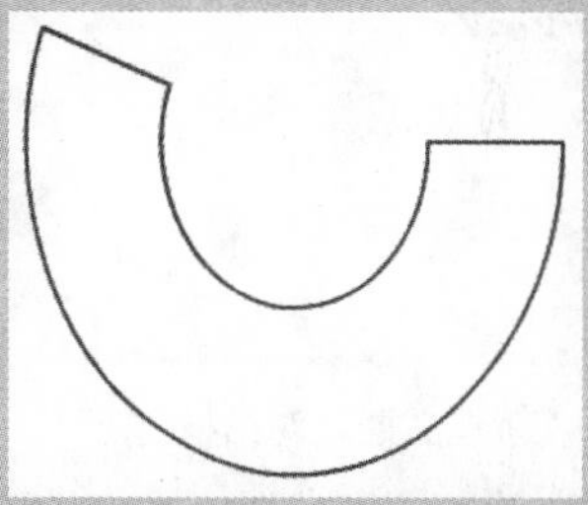　图3-26　闭合路径效果
重置	重置基本椭圆工具的所有设置，此时再将舞台中绘制的椭圆状恢复为原始大小和形状。

“椭圆工具”在使用上和“矩形工具”基本上是一致的，在使用“椭圆工具”时，按住“Shift”键同时拖动鼠标，可以将绘制的形状限制为正圆形，如图3-27所示。如果想指定椭圆的像素大小，可以在选择“椭圆工具”以后，按住“Alt”键同时单击舞台区域，弹出“椭圆设置”对话框，在该对话框中可以指定椭圆的宽度、高度，以及是否从中心绘制椭圆，如图3-28所示。

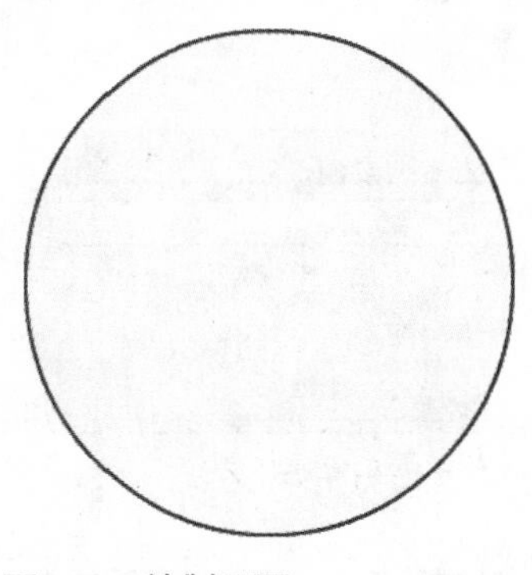

图3-27　绘制正圆

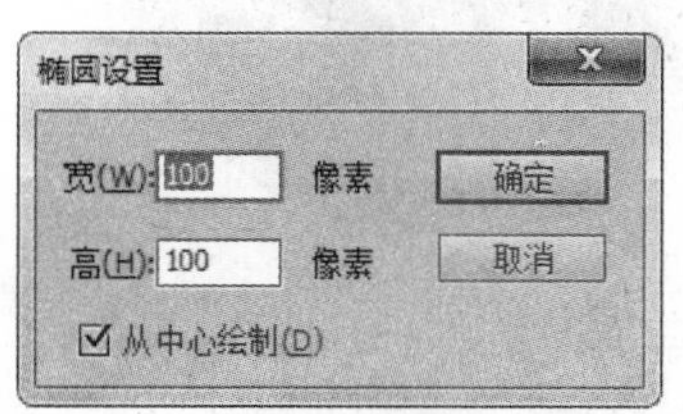

图3-28　“椭圆设置”对话框

Tips

由于Flash中的图形绘制工具在“属性”面板中的设置基本相同，在后面的小节中将不再进行过多讲解。

应用实例：使用椭圆工具绘制卡通角色身体

本实例主要使用“椭圆工具”配合“变形”面板绘制卡通角色头部，通过绘制椭圆，使用“套索工具”选取部分内容并进行删除，制作出角色耳朵部分等，完成卡通角色身体的绘制。

源文件：光盘\源文件\第 3 章\3-1-2.fla

教学视频：光盘\视频\第 3 章\3-1-2.swf

STEP 01 执行【文件】|【新建】命令，弹出“新建文档”对话框，如图 3-29 所示，单击“确定”按钮，新建一个 Flash 文件，单击“属性”面板上的“编辑”按钮，在弹出的“文档设置”对话框中进行相应的设置，如图 3-30 所示。

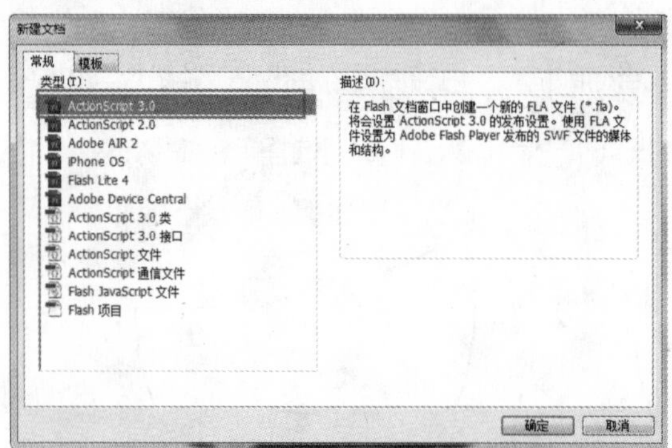

图3-29 “新建文档”对话框

图3-30 “文档设置”对话框

STEP 02 单击工具箱中的“椭圆工具”按钮，设置“填充颜色”为 #392115，“描边颜色”为无，按住“Shift”键，在舞台中绘制正圆，效果如图 3-31 所示。选中刚刚绘制的圆，执行【修改】|【转换元件】命令，将该正圆转换为图形元件，如图 3-32 所示。

图3-31 正圆效果

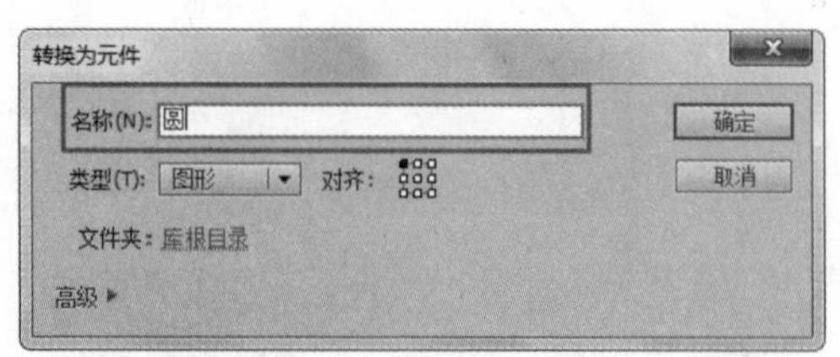

图3-32 转换为元件

STEP 03 单击工具箱中的“任意变形工具”按钮，选中刚刚绘制的正圆，调整该正圆的中心点，如图 3-33 所示。执行【窗口】|【变形】命令，打开“变形”面板，设置“旋转”角度为 20，单击“重置选区和形状”按钮，如图 3-34 所示，效果如图 3-35 所示。

图3-33　调整中心点

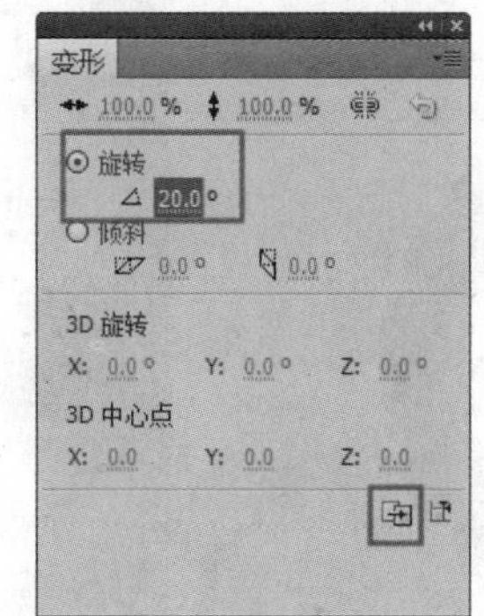

图3-34　“变形”面板

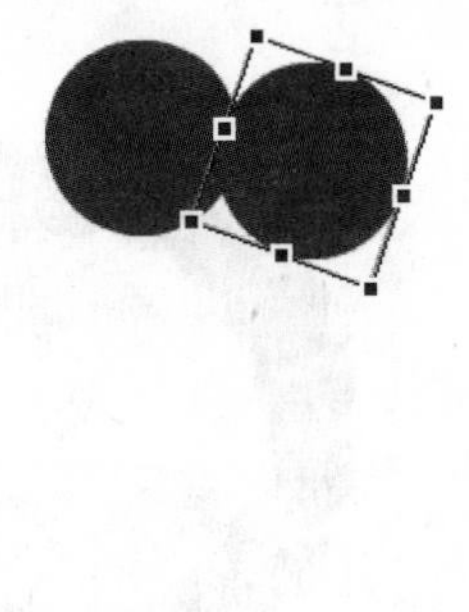
图3-35　图形效果

STEP 04 保持“变形”面板的设置，多次单击“重置选区和形状”按钮，直到围成一圈为止，效果如图3-36所示，按快捷键“Ctrl+A”，将舞台中所有图形全部选中，如图3-37所示，执行【修改】|【分离】命令，效果如图3-38所示。

图3-36　图形效果

图3-37　选中所有图形

图3-38　将所有图形分离

STEP 05 单击工具箱中的“墨水瓶工具”按钮，设置“填充颜色”为#000000，“笔触高度”为5，在图形边缘单击，为图形添加描边，效果如图3-39所示。将最外层描边选中并复制，新建“图层2”，执行【编辑】|【粘贴到当前位置】命令，效果如图3-40所示。

图3-39　描边效果

图3-40　复制描边

STEP 06 使用“任意变形工具”将刚刚制作的描边选中，修改“描边颜色”为#593E29，同时按住“Shift”键和“Alt”键，拖动鼠标由中心点进行缩放，效果如图3-41所示。使用“椭圆工具”设置“描边颜色”为#000000，打开“颜色”面板，设置“填充颜色”，如图3-42所示。

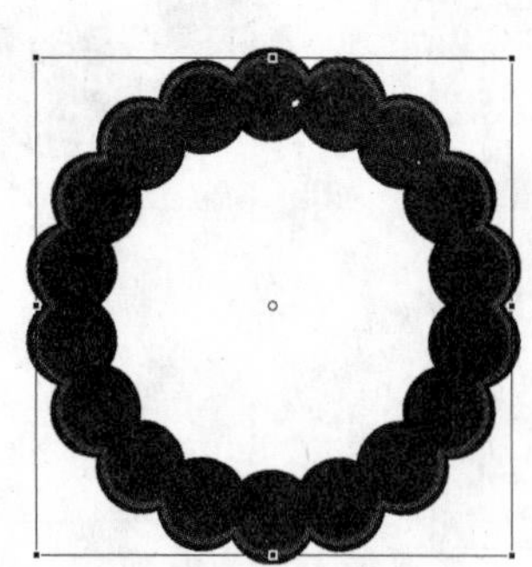

图3-41 调整描边

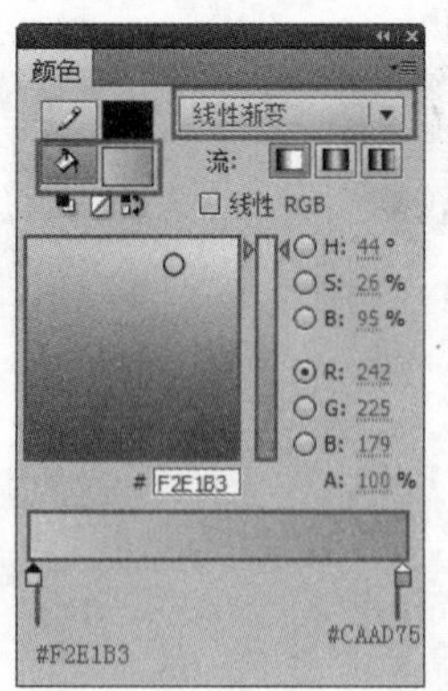

图3-42 “颜色”面板

STEP 07 完成填充颜色的设置，新建“图层 3”，在舞台中绘制椭圆，效果如图 3-43 所示。使用“选择工具”对刚刚绘制的椭圆进行适当调整，效果如图 3-44 所示。

图3-43 绘制椭圆

图3-44 椭圆效果

Tips

在绘制图形时，相同颜色的图形会自动相加，而不同颜色的图形会自动相减，所以在绘制图形时，最好将图形绘制在不同的图层上。

STEP 08 再次使用“椭圆工具”绘制椭圆，效果如图 3-45 所示。单击工具箱中的“套索工具”按钮，在刚刚绘制的椭圆中选出部分内容，按“Delete”键将其删除，效果如图 3-46 所示。根据前面的制作方法复制图形，并修改相应的填充颜色，效果如图 3-47 所示。

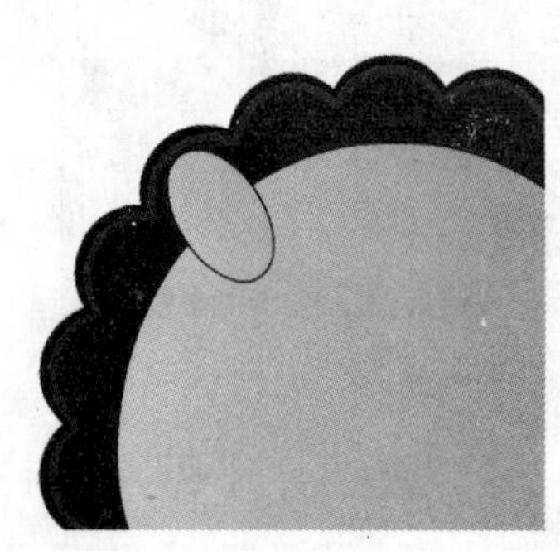

图3-45 绘制椭圆

图3-46 图形效果

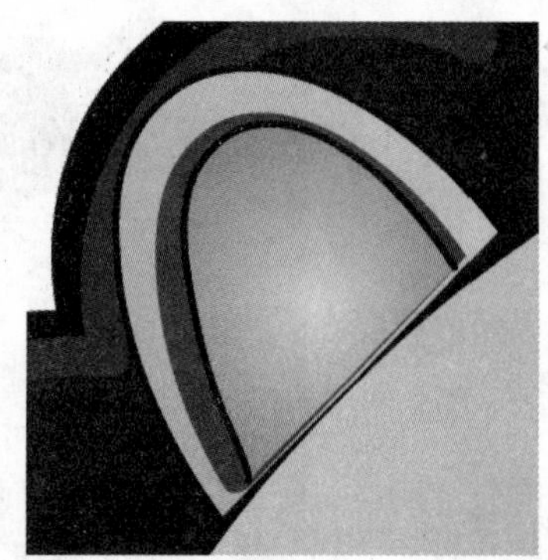

图3-47 图形效果

Tips

在绘制图形的过程中，为了方便操作，可以将其他图层暂时隐藏或者锁定，等完成后再解除即可。

STEP 09 使用相同的方法，可以完成另外一只耳朵的制作，效果如图 3-48 所示。使用相同的方法，完成其他内容的制作，并调整相应的图层顺序，效果如图 3-49 所示。

图3-48　图形效果

图3-49　图形效果

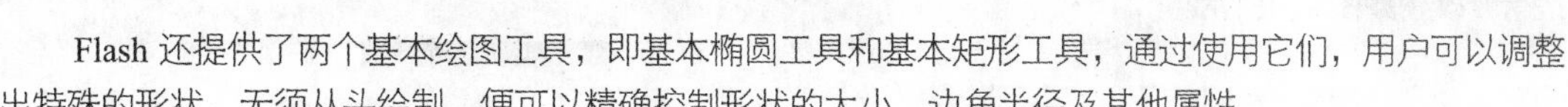

3.2 基本矩形工具和基本椭圆工具

Flash 还提供了两个基本绘图工具，即基本椭圆工具和基本矩形工具，通过使用它们，用户可以调整出特殊的形状，无须从头绘制，便可以精确控制形状的大小、边角半径及其他属性。

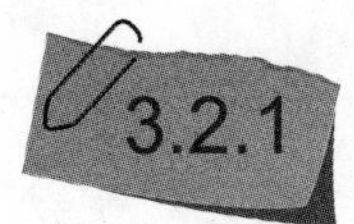

3.2.1 基本矩形工具

单击工具箱中的“基本矩形工具”按钮，在舞台中单击并拖动鼠标，直到创建了适合的形状和大小后，释放鼠标，即可绘制出一个基本矩形，如图3-50所示。在“属性”面板中可以对相应的属性直接进行修改，如图3-51所示。

图3-50　绘制基本矩形

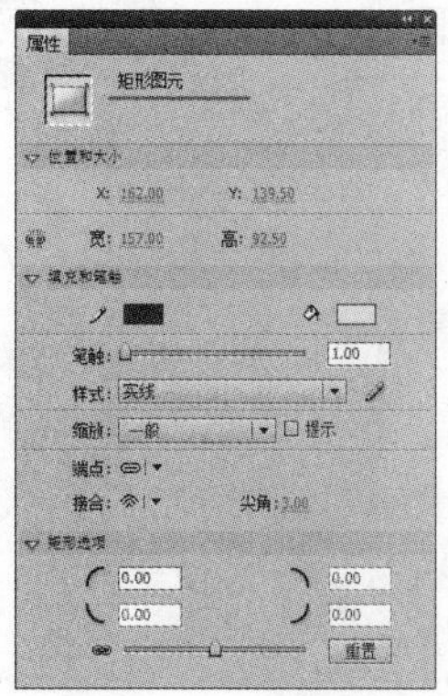

图3-51　“属性”面板

“基本矩形工具”与“矩形工具”最大的区别在于它的圆角设置，在使用“矩形工具”绘制矩形后，不能对矩形的角度进行修改，而使用“基本矩形工具”绘制完矩形以后，可以使用“选择工具”对基本矩形四周的任意控制点进行拖动，调出圆角，如图3-52所示。

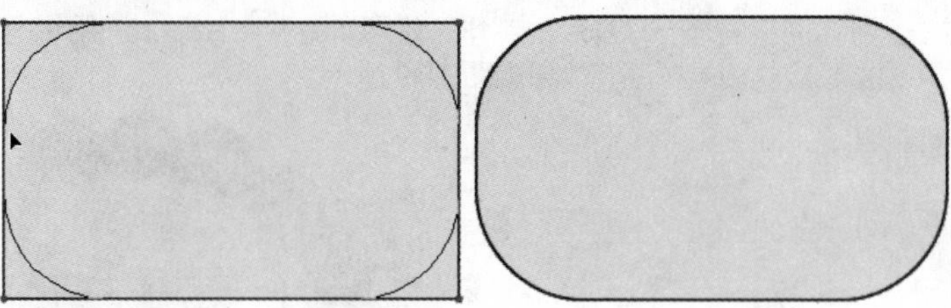

图3-52　调出基本矩形圆角

除了直接使用“选择工具”拖动更改角半径以外，还可以通过在“属性”面板中拖动“矩形选项”区域下的滑块进行调整，当滑块为选中状态时，按住键盘上的上方向键或下方向键，可以快速调整角半径。

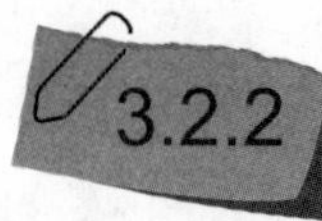

3.2.2 基本椭圆工具

单击工具箱中的“基本椭圆工具”按钮，在舞台中单击并拖动鼠标，直到创建了适合的形状和大小后，释放鼠标，即可绘制出一个基本椭圆，如图3-53所示。在“属性”面板中可以对相应的属性直接进行修改，如图3-54所示。

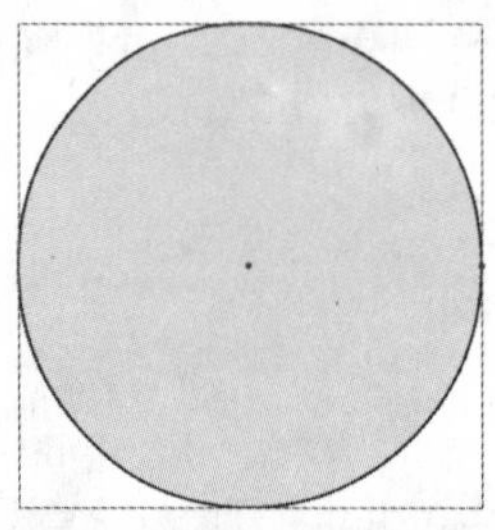

图3-53　绘制基本椭圆

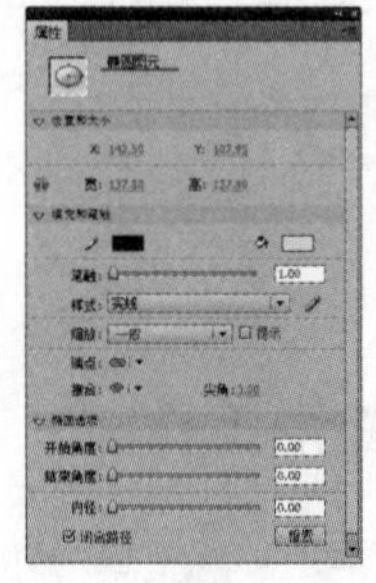

图3-54　“属性”面板

“基本椭圆工具”在使用上与“基本条形工具”基本是一致的，在绘制基本椭圆后，使用“选择工具”对基本椭圆的控制点进行拖动，可以改变椭圆的形状，如图3-55所示。

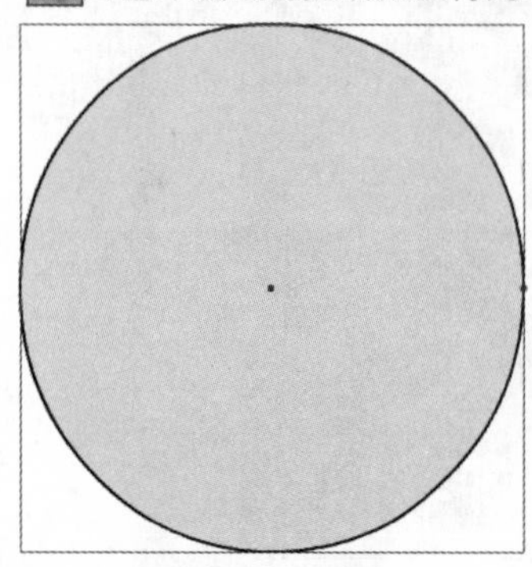

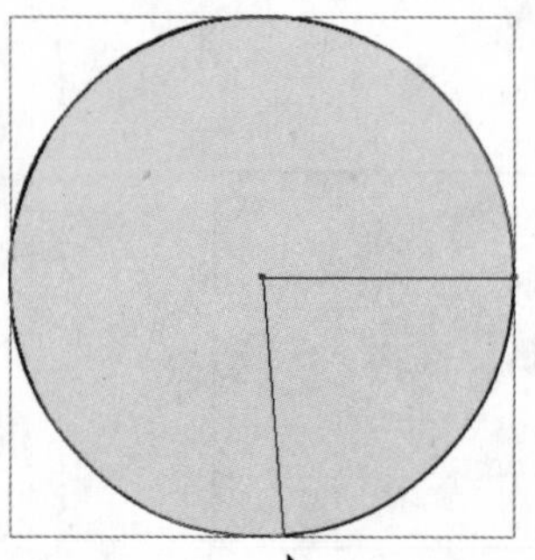

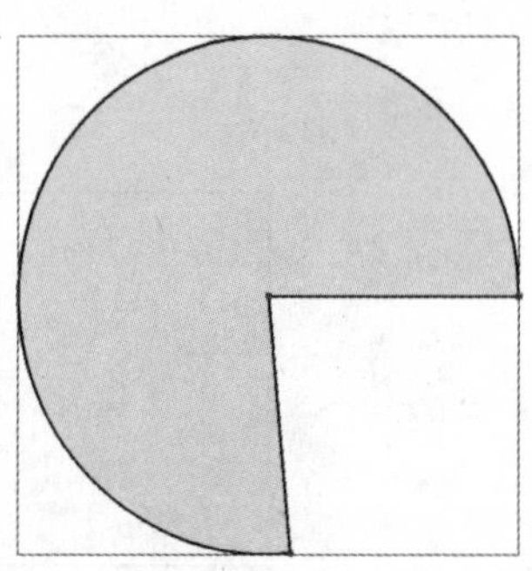

图3-55　调整基本椭圆形状

3.3 多角星形工具

使用“多角星形工具”可以绘制多边形和星形，通过设置所绘制的多边形边数和星形的顶点数（从3~32），还可以设置星形顶点的大小。

单击工具箱中的“多角星形工具”按钮，在舞台中单击并拖动鼠标，直到创建了适合的形状和大小后，释放鼠标，即可绘制出一个多角星形，如图3-56所示。在“属性”面板中可以对相应的属性直接进行修改，如图3-57所示。

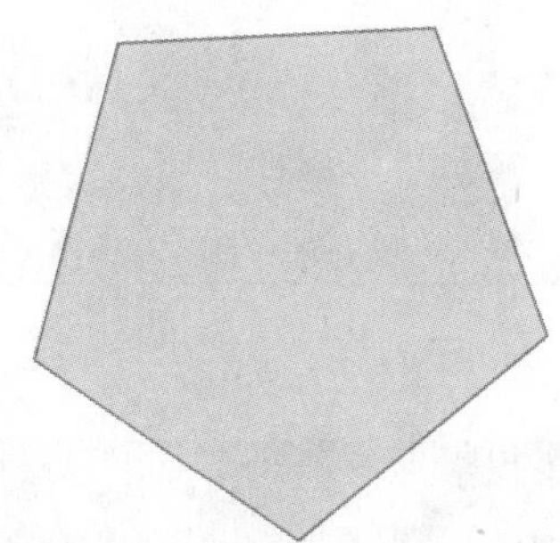

图3-56　绘制多角星形

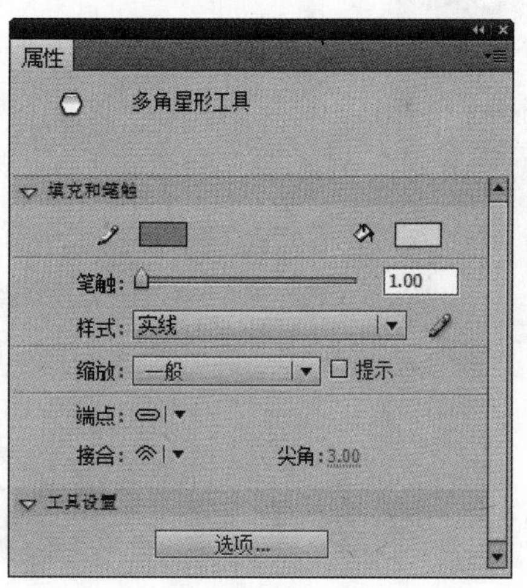

图3-57　“属性”面板

除了在舞台中直接绘制多边形以外，还可以通过“工具设置”对话框来绘制多边形，方法很简单，只需要在选择“多角星形工具”以后，在其“属性”面板中单击“选项”按钮，弹出“工具设置”对话框，从中可以对多边形的属性进行设置，在这里将“样式”设置为“星形”，如图3-58所示。单击“确定”按钮，在舞台中即可绘制出一个星形，效果如图3-59所示。

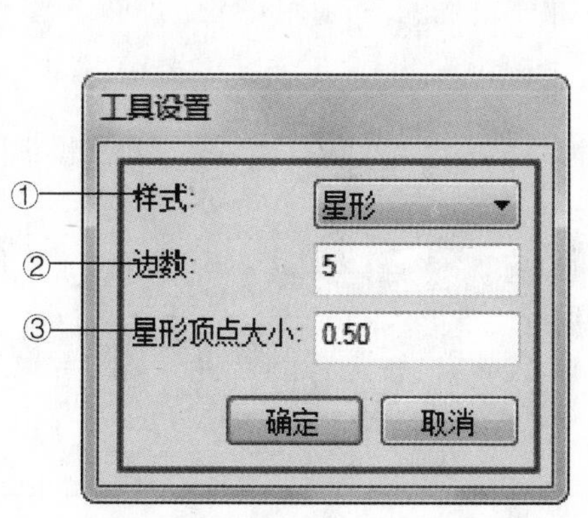

图3-58　“工具设置”对话框

图3-59　图形效果

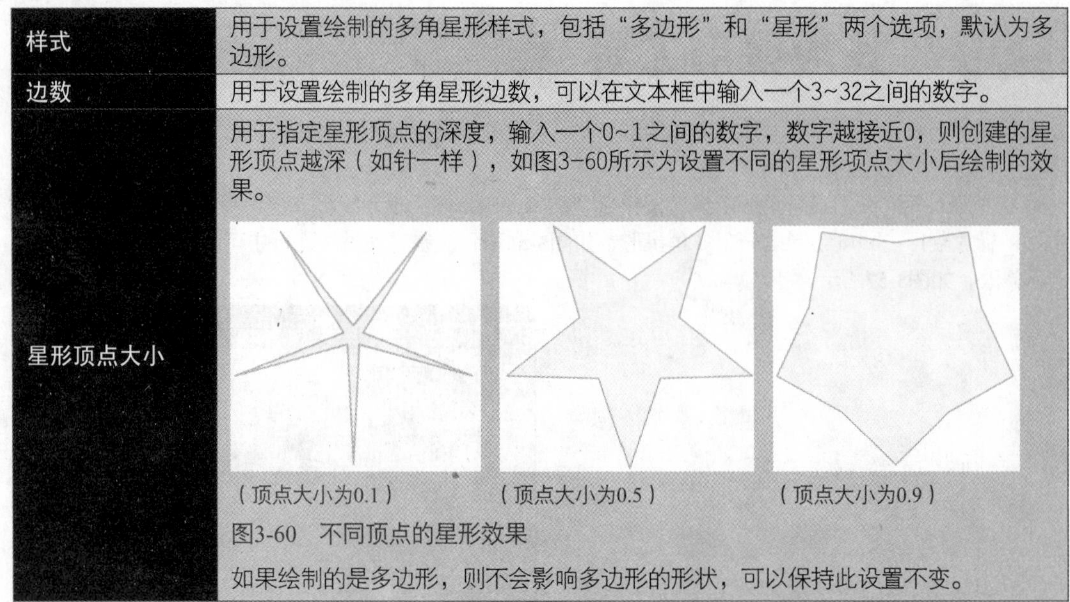

样式	用于设置绘制的多角星形样式，包括“多边形”和“星形”两个选项，默认为多边形。
边数	用于设置绘制的多角星形边数，可以在文本框中输入一个3~32之间的数字。
星形顶点大小	用于指定星形顶点的深度，输入一个0~1之间的数字，数字越接近0，则创建的星形顶点越深（如针一样），如图3-60所示为设置不同的星形顶点大小后绘制的效果。 （顶点大小为0.1）（顶点大小为0.5）（顶点大小为0.9） 图3-60　不同顶点的星形效果 如果绘制的是多边形，则不会影响多边形的形状，可以保持此设置不变。

3.4 线条工具

使用工具箱中的“线条工具”可以绘制直线。单击工具箱中的“线条工具”按钮。在舞台中拖动鼠标，就会绘制一条直线，释放鼠标即可完成直线的绘制，如图3-61所示，此时绘制出的直线“笔触颜色”和“笔触高度”为系统默认值，通过“属性”面板可以对“线条工具”的相应属性进行设置，如图3-62所示。

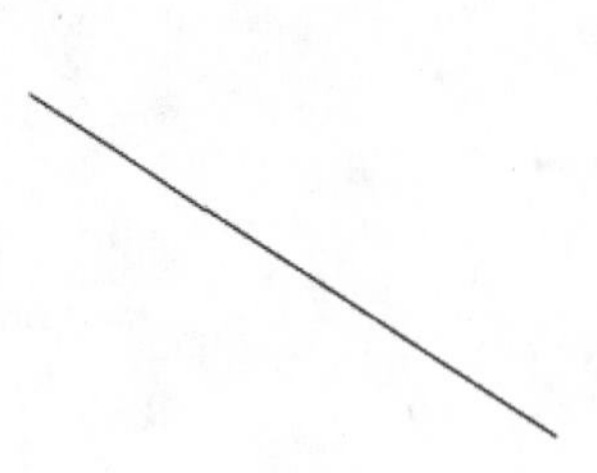

图3-61　线条效果

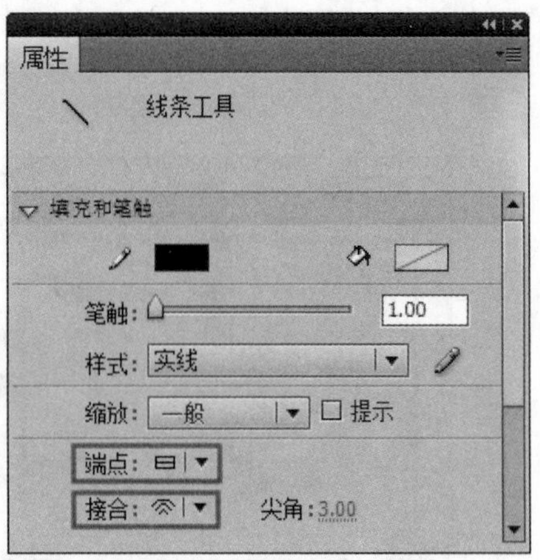

图3-62　“线条工具”的“属性”面板

端点	线条的端点可分为“无”、“圆角”和“方型”三种类型，如图3-63所示。 ● 无：绘制出的线条两端将不做任何变化。 ● 圆角：绘制出的线条两端将变化为圆角。 ● 方形：绘制出的线条两端将变化为方形。  类型为“无” 类型为“圆角” 类型为“方形” 图3-63 端点类型
接合	线条的接合可分为“尖角”、“圆角”和“斜角”三种类型，如图3-64所示。 ● 尖角：绘制出的线段的接合位置将变化为尖角。 ● 圆角：绘制出的线段的接合位置将变化为圆角。 ● 斜角：绘制出的线段的接合位置将变化为斜角。  类型为“尖角” 类型为“圆角” 类型为“斜角” 图3-64 线条接合类型

Tips

在使用“线条工具”时需要注意，线条工具不支持填充颜色的使用，默认情况下只能对笔触颜色进行设置更改。

Tips

在使用“线条工具”绘制直线时，如果按住“Shift”键拖动鼠标，可以将线条的角度限制为水平、垂直或45°。

应用实例：使用线条工具绘制卡通角色五官

本实例主要绘制卡通角色的五官，由于角色五官有对称关系，所以要借助标尺拖出辅助线，然后使用“线条工具”进行相应的绘制操作。

源文件：光盘\源文件\第3章\3-4.fla

教学视频：光盘\视频\第3章\3-4.swf

STEP 01 执行【文件】|【打开】命令，打开“光盘/源文件/第3章/3-1-2.fla”，效果如图3-65所示。执行【文件】|【另存为】命令，将其保存为“光盘/源文件/第3章/3-4.fla”。执行【视图】|【标尺】命令，在标尺中拖出辅助线，如图3-66所示。

图3-65　图形效果

图3-66　拖出辅助线

STEP 02 新建图层，单击工具箱中的“线条工具”按钮，设置“描边颜色”为 #000000，“笔触高度”为 5，在舞台中绘制图形，如图 3-67 所示。单击工具箱中的“椭圆工具”按钮，设置“描边颜色”为无，“填充颜色”为 #000000，在画布中进行绘制，如图 3-68 所示。

图3-67　绘制线条

图3-68　绘制椭圆

STEP 03 使用“线条工具”绘制两要根线条，如图 3-69 所示，使用“选择工具”对其进行适当调整，效果如图 3-70 所示。

图3-69　绘制线条

图3-70　调整线条

STEP 04 单击工具箱中的“铅笔工具”按钮，在舞台中进行绘制，如图 3-71 所示。使用相同的方法，可以绘制出其他部分的内容，效果如图 3-72 所示。

图3-71　图形效果

图3-72　图形效果

3.5　铅笔工具和刷子工具

在Flash 中使用铅笔工具和刷子工具可以绘制出不同形状的线条，在绘图的过程中，如果能够合理使用这两种工具，不但可以有效提高工作效率，而且还能让绘制出的图形别具特色。

3.5.1 铅笔工具

使用“铅笔工具”可以随意绘制出不同形状的线条，就像在纸上用真正的铅笔绘制一样，Flash会根据所选择的绘图模式对线条自动进行调整，使其更笔直或者更平滑。

单击工具箱中的“铅笔工具”按钮，在“属性”面板中选择合适的笔触颜色、线条粗细及样式，在舞台中进行绘制即可，按住“Shift”键，拖动鼠标可将线条限制为垂直或水平方向。

Tips

使用“铅笔工具”绘制出的线条被称为“笔触”，由于“铅笔工具”很难绘制出非常流畅的线条，所以在Flash 绘图的过程中，“铅笔工具”并不是最常用的工具。

选择“铅笔工具”后，在工具箱最下方会出现“铅笔模式”选项，这是“铅笔工具”所独有的，单击“铅笔模式”按钮，在按钮的下方会弹出3个选项：伸直、平滑和墨水，如图3-73所示。在各种模式下所绘制出的线条也是不同的，效果如图3-74所示。

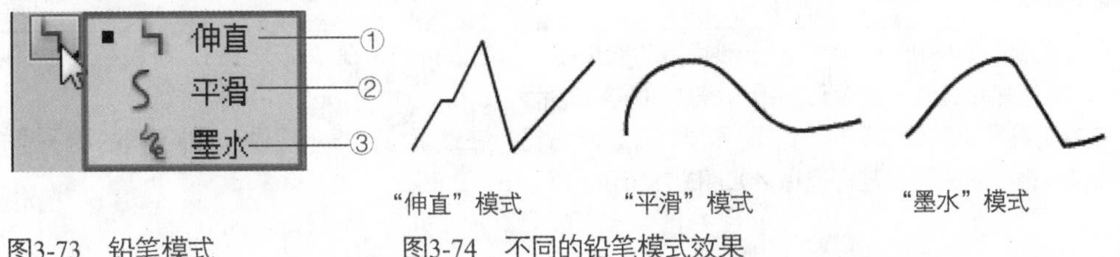

图3-73　铅笔模式

图3-74　不同的铅笔模式效果

①伸直	这是Flash的默认模式，在这种模式下绘图时，Flash会把绘制出的线条变得更直一些，一些本来是曲线的线条可能会变成直线。
②平滑	在这种模式下绘图时，线条会变得更加柔和。
③墨水	在这种模式下绘图时，绘制后没有任何变化。

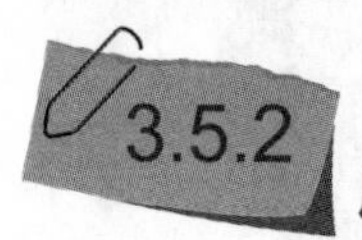

3.5.2 刷子工具

在Flash中，工具箱中的“刷子工具”与“铅笔工具”非常相似，它们都可以绘制出任意不同形状的线条，唯一不同的是，使用“刷子工具”所绘制的形状是被填充的，因此利用这一特性，可以制作出如书法等特殊效果。

“刷子工具”的使用非常简单，只需单击工具箱中的“刷子工具”按钮，在舞台中任意位置单击，然后拖曳到舞台中的另一位置，最后释放鼠标即可。

选择刷子大小

在Flash CS5中提供了一系列大小不同的刷子尺寸，单击工具箱中的“刷子工具”按钮后，就可以在工具箱中的“选项”区设置刷子的大小。在“选项”区的“刷子大小”下拉列表中可以选择刷子的大小，范围从小到大，如图3-75所示。选择了一种刷子大小以后，绘制出的线条粗细就固定了，即使重新从下拉列表中选择刷子大小，也不能改变已经绘制完成的线条粗细，如图3-76所示，可以看到使用刷子工具时，“属性”面板的填充和笔触区域呈现灰色不可选状态。

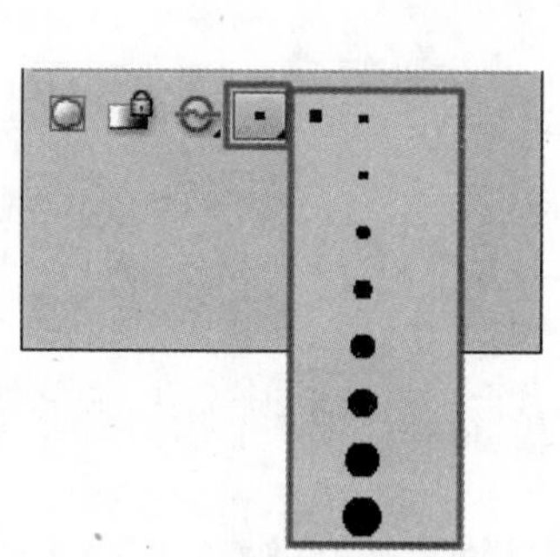

图3-75 “刷子大小”列表

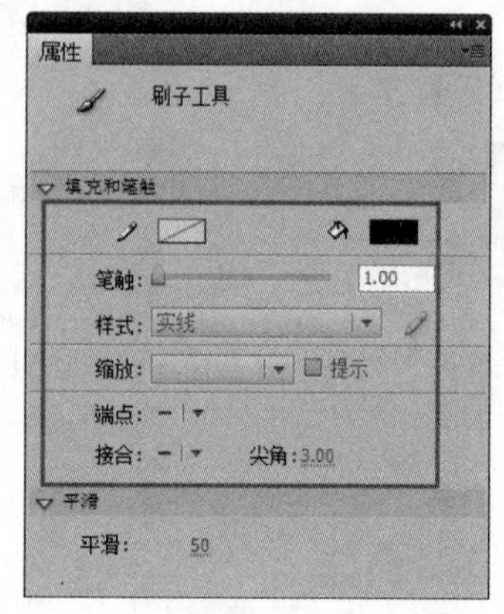

图3-76 “刷子工具”的“属性”面板

设置刷子形状

在“选项”区中还有一个“刷子形状”功能按钮，单击该按钮，在“刷子形状”下拉列表中可以选择刷子，其中包括直线条、矩形、圆形等，如图3-77所示。

单击工具箱中“选项”区的“刷子模式”功能按钮，在该下拉列表中提供了5种不同的刷子模式，从中可以根据不同的需要进行选择，如图3-78所示。

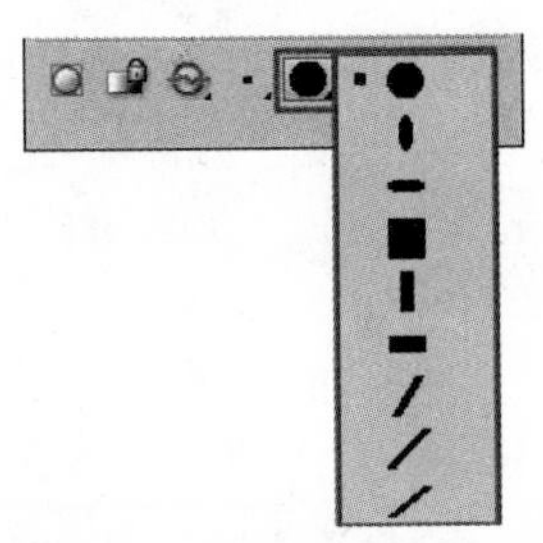

图3-77 “刷子形状”列表

图3-78 “刷子模式”列表

标准绘画	可以对同一层的线条涂色。
颜料填充	对填充区域和空白区域涂色，不影响线条。
后面绘画	在舞台上同一层的空白区域涂色，不影响线条和填充区域。
颜料选择	当使用工具箱中的“填充”选项和“属性”面板中的“填充”选项填充颜色时，“颜料选择”会将新的填充应用到选区中，类似于选择一个填充区域并应用新填充。
内部绘画	对开始时“刷子笔触”所在的填充区域进行涂色，但不对线条涂色，也不允许在线条外面涂色。如果在空白区域中开始涂色，该“填充”不会影响任何现有的填充区域。

单击工具箱中的“刷子工具”按钮，分别使用不同的刷子模式，在舞台中绘制图形，效果如图3-79所示。

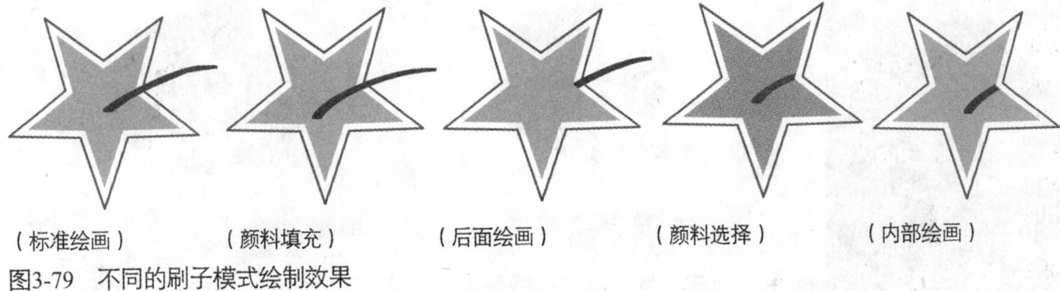

（标准绘画） （颜料填充） （后面绘画） （颜料选择） （内部绘画）

图3-79 不同的刷子模式绘制效果

3.6 钢笔工具

使用工具箱中的“钢笔工具”可以绘制平滑流畅的曲线，通过“钢笔工具”这个特性，可以绘制出很多不规则的图形。在运用“铅笔工具”绘制图形的过程中，可以将曲线转换为直线，也可以将直线转换为曲线。

3.6.1 设置钢笔工具

在使用“钢笔工具”之前，可以根据不同的需要来选择钢笔的显示状态。

执行【编辑】|【首选参数】命令，弹出“首选参数”对话框，在该对话框左侧类别中选择“绘画”选项，如图3-80所示。在“绘画”选项区中可以选择需要的选项。

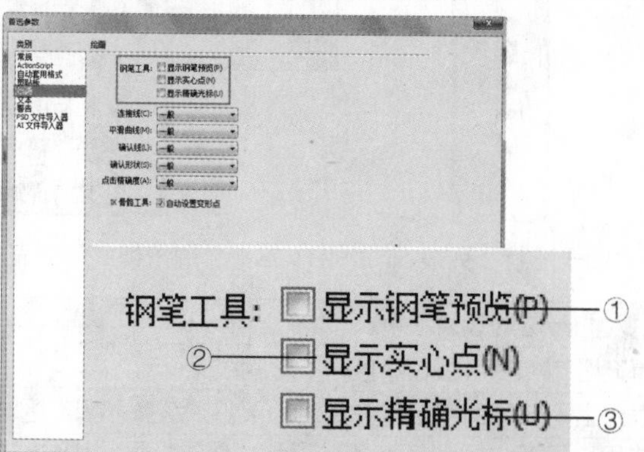

图3-80 “首选参数”对话框

①显示钢笔预览	勾选该复选框后，在绘制线段时，可以直接预览线段。无论是在未确定线段的终点之前，还是在舞台中移动鼠标指针时，Flash中都会显示出线段预览效果，如图3-81所示。 如果没有勾选该复选框，则在创建线段终点之前，Flash不会显示线段预览，如图3-82所示。  图3-81 显示铅笔预览  图3-82 不显示铅笔预览
②显示实心点	使用“钢笔工具”绘制完线段后，单击选定线段的“锚点”，被选定的“锚点”将显示为空心点，没有被选定的“锚点”将显示为实心点，如图3-83所示。  （选择锚点前）  （选择锚点后） 图3-83 选择锚点效果 如果没有勾选该复选框，则被选定的锚点为实心点，而没有被选定的锚点为空心点。

 ③显示精确光标	勾选该复选框后，鼠标指针将会以十字指针的形式出现，如图3-84所示，而不是以默认的“铅笔工具”图标的形式出现，这样可以提高线条的定位精度。   图3-84　显示精确光标 如果没有勾选该复选框，则会显示默认的“钢笔工具”图标来代表光标。

 *Tips*

在使用“钢笔工具”绘制路径时，按“Caps Lock”键（大小写锁定键）可以在十字指针和默认的钢笔工具图标之间进行切换。

3.6.2 使用钢笔工具

使用“钢笔工具”最基本的操作就是绘制曲线，绘制曲线首先要创建锚点，也就是线条上每条线段长度的点，具体操作如下：

（1）单击工具箱中的“钢笔工具”按钮，在舞台中的任意位置单击，单击后在舞台中会出现一个“锚点”，此时钢笔尖变成一个箭头状，如图3-85所示。

（2）在舞台中另选一点单击并拖动鼠标，此时将会出现曲线的切线手柄，如图3-86所示，此时释放鼠标，即可绘制出一条曲线段，曲线段的形状决定切线手柄的长度。

Tips

在使用“钢笔工具”绘制路径时，按住“Shift”键拖动鼠标，可以将曲线倾斜角限制为45°的倍数。

（3）按住“Alt”键，当鼠标指针变为形状时，即可移动切线手柄来调整曲线，效果如图3-87所示。

（4）使用相同的方法，在场中再选一点，反方向拖动鼠标完成曲线段的绘制，如图3-88所示。

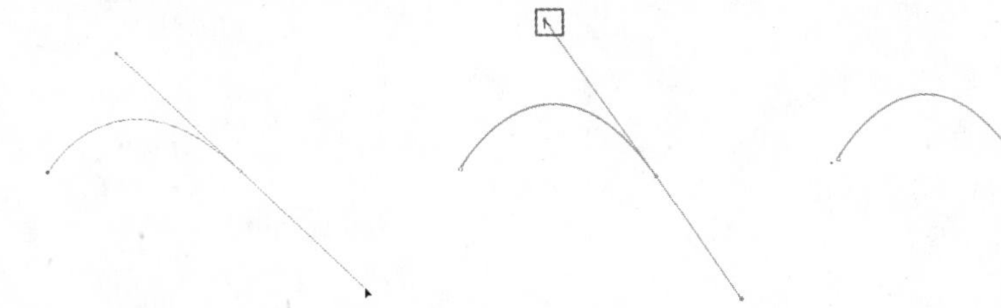

图3-85　箭头效果　图3-86　舞台效果　图3-87　舞台效果　图3-88　舞台效果

3.6.3 调整锚点

使用“钢笔工具”绘制曲线，可以创建很多曲线点，这就是Flash 中的锚点，在绘制直线段或连接到曲线段时，会创建转角点。一般情况下，被选定的曲线点会显示为空心圆圈，被选定的转角点会显示为空心正方形。

将直线段转换为曲线段

要将线条中的线段由直线段转换为曲线段，可以使用工具箱中的“部分选取工具”选择该转角点，同时按住“Alt”键，拖动该点来调整切线手柄，将转角点转换为曲线点，转换过程如图3-89所示。

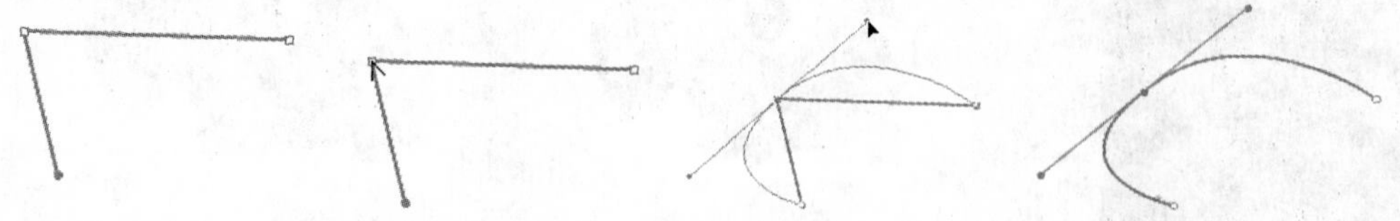

图3-89　将直线段转换为曲线段的过程

调整锚点

使用工具箱中的“部分选取工具”移动路径上的锚点，可以调整曲线的长度和角度，如图3-90所示，还可以使用“部分选取工具”选择锚点，并用键盘上的方向键对锚点进行调整。

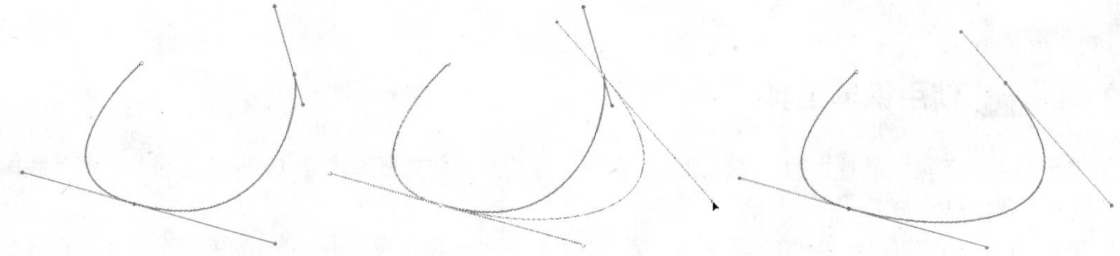

图3-90　对锚点进行调整

添加锚点

使用“钢笔工具”在线段上任意一点进行单击，可以添加锚点，也可以单击工具箱中的“添加锚点工具”按钮，然后在线段中单击添加锚点，效果如图3-91所示。

图3-91　添加锚点

删除锚点

删除锚点有很多方法，比如单击工具箱中的“删除锚点工具”按钮，在需要删除的锚点上单击，就可以删除锚点，如图3-92所示，或者单击工具箱中的“部分选取工具”按钮，选择需要删除的锚点，并按“Dlelete”键，即可将锚点删除。

*Tips*

适当删除曲线路径上不必要的锚点，可以优化曲线并减小 Flash 文件的大小。

图3-92　删除锚点

应用实例：使用钢笔工具绘制卡通小猪

本实例首先使用“椭圆工具”绘制出小猪的轮廓及五官，再通过“钢笔工具”绘制路径，填充颜色绘制小猪的衣服，在绘制的过程中，注意路径的调整，从中学习钢笔工具的使用方法和技巧。

源文件：光盘 \ 源文件 \ 第 3 章 \3-6-3.fla

教学视频：光盘 \ 视频 \ 第 3 章 \3-6-3.swf

STEP 01 执行【文件】|【新建】命令，弹出“新建文档”对话框，如图 3-93 所示，单击“确定”按钮，新建一个 Flash 文件，单击“属性”面板上的“编辑”按钮，在弹出的“文档设置”对话框中进行相应的设置，如图 3-94 所示。

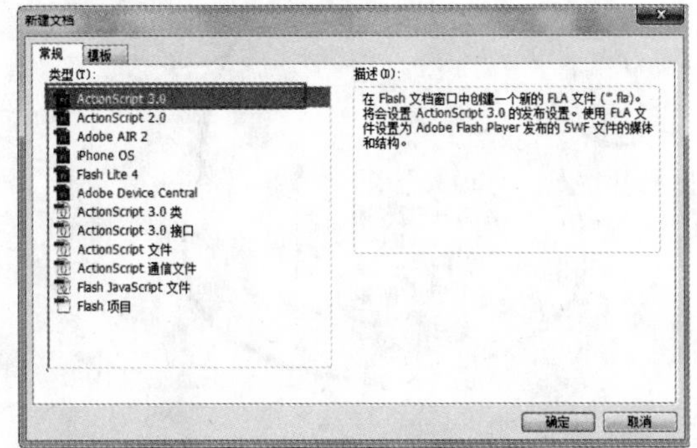

图3-93　“新建文档”对话框

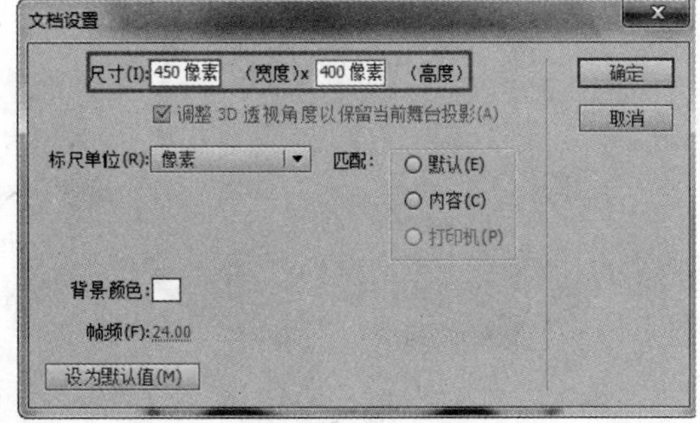

图3-94　“文档设置”对话框

STEP 02 单击工具箱中的“椭圆工具”按钮，设置“填充颜色”为# F9DFC6，“描边颜色”为无，在画布中绘制椭圆，如图 3-95 所示，将刚刚绘制的椭圆复制并粘贴，使用工具箱中的“任意变形工具”配合“选择工具”对图形进行相应调整，效果如图 3-96 所示。

图3-95　绘制椭圆

图3-96　图形效果

STEP 03 单击工具箱中的“墨水瓶工具”按钮，设置“填充颜色”为#000000，“笔触高度”为 3，在图形边缘单击，为图形添加描边，效果如图 3-97 所示。新建“图层 2”，再次使用“椭圆工具”绘制椭圆，并将“图层 1”调至“图层 2”上方，效果如图 3-98 所示。

图3-97　添加描边

图3-98　图形效果

STEP 04 单击工具箱中的“橡皮擦工具”按钮，在工具箱中选中“橡皮擦模式”为“擦除线条”，保持“图层 1”为选中状态，在舞台中相应的位置擦除线条，效果如图 3-99 所示。新建“图层 3”，使用相同的方法可以绘制小猪脸部内容，效果如图 3-100 所示。

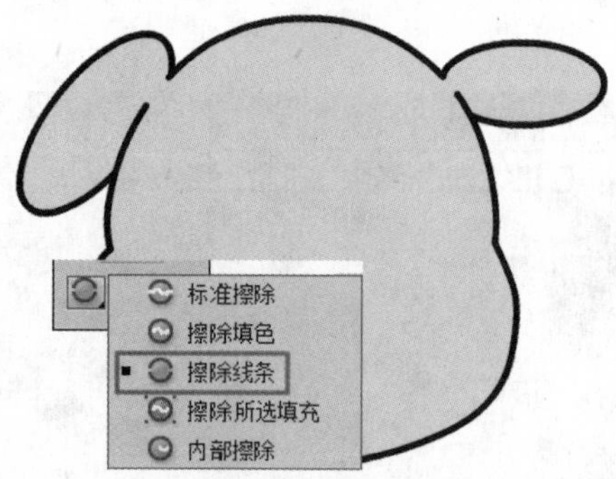

图3-99　图形效果

图3-100　图形效果

STEP 05 新建“图层 4”，单击工具箱中的“矩形工具”按钮，在舞台中绘制矩形，并使用“选择工具”进行调整，将上下线条删除，效果如图 3-101 所示。将“图层 4”移至最底层，效果如图 3-102 所示。

图3-101　图形效果

图3-102　图形效果

STEP 06 在最顶层新建“图层 5”，单击工具箱中的“钢笔工具”按钮，在舞台中绘制路径，效果如图 3-103 所示。完成路径的绘制，单击工具箱中的“颜料桶工具”按钮，设置“填充颜色”为 #FF0096，效果如图 3-104 所示。

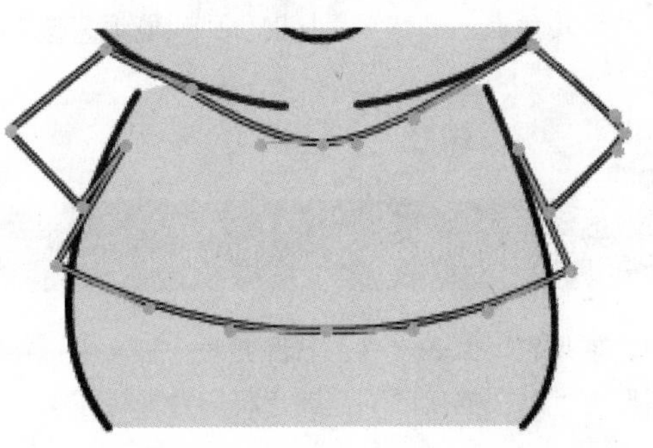

图3-103　路径效果

图3-104　填充颜色

STEP 07 新建“图层 6”，使用相同的方法绘制椭圆，效果如图 3-105 所示。根据前面相同的方法，可以完成其他部分内容的绘制，效果如图 3-106 所示。

图3-105　图形效果

图3-106　图形效果

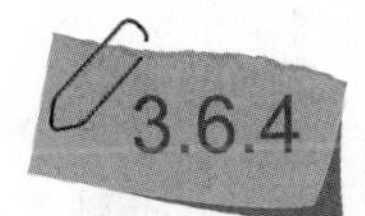

3.6.4 调整线段

单击工具箱中的“部分选取工具”按钮，选择舞台中线段上的锚点，并拖动锚点到舞台的任意位置或任意角度，可以改变线段的角度和长度，如图3-107所示。

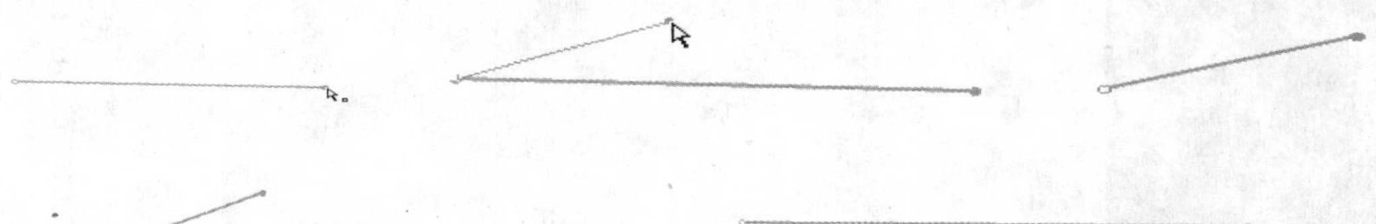
图3-107　改变线段的角度和长度

如果要调整曲线上的点或切线手柄，可以使用“部分选取工具”在曲线段上选择一个锚点，此时在选定的点上就会出现一个切线手柄。拖动锚点或拖动切线手柄，都可以对曲线形状进行调整。移动曲线点上的切线手柄时，可以调整该点两边的曲线。移动转角点上的切线手柄时，则只能调整该点的切线手柄所在的那一边的曲线。

3.7 喷涂刷工具

喷涂刷工具在功能上与粒子喷射器非常相似，使用它可以一次将形状图案放入舞台中，在默认情况下，喷涂刷工具使用当前选定的填充色喷涂，用户也可以根据自己的需要，将影片剪辑或图形元件喷涂到舞台中。

单击工具箱中的"喷涂刷工具"按钮，在"属性"面板中选择默认的填充颜色或者单击"编辑"按钮，从库中选择已有的元件作为"粒子"喷涂，如图3-108所示为喷涂刷工具的"属性"面板，以及使用元件喷涂的效果。

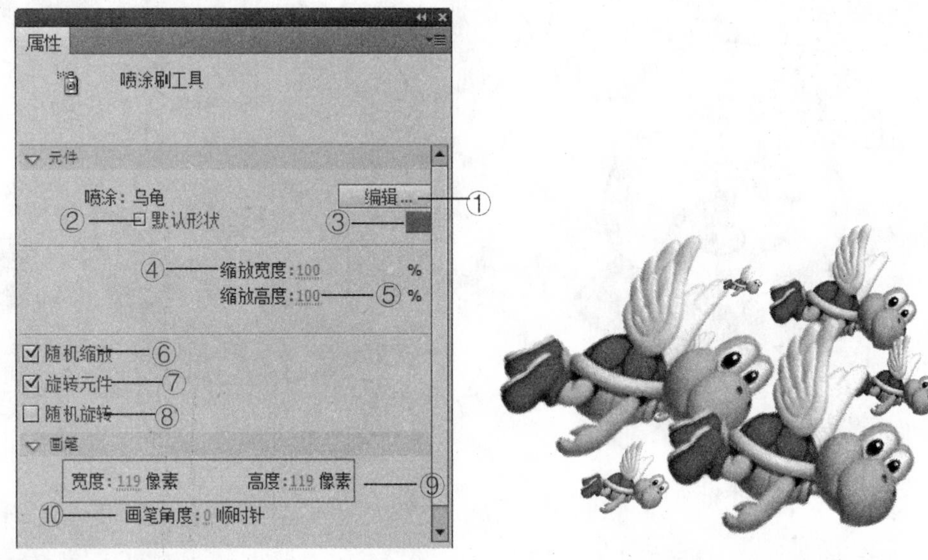

图3-108 "属性"面板以及舞台效果

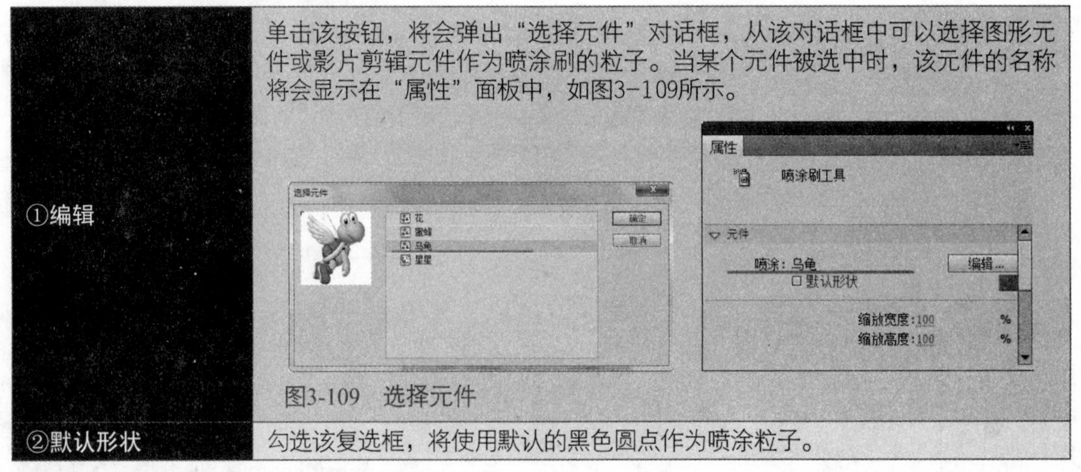

①编辑	单击该按钮，将会弹出"选择元件"对话框，从该对话框中可以选择图形元件或影片剪辑元件作为喷涂刷的粒子。当某个元件被选中时，该元件的名称将会显示在"属性"面板中，如图3-109所示。 图3-109 选择元件
②默认形状	勾选该复选框，将使用默认的黑色圆点作为喷涂粒子。

③颜色选取器	用于选择默认粒子喷涂的填充颜色。当用户在使用库中的元件作为喷涂粒子时，颜色选取器将呈禁用状态，如果想使用颜色作为粒子喷涂，可以勾选“默认形状”复选框，此时即可从颜色选取器中选择一种颜色，然后在舞台中进行喷涂，如图3-110所示。 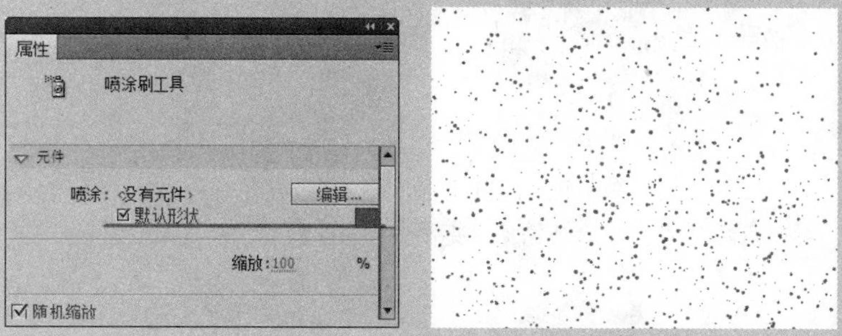 图3-110　以填充颜色进行喷涂
④缩放宽度	当使用默认形状时，设置此数值，可以调整圆点的大小。当使用自定义元件作为喷涂粒子时，使用此参数可以调整元件的宽度。
⑤缩放高度	仅限于在使用自定义元件作为喷涂粒子时，此参数被激活，用来调整元件的高度。
⑥随机缩放	勾选该复选框，将随机缩放每个用于喷涂的基本图形元素的大小。
⑦旋转元件	基于鼠标移动方向，旋转用于喷涂的基本图形元件，使用默认喷涂点时，会禁用此选项。
⑧随机旋转	随机旋转每个基本图形元素放置在舞台上的角度，使用默认喷涂点时，会禁用此选项。
⑨宽度/高度	用来调整喷涂的画笔大小。
⑩画笔角度	调整旋转画笔的角度，当画笔的长席大小不同时，此选项才具备实际的意义。

3.8 修改线条和形状轮廓

将直线变为曲线，通过拖动边角改变形状，以及对曲线进行优化等操作，都是在Flash绘图过程中必不可少的操作，灵活掌握这些绘图技巧，可以在以后的工作中更加得心应手。

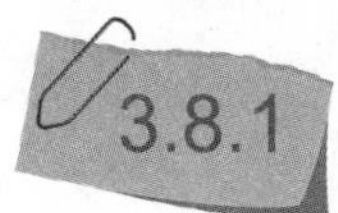

3.8.1 使用“选择工具”改变形状

用户每次在舞台上绘制的线条也许不会都令人满意，除了使用撤销操作，重新绘制以外，还有一个更好的方法，就是使用“选择工具”来调整已经绘制出的线条。

把鼠标移到需要调整的线条处，此时线条不需要在选中状态下，当光标显示为↖時，单击线条并拖动，即可将线条转换为曲线，并调整曲线的弧度和位置，如图3-111所示。

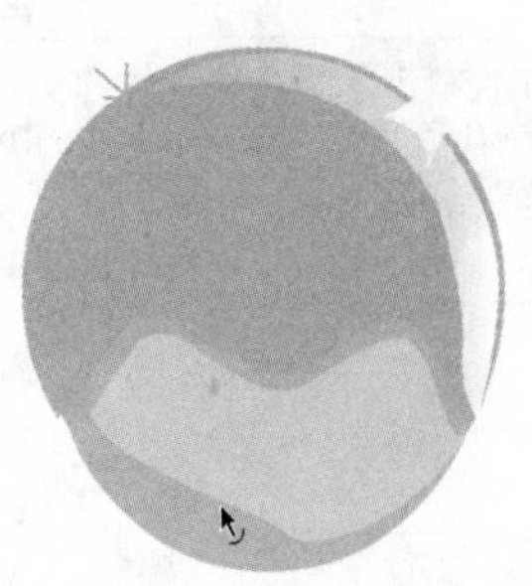
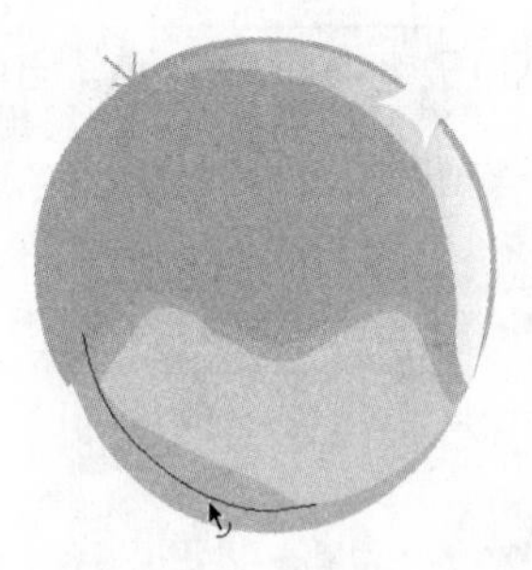
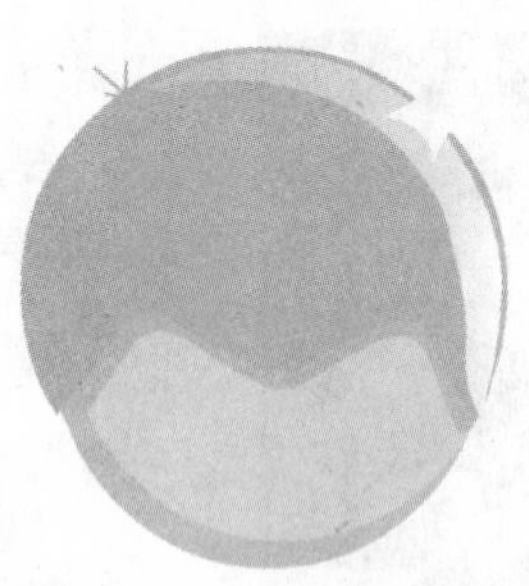

图3-111　将线条转换为曲线

当光标显示为![]时，单击线条并拖动后，被改变的线条是直线而非曲线，如图3-112所示。

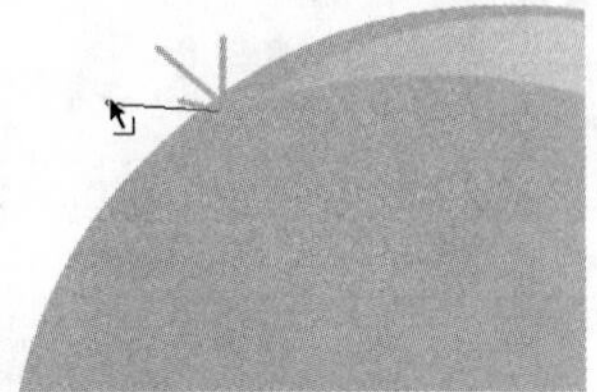

图3-112　调整直线

应用实例：绘制卡通角色脸部五官

接下来将以绘制出卡通角色的脸部为例，为读者综合讲解如何将绘图工具与“选择工具”结合使用。

源文件：光盘\源文件\第 3 章\3-8-1.fla

教学视频：光盘\视频\第 3 章\3-8-1.swf

STEP 01 执行【文件】|【打开】命令，打开素材“光盘 / 源文件 / 第 3 章 / 素材 /3-8-1.fla”，效果如图 3-113 所示。新建图层，单击工具箱中的“线条工具”按钮，设置“笔触颜色”为 #000000，“笔触高度”为 5，在舞台中绘制线条，如图 3-114 所示。

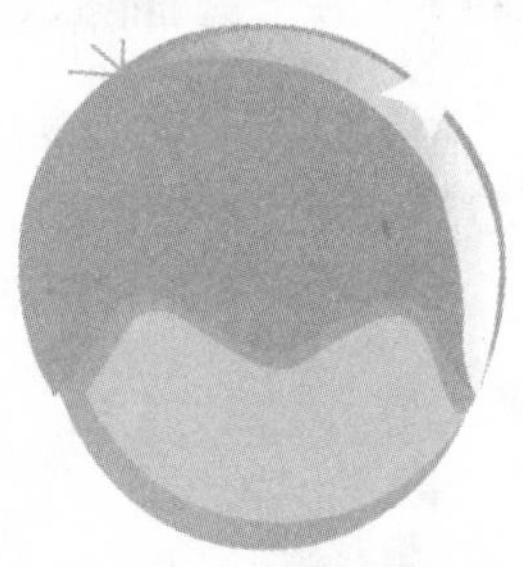

图3-113　图形效果

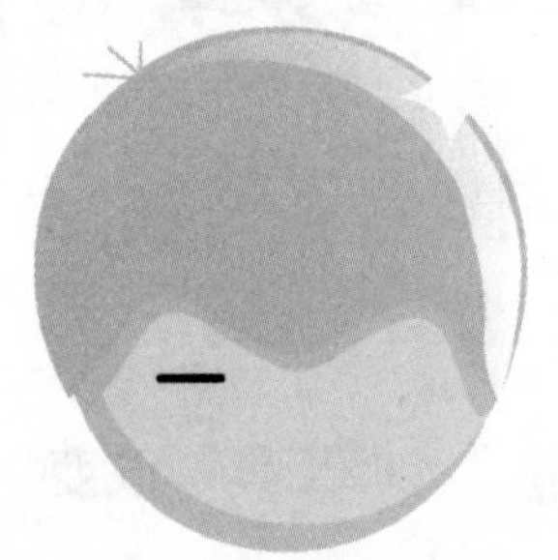

图3-114　绘制线条

STEP 02 单击工具箱中的“选择工具”按钮，将光标移到刚刚绘制的线条上，对其进行相应的调整，效果如图 3-115 所示。使用相同的方法，可以完成另一只眼睛的制作，效果如图 3-116 所示。

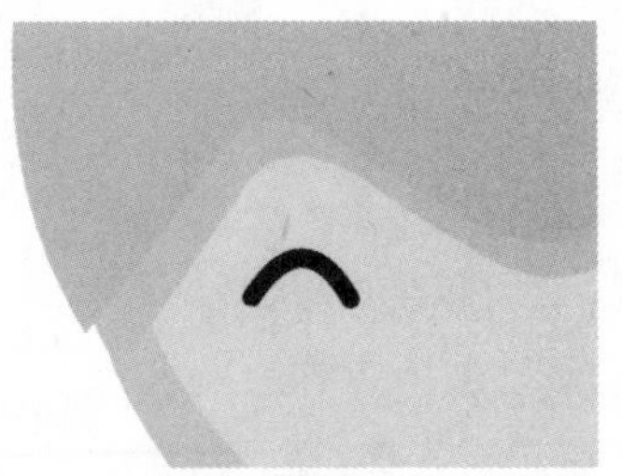
图3-115　图形效果

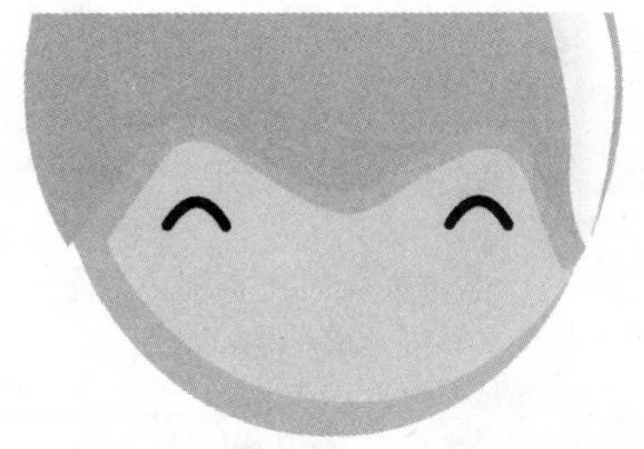
图3-116　图形效果

STEP 03 新建图层，单击工具箱中的“椭圆工具”按钮，设置“填充颜色”为#000000，“笔触颜色”为无，在舞台中绘制一个椭圆，如图3-117所示。使用“选择工具”将部分图形选中，按“Delete”键将其删除，效果如图3-118所示。

图3-117　图形效果

图3-118　图形效果

STEP 04 新建图层，再次使用“选择工具”进行调整，如图3-119所示。

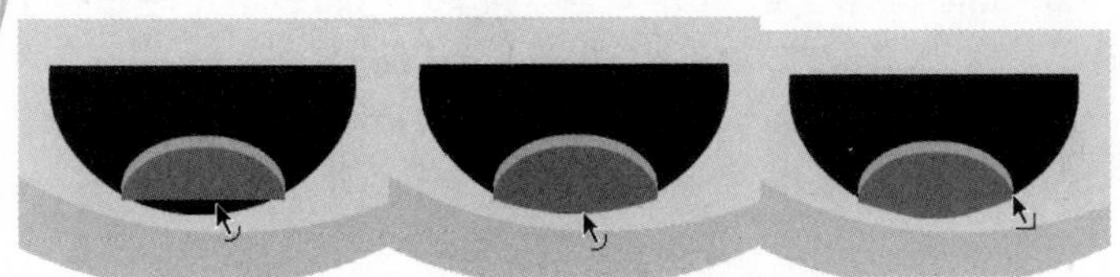
图3-119　图形效果

STEP 05 完成调整后的效果如图3-120所示。新建图层，绘制正圆，设置相应的填充颜色，效果如图3-121所示。

图3-120　图形效果

图3-121　图形效果

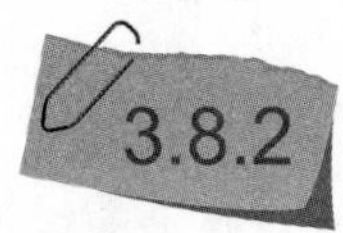

3.8.2 伸直和平滑线条

在Flash中，有一些辅助功能不但可以使图形更加美观，还可以减少线段的数量，如伸直工具和平滑工具。

1. 伸直线条

使用工具箱中的“伸直工具”可以使线条平直，并且减少线条的结点数。

使用“铅笔工具”绘制一根线条，如图3-122所示，此时，如果我们想要把部分线条变为直线，可以使用“选择工具”选中需要调整的线条，然后单击工具箱底部的“伸直工具”按钮，线条即可变为一条直线，如图3-123所示。

图3-122　绘制的线条　　　　图3-123　伸直后效果

Tips

除了使用“伸直工具”以外，还可以执行【修改】>【形状】>【高级伸直】命令，弹出“高级伸直”对话框，如图3-124所示，通过修改“伸直强度”数值，可在舞台上看到预览效果。

图3-124　“高级伸直”对话框

2. 平滑线条

当用户在舞台上绘制图形的时候，总是很难一次达到满意的效果，绘制出的图像多少都会出现一些“抖动”，即使是用钢笔工具也不例外，当锚点过多时，图像就难以保证连贯和平滑，此时就需要使用“平滑工具”。

在Flash中导入任意一张位图，如图3-125所示，使用“铅笔工具”沿着位图的边缘勾出轮廓线，如图3-126所示，可以看出，描出的线条并不是很平滑。

图3-125　导入位图

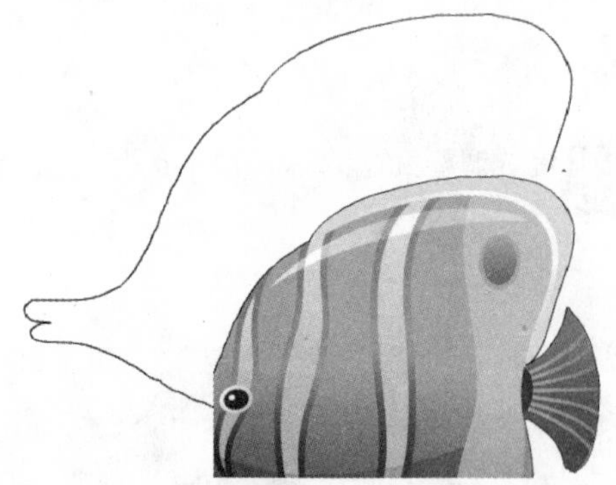

图3-126　轮廓效果

此时可以通过使用“选择工具”将需要平滑的部分选中，然后单击工具箱底部的“平滑工具”按钮，可以发现线条略微发生了一些变化，继续单击，直到平滑效果满意为止，然后使用“选择工具”对线条进行局部调整即可，如图3-127所示。

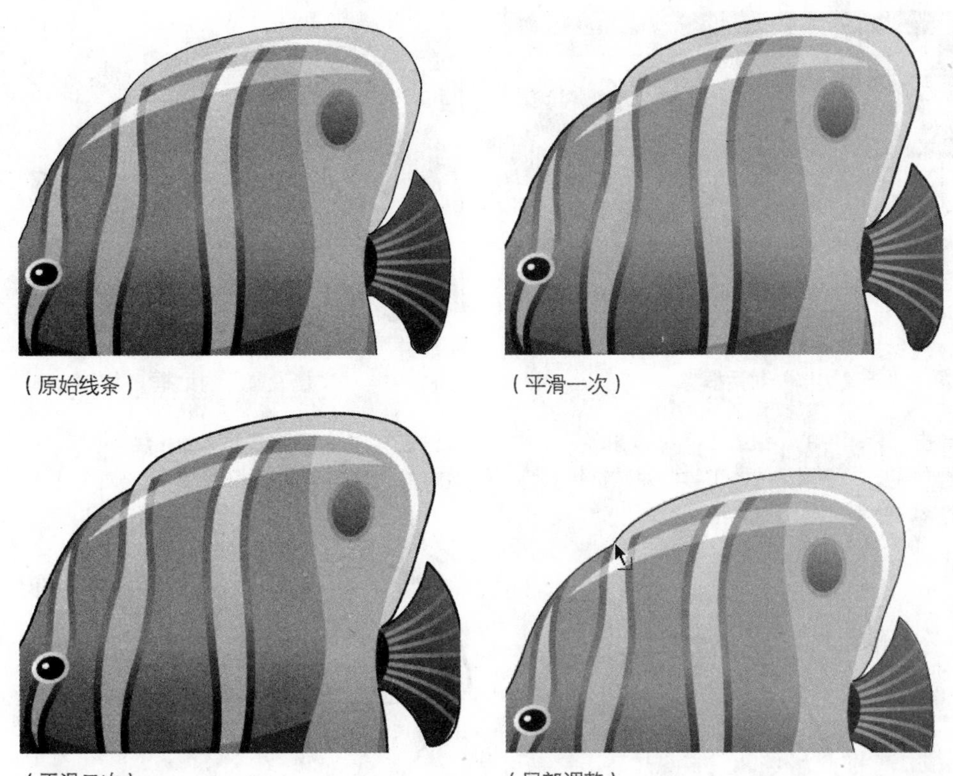

（原始线条）　（平滑一次）

（平滑二次）　（局部调整）

图3-127　平滑过程

Tips

除了使用“平滑工具”以外，还可以执行【修改】|【形状】|【高级平滑】命令，弹出“高级平滑”对话框，如图3-128所示，通过调整平滑角度，可在舞台上看到预览效果，从而一次性调整到需要的效果。

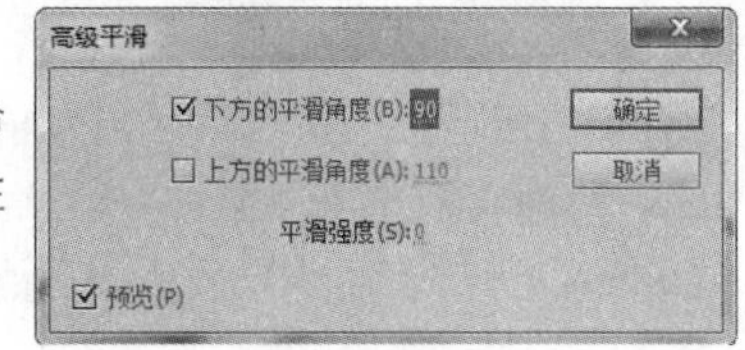

图3-128　“高级平滑”对话框

应用实例：绘制卧倒的猴子

本实例将以猴子的绘制过程，为读者讲解“线条工具”和“选择工具”配合使用的方法，在绘制的过程中，根据情况使用平滑工具对线条进行平滑操作，通过学习，从中领悟出线条工具的使用方法和技巧，以及平滑工具的使用。

源文件：光盘\源文件\第3章\3-8-2.fla

教学视频：光盘\视频\第3章\3-8-2.swf

STEP 01 执行【文件】|【新建】命令，弹出“新建文档”对话框，如图3-129所示，单击“确定”按钮，新建一个Flash文件，单击“属性”面板上的“编辑”按钮，在弹出的“文档设置”对话框中进行相应的设置，如图3-130所示。

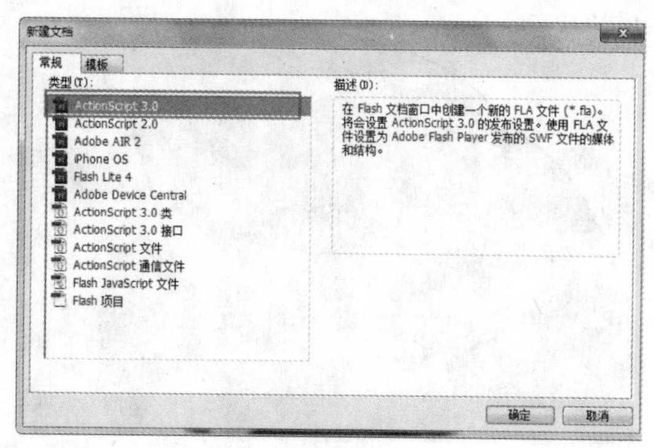

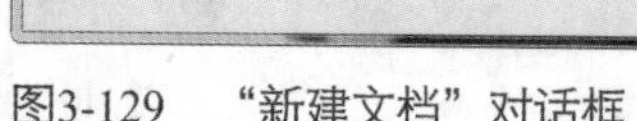

图3-129 “新建文档”对话框

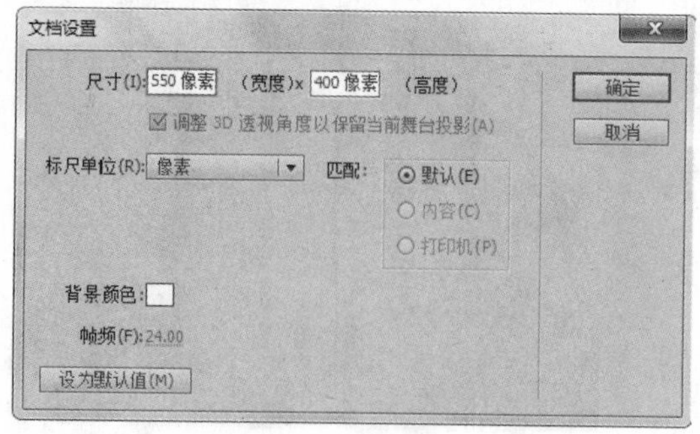

图3-130 “文档设置”对话框

STEP 02 单击工具箱中的“线条工具”按钮，设置“描边颜色”为#000000，“笔触高度”为2，在舞台中绘制线条，使用“选择工具”对其进行调整，效果如图3-131所示，再次绘制线，使用“选择工具”进行调整，效果如图3-132所示。

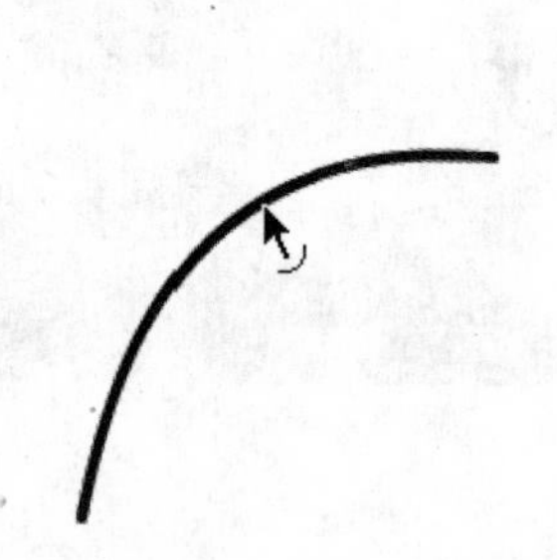

图3-131 线条效果

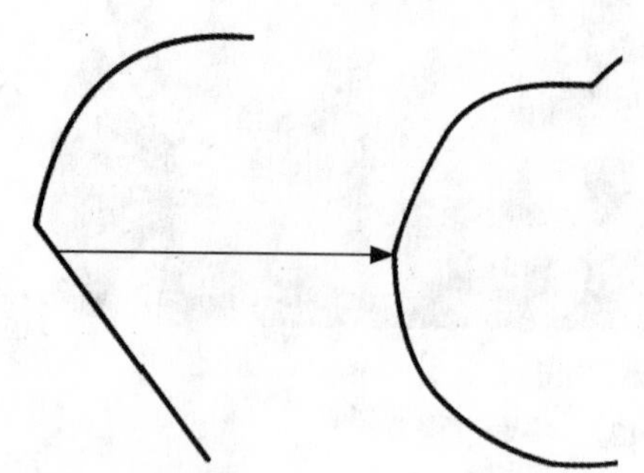

图3-132 线条效果

STEP 03 使用相同的方法，继续绘制线条，将轮廓勾出，效果如图3-133所示。使用“选择工具”在舞台中选择曲线不够平滑的部分，单击工具箱底部的“平滑工具”按钮，平滑部分曲线，得到满意的效果为止，得到的轮廓效果如图3-134所示。

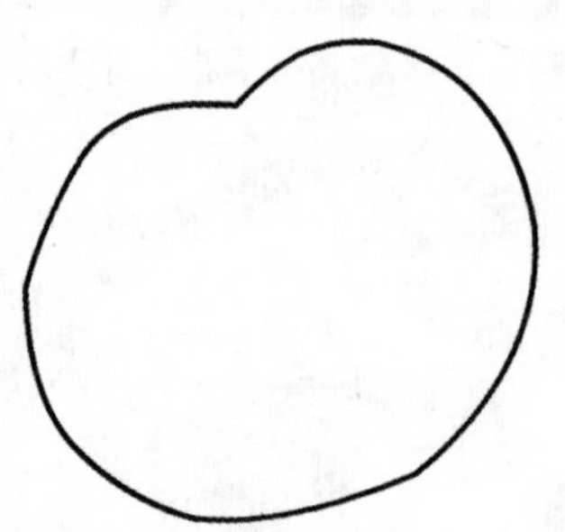

图3-133 轮廓效果

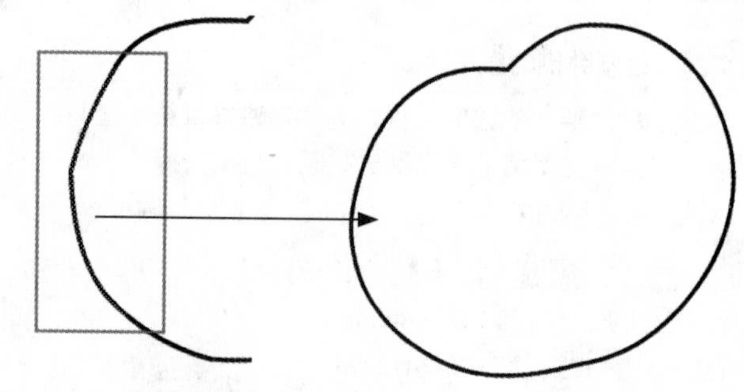

图3-134 平滑曲线

STEP 04 再次绘制曲线，并使用“选择工具”对其进行相应的调整，效果如图3-135所示。单击工具箱中的“颜料桶工具”按钮，设置“填充颜色”为#F9D0BA，在舞台中单击填充颜色，效果如图3-136所示。

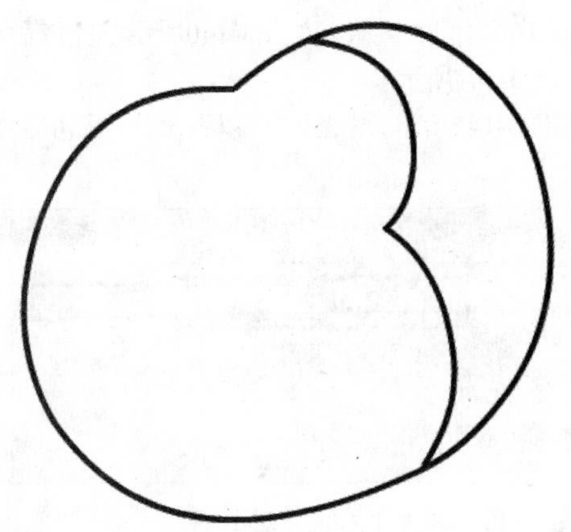
图3-135　轮廓效果

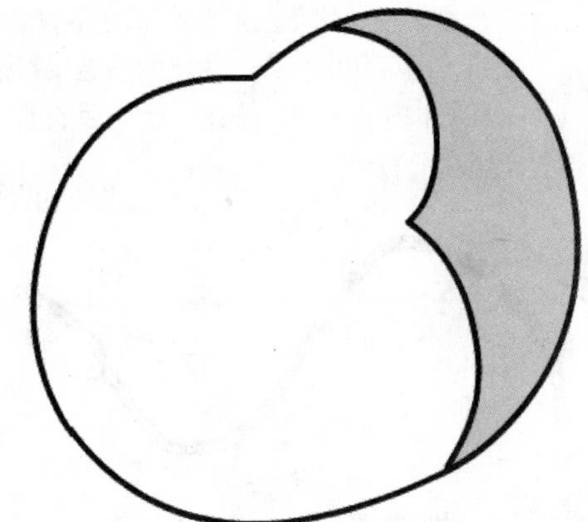
图3-136　填充颜色

STEP 05 新建“图层 2”，单击工具箱中的“刷子工具”按钮，设置“填充颜色”为 #000000，“描边颜色”为无，在舞台中绘制眼睛，并使用“选择工具”进行相应的调整，效果如图 3-137 所示。使用相同的方法，可以绘制出其他内容，效果如图 3-138 所示。

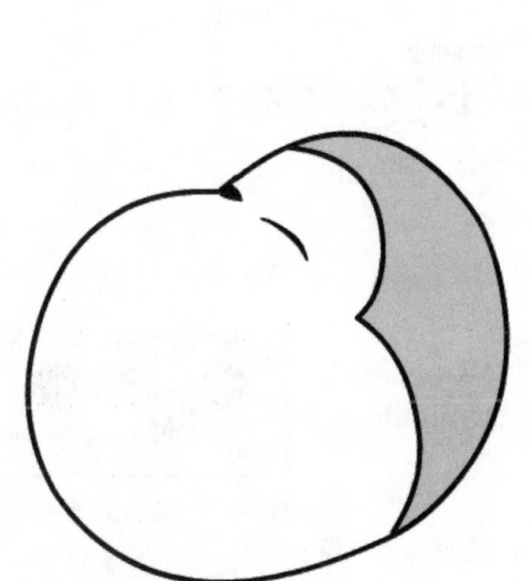
图3-137　图形效果

图3-138　图形效果

3.8.3 优化曲线

Flash还有一个优化功能，可以使曲线变得更加平滑，与平滑功能不同的是，优化是通过减少图形线条和填充边数的数量来实现的，从而更有效地控制文件的大小，使以后Flash文件的发布更顺畅。

（1）使用“部分选取工具”选中需要优化的图形或曲线，如图3-139所示。

（2）执行【修改】|【形状】|【优化】命令，弹出“优化曲线”对话框，在该对话框中可以设置

图形的优化程度，在“优化程度”文本框中输入范围在0~100之间的数值，如图3-140所示。完成后单击“确定”按钮，即可弹出相应的优化曲线结果对话框，如图3-141所示。

（3）再次单击“确定”按钮，优化后的曲线效果如图3-142所示，从图中可以看出优化后的曲线中锚点明显比优化前有所减少。

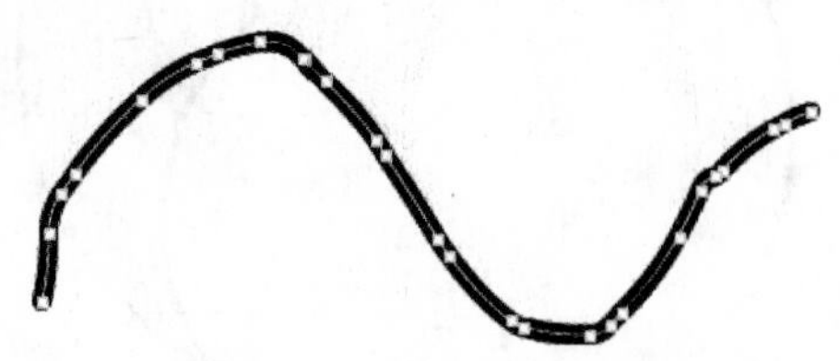

图3-139　曲线效果

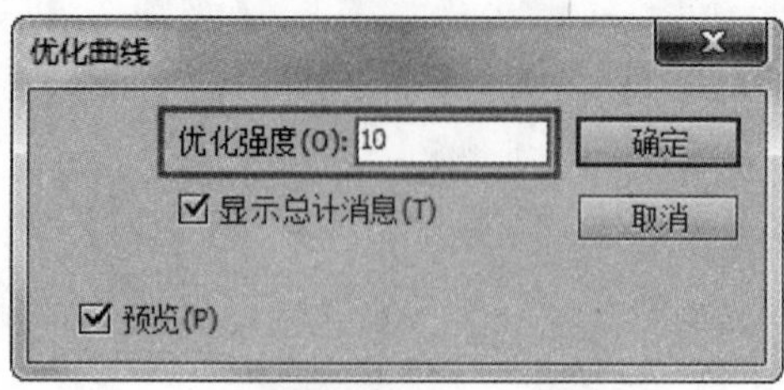

图3-140　“优化曲线”对话框

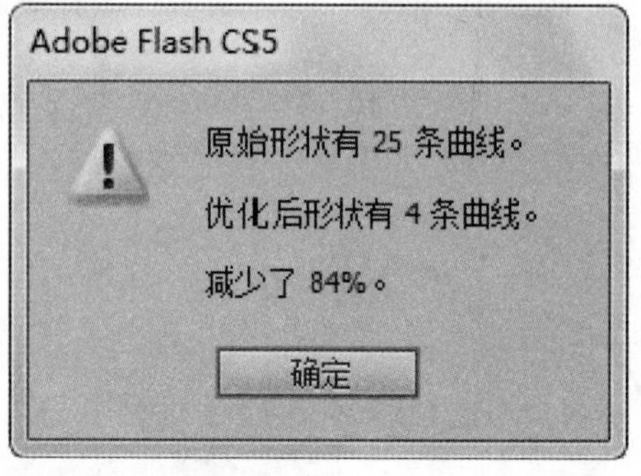

图3-141　优化结果

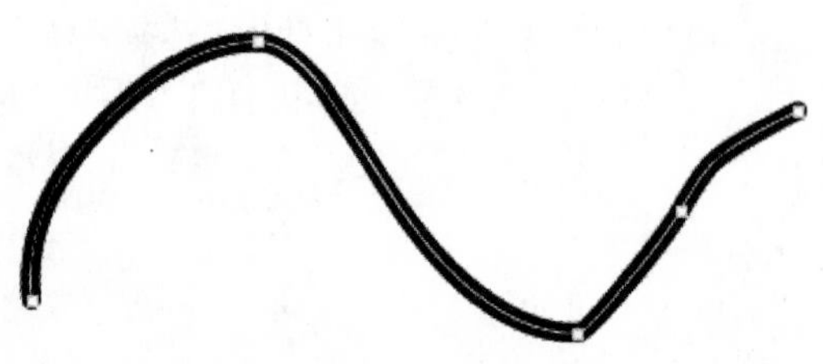

图3-142　曲线效果

需要注意的是，优化功能对改变图形的效果并不明显，但是却能大大减少线条数，从而有效控制Flash文件的大小。

3.8.4 使用“橡皮擦工具”擦除图形

“橡皮擦工具”主要用于擦除线条或填充内容。单击工具箱中的“橡皮擦工具”按钮，在工具箱中可以看到橡皮擦的设置选项，如图3-143所示。

图3-143　橡皮擦选项

橡皮擦模式

Flash为用户提供了多种橡皮擦模式，根据不同的情况，选择橡皮擦模式可以得到理想的效果。

使用“橡皮擦工具”，然后在工具箱中单击“橡皮擦模式”按钮，在该下拉列表中提供了5种模式供用户选择，如图3-144所示。

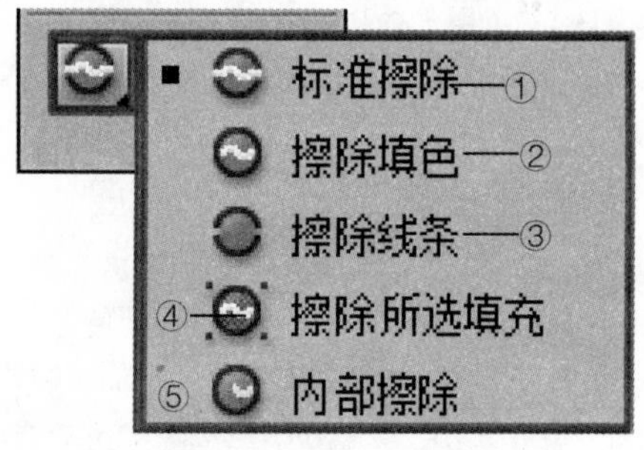

图3-144　橡皮擦模式

①标准模式	可擦除线条和填充内容。
②擦除填色	只擦除填充内容，不擦除线条。
③擦除线条	只擦除线条，不擦除填充内容。
④擦除所选填充	只能在选定区域内擦除线条和填充内容。即用“橡皮擦工具”擦除前，先用“选择工具”选中图形中需要擦除的区域，然后进行擦除。
⑤内部擦除	只有从填充区域内部擦除才有效，如果从外部向内部擦除，则不会擦除任何内容。这种擦除模式只能擦除填充内容，不擦除线条。

以下为使用“橡皮擦工具”的5种不同擦除模式效果，如图3-145所示。

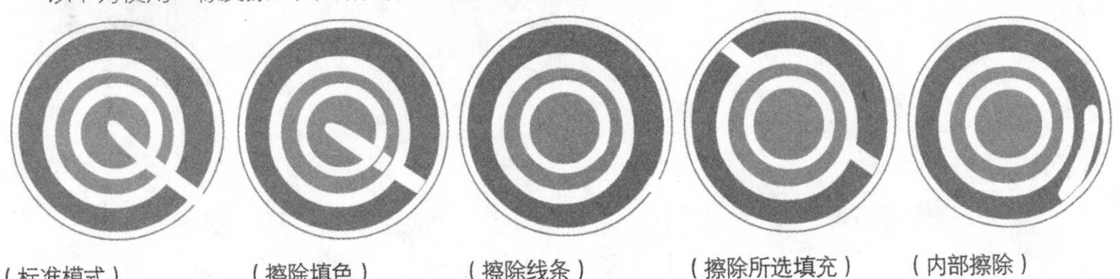

图3-145　不同的橡皮擦模式效果

水龙头工具

用来擦除一定范围内的线条或填充色，是一种智能的删除工具。

使用“橡皮擦工具”，然后在工具箱中单击“水龙头”按钮，在需要删除的线条或填充区域内部单击，即可快速擦除，如图3-146所示。当擦除的填充部分使用的是渐变时，将会擦除整个渐变色块。

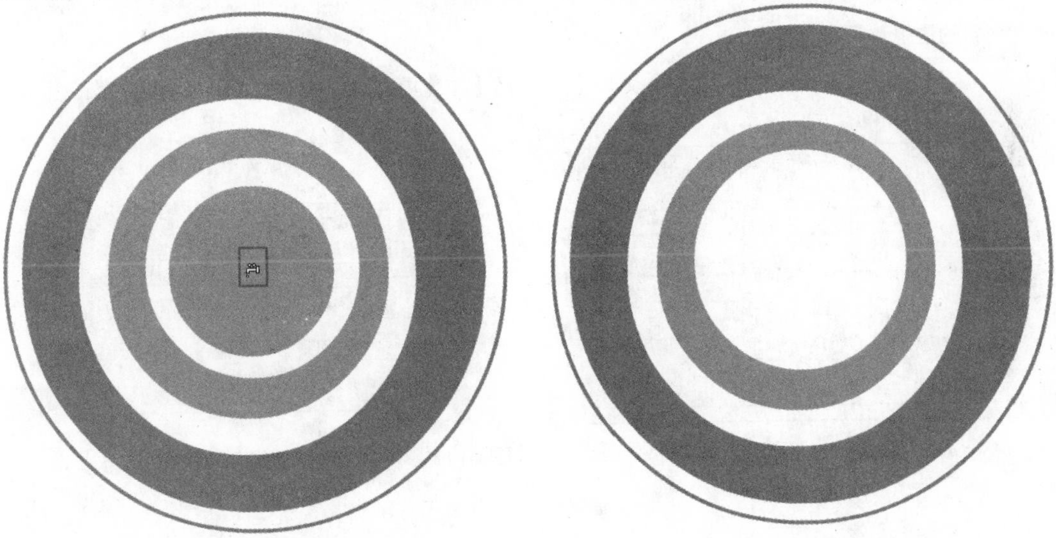

图3-146　水龙头擦除效果

橡皮擦形状

使用“橡皮擦工具”，然后在工具箱中单击“橡皮擦形状”按钮，在下拉列表中可以看到Flash为用户提供了圆形和方形两种橡皮擦形状，每种形状各有5种尺寸大小。用户可以根据自己的需要，选择合适的形状和大小来进行擦除，如图3-147所示。

3.8.5 修改形状

使用绘图工具创建形状后，还可以对形状进行修改。方法是将线条转换为填充、扩展填充对象的形状，或通过修改填充形状的曲线来柔化其边缘。

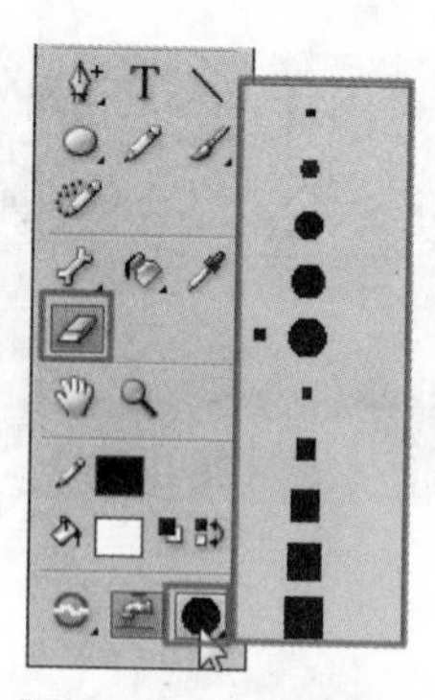

图3-147 橡皮擦形状

将线条转换为填充

该功能可以将线条转换为填充，这样就可以使用渐变来填充线条或擦除一部分线条。

选择一条或多条线后，执行【修改】|【形状】|【将线条转换为填充】命令，即可将选择的线条转换成填充形状。虽然将线条转换为填充后可能会增大文件的大小，但同时也可以加快一些动画的绘制。

扩展填充对象的形状

选择一个填充形状，然后执行【修改】|【形状】|【扩展填充】命令，弹出的"扩展填充"对话框如图3-148所示。在"距离"文本框中输入像素值，并选择一种扩展填充的方法，"扩展"可以放大形状，"插入"则可以缩小形状。该命令在没有笔触的单色填充形状上使用效果最佳。

柔化对象的边缘

选择一个填充形状，然后执行【修改】|【形状】|【柔化填充边缘】命令，弹出"柔化填充边缘"对话框，如图3-149所示。

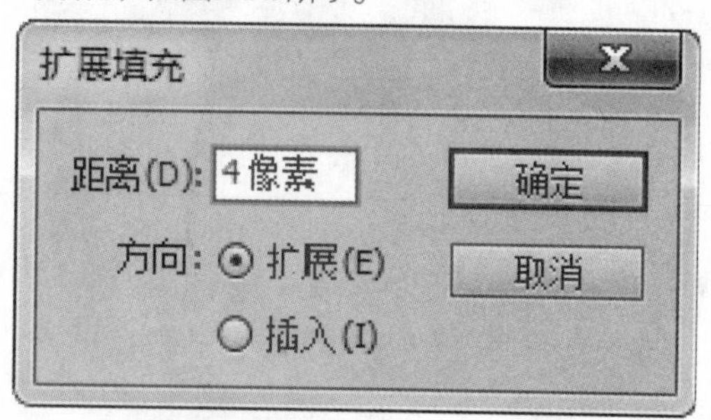

图3-148 "扩展填充"对话框

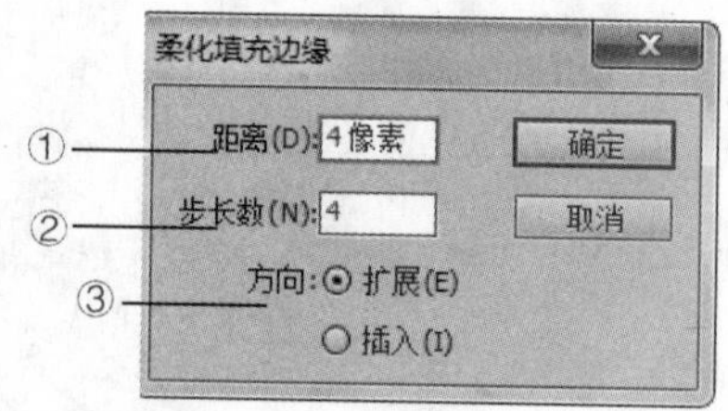

图3-149 "柔化填充边缘"对话框

距离	表示柔边的宽度，以像素为单位。
步长数	控制用于柔边效果的曲线数，使用步长数越多，效果就越平滑。增加步长数后，会使文件变大并降低绘画速度。
方向	用于控制柔化边缘时，形状是放大还是缩小。"扩展"为放大，"插入"为缩小。

3.9 贴紧

要将各个元素彼此自动对齐，可以使用贴紧功能。Flash为用户提供了3种方法在舞台上对齐对象。

- 贴紧至对象：用户可以将对象沿着其他对象的边缘直接与它们贴紧。
- 贴紧至像素：用户可以在舞台上将对象直接与单独的像素或像素的线条贴紧。
- 贴紧对齐：用户可以按照指定的贴紧对齐容差、对齐与其他对象之间或对象与舞台边缘之间的预设边界对齐对象。

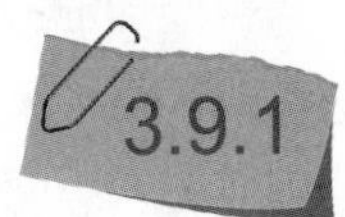

3.9.1 贴紧至对象

使用贴紧至对象功能时，选中的对象将对齐舞台上的其他对象。可以将选中的对象对齐任何线条、手画线、路径、形状等。另外还可以使对象对齐舞台的网格。在需要将舞台上的对象排成一行（列）或需要统一安排时，使用贴紧至对象功能是非常有用的。

首先使用“选择工具”，然后在工具箱中单击“贴紧至对象”按钮，此时拖动一个图形，使它接近另一个对象，拖曳元素时，指针的下面会出现一个黑色的小环。当对象处于另一个对象的对齐距离内时，该小环会变大。当两者相汇合时，松开鼠标，被移动的对象就会对齐到目标对象上，如图3-150所示。

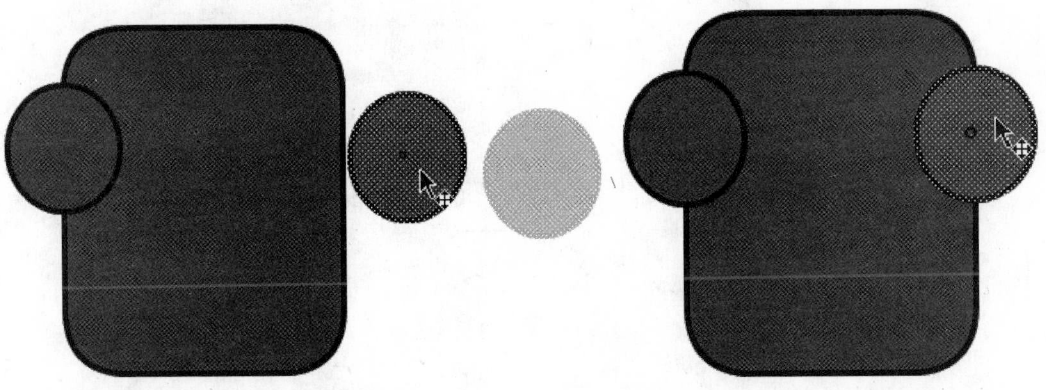

图3-150 贴紧对象过程

Tips

如果在绘画的过程中“贴紧至对象”功能是激活的，那么在靠近线条末端绘制线段时，新绘制的线条起始点会自动与原始线条末端无缝连接。

执行【视图】|【贴紧】|【贴紧至对象】命令，也可以启用贴紧至对象功能，当移动对象或改变其形状时，对象上选取工具的位置为对齐提供了参考点。如通过拖动接近填充形状中心的位置来移动填充形状，它的中心点会与其他对象贴紧，如果需要将形状与运动路径对齐，以制作动画，该功能特别有用。

3.9.2 贴紧至像素

执行【视图】|【贴紧】|【贴紧至像素】命令，可以启用贴紧至像素功能，该功能可以在舞台上将对象直接与单独的像素或像素的线条贴紧。

启用该功能后，当视图缩放比率设置为400%或更高的时候，会出现一个像素网格，该像素网格代表将在用户Flash应用程序中出现的单个像素。当用户创建或移动一个对象时，它会被限定到像素网络内。

如果创建的形状边缘处于像素边界内，如使用的笔触宽度是小数，则“贴紧至像素”是贴紧至像素边界，而不是贴紧至形状边缘。

Tips

按住“C”键可以临时打开贴紧至像素功能，释放“C”键时，像素贴紧会返回到用户在【视图】|【贴紧】|【贴紧至像素】的选定状态，按住“X”键可以临时隐藏像素网格，释放“X”键时，像素网格会重新出现。

3.9.3 贴紧至对齐

执行【视图】|【贴紧】|【贴紧至对象】命令，可以启用贴紧对齐功能，也可以执行【视图】|【贴紧】|【编辑贴紧方式】命令，弹出“贴紧对齐”对话框，在该对话框中可以对贴紧对齐的相应选项进行设置，如图3-151所示，在该对话框中单击“高级”按钮，可以打开高级选项，如图3-152所示。

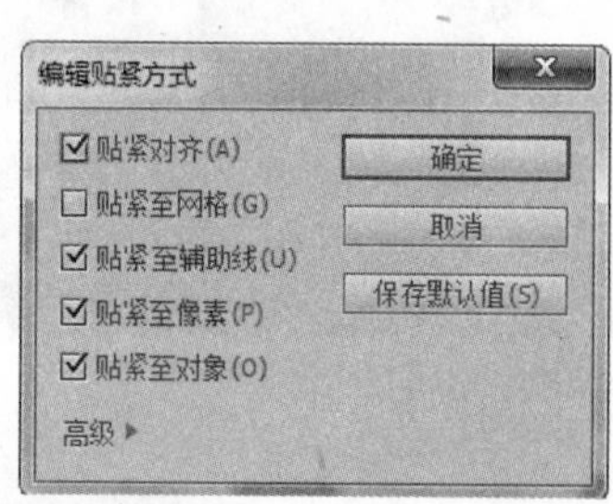

图3-151 “贴紧对齐”对话框

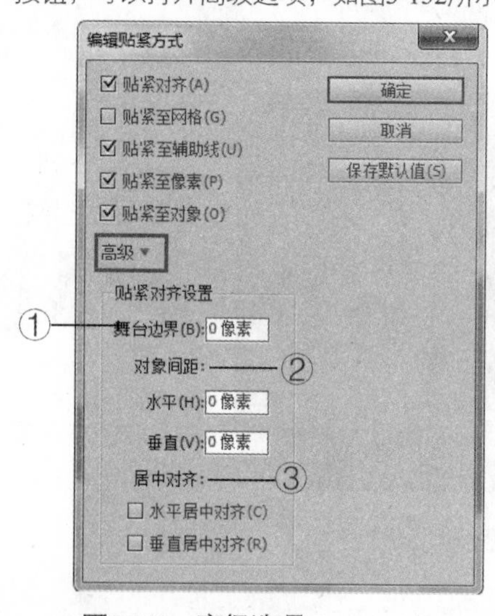

图3-152 高级选项

①舞台边界	用于设置对象和舞台边界之间的贴紧对齐容差。
②对象距离	用于设置对象的水平或垂直边缘之间的贴紧对齐容差。
③居中方法	要打开“水平居中对齐”和“垂直居中对齐”功能，可以在该组中勾选相应的复选框。

当用户启用了“贴紧对齐”功能，则在用户将对象拖到指定的贴紧对齐容差位置时，点线将出现在舞台上，如图3-153所示。如果用户在“贴紧对齐”对话框中进行了设置，例如勾选“水平居中对齐”复选框，则当用户精确对齐两个对象的水平中心点时，点线将沿着这些中心点出现，效果如图3-154所示。

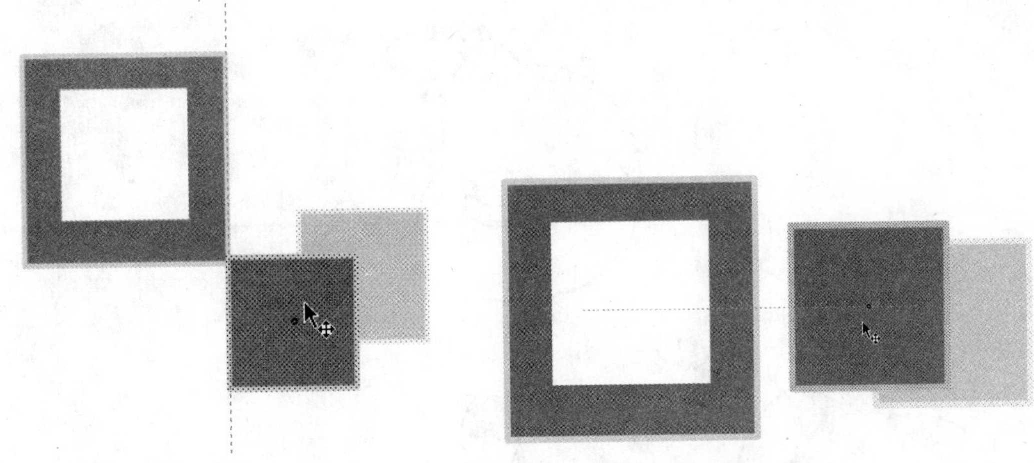

图3-153 贴紧效果　　图3-154 沿中心点贴紧

3.10 总结扩展

Flash提供了丰富的绘图工具，针对不同的对象、不同的需要，可以选择不同的工具完成不同的绘制，配合“选择工具”和“任意变形工具”可以达到意想不到的效果。通过Flash绘制出的图形，虽然在颜色和形状上具有不够精细的缺点，但是较小的体积和极具个性的创意，使得它迅速被广大用户接受。

3.10.1 本章小结

本章主要针对Flash CS5中标准的绘图工具进行了详细的讲解，并通过绘制实例来学习各种绘图工具的使用方法和技巧。图形的绘制将直接影响着后期动画的制作，所以在学习的过程中，一定要注意对图形的绘制和调整方法，以及图形质感的表现。

3.10.2 举一反三——绘制卡通小猴

案例文件：	光盘\源文件\第3章\3-10.fla
视频文件：	光盘\视频\第3章\3-10.swf
难易程度：	★★☆☆☆
学习时间：	2分钟

(1) (2) (3) (4)

1. 使用“线条工具”配合“选择工具”绘制轮廓。

2. 使用“线条工具”、“椭圆工具”配合“选择工具”绘制帽子。

3. 使用“笔刷工具”和“椭圆工具”绘制五官。

4. 使用“椭圆工具”、“笔刷工具”，以及“线条工具”绘制剩余内容。

第4章　Deco工具的使用

Deco工具是在Flash CS4版本中首次出现的。使用它可以让用户将创建的基本图形轻松转化成复杂的几何图案，用来生成如万花筒般的各种对称图形效果。在Flash CS5中大大增强了Deco工具的功能，增加了众多的绘图工具，使得在Flash中绘制丰富背景变的方便快捷，本章将针对Deco工具进行详细介绍，使读者可以快速在Flash中绘制漂亮的图形。

本章学习要点

- 掌握Deco工具的基本使用
- 了解Deco工具的填充样式
- 熟练掌握不同样式的参数
- 掌握使用元件创建填充的方法
- 能够使用Deco工具绘制和制作动画

实例名称：绘制漂亮的藤蔓效果
源 文 件：光盘\源文件\第4章\4-1-1.fla
教学视频：光盘\视频\第4章\4-1-1.swf

实例名称：制作燃烧火焰动画效果
源 文 件：光盘\源文件\第4章\4-1-7.fla
教学视频：光盘\视频\第4章\4-1-7.swf

实例名称：制作漫天飞舞的气泡动画
源 文 件：光盘\源文件\第4章\4-1-11.fla
教学视频：光盘\视频\第4章\4-1-11.swf

实例名称：举一反三——制作魔法水晶球
源 文 件：光盘\源文件\第4章\4-2-2.fla
教学视频：光盘\视频\第4章\4-2-2.swf

4.1 使用Deco工具

Deco工具和"喷涂刷工具"类似，可以将创建的图形转换成复杂的几何图案。单击工具箱中的Deco工具按钮，或者按下键盘上的快捷键"U"来选择它，其属性面板如图4-1所示

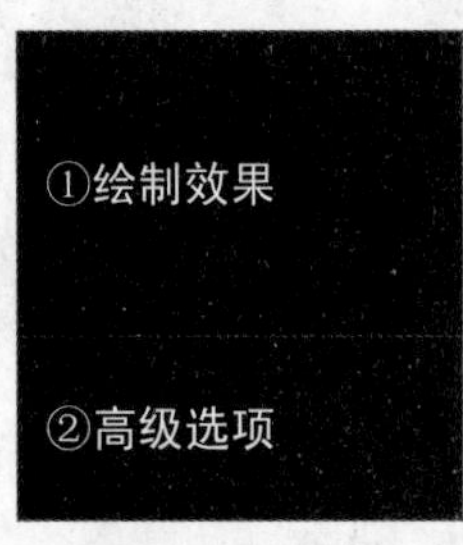

①绘制效果	在Flash CS5中一共提供了13种绘制效果，包括：藤蔓式填充、网格填充、对称刷子、3D刷子、建筑物刷子、装饰性刷子、火焰动画、火焰刷子、花刷子、闪电刷子、粒子系统、烟动画和树刷子。
②高级选项	该选项内容根据不同的绘制效果，而发生不同的变化，通过设置此选项可以实现不同的绘制效果。

图4-1 Deco属性面板

4.1.1 藤蔓式填充

Deco工具"属性"面板中默认的绘制效果就是藤蔓式填充。利用藤蔓式填充效果，可以用藤蔓式图案填充舞台、元件或封闭区域。通过从库中选择元件，可以替换叶子和花朵的插图。生成的图案将包含在影片剪辑中，而影片剪辑本身包含组成图案的元件。

在Deco工具的"属性"面板中选择默认的花朵和叶子形状的填充颜色。在舞台上任意位置单击鼠标，得到如图4-2所示的效果。

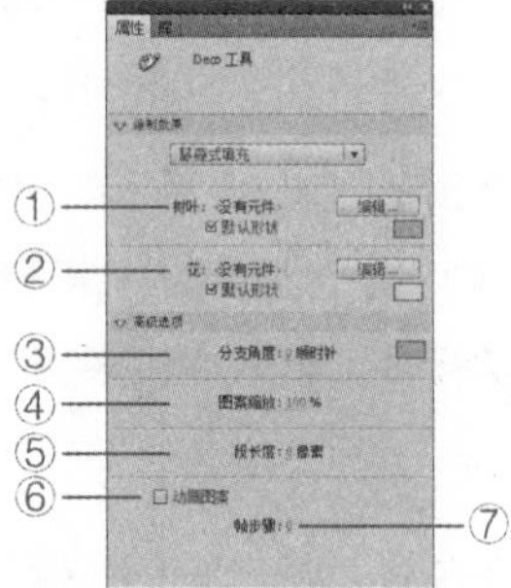

图4-2 "属性"面板和填充效果

①树叶	设置花的叶子。单击"编辑"按钮，可以选择已经转化为元件的花叶。勾选"默认形状"复选框将使用默认树叶。
②花	设置花朵。单击"编辑"按钮，可以选择已转换为元件的花朵。勾选"默认形状"复选框，将使用默认花朵。
③分支角度	应用花朵的茎杆角度和颜色。更改角度后，有可能出现无法真实表现花朵的情况。
④图案缩放	使对象同时沿水平方向（沿X轴）和垂直方向（沿Y轴）放大或缩小。
⑤段长度	用于指定叶子结点和花朵结点之间的段的长度。

⑥动画图案	制定效果的每次迭代都绘制到时间轴中的新帧。在绘制花朵图案时，此选项将创建花朵图案的逐帧动画序列。
⑦帧步骤	用于制定绘制效果时每秒要横跨的帧数。

应用实例：绘制漂亮的藤蔓效果

本实例使用Deco工具中的“藤蔓式填充”方式绘制图形效果。案例制作中使用了两种不同的元件替换藤蔓的两种主要元素。要掌握使用不同的元件替换藤蔓组成部分的制作方法，以便能制作出更多丰富的填充效果。

源文件：光盘\视频\第4章\4-1-1.swf

教学视频：光盘\视频\第4章\4-1-1.swf

STEP 01 执行【文件】|【新建】命令，新建一个Flash文档，如图4-3所示。执行【插入】|【新建元件】命令，新建一个名称为“樱桃”的“图形”元件，如图4-4所示。

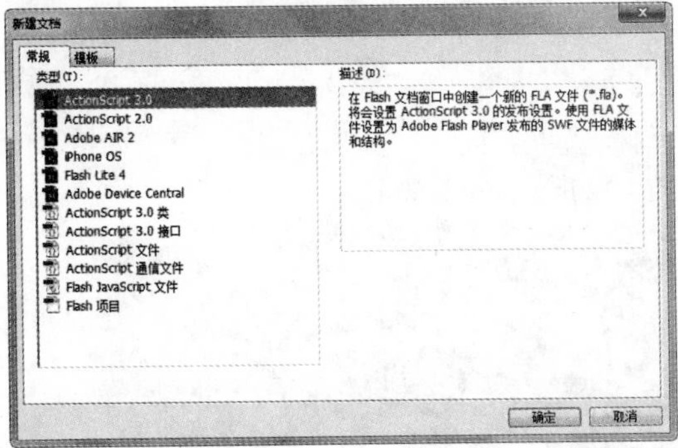

图4-3　新建Flash文档

图4-4　新建元件

STEP 02 单击工具箱中的“椭圆工具”按钮，设置“填充颜色”为#FF0000，“笔触颜色”为“无”，绘制如图4-5所示的图形。依次修改填充颜色，完成如图4-6所示的图形。

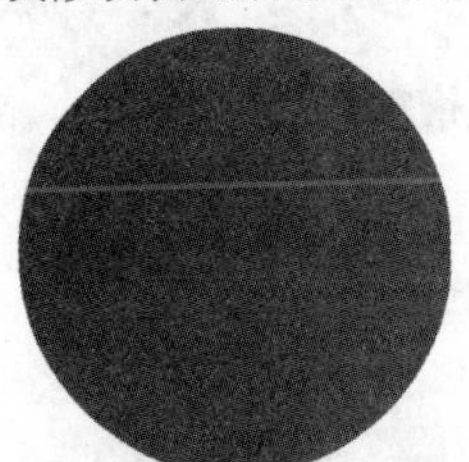

图4-5　绘制椭圆形

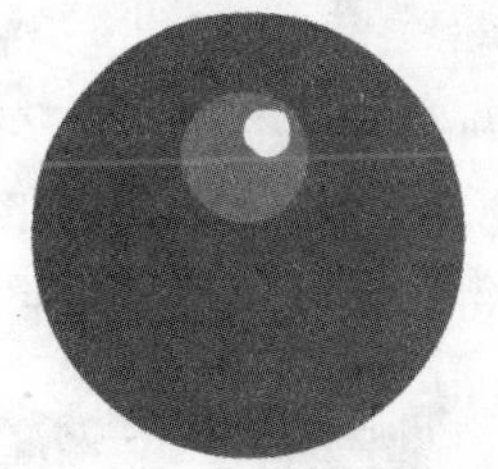

图4-6　绘制椭圆形

STEP 03 新建一个名称为“绿叶”的图形元件，如图4-7所示。使用“椭圆工具”绘制如图4-8所示的图形。

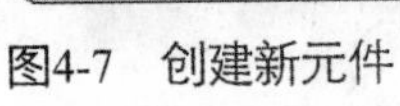

图4-7　创建新元件

图4-8　绘制图形

STEP 04 单击“场景 1”文字，返回场景编辑状态。单击“Deco 工具”，在“属性”面板中选择“藤蔓式填充”，如图 4-9 所示。单击“树叶”后面的“编辑”按钮，选择刚刚创建的“树叶”元件，如图 4-10 所示。

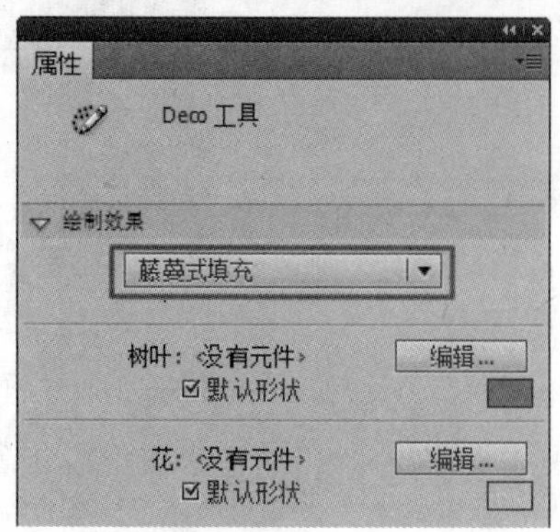

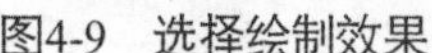
图4-9　选择绘制效果

图4-10　选择元件

Tips

在使用藤蔓式填充绘制时，如果不能实现元件填充的效果，则可能是由于元件的尺寸太大或者太小，只需要调整一下元件的大小，即可以完整地现实填充效果。

STEP 05 单击“花”后面的“编辑”按钮，选择“樱桃”元件，单击“确定”按钮，“属性”面板如图 4-11 所示。使用“Deco 工具”在场景中单击，创建如图 4-12 所示的藤蔓效果。

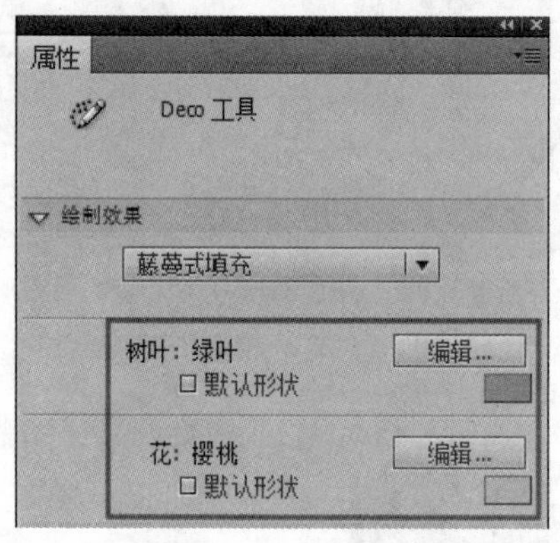

图4-11　选择形状

图4-12　填充效果

STEP 06 将动画保存为“光盘\源文件\第 4 章\4-1-1.fla”。按快捷键“Ctrl+Enter”测试动画，测试效果如图 4-13 所示。

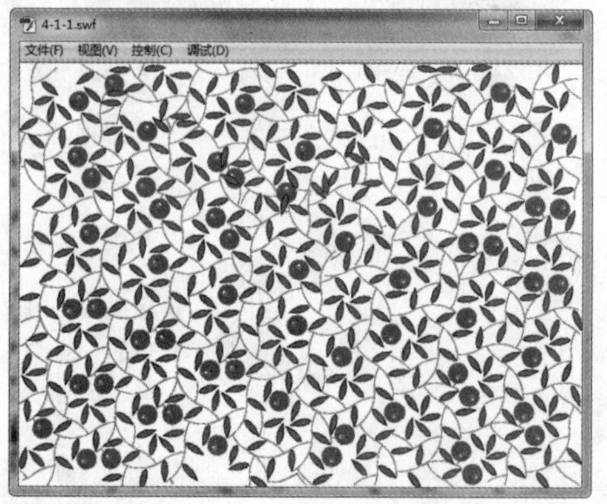

图4-13　测试效果

4.1.2 网格填充

网格填充可以把基本图形元素复制，并有序地排列到整个舞台上，产生类似壁纸的效果。

在顶部用鼠标单击下拉列表框，在打开的下拉列表中选择“网格填充”选项，可以看到如下的属性面板，如图4-14所示。

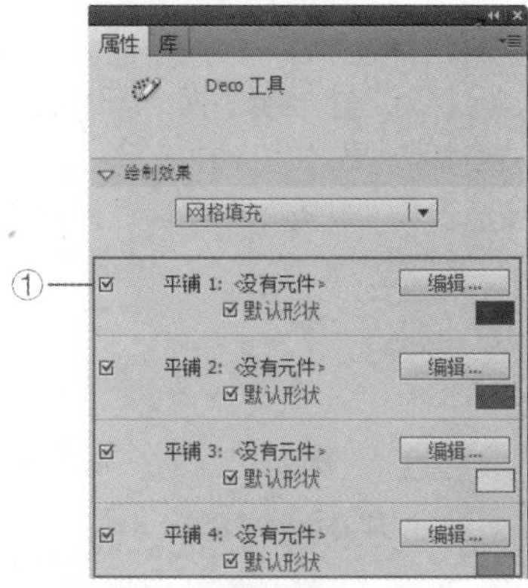

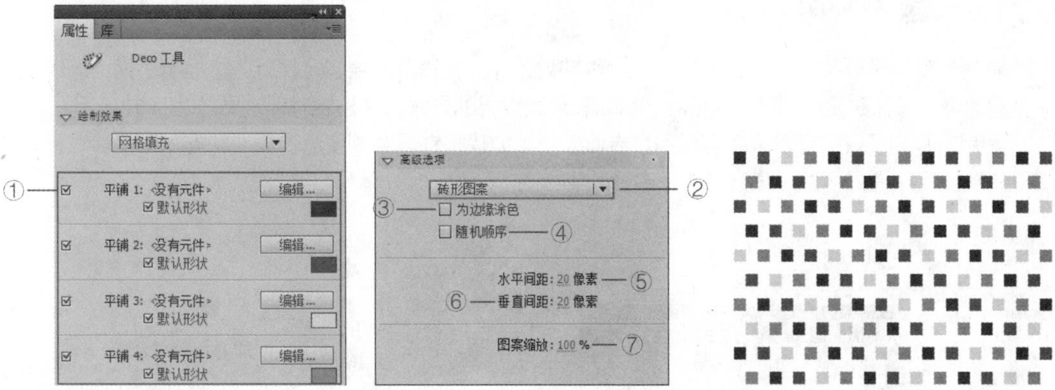

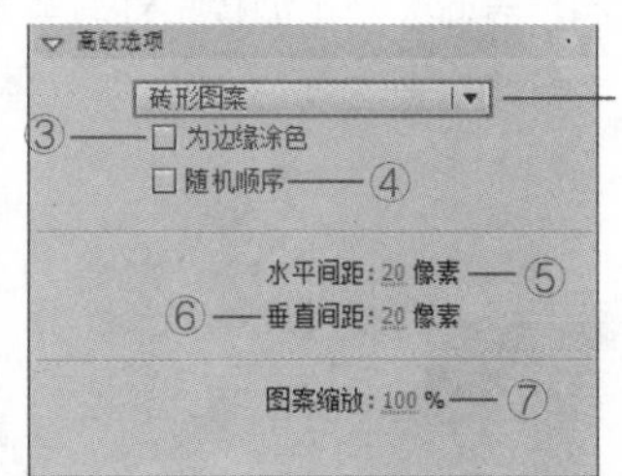

图4-14　属性面板和填充效果

①平铺1-4	设置填充时最多有4个影片剪辑或图形元件参与填充。填充时将从左向右依次填充。
②网格布局	有三种布局可供选择，如图4-15所示。 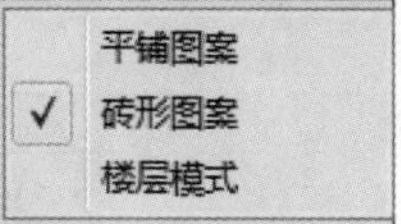 平铺图案 ✓ 砖形图案 楼层模式 ● 平铺模式：以简单的网格模式排列元件。 ● 砖形模式：以水平偏移网格模式排列元件。 ● 楼层模式：以水平和垂直偏移网格模式排列元件。 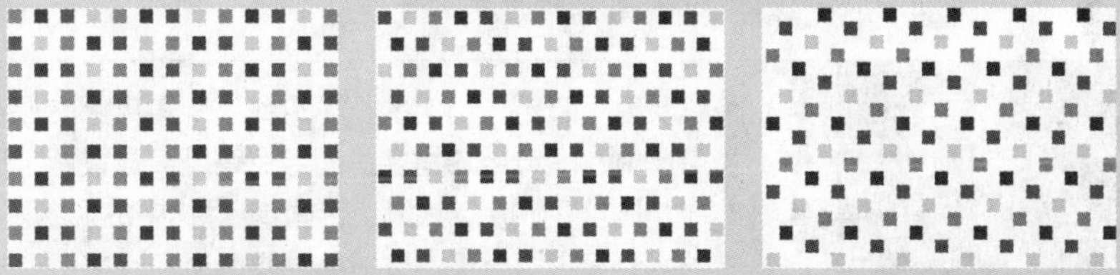 平铺模式　砖形模式　楼层模式 图4-15　网格布局方式
③为边缘涂色	使填充与包含的元件、形状或舞台的边缘重叠，如图4-16所示。
④随机顺序	允许元件在网格内随机分布，如图4-17所示。 图4-16　为边缘涂色 　图4-17　随机排序

⑤水平间距	用来指定网格填充中相邻图形元素之间的水平距离（以像素为单位）。
⑥垂直间距	用来指定网格填充中相邻图形元素之间的垂直距离（以像素为单位）。
⑦图案缩放	用来使图形对象同时沿水平方向和垂直方向放大和缩小。

4.1.3 对称刷子

使用对称刷子效果，可以围绕中心点对称排列元件。在舞台上绘制元件时，将显示手柄。可以使用手柄通过增加元件数、添加对称内容或者编辑和修改效果的方式，来控制对称效果，如图4-18所示。

使用对称刷子效果可以创建圆形用户界面元素（如模拟钟面或刻度盘仪表）和旋涡图案。对称刷子效果的默认元件是25×25（像素）、无笔触的黑色矩形形状。

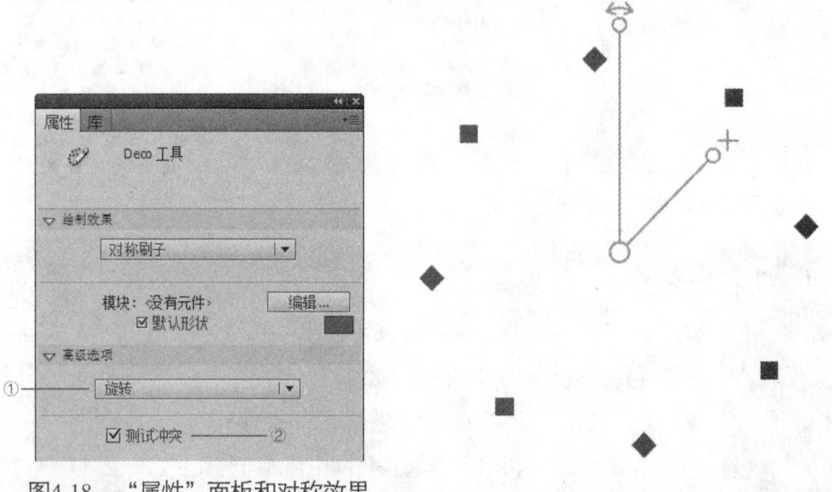

图4-18 “属性”面板和对称效果

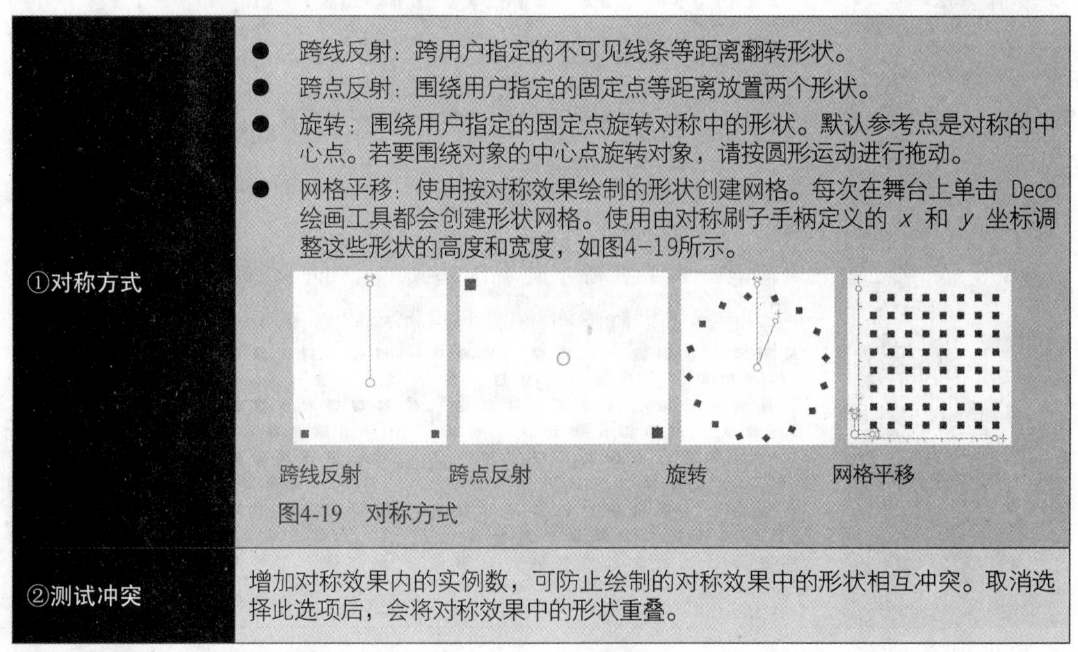

①对称方式	● 跨线反射：跨用户指定的不可见线条等距离翻转形状。 ● 跨点反射：围绕用户指定的固定点等距离放置两个形状。 ● 旋转：围绕用户指定的固定点旋转对称中的形状。默认参考点是对称的中心点。若要围绕对象的中心点旋转对象，请按圆形运动进行拖动。 ● 网格平移：使用按对称效果绘制的形状创建网格。每次在舞台上单击 Deco 绘画工具都会创建形状网格。使用由对称刷子手柄定义的 x 和 y 坐标调整这些形状的高度和宽度，如图4-19所示。 跨线反射 跨点反射 旋转 网格平移 图4-19 对称方式
②测试冲突	增加对称效果内的实例数，可防止绘制的对称效果中的形状相互冲突。取消选择此选项后，会将对称效果中的形状重叠。

4.1.4 3D刷子

通过 3D 刷效果，用户可以在舞台上对某个元件的多个实例涂色，使其具有 3D 透视效果。Flash 通过在舞台顶部（背景）附近缩小元件，并在舞台底部（前景）附近放大元件来创建 3D 透视。接近舞台底部绘制的元件位于接近舞台顶部的元件之上，不管它们的绘制顺序如何，属性面板和填充效果如图4-20所示。

用户可以在绘制图案中包括 1 到 4 个元件。舞台上显示的每个元件实例都位于其自己的组中。可以直接在舞台上的形状或元件内部涂色。如果在形状内部首先单击 3D 刷，则 3D 刷仅在形状内部处于活动状态。

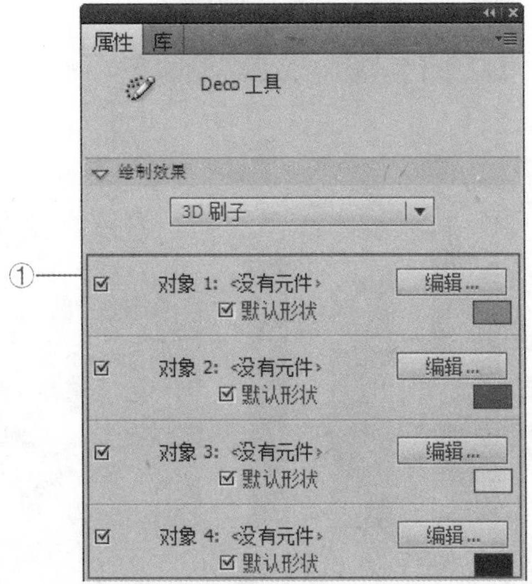

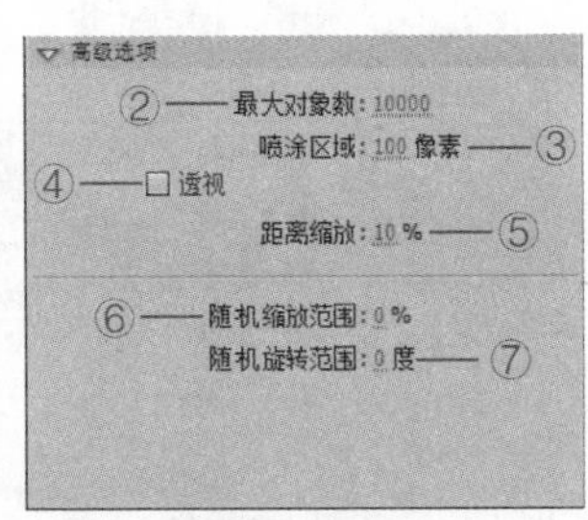

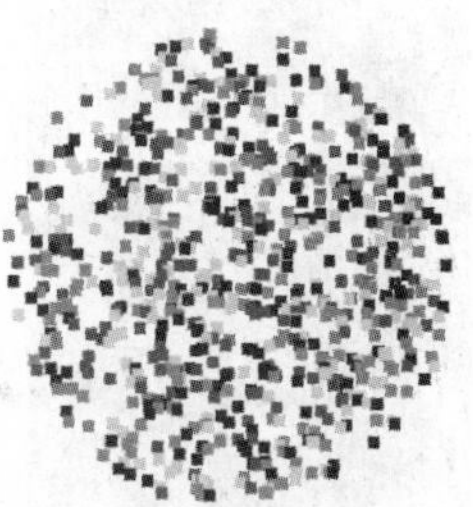

图4-20 “属性”面板和3D刷子效果

①对象1-4	最多有4个影片剪辑或图形元件参与填充。
②最大对象数	要涂色的对象的最大数目。
③喷涂区域	与对实例涂色的光标的最大距离。
④透视	该选项会切换 3D 效果。要为大小一致的实例涂色，请取消选中此选项。
⑤距离缩放	此属性确定 3D 透视效果的量。增加此值会增加由向上或向下移动光标而引起的缩放。
⑥随机缩放范围	此属性允许随机确定每个实例的缩放。增加此值会增加可应用于每个实例的缩放值的范围。
⑦随机旋转范围	此属性允许随机确定每个实例的旋转。增加此值会增加每个实例可能的最大旋转角度。

4.1.5 建筑物刷子

使用建筑物刷子效果，可以在舞台上绘制建筑物。建筑物的外观取决于为建筑物属性选择的值。Flash CS5一共提供了4种建筑物，如图4-21所示。

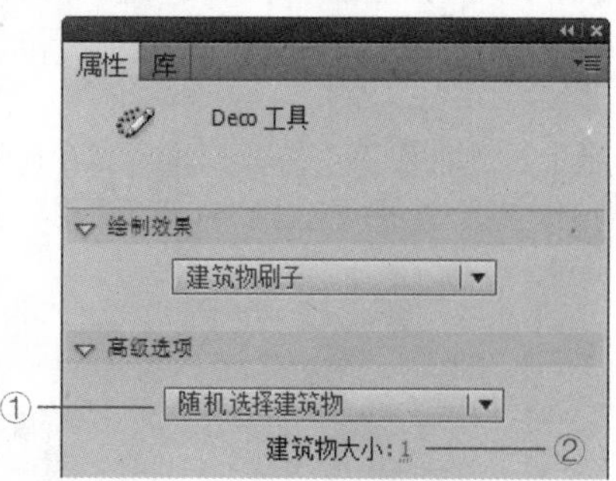

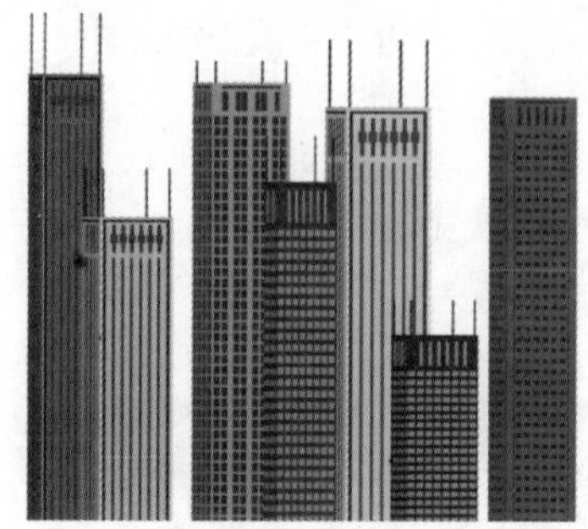

图4-21　“属性”面板和建筑物效果

①随机选择建筑物	要创建建筑物的样式，如图4-22所示。 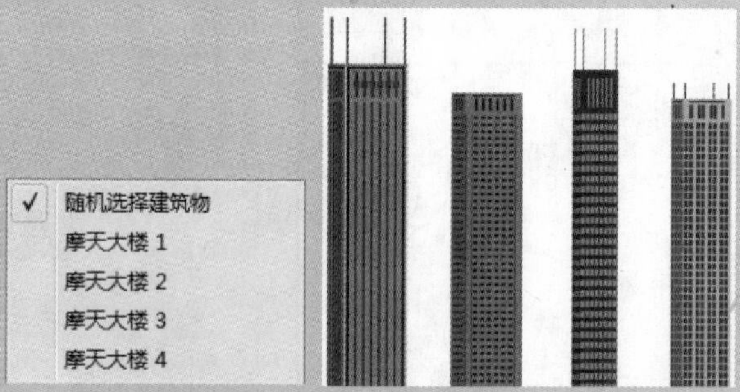 随机选择建筑物 摩天大楼 1 摩天大楼 2 摩天大楼 3 摩天大楼 4 图4-22　建筑物样式
②建筑物大小	设置建筑物的宽度。值越大，创建的建筑物越宽，如图4-23所示。 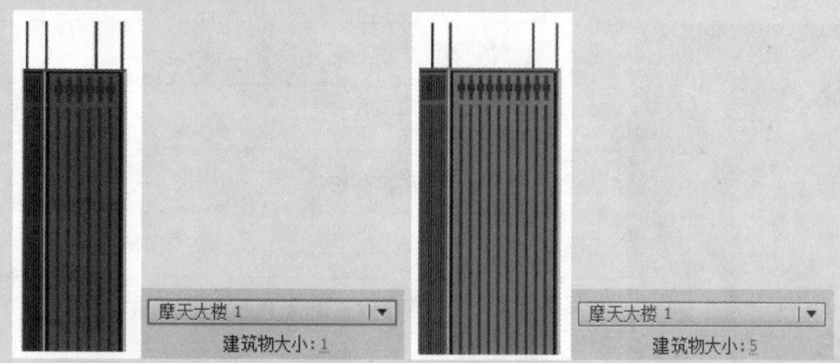 摩天大楼 1　建筑物大小：1 摩天大楼 1　建筑物大小：5 图4-23　建筑物大小

4.1.6 装饰性刷子

通过应用装饰性刷子效果，用户可以绘制装饰线，例如点线、波浪线及其他线条。在Flash CS5中一共提供了20种装饰刷子。制作动画时要多试验，以便获得最适合的效果，如图4-24所示。

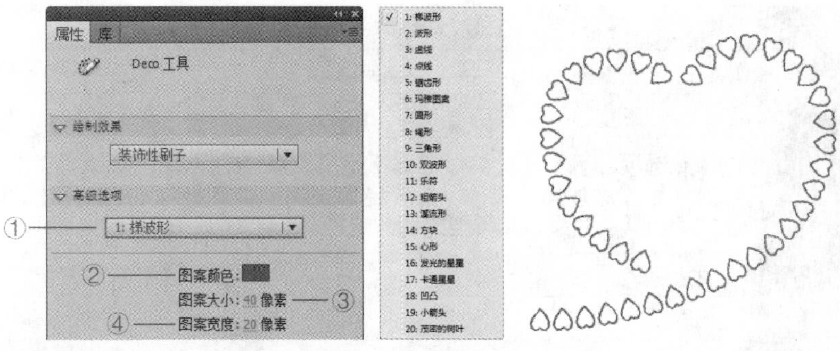

图4-24 “属性”面板和装饰效果

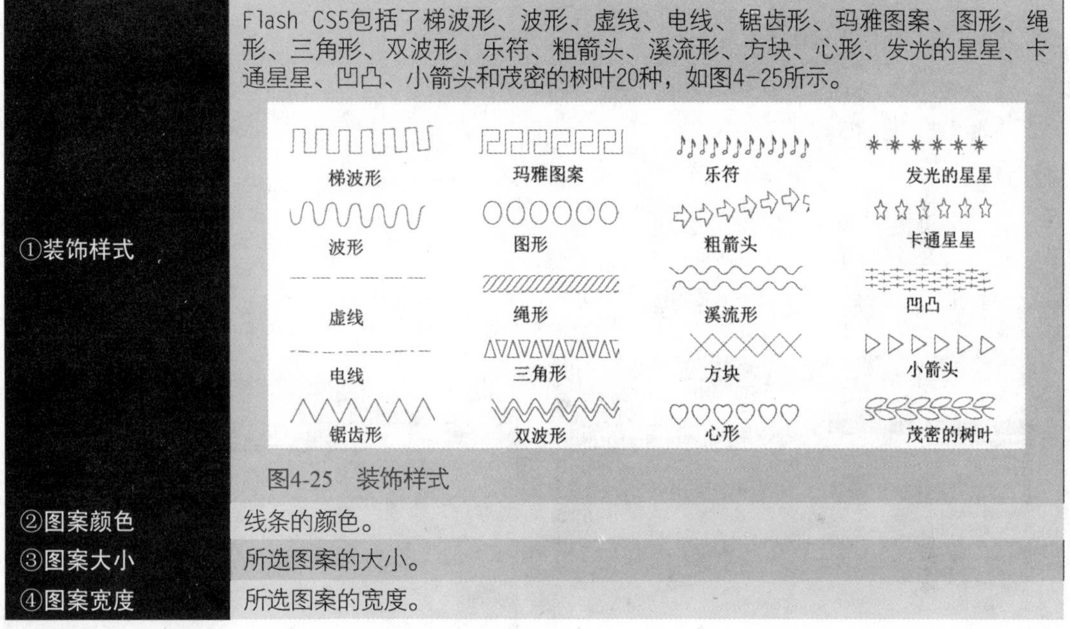

①装饰样式	Flash CS5包括了梯波形、波形、虚线、电线、锯齿形、玛雅图案、图形、绳形、三角形、双波形、乐符、粗箭头、溪流形、方块、心形、发光的星星、卡通星星、凹凸、小箭头和茂密的树叶20种，如图4-25所示。 图4-25 装饰样式
②图案颜色	线条的颜色。
③图案大小	所选图案的大小。
④图案宽度	所选图案的宽度。

4.1.7 火焰动画

火焰动画效果可以创建程序化的逐帧火焰动画，“属性”面板和效果如图4-26所示。

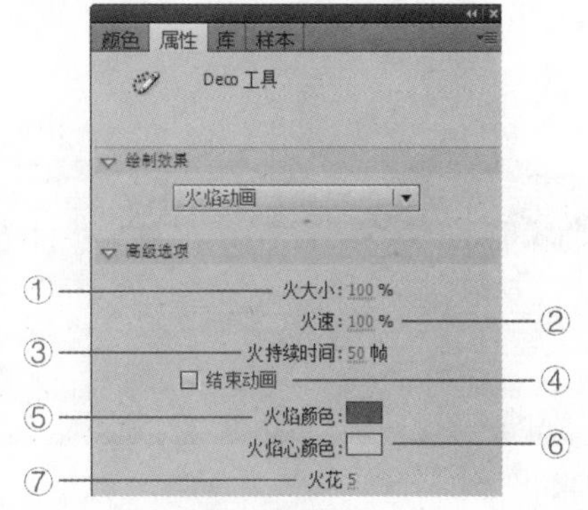

图4-26 “属性”面板及火焰动画

①火大小	火焰的宽度和高度。值越高，创建的火焰越大。
②火速	动画的速度。值越大，创建的火焰越快。
③火持续时间	在时间轴中创建的帧数。
④结束动画	选择此选项，可创建火焰燃尽而不是持续燃烧的动画。Flash会在指定的火焰持续时间后，添加其他帧，以造成烧尽效果。如果要循环播放完成的动画，以创建持续燃烧的效果，请不要选择此选项。
⑤火焰颜色	颜色火苗的颜色。
⑥火焰心颜色	火焰底部的颜色。
⑦火花	火源底部各个火焰的数量。

应用实例：制作燃烧火焰动画效果

本实例主要使用Deco工具制作火焰动画。通过学习，读者要掌握使用Deco工具制作动画的方法和技巧，并能够熟练将其应用到工作中。

源 文 件：光盘 \ 视频 \ 第 4 章 \4-1-7.swf

教学视频：光盘 \ 视频 \ 第 4 章 \4-1-7.swf

STEP 01 执行【文件】|【新建】命令，新建一个 Flash 文档，如图 4-27 所示。单击“属性”面板上的“大小”后面的“编辑”按钮，设置文档“尺寸”为 875 像素 ×538 像素，如图 4-28 所示。

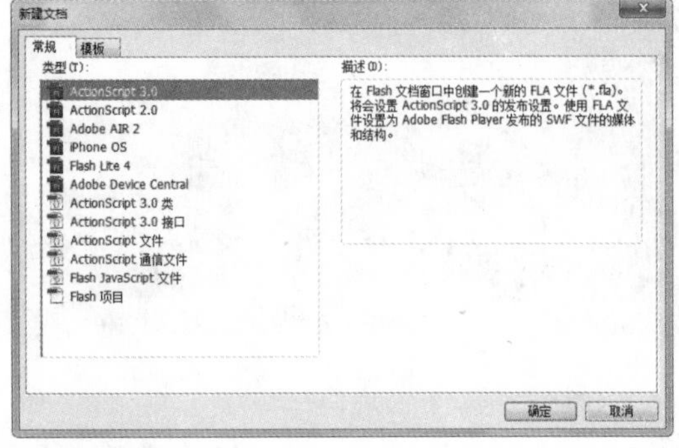

图4-27　新建文档

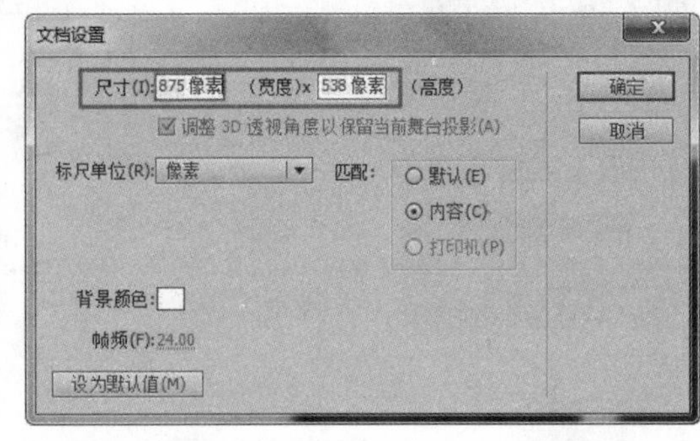

图4-28　设置文档尺寸

STEP 02 执行【文件】|【导入】|【导入到舞台】命令，将“光盘 \ 素材 \ 第 4 章 \41701.jpg”文件导入到场景中，如图 4-29 所示。新建一个名称为“火焰”的“影片剪辑”元件，如图 4-30 所示。

图4-29　导入图片

图4-30　创建元件

STEP 03 单击工具箱中的 Deco 工具，在“属性”面板中选择“火焰动画”，如图 4-31 所示。在场景中单击，效果如图 4-32 所示。

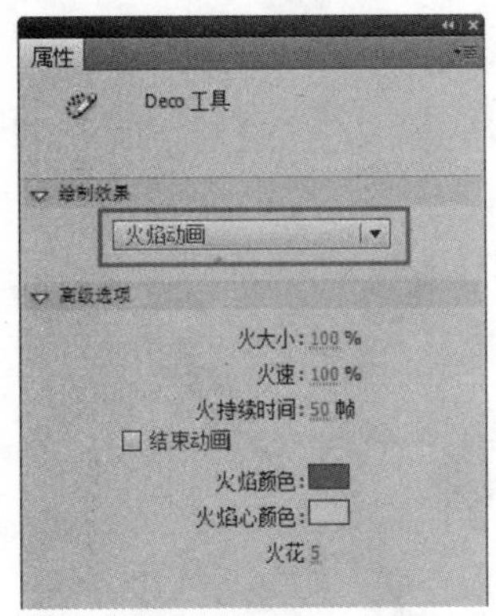

图4-31 选择填充效果

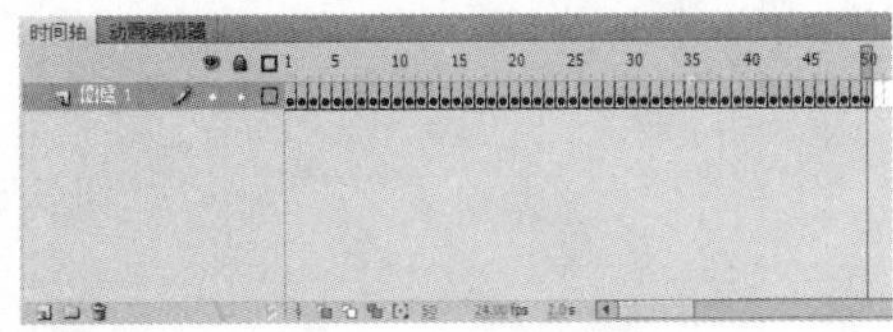

图4-32 火焰动画

STEP 04 单击“场景 1”文字，返回场景编辑状态。将元件“火焰动画”从“库”面板中拖曳到场景中，调整大小，如图 4-33 所示。选中元件，修改其“属性”面板上的透明度，如图 4-34 所示。

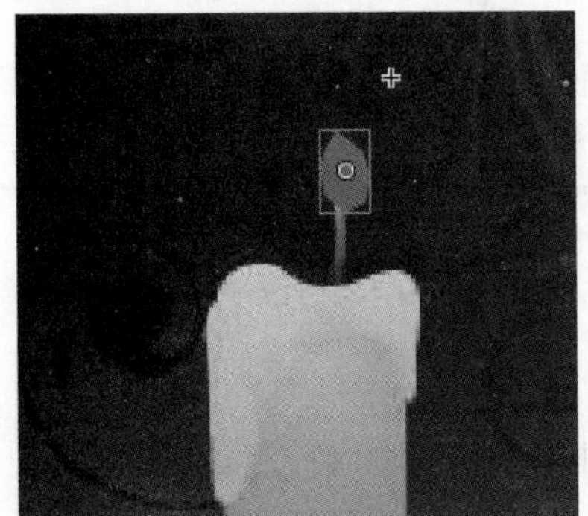

图4-33 拖入场景

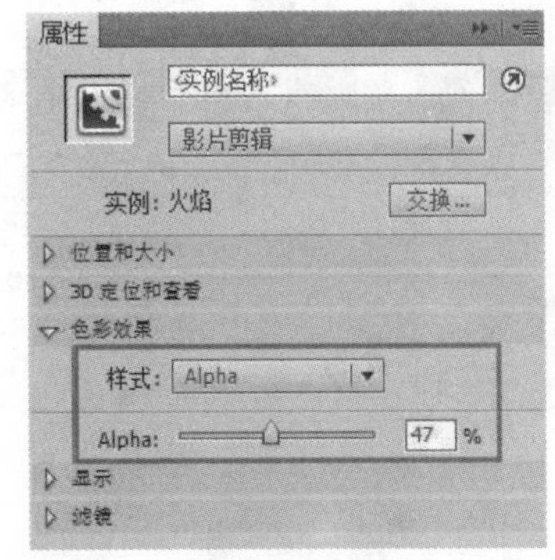

图4-34 设置元件透明度

STEP 05 将动画保存为“光盘 \ 源文件 \ 第 4 章 \4-1-7.fla”，按快捷键“Ctrl+Enter”测试动画，测试效果如图 4-35 所示。

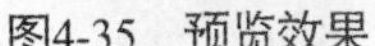

图4-35 预览效果

4.1.8 火焰刷子

借助火焰刷子效果，用户可以在时间轴的当前帧中的舞台上绘制火焰，“属性”面板和效果如图4-36所示。

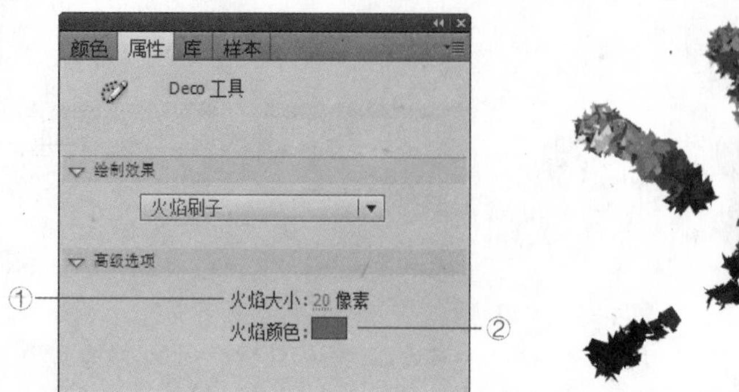

图4-36 “属性”面板及火焰刷子

①火焰大小	火焰的宽度和高度。值越高，创建的火焰越大。
②火焰颜色	火焰中心的颜色。在绘制时，火焰的选定颜色变为黑色。

4.1.9 花刷子

借助花刷子效果，用户可以在时间轴的当前帧中绘制程式化的花，“属性”面板和效果如图4-37所示。

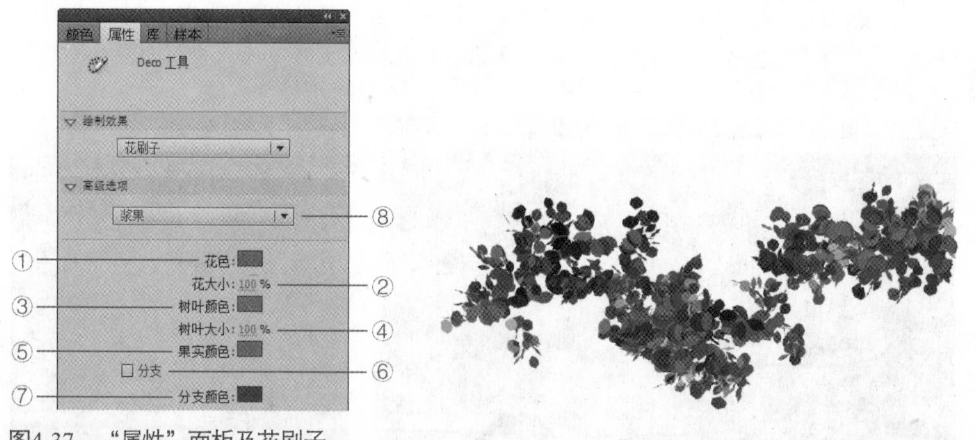

图4-37 “属性”面板及花刷子

①花色	花的颜色。
②花大小	花的宽度和高度。值越高，创建的花越大，如图4-38所示。
③树叶颜色	叶子的颜色。
④树叶大小	叶子的宽度和高度。值越高，创建的叶子越大。

⑤果实颜色	果实的颜色。
⑥分支	选择此选项可绘制花和叶子之外的分支，如图4-39所示。  图4-38　花大小  图4-39　分支设置
⑦分支颜色	分支的颜色。
⑧花类型	Flash CS5提供了4种花类型，分别是园林花、玫瑰、一品红和浆果，如图4-40所示。
 园林花　玫瑰　一品红　浆果 图4-40　花类型	

闪电刷子

通过闪电刷效果，用户可以创建闪电效果，而且还可以创建具有动画效果的闪电，“属性”面板和效果如图4-41所示。

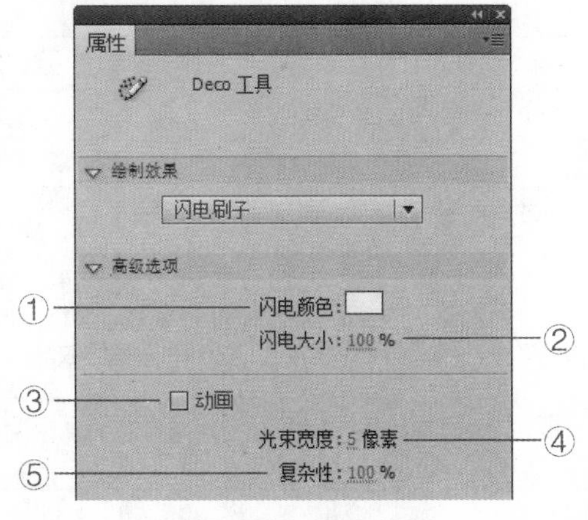

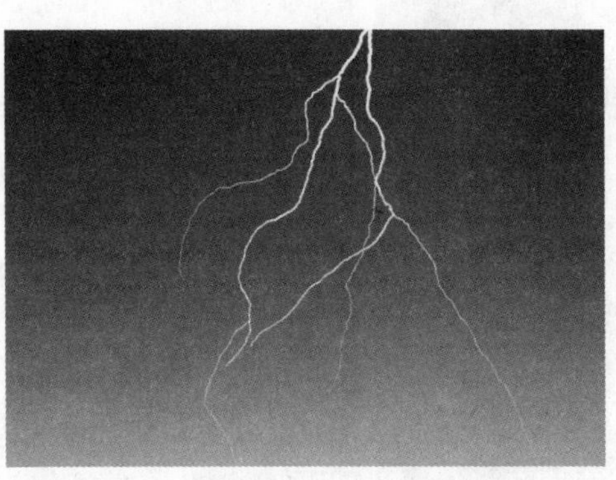

图4-41　“属性”面板及闪电效果

①闪电颜色	闪电的颜色。
②闪电大小	闪电的长度。
③动画	选择此项，可以创建闪电的逐帧动画。绘制闪电时，Flash将帧添加到时间轴中的当前图层。
④光束宽度	闪电根部的粗细。
⑤复杂性	每支闪电的分支数。值越高，创建的闪电越长，分支越多。

4.1.11 粒子系统

使用粒子系统效果，用户可以创建火、烟、水、气泡及其他效果的粒子动画。“属性”面板和效果如图4-42所示。

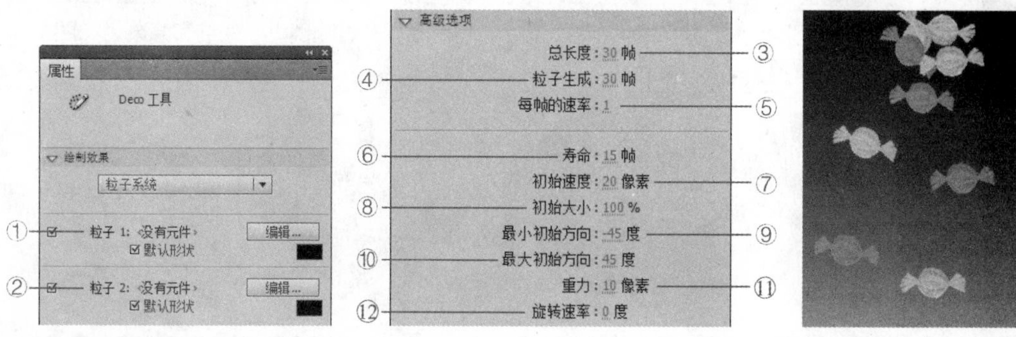

图4-42 “属性”面板及闪电效果

①粒子1	用户可以分配两个元件用作粒子，这是其中的第一个元件。如果未指定元件，将使用一个黑色的小正方形。通过正确选择图形元件，可以生成非常有趣且逼真的效果。
②粒子2	第二个可以分配用作粒子的元件。
③总长度	从当前帧开始，动画的持续时间（以帧为单位）。
④粒子生成	在其中生成粒子的帧的数目。如果帧数小于“总长度”属性，则该工具会在剩余帧中停止生成新粒子，但是已生成的粒子将继续添加动画效果。
⑤每帧的速率	每个帧生成的粒子数。
⑥寿命	单个粒子在“舞台”上可见的帧数。
⑦初始速度	每个粒子在其寿命开始时移动的速度。速度单位是像素/ 帧。
⑧初始大小	每个粒子在其寿命开始时的缩放。
⑨最小初始方向	每个粒子在其寿命开始时可能移动方向的最小范围。单位是度，零表示向上，90表示向右，180表示向下，270表示向左，而360还表示向上，允许使用负数。
⑩最大初始方向	每个粒子在其寿命开始时可能移动方向的最大范围。单位是度，零表示向上，90表示向右，180表示向下，270表示向左，而360还表示向上，允许使用负数。
⑪重力	当此数字为正数时，粒子方向更改为向下并且其速度会增加（就像正在下落一样）。如果重力是负数，则粒子方向更改为向上。
⑫旋转速率	应用到每个粒子的每帧旋转角度。

应用实例：制作漫天飞舞气泡动画

实例中主要使Deco工具制作粒子发射动画。通过修改粒子系统参数可以实现很多的动画效果。实例中使用创建的元件作为粒子，实现效果丰富的场景效果。

源 文 件：光盘 \ 视频 \ 第 4 章 \4-1-11.swf

教学视频：光盘 \ 视频 \ 第 4 章 \4-1-11.swf

STEP 01 执行【文件】|【新建】命令，新建一个 Flash 文档，如图 4-43 所示。单击“属性”面板上的“大小”后面的“编辑”按钮，设置文档“尺寸”为 805 像素 ×597 像素，如图 4-44 所示。

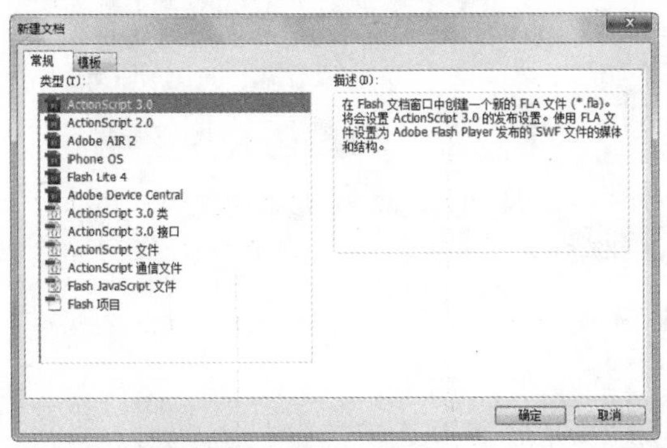

图4-43　新建文档

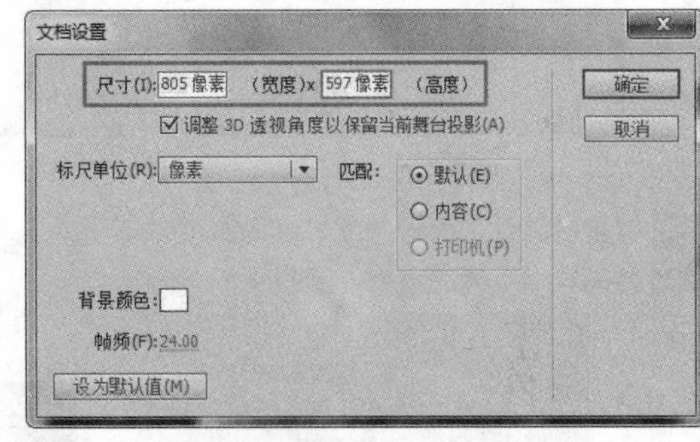

图4-44　设置文档尺寸

STEP 02 执行【文件】|【导入】|【导入到舞台】命令，将“光盘 \ 素材 \ 第 4 章 \411101.jpg”文件导入到场景中，如图 4-45 所示。新建一个名称为“气泡”的“图形”元件，如图 4-46 所示。

图4-45　导入图片素材

图4-46　新建元件

STEP 03 执行【文件】|【导入】|【导入到舞台】命令，将“光盘 \ 素材 \ 第 4 章 \411102.png”文件导入到场景中，如图 4-47 所示。新建一个名称为“气泡动画”的“影片剪辑”元件，如图 4-48 所示。

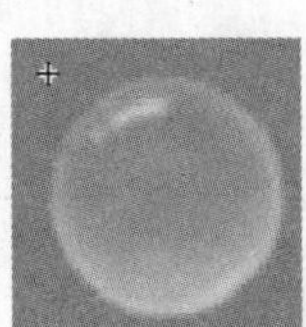

图4-47　导入图片

图4-48 新建文件

STEP 04 单击工具箱中的“Deco 工具”，在“属性”面板中单击“粒子 1”选项后面的“编辑”按钮，在弹出的“选择元件”对话框中选择“气泡”元件，如图 4-49 所示。使用同样的方法设置“粒子 2”对象，如图 4-50 所示。

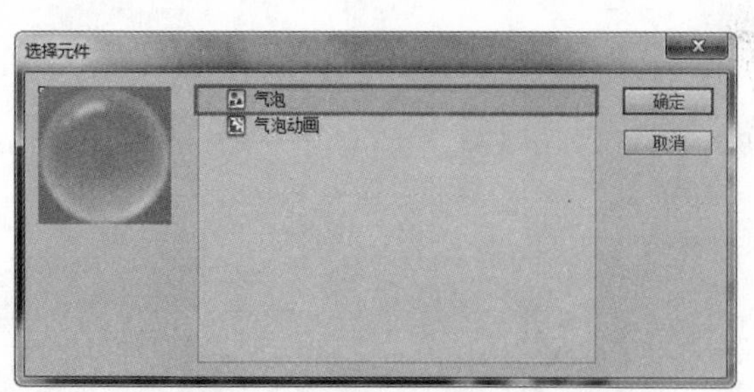

图4-49 选择元件

属性
Deco 工具
绘制效果
粒子系统
粒子 1: 气泡 编辑...
默认形状
粒子 2: 气泡 编辑...
默认形状

图4-50 设置绘制形状

STEP 05 设置“属性”面板中的“高级选项”各项参数，如图 4-51 所示。使用“Deco 工具”在场景中单击，得到气泡飞舞的效果，如图 4-52 所示。

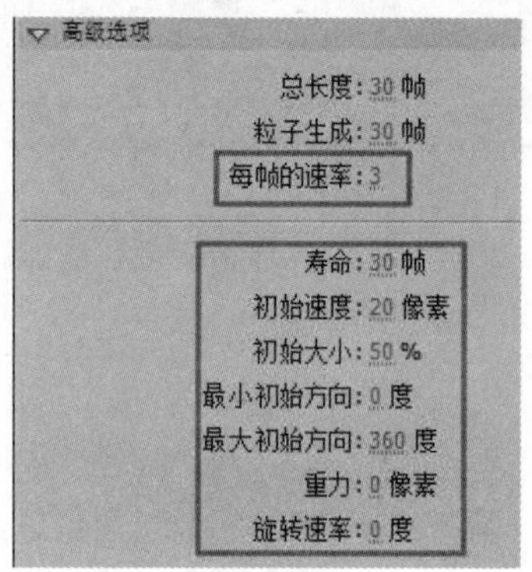

图4-51 设置高级选项

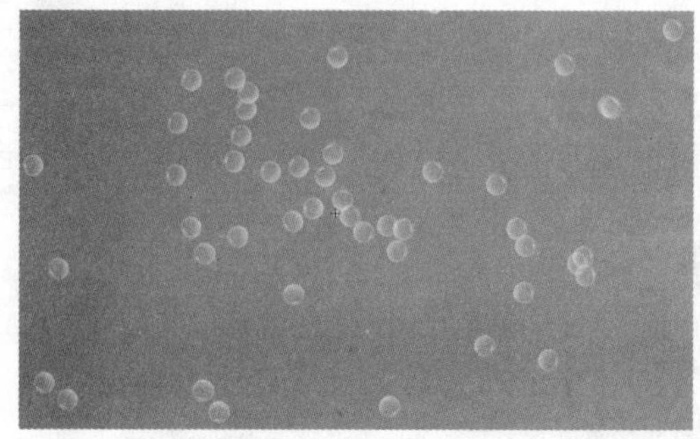

图4-52 气泡动画效果

STEP 06 单击“场景 1”文字，返回场景编辑状态，将元件“气泡动画”从“库”面板中拖入到场景中，并调整大小，如图 4-53 所示。

STEP 07 将动画保存为“光盘 \ 源文件 \ 第 4 章 \4-1-11.fla”。按快捷键“Ctrl+Enter”测试动画，测试效果如图 4-54 所示。

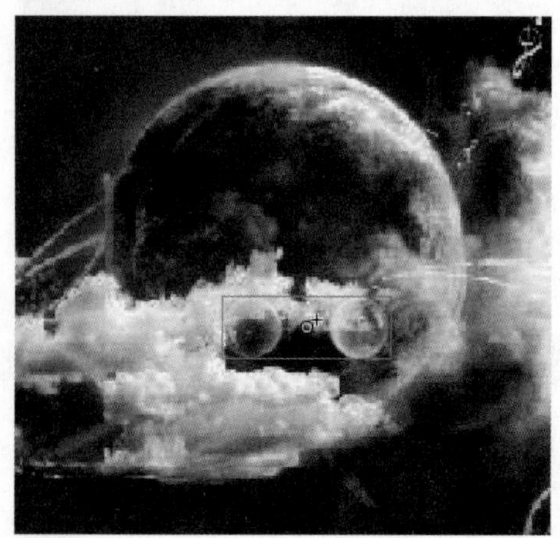

图4-53 拖入元件

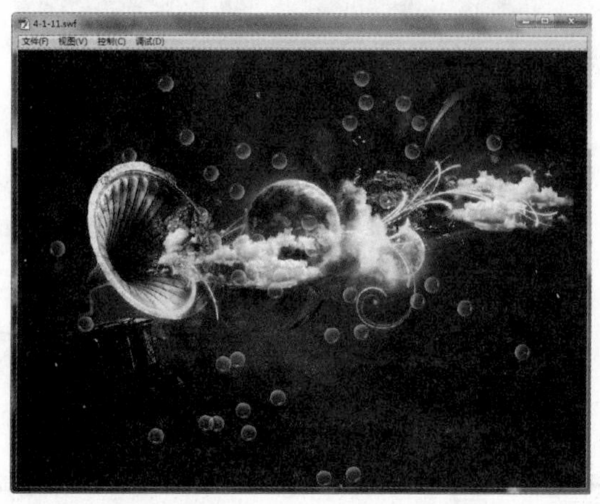

图4-54 测试效果

4.1.12 烟动画

烟动画效果可以创建程序化的逐帧烟动画，“属性”面板和效果如图4-55所示。

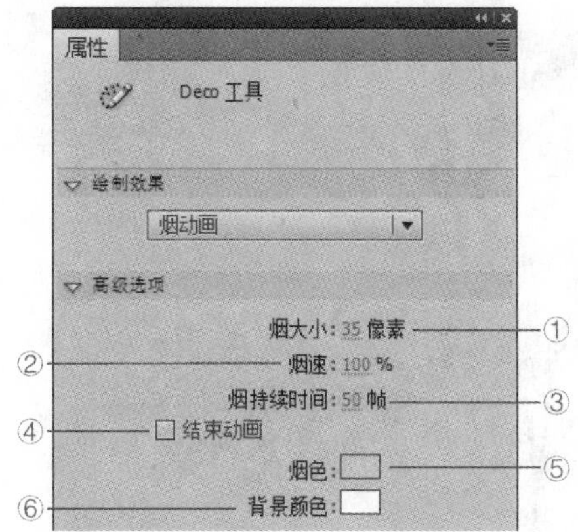

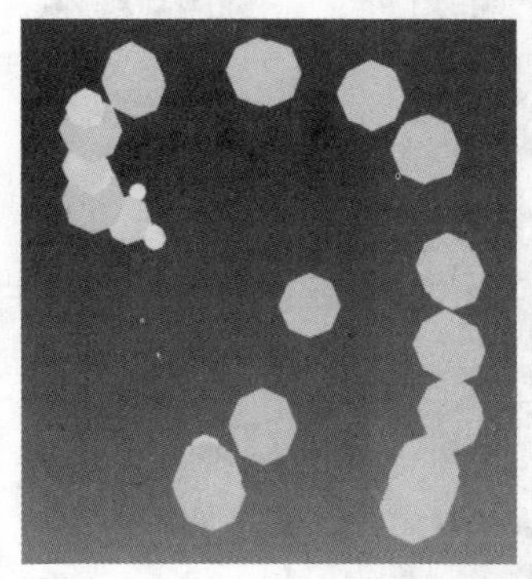

图4-55 “属性”面板及烟效果

①烟大小	烟的宽度和高度。值越高，创建的火焰越大。
②烟速	动画的速度。值越大，创建的烟越快。
③烟持续时间	在时间轴中创建的帧数。
④结束动画	选择此选项，可创建烟消散而不是持续冒烟的动画。Flash 会在指定的烟持续时间后，添加其他帧，以造成消散效果。如果要循环播放完成的动画，以创建持续冒烟的效果，请不要选择此选项。
⑤烟色	烟的颜色。
⑥背景颜色	烟的背景色。烟在消散后更改为此颜色。

4.1.13 树刷子

通过树刷子效果，用户可以快速创建树状插图，Flash CS5一共为用户提供了20种树样式，“属性”面板和效果如图4-56所示。

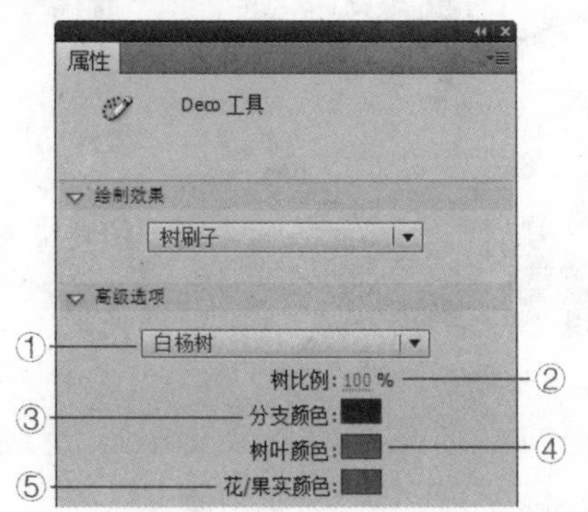

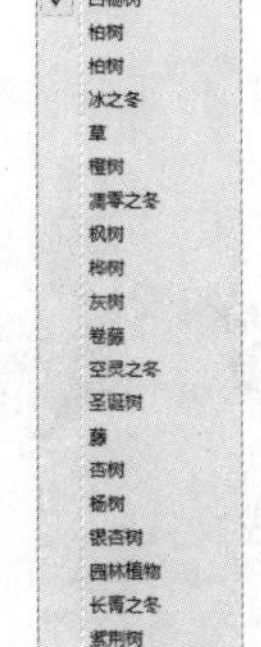

图4-56 “属性”面板及树刷子效果

①树样式	要创建的树的种类。每个树样式都以实际的树种为基础。Flash CS5提供了包括白杨树、柏树、柏树、冰之冬、草、橙树、凋零之冬、枫树、桦树、灰树、卷藤、空灵之冬、圣诞树、藤、杏树、杨树、银杏树、园林植 物、长青之冬和紫荆树20种树样式，如图4- 57所示。

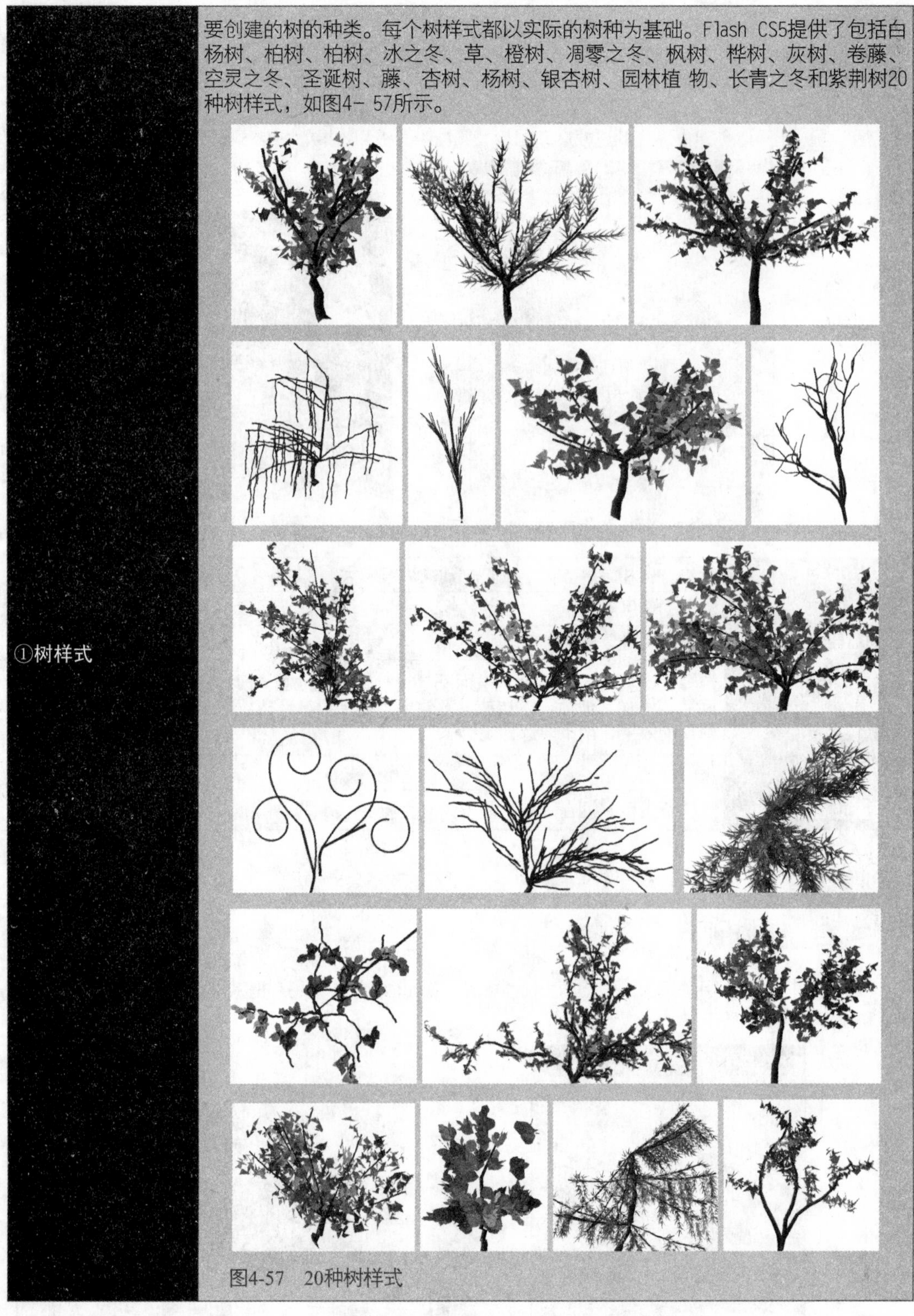

图4-57　20种树样式

②树比例	树缩放树的大小。值必须在 75～100 之间。值越高，创建的树越大。
③分支颜色	树干的颜色。
④树叶颜色	叶子的颜色。
⑤花/果实颜色	花和果实的颜色。

4.2 总结扩展

使用Deco工具可以快速完成大量相同元素的绘制，也可以使用它制作出很多复杂的动画效果。将其与图形元件和影片剪辑元件配合，可以制作出效果更加丰富的动画效果。

Deco工具提供了众多的应用方法，除了使用默认的一些图形绘制以外，Flash CS5还为用户提供了开放的创作空间。可以让用户通过创建元件，完成复杂图形或者动画的制作。例如制作火焰动画、烟雾动画。使用粒子系统，还可以制作出类似三维软件制作的三维动画效果。

总之，动画的制作核心是创意，Deco就给用户提供了实现这些创意的平台。

4.2.1 本章小结

本章针对Deco工具的基本使用方法和各种绘制样式参数进行了讲解。通过学习，读者要掌握Deco工具提供的绘制效果样式，并能够熟练使用Deco工具制作丰富的图形和动画效果，还要掌握元件和Deco工具的综合应用，以及使用Deco工具参与动画制作的原理和步骤。

4.2.2 举一反三——使用Deco工具制作魔法水晶球

案例文件：	光盘\源文件\第4章\4-2-2.fla
素材文件：	无
视频文件：	光盘\视频\第4章\4-2-2.swf
难易程度：	★☆☆☆☆
学习时间：	15分钟

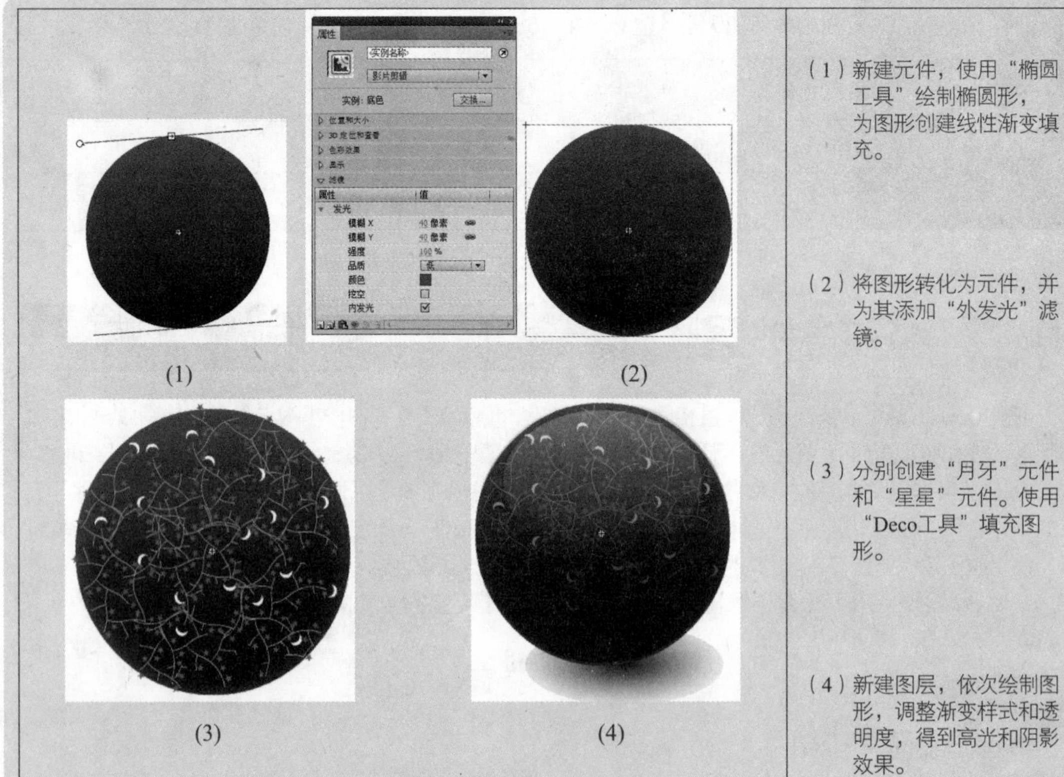

(1) (2)

(3) (4)

（1）新建元件，使用“椭圆工具”绘制椭圆形，为图形创建线性渐变填充。

（2）将图形转化为元件，并为其添加“外发光”滤镜。

（3）分别创建“月牙”元件和“星星”元件。使用“Deco工具”填充图形。

（4）新建图层，依次绘制图形，调整渐变样式和透明度，得到高光和阴影效果。

第5章　图形颜色处理

Flash CS5具有强大的颜色处理功能，通过“颜色”面板可以创建纯色、渐变和位图填充，通过颜料桶工具和墨水瓶工具，可以轻松为图形填充颜色，并能对所填充的颜色进行适当修改。在Flash中还可以使用渐变变形工具更改渐变的角度，以方便用户能快捷地在Flash中处理图形的颜色。

本章学习要点

- 了解“样本”面板和“颜色”面板
- 掌握创建笔触和填充的方法
- 掌握修改图形颜色的方法

实例名称：使用渐变填充绘制卡通屋

源 文 件：光盘\源文件\第5章\5-2-2.fla

教学视频：光盘\视频\第5章\5-2-2.swf

实例名称：使用纯色填充绘制卡通青蛙

源 文 件：光盘\源文件\第5章\5-2-1.fla

教学视频：光盘\视频\第5章\5-2-1.swf

实例名称：使用渐变填充绘制卡通场景

源 文 件：光盘\源文件\第5章\5-4-5.fla

教学视频：光盘\视频\第5章\5-4-5.swf

5.1 “样本”面板

“样本”面板是存储颜色样本的地方，在Flash中，颜色是一个相当重要的元素，图形颜色的处理都离不开它。

执行【窗口】|【样本】命令或按快捷键“Ctrl+F9”，打开“样本”面板，在此面板中可以看到有许多小方块显示的颜色，单击面板右上角的按钮，在弹出的下拉菜单中可以根据需要，对颜色样本进行添加、编辑、删除、复制等操作，“样本”面板如图5-1所示。

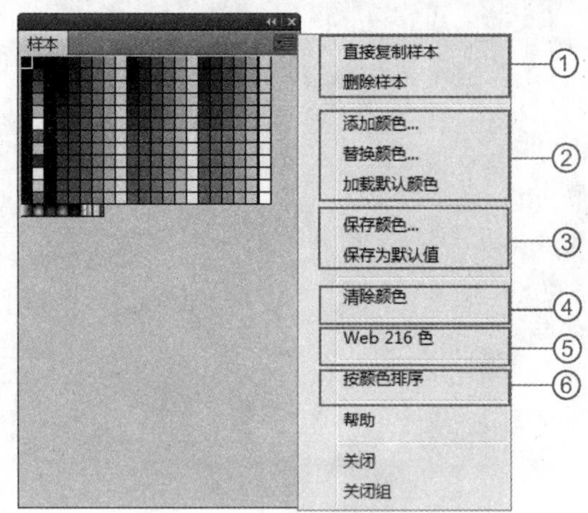

图5-1　“初始化安装程序”界面

①复制与删除	● 直接复制样本：单击此选项，系统会自动复制当前选定的样本。 ● 删除样本：单击此选项，系统会自动删除当前选定的样本。
②添加操作	● 添加颜色或替换颜色：单击此选项，可以在打开的“导入色样”对话框中选择需要添加或替换的颜色，添加到面板或替换选定的色样。 ● 加载默认颜色：单击此选项，可以将处理后的面板，恢复到面板的默认状态。
③保存操作	● 保存颜色：单击此选项，可以在弹出的“导出色样”对话框中定位到相应位置，导出颜色板。 ● 保存为默认值：单击此选项，可以将当前的面板保存为默认的调色板。
④清除颜色	执行此命令，系统会自动删除黑色、白色或黑白渐变色以外的所有颜色，如图5-2所示。
⑤Web216色	执行此命令，系统会将当前面板重新切换到Web安全调色板，即“样本”面板的初始设置。
⑥按颜色排序	执行此命令，系统会根据色调排列颜色，如图5-3所示。 样本 图5-2　消除颜色 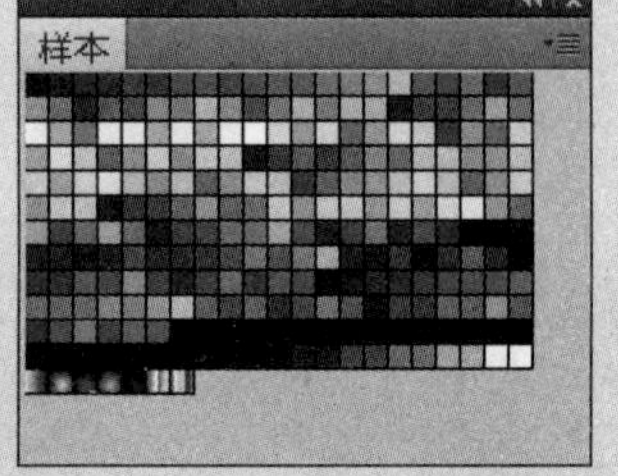 图5-3　按颜色排序

5.2 “颜色”面板

“颜色”面板能够提供更改笔触和填充颜色，以及创建多色渐变的选项，不但可以创建和编辑纯色，还可以创建和编辑渐变色，并使用渐变达到各种效果。

执行【窗口】|【颜色】命令或按快捷键“Alt+Shift+F9”，打开“颜色”面板，如图5-4所示。单击面板中的“颜色类型”按钮，在弹出的下拉列表中包括5种选项，如图5-5所示。通过这些选项，可以填充或更改图形笔触、填充颜色和创建多色渐变，下面将分别进行讲解。

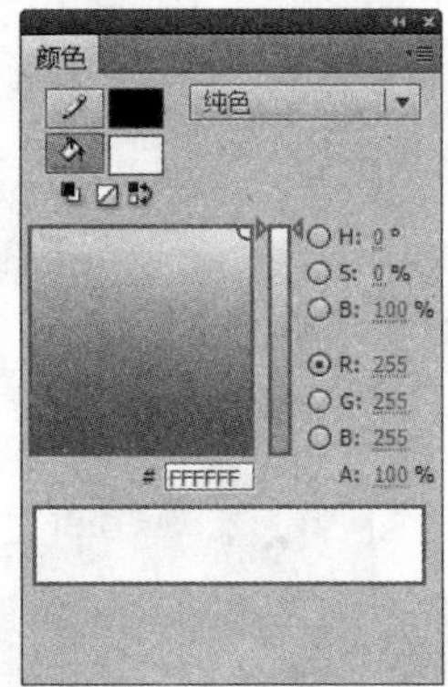

图5-4 “颜色”面板

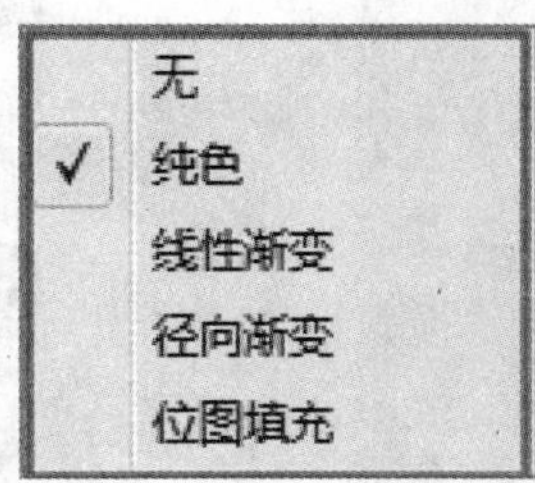

图5-5 “颜色类型”选项

Tips

“样本”面板显示的是当前调色板中的单独颜色，而“颜色”面板能够提供更改笔触、填充颜色及创建多色渐变的选项。

5.2.1 纯色填充

纯色填充，可以为图形提供一种单一的笔触填充或填充颜色。

在“颜色”面板中选择“纯色”选项，可以显示纯色填充的相关选项，如图5-6所示。

通过“纯色”选项可以创建RGB、HSB或十六进制计数法颜色，并能够设置颜色的Alpha值，如图5-7所示为应用纯色填充后的图形效果。

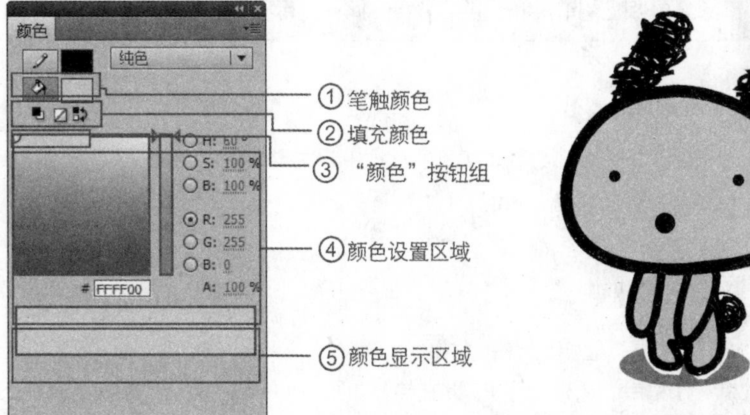

图5-6 “纯色填充”选项

图5-7 纯色填充的图形效果

①笔触颜色	单击此处，可以在打开的“样本”面板中设置图形的笔触或边框的颜色。
②填充颜色	单击此处，可以在打开的“样本”面板中设置图形的填充颜色。
③“颜色”按钮组	● “黑白”按钮：单击此按钮，可返回到默认颜色设置，即黑白（黑色笔触和白色填充）设置。 ● “无色”按钮：单击此按钮，可以对选中的填充或笔触不应用任何颜色。 ● “交换颜色”按钮：单击此按钮，可以在笔触和填充之间交换颜色。
④颜色设置区域	● RGB：用户在设置了相应的颜色后，会在R（红）、G（绿）、B（蓝）数值框中显示出相应的数值，此外还可以在数值框中输入相应的数值或拖动滑块来设置所需要的颜色。 ● HSB：H（色相）、S（饱和度）、B（亮度）的设置方法与RGB相似。 ● Alpha值:在Alpha数值框中输入相应的数值，可设置图形颜色的不透明度。当 Alpha 值为 0%时，则创建的填充不可见（即透明）；如果 Alpha 值为100%时，则创建的填充不透明，如图5-8所示为不同Alpha 值的图形效果。 （Alpha 值为50%）　（Alpha 值为100%） 图5-8　不同Alpha 值的图形效果 ● 十六进制值：十六进制值显示当前颜色的十六进制值（也称做 HEX值），它由6个字符组成，例如（FFCCCC），前两个字符表示红色（R），中间两位表示绿色（G），最后两位表示蓝色（B），每个数字（0~9）和字母（A~F）表示从0到16的整数，从而实现Hex计数法到RGB值的转换。若要使用十六进制值更改颜色，键入一个新的值即可。
⑤颜色显示区域	设置好相应的笔触和颜色后，会在此处显示出相应的颜色。

应用实例：使用纯色填充绘制卡通青蛙

本实例是绘制一个卡通童话屋，在绘制本实例的过程中，主要使用“纯色填充”，希望用户认真学习，并能熟练运用。

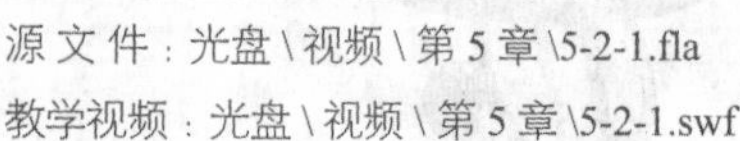

源 文 件：光盘\视频\第 5 章\5-2-1.fla

教学视频：光盘\视频\第 5 章\5-2-1.swf

STEP 01 执行【文件】|【新建】命令，新建一个 Flash 文档，如图 5-9 所示。单击“属性”面板上的“编辑”按钮，在弹出的“文档属性”对话框中进行设置，如图 5-10 所示，单击“确定”按钮，完成“文档属性”的设置。

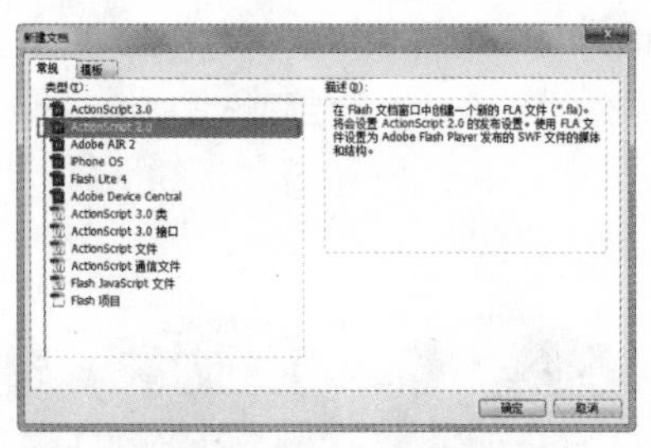

图5-9 "新建文档"对话框

图5-10 设置"文档属性"对话框

STEP 02 执行【插入】|【新建元件】命令，新建一个"名称"为"脸部"的"图形"元件，如图 5-11 所示。单击工具箱中的"椭圆工具"按钮 ，设置"填充颜色"为 #FF0909，"笔触颜" "为无，在场景中绘制如图 5-12 所示的圆形。

图5-11 创建新元件

图5-12 绘制图形

STEP 03 单击工具箱中的"部分选取工具"按钮，配合"选择工具"调整图形效果，如图 5-13 所示。新建"图层 2"，单击工具箱中的"线条工具"按钮，设置"笔触颜色"为 #B50000，绘制图形，如图 5-14 所示。

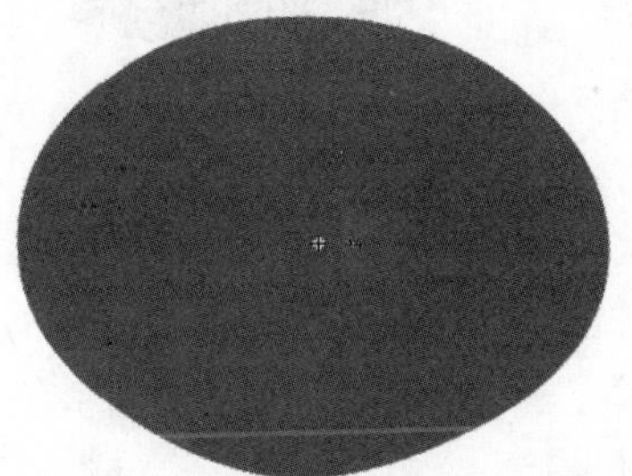

图5-13 调整图形

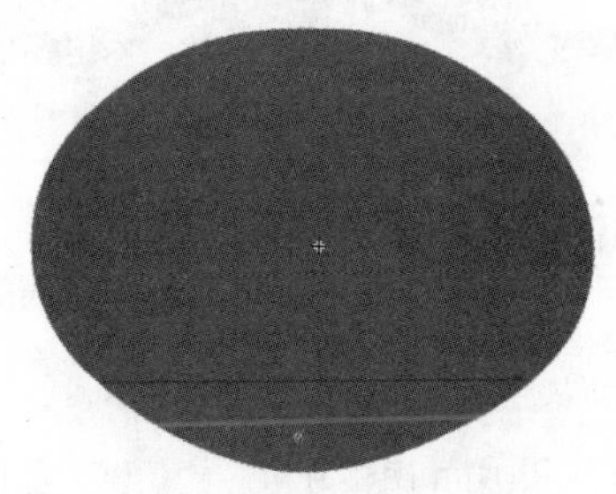

图5-14 绘制图形

STEP 04 使用"选择工具"调整线条形状，效果如图 5-15 所示，新建"图层 3"，使用"椭圆工具"，设置"填充颜色"为 #820000，使用相同的方法绘制图形，效果如图 5-16 所示。

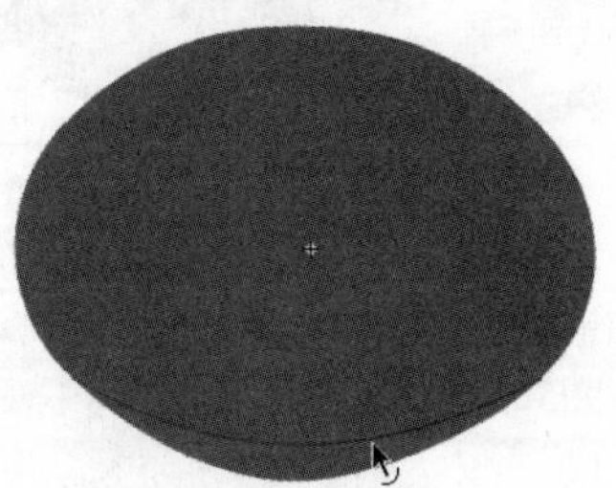

图5-15 调整图形

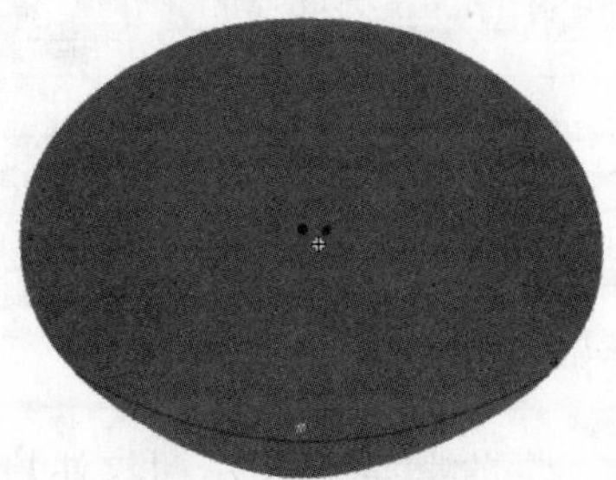

图5-16 绘制图形

STEP 05 再次新建一个“名称”为“眼睛”的“图形”元件，使用“椭圆工具”绘制图形，单击工具箱中的“任意变形工具”按钮，旋转对象，完成效果如图 5-17 所示，使用相同的方法绘制出另一个图形，效果如图 5-18 所示。

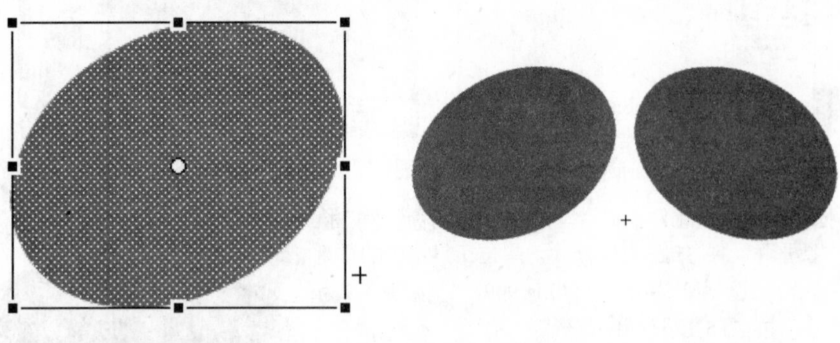

图5-17　变换图形　　　图5-18　绘制图形

STEP 06 使用相同的方法完成眼睛元件的绘制，效果如图 5-19 所示。新建一个“名称”为“头部整体”的“图形”元件，分别将“面部”元件和“眼睛”元件从“库”面板中拖入到场景中，组合效果如图 5-20 所示。

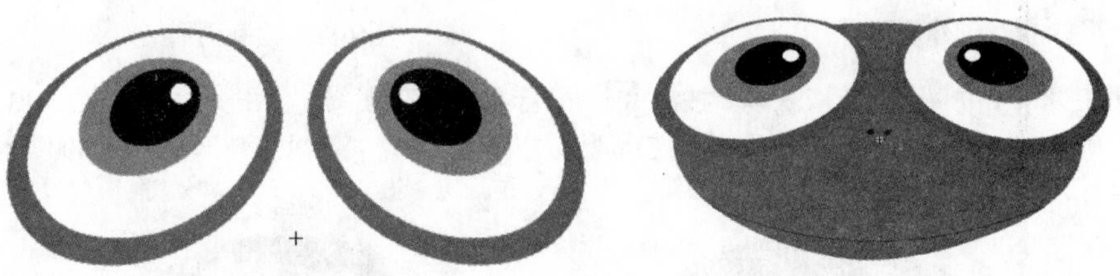

图5-19　绘制图形　　　图5-20　组合图形

STEP 07 根据“面部”、“眼睛”元件的绘制方法，绘制出“脚”元件、“手”元件、“帽子”元件、“肚子”元件和“装饰”元件，新建一个“名称”为“整体”的“影片剪辑”元件，如图 5-21 所示，分别将相应的元件拖入到场景中并调整好相应的位置，如图 5-22 所示。

图5-21　新建元件　　　图5-22　组合图形

STEP 08 返回到“场景 1”的编辑状态，执行【文件】|【导入】|【导入到舞台】命令，将图像“光盘\源文件\第 5 章\素材\52103.bmp”导入到场景中，如图 5-23 所示。按“F8”键，将图像转换成“名称”

为“背景”的“图形”元件，新建“图层 2”，将“整体”元件从“库”面板中拖入到场景中，调整位置和大小，如图 5-24 所示。

图5-23　导入素材

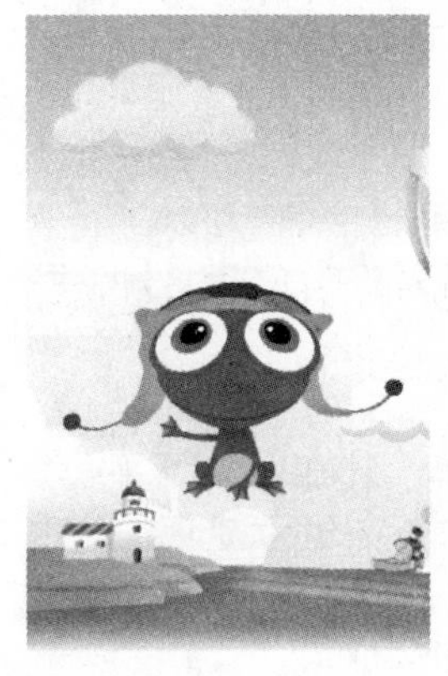

图5-24　组合图形

STEP 09 新建“图层 3”，将图像“光盘\源文件\第 5 章\素材\52103.bmp”导入到场景中，调整位置和大小，效果如图 5-25 所示。使用相同的方法完成卡通青蛙的制作，效果如图 5-26 所示。

图5-25　导入素材

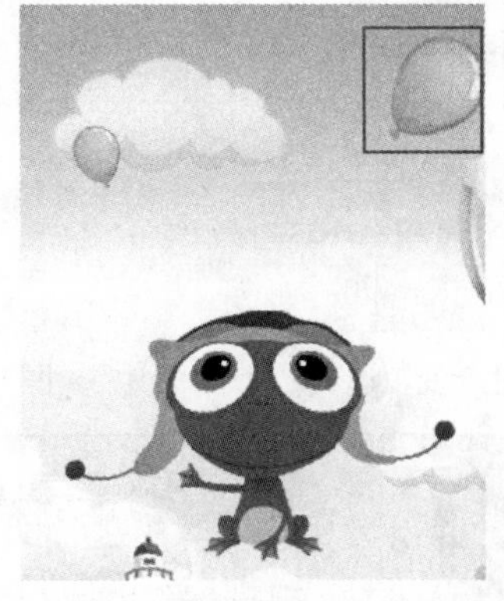

图5-26　最终效果

STEP 10 执行【文件】|【保存】命令，将动画保存为“光盘\源文件\第 5 章\5-2-1.fla”。按快捷键“Ctrl+Enter”测试动画，测试效果如图 5-27 所示。

图5-27　测试动画效果

5.2.2 渐变色填充

渐变色填充是一种多色填充，即一种颜色逐渐转变成另一种颜色，在 Flash中可以将多达 15 种颜色应用于渐变色，使用渐变色填充可以创建一个或多个对象间平滑过渡的颜色。在Flash 中可以创建两种渐变，即线性渐变和径向渐变，下面将分别进行讲解。

线性渐变

线性渐变是沿着一条轴线，以水平或垂直方向来改变颜色的。在“颜色”面板中选择“线性渐变”选项，可以显示线性渐变的相关选项，如图5-28所示。

使用相应的工具，在场景中绘制图形，在“颜色”面板中设置相应的线性渐变，如图5-29所示，填充图形后的效果如图5-30所示。

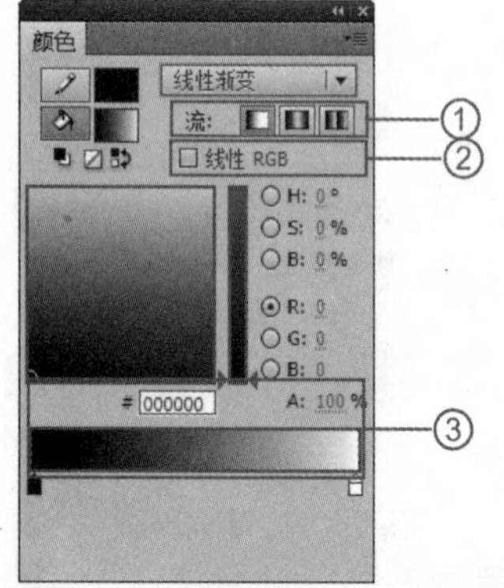

图5-28 “线性渐变”选项

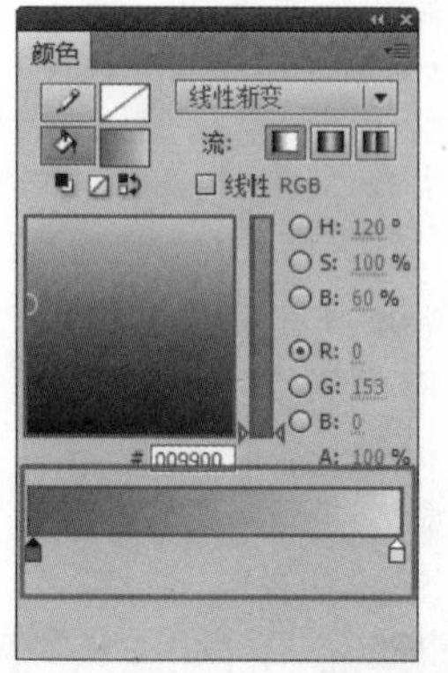

图5-29 应用线性渐变后的图形

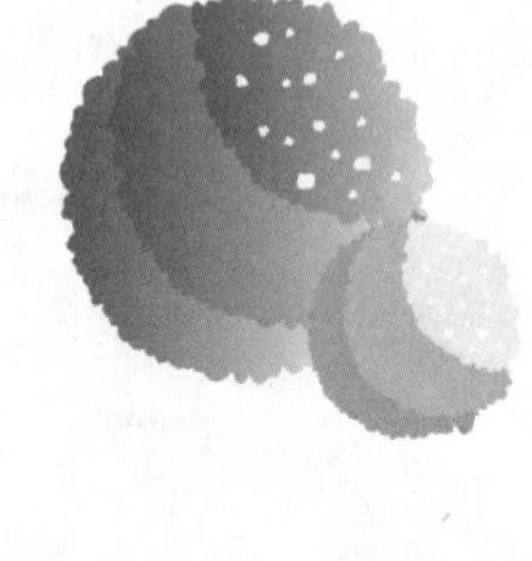

图5-30 图形效果

①流	“流”选项，可以控制超出线性或径向渐变限制应用的颜色范围。 ● “扩展颜色”按钮（默认）：将指定的颜色应用于渐变末端之外。 ● “反射颜色”按钮：利用反射镜像效果，使用渐变颜色填充形状。指定的渐变色以下面的模式重复：从渐变的开始到结束，再以相反的顺序从渐变的结束到开始，再从渐变的开始到结束，直到所选形状填充完毕。 ● “重复颜色”按钮：从渐变的开始到结束重复渐变，直到所选形状填充完毕。
 ②线性RGB	勾选此选项，可创建兼容 SVG （可伸缩的矢量图形）的线性或径向渐变，勾选前后的渐变效果如图5-31所示。   （勾选前） （勾选后） 图5-31 勾选“线性RGB”选项前后的渐变效果

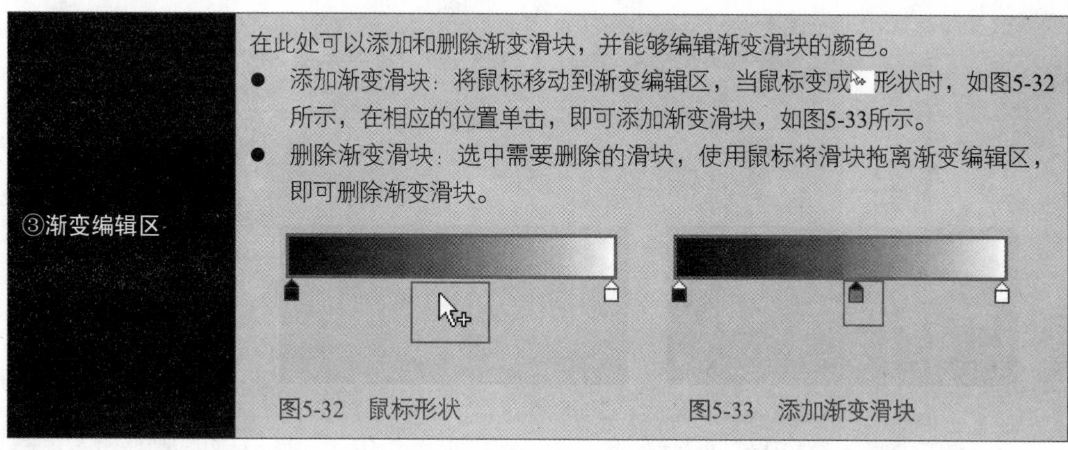

③渐变编辑区	在此处可以添加和删除渐变滑块，并能够编辑渐变滑块的颜色。 ● 添加渐变滑块：将鼠标移动到渐变编辑区，当鼠标变成形状时，如图5-32所示，在相应的位置单击，即可添加渐变滑块，如图5-33所示。 ● 删除渐变滑块：选中需要删除的滑块，使用鼠标将滑块拖离渐变编辑区，即可删除渐变滑块。 图5-32 鼠标形状　　图5-33 添加渐变滑块

Tips

仅在 Adobe Flash Player 8 及更高版本中支持流模式。

如果想要保存渐变，用户可以单击“颜色”面板右上角的三角形按钮，然后在弹出的菜单中选择【添加样本】命令，即可将渐变保存到“样本”面板中。

径向渐变

径向渐变是从一个中心焦点向外放射来改变颜色的。在“颜色”面板中选择“径向渐变”选项，可以显示径向渐变的相关选项，如图5-34所示，径向渐变与线性渐变的使用方法一样，只是填充后的效果不同而已。

在“颜色”面板中设置相应的径向渐变，如图5-35所示，为图形应用径向渐变，填充图形效果如图5-36所示。

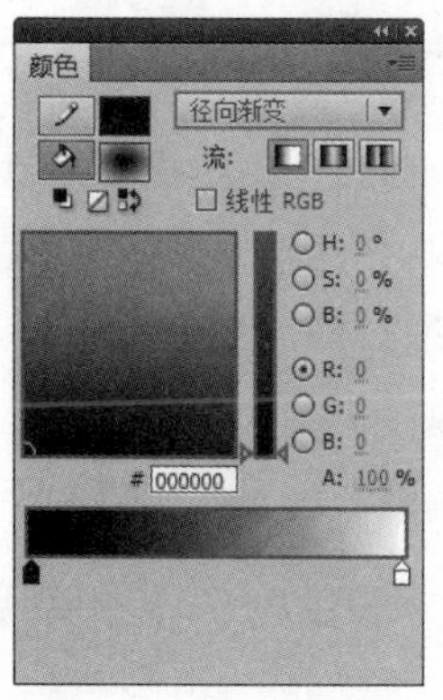

图5-34 “径向渐变”选项

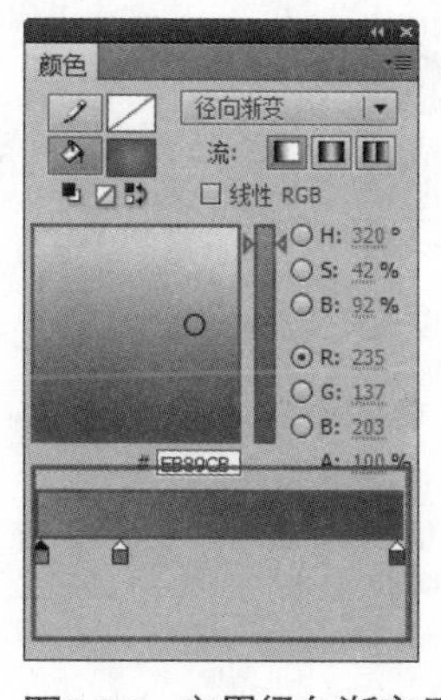

图5-35 应用径向渐变后的图形

图5-36 图形效果

5.2.3 位图填充

通过“颜色”面板中的位图填充，可以将位图应用到图形对象中，在应用时位图会以平铺的形式填充图形。

STEP 01 在“颜色”面板中选择“位图填充”选项，如果在“位图填充”选项中没有导入过位图，此时会直接弹出“导入到库”对话框，在此对话框中，用户可以选择相应的位图，如图 5-37 所示，单击“打开”按钮，“颜色”面板如图 5-38 所示，可以看到已经将位图导入至面板中。

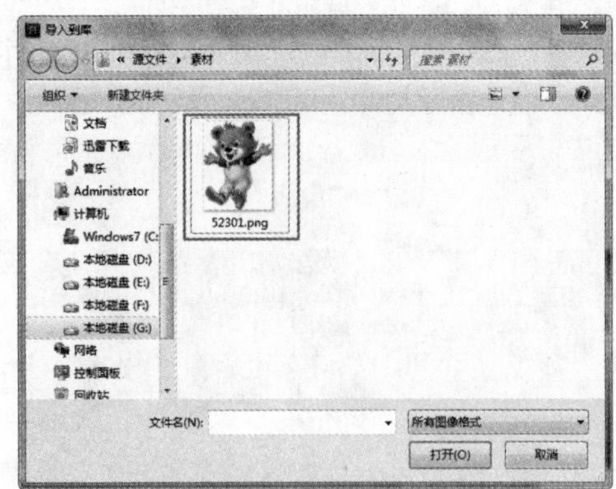

图5-37 “导入到库”对话框

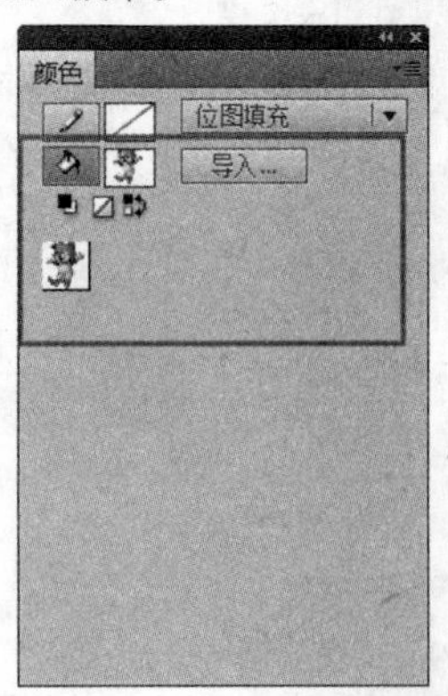

图5-38 导入位图后的“颜色”面板

STEP 02 导入完成后，可以使用相应的绘图工具在场景中绘制位图并填充图形，如单击工具箱中的“矩形工具”按钮，在场景中绘制图形，效果如图 5-39 所示。单击工具箱中的“椭圆工具”按钮，在场景中绘制图形，效果如图 5-40 所示。

图5-39 绘制图形

图5-40 绘制图形

Tips

导入一个位图后，如果还想导入其他的位图，可以在“位图填充”选项下单击“导入”按钮，这时可弹出“导入到库”对话框，用户可根据自己的需要自行选择。

应用实例：使用渐变填充绘制卡通童话屋

本实例是绘制一个卡通童话屋，在绘制本实例的过程中，主要使用“渐变色填充”，希望用户认真学习，并能熟练运用。

源文件：光盘\视频\第 5 章\5-2-2.fla

教学视频：光盘\视频\第 5 章\5-2-2.swf

STEP 01 执行【文件】|【新建】命令，新建一个 Flash 文档，如图 5-41 所示。单击“属性”面板上的“编辑”按钮，在弹出的“文档设置”对话框中进行设置，如图 5-42 所示，单击“确定”按钮，完成“文档属性”的设置。

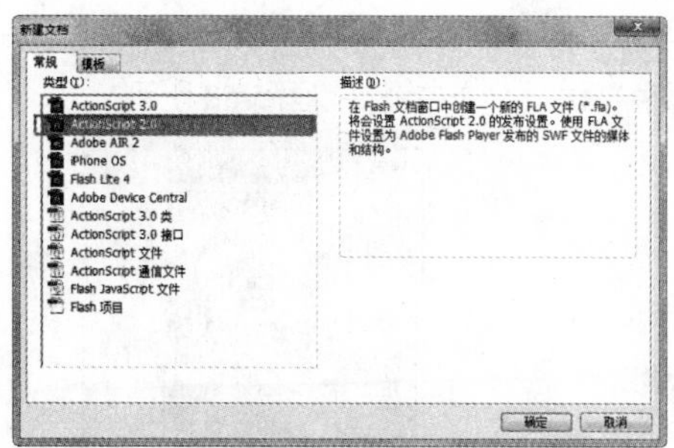

图5-41 “新建文档”对话框

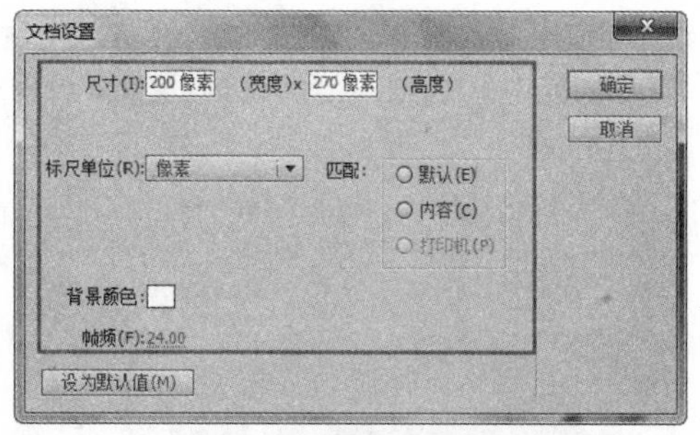

图5-42 设置“文档设置”对话框

STEP 02 新建一个“名称”为“部分 1”的“图形”元件，如图 5-43 所示。单击工具箱中的“椭圆工具”按钮，执行【窗口】|【颜色】命令，打开“颜色”面板，参数设置如图 5-44 所示。

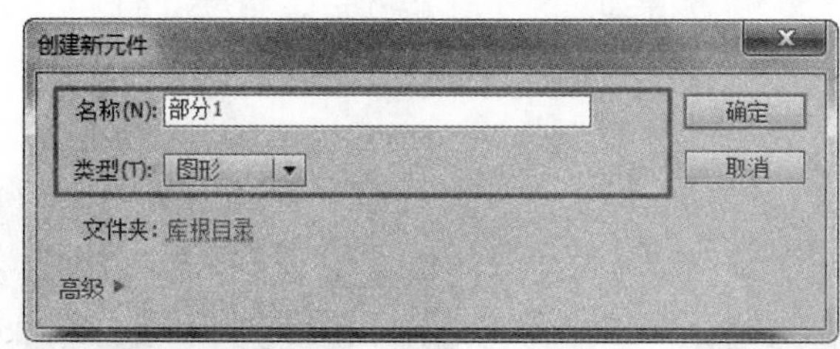

图5-43 新建元件

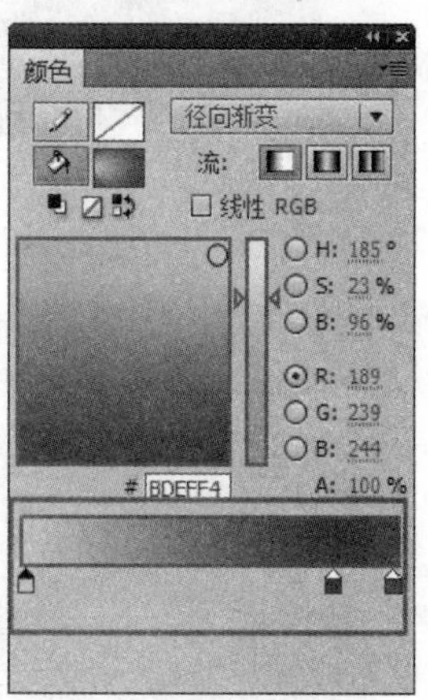

图5-44 设置“颜色”面板

STEP 03 设置完成后，在场景中绘制一个椭圆形，效果如图 5-45 所示，单击工具箱中的“渐变变形工具”按钮，对图形进行调整，如图 5-46 所示。

图5-45 绘制图形

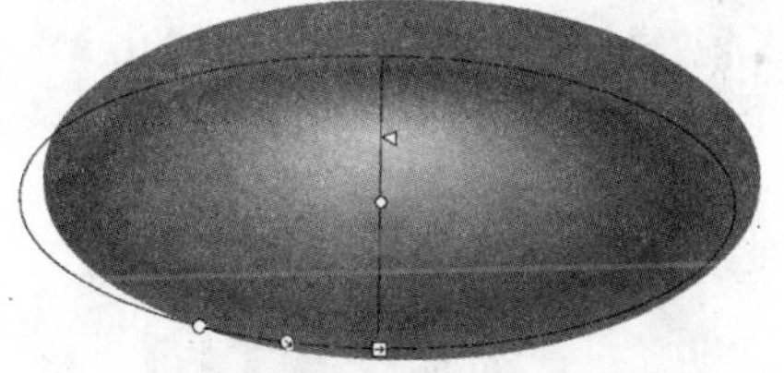

图5-46 调整图形

STEP 04 单击工具箱中的“选择工具”按钮，对图形进行调整，完成后的效果如图 5-47 所示，新建“图层 2”，使用相同的方法绘制图形，效果如图 5-48 所示。

图5-47 调整图形

图5-48 绘制图形

STEP 05 新建“图层3”，单击工具箱中的“钢笔工具”按钮，在画布中绘制路径，效果如图5-49所示，单击工具箱中的“颜料桶工具”按钮，打开“颜色”面板，参数设置如图5-50所示。

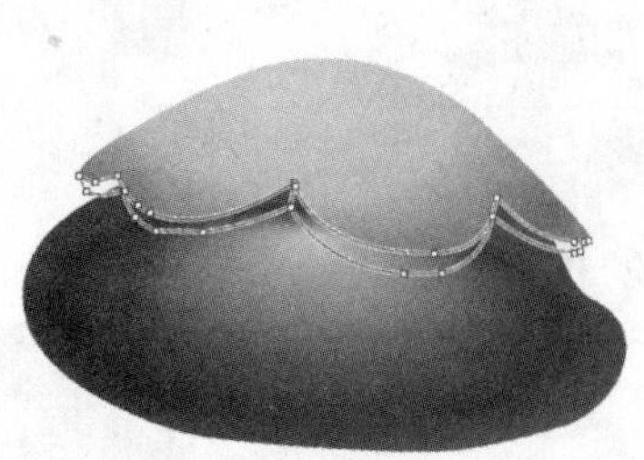

图5-49 绘制路径

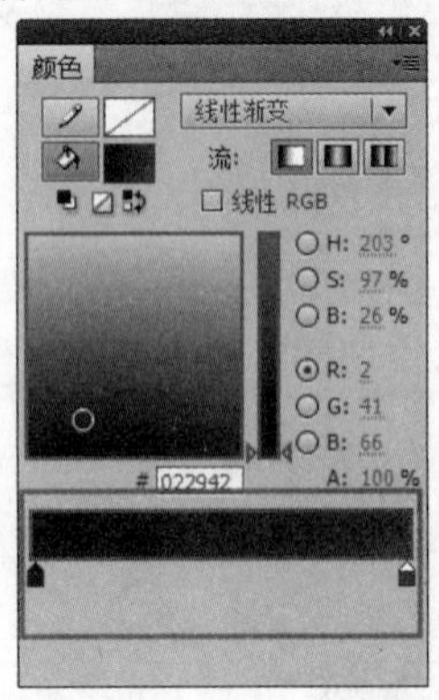

图5-50 设置“颜色”面板

STEP 06 设置完成后，在场景中单击填充颜色，效果如图5-51所示。使用“渐变变形工具”对填充的颜色进行调整，效果如图5-52所示。

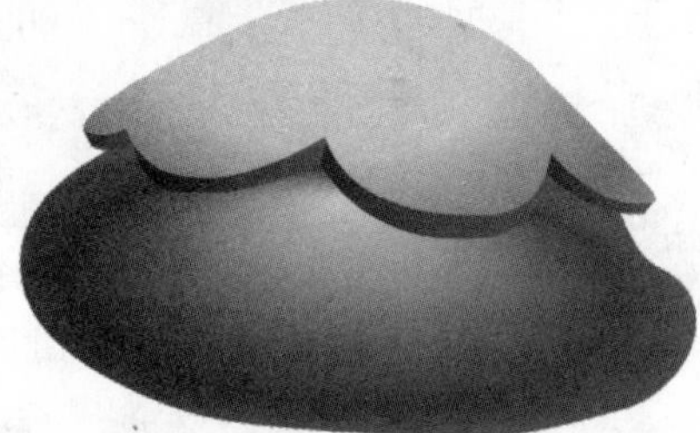

图5-51 填充颜色

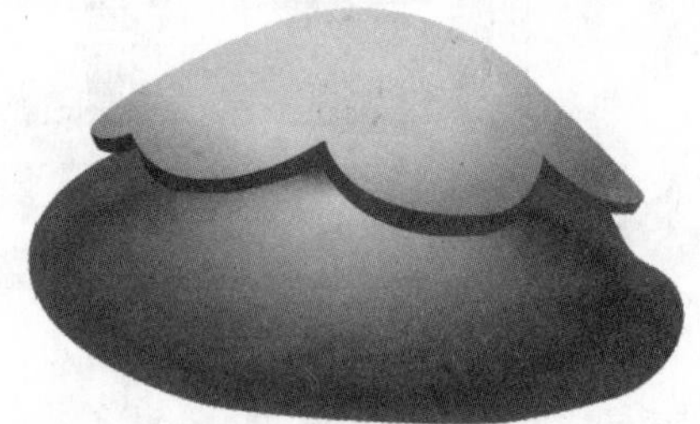

图5-52 调整图形

STEP 07 使用相同的方法完成“部分1”元件的绘制，效果如图5-53所示。新建“部分2”元件，使用相同的方法绘制图形，效果如图5-54所示。

图5-53 “部分1”元件

图5-54 “部分2”元件

STEP 08 新建“部分3”元件，使用相同的方法绘制图形，效果如图5-55所示。新建“部分4”元件，使用相同的方法绘制图形，效果如图5-56所示，使用相同的方法绘制出图形1、图形2和图形3。

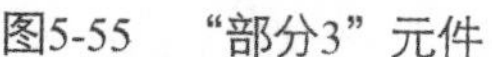

图5-55 “部分3”元件

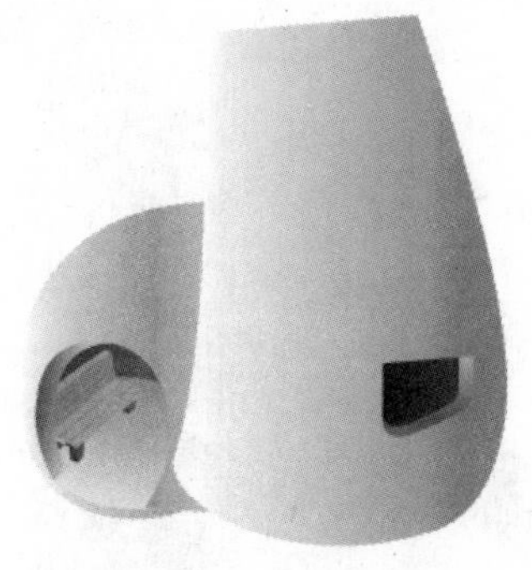

图5-56 “部分4”元件

STEP 09 新建“名称”为“童话屋”的“影片剪辑”元件，如图 5-57 所示。将“部分 4”元件拖入到场景中，新建“图层 2”，将“图形 1”元件拖入到场景中，效果如图 5-58 所示。

图5-57 新建元件

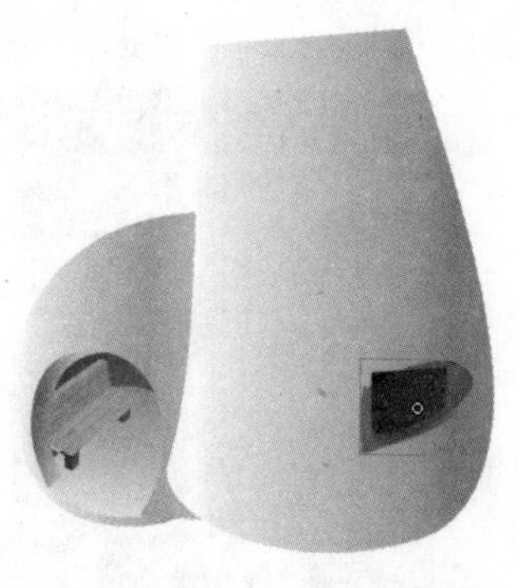

图5-58 拖入元件

STEP 10 执行【修改】|【转换为元件】命令，将其转换为“图 1”影片剪辑元件，如图 5-59 所示，打开“属性”面板，单击“添加滤镜”按钮，在弹出的菜单中选择【模糊】命令，参数设置如图 5-60 所示。

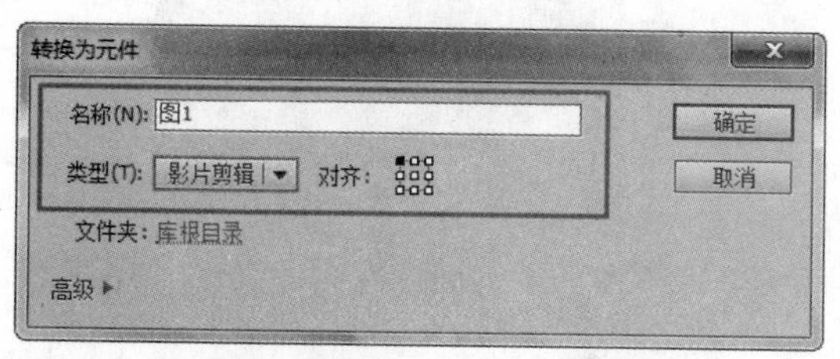

图5-59 转换为元件

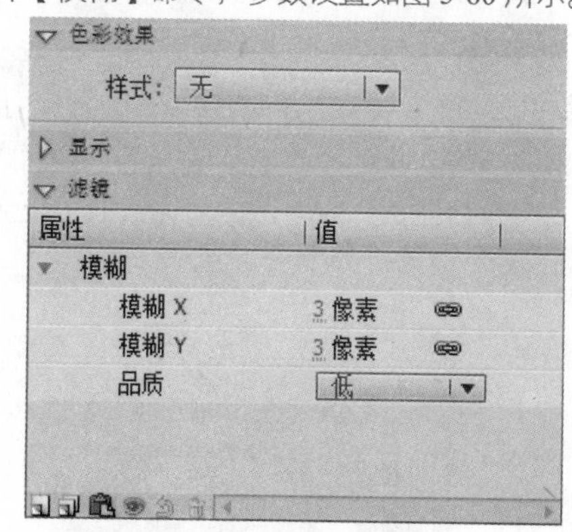

图5-60 设置“模糊”滤镜

STEP 11 完成后的效果如图 5-61 所示，从“库”中拖入其他元件，并组合图形，效果如图 5-62 所示。

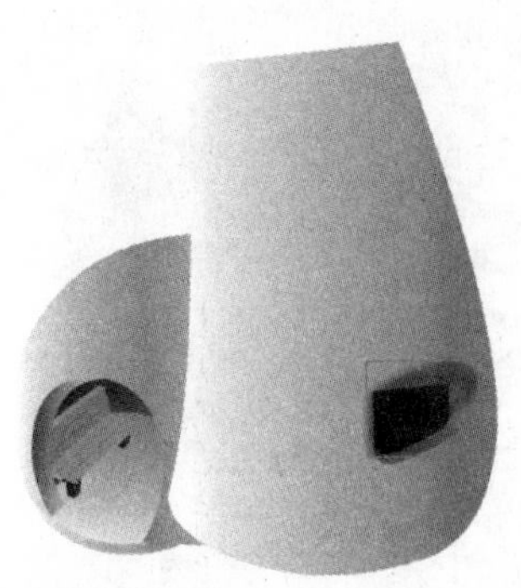
图5-61　图形效果

图5-62　组合图形

STEP 12 返回到“场景 1”编辑状态，单击工具箱中的“矩形工具”按钮，打开“颜色”面板进行设置，如图 5-63 所示，设置完成后，在场景中绘制图形，并适当调整，效果如图 5-64 所示。

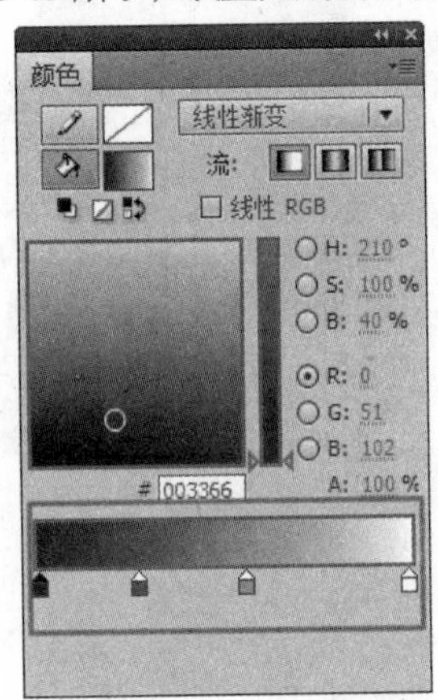

图5-63　设置“颜色”面板

图5-64　绘制图形

STEP 13 新建“图层 2”，单击工具箱中的“多角星形工具”按钮，单击“属性”面板中的“选项”按钮，弹出“工具设置”对话框，参数设置如图 5-65 所示。单击“确定”按钮，设置“填充颜色”为 #FFFFFF，“笔触颜色”为无，在场景中绘制如图 5-66 所示的星形。

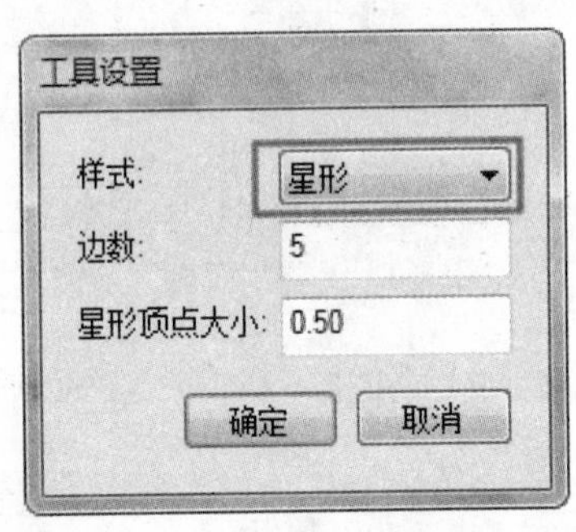

图5-65　“工具设置”对话框

图5-66　绘制图形

STEP 14 新建“图层3”，将“童话屋”元件拖入到场景中，并移动到合适位置，效果如图5-67所示。完成绘制童话屋的制作，执行【文件】|【保存】命令，将其保存为“光盘\源文件\第5章\5-2-2.fla”。按快捷键“Ctrl+Enter”测试动画，测试效果如图5-68所示。

图5-67　最终效果

图5-68　测试动画

5.3 创建笔触和填充

在Flash中图形的颜色是由笔触和填充组成的，这两种属性决定矢量图形的轮廓和整体颜色。下面就通过工具箱和“属性”面板向用户讲解如何创建笔触和填充。

5.3.1 使用工具箱中的“笔触颜色”和“填充颜色”

在绘制图形前，通过使用“工具箱”中的“笔触颜色”和“填充颜色”控件，可以方便快捷地为绘制的图形创建笔触颜色和填充颜色，工具箱中的颜色控件如图5-69所示。在创建时只需单击“笔触颜色”或“填充颜色”控件，在弹出的面板中选择一个颜色样本即可创建。

STEP 01 单击“笔触颜色”控件，在弹出的“样本”面板中选择一种颜色，如图5-70所示。

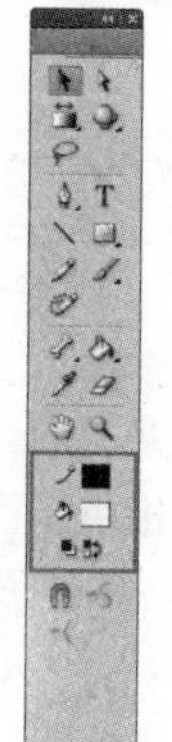
图5-69　工具箱

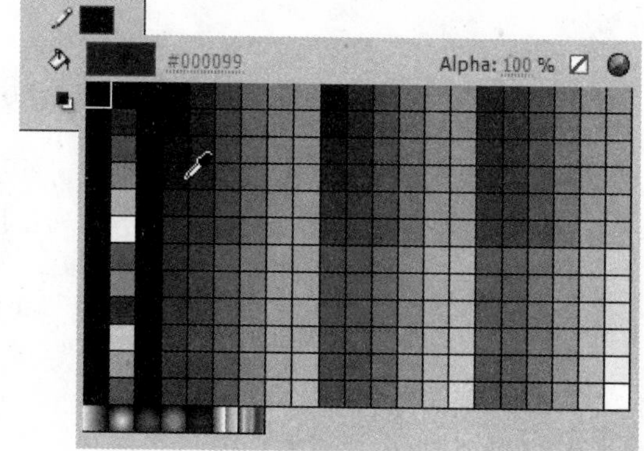

图5-70　创建“笔触颜色”

STEP 02 单击“填充颜色”控件，在弹出的“样本”面板中选择一种颜色，如图5-71所示，在舞台中绘制图形，如图5-72所示，可以看到绘制出的图形具有所选择的“笔触颜色”和“填充颜色”。

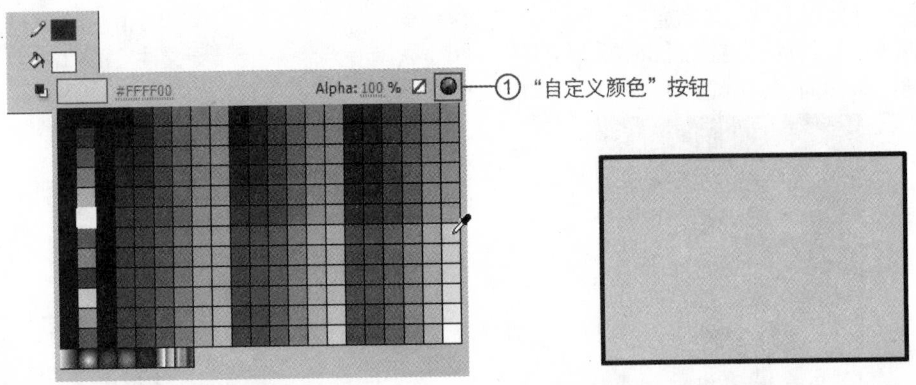

图5-71 创建“填充颜色”　　图5-72 绘制图形

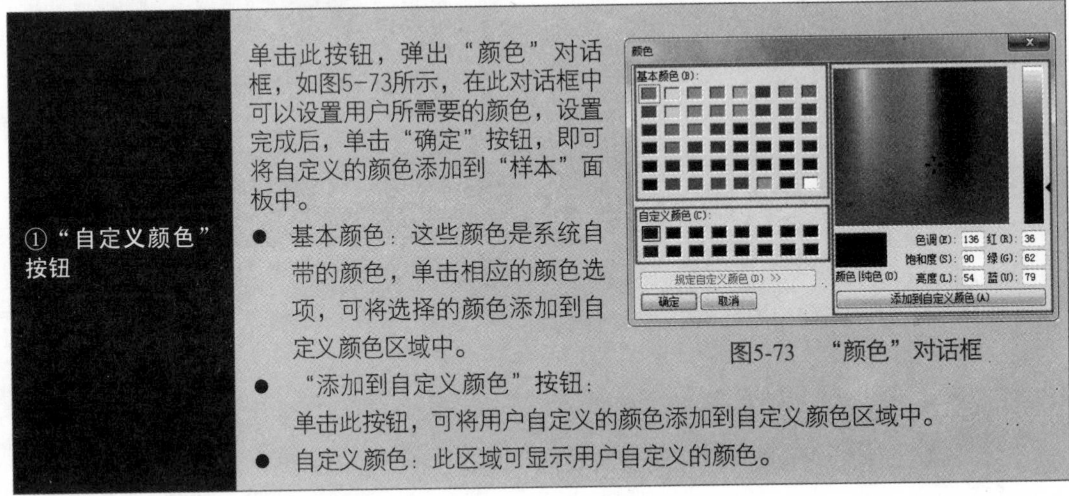

① “自定义颜色”按钮

单击此按钮，弹出“颜色”对话框，如图5-73所示，在此对话框中可以设置用户所需要的颜色，设置完成后，单击“确定”按钮，即可将自定义的颜色添加到“样本”面板中。

- 基本颜色：这些颜色是系统自带的颜色，单击相应的颜色选项，可将选择的颜色添加到自定义颜色区域中。
- “添加到自定义颜色”按钮：单击此按钮，可将用户自定义的颜色添加到自定义颜色区域中。
- 自定义颜色：此区域可显示用户自定义的颜色。

图5-73 “颜色”对话框

Tips

导入一个位图后，如果还想导入其他的位图，可以在“位图填充”选项下单击“导入”按钮，这时可弹出“导入到库”对话框，用户可根据自己的需要自行选择。

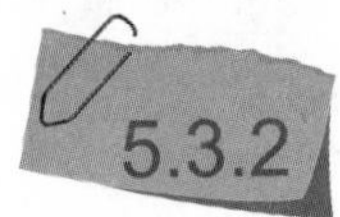

5.3.2 使用“属性”面板中的“笔触颜色”和“填充颜色”

除了在工具箱中设置图形的“笔触颜色”和“填充颜色”，还可以在“属性”面板中进行设置。

单击工具箱中的“矩形工具”按钮，执行【窗口】|【属性】命令或按快捷键“Ctrl+F3”，打开“属性”面板，如图5-74所示。在“属性”面板中设置笔触和填充颜色的方法与工具箱中的方法相似，如图5-75所示。只是“属性”面板除了能为图形创建笔触颜色和填充颜色外，还提供了可以设置笔触宽度和样式的选项。

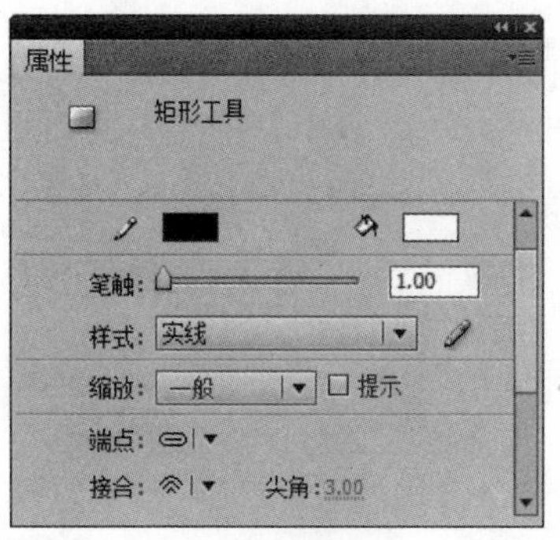

图5-74 “属性”面板

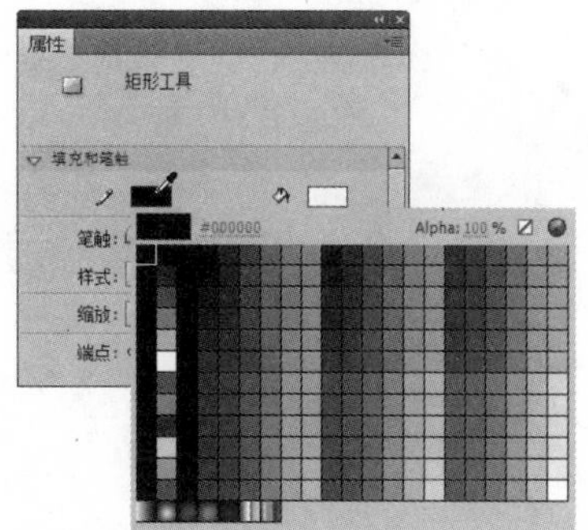

图5-75 选择颜色

5.4 修改图形的笔触和填充

对图形进行填色后，为了方便操作，用户可以通过工具箱中的相关工具对填充后的图形颜色进行更改，如滴管工具、墨水瓶工具、颜料桶工具和渐变变形工具。

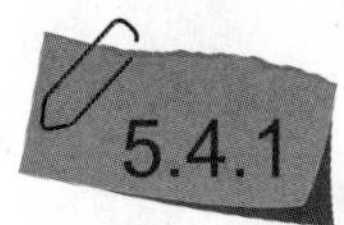

使用“滴管工具”采样颜色

使用“滴管工具”可以复制和填充图形颜色，即从一个对象复制填充和笔触属性，然后将它们应用到其他对象中，除此之外，“滴管”工具还可以从位图图像中取样用作填充。

使用“滴管工具”对笔触进行采样

单击工具箱中的“滴管工具”按钮，在笔触区域采样，效果如图5-76所示，然后单击另一图形笔触的区域，该工具自动变成墨水瓶工具，填充后的效果如图5-77所示。

图5-76 对笔触进行采样

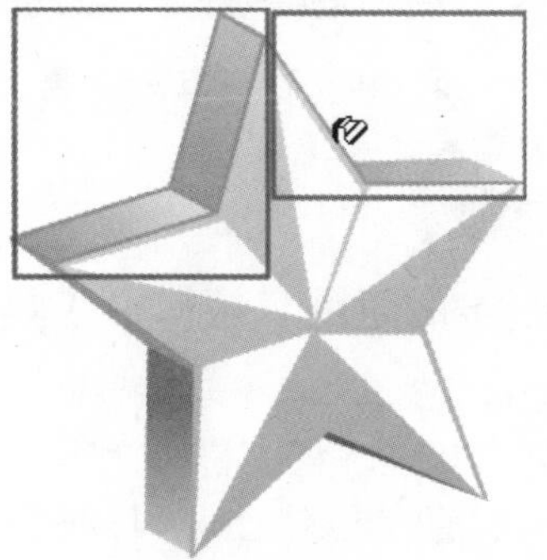

图5-77 填充图形笔触

使用“滴管工具”对填充进行采样

再次单击工具箱中的“滴管工具”按钮，在填色区域采样，效果如图5-78所示，然后单击已填充的区域，该工具自动变成颜料桶工具，并且打开“锁定填充”功能键，填充后的效果如图5-79所示。

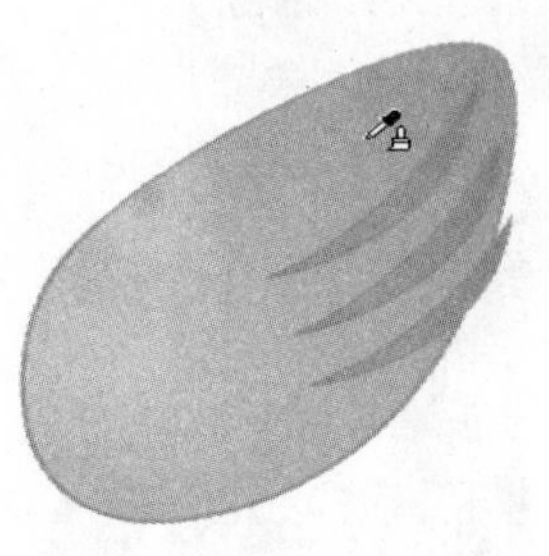

图5-78　对填充进行采样

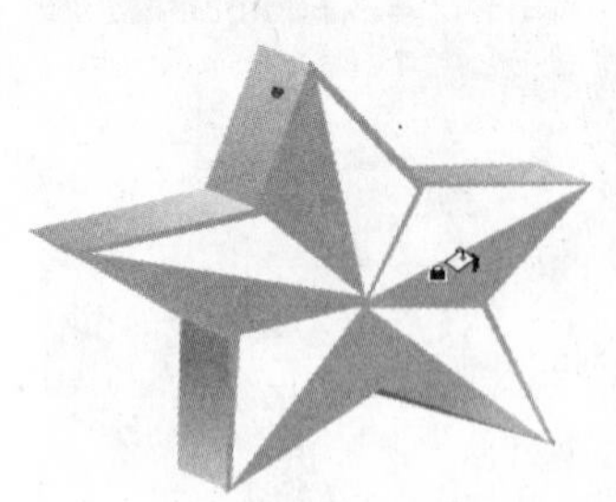

图5-79　填充图形

使用“滴管工具”，单击对象的同时，按住“Shift”键，可以对图形的填充和笔触同时采样，并同时将采样到的填充和笔触应用到其他图形上。

使用“滴管工具”对位图进行采样

使用“滴管工具”可以对导入的位图颜色进行采样，将采样后的颜色填充到其他对象中，其次，如果对位图进行分离操作，将其转换为矢量图形（如图5-80所示是将位图分离后的效果），则可对整个图形采样，然后将其填充到其他对象中，效果如图5-81所示。

图5-80　对位图进行分离

图5-81　填充图形

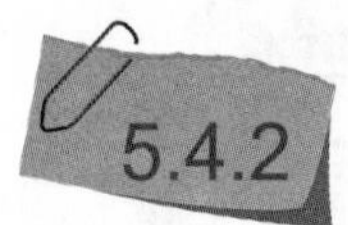

使用“颜料桶工具”修改填充

“颜料桶工具”是常用的一种工具，使用“颜料桶工具”不但可以填充颜色，还可以对所填充的颜色进行修改，单击工具箱中的“颜料桶工具”按钮，在工具箱底部会出现相应的颜料桶工具选项，如图5-82所示。

此工具经常与“钢笔工具”配合使用，在场景中绘制了相应的路径后，会使用此工具为路径填充颜色。

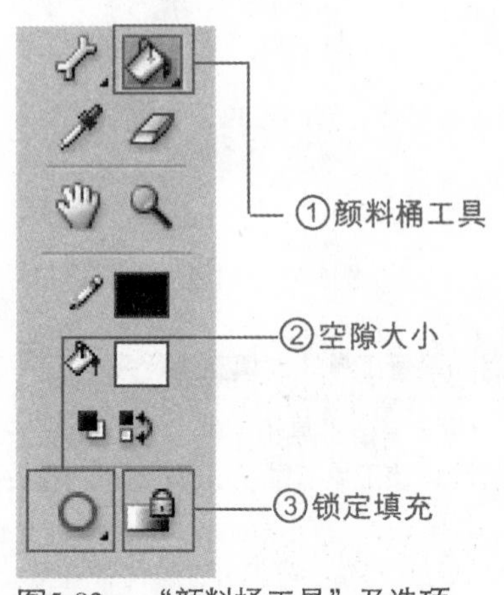

图5-82　“颜料桶工具”及选项

①颜料桶工具	使用“颜料桶工具”修改颜色除了配合“滴管工具”外，还可以在工具箱中的颜色控件中进行颜色设置，然后在需要修改的对象上单击即可。 单击工具箱中的“颜料桶工具”按钮，单击“填充颜色”控件，选择一种颜色，如图5-83所示，选择完成后，在舞台中单击需要修改填充颜色的图形，修改完成后的效果如图5-84所示。 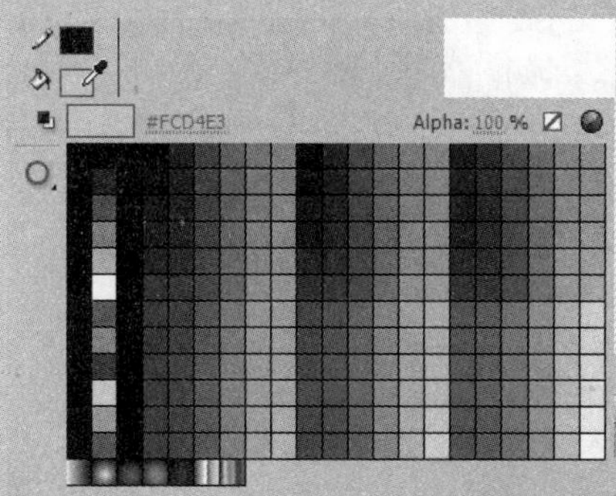 图5-83　选择颜色  图5-84　修改填充颜色
②空隙大小	空隙大小选项，可以填充有空隙的图形，方便操作。 但要注意这个空隙并不是很大的空隙，如图5-85所示，这样的空隙是不可填充的，只是相对很小的空隙，如图5-86所示，这样的空隙在操作时就可以填充。 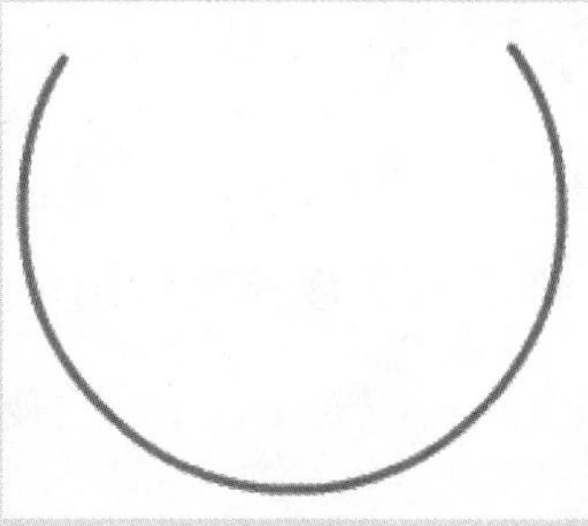 图5-85　不可填充的空隙 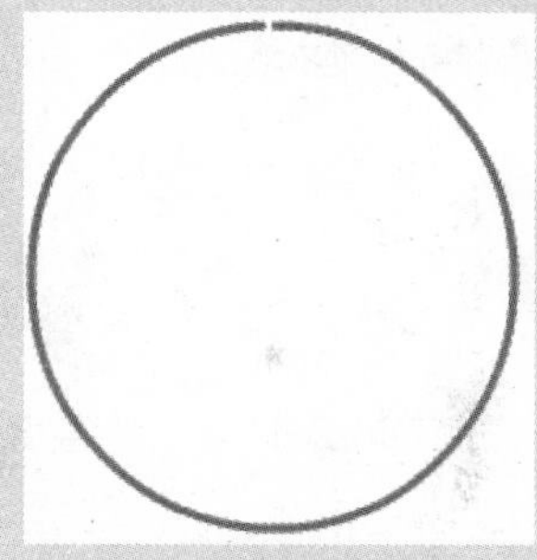 图5-86　可以填充的空隙 此选项提供了4种选项，如图5-87所示，用户可根据需要选择使用，如图5-88所示为选择“封闭大空隙”选项填充后的图形效果。 不封闭空隙 封闭小空隙 封闭中等空隙 封闭大空隙 图5-87　“空隙大小”选项 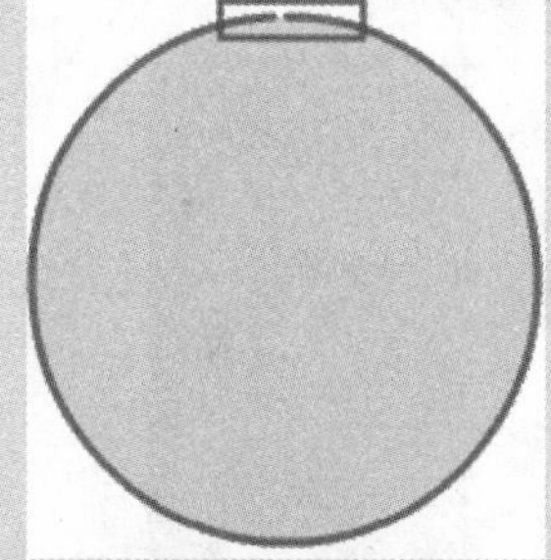 图5-88　图形效果
③锁定填充	此选项只能应用于渐变，选择此选项后，就不能再应用其他渐变，而渐变之外的颜色也不会受到任何影响。

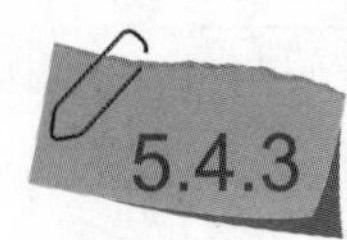

5.4.3 使用“墨水瓶工具”修改笔触

使用“墨水瓶工具”可以更改一个或多个线条或者形状轮廓的笔触颜色、宽度和样式，但它对直线或形状轮廓只能应用纯色，而不能应用渐变或位图。

单击工具箱中的“墨水瓶工具”按钮，单击“笔触颜色”控件，选择一种颜色，如图5-89所示，选择完成后，在“属性”面板中设置“笔触”大小为12.45，然后在舞台中单击需要修改笔触的图形，修改完成后的效果如图5-90所示。

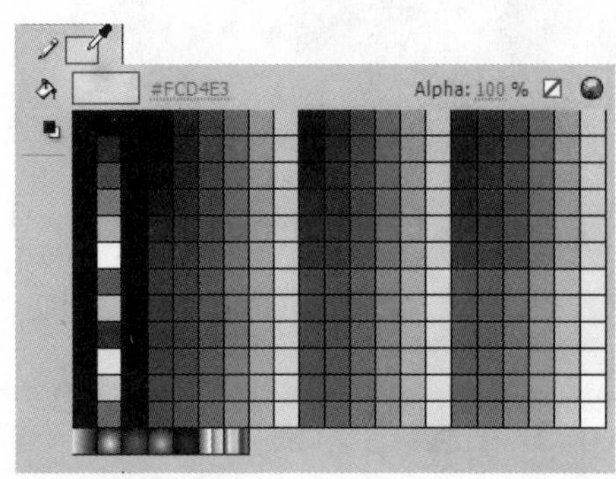

图5-89　选择颜色

图5-90　修改笔触颜色

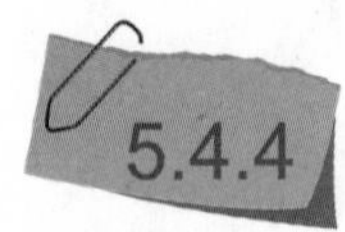

5.4.4 使用“渐变变形工具”修改渐变填充或位图填充

使用“渐变变形工具”通过调整填充的大小、方向或者中心，可以使渐变填充或位图填充变形。

修改渐变填充

使用相应的工具，在舞台中绘制矩形线性渐变，单击工具箱中的“渐变变形工具”按钮，在图形上单击，效果如图5-91所示，使用相应的工具在舞台中绘制矩形径向渐变，效果如图5-92所示，可以看到两者的编辑手柄边框大同小异。

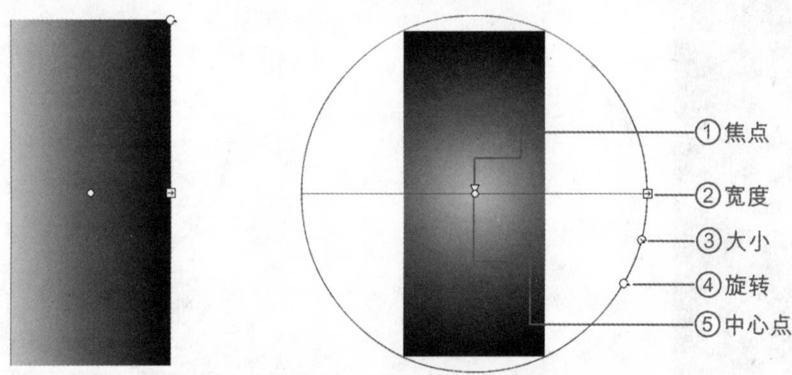

图5-91　线性渐变编辑手柄边框　图5-92　径向渐变编辑手柄边框

①焦点	仅在选择径向渐变时，图才显示焦点手柄，它的变换图标是一个倒三角形，拖动此手柄可以改变渐变的焦点。
②宽度	宽度手柄（方形手柄）的变换图标是一个双头箭头，可以调整渐变的宽度。
③大小	大小手柄的变换图标是内部有一个箭头的圆圈，拖动此图标可以放大或缩小图形。
④旋转	旋转手柄的变换图标（边框边缘底部的手柄图标）是组成一个圆形的4个箭头，可以调整渐变的旋转。 按下“Shift”键可以将线性渐变填充的方向限制为 45° 的倍数。
⑤中心点	中心点手柄的变换图标是一个四向箭头，拖动此图标可以改变渐变的位置。

修改位图填充

使用“渐变填充工具”还可以通过调整填充的大小、方向、长度、宽度、旋转修改位图填充。

使用“渐变填充工具”在位图填充的图形上单击，效果如图5-93所示，会看到一个带有编辑手柄的边框，它与渐变填充的边框有所不同，通过拖动边框手柄改变位图填充，效果如图5-94所示。

图5-93 位图填充编辑手柄边框

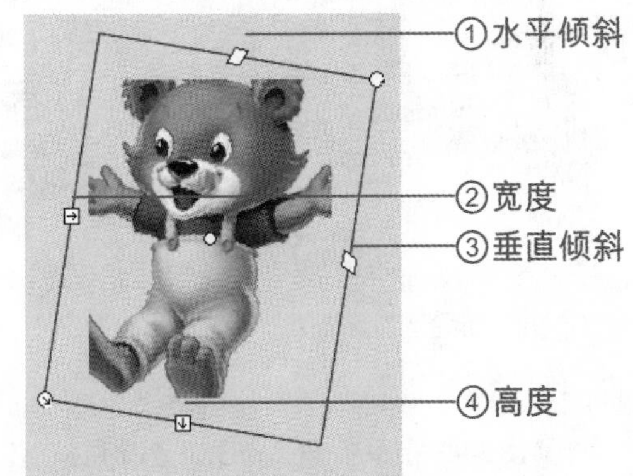

图5-94 更改位图填充

①水平倾斜	拖动此边框边上的倾斜手柄，可以使位图水平方向倾斜。
②宽度	拖动此边框底部的方形手柄，可以更改位图填充的宽度。
③垂直倾斜	与水平倾斜的操作方法相似，只是效果不一样。
④高度	拖动此边框底部的方形手柄，可以更改位图填充的高度。

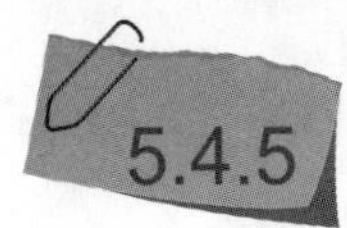

5.4.5 应用实例：绘制卡通场景

本实例是绘制一个卡通场景，在绘制本实例的过程中，主要涉及到渐变变形工具和填充颜色知识点。

源 文 件：光盘 \ 视频 \ 第 5 章 \5-4-5.fla

教学视频：光盘 \ 视频 \ 第 5 章 \5-4-5.swf

STEP 01 执行【文件】|【新建】命令，新建一个 Flash 文档，如图 5-95 所示。单击“属性”面板上的“编辑”按钮，在弹出的“文档设置”对话框中进行设置，如图 5-96 所示，单击“确定”按钮，完成“文档属性”的设置。

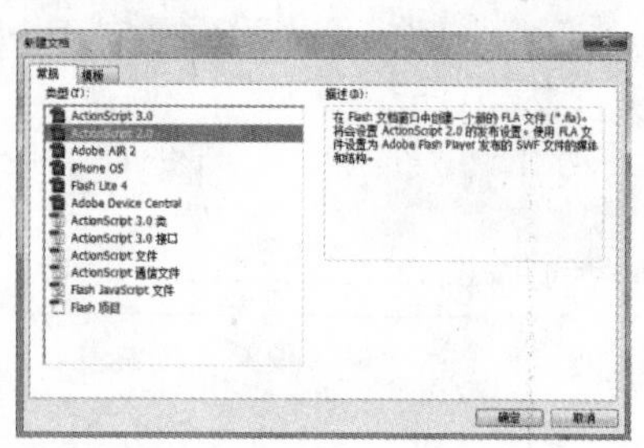

图5-95　“新建文档”对话框

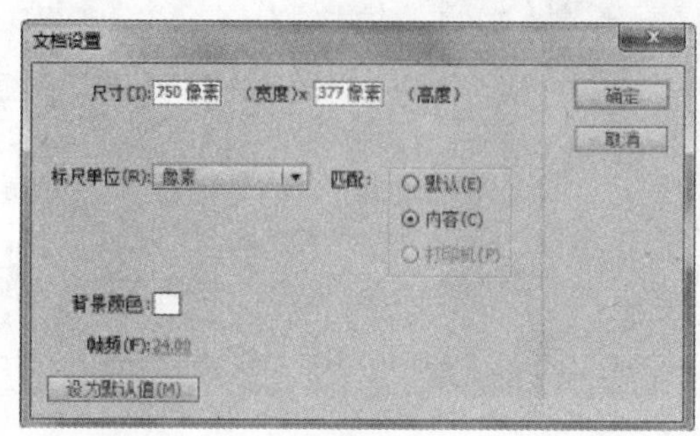

图5-96　设置“文档设置”对话框

STEP 02 执行【插入】|【新建元件】命令，新建一个“名称”为“车身”的“图形”元件，如图 5-97 所示。单击工具箱中的“椭圆工具”按钮，设置“填充颜色”为 #EF4329，“笔触颜色”为无，在场景中绘制如图 5-98 所示的椭圆形。

图5-97　新建元件

图5-98　绘制图形

STEP 03 单击工具箱中的“矩形工具”按钮，设置“填充颜色”为 #EF4329，“笔触颜色”为无，在场景中绘制如图 5-99 所示的矩形，单击工具箱中的“任意变形工具”按钮，调整矩形，效果如图 5-100 所示。

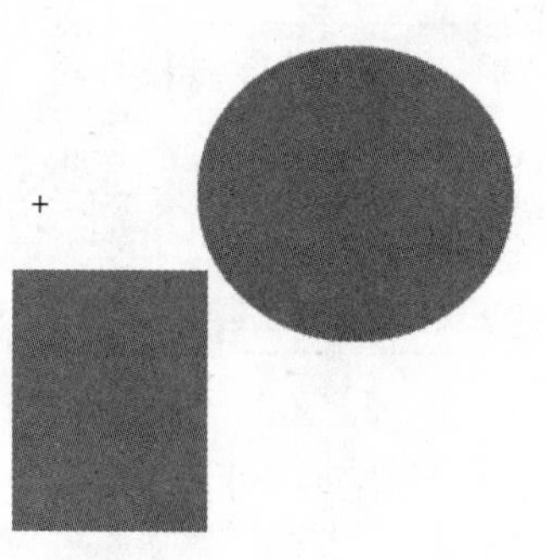

图5-99　绘制矩形

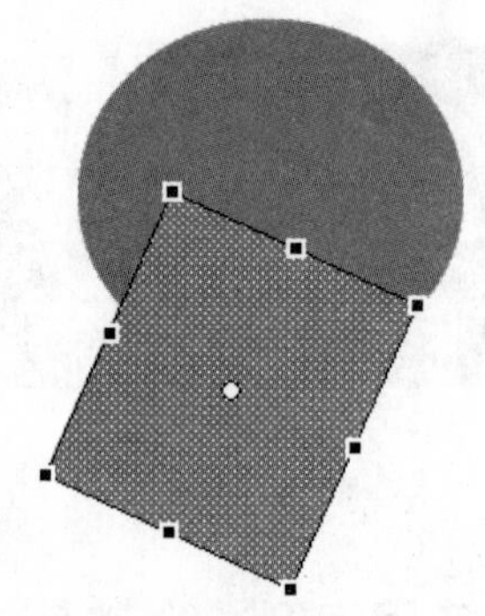

图5-100　调整矩形

STEP 04 单击工具箱中的“选择工具”按钮，调整图形效果如图 5-101 所示。单击工具箱中的“添加锚点工具”按钮，在路径上添加锚点，如图 5-102 所示。

图5-101　调整图形

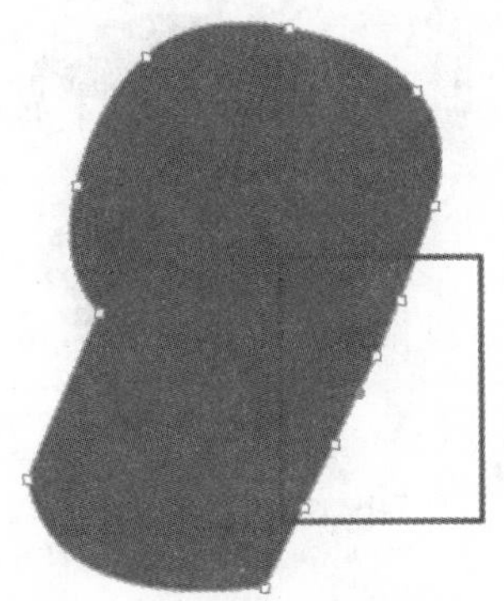

图5-102　添加锚点

STEP 05 单击工具箱中的“部分选取工具”按钮，配合“选择工具”和“转换点工具”调整图形，效果如图 5-103 所示。单击工具箱中的“橡皮擦工具”按钮，在图形中的相应位置进行擦除，并使用“部分选取工具”和“选择工具”对图形进行调整，效果如图 5-104 所示。

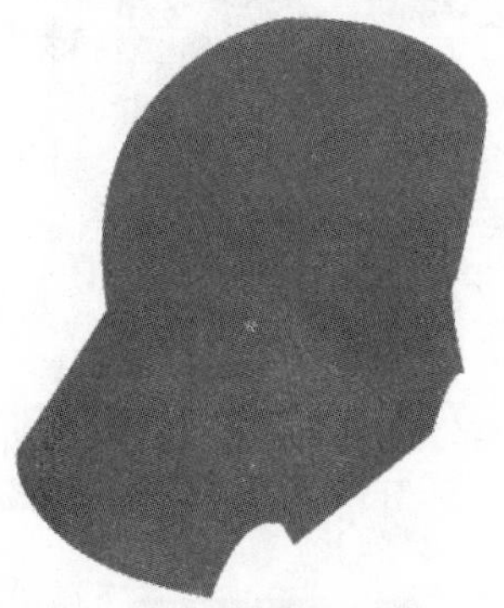

图5-103　调整图形

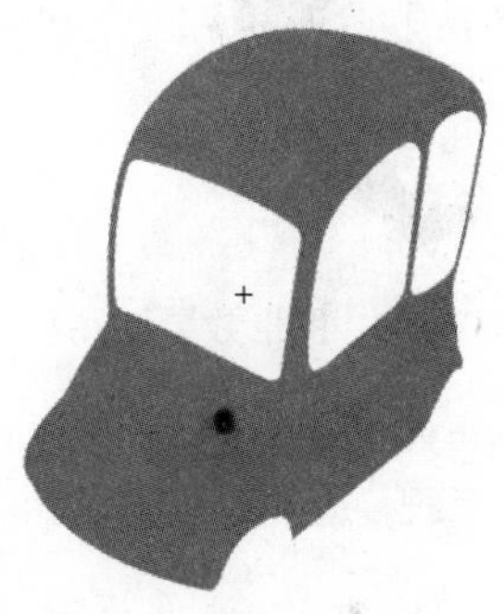

图5-104　调整图形

STEP 06 新建“图层 2”，设置“填充颜色”为 #BA403C，“笔触颜色”为无，使用相同的方法绘制图形并进行调整，效果如图 5-105 所示，将“图层 2”移动到“图层 1”的下方，效果如图 5-106 所示。

图5-105　图形效果

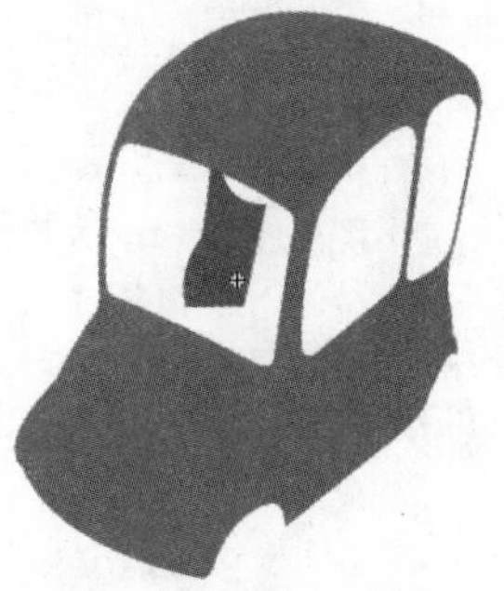

图5-106　调整图层顺序

STEP 07 绘制出其他图形，效果如图 5-107 所示。在“图层 1”上方新建“图层 22”，使用相同的方法绘制图形，完成“车身”元件的制作，效果如图 5-108 所示。

图5-107　图形效果

图5-108　图形效果

STEP 08 完成“车窗”元件的制作，效果如图 5-109 所示。新建“名称”为“遮罩 1”的“影片剪辑”元件，如图 5-110 所示。

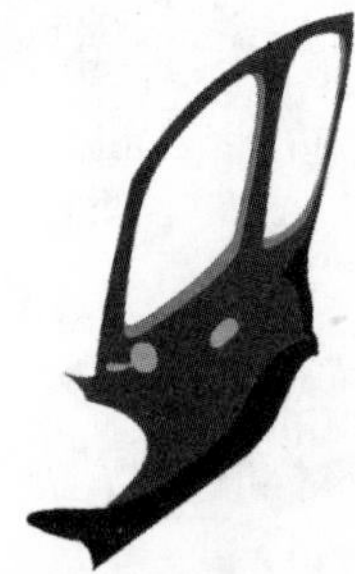

图5-109　图形效果

图5-110　新建元件

STEP 09 使用“矩形工具”，执行【窗口】|【颜色】命令，打开“颜色”面板，单击“导入”按钮，弹出“导入到库”对话框，选择要导入的位图，如图 5-111 所示，单击“打开”按钮，导入位图，“颜色”面板如图 5-112 所示。

图5-111　“导入到库”对话框

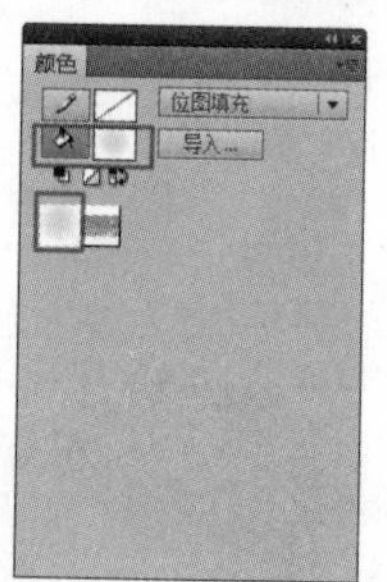

图5-112　“颜色”面板

STEP 10 在场景中绘制图形，效果如图 5-113 所示，按“F8”键，将其转换为“图形 1”元件，新建“图层 2”，使用相同的方法绘制图形，效果如图 5-114 所示。

图5-113　绘制图形

图5-114　“颜色”面板

STEP 11 在“图层 2”上单击鼠标右键，在弹出的菜单中选择【遮罩层】命令，将“图层 2”设置为“遮罩层”，“时间轴”如图 5-115 所示。

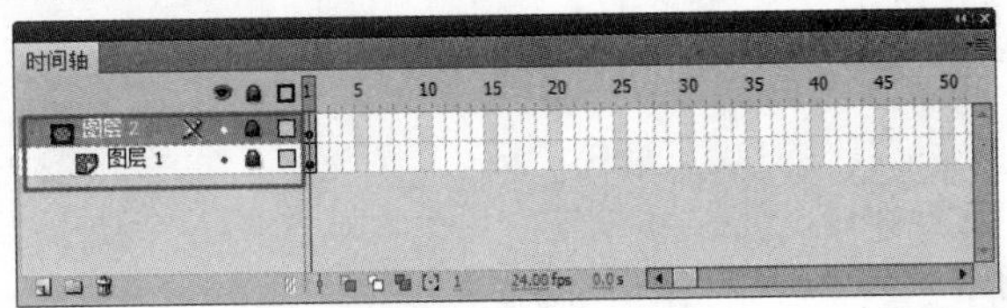

图5-115 “时间轴”面板

STEP 12 制作出其他元件，新建“名称”为“整体”的“影片剪辑”元件，从“库”中拖入相应的元件到场景中，并组合图形，效果如图 5-116 所示。返回到“场景 1”编辑状态，执行【文件】|【导入到舞台】命令，将图像 54502.png 导入到场景中，如图 5-117 所示。。

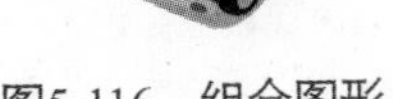

图5-116 组合图形

图5-117 导入素材

STEP 13 新建“图层 2”，将“整体”元件拖入到场景中，效果如图 5-118 所示，单击工具箱中的“任意变形工具”按钮，调整大小和位置，效果如图 5-119 所示。

图5-118 拖入素材

图5-119 调整大小

STEP 14 完成卡通场景的绘制，执行【文件】|【保存】命令，将动画保存为“光盘\源文件\第 5 章\5-4-5.fla”。按快捷键“Ctrl+Enter”测试动画，效果如图 5-120 所示。

图5-120 测试动画

5.5 总结扩展

通过本章图形颜色处理的学习，用户应该掌握“样本”面板和“颜色”面板的使用方法，可以在工具箱的“属性”面板中创建颜色，并能使用滴管工具、颜料桶工具、墨水瓶工具和渐变变形工具对颜色进行处理，希望用户能够举一反三，能够在Flash中对图形进行熟练的填色操作。

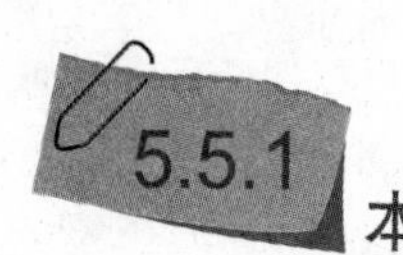

5.5.1 本章小结

本章主要讲解了图形颜色处理的方法，包括“样本”面板和“颜色”面板的应用，创建笔触颜色和填充颜色的方法，修改笔触颜色和填充颜色的方法，通过本章的学习，用户要掌握创建颜色和修改颜色的方法，并能随意处理图形颜色。

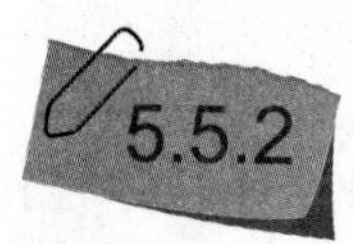

5.5.2 举一反三——绘制卡通城堡

案例文件：	光盘\源文件\第5章\5-5-2.fla
素材文件：	无
视频文件：	光盘\视频\第5章\5-5-2.swf
难易程度：	★★★☆☆
学习时间：	20分钟

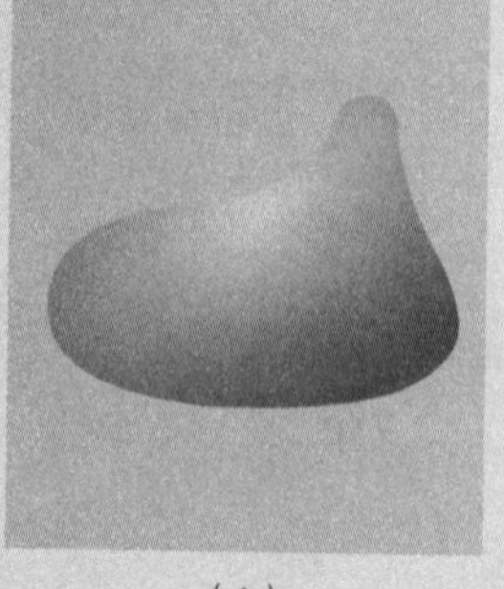

（1）

（2）

（3）

（4）

（1）新建元件，使用“椭圆工具”绘制椭圆形，并使用“选择工具”和“部分选取工具”对所绘的图形进行调整。

（2）完成整个元件的制作。

（3）可以绘制城堡的底部和装饰部分，并新建“整体”元件，从“库”面板中选择相应的元件并拖入到场景中，组合图形。

（4）返回主场景，导入相应的素材，将“整体”元件拖入到场景中，并设置元件的Alpha值，完成卡通城堡的绘制。

第6章　Flash中对象的操作

在Flash中包括不同的对象，如元件、位图、文本等。不同的对象，操作起来也有所不同。本章将讲解对对象的一些基本操作，其中包括对象的移动、复制、变形、排列、合并等。通过本章细致的讲解，将读者带入一个制作Flash动画的初级阶段，使后面的学习变得轻松自如。

本章学习要点

- 预览图形对象
- 图形对象的基本操作
- 图形对象的变形操作
- 3D平移和旋转对象
- 合并和排列对象

实例名称：制作飞入动画

源 文 件：光盘\源文件\第6章\6-4-2.fla

教学视频：光盘\视频\第6章\6-4-2.swf

实例名称：制作旋转的金币动画

源 文 件：光盘\源文件\第6章\6-5-2.fla

教学视频：光盘\视频\第6章\6-5-2.swf

实例名称：绘制台球场景

源 文 件：光盘\源文件\第6章\6-9.fla

教学视频：光盘\视频\第6章\6-9.swf

6.1 选择对象

在对对象进行操作前，必须选中要修改的对象，在Flash中提供了多种选择对象的方法，包括“选择工具”、“部分选取工具”和“套索工具”。通过使用不同的工具，所选择的对象类型也有所不同，本节将对其选择的方法进行讲解。

6.1.1 使用“选择工具”选择对象

单击工具箱中的“选择工具”按钮，单击对象或拖动光标，使对象包含在矩形选取框中，即可将对象选中。不同的对象有着不同的选择方法，下面介绍几种不同选择对象的方法。

单击选中

如果选择的对象是笔触、填充、组、实例或文本块，则可以直接单击对象。

双击选中

如果选择的对象是连接线，则双击其中一条线，即可选中整条连接线，如图6-1所示为单击与双击连接线后的选择效果；如果需要选择填充的形状及其笔触轮廓，可以双击填充图形。

图6-1　选择不同对象

执行命令选中

如果需要选中场景中每一层的全部内容，可以执行【编辑】|【全选】命令或按快捷键“Ctrl+A”。对于被锁定、隐藏或不在当前时间轴中的图层上的对象，【全选】命令不能使用。

Tips

按住“Shift”键的同时，单击其他对象，可在选择中添加要选择的内容。当在使用其他工具时，临时切换到“选择工具”，可以按“Ctrl”键进行选择。

6.1.2 使用“部分选取工具”选择对象

“部分选取工具”用于选择矢量图形上的结点，即以贝赛尔曲线的方式编辑对象的笔触。单击工具箱中的“部分选取工具”按钮，选择相应的结点，如图6-2所示。如果此时按“Delete”键，即可删除该结点，如图6-3所示；如果此时拖动鼠标，即可改变图形的形状，如图6-4所示。

图6-2　选择结点　　图6-3　删除结点　　图6-4　拖动结点

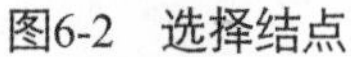

6.1.3 使用“套索工具”选择对象

利用“套索工具”可以选择需要的不规则区域，从而达到动画中需要的图形。单击工具箱中的“套索工具”按钮，拖动鼠标创建自由形状选取框后，即可按照需要选中图形，如图6-5所示，此时可以对选中的图形进行删除或移动操作，如图6-6所示。

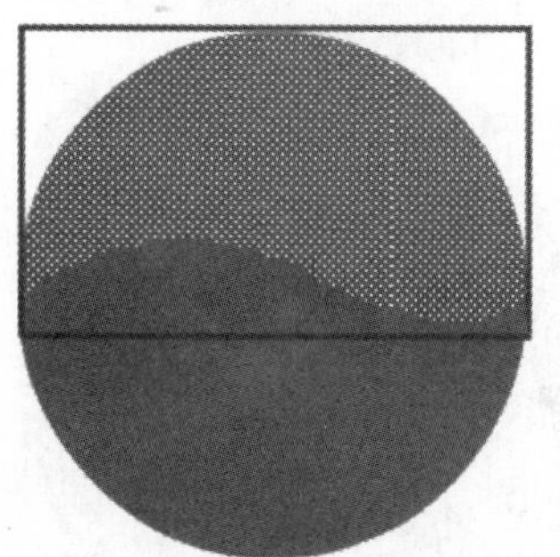

图6-5　选择图形

图6-6　对图形进行操作

6.2 预览图形对象

在Flash动画制作中，可以在【视图】|【预览模式】子菜单中选择预览图形的模式，这些功能可以呈现不同品质的图形，但文档的显示速度会因此而改变。那是因为在使用这些功能时，需要进行额外的计算。下面对这些预览功能进行详细讲解。

6.2.1 轮廓预览图形对象

只显示场景中图形对象的轮廓，从而使所有线条都显示为细线。这样就更容易改变图形元素的形状，以及快速显示复杂场景。

执行【视图】|【预览模式】|【轮廓】命令，即可将场景中的图形对象进行预览，如图6-7所示。此命令针对整个场景中所有图形对象进行改变。

图6-7　轮廓模式效果

如果需要调整单独图层上的图形对象，可以在“时间轴”面板中单击某个图层后的彩色方块，如图6-8所示，即可对单独的图形进行调整，如图6-9所示。

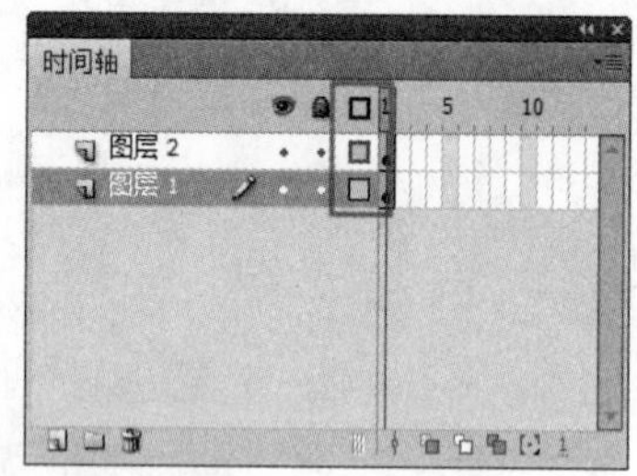

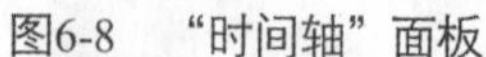

图6-8　“时间轴”面板

图6-9　单独轮廓显示效果

将鼠标移至彩色方块上并右击，在打开的快捷菜单中选择【属性】命令，弹出“图层属性”对话框，在该对话框中可以设置显示轮廓线的颜色，如图6-10所示。

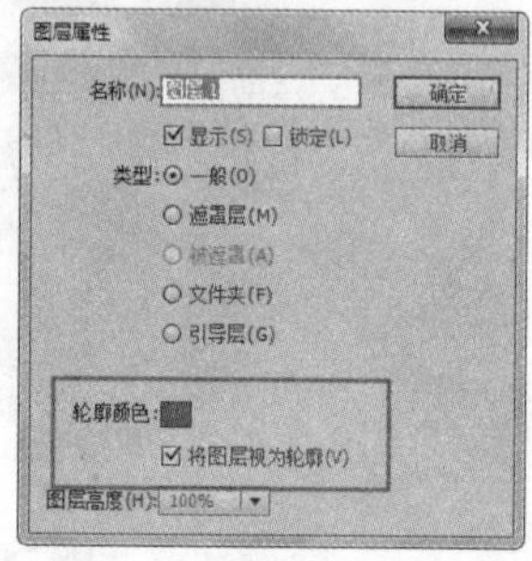

图6-10　设置轮廓线颜色及更改后的效果

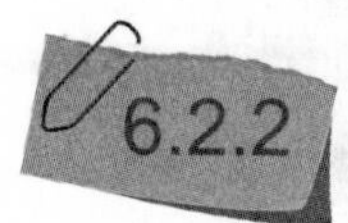

6.2.2 高速显示图形对象

关闭消除锯齿功能，并显示绘画的所有颜色和线条样式。执行【视图】|【预览模式】|【高速显示】命令，即可将图形对象高速显示，如图6-11所示为高速显示模式的前后效果。不难发现，当图形对象高速显示后，在图形的边缘会出现锯齿。

图6-11　高速显示的前后对比效果

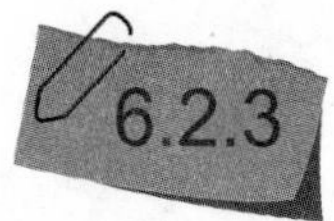

6.2.3 消除动画中的锯齿

此功能与上一小节讲到的【高速显示】命令相反，当打开线条、形状和位图的消除锯齿功能并显示形状和线条时，会使屏幕上显示的形状和线条的边沿更为平滑。但绘画速度比【高速显示】命令的速度要慢很多。消除锯齿功能在提供数千（16位）或上百万（24位）种颜色的显卡上效果最好。在16色或256色模式下，黑色线条经过平滑，但是颜色的显示在“高速显示”模式下可能会更好。

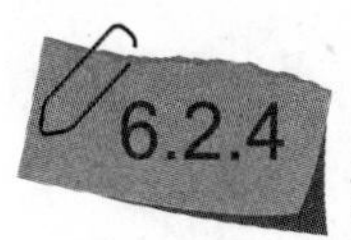

6.2.4 消除文字锯齿

平滑所有文本的边缘。处理较大的字体大小时效果最好，如果文本数量太多，则速度会较慢，此模式为最常用的工作模式。在后面的章节中，会具体对文本消除锯齿的相关内容进行讲解，在此就不多做介绍了。

“整个”预览模式完全呈现舞台上的所有内容，可能会减慢显示速度，在此也不再多做讲解了。

6.3 图形对象的基本操作

对图形对象的基本操作大体上包括图形对象的移动、复制和删除。在Flash动画制作中，这些基本操作能够帮助用户提高工作效率，节省了大量的工作时间，本节将对这些基本操作进行详细讲解。

6.3.1 移动图形对象

对图形对象进行移动，可以使用不同的方法改变位置，下面介绍4种对图形对象进行移动的方法。

通过拖动移动对象

选中图形对象，如图6-12所示，选中后即可拖动该图形进行移动，如图6-13所示。

图6-12　选择对象

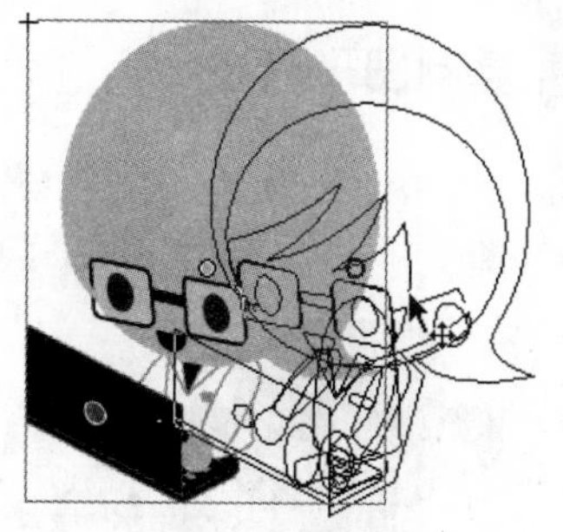

图6-13　移动对象

Tips

按住“Shift”键，并使用鼠标拖动图形对象，可使图形对象移动后偏转45°的倍数，如图6-14所示。

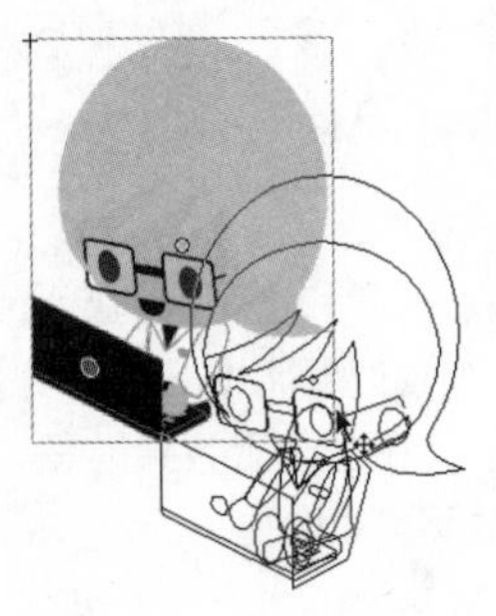

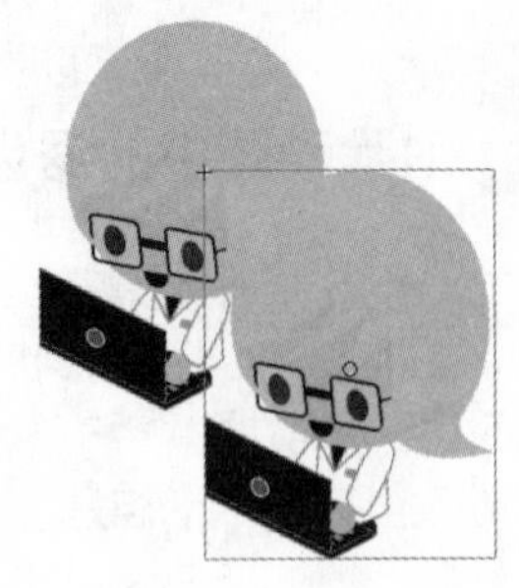

图6-14　按45°的倍数角度进行移动

使用方向键移动对象

选择图形对象后，按下键盘上的方向键，可使图形对象移动一个像素，按“Shift”键的同时，按下方向键，可以使图形对象一次移动10个像素。

使用“属性”面板移动对象

选中图形对象后，在“属性”面板中的“位置和大小”选项下更改“选区X位置”和“选区Y位置”的值，如图6-15所示。“选区X位置”和“选区Y位置”的值是以相对于场景中的坐标（0,0）为基准的。

使用“信息”面板移动对象

选中图形对象，执行【窗口】|【信息】命令，打开“信息”面板，在该面板中可更改“选区X位置”和“选区Y位置”的值，如图6-16所示。更改后，图形对象会根据输入的数值进行相应的位移。

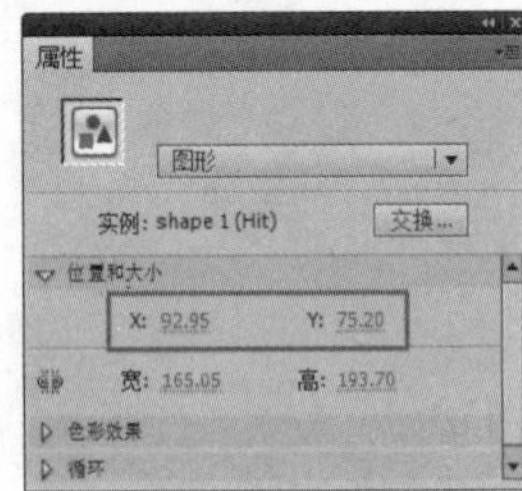

图6-15　“属性”面板

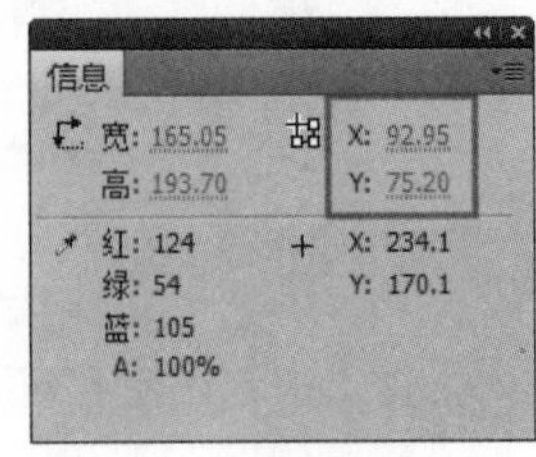

图6-16　“信息”面板

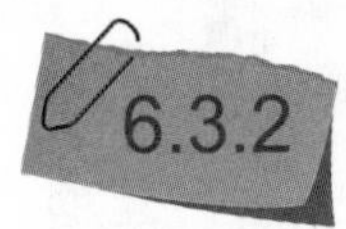

6.3.2 复制图形对象

在Flash动画制作中，经常会在图层、场景或其他Flash文件之间复制对象，可以直接选中图形对象后，按住“Alt”键的同时进行拖动，即可将对象复制，如图6-17所示。

图6-17　复制对象效果

上述复制图形对象的方法，只适用于在一个图层中进行操作，如果需要在不同场景或不同文件中复制图形对象，可以使用不同的对象粘贴命令，将图形对象粘贴到相对于原始位置的某个位置。

执行【编辑】|【复制】命令后，在【编辑】菜单中可以根据不同情况选择不同的粘贴方式，如图6-18所示。

执行【粘贴到中心位置】命令，可将图形对象粘贴到当前文件工作区的中心；执行【粘贴到当前位置】命令，可将图形对象粘贴到相对于舞台的同一位置；执行【选择性粘贴】命令，可弹出“选择性粘贴”对话框，如图6-19所示。在该对话框中显示了图形对象的类型。

图6-18 【编辑】菜单

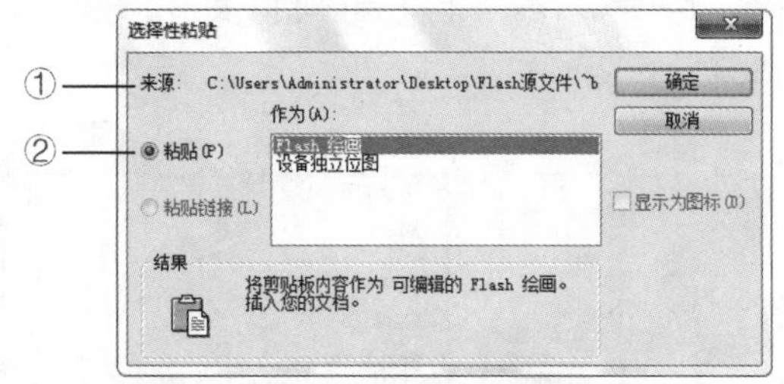

图6-19 “选择性粘贴”对话框

①来源	显示了要粘贴的内容的原始位置，如果要粘贴一个Word文档中的一段文字，则会在“来源”这里显示Word文档的存储位置。
②粘贴	选中图形对象后，该选项后面的选择框中会出现两个选项。 ● Flash绘画：选择该选项进行粘贴时，即复制原始图形对象。 ● 设备独立位图：选择该选项进行粘贴时，即可得到一张位图图像。此选项经常会在矢量图转换成位图的工作中使用。

还可以利用“变形”面板，对图形对象进行复制。选中对象后，执行【窗口】|【变形】命令，打开“变形”面板，在该面板中进行相应的设置后，如图6-20所示。单击“变形”面板右下角的“重制选区和变形”按钮，可以得到对象的变形副本，如图6-21所示。

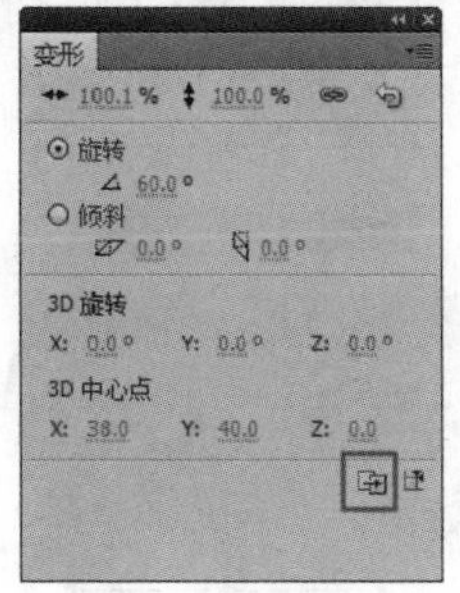

图6-20 “变形”面板

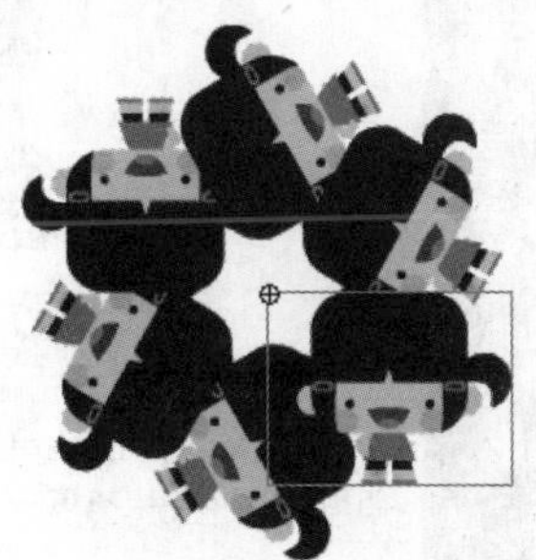

图6-21 复制旋转后的效果

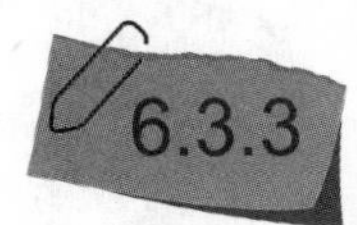

6.3.3 删除图形对象

可以将文件中的图形对象进行删除。选中需要删除的图形对象后，按键盘上的“Delete”键或“BackSpace”键，或执行【编辑】|【清除】命令，或执行【编辑】|【剪切】命令，或在该图形对象上单击鼠标右键，在打开的快捷菜单中选择【剪切】命令，即可将对象删除。

6.4 图形对象的变形操作

在Flash中，可以根据所选的元素类型，对其任意旋转、扭曲、缩放。可以通过多种方式实现对对象的变形，例如单击工具箱中的“任意变形工具”按钮或执行【修改】|【变形】命令，在该命令的子菜单中选择相应的选项即可，如图6-22所示。

还可以通过“变形”面板对对象进行变形操作，在该面板中可输入精确的参数值，对对象进行缩放、旋转、倾斜等操作。执行【窗口】|【变形】命令，打开“变形”面板，在该面板中也可进行相应的操作，如图6-23所示。

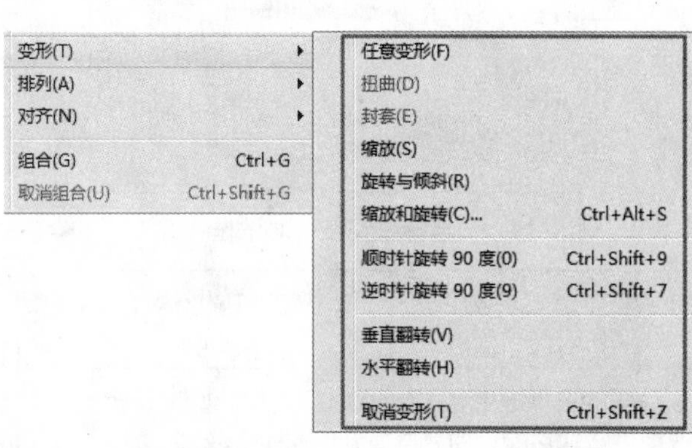

图6-22 【变形】子菜单

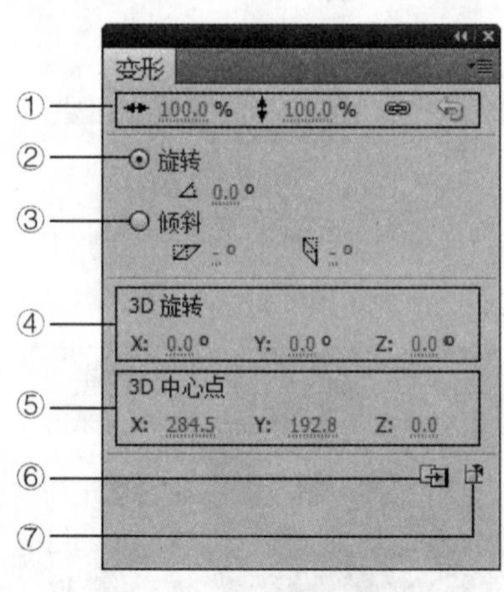

图6-23 “变形”面板

①缩放	在“面板”顶部的文本框中输入数值，可指定水平和垂直的缩放值。单击“约束”按钮，可保持图形对象的比例不变，如图6-24所示。  70.0 % 70.0 % 图6-24 等比例缩放对象
②旋转	点选该选项，可旋转所选的图形对象，在“旋转”文本框中可设置对象旋转的角度，如图6-25所示为旋转不同角度后的效果。 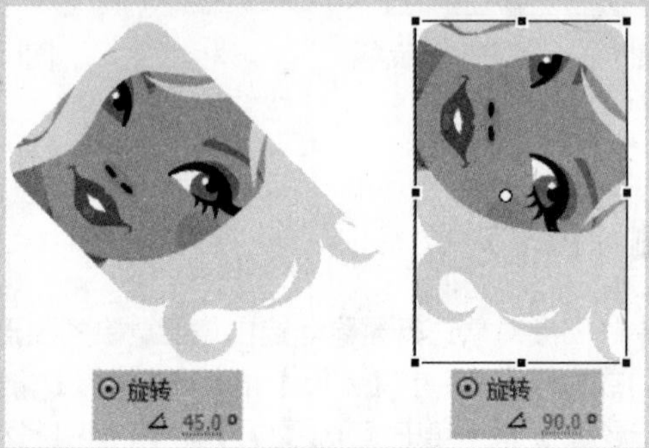 旋转 45.0 °　旋转 90.0 ° 图6-25 旋转对象

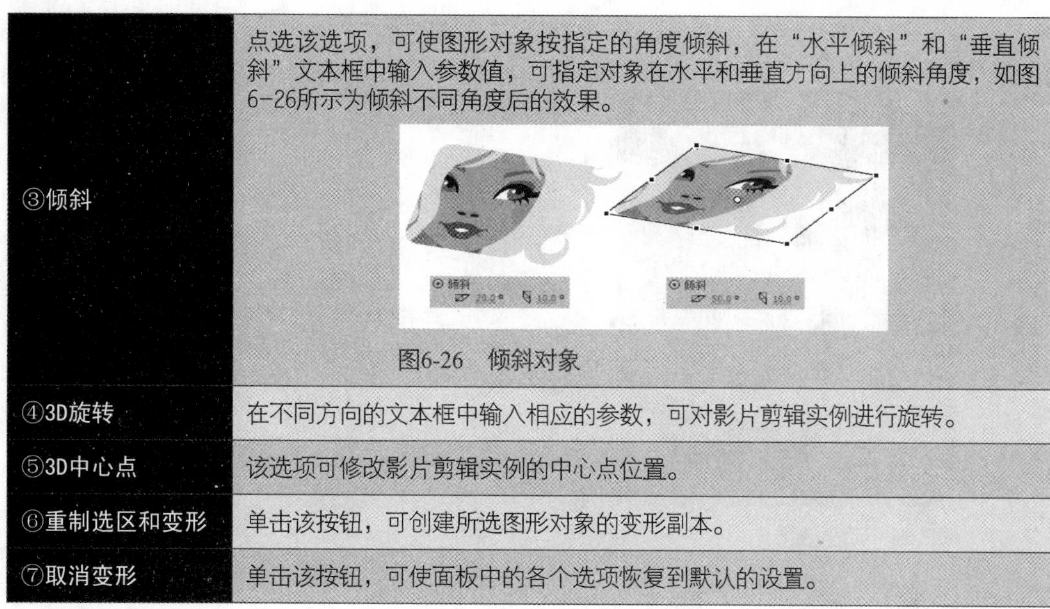

③倾斜	点选该选项，可使图形对象按指定的角度倾斜，在“水平倾斜”和“垂直倾斜”文本框中输入参数值，可指定对象在水平和垂直方向上的倾斜角度，如图6-26所示为倾斜不同角度后的效果。 图6-26　倾斜对象
④3D旋转	在不同方向的文本框中输入相应的参数，可对影片剪辑实例进行旋转。
⑤3D中心点	该选项可修改影片剪辑实例的中心点位置。
⑥重制选区和变形	单击该按钮，可创建所选图形对象的变形副本。
⑦取消变形	单击该按钮，可使面板中的各个选项恢复到默认的设置。

6.4.1 认识变形点

在图形对象进行变形时，可以使用变形点作为参考。例如对象沿着变形点进行旋转或对齐和分布对象时，变形点也会作为参考点。

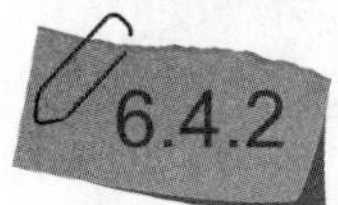

6.4.2 自由变换对象

当使用“任意变形工具”选中对象后，会在对象周围显示变换框，如图6-27所示。在变换框中可以比较随意地使用缩放、倾斜、旋转等操作。

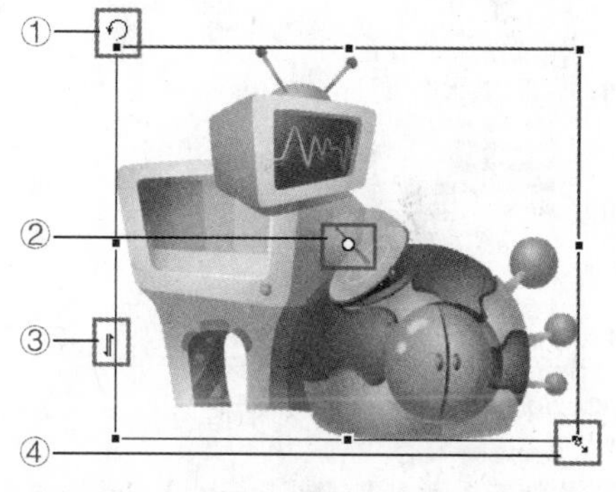

图6-27　显示变换框

①旋转	将光标移至变换框四角的控制手柄外时，光标会变成旋转箭头形状，单击并进行拖曳，即可对对象进行旋转。
②中心点	可以随意移动位于变换框中央的白色中心点位置，旋转对象或按“Alt”键调整对象大小时，都以中心点作为基准。
③倾斜	将光标移到位于四角的控制手柄和位于控制框四边中点的控制手柄之间的位置时，可以看到光标变成反向平行双箭头状，单击并进行拖曳，即可进行倾斜调整。
④更改大小	拖曳位于变换框四角的控制手柄，可以以任意方向调整对象大小，而拖曳位于变换框四条边中点的控制手柄，只能在水平或垂直方向上调整大小。

应用实例：制作飞入动画

本实例是绘制一个金币旋转动画，在本实例的绘制过程中，主要使用“任意变性工具”，该工具使用起来比较全面，能够对对象进行诸多操作，在制作一些简单的变形动画时，经常会使用到这个工具，如图6-28所示为动画的最终效果。

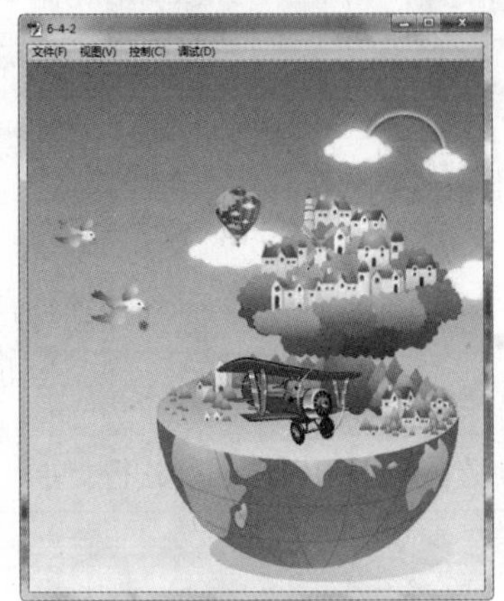

图6-28　动画效果

源 文 件：光盘\视频\第 6 章\6-4-2.swf
教学视频：光盘\视频\第 6 章\6-4-2.swf

STEP 01 执行【文件】|【新建】命令，新建一个 Flash 文档，如图 6-29 所示。单击“属性”面板上的“编辑”按钮，在弹出“文档设置”对话框中进行设置，如图 6-30 所示，单击“确定”按钮，完成“文档属性”的设置。

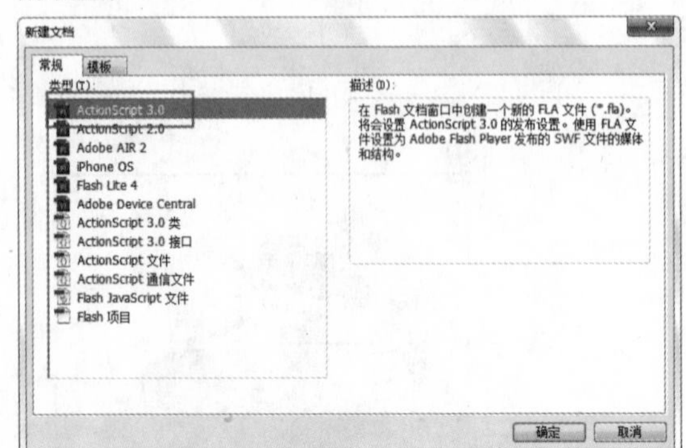

图6-29　“新建文档”对话框

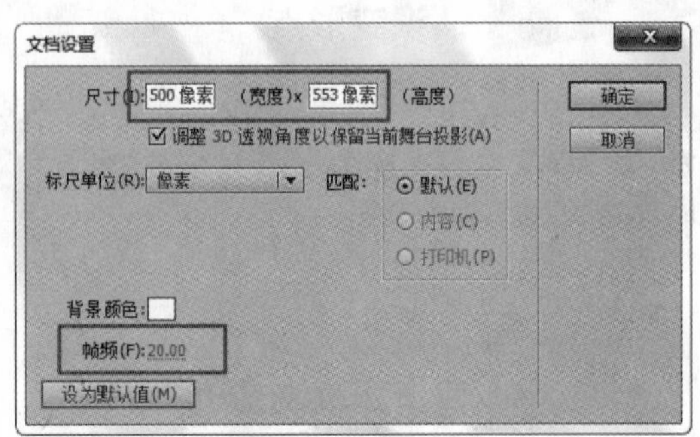

图6-30　“文档设置”对话框

STEP 02 执行【插入】|【新建元件】命令，弹出“创建新元件”对话框，参数设置如图 6-31 所示。单击“确定”按钮，新建一个“影片剪辑”元件，执行【文件】|【导入】|【导入到舞台】命令，将图像“光盘\源文件\第 6 章\素材\64201.png”导入到场景中，如图 6-32 所示。

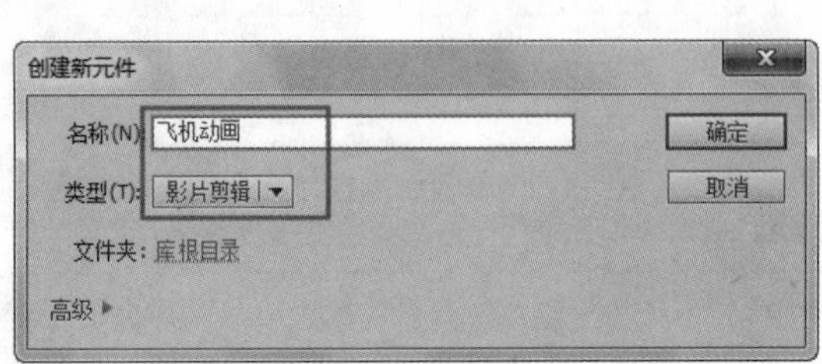

图6- 31　“创建新元件”对话框

图6- 32　导入图像

STEP 03 执行【修改】|【转换为元件】命令，弹出“转换为元件”对话框，参数设置如图 6-33 所示。单击“确定”按钮，将其转换为“图形”元件，分别在第 5 帧和第 10 帧插入关键帧，如图 6-34 所示。

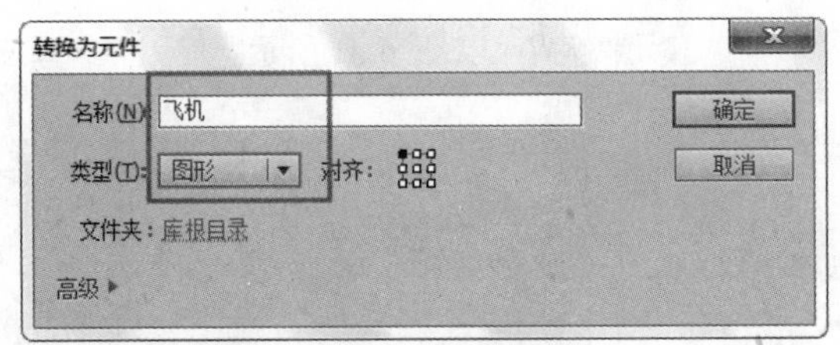

图6-33 “转换为元件”对话框

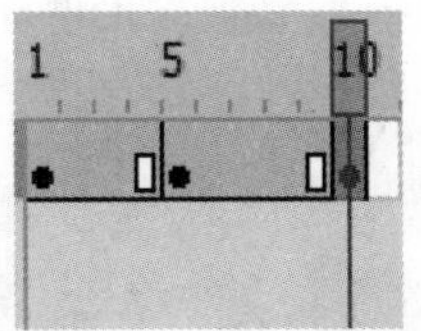

图6-34 插入关键帧

STEP 04 单击工具箱中的“选择工具”按钮，选中第5帧上的元件，垂直向上移动3px，如图6-35所示。分别在第1帧和第5帧创建传统补间动画，如图6-36所示。

图6-35 移动元件

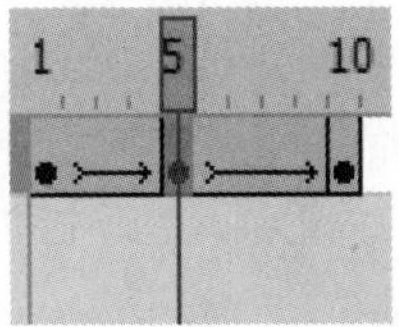

图6-36 创建传统补间动画

STEP 05 返回到“场景1”的编辑状态，将图像“光盘\源文件\第6章\素材\64202.png”导入到场景中，如图6-37所示。在第100帧插入帧，新建“图层2”，将“飞机动画”从“库”面板中拖曳到场景中，如图6-38所示。

图6-37 场景效果

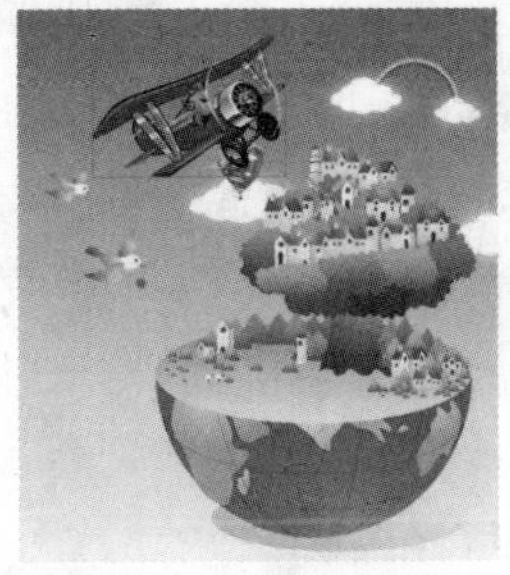

图6-38 拖入元件

STEP 06 单击工具箱中的“任意变形工具”按钮，调整元件大小和角度，并移动到合适位置，如图6-39所示。在第1帧位置单击鼠标右键，在打开的快捷菜单中选择【创建补间动画】命令，“时间轴”面板，如图6-40所示。

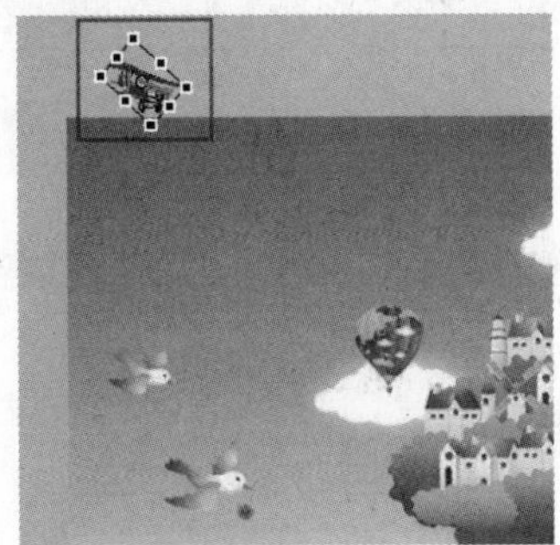

图6-39 变形元件

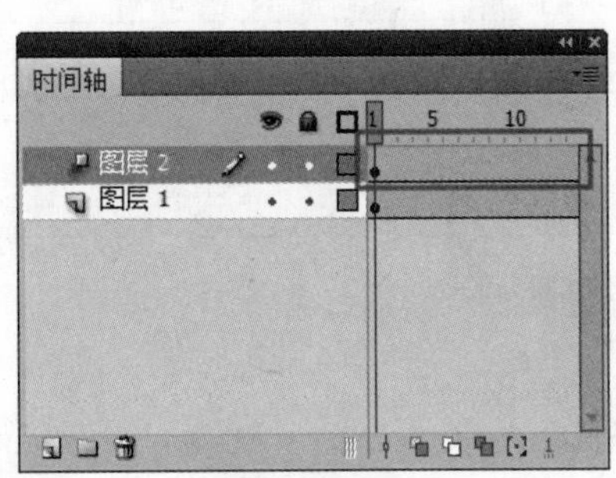

图6-40 “时间轴”面板

STEP 07 在第 40 帧位置单击，调整元件位置，并调整元件大小，如图 6-41 所示。使用“选择工具”调整运动路径轨迹，如图 6-42 所示。

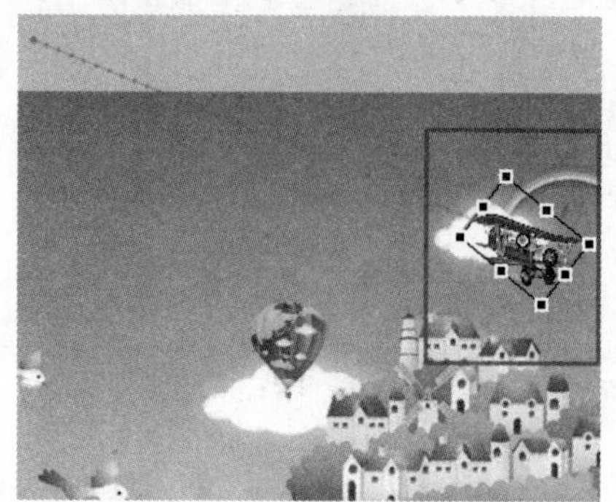

图6-41　改变元件位置

图6-42　调整运动路径

Tips

使用“任意变形工具”选择对象后，可以将鼠标指针移动到角控制点上，按住“Shift”键，当鼠标指针变成倾斜的双向箭头时进行拖动，即可对对象进行等比例的缩放操作。

STEP 08 在第 41 帧单击，执行【修改】|【变形】|【水平翻转】命令，并使用“任意变形工具”对角度进行调整，如图 6-43 所示。选择 40 帧，使用“任意变形工具”对元件角度进行调整，如图 6-44 所示。

图6-43　场景效果

图6-44　场景效果

STEP 09 使用相同的方法，完成其他帧的制作，“时间轴”面板如图 6-45 所示。

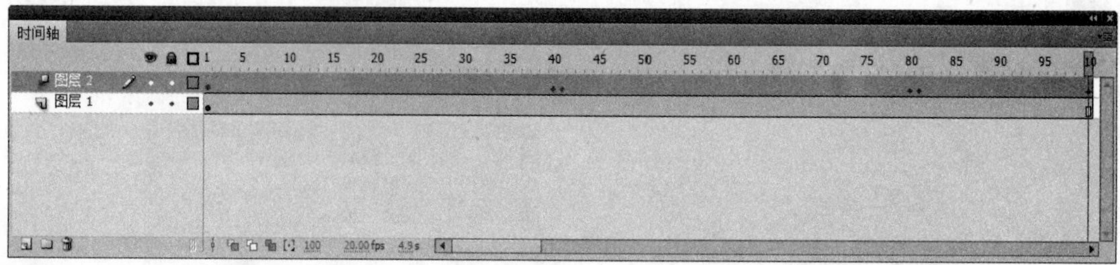

图6-45　“时间轴”面板

STEP 10 完成飞入动画的制作，执行【文件】|【保存】命令，将文件保存为“光盘\源文件\第 6 章\6-4-2.fla”，按快捷键“Ctrl+Enter”测试动画，效果如图 6-46 所示。

图6-46　动画效果

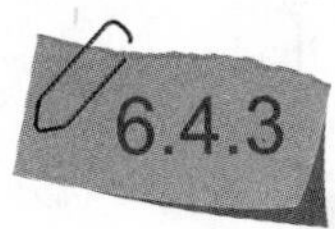

6.4.3 扭曲对象

应用“扭曲”变形时，可以更改对象变换框上的控制点位置，从而改变对象的形状，例如将原本规则的图形变为不规则的形状。

选中需要扭曲的对象，执行【修改】|【变形】|【扭曲】命令后，对象周围会出现变形框，将鼠标放置在控制点上，鼠标指针会变成白色指针，如图6-47所示。拖动变形框上的角点或边控制点，可以移动该角或边，重新对齐相邻的边，如图6-48所示。

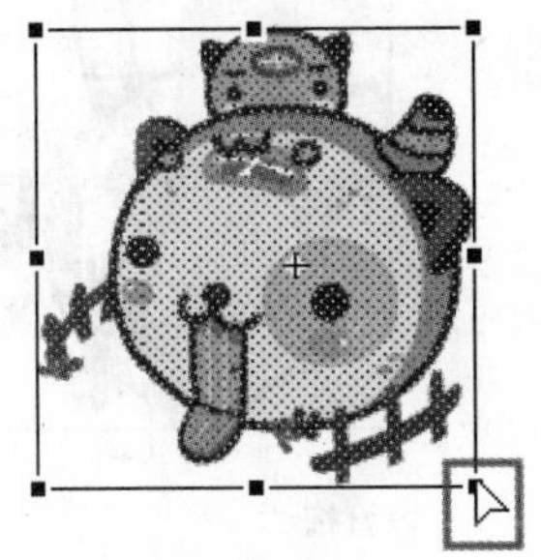

图6-47　指针状态

图6-48　扭曲对象

按住“Shift”键拖动角点，可以锥化该对象，即将相邻两个角沿彼此相反的方向移动相同的距离，如图 6-49 所示。按住“Ctrl”键，单击并拖动边的中点，可以任意移动整个边，如图 6-50 所示。

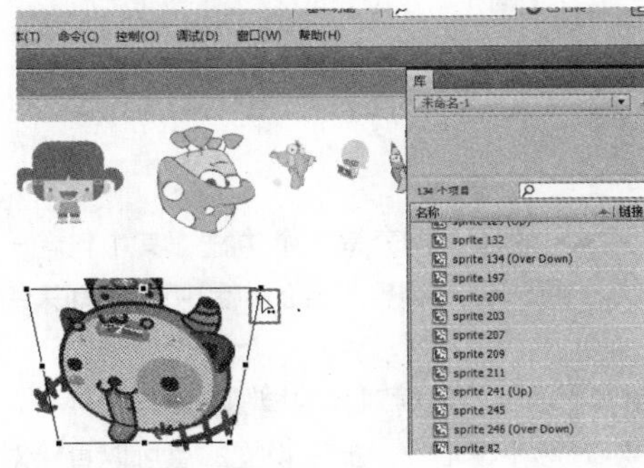

图6-49　锥化对象

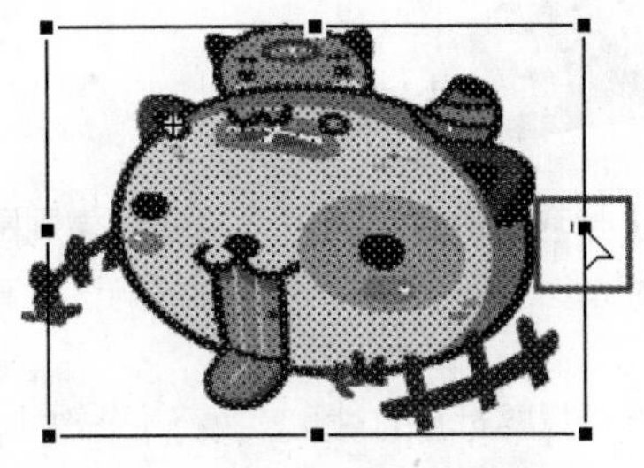

图6-50　移动边扭曲对象

“扭曲”变形对象不能作用于组，但是可以作用于一组中单独选定的对象。

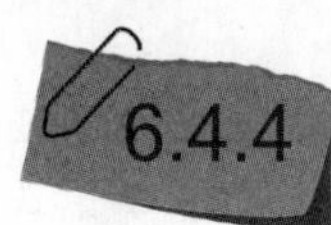

6.4.4 缩放对象

对象的缩放就是沿X轴、Y轴或同时沿两个方向放大或缩小。选择需要缩放的对象，执行【修改】|【变形】|【缩放】命令后，拖动其中一个角点，可沿X轴和Y轴两个方向进行缩放，缩放时长宽比例保持不变，如图6-51所示。按“Shift”键拖动，可进行长宽比例不一致的缩放，如图6-52所示。

图6-51　等比例缩放对象

图6-52　不等比例缩放对象

如果想要在水平或垂直方向缩放对象，可以拖曳中心手柄，如图6-53所示。

水平拖动

垂直拖动

图6-53　拖动中心手柄

在同时增加很多项目的大小时，边框边缘附近的项目可能移动到舞台外面。如果出现这种情况，可选择【视图】|【剪贴板】命令，以查看超出舞台边缘的元素。

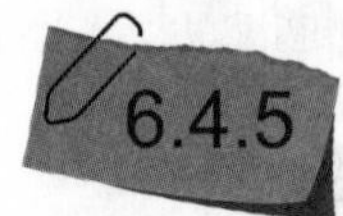

6.4.5 封套对象

【封套】命令可以通过改变对象周围的切线手柄使对象变形，封套是一个边框，其中包含一个或多个对象。更改封套的形状会影响该封套内的对象形状。可以通过调整封套的点和切线手柄来编辑封套形状。

选择需要封套的对象，执行【修改】|【变形】|【封套】命令，此时对象的周围会出现变换框，如图6-54所示。变换框上存在两种变形手柄，即方形和圆形。方形手柄沿着对象变换框的点可以直接对其进行处理，如图6-55所示，而圆形手柄则为切线手柄，如图6-56所示。

图6-54 显示封套变换框

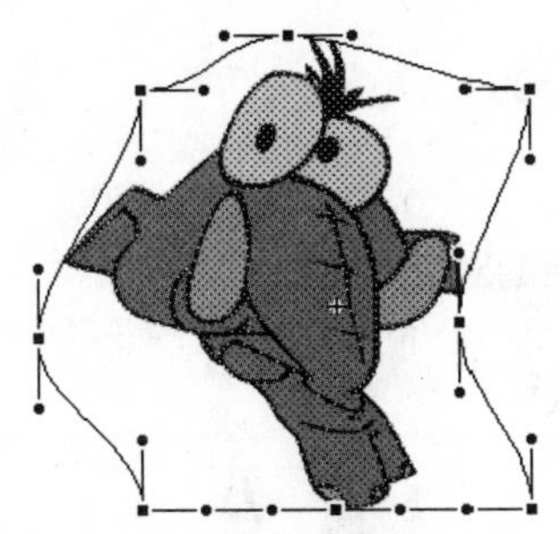
图6-55 拖动方形手柄

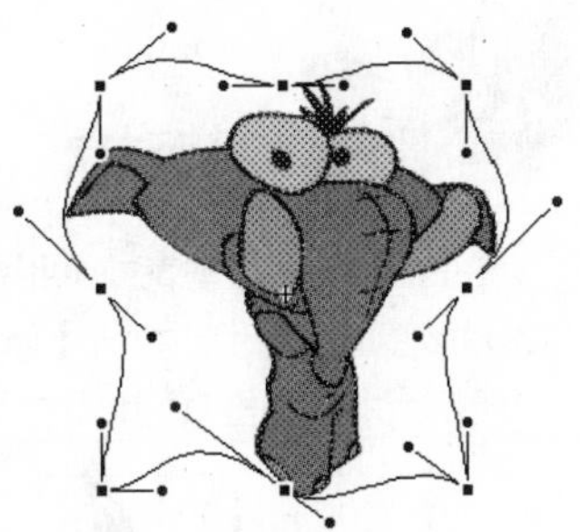
图6-56 拖动圆形手柄

【封套】命令不能修改元件、位图、视频对象、声音、渐变、对象组或文本。如果多项选区包含以上任意一项，则只能扭曲形状对象。若要修改文本，首先要将字符转换为形状对象。

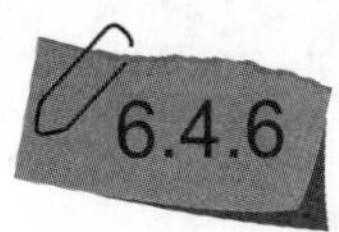

6.4.6 旋转和倾斜对象

旋转对象会使该对象围绕其变形点旋转。变形点与注册点对齐，默认位于对象的中心，但可以通过拖动来移动该点。

选中需要旋转或倾斜的对象，执行【修改】|【变形】|【旋转与倾斜】命令，当鼠标指针移动到角点上时，变成旋转图标，如图6-57所示。此时拖动角点即可围绕变形点进行旋转，如图6-58所示。

图6-57 旋转图标指针效果

图6-58 旋转图形效果

当鼠标指针移动到中心点时，变成倾斜图标，如图6-59所示。此时拖动鼠标即可对图形进行倾斜操作，如图6-60所示。

图6-59 倾斜图标指针效果

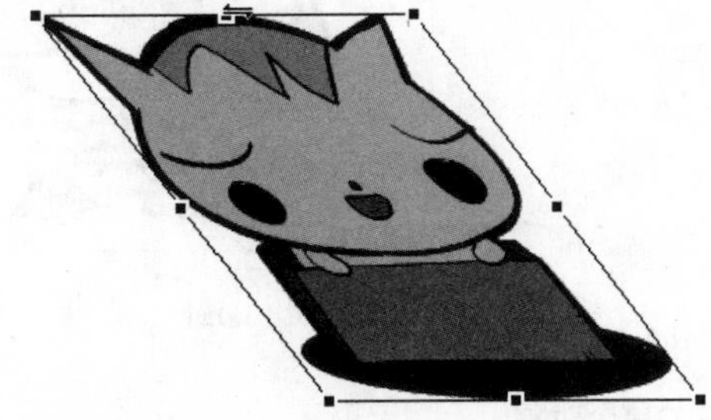
图6-60 倾斜图形效果

如果要结束【旋转与倾斜】命令的使用，可以在图形以外的空白位置单击，单击后便回到图形的任意变形状态。

6.4.7 翻转对象

在Flash中可以垂直或水平翻转选定的对象，而不会改变对象相对于舞台的位置。选择需要翻转的对象，如图6-61所示。执行【修改】|【变形】命令，在打开的子菜单中可以选择水平或垂直翻转，如图6-62所示为水平和垂直翻转后的效果。

图6-61　对象原始状态

图6-62　变形后的效果

6.5 3D平移和旋转对象

在Flash CS5中，可以在3D空间中移动和旋转影片剪辑来创建3D效果，通过在每个影片剪辑实例的属性中包括Z轴来表示3D空间。使用3D平移工具和3D旋转工具使其沿X轴或Y轴移动和旋转。本节将向读者介绍3D工具的使用方法。

6.5.1 3D平移对象

在3D空间中移动对象被称之为平移对象，当使用该工具选中影片剪辑实例后，影片剪辑X、Y、Z三个轴将显示在舞台对象的顶部，X轴为红色，Y轴为绿色，Z轴为蓝色，如图6-63所示。

图6-63　3D轴

移动3D空间中的单个对象

单击工具箱中的“3D平移工具”按钮，将光标移至X轴上，指针变成次图标，按住鼠标左键进行拖动，即可沿X轴方向移动，移动的同时，Y轴改变颜色，表示当前不可操作，确保只沿X轴移动，如图6-64所示。同样将光标移至Y轴上，当指针变化后进行拖动，可沿Y轴移动，如图6-65所示。

图6-64　沿X轴平移效果

图6-65　沿Y轴平移效果

X轴和Y轴相交的地方是Z轴。将鼠标指针移动到该位置，光标变成此图标▶z，按住鼠标左键进行拖动，可使对象沿Z轴方向移动，移动的同时X、Y轴颜色改变，确保当前操作只沿Z轴移动，如图6-66所示。

在“全局转换模式”下的控件方向与舞台相关，而“局部转换模式”的空间方向与影片剪辑空间相关，如图6-67所示。

图6-66　沿Z轴平移效果

图6-67　不同转换模式下控件的效果

移动3D空间中的多个对象

如果需要对多个影片剪辑实例进行移动，可以同时选中多个对象，使用“3D平移工具”移动其中一个对象，其他对象将以相同的方式移动，如图6-68所示。

图6-68　平移多个对象效果

当需要重新定位轴控件的位置时，可以进行下列操作：

- 如果需要把轴控件移动到另一个对象上，可以在按住“Shift”键的同时，单击这个对象即可。
- 选中所有对象后，通过双击Z轴控件，可以将轴控件移动到多个选项的中间，如图6-69所示。

图6-69　调整3D控件位置

Tips

使用3D平移工具移动对象，看上去与“选择工具”或“任意变形工具”移动对象结果相同，但这两者之间有着本质的区别：前者是使对象在虚拟的三维空间中移动，产生空间感的画面，而后者只是在二维平面上对对象进行操作。

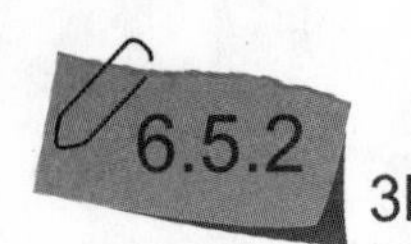

6.5.2 3D旋转对象

使用3D旋转工具可以在3D空间中旋转影片剪辑实例。3D旋转控件出现在舞台上的选定对象之上，如图6-70所示。*X* 控件红色、*Y* 控件绿色、*Z* 控件蓝色。使用橙色的自由旋转控件可同时绕 *X* 和 *Y* 轴旋转，如图6-71所示。

图6-70　3D旋转控件效果

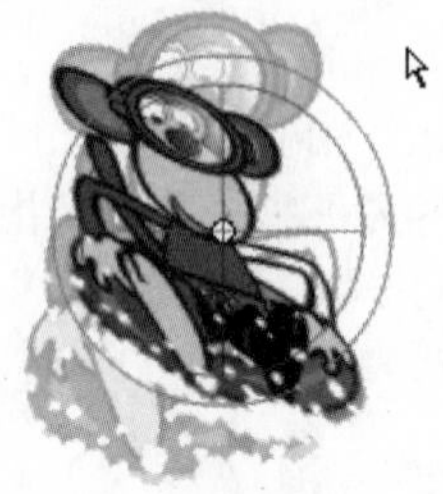

图6-71　同时旋转*X*、*Y*轴

3D旋转工具的默认模式为“全局”。在全局3D空间中旋转对象与相对舞台移动对象等效，如图6-72所示。在局部3D空间中旋转对象与相对父影片剪辑（如果有）移动对象等效，如图6-73所示。若要在全局模式和局部模式之间切换3D旋转工具，请在选中3D旋转工具的同时，单击“全局转换”按钮或按“D”键进行全局与局部模式之间的转换。

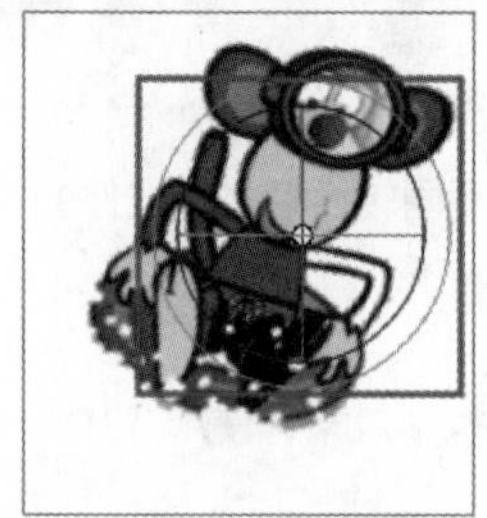

图6-72　全局3D旋转工具叠加

图6-73　局部3D旋转工具叠加

Tips

当选中多个影片剪辑实例对其进行 3D 旋转时，3D 旋转控件将显示为叠加在最近一个选择对象上。

应用实例：制作旋转的金币动画

本实例是绘制一个金币旋转动画，在绘制本实例的过程中，主要使用“3D旋转工具”对金币进行补间动画的创建，使动画具有空间感，如图6-74所示为动画效果。

图6-74　动画效果

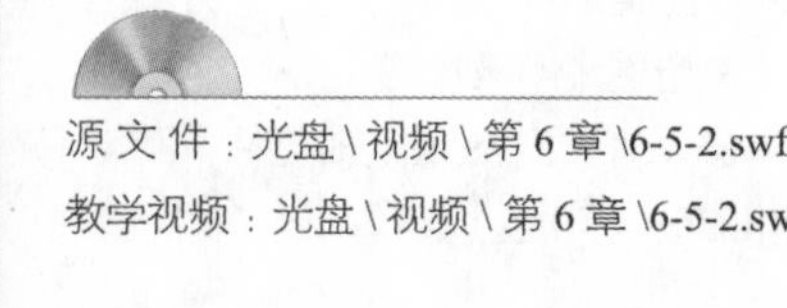

源 文 件：光盘 \ 视频 \ 第 6 章 \6-5-2.swf

教学视频：光盘 \ 视频 \ 第 6 章 \6-5-2.swf

STEP 01 执行【文件】|【新建】命令，新建一个 Flash 文档，如图 6-75 所示。单击“属性”面板上的“编辑”按钮，在弹出“文档设置”对话框中进行设置，如图 6-76 所示，单击“确定”按钮，完成“文档属性”的设置。

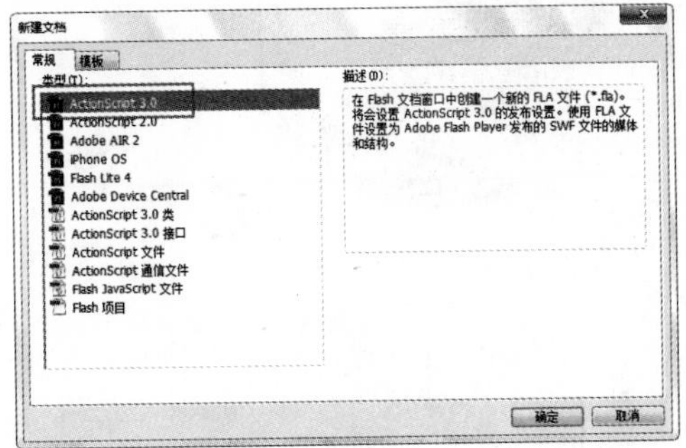

图6-75 “新建文档”对话框

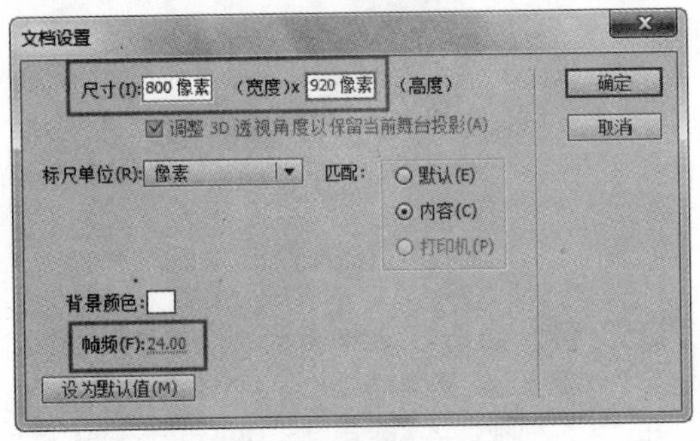

图6-76 “文档设置”对话框

STEP 02 执行【插入】|【新建元件】命令，弹出“创建新元件”对话框，参数设置如图 6-77 所示。单击“确定”按钮，新建一个影片剪辑元件。单击工具箱中的“椭圆工具”按钮，执行【窗口】|【颜色】命令，打开“颜色”面板，参数设置如图 6-78 所示。

Tips

此处渐变滑块颜色值由左至右依次为 #FCF6A4、#936015、#DEB300。

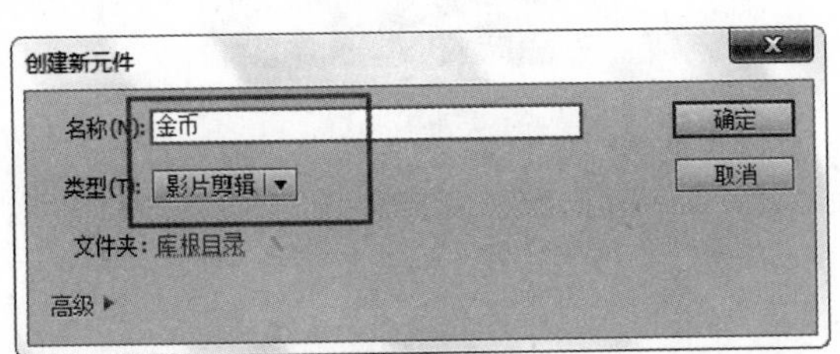

图6-77 “创建新元件”对话框

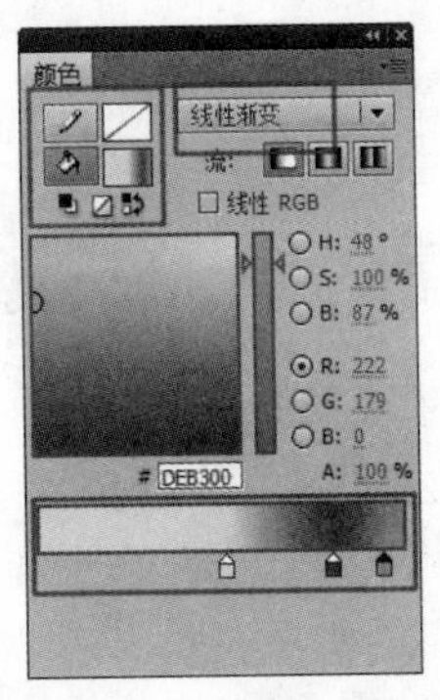

图6-78 “颜色”面板

STEP 03 设置完成后，在场景中绘制圆形，如图 6-79 所示。单击工具箱中的“渐变变形工具”按钮，对渐变填充进行调整，效果如图 6-80 所示。

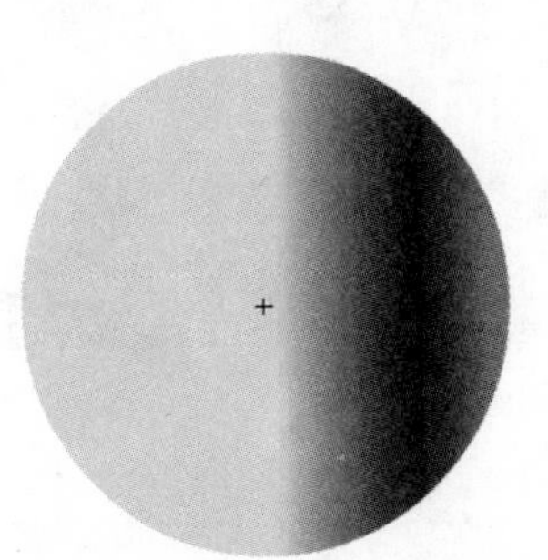

图6-79 图形效果

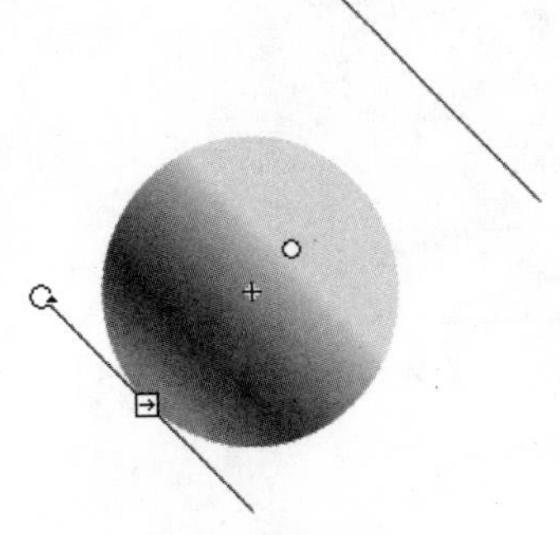

图6-80 渐变效果

STEP 04 使用相同的方法，绘制出金币的外边框，如图 6-81 所示。执行【文件】|【导入】|【导入到舞台】命令，将图像“光盘\源文件\第 6 章\素材\65201.png”导入到场景中相应的位置，如图 6-82 所示。

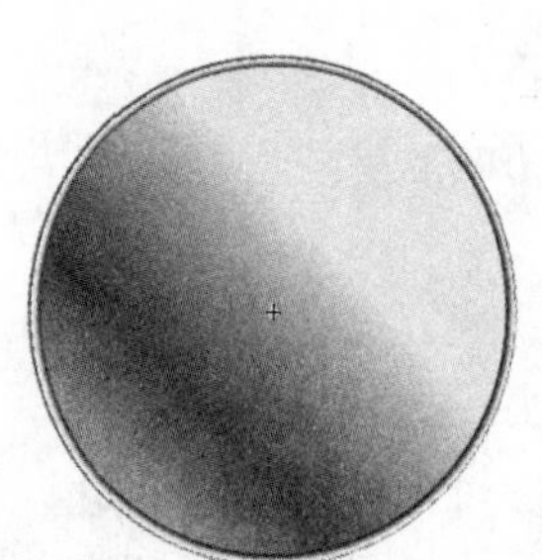

图6-81 图形效果

图6-82 导入图像

STEP 05 返回到“场景 1”的编辑状态，执行【文件】|【导入】|【导入到舞台】命令，将图像“光盘\源文件\第 5 章\素材\65202.jpg”导入到场景中，如图 6-83 所示。在第 24 帧插入帧，新建“图层 2”，打开“库”面板，将“金币”元件拖曳到场景中相应的位置，并调整元件大小，如图 6-84 所示。

图6-83 导入图像

图6-84 拖曳元件

STEP 06 在第一帧右击在打开的快捷菜单中选择【创建补间动画】选项，选择第 24 帧，单击工具箱中的“3D 旋转工具”按钮，选中该帧上的元件，在“属性”面板上设置“消失点”的参数，如图 6-85 所示。然后沿 Y 轴旋转 180 度，如图 6-86 所示。

STEP 07 完成动画的制作，执行“文件 > 保存”命令，将动画存储为“光盘\源文件\第 5 章\6-5-2.fla”。按快捷键“Ctrl+Enter”测试动画，测试效果如图 6-87 所示

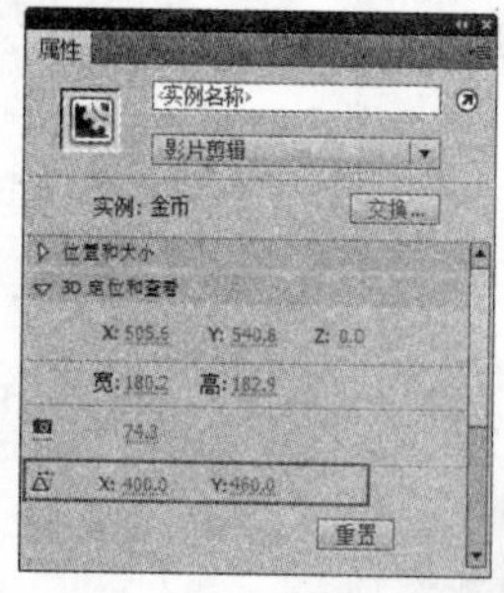

图6-85 设置“属性”面板

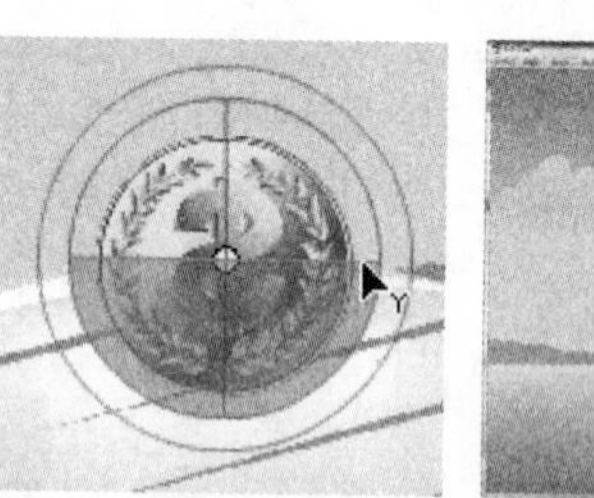

图6-86 旋转对象

图6-87 测试动画效果

6.6 合并图形对象

通过合并图形对象，可以改变现有图形的形状，在【修改】|【合并对象】子菜单中提供了4种合并对象的方式，即联合、交集、打孔和裁切。在一些情况下，所选图形对象的堆叠顺序决定了操作的工作方式。

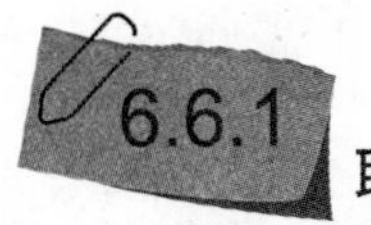

6.6.1 联合

合并两个或多个图形，将生成一个“对象绘制”模式形状，它由联合前的形状上所有可见的部分组成，并删除形状上不可见的重叠部分。

使用 “椭圆工具”和“矩形工具”绘制对象，并同时选中两个对象，如图6-88所示。

执行【修改】|【合并对象】|【联合】命令，即可将两个对象联合，联合后的效果如图6-89所示。

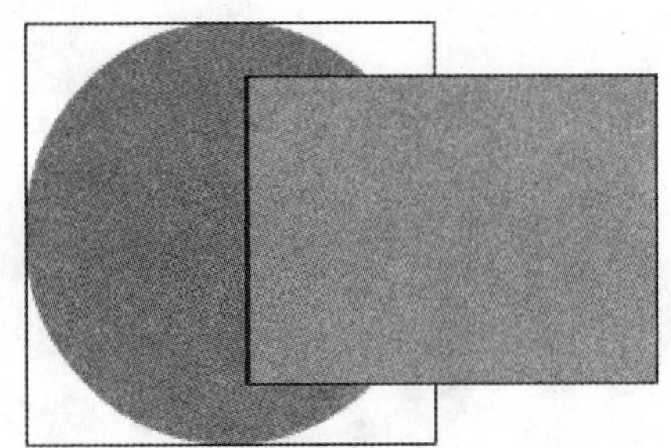

图6-88　选择两个对象

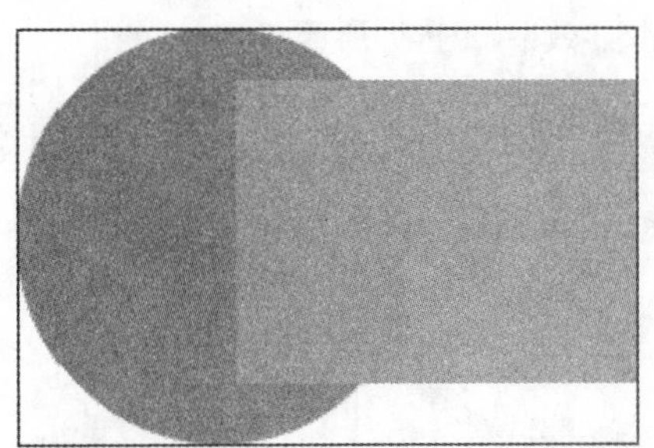

图6-89　图形联合效果

Tips

在使用绘图工具绘制对象时，如果两个对象之间有重叠部分，就需要在绘制前单击“绘制对象”按钮，保证两个对象之间图形的裁切。

Tips

【联合】命令与【组合】命令的区别就在于对象连接在一起后的可编辑性。联合后的对象无法再分开，而组合后的对象还可以执行【修改】|【取消组合】命令进行拆分。

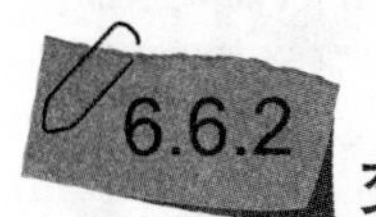

6.6.2 交集

用于创建两个或多个绘制对象交集的对象。生成的“对象绘制”形状由合并的形状重叠部分组成，删除形状上任何不重叠的部分。 生成的形状使用堆叠中最上面的形状的填充和笔触，如图6-90所示为执行【交集】命令的前后对比效果。

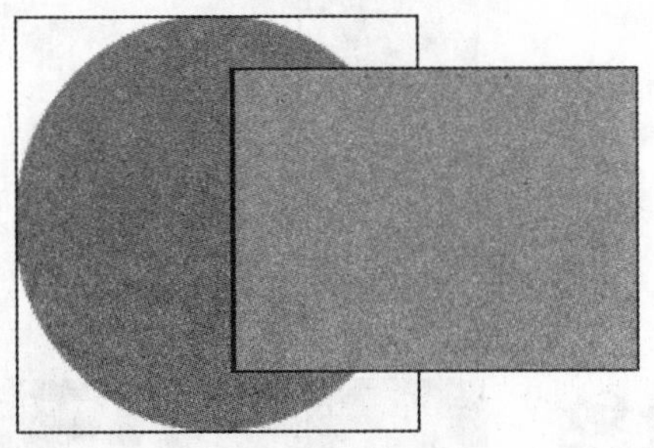

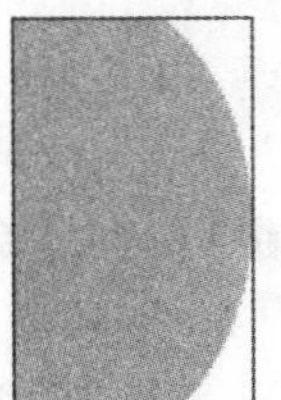

图6-90　使用【交集】命令的前后对比效果

6.6.3 打孔

删除选定绘制对象的某些部分，这些部分由该对象与排在该对象前面的另一个选定绘制对象的重叠部分定义，删除的绘制对象由最上面的对象所覆盖的所有部分组成，并完全删除最上面的对象。所得到的对象仍是独立的，不会合并为单个对象。

使用“椭圆工具”绘制两个同心正圆并同时选中，如图6-91所示。执行【修改】|【合并对象】|【打孔】命令后，可以得到一个圆环效果，如图6-92所示。打孔后的图形还可以使用“选择工具”对其形状进行调整，效果如图6-93所示。

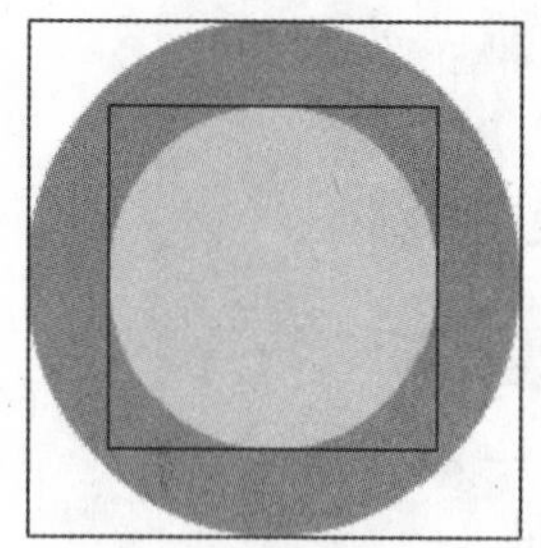

图6-91　绘制图形

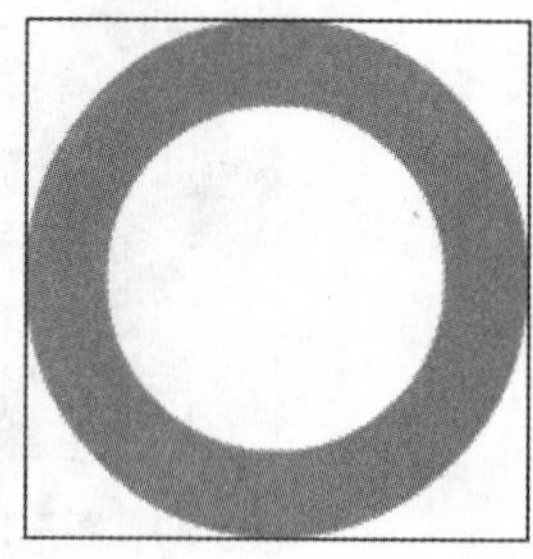

图6-92　打孔效果

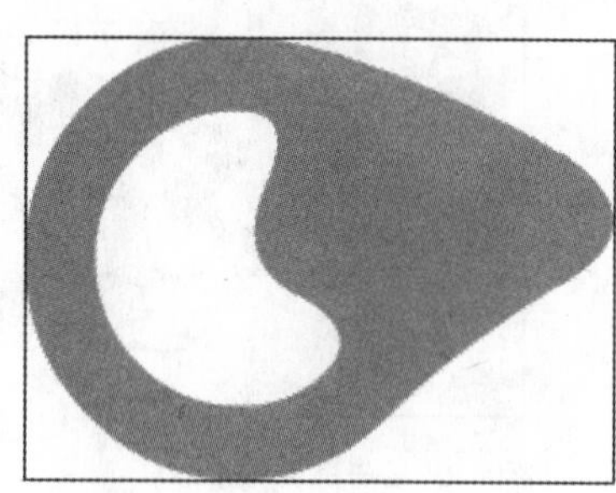

图6-93　调整效果

6.6.4 裁切

使用一个绘制对象的轮廓裁切另一个绘制对象。前面或最上面的对象定义裁切区域的形状，保留下层对象中与最上面的对象重叠的部分，从而删除下层对象的其他部分，并完全删除最上面的对象。

【裁切】命令所得到的对象也是独立的，不会合并为单个对象。如图6-94所示为执行【裁切】命令前后的对比效果，可以看到裁切后的效果与前面所学到的交集效果类似，只不过是最后剩余部分不同。读者在学习中需要仔细体会并比对，才能真正理解命令的使用方法。

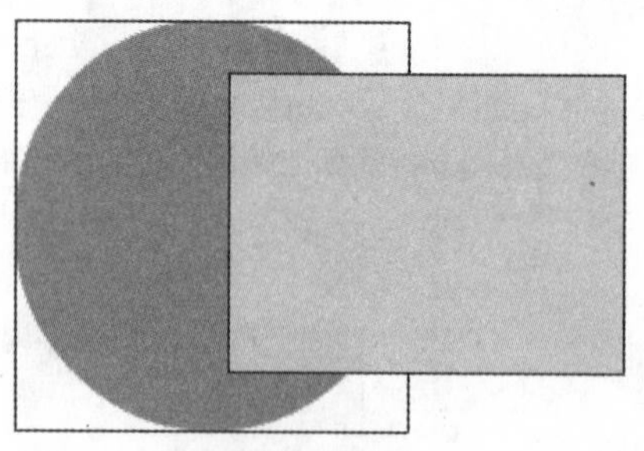

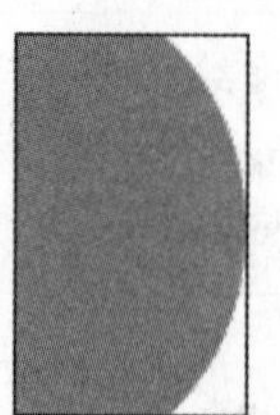

图6-94　使用【裁切】命令前后的对比效果

6.7 排列和对齐图形对象

在Flash的图层中，根据对象的创建顺序层叠对象，将最新创建的对象放在最上面。对象的层叠顺序决定了它们在重叠时出现的顺序。对象的层叠顺序可以在任何时候更改。“对齐”主要是通过“对齐”

面板中的相关设置进行调整，本节将向读者讲解排列和对齐方面的相关知识。

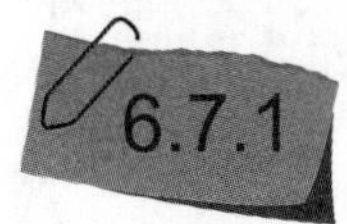

6.7.1 层叠图形对象

通过对对象层叠的调整，可以改变图形对象的显示状态，使其看起来合理、美观。执行【修改】|【排列】命令，在打开的子菜单中提供了多种排列图形的方式，如图6-95所示。选择一个对象，如图6-96所示。执行【修改】|【排列】|【置于底层】命令，即可将对象至于所有对象的下面，如图6-97所示。

移至顶层(F)	Ctrl+Shift+上箭头
上移一层(R)	Ctrl+上箭头
下移一层(E)	Ctrl+下箭头
移至底层(B)	Ctrl+Shift+下箭头
锁定(L)	Ctrl+Alt+L
解除全部锁定(U)	Ctrl+Alt+Shift+L

图6-95 【排列】子菜单

图6-96 选择对象

图6-97 将对象至底

Tips

如果选择了多个组，这些组会移动到所有未选中的组的前面或后面，而这些组之间的相对顺序保持不变。

6.7.2 对齐图形对象

对象的对齐可以通过执行【修改】|【对齐】命令子菜单中的命令选项进行调整，如图6-98所示，也可以通过在“对齐”面板中设置相应的参数进行调整，如图6-99所示。“对齐”面板可以沿选定对象的右边缘、中心或左边缘垂直对齐对象，或者沿选定对象的上边缘、中心或下边缘水平对齐对象。

左对齐(L)	Ctrl+Alt+1
水平居中(C)	Ctrl+Alt+2
右对齐(R)	Ctrl+Alt+3
顶对齐(T)	Ctrl+Alt+4
垂直居中(V)	Ctrl+Alt+5
底对齐(B)	Ctrl+Alt+6
按宽度均匀分布(D)	Ctrl+Alt+7
按高度均匀分布(H)	Ctrl+Alt+9
设为相同宽度(M)	Ctrl+Alt+Shift+7
设为相同高度(S)	Ctrl+Alt+Shift+9
与舞台对齐(G)	Ctrl+Alt+8

图6-98 【对齐】子菜单

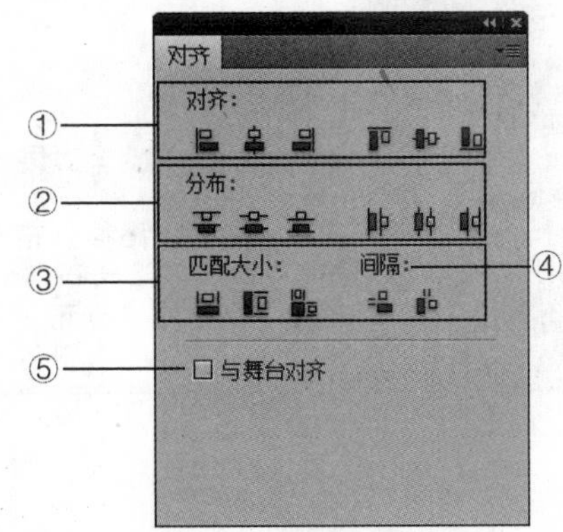

图6-99 “对齐”面板

①对齐	在该选项中包括6种对齐的方式，分别为左对齐、水平中齐、右对齐、顶对齐、垂直中齐和底对齐，如图6-100所示为不同对齐方式下的对象效果。 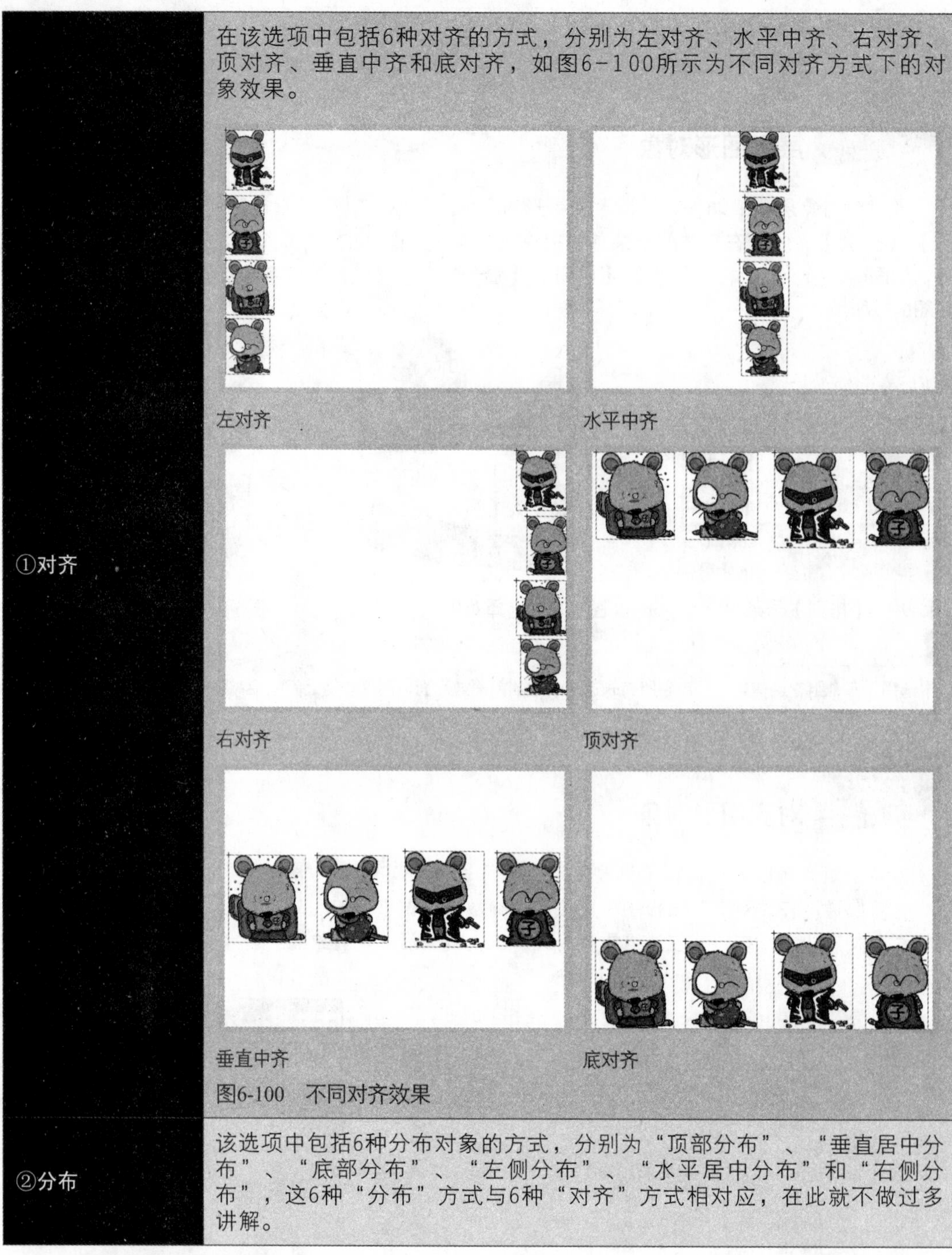 左对齐 水平中齐 右对齐 顶对齐 垂直中齐 底对齐 图6-100　不同对齐效果
②分布	该选项中包括6种分布对象的方式，分别为“顶部分布”、“垂直居中分布”、“底部分布”、“左侧分布”、“水平居中分布”和“右侧分布”，这6种“分布”方式与6种“对齐”方式相对应，在此就不做过多讲解。

<table>
<tr><td>③匹配大小</td><td>用于调整多个选定对象的大小，使所有对象水平或垂直尺寸与所选定的最大对象的尺寸一致，此选项包括3种匹配方式，分别为匹配宽度、匹配高度和匹配宽和高，如图6-101所示为不同匹配方式下对象的效果。 
原始大小 　匹配宽度 
匹配高度 　匹配宽和高
图6-101　不同匹配效果</td></tr>
<tr><td>④间隔</td><td>用于垂直或水平隔开选定的对象，该选项包括两种间隔对象的方式，分别为垂直平均间隔和水平平均间隔。当处理大小差不多的图形时，这两个功能没有太大的差别，但是当图形尺寸大小不同时，差别就很明显，如图6-102所示。 
原始间隔 　垂直平均间隔 　水平平均间隔
图6-102　不同间隔效果</td></tr>
<tr><td>⑤与舞台对齐</td><td>勾选此选项，可将对齐、分布等上述选项相对于舞台进行操作。</td></tr>
</table>

6.8 组合和分离图形

在Flash动画制作中，经常会将图形对象进行组合，从而方便后面对其进行整体编辑。而【分离】命令不但能够将组、实例和位图分离为单独的可编辑元素，而且还能够极大地减小导入图形的文件大小，下面将具体进行讲解。

6.8.1 组合图形对象

在前面的小节中学习了【联合】命令的使用方法，并提出了与【组合】命令的不同之处，接下来将具体讲解【组合】命令的使用方法。

在场景中选中多个图形对象，如图6-103所示。执行【修改】|【组合】命令或按快捷键“Ctrl+G”，即可将多个图形对象组合在一起，如图6-104所示。组合后可将其当成一个整体对象来选择和移动。

图6-103　选中多个对象

图6-104　组合后的效果

Tips

同时选中的对象必须在一个图层中，否则不能将多个对象组合到一起，只能将多个在一个图层中的对象组合到一起。

组合后的对象可以对组合后对象中的单个对象进行编辑。此编辑对创建复杂图形后，不想再次重新组合时非常有用。

选择需要编辑的组，执行【编辑】|【编辑所选项目】命令，或双击该组图形，则会显示该组中的元素，如图6-105所示。此时双击任意一个元素，即可进入该元素的编辑状态，提示栏上会显示出正在编辑的组，如图6-106所示。

图6-105　编辑组

图6-106　当前编辑

6.8.2 分离图形对象

前面小节中对【取消组合】命令进行了介绍，接下来将讲解【分离】命令的使用。在使用二者的过程中，不要将这两个命令混淆，下面将进行详细讲解。

取消组合	该命令可以将组合的对象分开，将组合元素返回到组合之前的状态，不会分离位图、实例或文字，或将文字转换成轮廓。
分离	该命令将组、实例和位图分离为单独的可编辑元素。尽管可以在分离组或对象后立即执行【编辑】|【撤销】命令，但是分离操作不是完全可逆的，会对对象产生以下影响： ● 切断元件实例到其主元件的链接。 ● 放弃动画元件中除当前帧之外的所有帧。 ● 将位图转换成填充。 ● 在应用于文本块时，会将每个字符放入单独的文本块中，如图6-107所示。 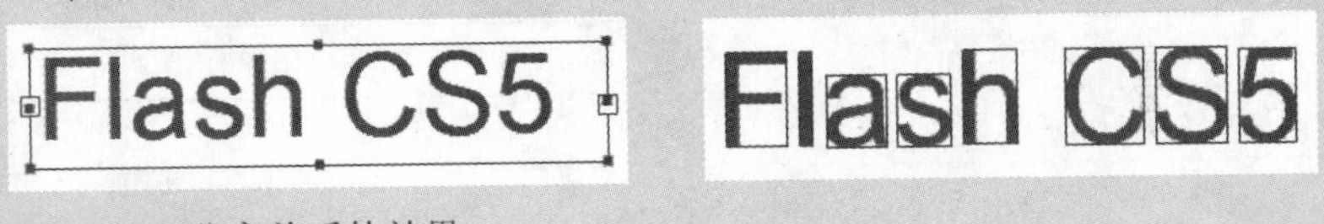 Flash CS5　Flash CS5 图6-107　分离前后的效果 ● 应用于单个文本字符时，会将字符转换成轮廓，如图6-108所示。  Fl　Fl 图6-108　分离单独文本前后的效果

6.9 总结扩展

Flash中的对象有两种存在形式，一个是全局对象，另一个是实例对象。全局对象不需要创建，这些对象已经创建好，可以在任何时候调用，而实例对象需要创建，它可以创建自身的实例，这也就是在后面章节中所讲到的类。

比如在实际应用中，Math数学对象不用创建，直接就可以使用，它是全局对象。而Sound就需要用mysound:Sound=new Sound()来创建，在创建中使用new运算符，才可以创建新的实例。指定对象的类型，加入new运算符，用()括号来调用构造函数，一个新的对象就创建成功了。关于类方面的知识，在后面还会具体进行讲解，在此处希望读者能够有初步的认识。

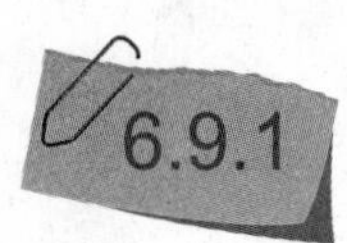

6.9.1 本章小结

本章主要讲解了不同的对象操作，这个过程是一个基本功的训练，无论做什么事情，只要是打好坚实的基础，就不怕再多的难题。希望通过本章的学习，读者能够全面掌握对象操作的方法和技巧，使动画的制作过程更加得心应手。

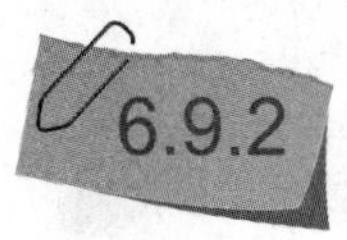

6.9.2 举一反三——绘制台球场景

案例文件：	光盘\源文件\第6章\6-9.fla
素材文件：	光盘\源文件\第6章\6901.png
视频文件：	光盘\视频\第6章\6-9.swf
难易程度：	★★☆☆☆
学习时间：	15分钟

（1）

（2）

（3）

（4）

（1）使用“矩形工具”绘制渐变背景，使用“多边形工具”绘制三角形，并结合“添加锚点工具”、“删除锚点工具”和“选择工具”对其进行调整。

（2）绘制其他内容，并使用“椭圆工具”与“选择工具”绘制一个台球。

（3）选择绘制的台球对象，使用“选择工具”，按住“Alt”键拖动并复制一个台球，并对文本数字进行修改。

（4）绘制其他台球，并导入相应素材，完成台球场景的绘制。

第7章　文本的使用

文本是制作动画时必不可少的元素，它可以使制作的动画主题更为突出，在使用文本时，通过F lash中的相关工具可以创建静态文本、动态文本和输入文本，尤其是TLF文本的增加，使处理文本的功能更为强大，并能通过“属性”面板中的相关选项设置文本的属性和调整文本，此外通过相关功能还可以为文本创建超链接和嵌入文本，本章就上述内容具体进行讲解。

本章学习要点

- 了解文本工具的属性
- 掌握文本调整的方法
- 理解静态文本、动态文本和输入文本的概念
- 掌握为文本创建超链接和嵌入文本的方法

实例名称：使用字符属性制作文字特效
源 文 件：光盘\源文件\第7章\7-5-2.fla
教学视频：光盘\视频\第7章\7-5-2.swf

实例名称：使用段落属性制作网页开场效果
源 文 件：光盘\源文件\第7章\7-6-3.fla
教学视频：光盘\视频\第7章\7-6-3.swf

实例名称：将文本分散到图层
源 文 件：光盘\源文件\第7章\7-8-2.fla
教学视频：光盘\视频\第7章\7-8-2.swf

7.1 Flash文本简介

在Flash中使用文本可以制作出特定的文字动画效果。单击工具箱中的“文本工具”按钮，在“属性”面板中单击“文本引擎”按钮，在弹出的下拉列表中可以看到两种文本引擎，如图7-1所示，通过文本属性的相关选项可以对文本进行相应的设置，以便满足用户的需要。

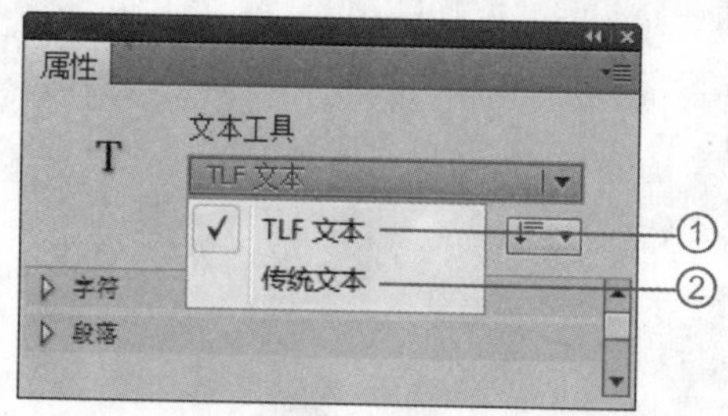

图7-1　“文本引擎”选项

①TLF文本	此文本是Flash CS5新增的文本引擎，具有比传统文本更大的功能。
②传统文本	此文本是Flash中早期文本引擎的名称，在 Flash CS5 中仍然可用，但随着用户的需要，它会由新增的 TLF 文本引擎替代。

Tips

使用文本时，根据当前所选文本的类型，“属性”面板有三种显示模式：

文本工具模式：此时在工具面板中选择了文本工具，但在 Flash 文档中没有选择文本。

文本对象模式：此时在舞台上选择了整个文本块。

文本编辑模式：此时在编辑文本块。

7.2 Flash文本的类型

在Flash中包括两种文本引擎，但这两种文本引擎又分别包含不同的文本类型，如图7-2、图7-3所示，通过不同文本的不同文本类型，可以创建不同的动画方式。

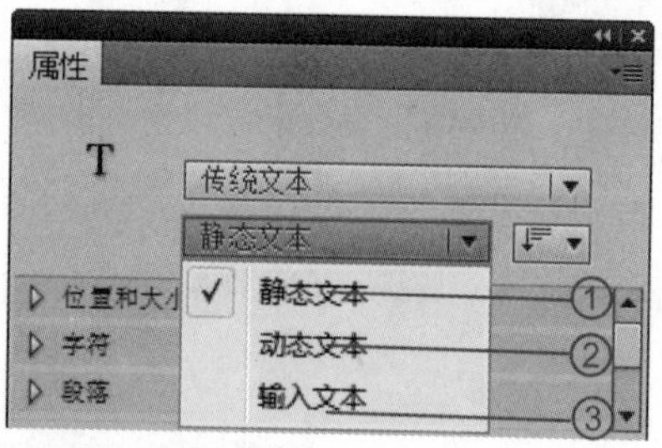

图7-2　“传统文本”类型

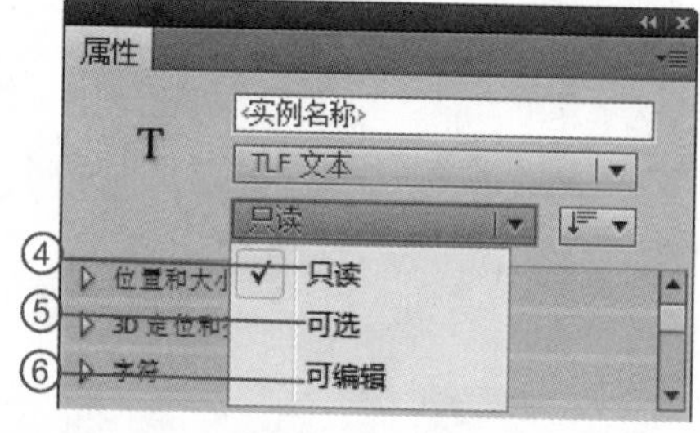

图7-3　“TLF文本”类型

①静态文本	此文本用于创建影片中永远不需要发生变化的文本，如标题或说明性的文字等，虽然很多人都会将静态文本称为文本对象，但实际上只有动态文本才能称得上是文本对象，静态文本在某种意义上更是一幅图片。 静态文本不具备对象的基本特征，它没有自己的属性和方法，无法对其进行命名，所以也无法通过编程使用一个静态文本制作动画。

②动态文本	此文本是足够强大的，但它并不是完美的，它只允许动态显示，却不允许动态输入。 当用户需要使用Flash开发在线提交表单这样的应用程序时，就需要一些能够让用户实时输入某些数据的文本域，这时就需要用到“输入文本”。
③输入文本	输入文本的创建方法与动态文本一样，唯一的不同就是需要在“属性”面板中的“文本类型”表中选择“输入文本”选项。 由于它们是同一个类型派生出来的，所以输入文本也是对象，拥有和动态文本同样的一组属性和方法。
④只读	当作为 SWF 文件发布时，此文本无法选中或编辑。
⑤可选	当作为 SWF 文件发布时，此文本可以选中并可复制到剪贴板，但不可以编辑。
⑥可编辑	当作为 SWF 文件发布时，此文本可以选中和编辑。

Tips

传统文本类型可以随时互相转换，方法是选择了这个文本后，在它的“属性”面板顶部下拉菜单中选择一个新的文本类型即可。

7.3 Flash文本的方向

根据不同的需要，所输入的文本方向也是不一样的，如图7-4、图7-5所示为“TLF文本”和“传统文本”的方向选项，可以看到两者的方向选项大同小异，下面就分别进行介绍。

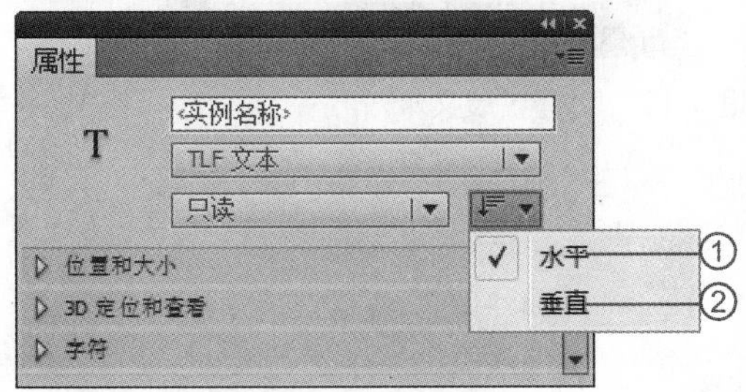

图7-4　“传统文本”方向选项

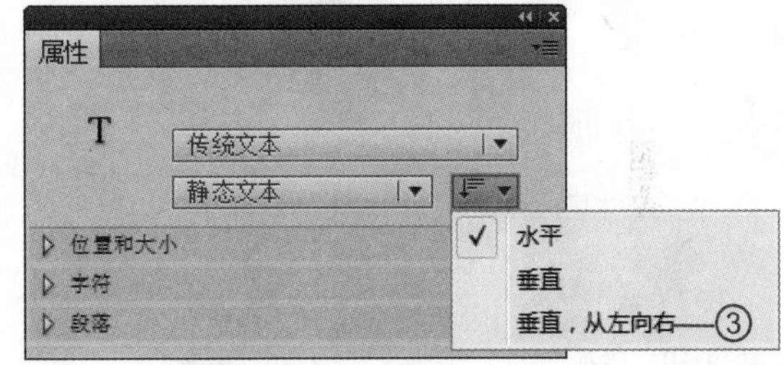

图7-5　“TLF文本”方向选项

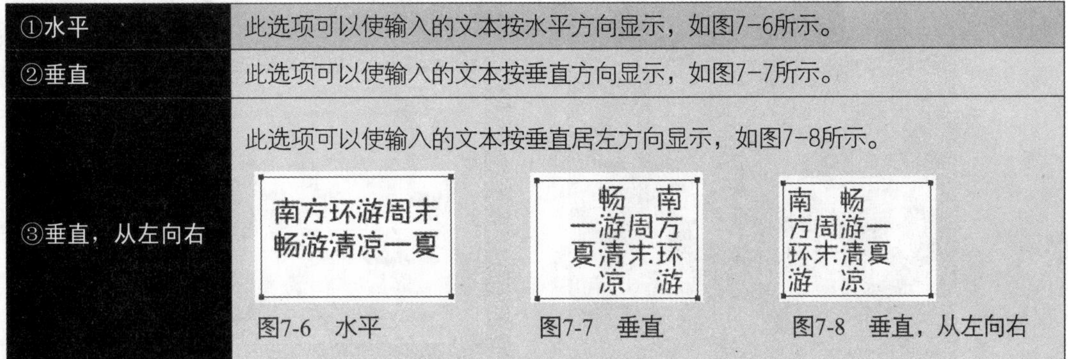

①水平	此选项可以使输入的文本按水平方向显示，如图7-6所示。
②垂直	此选项可以使输入的文本按垂直方向显示，如图7-7所示。
③垂直，从左向右	此选项可以使输入的文本按垂直居左方向显示，如图7-8所示。 南方环游周末 畅游清凉一夏 图7-6　水平 图7-7　垂直 图7-8　垂直，从左向右

7.4 Flash文本的创建与编辑

Flash文本的创建方法很简单，其编辑方法也很简单，可以使用最常用的字处理方法编辑 Flash 中的文本，如使用【剪切】、【复制】和【粘贴】命令在 Flash 文件内或在 Flash 和其他应用程序之间移动文本，下面以静态文本为例向用户进行讲解。

7.4.1 创建文本

创建文本的方法有两种，即创建可扩展的文本和限制范围的文本。

创建扩展文本

单击工具箱中的“文本工具”按钮T,在“文本属性”面板顶部的“文本引擎”下拉菜单中选择“传统文本”选项,打开“字符”面板，进行相应的设置，如图7-9所示，然后在文本框中输入相应的文本，即可创建扩展文本，如图7-10所示。

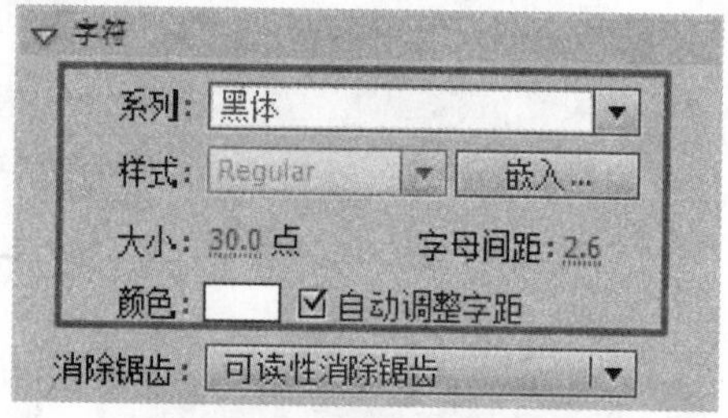

图7-9 设置“字符”面板

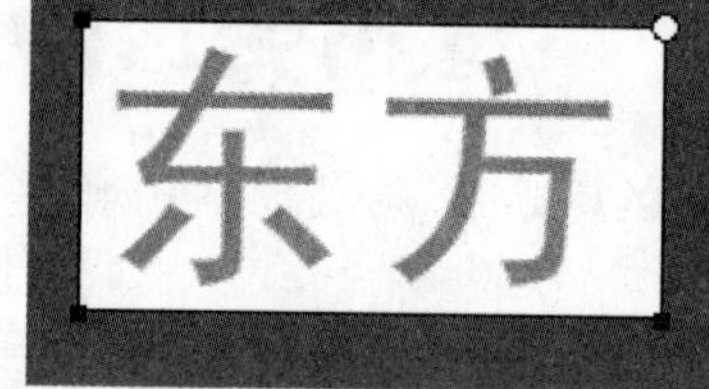

图7-10 创建扩展文本

Tips

如果创建的文本字段在键入文本时延伸到舞台边缘以外，文本将不会丢失；如果想使手柄再次可见，可添加换行符，移动文本字段，或执行【视图】|【剪贴板】命令。

限制范围的文本

使用“文本工具”，在文本的起始位置单击，按住鼠标不放，拖到所需的宽度或高度，如图7-11所示，然后输入文本，可以看到文本将出现在刚才绘制的文本框的设定范围内，并可以自动换行，如图7-12所示。

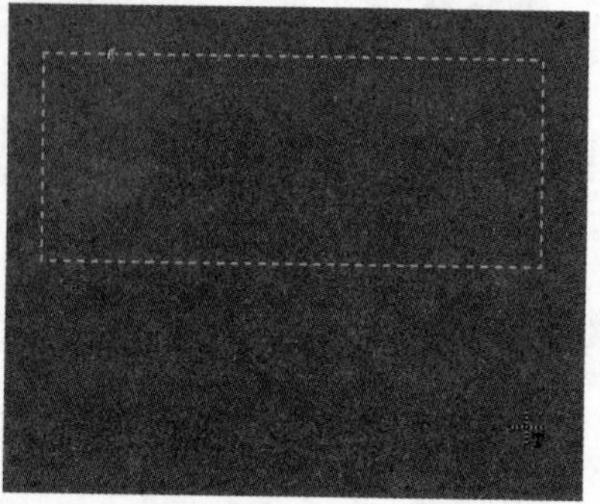

图7-11 拖动范围

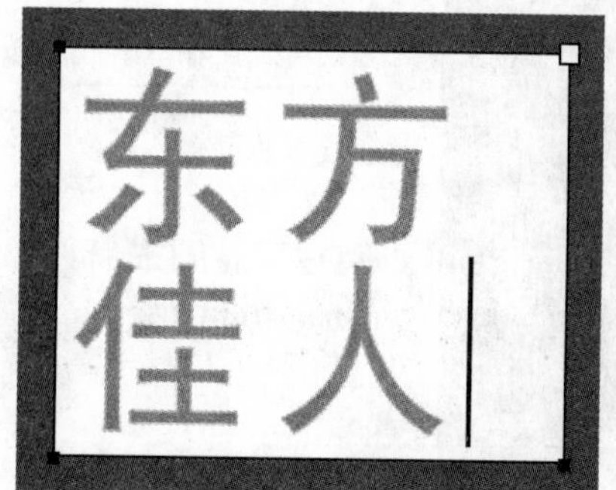

图7-12 创建限制范围的文本

创建限制范围的文本时要注意，用户所拖动的框线不能少于两个字符，否则会创建扩展文本。

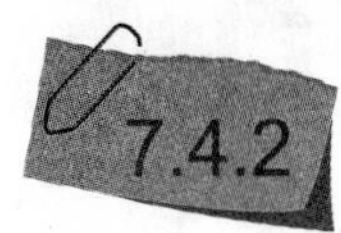

7.4.2 编辑文本

使用“文本工具”或“选择工具”双击文本对象，文本对象上将出现一个实线黑框，如图7-13所示，表示文本已被选中，此时可以对文本进行添加和删除操作，编辑完之后，单击文本之外的部分，可退出文本内容编辑模式，这时文本外的黑色实线框将变成蓝色实线框，如图7-14所示，在这种状态下，可通过“属性”面板中的文本属性对文本进行控制。

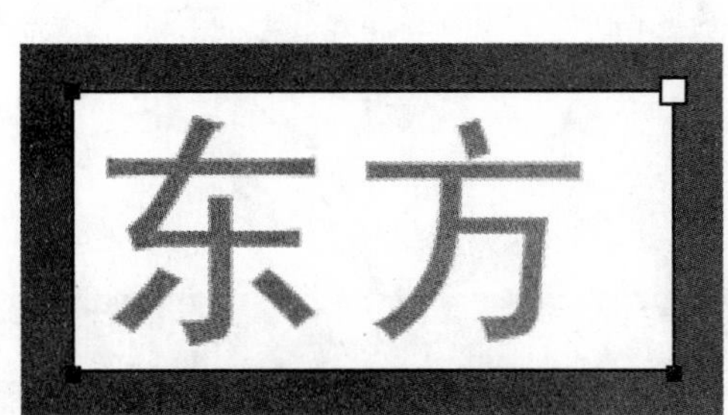

图7-13 选中文本

图7-14 修改后的文本

7.4.3 转换输入框

可扩展文本输入框为圆形手柄，而限制范围的文本输入框为方形控制手柄，两种不同的文本输入框之间是可以相互转换的。

限制范围输入框转换为可扩展范围输入框

在转换时只需按住“Shift”键，然后按住鼠标不放，拖动右上角的圆形控制手柄到指定的限制范围宽度，松开鼠标即可。

扩展范围输入框转换为可限制范围输入框

在转换时，只需按住“Shift”键，然后用鼠标双击右上角的方形控制手柄即可。

7.5 传统文本

通过Flash中的相关选项，可以对传统文本位置进行调整，嵌入字体设置、创建超链接和应用滤镜等操作。

单击工具箱中的“文本工具”按钮T，在“属性”面板中显示出传统文本属性的相关选项，如图7-15所示，传统文本的属性包括字符属性和段落属性。使用“文本工具”在舞台中选择整个文本块，可以看到“属性”面板发生了变化，并多出了几个选项，如图7-16所示，下面将对传统文本相关选项进行讲解。

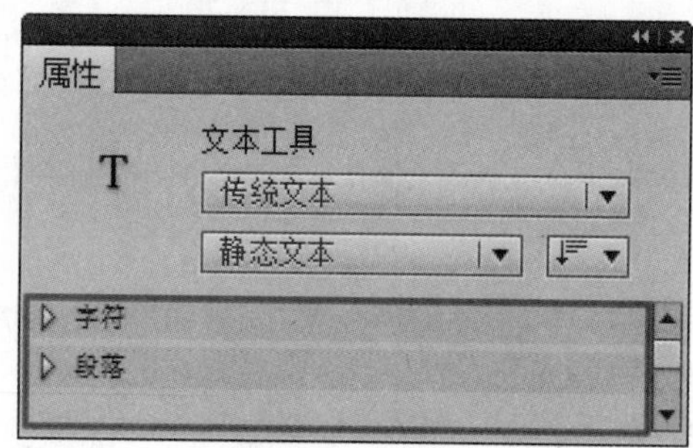

图7-15 “传统文本”选项

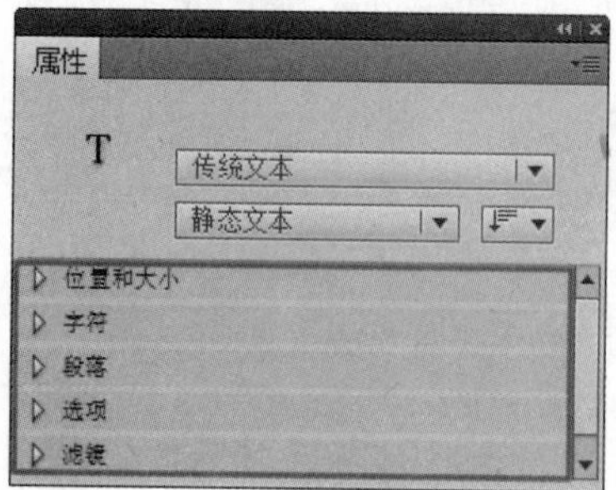

图7-16 “ 传统文本”选项

用户在单击“文本工具”按钮 T 后，或是使用“文本工具”在舞台中单击后，“属性”面板中的各选项并不是折叠的，这里将这些选项折叠起来，是为了方便用户观看，用户可以单击相应选项左侧的“折叠”按钮▷，展开选项内容。

7.5.1 位置和大小

在文本对象模式下，可以通过“属性”面板中的“位置和大小”部分设置文本框的大小和位置，“位置和大小”选项如图7-17所示。

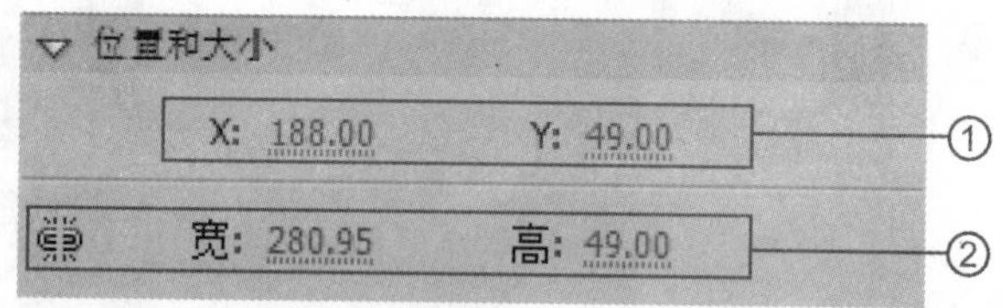

图7-17 位置和大小

①X轴/Y轴	可以设置文本在舞台中的位置，设置方法有两种： ● 双击X轴和Y轴的数值来激活键盘，然后直接输入数字，设置文本在舞台中的位置。 ● 在数值上按住鼠标，通过左右拖动鼠标的方式来放大和缩小数值，设置文本位置。
②宽/高	此处可设置文本的宽度和高度，设定后Flash会自动将可扩展文本框转换为限制范围的文本框。 ● “将宽度值和高度值锁定在一起”按钮：单击此按钮，可以将宽度和高度值固定在同一个比例上，当设置其中一个值时，另一个值也同比例放大或缩小，再次单击此按钮，可解除锁定状态。

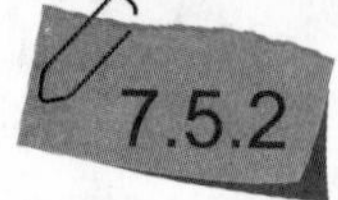

7.5.2 字符属性

文本的字符属性包括字体系列、样式、大小、间距、颜色和消除锯齿等选项，通过相应的选项，可以设置字体的大小、字距、颜色等属性，“字符”属性如图7-18所示。

图7-18 “字符”属性

①系列	可以为选中的文本应用不同的字体系列，设置方法有两种： ● 在“系列”下拉列表中选择相应的字体。 ● 输入字体名称进行设置。
②样式	可以设置字体的样式，不同的字体可提供选择的样式也不同，通常情况下，有以下几种选项，如图7-19所示。此处还可以通过执行【文本】｜【样式】命令，在弹出的菜单中选择相应的选项设置字体样式，如图7-20所示，如果所选择的字体不包括其中的某种样式，那么此样式显示为不可用状态。 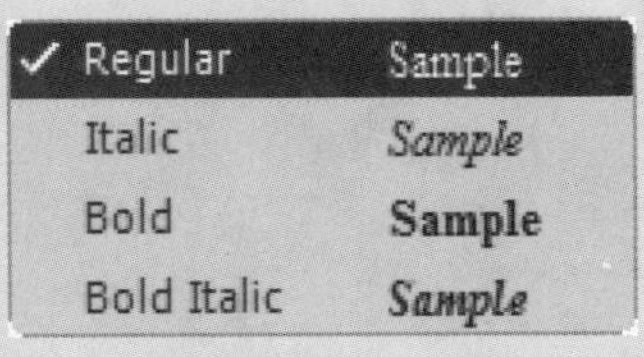 图7-19 “样式”选项 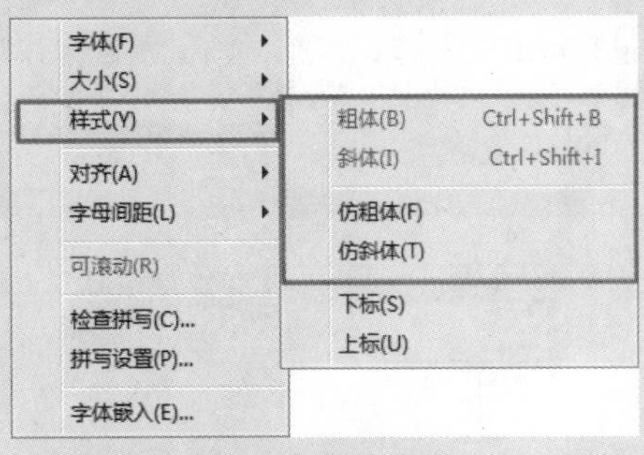　　图7-20 【样式】菜单选项 ● Regular：正常样式 ● Italic：斜体 ● Bold：仿粗体 ● Bold Italic：仿斜体
③大小	单击此处，输入字体数值，设置字体的大小，字体大小以点值为单位，而与当前标尺单位无关。
④字母间距	使用字母间距可以调整所选定字符或整个文本的间距，单击此处，输入相应的数值，会在字符之间插入统一数量的空格，以达到编辑文本的要求。
⑤颜色	可以设置字体的颜色，单击此处，可从打开的“ 样本”面板中选择一种颜色，或在左上角的文本框中键入颜色的十六进制值，这里可以设置的颜色只能是纯色。
⑥“按钮”组	● “可选”按钮：指生成的SWF文件中的文本是否能被用户通过鼠标进行选择和复制。单击此按钮，这个区域的颜色会加深，由于静态文本常常用来展示信息，出于对内容的保护，此项默认为不可选状态，动态文本默认为可选，而输入文本则不能对这个属性进行设置。 ● “将文本呈现为HTML”按钮：它决定了动态文本框中的文本是否可以使用HTML格式。静态文本的此选项不可设置，动态文本和输入文本则可设置。 ● “在文本周围显示边框”按钮：单击此按钮，系统会根据设置的边框大小，在字体背景上显示一个白底不透明输入框。静态文本的此选项不可设置，动态文本和输入文本则可设置。
⑦字符位置	单击“切换上标”或“切换下标”按钮，可以改变字符位置，默认位置是“正常”。 ● 上标：可以将文本放置在基线之上（水平文本）或基线的右侧（垂直文本）。 ● 下标：可以将文本放置在基线之下 （水平文本）或基线的左侧（垂直文本）。

应用实例：通过字符属性制作文字特效

本实例是制作文字特效，在制作的过程中，主要通过字符属性对字体进行设置，并对字体进行描边和变换操作，完成文字特效的制作。

Tips

源 文 件：光盘 \ 视频 \ 第 7 章 \7-5-2.fla

教学视频：光盘 \ 视频 \ 第 7 章 \7-5-2.swf

STEP 01 执行【文件】|【新建】命令，新建一个 Flash 文档，如图 7-21 所示。单击“属性”面板上的“编辑”按钮，在弹出的“文档设置”对话框中进行设置，如图 7-22 所示，单击“确定”按钮，完成“文档属性”的设置。

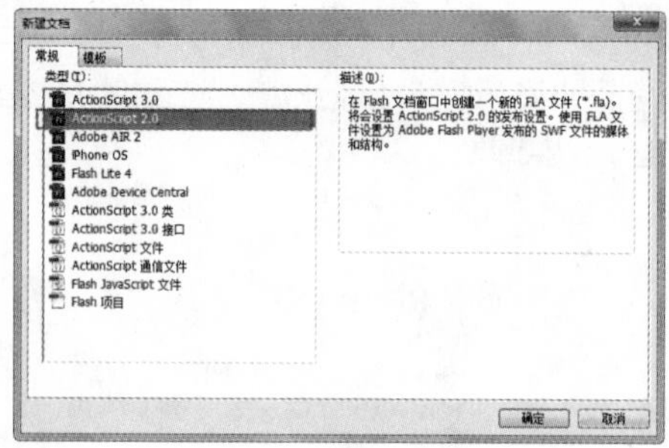

图7-21　“新建文档”对话框

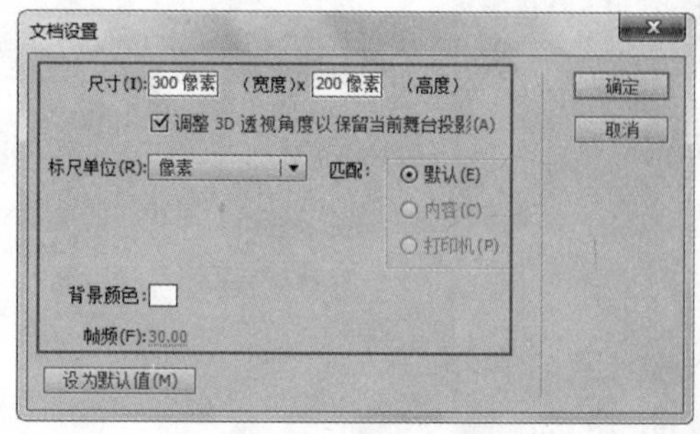

图7-22　设置“文档设置”对话框

STEP 02 执行【插入】|【新建元件】命令，新建一个“名称”为“文字”的“图形”元件，如图 7-23 所示。单击工具箱中的“文本工具”按钮 T，打开“字符”面板，设置字符属性，如图 7-24 所示。

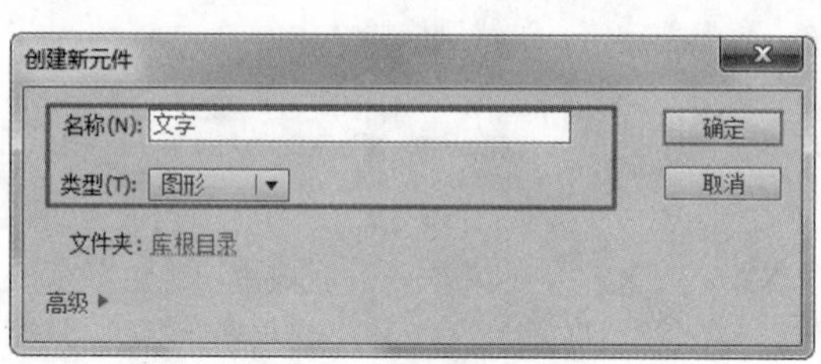

图7-23　创建新元件

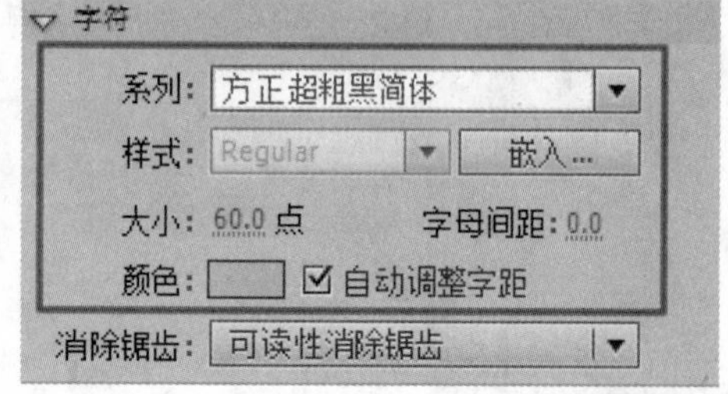

图7-24　设置字符属性

STEP 03 设置完成后，在舞台中输入文字，效果如图 7-25 所示。单击工具箱中的“任意变形工具”按钮，对文字进行倾斜操作，效果如图 7-26 所示。

图7-25　输入文本

图7-26　调整文本

STEP 04 使用“文本工具”选中“啦”文本，设置其大小为 50 点，效果如图 7-27 所示。按快捷键“Ctrl+C”复制文本，新建“图层 2”，按快捷键“Ctrl+Shift+V”将文本粘贴到当前位置，隐藏“图层 1”，选中“图层 2”上的元件，执行【修改】|【分离】命令两次，效果如图 7-28 所示。

图7-27　文本效果

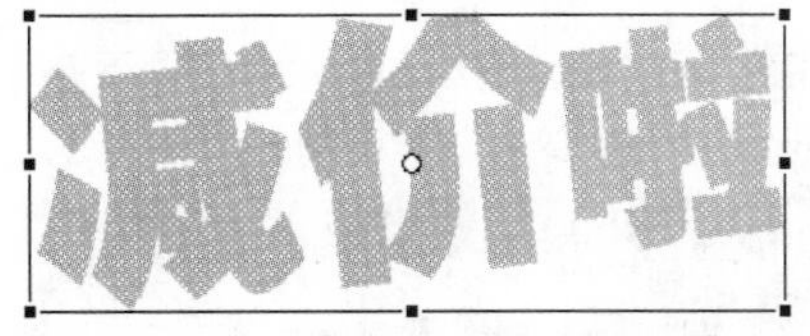

图7-28　分离文本

STEP 05 使用“任意变形工具”在元件上单击，在“属性”面板中设置其“笔触”高度为20px，颜色为#600000，并将“图层2”移动到“图层1”的下方，显示“图层1”，效果如图7-29所示，“时间轴”面板如图7-30所示。

图7-29　文本效果

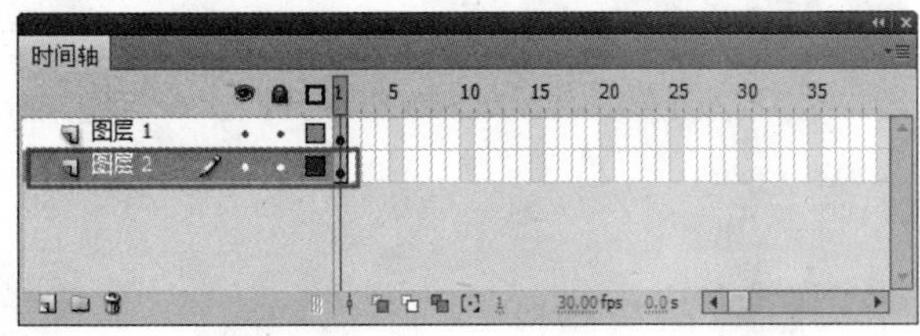

图7-30　“时间轴”面板

STEP 06 完成其他内容的制作，效果如图7-31所示，“时间轴”面板如图7-32所示。

图7-31　文本效果

图7-32　“时间轴”面板

STEP 07 返回到“场景1”的编辑状态，单击工具箱中的“矩形工具”按钮，执行【窗口】|【颜色】命令，打开“颜色”面板，参数设置如图7-33所示。设置完成后，在场景中绘制矩形，并对渐变进行相应的调整，效果如图7-34所示。

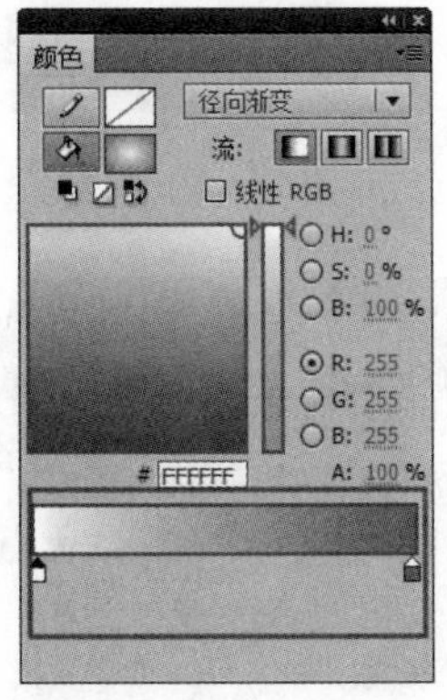

图7-33　设置“颜色”面板

图7-34　图形效果

STEP 08 新建“图层2”，将“文字”元件从“库”面板拖入到场景中的合适位置，效果如图7-35所示。完成文字特效的制作，执行【文件】|【保存】命令，将动画保存为“光盘\源文件\第7章\7-5-2.fla”。按快捷键“Ctrl+Enter”测试动画，测试效果如图7-36所示。

图7-35　拖入元件

图7-36　测试动画效果

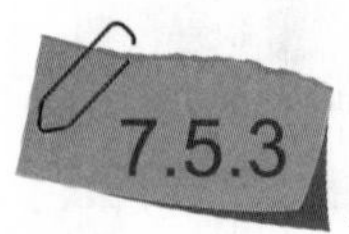

7.5.3 段落属性

通过“属性”面板中的“段落”选项，可以设置文本段落的间距、行距、边距和对齐方式等属性，“段落”属性，如图7-37所示。

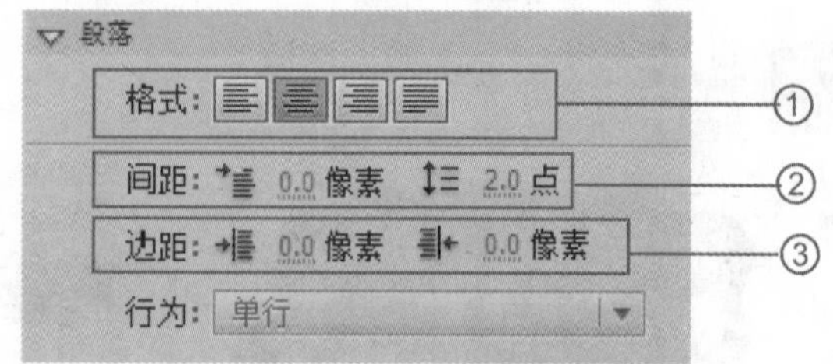

图7-37　“段落”属性

①格式	格式就是文本的对齐方式，通过它可以设置段落中每行文本相对于文本边缘的位置。
②间距	间距包括缩进和行距两个选项。 ● 缩进：使用缩进可以设置段落边界与首行开头字符之间的距离。 ● 行距：使用行距可以设置段落中相邻行之间的距离。
③边距	使用边距可以设置文本字段的边框与文本之间的距离。

7.6 TLF文本

TLF（文本布局框架）是系统新增的文本引擎，只可用于ActionScript 3.0创建的场景中。使用它可以创建点文本和区域文本，点文本容器的大小仅由其包含的文本决定，而区域文本容器的大小与其包含的文本量无关，默认状态下是使用点文本。要想将点文本更改为区域文本，可使用选择工具调整其大小，如图7-38所示。

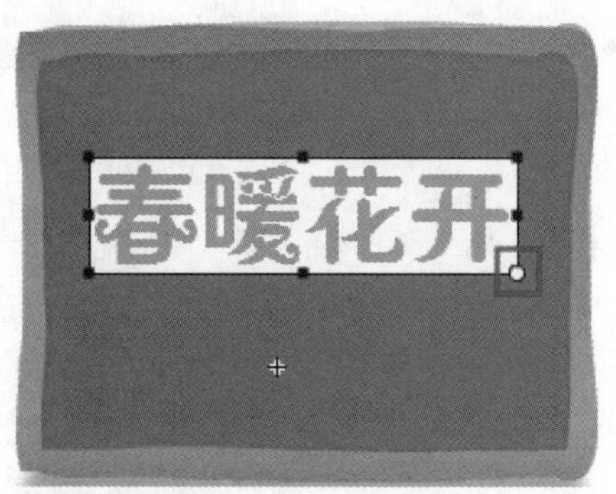

（点文本）

（区域文本）

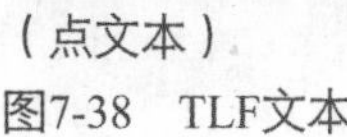

图7-38　TLF文本

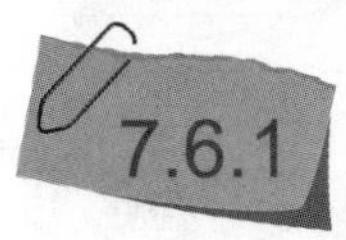

7.6.1 TLF文本与传统文本的区别

TLF文本支持更多丰富的文本布局功能和对文本属性的精细控制，与传统文本相比，TLF 文本可加强对文本的控制，主要增加了以下功能：

更多的字符样式	包括行距、连字、加亮颜色、下划线、删除线、大小写、数字格式等。
更多的段落样式	包括通过栏间距支持多列、末行对齐选项、边距、缩进、段落间距和容器填充值。
可以控制更多亚洲字体属性	包括直排内横排、标点挤压、避头尾法则类型和行距模型。
应用多种其他属性	使用 TLF 文本可以应用 3D 旋转、色彩效果，以及混合模式等属性，而无须将 TLF 文本放置在影片剪辑元件中。
可排列在多个文本容器中	文本可按顺序排列在多个文本容器中。这些容器称为串接文本容器或链接文本容器，创建后文本可以在容器中进行流动。
支持双向文本	其中从右到左的文本可包含从左到右文本的元素。当遇到嵌入英语单词或阿拉伯数字等情况时，此功能必不可少。

Tips

TLF 文本无法用作遮罩，要使用文本创建遮罩，需使用传统文本。

7.6.2 字符属性

字符属性可以设置单个字符或字符组的属性，而不是整个段落或文本容器，在操作时可以通过“属性”面板进行设置，“字符”和“高级字符”属性如图7-39、图7-40所示。

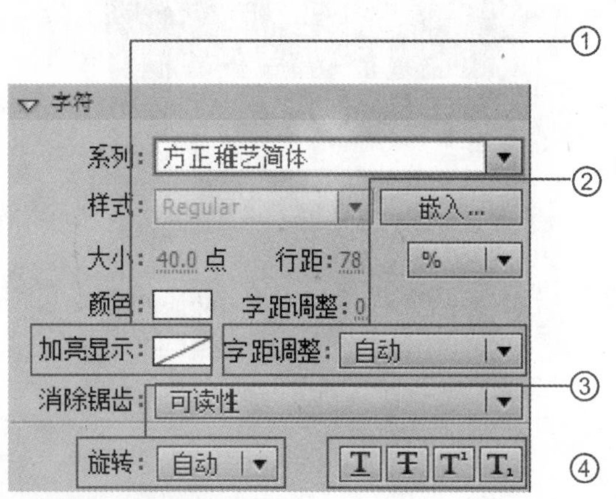

图7-39 “字符”选项

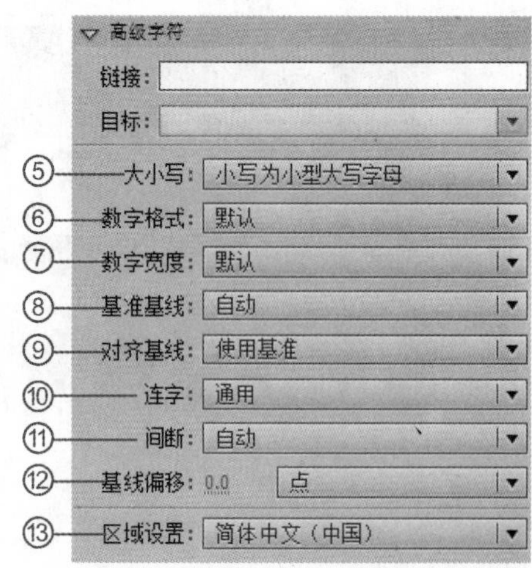

图7-40 “高级字符”选项

①加亮显示	此选项可以为文本添加底色，加亮文本的颜色。在添加时只需单击颜色控件，在弹出的“样本”面板中选择一种颜色，即可为所选字体添加底色，如图7-41所示。 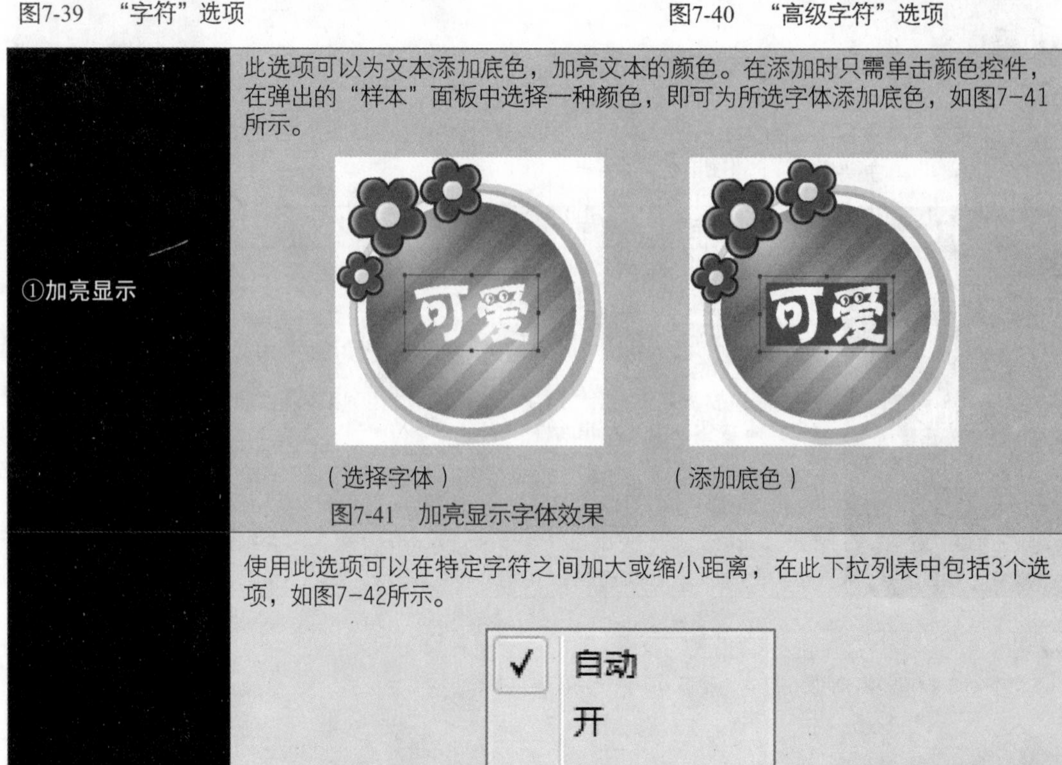 （选择字体）　（添加底色） 图7-41 加亮显示字体效果
②字距调整	使用此选项可以在特定字符之间加大或缩小距离，在此下拉列表中包括3个选项，如图7-42所示。 ✓ 自动 开 关 图7-42 “字距调整”选项 ● 自动：为拉丁字符使用内置于字体中的字距调整信息。对于亚洲字符，仅对内置有字距调整信息的字符应用字距调整。没有字距调整信息的亚洲字符包括日语汉字、平假名和片假名。 ● 开：总是打开字距调整。 ● 关：总是关闭字距调整。

<table>
<tr><td>③旋转</td><td>使用此选项可以对字符进行旋转操作，在此列表下包括3个选项，如图7-43所示。

自动
0°
270°

图7-43 "旋转"选项

● 自动：仅对全宽字符和宽字符设置90°逆时针旋转，这是由字符的 Unicode 属性决定的。此值通常用于亚洲字体，仅旋转需要旋转的那些字符。此旋转仅在垂直文本中应用，使全宽字符和宽字符回到垂直方向，而不会影响其他字符。
● 0°：强制所有字符不进行旋转。
● 270°：主要用于具有垂直方向的罗马字文本。如果对其他类型的文本（如越南语和泰语）使用此选项，可能导致非预期的结果。</td></tr>
<tr><td>④"样式"按钮组</td><td>● "下划线"按钮T：将水平线放在字符下。
● "删除线"按钮T：将水平线置于从字符中央通过的位置。</td></tr>
<tr><td>⑤大小写</td><td>此选项可以设置如何使用大写字符和小写字符，此下拉列表中包括以下选项，如图7-44所示。

默认
大写
小写
大写为小型大写字母
小写为小型大写字母

图7-44 "大小写"选项

默认：使用每个字符的默认字面大小写。
大写：可以设置所有字符使用大写。
小写：可以设置所有字符使用小写。
大写为小型大写字母：可以设置所有大写字符使用小型大写。此选项要求选定字体包含小型大写字母字型。通常，Adobe Pro 字体定义了这些字型。
小写为小型大写字母：可以设置所有小写字符使用小型大写字型。此选项要求选定字体包含小型大写字母。通常Adobe Pro 字体定义了这些内容。希伯来语文字和阿拉伯文字不区分大小写，因此不受此设置的影响。</td></tr>
</table>

<table>
<tr><td>⑥数字格式</td><td>此选项可以设置在使用 OpenType 字体提供全高和变高数字时应用的数字样式。此下拉列表中包括以下选项，如图7-45所示。
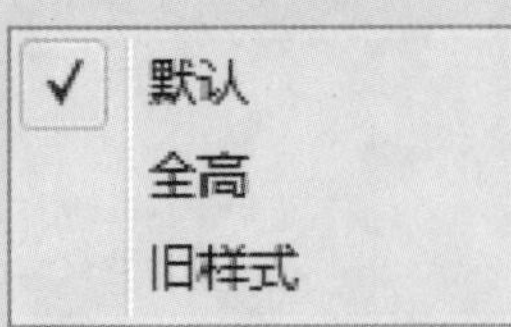

图7-45 “数字格式”选项
默认：设置默认数字大小写。结果视字体而定；字符使用字体设计器的设置，而不应用任何功能。
全高：也称对齐，数字是全部大写数字，通常在文本外观中是等宽的，这样数字会在图表中垂直排列。</td></tr>
<tr><td>⑦数字宽度</td><td>此选项可以设置在使用 OpenType 字体提供等高和变高数字时，是使用等比数字还是定宽数字。此下拉列表中包括以下选项，如图7-46所示。
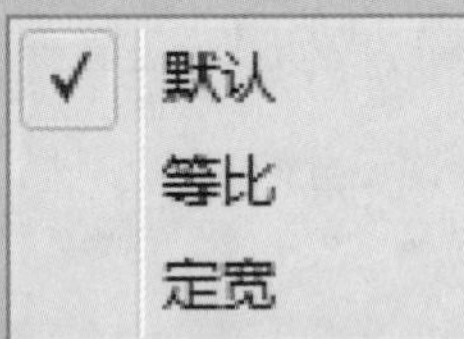

图7-46 “数字宽度”选项
● 默认：设置默认数字宽度。结果视字体而定，字符使用字体设计器设置的设置，而不应用任何功能。
● 等比：设置等比数字，显示字样通常包含等比数字。这些数字的总字符宽度基于数字本身的宽度加上数字旁边的少量空白。例如8所占宽度比1大。等比数字可以是等高数字或变高数字。等比数字不垂直对齐，因此在表格、图表或其他垂直列中不适用。
● 定宽：设置定宽数字，定宽数字是数字字符，每个数字都具有同样的总字符宽度。字符宽度是数字本身的宽度加上两旁的空白。定宽间距又称单一间距，允许表格、财务报表和其他数字列中的数字垂直对齐。定宽数字通常是全高数字，表示这些数字位于基线上，并且具有与大写字母的相同高度。</td></tr>
</table>

<table>
<tr><td>⑧基准基线</td><td>此选项仅在打开的“文本属性”面板中选择亚洲文字选项时可用。可以为文本基线偏移后的选定文本设置主体基线，与行距基准相反，行距基准决定了整个段落的基线对齐方式。此下拉列表中包括以下选项，如图7-47所示。
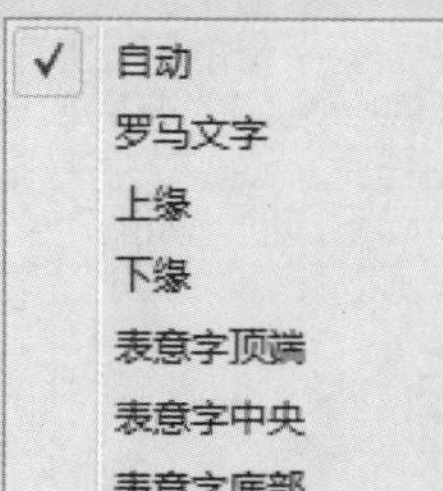

图7-47　“基准基线”选项
● 自动：此设置为默认设置。
● 罗马文字：对于文本，文本的字体和点值决定此值。对于图形元素，使用图像的底部。
● 上缘：设置上缘基线。对于文本，文本的字体和点值决定此值。对于图形元素，使用图像的顶部。
● 下缘：设置下缘基线。对于文本，文本的字体和点值决定此值。对于图形元素，使用图像的底部。
● 表意字顶端：可将行中的小字符与大字符全角字框的设置位置对齐。
● 表意字中央：可将行中的小字符与大字符全角字框的设置位置对齐。
● 表意字底部：可将行中的小字符与大字符全角字框的设置位置对齐。</td></tr>
<tr><td>⑨对齐基线</td><td>此选项仅在打开的“文本属性”面板中选择亚洲文字选项时可用。使用它可以为段落内的文本或图像设置不同的基线。如果在文本行中插入图标，则可使用图像相对于文本基线的顶部或底部设置对齐方式。此下拉列表中包括以下选项，如图7-48所示。
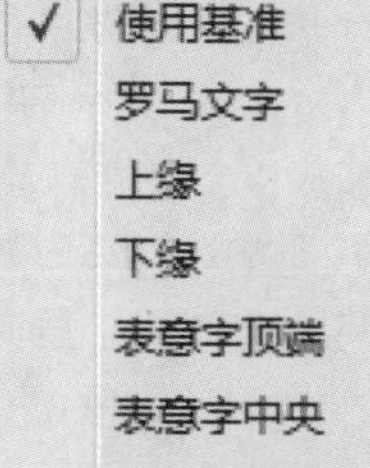

图7-48　“对齐基线”选项
● 使用基准：设置对齐基线使用“ 主体基线” 设置。
● 罗马文字：对于文本，文本的字体和点值决定此值。对于图形元素，使用图像的底部。
● 上缘：设置上缘基线。对于文本，文本的字体和点值决定此值。对于图形元素，使用图像的顶部。
● 下缘：设置下缘基线。对于文本，文本的字体和点值决定此值。对于图形元素，使用图像的底部。
● 表意字顶端：可将行中的小字符与大字符全角字框的设置位置对齐。
● 表意字中央：可将行中的小字符与大字符全角字框的设置位置对齐。
● 表意字底端：可将行中的小字符与大字符全角字框的设置位置对齐，此设置为默认设置。</td></tr>
</table>

<table>
<tr>
<td>⑩连字</td>
<td>
连字是一种写成字形的字符组合，通常由几对字母构成，其写法让它看起来像是单个字符。如某些字体中的“fi” 和“fl”。连字通常替换共享公用组成部分的连续字符。它们属于一类更常规的字形，称为上下文形式字形。使用上下文形式字形，字母的特定形状取决于上下文，如周围的字母或邻近行的末端。但是对于字母之间的连字或连接为常规类型并且不依赖字体的文字，连字设置不起任何作用。这些文字包括：阿拉伯文字、梵文及一些其他文字。此下拉列表中包括以下选项，如图7-49所示。
最小值
✓ 通用
非通用
外来
图7-49　“连字”选项
● 最小值：最小连字。
● 通用：通用或“ 标准” 连字，此设置为默认设置。
● 不通用：不通用或自由连字。
● 外来：外来语或“ 历史” 连字，仅包括在几种字体系列中。
</td>
</tr>
<tr>
<td>⑪间断</td>
<td>
使用此选项用于防止所选词在行尾中断，可以将多个字符或词组放在一起。如在用连字符连接时,可能被读错的专有名称或词，或是词首大写字母的组合或名和姓，在此下拉列表中包括以下选项，如图7-50所示。
 自动
全部
任何
无间断
图7-50　“间断”选项
● 自动：断行机会取决于字体中的 Unicode 字符属性，此设置为默认设置。
● 全部：将所选文字的所有字符视为强制断行机会。
● 任何：将所选文字的任何字符视为断行机会。
● 无间断：不将所选文字的任何字符视为断行机会。
</td>
</tr>
<tr>
<td>⑫基线偏移</td>
<td>
可以以百分比或像素设置基线偏移。如果是正值，则将字符的基线移到该行其余部分的基线下；如果是负值，则移动到基线上。在此下拉列表中有以下几种选项，如图7-51所示。
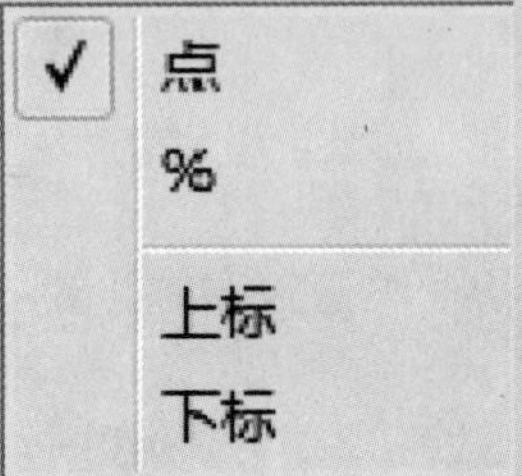

图7-51　“基线偏移”选项
</td>
</tr>
</table>

⑬区域设置	区域设置作为一种字符属性，其所选区域设置通过字体中的 OpenType 功能影响字形的形状。如土耳其语等语言不包含 fi 和 ff等连字或土耳其语中“i”大写版本，即带有点的大写 i 而不是“I”。

7.6.3 段落属性

要设置段落样式，可通过“文本属性”面板中的“段落”和“高级段落”部分进行设置，“段落”面板如图7-52所示，“高级段落”面板如图7-53所示。

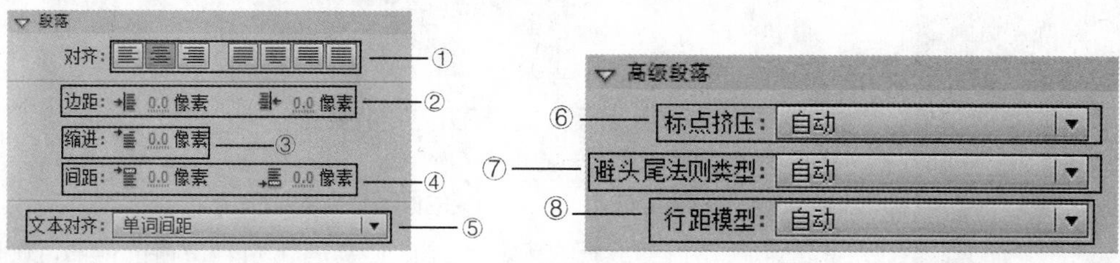

图7-52 “段落”选项　　图7-53 “高级段落”选项

①对齐	单击相应的按钮,可以设置文本的对齐方式，此处有10种对齐方式，即左对齐、居中对齐、右对齐、两端对齐、末行左对齐、两端对齐、末行居中对齐、两端对齐、末行右对齐和全部两端对齐。
②边距	可以以像素为单位设置文本的边距，包括开始边距和结束边距，默认状态下为 0。 ● 开始边距：设置左边距的宽度。 ● 结束边距：设置右边距的宽度。
③缩进	可以设置所选段落的第一个词的缩进。
④间距	可以设置段落前后的间距。 ● 段前间距：设置所选段落前的间距。 ● 段后间距：设置所选段落后的间距。
⑤文本对齐	设置单词的对齐方式，在此下拉列表中包括以下选项，如图7-54所示。 ● 字母间距：在字母之间进行字距调整。 ● 单词间距：在单词之间进行字距调整，此设置为默认设置。 字母间距 ✓ 单词间距 图7-54 “文本对齐”选项
⑥标点挤压	此选项有时被称为对齐规则，用于确定如何应用段落对齐。根据此设置应用的字距调整器会影响标点的间距和行距。包含罗马语（左）和东亚语言（右）字距调整规则的段落，在此下拉列表中有以下几种选项，如图7-55所示。 ● 自动：基于在文本“属性”面板的“字符”部分所选的区域应用字距调整,此设置为默认设置。 ● 间隔：使用罗马语字距调整规则。 ● 东亚：使用东亚语言字距调整规则。 ✓ 自动 间隔 东亚 图7-55 “标点挤压”选项

<table>
<tr><td>⑦避头尾法则类型</td><td>此选项有时称为对齐样式，用于处理日语避头尾字符的选项，此类字符不能出现在行首或行尾，在此下拉列表中有以下几种选项，如图7-56所示。

✓ 自动
优先采用最小调整
行尾压缩避头尾字符
只推出

图7-56 “避头尾法则类型”选项

● 自动：根据“文本属性”面板中的“容器和流”部分所选的区域设置进行解析,此设置为默认设置。
● 优先采用最小调整：使字距调整基于展开行或压缩行，以哪个结果最接近于理想宽度而定。
● 行尾压缩避头尾字符：使对齐基于压缩行尾的避头尾字符。如果没有发生避头尾或者行尾空间不足，则避头尾字符将展开。
● 只推出：使字距调整基于展开行。</td></tr>
<tr><td>⑧行距模型</td><td>它是由行距基准和行距方向的组合构成的段落格式。

行距基准确定了两个连续行的基线，它们的距离是行高设置的相互距离，在此下拉列表中有以下几种选项，如图7-57所示。

✓ 自动
罗马文字（上一行）
表意字顶端（上一行）
表意字中央（上一行）
表意字顶端（下一行）
表意字中央（下一行）
上缘下缘（上一行）

图7-57 “行距模型”选项

● 自动：行距模型是基于在“文本属性”面板的“容器和流”部分所选的区域设置来解析的，此设置为默认值。
● 罗马文字（上一行）：行距基准为罗马语，行距方向为向上。在这种情况下，行高是指某行的罗马基线到上一行的罗马基线的距离。
● 表意字顶端（上一行）：行距基线是表意字顶部，行距方向为向上。在这种情况下，行高是指某行的表意字顶基线到上一行的表意字顶基线的距离。
● 表意字中央（上一行）：行距基线是表意字中央，行距方向为向上。在这种情况下，行高是指某行的表意字居中基线到上一行的表意字居中基线的距离。
● 表意字顶端（下一行）：行距基线是表意字顶部，行距方向为向下。在这种情况下，行高是指某行的表意字顶端基线到下一行的表意字顶端基线的距离。
● 表意字中央（下一行）：行距基线是表意字中央，行距方向为向下。在这种情况下，行高是指某行的表意字中央基线到下一行的表意字中央基线的距离。</td></tr>
</table>

应用实例：通过段落属性制作网页开场效果

本实例是通过段落属性和高级字符属性制作网页开场效果，通过本实例的学习，用户应掌握段落属性和高级字符属性的设置方法。

源文件：光盘\视频\第 7 章\7-6-3.swf

教学视频：光盘\视频\第 7 章\7-6-3.swf

STEP 01 执行【文件】|【新建】命令，新建一个 Flash 文档，如图 7-58 所示。单击“属性”面板上的“编辑”按钮，在弹出的“文档设置”对话框中进行设置，如图 7-59 所示，单击“确定”按钮，完成“文档属性”的设置。

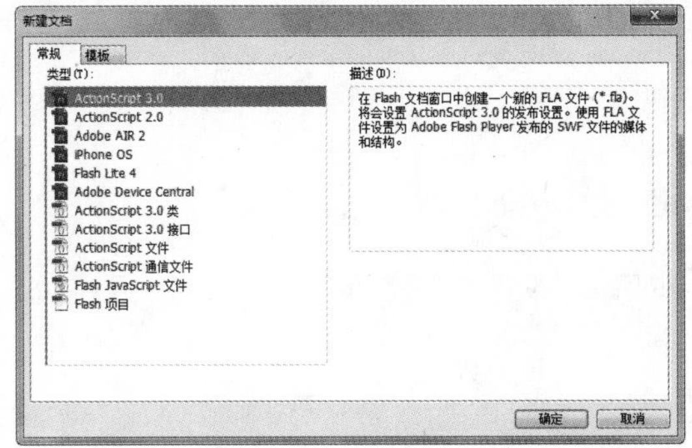

图7-58 “新建文档”对话框

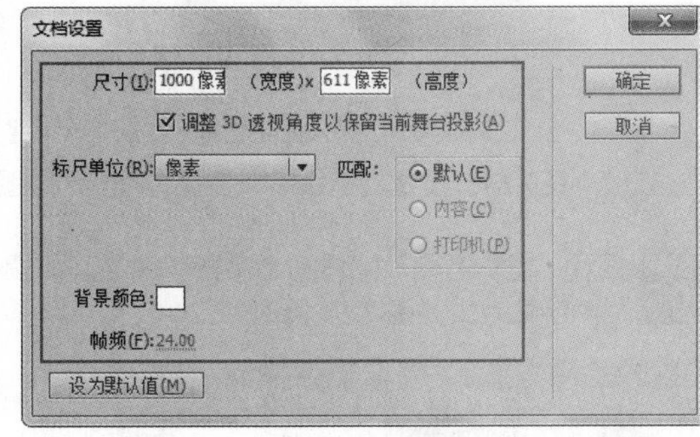

图7-59 设置“文档设置”对话框

STEP 02 执行【插入】|【新建元件】命令，新建一个“名称”为“字体”的“图形”元件，如图 7-60 所示。单击工具箱中的“文本工具”按钮T，在“属性”面板中进行设置，如图 7-61 所示。

图7-60 “创建新元件”对话框

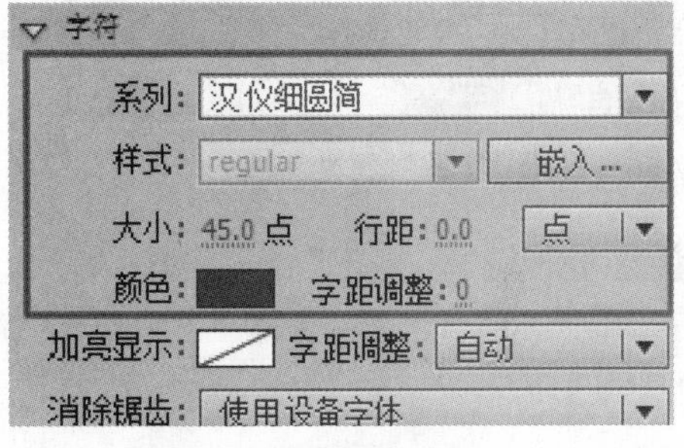

图7-61 设置“字符”属性面板

STEP 03 设置完成后，输入字体，效果如图 7-62 所示。使用“文本工具”选中“有生命的”文本，在“字符”属性面板中进行设置，如图 7-63 所示。

欧维有生命的植物营养护肤品

图7-62 输入字体

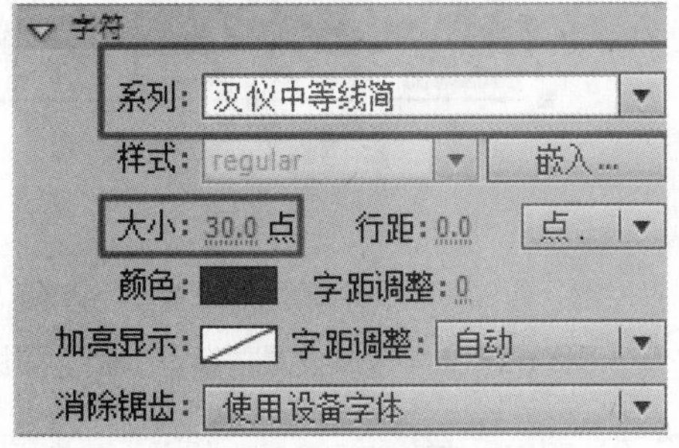

图7-63 设置“字符”属性面板

STEP 04 在“高级字符”属性面板中进行设置，如图 7-64 所示。设置完成后的字体效果如图 7-65 所示。

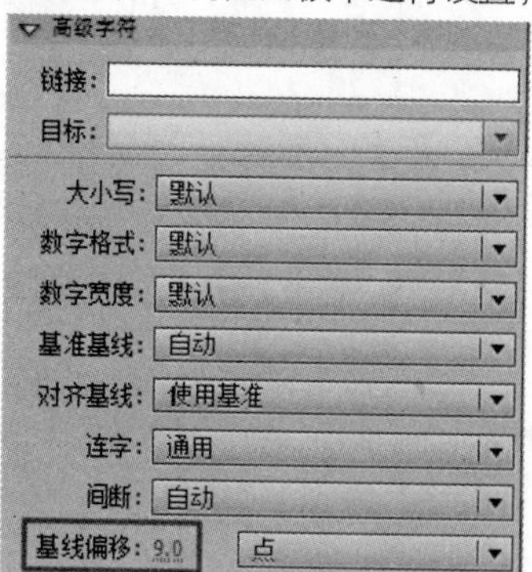

图7-64　设置“高级字符”属性面板

图7-65　文字效果

STEP 05 设置“植物营养”字体的“字符”属性，如图 7-66 所示，设置其“基线偏移”为 12 点，设置完成后的字体效果如图 7-67 所示。

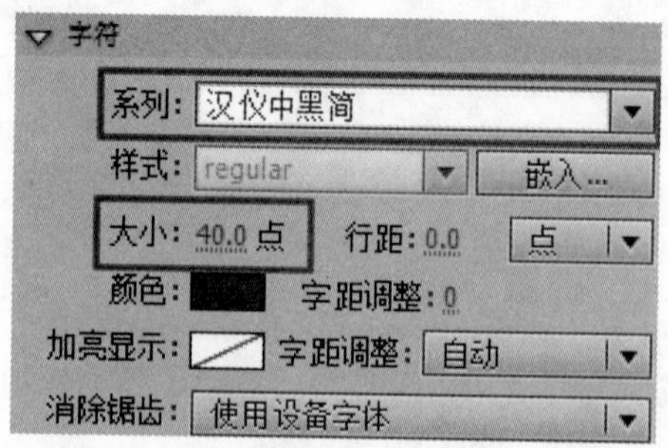

图7-66　设置“字符”属性面板

图7-67　文字效果

STEP 06 选中所有字体，执行【修改】|【分离】命令两次，将文本分离，选中“植物营养”形状，单击工具箱中的“任意变形工具”按钮，对其进行倾斜操作，效果如 7-68 所示，执行【窗口】|【颜色】命令，打开“颜色”面板，参数设置如图 7-69 所示。

图7-68　文字效果设置“字符”属性面板

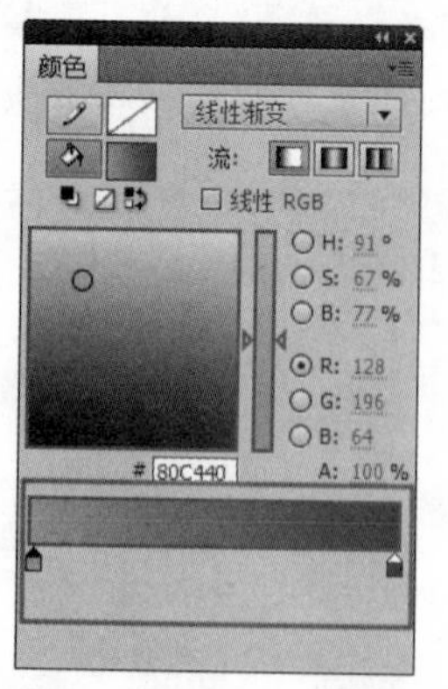

图7-69　设置“颜色”面板

STEP 07 设置完成后的效果如图 7-70 所示。单击工具箱中的“渐变变形工具”按钮，对渐变进行相应的调整，调整后的效果如图 7-71 所示。

植物营养 植物营养

图7-70 文字效果　　　　图7-71 文字效果

STEP 08 新建“图层 2”，输入文字，效果如图 7-72 所示，新建“图层 3”，使用“文本工具”在“字符”属性面板中进行设置，如图 7-73 所示。

欧维有生命的植物营养护肤品
Alive Plant Nutritional Skin Crre

图7-72 文字效果

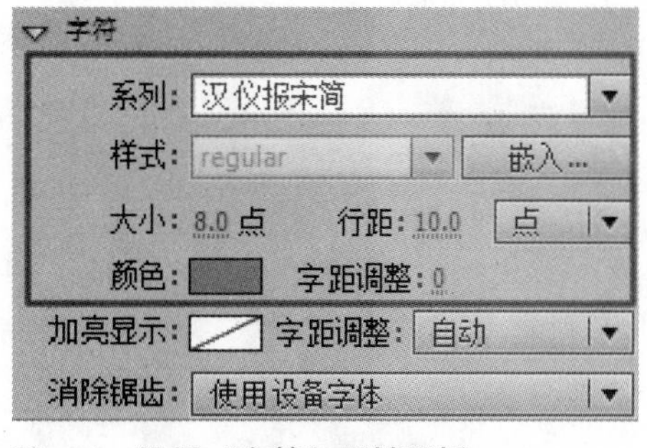

图7-73 设置“字符”属性面板

STEP 09 在“段落”属性面板中进行设置，如图 7-74 所示，完成后输入文字，效果如图 7-75 所示。

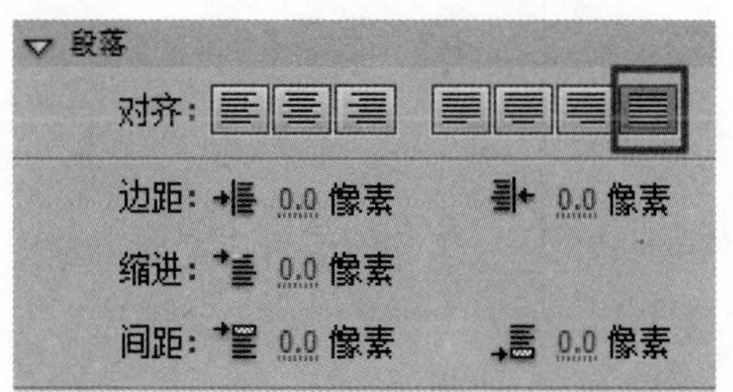

图7-74 设置“段落”属性面板

欧维有生命的植物营养护肤品
Alive Plant Nutritional Skin Crre

图7-75 字体效果

STEP 10 返回到“场景 1”的编辑状态，执行【文件】|【导入】|【导入到舞台】命令，将“光盘\源文件\第 7 章\素材\76301.png”导入到场景中，效果如图 7-76 所示。新建“图层 2”，将“字体”元件从库中拖入到场景中的合适位置，效果如图 7-77 所示。

图7-76　导入素材　　　　图7-77　图形效果

STEP 11 完成网页开场界面的制作，执行【文件】|【保存】命令，将其保存为“光盘\源文件\第 7 章\7-6-3.fla”。按快捷键“Ctrl+Enter”测试动画，测试效果如图 7-78 所示。

图7-78　测试动画效果

7.6.4 容器和流属性

TLF 文本“属性”面板中的“容器和流”部分控制整个文本容器的选项，如图7-79所示。这些属性包括行为、最大字符数、填充、首行线偏移等，下面将分别进行介绍。

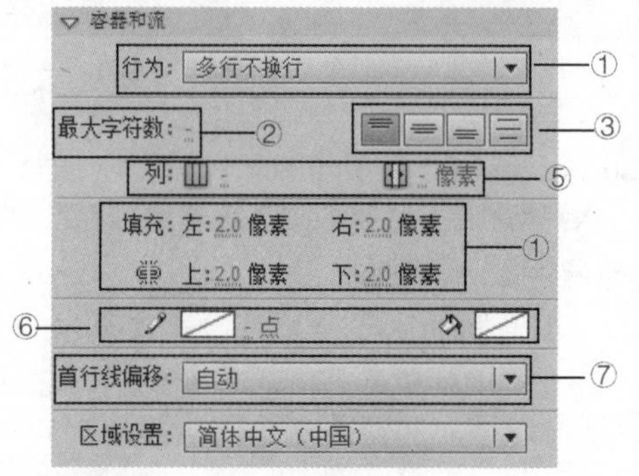

图7-79　“容器和流”选项

①行为	此选项可控制容器如何随文本量的增加而扩展，在此下拉列表中共有以下选项，如图7-80所示。 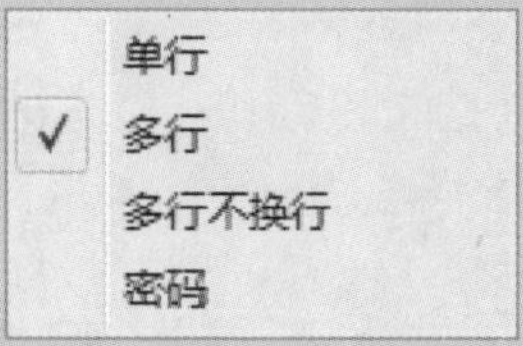 图7-80　“行为”选项 ● 单行：可使输入的文本以单行方式出现，当输入的字符超过显示范围的部分，将在舞台上不可见，不识别回车符号。 ● 多行：可使输入的文本根据容器的大小自动换行，以多行方式出现。 ● 多行不换行：文本显示为多行，仅当遇到“Enter”键时换行，输入的字符超过显示范围的部分会被隐藏。 ● 密码：可以使输入的文本以密码（*）方式出现。
②最大字符数	此选项可设置文本容器中允许的最多字符数，但仅适用于类型设置为“可编辑”的文本容器，其最大值为 65535。
③对齐方式	可以设置容器内文本的对齐方式，它包括以下选项： ● 顶对齐：从容器的顶部向下垂直对齐文本。 ● 居中对齐：将容器中的文本行居中。 ● 底对齐：从容器的底部向上垂直对齐文本行。 ● 两端对齐：在容器的顶部和底部之间垂直平均分布文本行。
④列	此选项仅适用于区域文本容器，可以设置容器内文本的列数和列间距，默认值是 1，最大值为 50。 ● 列：在此处输入相应的数值，可以设置文本的列数。 ● 列间距：可以设置选定容器中的每列之间的间距，其默认值是 20，最大值为 1000。此度量单位根据“文档设置”中设置的“标尺单位”进行设置。
⑤填充	可以设置文本和选定容器之间的边距宽度，所有4个边距都可以设置“填充”。
⑥边框颜色	可以设置容器的颜色，其中包括窗口边框颜色和窗口背景颜色，如图7-81所示是设置颜色后的文本容器。 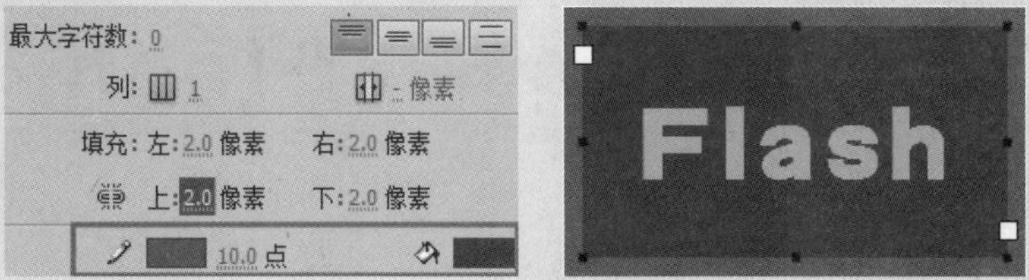 （设置容器颜色）　（设置颜色后的容器） 图7-81　设置容器颜色 ● 容器边框颜色：容器外部周围笔触的颜色，默认为无边框，仅在已选择边框颜色时可用，最大值为 200。 ● 容器背景颜色：背景色文本后的背景颜色，默认值是无色。

⑦首行线偏移	可以设置首行文本与文本容器的顶部对齐方式。在此下拉列表中共有以下几种选项，如图7-82所示。  图7-82 “首行偏移”选项 ● 点：设置首行文本基线和框架上内边距之间的距离（以点为单位）。此设置启用了一个用于设置点距离的字段。 ● 自动：将行的顶部（以最高字型为准）与容器的顶部对齐。 ● 上缘：文本容器的上内边距和首行文本的基线之间的距离是字体中最高字形（通常是罗马字体中的“d”字符）的高度。 ● 行高：文本容器的上内边距和首行文本的基线之间的距离是行的行高（行距）。

跨多个容器的流动文本

使用TLF文本可以链接两个或更多文本容器，但在链接之前，首先要选择文本容器，还要了解文本容器“进”、“出”端口的概念，如图7-83所示为输入文本的文本容器。

图7-83 选择文本容器

“进”或“出”端口	文本容器上的进出端口位置基于容器的流动方向和垂直或水平设置。 ● 水平方向（从左到右）：进端口位于左上方，出端口位于右下方。 ● 水平方向（从右到左）：进端口位于右上方，出端口位于左下方。
链接文本容器	● 链接到新的文本容器：将光标在容器周围移动，当光标变成如图7-84所示的形状时，通过单击或拖动的方式创建链接。 ● 单击操作：可创建与原始对象大小和形状相同的对象，如图7-85所示。 ● 拖动绘制操作：可创建任意大小的矩形文本容器，如图7-86所示。可以在两个链接的容器之间添加新容器。  图7-84 光标形状  图7-85 创建链接 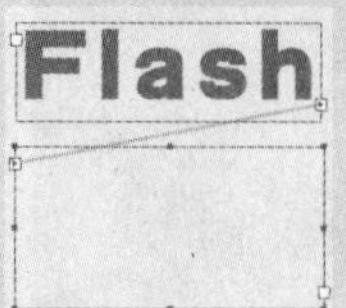 图7-86 创建链接 ● 链接到现有文本容器：将光标移动到目标文本容器上，当光标变成如图7-87所示的形状时，单击该文本容器即可链接这两个容器，如图7-88所示。  图7-87 光标形状  图7-88 创建链接

删除链接文本容器	● 将容器置于编辑模式，然后双击要取消链接的进端口或出端口。文本将流回到两个容器中的第一个。 ● 选中文本容器，删除其中一个链接的文本容器。

Tips

创建链接后，文本可以在其间流动。第二个文本容器获得第一个容器的流动方向和区域设置。取消链接后，这些设置仍然留在第二个容器中，而不是回到链接前的设置。

7.7 使用文本

掌握了文本的属性后，还要了解在使用文本时应注意的事项，在Flash中使用文本时，传统文本与TIF有几点共同特征，就是消除锯齿、嵌入文本和为文本添加超链接选项。

7.7.1 为文本消除锯齿

使用消除锯齿功能可以使文本的边缘变得平滑。在“属性”面板中单击“字体呈现方式”按钮，弹出“消除锯齿”选项，如图7-89所示。

消除锯齿选项对于呈现较小的字体大小尤其有效。启用消除锯齿功能会影响到当前所选内容中的全部文本。

使用设备字体
位图文本 [无消除锯齿]
动画消除锯齿
✓ 可读性消除锯齿
自定义消除锯齿

图7-89 “消除锯齿”选项

①使用设备字体	使用此选项可设置 SWF 文件，使用本地计算机上安装的字体来显示字体。 通常设备字体采用大多数字体大小时都很清晰。 尽管它不会增加 SWF 文件的大小，但会使字体显示依赖于用户计算机上安装的字体。使用设备字体时，应选择最常安装的字体系列。
②位图文本	此选项（无消除锯齿） 可以关闭消除锯齿功能，不对文本提供平滑处理，它用尖锐的边缘显示文本，由于在 SWF 文件中嵌入了字体轮廓，因此增加了 SWF 文件的大小。 位图文本的大小与导出大小相同时，文本比较清晰，但对位图文本缩放后，文本显示效果比较差。
③动画消除锯齿	此选项通过忽略对齐方式和字距微调信息来创建更平滑的动画。它会导致创建的 SWF 文件较大，因为嵌入了字体轮廓，为提高清晰度，应在设置此选项时，使用 10 点或更大的字号。
④可读性消除锯齿	此选项使用 Flash 文本呈现引擎来改进字体的清晰度，特别是较小字体的清晰度，但是会导致创建的 SWF 文件较大，因为嵌入了字体轮廓，若要使用此选项，必须发布到 Flash Player 8 或更高版本，如果对文本设置动画效果，不应使用此选项，而应使用“动画消除锯齿”选项。

<table>
<tr>
<td>⑤自定义消除锯齿</td>
<td>可以修改字体的属性,单击“自定义消除锯齿”选项，弹出“自定义消除锯齿”对话框，如图7-90所示。
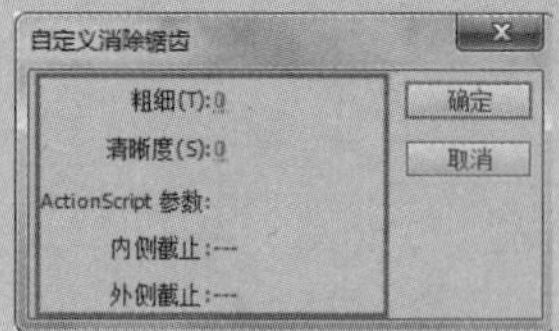
图7-90　“自定义消除锯齿”对话框
清晰度: 设置文本边缘与背景之间的过渡平滑度。
粗细:设置字体消除锯齿的粗细。较大的值会使字符看上去较粗。设置“ 自定义消除锯齿”会导致创建的 SWF 文件较大，因为嵌入了字体轮廓。若要使用此选项，必须发布到 Flash Player 8 或更高版本。</td>
</tr>
</table>

Tips

如果用户使用的是 Flash Player 7 或更高版本，则消除锯齿功能可用于静态文本、动态文本和输入文本。如果用户使用的是 Flash Player 的较早版本，则此选项只能用于静态文本。

7.7.2 嵌入文本

当计算机通过Internet 播放用户所发布的 SWF 文件时，并不能保证用户所设置的字体在所有计算机上可用，为了保持文本所需的外观，可以通过【嵌入字体】命令，嵌入全部字体或某种字体的特定字符子集，那么发布的 SWF 文件可以使该字体在 SWF 文件中可用，而无须考虑播放该文件的计算机。

执行【文本】|【嵌入】命令，或是在字符“属性”面板中单击“嵌入”按钮，弹出“字体嵌入”对话框，如图7-91所示，通过“字体嵌入”对话框，可以执行以下操作：

- 在一个位置管理所有嵌入的字体。
- 为每个嵌入的字体创建字体元件。
- 为字体选择自定义范围嵌入字符，以及预定义范围嵌入字符。
- 在同一文件中使用文本布局框架 (TLF) 文本和传统文本，并在每个文本中使用嵌入字体。

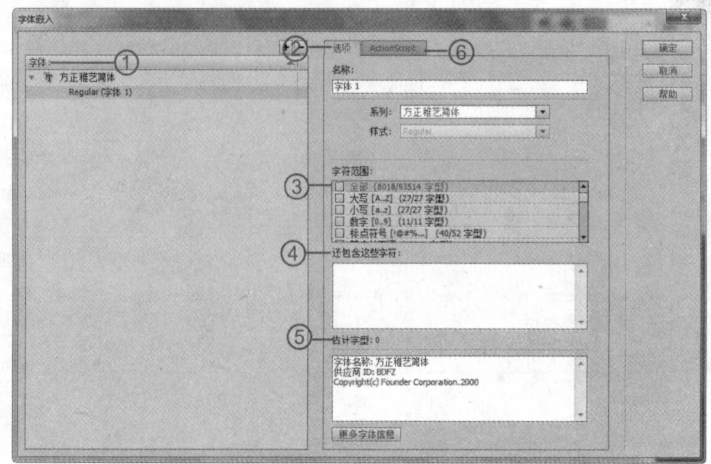

图7-91　“字体嵌入”对话框

①字体	打开“字体嵌入”对话框时，在此处显示字体项目。 ● “添加”按钮＋：将新嵌入的字体添加到 FLA 文件。 ● “删除”按钮－：删除所选中的字体。
②选项	在此处可选择要嵌入字体的“系列”和“样式”。
③字符范围	在“字符范围”部分选择要嵌入的字符范围。嵌入的字符越多，发布的 SWF 文件越大。
④还包含这些字符	如果要嵌入任何其他特定字符，可以在“还包含这些字符”文本框中输入这些字符。
⑤估计字型	此文本框中显示所选择字体的字体名称、供应商等字形。
⑥“ActionScript”选项	单击“ActionScript”选项卡，显示其各选项内容，如图7-92所示。 图7-92 “ActionScript”选项 ● 为 ActionScript 导出，在“ActionScript”选项卡中，此选项可以使嵌入字体元件能够使用 ActionScript 代码访问。如果选择“为 ActionScript 导出”，则还要选择分级显示格式。如果在 TLF 文本容器和传统文本容器中使用嵌入字体元件，必须分别进行创建。 ● 对于 TLF 文本容器，选择“TLF (DF4)”，作为分级显示格式。 ● 对于传统文本容器，选择“传统(DF3)”，作为分级显示格式。 ● 共享：选择此选项，可以将字体元件用作共享资源。

在 Flash CS5 中，对于包含文本的任何文本对象使用的所有字符，Flash 均会自动嵌入。如果用户自己创建嵌入字体元件，就可以使文本对象使用其他字符，对于“消除锯齿”属性设置为“使用设备字体”的文本对象，没有必要嵌入字体。设置要在 FLA 文件中嵌入的字体后，Flash 会在发布 SWF 文件时，嵌入设置的字体。

通常在下列三种情况中，需要通过在 SWF 文件中嵌入字体来确保正确的文本外观：

- 在要求文本外观一致的设计过程中，需要在 FLA 文件中创建文本对象。
- 当使用 ActionScript 创建动态文本时，必须在 ActionScript 中设置需要使用的字体。
- 当SWF 文件包含文本对象，并且该文件可能由尚未嵌入所需字体的其他 SWF 文件加载。

7.7.3 为文本添加超链接

为文本添加超链接，可以将静态文本做成一个可以让用户单击的超链接。首先要选中输入的文本，如图7-93所示，然后在打开的“属性”面板中的“选项”内容中进行设置，如图7-94所示。

图7-93　选中文本

图7-94　“选项”设置

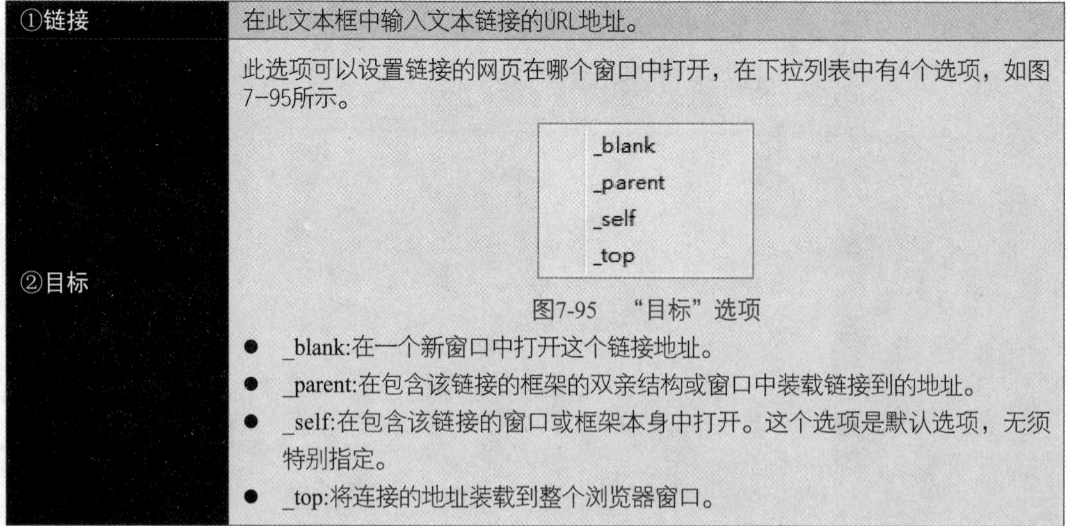

①链接	在此文本框中输入文本链接的URL地址。
②目标	此选项可以设置链接的网页在哪个窗口中打开，在下拉列表中有4个选项，如图7-95所示。 _blank _parent _self _top 图7-95　“目标”选项 ● _blank:在一个新窗口中打开这个链接地址。 ● _parent:在包含该链接的框架的双亲结构或窗口中装载链接到的地址。 ● _self:在包含该链接的窗口或框架本身中打开。这个选项是默认选项，无须特别指定。 ● _top:将连接的地址装载到整个浏览器窗口。

7.7.4 拼写检查

几乎每个软件里面都有拼写检查功能， Flash也不例外，在Flash中可以进行拼写检查，通常是在“拼写设置”对话框中对相应的选项进行设置，然后执行【拼写检查】命令。

拼写设置

通过“拼写设置”功能，可以对所检查的内容进行相应的设置。执行【文本】|【拼写设置】命令，打开“拼写设置”对话框，如图7-96所示。

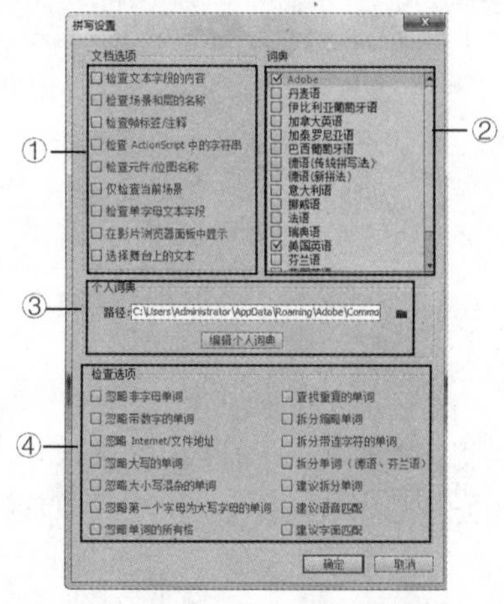

图7-96　“拼写设置”对话框

①文档选项	通过这些选项可以设置要检查的元素范围。 如果选中“在影片浏览器面板中显示”选项时，将在拼写检查时，打开“影片浏览器”面板，以便用户知道当前检查到电影层级体系中的位置，并且如果检查出了某个拼写错误，Flash会在影片浏览器中指出这个错位的拼写位于某场景的某层的某个帧。 如果选中“选择舞台上的文本”选项，一旦检查出舞台上的某个拼写错误时，Flash将在舞台上选择并标识出此文本。
②词典	在此处列出内置词典，但要启用拼写检查功能，至少要选择一个词典选项。
③个人词典	在此处可编辑个人词典。 ● 路径：在此处可更改个人词典路径。 ● “浏览查找个人词典文件”按钮：单击此处可浏览到要用作个人词典的文档，同时也可以修改此词典。 ● “编辑个人词典”按钮：单击此处弹出“个人词典”对话框，如图7-97所示，可向对话框中添加单词和短语，将每个新的项目输入到文本字段的单独一行中。 图7-97 “编辑个人词典”对话框
④检查选项	使用这些选项，可以设置 Flash 检查拼写时处理特定类型的文字和字符的方式。

拼写检查

通过“拼写检查”功能，可以检查场景中错误的文本拼写，这样可以提高工作效率和避免错误遗漏的现象出现。选择场景中的文本字段，如图7-98所示，执行【文本】|【检查拼写】命令，弹出“检查拼写”对话框，如图7-99所示。

图7-98 选择文本字段

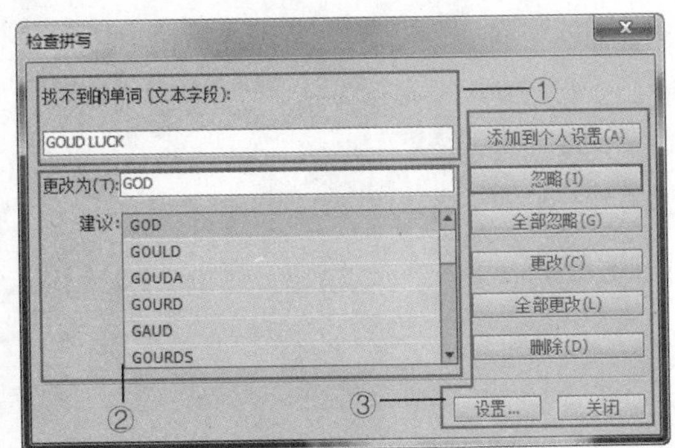

图7-99 “检查拼写”对话框

①找不到的单词	在此文本框中显示在选定的词典中未找到的单词，此外还标出了包含该文本的元素类型，如图7-100所示的类型为“场景名称”，如图7-101所示的类型为“图层名称”。 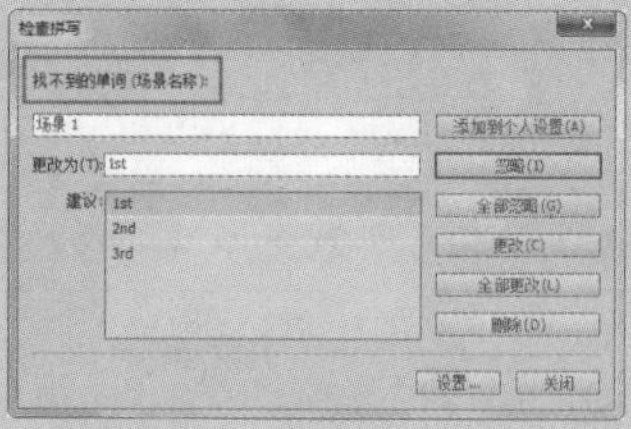 图7-100　“场景名称”类型 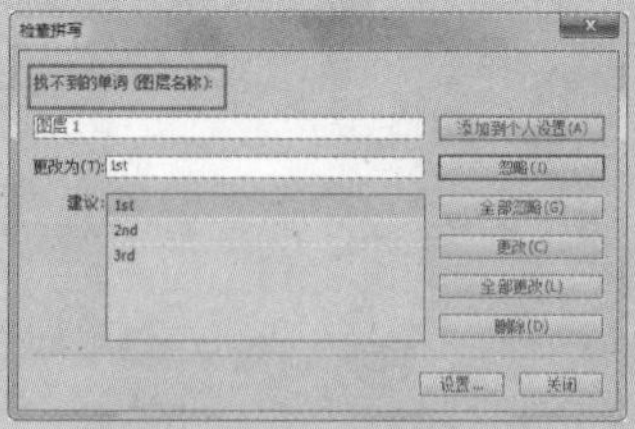　　图7-101　“图层名称”类型
②更改为	在此处可以设置正确的文本拼写，其设置方法如下： ● 更改为：可以在此文本框中输入正确的单词。 ● 建议：可以在此滚动列表中选择一个正确的单词。
③“按钮”组	● 添加到个人设置：可将单词添加到用户的个人词典中。 ● 忽略：保持该单词不变。 ● 全部忽略：可以将所有文档中出现的该单词保持不变。 ● 更改为：更改该单词。 ● 全部更改：更改所有在文档中出现的该单词。 ● 删除：从文档中删除该单词。 ● 设置：可以弹出“拼写设置”对话框，进行相应的设置。 ● 关闭：结束拼写检查。

Tips

在执行【拼写检查】命令时，不可在元件中使用，只能在文档中的场景中使用。

7.7.5 替换字体

当打开一个由别人开发的Flash源文件时，如果这个文档使用了某种计算机上不曾安装的字体时，Flash将弹出“字体映射”对话框，提示缺少字体并提供解决方法，如图7-102所示。

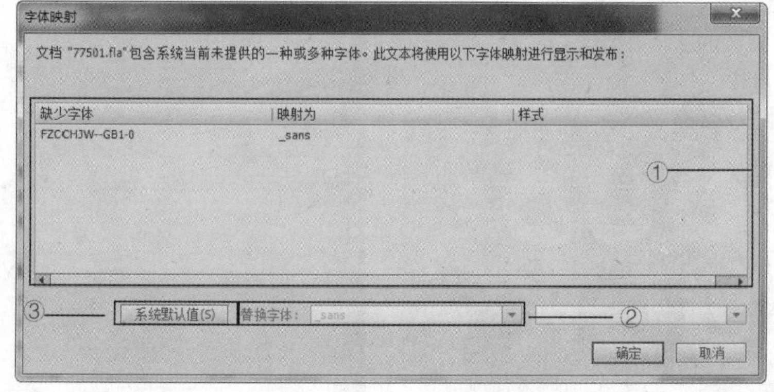

图7-102　“字体映射”对话框

①映射显示	在此处会显示出缺少字体的相关选项。 ● 缺少字体：在此选项下的字体为文档缺失字体。 ● 映射为：在此选项下的字体为文档默认的字体。 ● 样式：在此选项下的内容为缺少字体的样式，如果缺失的字体没有样式，则不会显示。
②替换字体	用鼠标选择缺少的字体，激活“替换字体”选项，如图7-103所示。单击“替换字体”下拉列表框，可以选择一种本地电脑已经安装的字体替换，如果该字体有样式选择，那么替换字体后的第二个下拉列表将被激活，可以打开下拉列表框，为字体类型选择样式，如图7-104所示,完成后单击“确定”按钮即可。 图7-103　激活“替换字体”选项　　图7-104　替换字体
③系统默认值	单击此按钮，可将缺失字体设置为系统默认的字体，单击“确定”按钮，打开文档，如图7-105所示，执行【编辑】|【字体映射】命令，可再次打开“字体映射”对话框，对缺失的字体重新进行替换，如图7-106所示。 图7-105　动画效果　　图7-106　替换字体

7.8 应用文本

在Flash中可以对文本进行分离并将文本分散到图层，这样可以对文字制作出某种特效并提高工作效率，进而丰富动画的效果。

7.8.1 分离文本

对文本进行分离操作，可以将每个字符置于单独的文本字段中，然后可以快速将文本打散。

分离后的文本无法进行编辑操作，就像其他任何形状一样，可以改变形状、擦除、分组，或将它们更改为元件，并为其制作动画效果，其分离方法如下。

使用“选择工具”单击文本，如图7-107所示。执行【修改】|【分离】命令，可将文本中的每个字符放入一个单独的文本字段中，但是文本在舞台上的位置保持不变，如图7-108所示，再次选择【修改】|【分离】命令，将舞台上的文本转换为形状，如图7-109所示。

图7-107　选择文本

图7-108　单独文本字段

图7-109　将每个文本转换为形状

Tips

传统文本的【分离】命令仅适用于轮廓字体，例如 TrueType 字体。当您分离位图字体时，它们会从屏幕上消失。

7.8.2 应用实例：将文本分散到图层

使用【分散到图层】命令，可以将文本以单个像素的形式分散到每个图层，以方便文字的调整和制作，下面将以小实例的方式向用户讲解将文本分散到图层的方法。

源 文 件：光盘\源文件\第 7 章\7-8-2.fla

教学视频：光盘\视频\第 7 章\7-8-2.swf

STEP 01 执行【文件】|【新建】命令，新建一个 Flash 文档，如图 7-110 所示。单击“属性”面板上的“编辑”按钮，在弹出的“文档设置”对话框中进行设置，如图 7-111 所示，单击“确定”按钮，完成“文档属性”的设置。

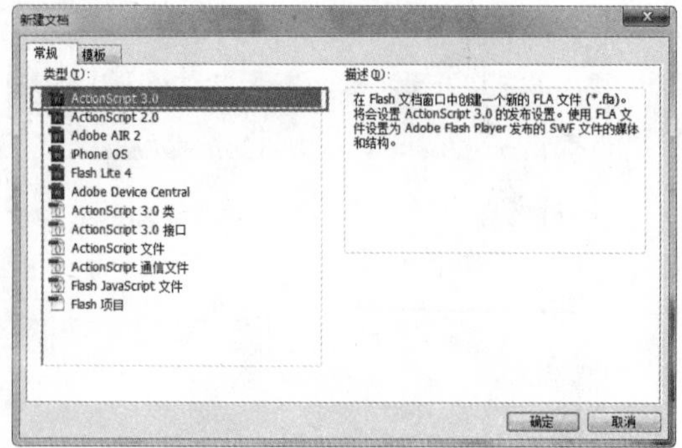

图7-110　“新建文档”对话框

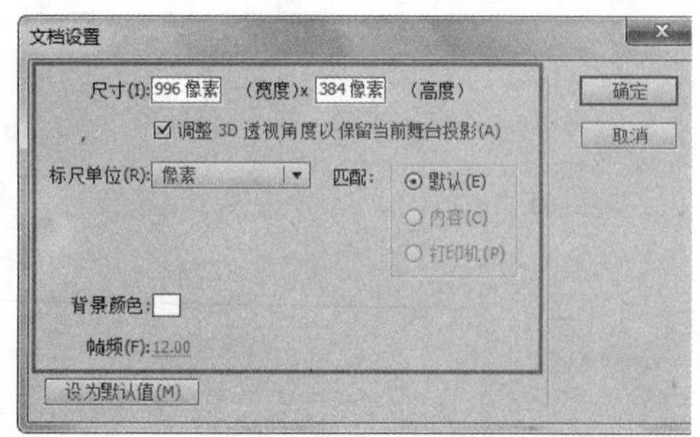

图7-111　设置“文档设置”对话框

STEP 02 执行【文件】|【导入】|【导入到舞台】命令，将图像“光盘\源文件\第7章\素材\78201.png”导入到场景中，如图7-112所示。在第70帧位置插入帧，单击工具箱中的“文本工具”按钮T，打开“属性”面板进行设置，如图7-113所示。

图7-112　导入素材

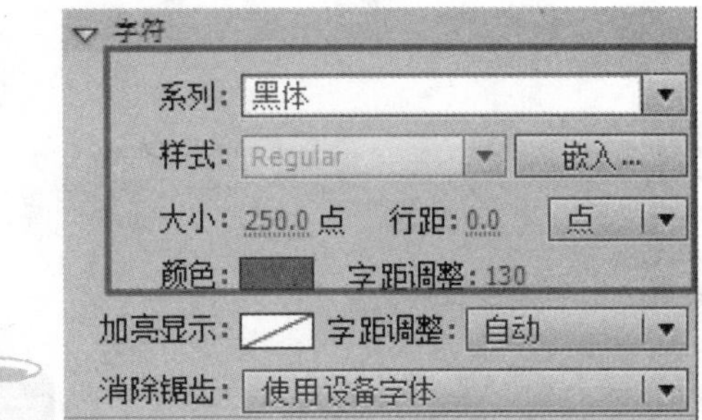

图7-113　设置“属性”面板

STEP 03 设置完成后，新建“图层2”，在场景中输入文本，效果如图7-114所示。选中所有文本，执行【修改】>【分离】命令，效果如图7-115所示。

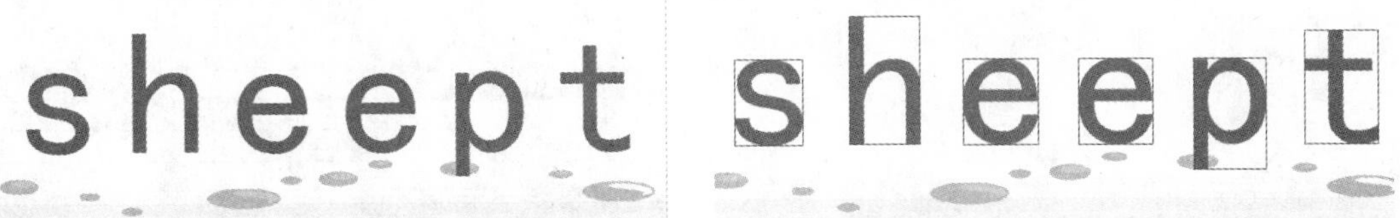

图7-114　输入文本

图7-115　分离文本

STEP 04 保持文本的选择状态，执行【修改】|【时间轴】|【分散到图层】命令，“时间轴”面板如图7-116所示，对“时间轴”面板进行调整，删除不需要的图层，对现有图层进行“重命名”操作，调整后如图7-117所示，并隐藏“图层1”和“S”以外的图层。

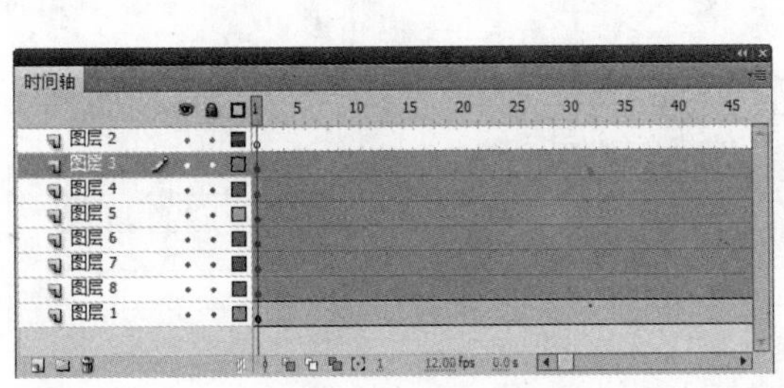

图7-116　分离文本后的“时间轴”面板

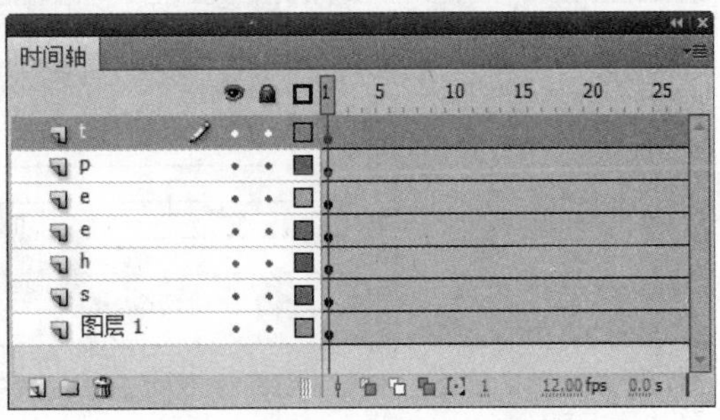

图7-117　调整后的“时间轴”面板

STEP 05 选中“S”层上的元件，将其转换为“s”图形元件，移动第1关键帧到第6帧位置，然后分别在第10、13、15、18位置插入关键帧，选中第10关键帧上的元件，调整其如图7-118所示的位置，相同方法调整其他关键帧的位置，然后在第6、10、13、15帧位置创建传统补间动画，“时间轴”面板如图7-119所示。

图7-118　调整元件的位置

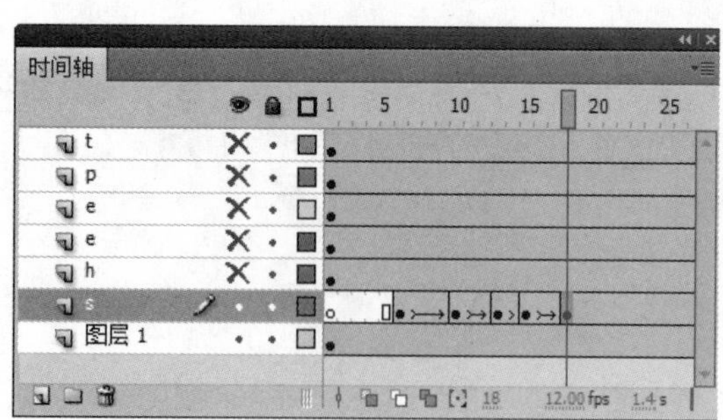

图7-119　“时间轴”面板

STEP 06 显示“h”层，双击第 1 帧上的元件，进入编辑状态，在“属性”面板中设置其“填充”值为#FF9900，回到“场景 1”，效果如图 7-120 所示。相同的方法完成该图层中动画效果的制作，“时间轴”面板如图 7-121 所示。

图7-120　调整元件

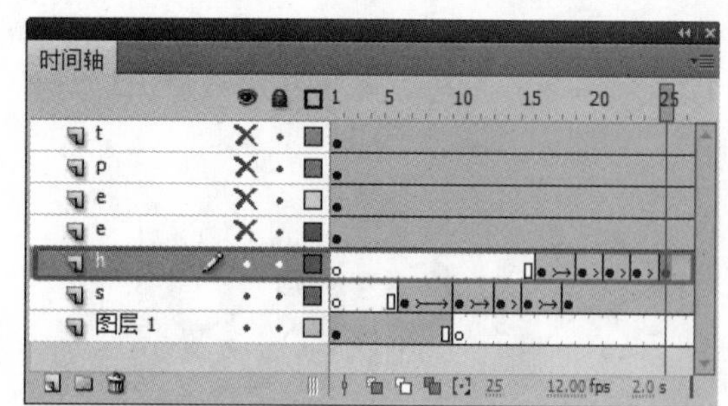

图7-121　“时间轴”面板

STEP 07 完成其他文字动画的制作，“时间轴”面板如图 7-122 所示。

图7-122　“时间轴”面板

STEP 08 新建“图层 2”，在第 39 位置插入关键帧，根据前面的方法，将图像“光盘\源文件\第 7 章\素材\78202.png”导入到场景中，效果如图 7-123 所示。完成其他层的制作，效果如图 7-124 所示。

图7-123 导入素材

图7-124 导入素材

STEP 09 完成制作后的“时间轴”面板如图 7-125 所示。

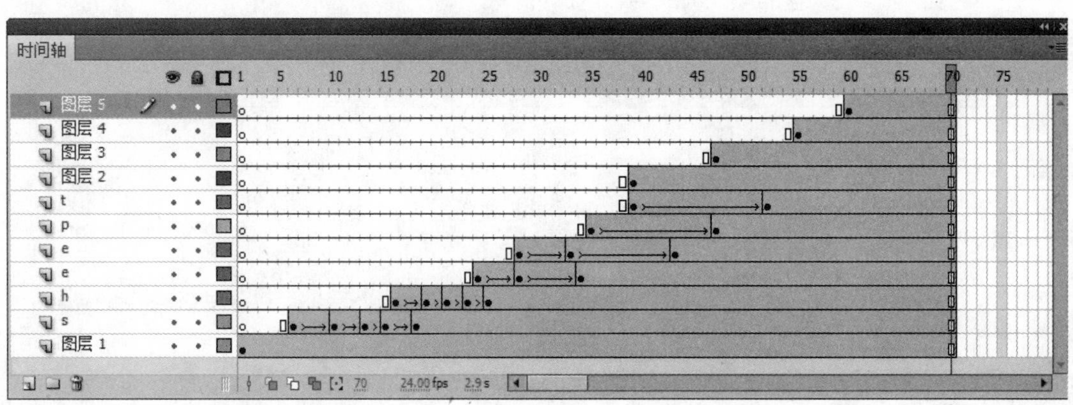

图7-125 “时间轴”面板

STEP 10 完成动画的制作，执行【文件】|【保存】命令，将动画保存为“光盘 \ 源文件 \ 第 7 章 \7-8-2.fla”。按快捷键“Ctrl+Enter”测试动画，测试效果如图 7-126 所示。

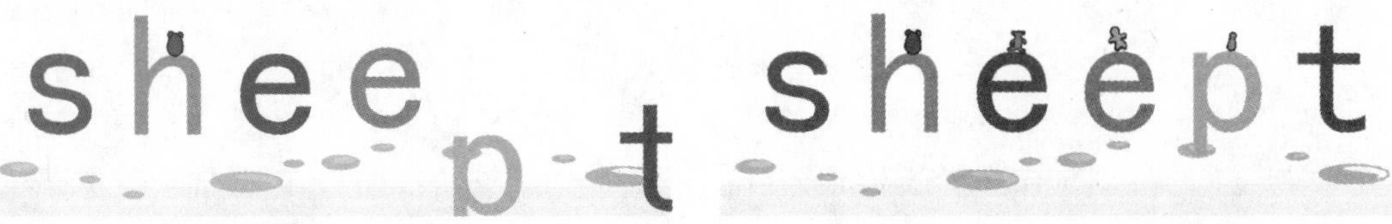

图7-126 测试动画效果

7.9 总结扩展

文本在制作动画时是必不可少的，文本的制作效果直接影响到整个动画的效果，所以文本的制作将成为动画制作的主要知识点，学习完本章的内容后，用户要掌握TLF文本的使用方法，并能在Flash中灵活应用TLF文本。

7.9.1 本章小结

本章主要讲解了文本的使用技巧和方法，主要包括文本的类型、文本的属性设置方法、使用文本时应该注意的问题、将文本分散到图层的方法、分离文本的方法等，通过本章的学习，用户应该掌握Flash中文本的设置方法和使用方法。

7.9.2 举一反三——使用TLF文本排版

案例文件：	光盘\源文件\第7章\7-9-2.fla
素材文件：	光盘\源文件\第7章\79201.jpg~79206.jpg
视频文件	光盘\视频\第7章\7-9-2.swf
难易程度	★★★☆☆
学习时间：	10分钟

(1)	（1）新建一个Flash文档，并在“文档设置”对话框中进行相应的设置。
(2)	（2）使用“文本工具”，在“属性”面板中进行相应的设置，设置完成后，在场景中输入文本。
(3)	（3）使用“文本工具”，在场景中绘制区域，创建区域文本，输入其他文本。
(4)	（4）将素材导入到场景中，调整素材到合适的位置，并设置相应素材的Alpha值，完成文字排版的制作。

第8章 “时间轴”面板

任何动画都包含帧，每个帧都包含一个静态的图像，当这个图像与其他帧中的图像按顺序进行播放时，就产生了运动的效果。在Flash中，帧在时间轴上以小方框的形式显示。帧是创建动画的基本要素，而图层则用来组织动画中的各个元素，它对于创建动画也非常重要。本章将分别介绍有关帧和图层的有关知识，为制作动画打下基础。

本章学习要点

- 了解“时间轴”面板的基础知识
- 了解图层的各种编辑方法
- 掌握帧的基本类型
- 掌握帧的各种编辑方法
- 掌握绘图纸外观的使用

实例名称：选中图层并调整帧上的对象
源 文 件：光盘\源文件\第8章\8-2-2.fla
教学视频：光盘\视频\第8章\8-2-2.swf

实例名称： 制作小狗眨眼动画
源 文 件：光盘\源文件\第8章\8-5.fla
教学视频：光盘\视频\第8章\8-5.swf

实例名称：使用绘图纸外观调整影片
源 文 件：光盘\源文件\第8章\8-8.fla
教学视频： 光盘\视频\第8章\8-8.swf

实例名称：举一反三——制作踢球动画
源 文 件：光盘\源文件\第8章\8-9.fla
教学视频： 光盘\视频\第8章\8-9.swf

8.1 “时间轴”面板介绍

时间轴用于管理和控制一定时间内图层的关系，以及帧内的文档内容。它就像电影中的胶片，每一格胶片就是一帧，当包含连续静态图像的帧在时间轴上快速播放时，就看到了动画。

8.1.1 “时间轴”面板简介

在Flash中，时间轴是进行Flash作品创作的核心部分。时间轴由图层、帧和播放头组成，影片的进度通过帧来控制。时间轴从形式上可以分为两部分：左侧的图层操作区和右侧的帧操作区如图8-1所示。

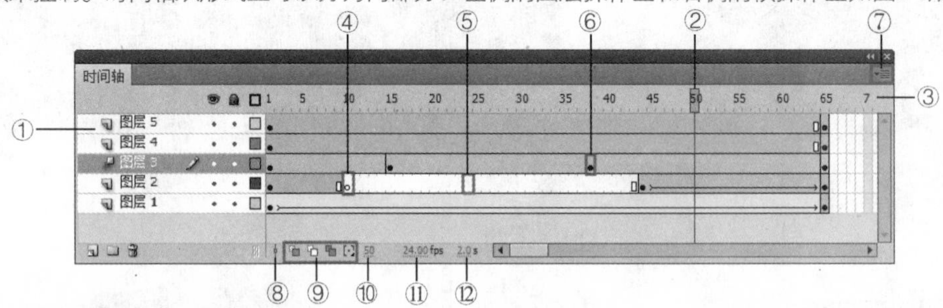

图8-1 “时间轴”面板

①图层	图层用于管理舞台中的元素，如可以将背景元素和文字元素放置在不同的层中。
②播放头	在当前播放位置或操作位置上显示，可以对其进行单击或拖动操作。
③帧标题	位于时间轴的顶部，指示帧编号。
④帧	帧是Flash影片的基本组成部分，每个层中包含的帧显示在该层名称右侧的一行中。Flash影片播放的过程就是每一帧的内容按顺序呈现的过程。帧放置在图层上，Flash按照从左到右的顺序来播放帧。
⑤空白关键帧	为了在帧中插入要素，首先必须创建空白关键帧。
⑥关键帧	在空白关键帧中插入要素后，该帧就变成了关键帧。将从白色的圆变为黑色的圆。
⑦下拉菜单	显示与时间轴相关的菜单。
⑧帧居中	将播放头所处位置的帧置于中央位置。但如果播放头位于每一帧，即使单击该按钮，也无法位于第一帧的中央位置。
⑨绘图纸外观轮廓	在场景中显示多帧要素，可以在操作的同时，查看帧的运动轨迹。
⑩当前帧	显示播放头所处位置的帧的编号。
⑪帧速度	一秒钟内显示帧的个数，默认值为12，即一秒钟内显示12个帧。
⑫运行时间	显示到播放头所处位置的播放时间。帧的速率不同，动画的插入时间也会不同。

在时间轴的下拉菜单中提供了可以更改时间轴位置和帧大小的命令，通过这些命令可以方便用户对时间轴进行操作，如图8-2所示。

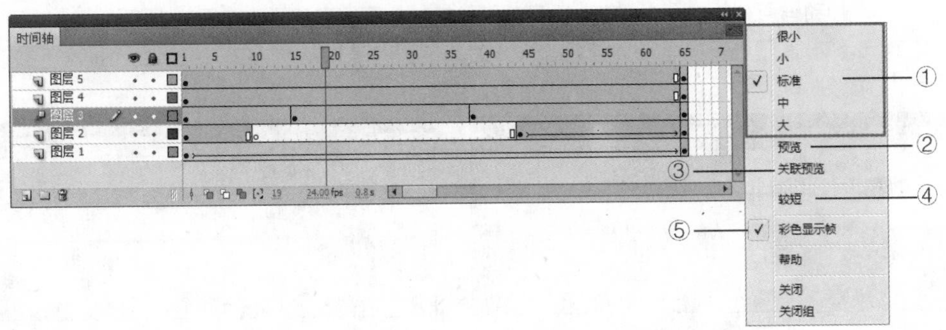

图8-2　“时间轴”下拉菜单

①帧的大小	用于设置每一帧在时间轴上的显示宽度，包括很小、小、标准、中和大5种选项，默认设置为标准，如果需要用到很多帧，可以将其设置为很小；如果想仔细查看插入到帧中的音频波形等，可以将其设置为大。
②预览	选择该选项后，将在每个关键帧中出现该帧内包含的元素状态的缩略图，如图8-3所示。该选项用于观察元素本身的形状变化。 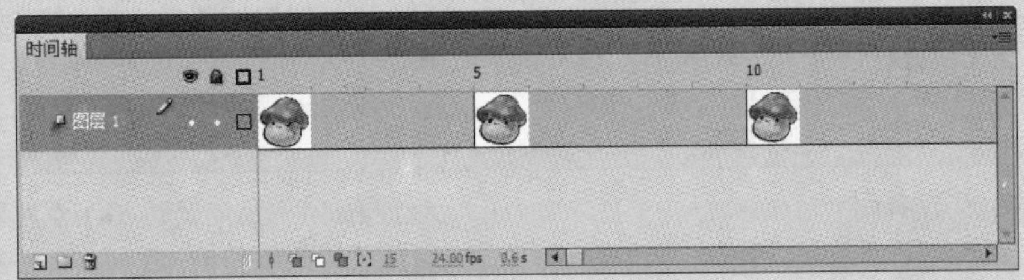 图8-3　预览关键帧效果
③关联预览	选择该选项后，将在每个关键帧中出现包含元素的状态及位置的缩略图，如图8-4所示。该选项偏重于观察元素相对位置的变化。 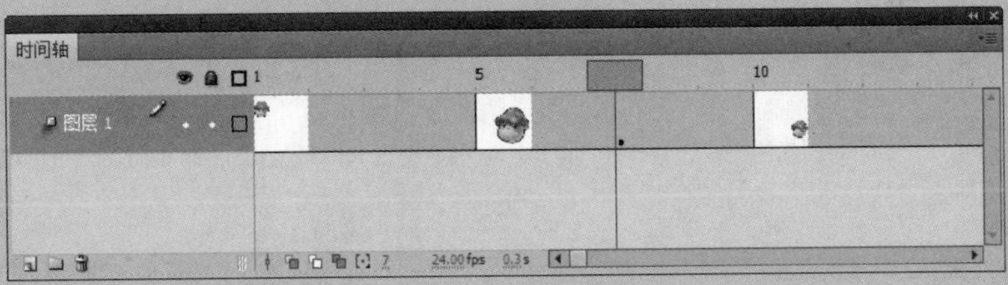 图8-4　关联预览效果
④较短	选择该选项后，时间轴上每层的高度将缩短，在同样大小的时间轴窗口内能够显示更多数量的层。
⑤彩色显示帧	选择该选项后，时间线上将统一变为白色背景色，不再通过不同的背景颜色来标记不同的帧，及不同的帧和帧之间的关系。

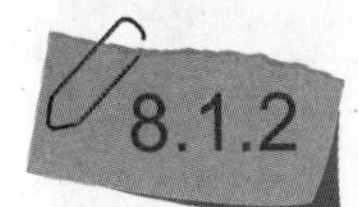

8.1.2 在时间轴中标识动画

时间轴通过不同的方式来标识不同类型的动画（以及时间轴元素），因此最好是熟悉每一种表达方式，这样在使用时间轴的时候，就不会因为不熟悉动画的外观而出现问题了。

（1）逐帧动画通常通过一个具有一系列连续关键帧的图层来表示，如图8-5所示。

（2）传统补间动画背景呈现为蓝色，在开始和结束时是关键帧，在关键帧之间是黑色的箭头（表示补间），如图8-6所示。

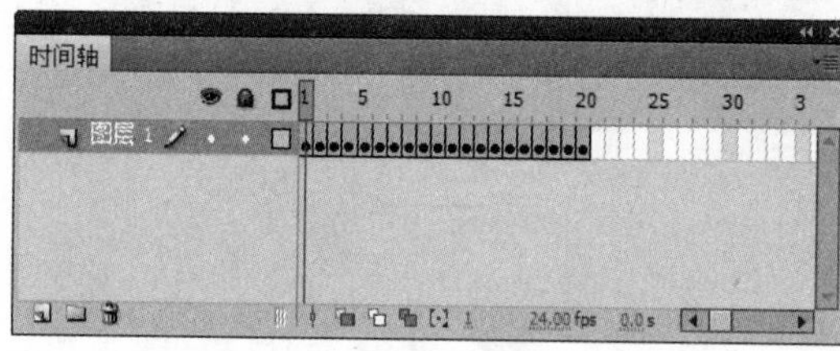

图8-5　逐帧动画

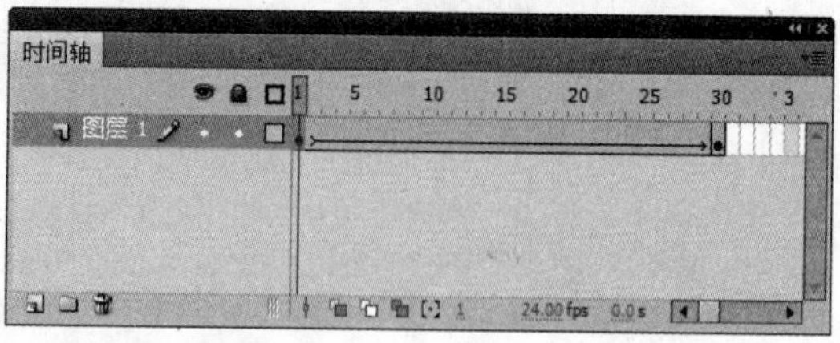

图8-6　传统补间动画

（3）形状补间动画类似传统补间动画，在开始和结束时是关键帧，中间是黑色的箭头（表示补间），不同之处在于，形状补间动画中间的帧以浅绿色显示，而不是蓝色，如图8-7所示。

（4）反向运动 (IK) 姿势图层通常背景呈现为绿色，姿势图层包含IK骨架和姿势，每个姿势在时间轴中显示为黑色菱形，如图8-8所示。

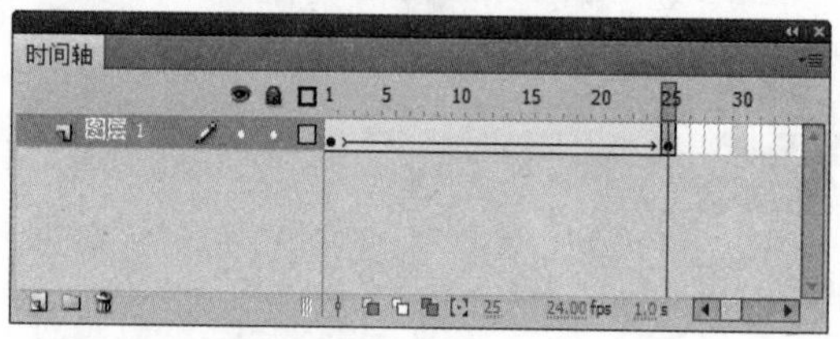

图8-7　形状补间

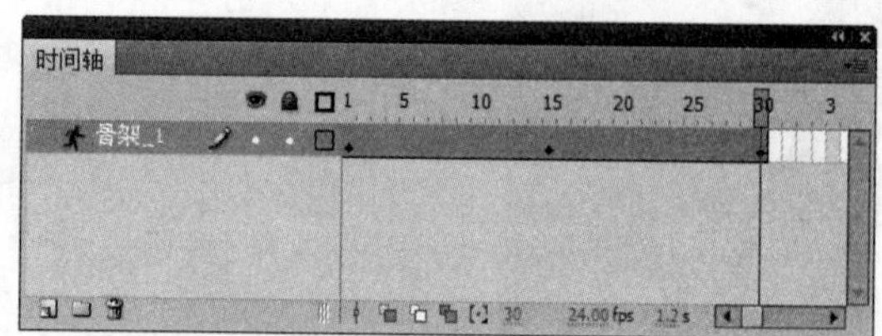

图8-8　反向运动 (IK) 姿势图层

（5）补间动画与传统补间动画大不相同，背景呈现为浅蓝色，范围的第一帧中的黑点表示补间范围分配有目标对象。黑色菱形表示最后一个帧和任何其他属性关键帧。属性关键帧是包含由显示定义的属性更改的帧，如图8-9所示。

（6）第一帧中的空心点表示补间动画的目标对象已删除。补间范围仍包含其属性关键帧，并可应用新的目标对象，如图8-10所示。

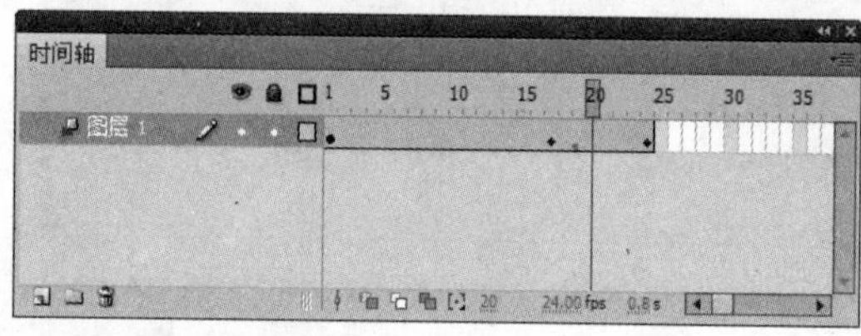

图8-9　补间动画

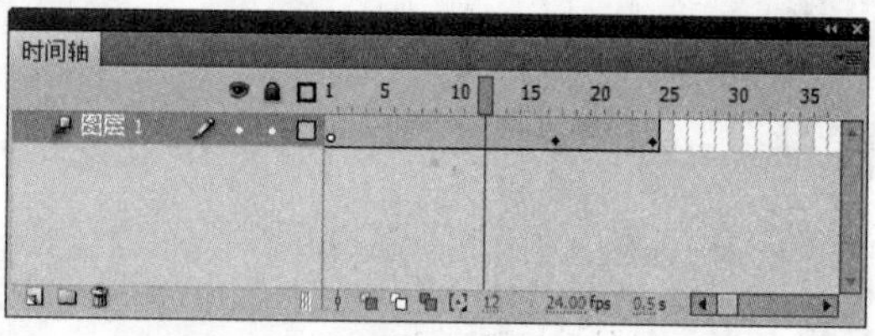

图8-10　目标对象被删除

（7）当关键帧后面跟随的是虚线时，表示传统补间动画是不完整的，通常是由于最后的关键帧被删除或没有添加的缘故，如图8-11所示。

（8）如果一系列灰色的帧是以一个关键帧开头，并以一个空的矩形结尾，那么在关键帧后面的所有帧都具有相同的内容，如图8-12所示。

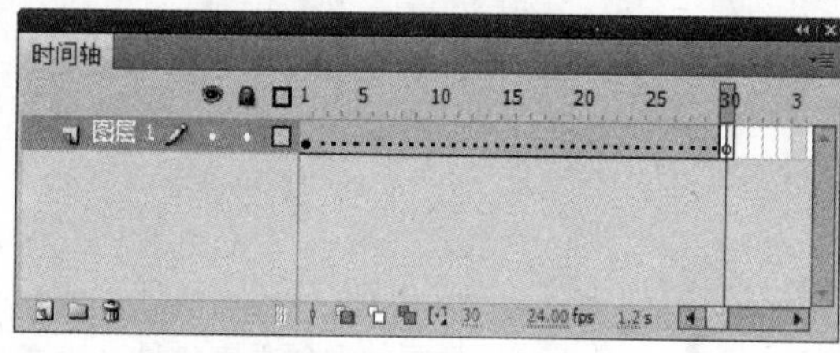

图8-11　传统补间不完整

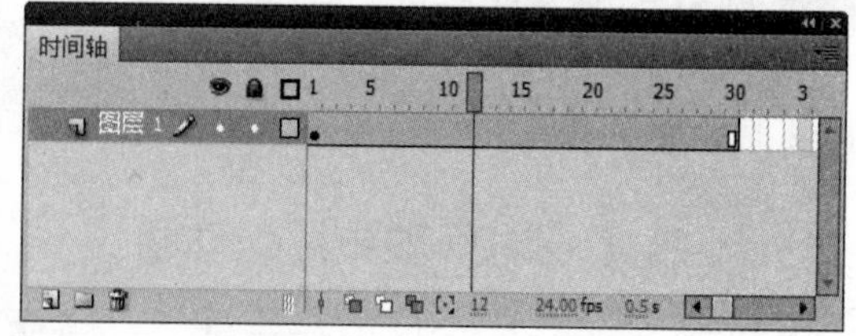

图8-12　普通帧延续前一个关键帧的内容

（9）如果帧或关键帧带有小写的a，则表示它是动画中帧动作（全局函数）被添加的点，如图8-13所示。

（10）红色的小旗表示该帧包含一个标签；绿色的双斜杠表示该帧包含注释；金色的锚记表明该帧是一个命名锚记，如图8-14所示。

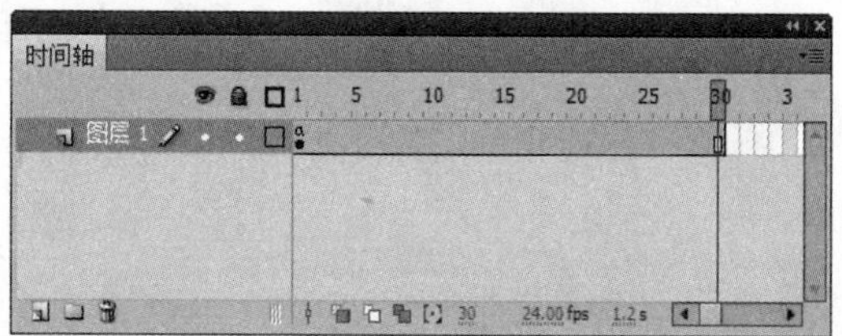

图8-13　给帧添加动作

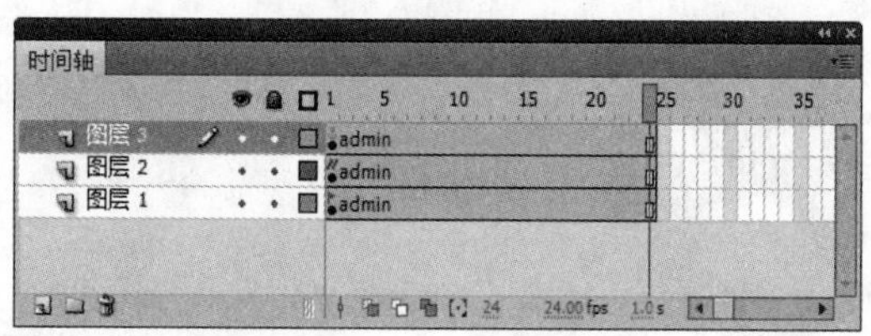

图8-14　添加帧标签

8.1.3 图层的作用

在Flash中，图层类似于堆叠在一起的透明纤维，在不包含任何内容的图层区域中，可以看到下面图层中的内容，图层越靠下，图层内的元素在舞台上越靠后，一个Flash影片往往包含许多图层。

Flash对每一个动画中的图层数没有限制，一个Flash动画中往往包含多个图层，输出时，Flash会将这些图层合并，因此图层的数目不会影响输出动画文件的大小。

图层有助于组织文档中的内容，在图层上绘制和编辑对象，不会影响其他图层的对象，特别是制作复杂的动画时，图层的作用尤其明显。

Flash中的图层按制作动画时的功能划分，可以分为普通图层、引导图层和遮罩层，如图8-15所示。

图8-15　图层效果

普通图层	普通图层是Flash默认的图层，放置的对象一般是最基本的动画元素，如矢量对象、位图对象和元件等。普通图层起着存放帧（画面）的作用。使用普通图层可以将多个帧（多幅画面）按一定的顺序叠放，以形成一幅动画。
引导层	引导层的图案可以为绘制的图形和对象定位。引导层不从影片中输出，所以不会增大作品文件的大小，而且可以使用多次，其作用主要是设置运动对象的运动轨迹。
遮罩层	利用遮罩层可以将与其相链接图层中的图像遮盖起来。可以将多个图层组合起来，放在一个遮罩层下，以创建出多种效果。在遮罩层中也可使用各种类型的动画，使遮罩层中的对象动起来，但是在遮罩层中不能使用按钮元件。

8.2 使用图层

在Flash中，图层的使用非常重要，也是必不可少的。在制作Flash动画的过程中，用户可以根据不同的情况对图层进行新建、复制、删除等操作，还可以根据每个图层的内容，对图层进行重命名，调整图层的叠放顺序等，下面进行详细讲解。

8.2.1 创建新图层

创建了一个新的Flash文档后，文档中仅包含一个默认的“图层1”，用户可以根据自己的需要添加更多的图层，以便在文档中组织插图、动画和其他元素。

在创建大型的Flash动画时，如果只在一个图层中操作，不仅会产生混乱，而且会导致某些功能出现问题，所以在创建复杂的动画时，就有必要为每个对象或元件创建一个图层，以便更好地控制每个对象及整个动画的制作过程。

创建新图层有以下几种方法：

第1种：单击“时间轴”面板底部的“插入图层”按钮，即可插入一个新的图层，如图8-16所示。

第2种：执行【插入】|【时间轴】|【图层】命令，插入图层。

第3种：在“时间轴”面板上的图层名称位置单击鼠标右键，在弹出的菜单中选择【插入图层】命令，插入图层，如图8-17所示。

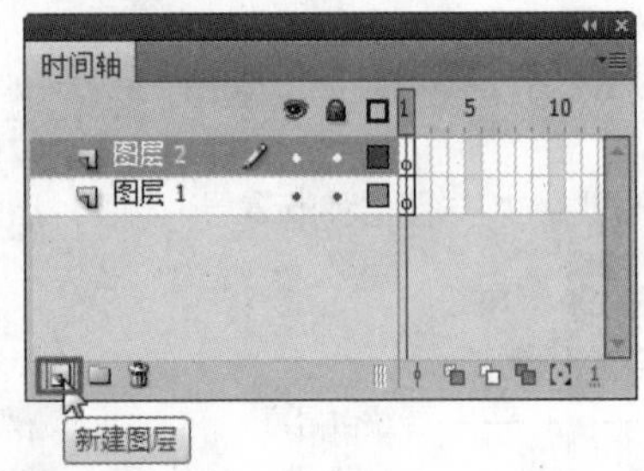

图8-16　插入图层

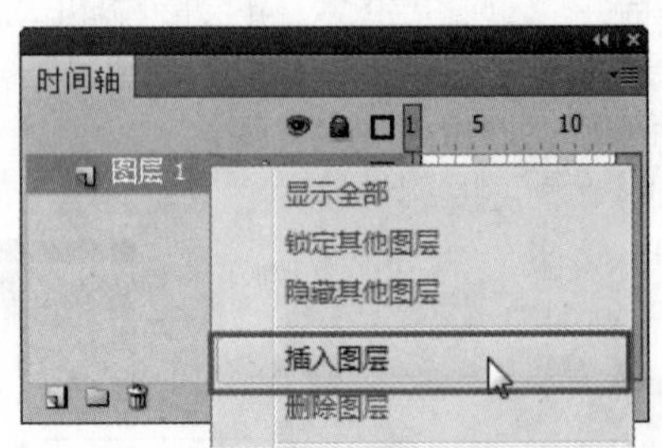

图8-17　选择【插入图层】命令

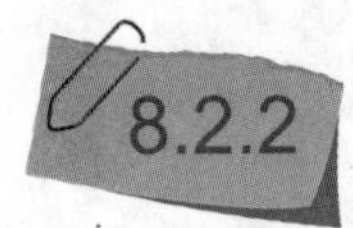

8.2.2 选择图层

选择图层是对图层或文件夹，以及各元素进行修改的前提，选择图层可以通过单击时间轴上的图层名称来实现。当选中某个图层时，被选中的图层将被突出显示出来，并且在该层名称的右边将出现一个小铅笔图标，表示该图层当前正被使用，向舞台上添加的任何对象都将被分配给这个图层，在舞台上选中某图层的某个对象后，该图层便成为当前图层。

应用实例：选中图层并调整帧上对象

图层中可以包含多个对象，所以选择图层的操作在制作Flash动画的过程中是非常重要的，本实例将以两种方法选择图层并对图层上的帧进行调整。

源 文 件：光盘\源文件\第 8 章\8-2-2.fla

教学视频：光盘\视频\第 8 章\8-2-2.swf

STEP 01 执行【文件】|【打开】命令，打开“光盘/源文件/第 8 章/8-2-2.fla”，单击工具箱中的“选择工具”按钮，在舞台中选择云彩，如图 8-18 所示，此时“时间轴”面板中的“天空背景”图层为选中状

态，且旁边会出现一支铅笔图标，说明云彩为该图层中的内容，如图 8-19 所示。

图8-18　选中舞台元素

图8-19　对应的图层被选中

STEP 02 在“属性”面板中将云彩的 Alpha 值设置为 100%，如图 8-20 所示，舞台效果如图 8-21 所示。

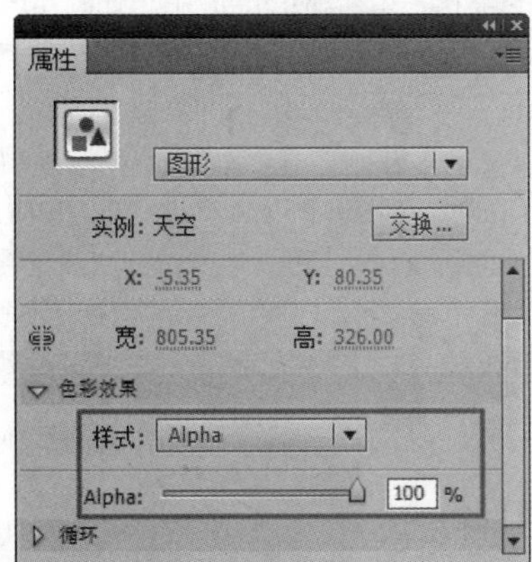

图8-20　设置Alpha值

图8-21　舞台效果

STEP 03 接下来在“时间轴”面板中选中“高尔夫球车”图层，如图 8-22 所示，此时舞台中该图层的内容将被全部选中，效果如图 8-23 所示。

图8-22　选择图层

图8-23　舞台效果

STEP 04 单击工具箱中的“任意变形工具”按钮，按住“Shift”键对舞台中的高尔夫球车大小进行调整，并将其移动到合适的位置，效果如图 8-24 所示。执行【文件】|【另存为】命令，将文档保存为“光盘 / 源文件 / 第 8 章 /8-2-2.fla”

图8-24　舞台效果

8.2.3 重命名图层

每个图层在创建时都被分配一个默认的名称，依次为图层1、图层2、图层3等。用户在制作Flash动画的过程中，可以根据自己的需要，对图层进行重命令，最好命名一个可以描述其内容的名称，这样在创建一个复杂的Flash动画时，就可以比较容易地识别出图层所包含的内容。

重命名图层有以下几种操作方法：

第1种：当图层处于选中状态时，图层右侧会出现一个铅笔图标，如图8-25所示，双击图层的名称，图层名称会呈蓝色背景显示，处于编辑状态，如图8-26所示，此时输入新的名称，然后在空白位置单击即可，如图8-27所示。

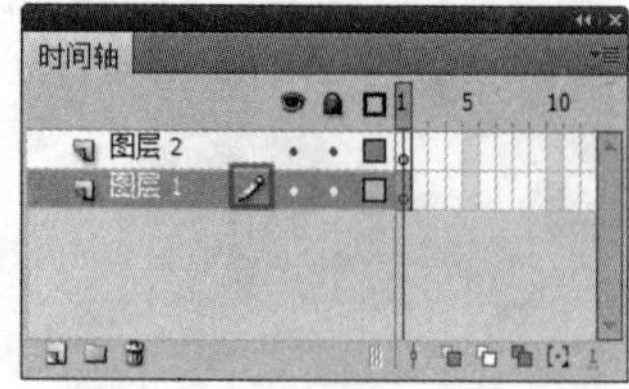

图8-25　选中图层

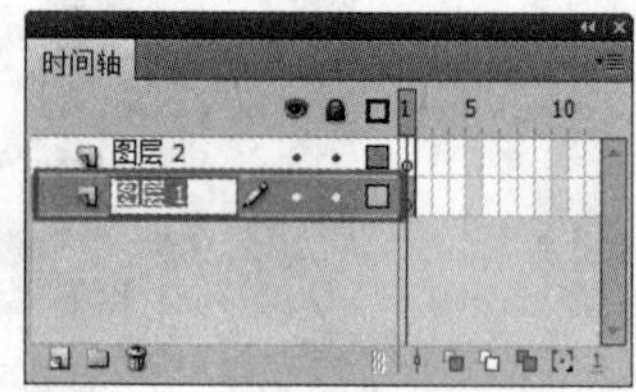

图8-26　图层编辑状态

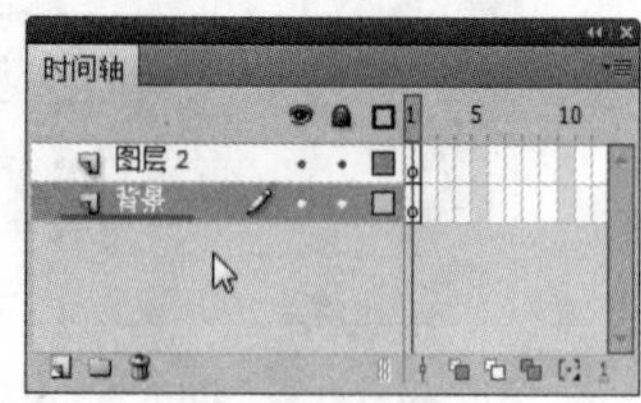

图8-27　旅途层重命名

第2种：双击图层图标，或者在图层名称位置单击鼠标右键，弹出的快捷菜单如图8-28所示，从中选择【图层属性】命令，弹出“图层属性”对话框，在该对话框中的“名称”文本框中输入新名称，单击“确定”按钮，即可为图层重命名，如图8-29所示。

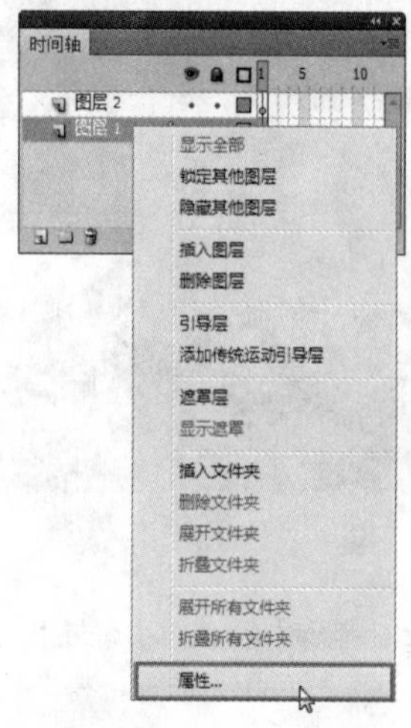

图8-28　选择【属性】命令

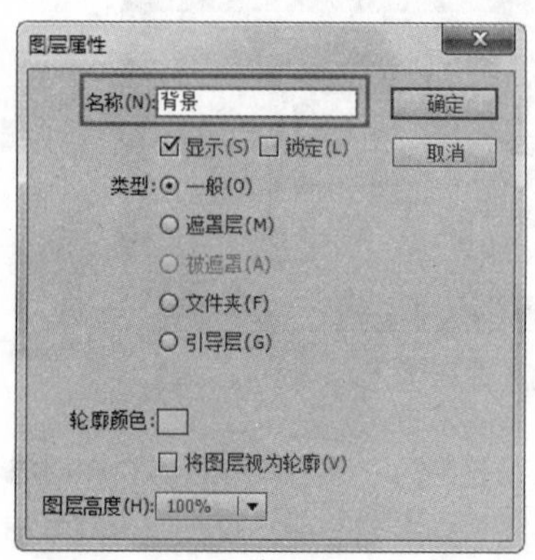

图8-29　“图层属性”对话框

如果不能看见某个图层的全部名称，只要单击并拖动时间轴左边区域（图层名称所在区域）和时间轴右边区域（帧所在的区域）的分栏即可，如图 8-30 所示。

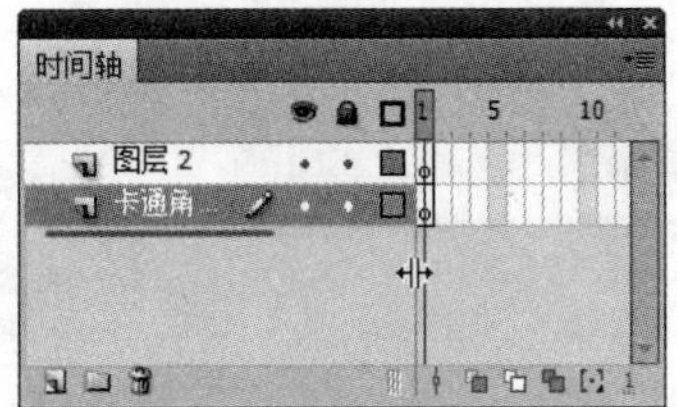

图8-30　显示图层的完整名称

8.2.4 复制图层

对图层进行复制实际上并不是复制图层本身，而是对该图层上的所有内容进行复制，即一帧一帧进行复制，然后将其粘贴到另一个新建的图层中。

复制图层的操作方法如下：

STEP 01 选中要复制的图层。

STEP 02 在“时间轴”面板右侧的帧操作区单击鼠标右键，在弹出的快捷菜单中选择【复制帧】命令，如图 8-31 所示，也可以按快捷键“Ctrl+Alt+C”，或者执行【编辑】|【时间轴】|【复制帧】命令，通过操作，可以复制图层中每一帧的内容。

STEP 03 新建图层，在右侧的帧操作区单击鼠标右键，在弹出的快捷菜单中选择【粘贴帧】命令，如图 8-32 所示，也可以按快捷键“Ctrl+Alt+V”，或者执行【编辑】|【时间轴】|【粘贴帧】命令进行粘贴。

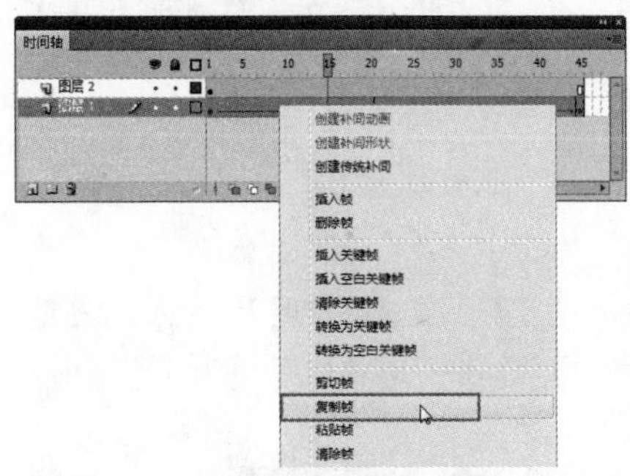

图8-31　复制帧

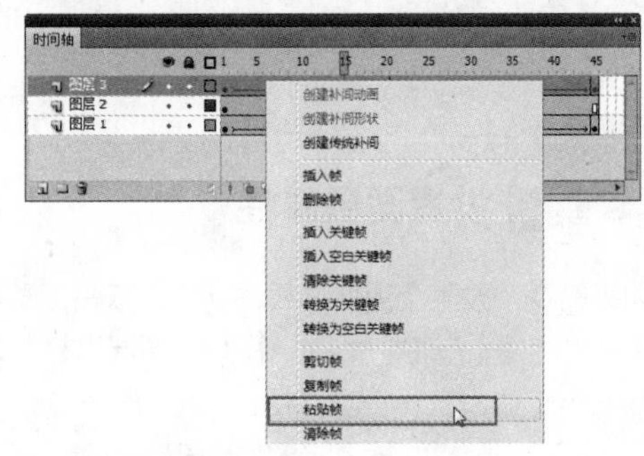

图8-32　粘贴帧

8.2.5 删除图层

如果想要将不需要的图层删除，方法很简单，首先选择要删除的图层，单击“删除图层”按钮即可删除该图层，如图8-33所示。

也可以选择需要删除的图层后，单击鼠标右键，在弹出的快捷菜单中选择【删除图层】命令。

如果想要删除文件夹，首先将文件夹选中，然后单击“删除”按钮，弹出一个提示对话框，如图8-34所示，单击“是”按钮，将会删除文件夹及里面包含的所有图层。

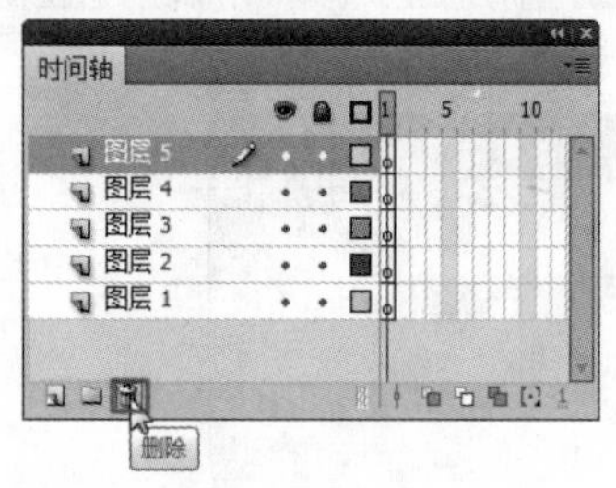

图8-33　删除图层

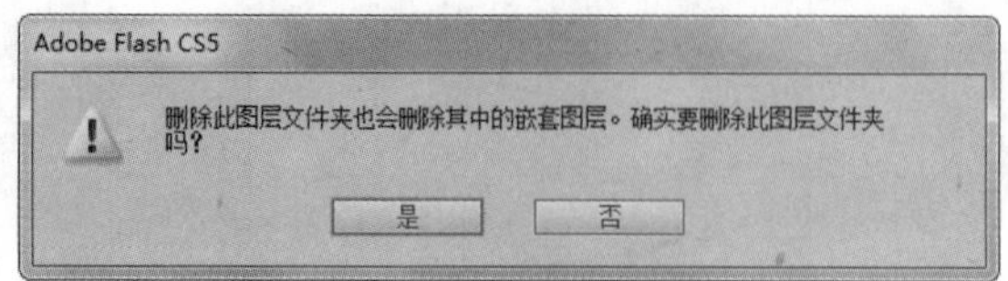

图8-34　提示对话框

8.2.6 调整图层顺序

图层的顺序决定了位于该图层上的对象或元件是覆盖其他图层上的内容，还是被其他图层上的内容所覆盖。因此改变图层的排列顺序，也就是改变了图层上的对象或元件与其他图层中的对象或元件在视觉上的表现形式。

选中“背景”图层，此时“背景”图层呈蓝色，如图8-35所示，拖动“背景”图层时会产生一条线段，如图8-36所示，当线段到达要调整的位置时，松开鼠标，如“图层4”，此时“背景”图层就移到了“图层4”的上方，如图8-37所示。

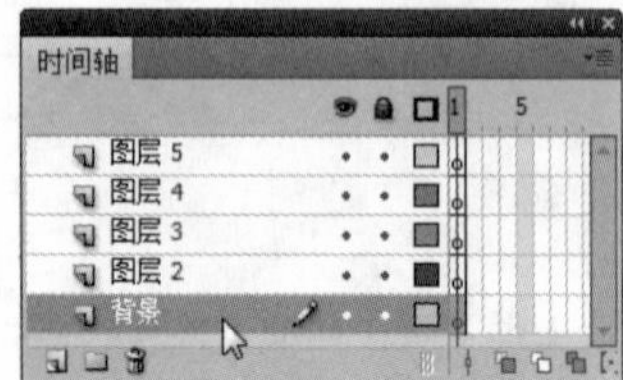

图8-35　选中图层

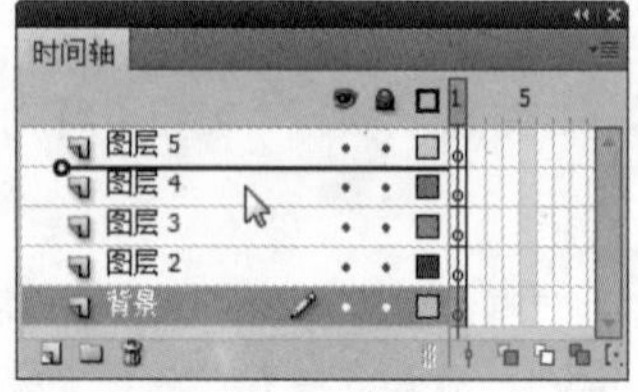

图8-36　拖动图层

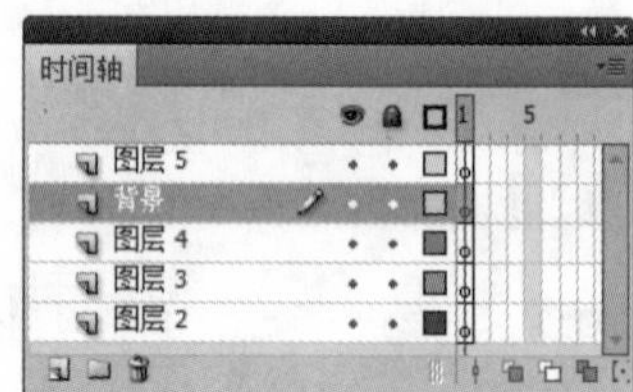

图8-37　移动到“图层4”上方

8.2.7 设置图层属性

如果需要修改某个图层的属性，可以双击图层名称左侧的图标，或者在该层上单击鼠标右键，在弹出的菜单中选择【属性】命令，打开“图层属性”对话框，该对话框中的选项与“时间轴”面板上的相关按键是一一对应的，如图8-38所示。

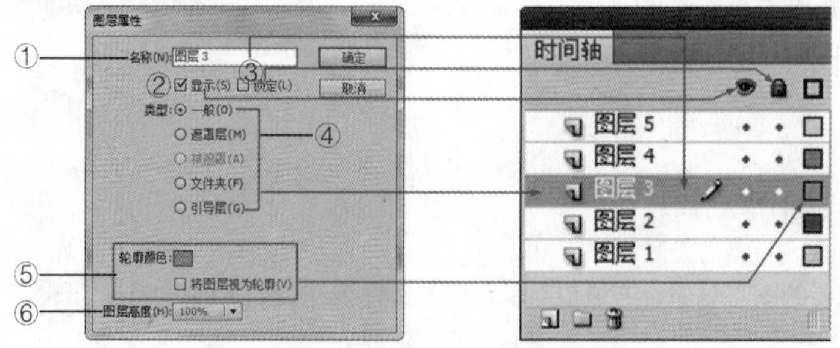

图8-38　“图层属性”对话框与“时间轴”面板

①名称	在此文本框内输入字符，可以为该图层重新命名。
②显示	控制该层内的内容是否在舞台上可见。
③锁定	勾选该复选框后，该图层内的内容将不能在舞台上被选择和编辑。
④类型	设定图层所属的类型。根据不同的用途，可以分为5种不同的类型，每种类型的区别将在后续章节中进行详细介绍。
⑤轮廓颜色	当勾选“将图层视为轮廓”复选框后，该图层内的内容将不再以实体显示，而是以透明轮廓的形式出现在舞台上，通过单击“轮廓颜色”后的色卡，为这个轮廓设定显示颜色。
⑥图层高度	该下拉列表框用于控制该图层在时间轴对话框内的显示高度，可以选择100%、200%、300%，当需要在时间线上突出，或者详细编辑该图层内容的时候，可以使用这个选项，如图8-39所示为设置“图层1”的高度为300%后的效果。 图8-39　“时间轴”面板

8.3 图层状态

在图层编辑区的上端，还有这样一些小图标，如图8-40所示，每个图层均提供了一系列相同的属性，通过这些图标,可以进行访问，接下来将针对如何显示/隐藏图层、锁定/解锁图层，以及图层轮廓的显示问题进行详细讲解。

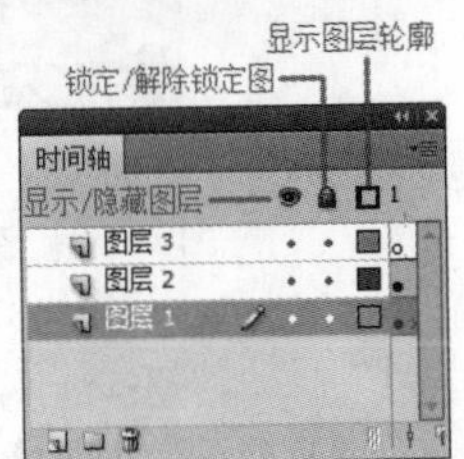

图8-40　图层状态

8.3.1 显示和隐藏图层

通常在操作过程中，为了便于查看、编辑各个图层的内容，有时候需要将某些图层隐藏起来，待完成某些操作后,再将图层重新显示出来。

显示或隐藏图层的方法有以下几种方法：

第1种：单击“时间轴”面板上的“显示/隐藏所有图层”图标👁栏下的小黑点，该图层原来的小黑点位置将自动出现一个红色的✕，表示该图层处于隐藏状态，如图8-41所示，如果要将隐藏的图层显示出来，可以单击该图层上红色的✕。

第2种：如果想要将所有图层同时隐藏，可以直接单击“时间轴”面板上的“显示/隐藏所有图层”图标👁，如图8-42所示，所有图层上的小黑点都出现有红色的✕，此时每个图层的内容都将被隐藏。

如果想要将被隐藏的所有图层再重新显示出来，可再次单击“显示/隐藏所有图层”图标👁，也可以在某图层上单击鼠标右键，在弹出的快捷菜单中选择【显示全部】命令，如图8-43所示。

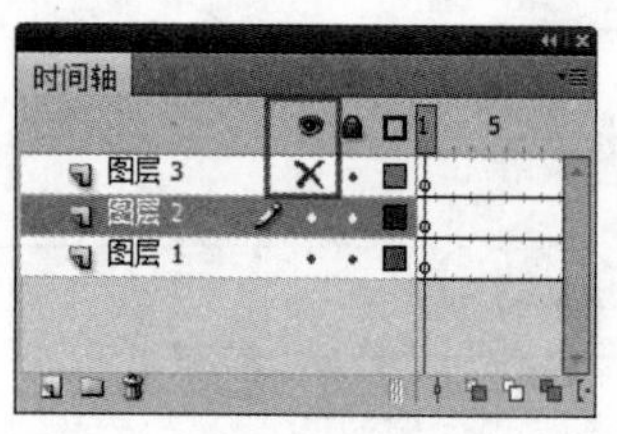

图8-41　隐藏单击图层

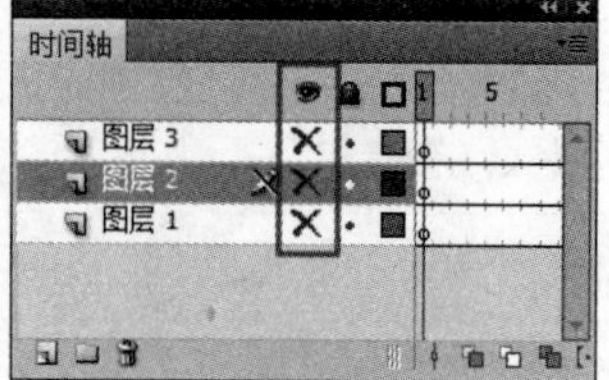

图8-42　隐藏所有图层

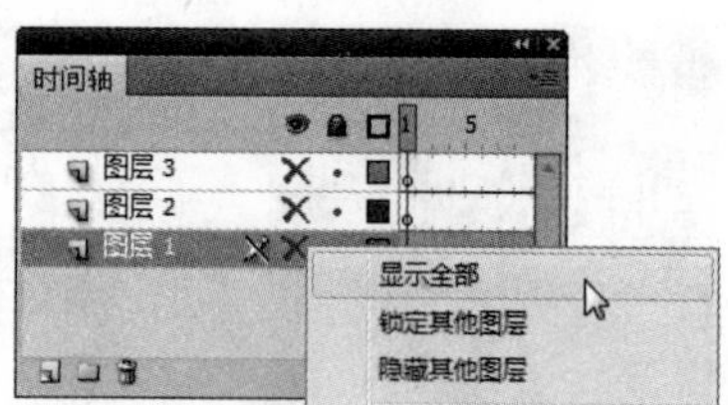

图8-43　【显示全部】命令

第3种：如果要隐藏多个或显示多个连续的图层，只要在显示列表中垂直拖动鼠标，即可以实现，按住“Alt”键，单击某一图层的黑点，可以显示或隐藏除了一个图层以外的所有图层。

图层被隐藏后，就不能再对图层进行编辑操作了。

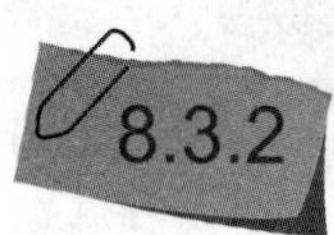

8.3.2 锁定和解锁图层

当编辑某个图层中的内容时，为了避免影响到其他图层中的内容，可以将其他层进行锁定操作，而对于遮罩来说，则必须锁定才能起到作用，被锁定的图层也可以解锁。

对图层进行锁定和解锁有以下几种方法：

第1种：单击需要被锁定的图层名称右侧的小黑点，将自动转换为挂锁形式，且该图层左侧的铅笔图层也被划掉，表示该图层处于锁定状态，如图8-44所示。如果要对该图层解锁，可以再次单击挂锁。

第2种：如果要同时对所有的图层进行锁定，可单击“时间轴”面板中的“锁定/解锁锁定所有图层”图标，即可将所有的图层和文件夹锁定，如图8-45所示，再次单击可以解除所有锁定的图层和文件夹。

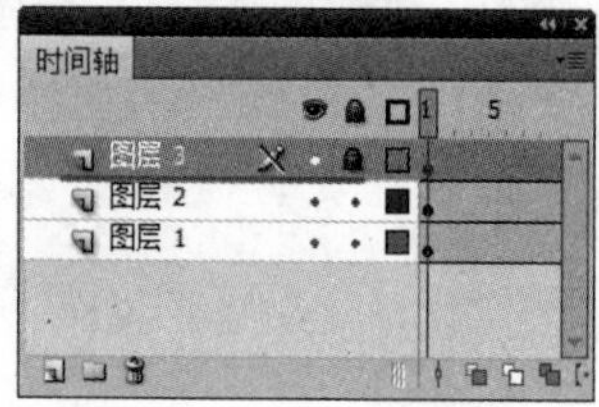

图8-44　锁定单击图层

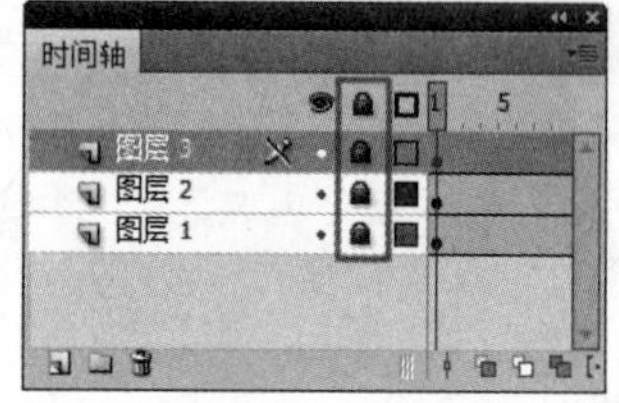

图8-45　锁定所有图层

第3种：如果要锁定多个或解锁多个连续的图层，只要在锁定列垂直拖动鼠标，即可以实现，按住“Alt”键，单击某一图层的锁定列黑点，可以锁定或解锁除一个图层以外的所有图层。

要锁定单个对象而不是锁定整个图层，可以在舞台中选定某个对象，按快捷键“Ctrl+Alt+L”进行锁定，如果要取消单个对象的锁定状态，可以按快捷键“Ctrl+Alt+L”，如果意外拖动了未锁定的图层中的某些内容，可以按快捷键“Ctrl+Z”撤销更改。

当图层被锁定后，在该图层进行操作时，鼠标将会以形状显示，表示该图层当前为不可编辑状态。

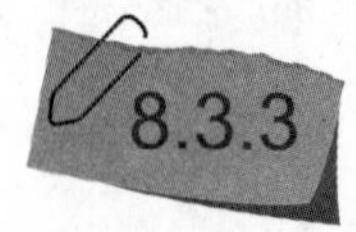

8.3.3 显示图层轮廓

当舞台上的对象较多时，可以用轮廓线显示的方式来查看对象。使用轮廓线显示的方式可以帮助用户更改图层中的所有对象，如果在编辑或测试动画时使用这种方法显示，还可以加速动画的显示，如图8-46所示分别为正常显示和以轮廓显示的对象效果。

（正常显示）　　（轮廓显示）

图8-46　舞台效果

显示轮廓有以下几种方法：

第1种：单击某一层中的轮廓显示图标（表示为带有颜色的方框），若轮廓图标为空心的，则表示该图层中的对象当前以轮廓形式显示。如果要恢复正常显示，可以单击空的轮廓显示图标，将其变为实心图标即可。

第2种：如果要将所有图层的内容以轮廓形式显示，可以单击"时间轴"面板上的轮廓显示图标（位于所有图层方框图层的最上方），再次单击，可以恢复正常显示。

第3种：在轮廓线列表中垂直拖动鼠标，可以使多个图层显示轮廓或恢复正常显示。

第4种：按下"Alt"键，单击某一图层的轮廓显示图层，可以使除这一层上的其他图层以轮廓显示或恢复正常。

执行【视图】|【预览模式】|【轮廓】命令，可以将舞台中的所有元素以轮廓化显示。

在某一图层上单击鼠标右键，在弹出的快捷菜单中选择【图层属性】命令，弹出"图层属性"对话框，在该对话框中可以对轮廓的颜色进行设置。

8.4 组织图层

将"时间轴"面板中的图层有规律地放入图层文件夹中，可以使图层的组织更加有序，在图层文件夹中，还可以嵌套多个图层文件夹。在图层文件夹中可以包含任意图层，包含的图层或图层文件夹将以缩进的方式显示。

例如对于一个卡通角色来说，每个部分（如用胳膊、头、身体、腿等）都占有一个单独的图层，为了避免多个名称相似的图层在时间轴中产生混乱，可以将它们按身体的部分组合到一个图层文件夹底下，该文件夹可以以角色的身体部分为名称，如图8-47所示。如果含有多个卡通角色，可以将每个角色的相关部分都组织到以各角色命名的文件夹下，这样就能一目了然了，如图8-48所示。

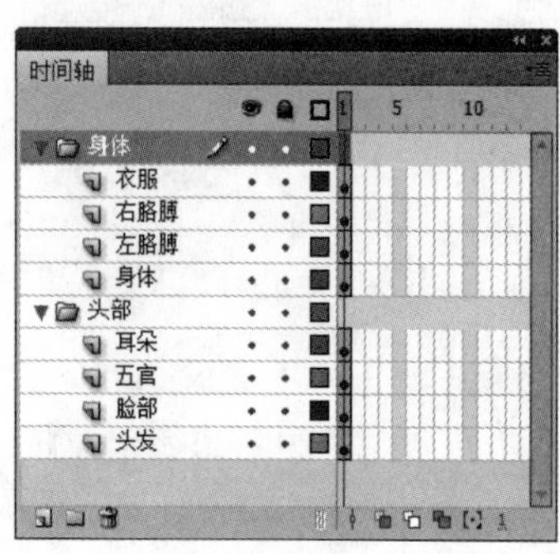

图8-47　组织图层

图8-48　组织图层

新建图层文件夹

创建图层文件夹的操作方法有以下几种：

第1种：单击“时间轴”面板底部的“插入文件夹”按钮，新文件夹将出现在所选图层的上面，如图8-49所示。

第2种：在所选图层的上面单击鼠标右键，在弹出的快捷菜单中选择【插入文件夹】命令，如图8-50所示。

第3种：执行【插入】|【时间轴】|【插入文件夹】命令，插入图层文件夹。

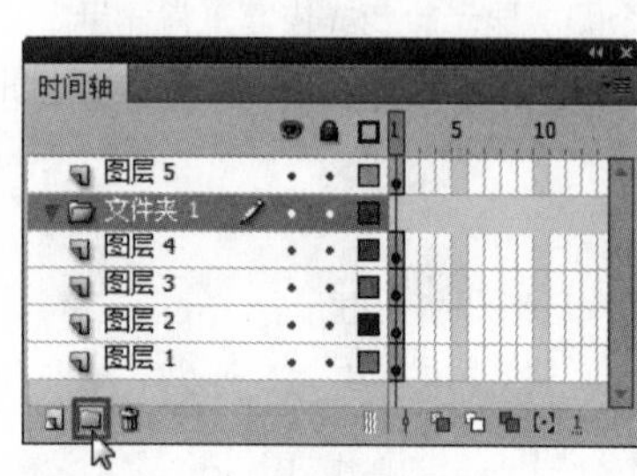

图8-49　插入图层文件夹

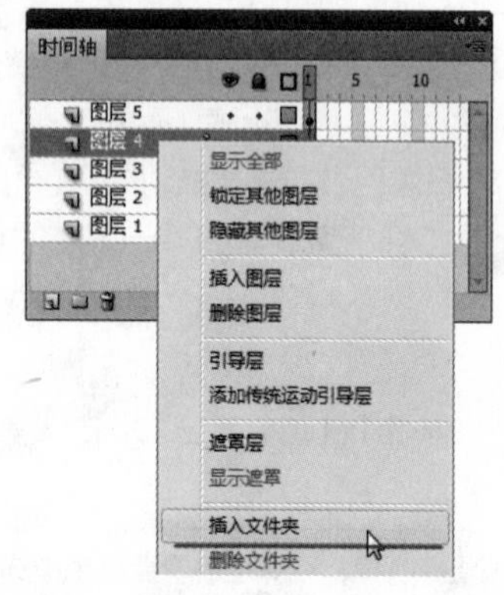

图8-50　选择【插入文件夹】命令

Tips

虽然图层文件夹中的内容不像图层一样，可以在时间轴中显示，但是也同样具有许多与图层相同的属性，如锁定/解锁、显示/隐藏、命名，以及轮廓颜色等。图层文件夹的处理方法与图层几乎是一样的。

编辑图层文件夹

创建文件夹的目的就是为了存放图层，步骤如下：

新建一个图层文件夹，选中需要放置文件夹中的图层，并将其拖放到图层文件夹图标的下方，此时会产生一条线段，如图8-51所示，释放鼠标，选中的图层即可被移到图层文件夹正下方，以缩进方式显示，表示该图层处于这个图层文件夹中，如图8-52所示。

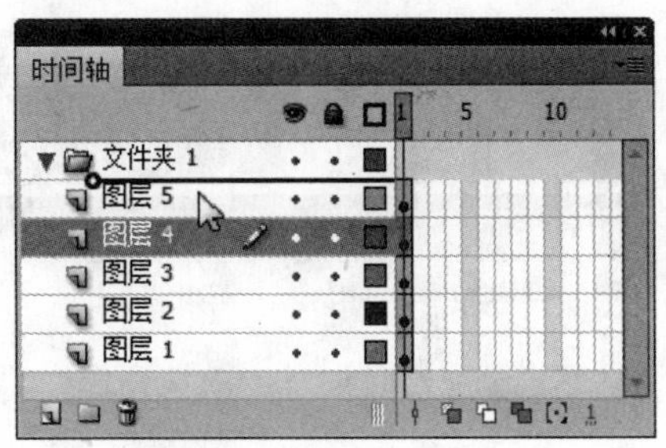

图8-51 拖动图层至图层文件夹中

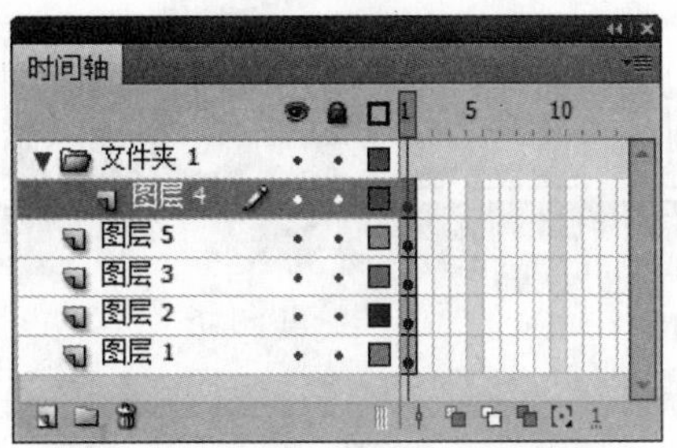

图8-52 添加到图层文件夹中的图层

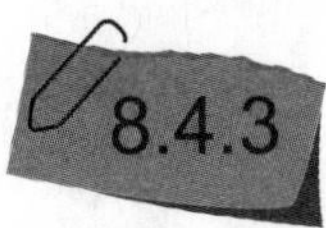

展开/折叠图层文件夹

图层文件夹可以以展开或折叠的形式查看该文件夹中所包含的图层，使用这种方法可以隐藏时间轴上所有相关的图层，而不会影响舞台中的显示内容。

无论是折叠还是展开图层文件夹，只要单击图层文件夹名称左侧的三角形图标即可。当三角形向下指，并且包含在该文件夹中的图层可见时，表示图层文件夹已被展开，如图8-53所示。

如果三角形向右指，并且包含在文件夹中的文件均不可见时，表示该图层文件夹已经被折叠，如图8-54所示。

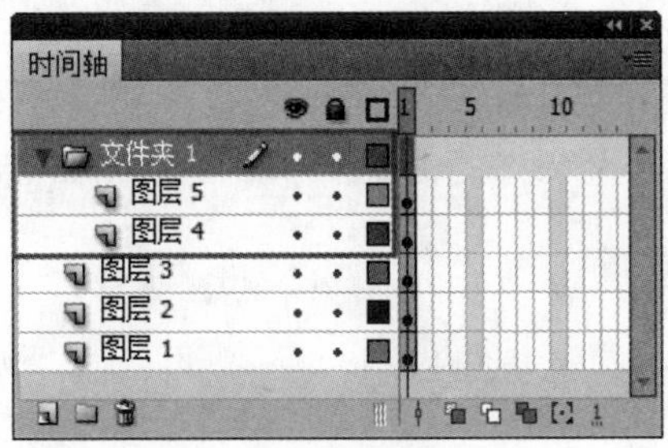

图8-53 展开图层文件夹

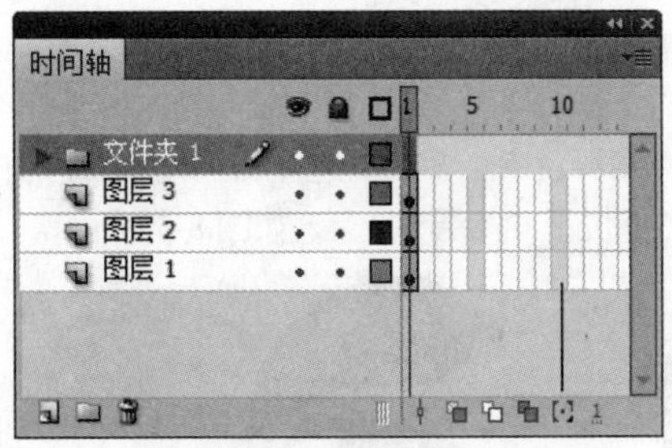

图8-54 折叠图层文件夹

8.5 分散到图层

通常在对复杂的复合图像或动画进行操作时，最好将单独的对象或者元件限制在单一的层中，但是也可能会遇到单一层中包含多个对象或元件的情况，例如在导入某些矢量文件时，导入的图像将由许多不同的未组合的对象组成。这种情况下就可以利用“分散到图层”这一命令，把一个图层或多个图层上的一帧中的所有对象快速分散到各个独立的图层中，以便将补间动画应用到对象上。

【分散到图层】命令可以对舞台中的任何类型的元素进行应用，包括图形对象、实例、位图、视频剪辑和分离文本块等。

如果对分离文本应用【分散到图层】命令，可以很容易地创建动画文本。在“分离”操作过程中，文本中的字符放置在独立的文本块中，如图8-55所示，而在“分散到图层”过程中，每一个文本块放在一个独立的层上，如图8-56所示。

图8-55 分散之前

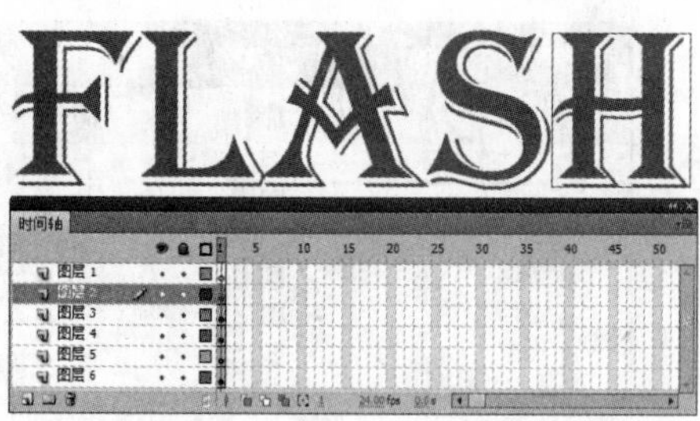
图8-56 分散之后

源 文 件：光盘 \ 源文件 \ 第 8 章 \8-5.fla
教学视频：光盘 \ 视频 \ 第 8 章 \8-5.swf

应用实例：制作小狗眨眼动画

本实例主要为读者讲解如何将矢量文件导入舞台，并将其分别分散到图层，以眨眼动画的制作让读者更加深入地理解使用【分散到图层】这一命令的作用。

STEP 01 执行【文件】|【新建】命令，新建一个 Flash 文档，在“属性”面板中将“帧频”设置 为 12。

STEP 02 执行【文件】|【导入】|【导入到舞台】命令，将矢量文件“光盘 / 源文件 / 第 8 章 / 素材 /8501.ai”导入到舞台中，使用“选择工具”在舞台中拖动，可以发现它是由多个不同的对象组成，且该矢量文件现在都位于“图层 1”上，如图 8-57 所示。

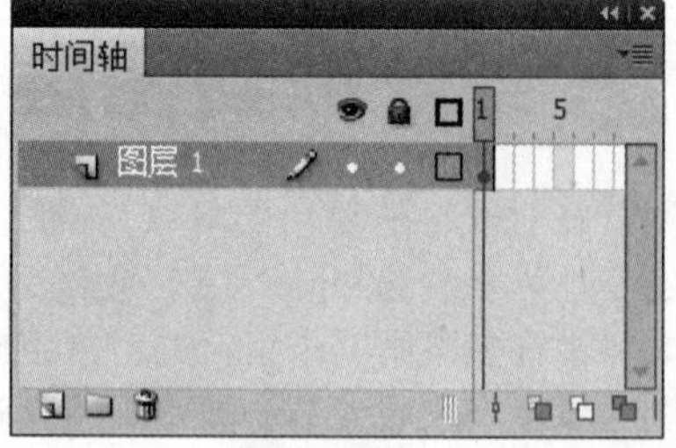

图8-57 导入矢量文件

STEP 03 要想将该文件中的对象分散到每个图层中，可以执行【修改】|【时间轴】|【分散到图层】命令，即可将所有对象快速分散到每个独立的图层中，如图 8-58 所示，此时原来的“图层 1”变为空图层，如果没有需要，将其删除即可。

图8-58 分散到图层后效果

Tips

使用【分散到图层】命令可以将每一个对象分散到一个独立的图层中，任何没有被选中的对象（包括其他帧中的对象）都保留在它们的原始位置。

STEP 04 将对象分散到图层后，在时间轴中第 10 帧的位置拖动光标，同时选中"图层 3"到"图层 8"，按"F5"键插入帧，如图 8-59 所示。在舞台中选中小狗眼睛部分，按"F8"键弹出"转换为元件"对话框，参数设置如图 8-60 所示。单击"确定"按钮，将其转换为图形元件。

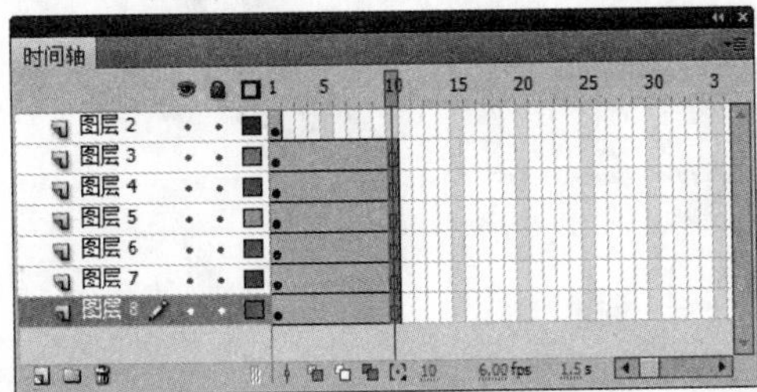

图8-59 插入帧

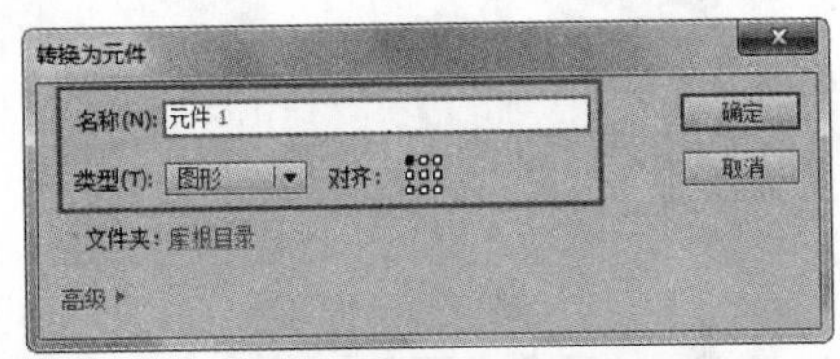

图8-60 "转换为元件"对话框

STEP 05 在"图层 2"的第 8 帧位置按"F6"键插入关键帧，根据前面相同的方法将其转换为"元件 2"，并对"元件 2"中的眼睛进行相应的更改，如图 8-61 所示。在第 1 帧到第 8 帧之间创建传统补间，如图 8-62 所示。

图8-61 舞台效果

图8-62 创建传统补间

STEP 06 在第 10 帧插入关键帧，转换为"元件 3"，并对其进行相应的更改，效果如图 8-63 所示，"时间轴"面板如图 8-64 所示。

图8-63　舞台效果

图8-64　“时间轴”面板

STEP 07 完成角色眨眼睛的动画制作，执行【文件】|【保存】命令，将文档保存为“光盘/源文件/第8章/8-5.fla”，按快捷键“Ctrl+Enter”测试影片，动画效果如图8-65所示。

图8-65　动画测试效果

8.6 时间轴中的帧

影片的制作原理是改变连续帧的过程，不同的帧代表着不同的时间，包含不同的对象。影片中的画面随着时间的变化逐个出现。

8.6.1 帧的基本类型

不同的帧代表不同的动画，无内容的帧是以空的单元格显示的，有内容的帧是以一定的颜色显示的。例如运动补间动画的帧显示淡蓝色，形状补间动画的帧显示淡绿色，关键帧后面的帧继续关键帧的内容。

帧

帧又可称为“普通帧”和“过渡帧”，在影片制作的过程中，经常在一个含有背景图像的关键帧后面添加一些普通帧，使背景延续一段时间。在起始和结束关键帧之间的帧被称为“过渡帧”，如图8-66所示。

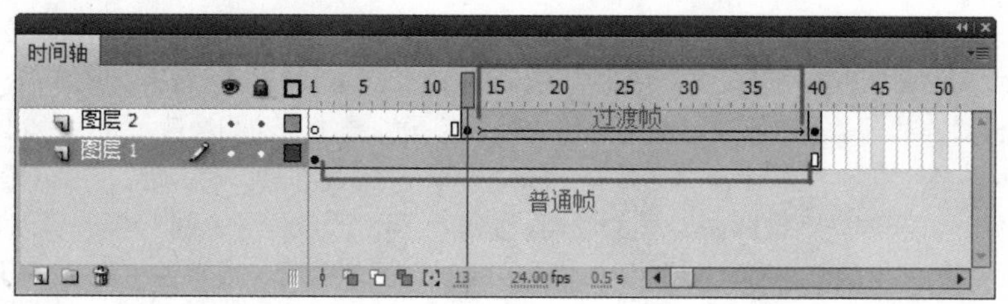

图8-66　帧效果

过渡帧是动画实现的详细过程，它能具体体现动画的变化过程。当鼠标单击过渡帧时，在舞台中可以预览这一帧的动画情况。过渡帧的画面由计算机自动生成，无法进行编辑操作。

关键帧

关键帧是Flash动画的变化之处，它包括任意数量的元件和图形等对象。关键帧制作的好坏是动画成功与否的关键，关键帧的效果如图8-67所示。

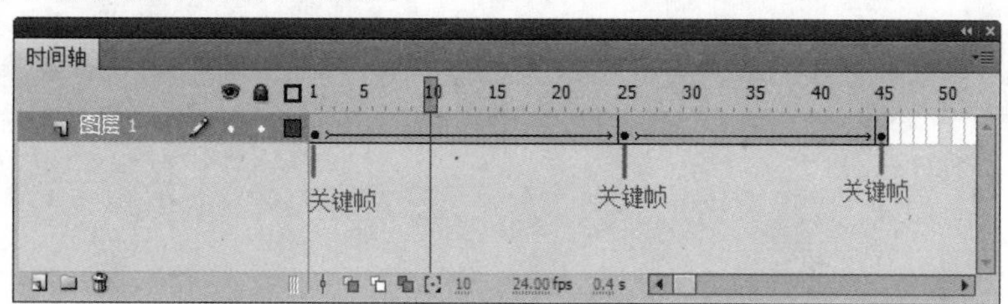

图8-67　关键帧效果

Tips

关键帧中可以包含形状剪辑、组等多种类型的元素或诸多元素，但过渡帧中的对象只能是剪辑（影片剪辑、图层剪辑、按钮）或独立形状。

两个关键帧的中间可以没有过渡帧，但过渡帧前后肯定有关键帧，因为过渡帧附属于关键帧，关键帧可以修改该帧的内容，但过渡帧无法修改该帧的内容。

空白关键帧

当新建一个图层时，图层的第1帧默认为空白关键帧，即一个黑色轮廓的圆圈，如图8-68所示，当向该图层添加内容后，这个空心圆圈将变为一个小的实心圆圈，该帧即为关键帧。

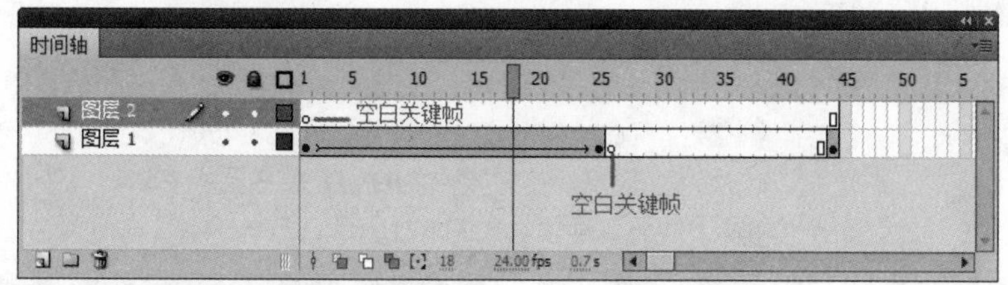

图8-68　空白关键帧效果

8.6.2 设置帧频

在设计制作Flash动画时，特别需要考虑帧频的问题，因为帧频会影响最终的动画效果。将帧频设置得过高，会导致处理器问题。

帧频就是动画播放的速度，以每秒钟所播放的帧数为度量。如果动画的帧频设置太慢，会使该动画看起来没有连续感。如果动画帧频设置太快，会使该动画的细节变得模糊，看不清。

在网络上传播的动画，通常将帧设置为每秒12帧，但是标准的运动图像速率为每秒24帧。在Flash中新建的文档，默认的“帧频”为24fps，因为一个Flash动画文档只能设置一个帧频，所以设计者在设计制作Flash动画之前，都需要先确定Flash动画的帧频。如果需要修改Flash文档的帧频，可以在新建Flash文档后，在“属性”面板上的“帧频”文本框中设置该Flash动画的帧频，或者在“属性”面板上单击“编辑”按钮，在弹出的“文档设置”对话框中进行设置，如图8-69所示。

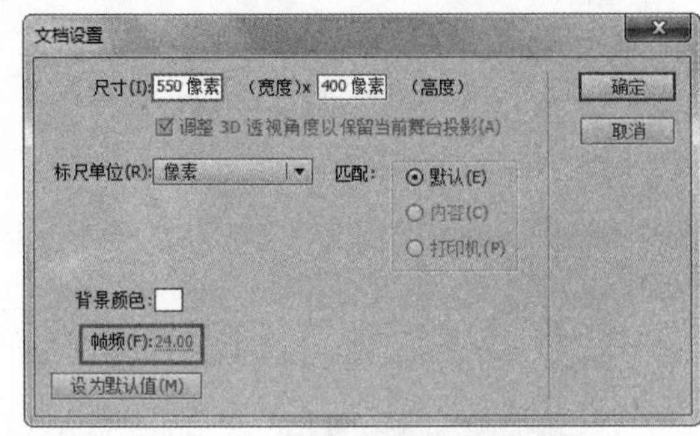

图8-69　设置Flash动画的“帧频”

Tips

Flash 动画的复杂程度和播放 Flash 动画的计算机速度都会影响 Flash 动画回放的流畅程度，可以在多种计算机上测试 Flash 动画，从而确定最佳的 Flash 动画帧频。

8.7 编辑帧

在实际工作中，经常需要对帧进行各种编辑操作，虽然帧的类型比较复杂，在动画中起到的作用也各不相同，但是对帧的各种编辑操作都是一样的，下面将对帧进行编辑。

8.7.1 帧的转换

帧可以转换为空白关键帧或者关键帧，方法很简单，在需要转换的帧上单击鼠标右键，在弹出的菜单中选择【转换为关键帧】或者【转换为空白关键帧】命令即可，如图8-70所示。

关键帧或者空白关键也可以转换为普通帧，在需要转换的帧上单击鼠标右键，在弹出的快捷菜单中选择【清除关键帧】命令，即可将其转换为普通帧，如图8-71所示。

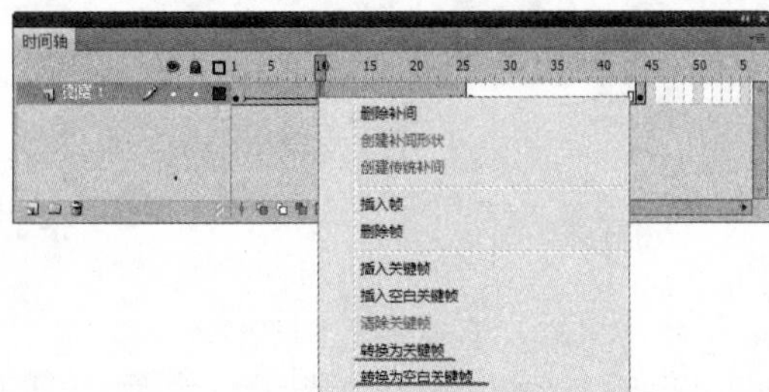

图8-70　转换关键帧

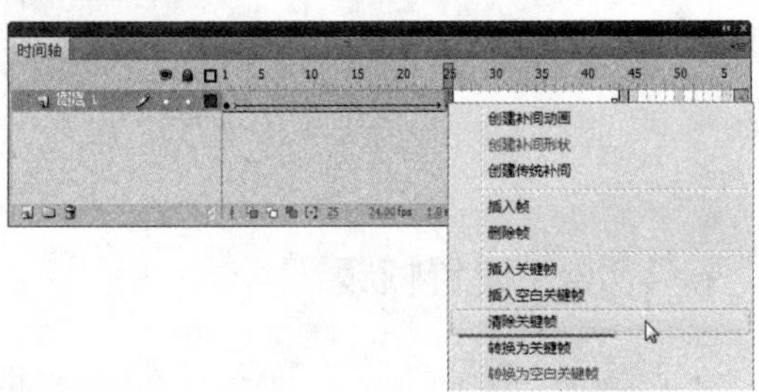

图8-71　清除关键帧

选择帧

要选择一个帧，直接单击该帧即可。如果执行【编辑】|【首选参数】命令，在弹出的"首选参数"对话框中选择"基本整体范围的选择"复选框，如图8-72所示，则单击某个帧将会选择两个关键帧之间的整个帧序列，如图8-73所示。

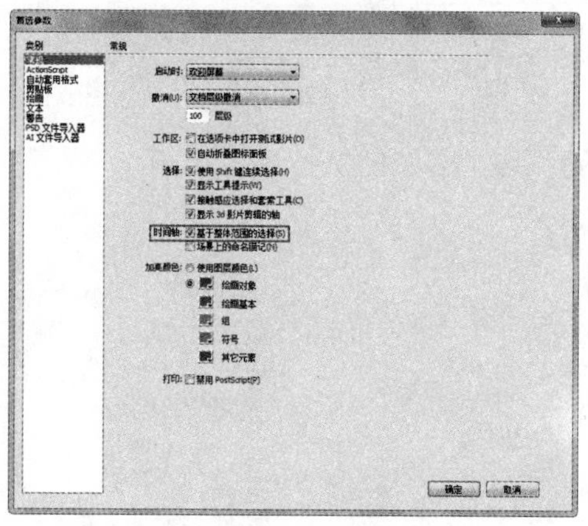

图8-72 "首选参数"对话框

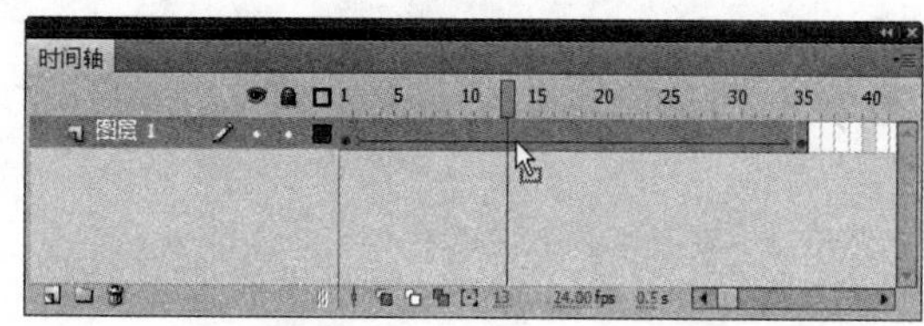

图8-73 选择整体范围

要选择多个选择的帧，可以按住"Shift"键并单击其他帧；要选择多个不连续的帧，可以按住"Ctrl"键并单击其他帧；要选择时间轴中的所有帧，可以执行【编辑】|【时间轴】|【选择所有帧】命令，如图8-74所示。

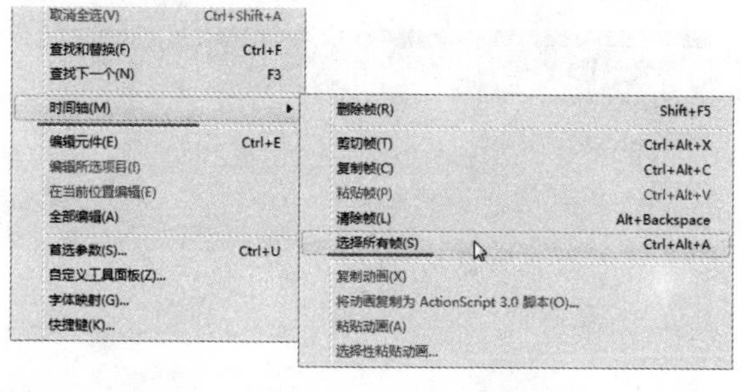

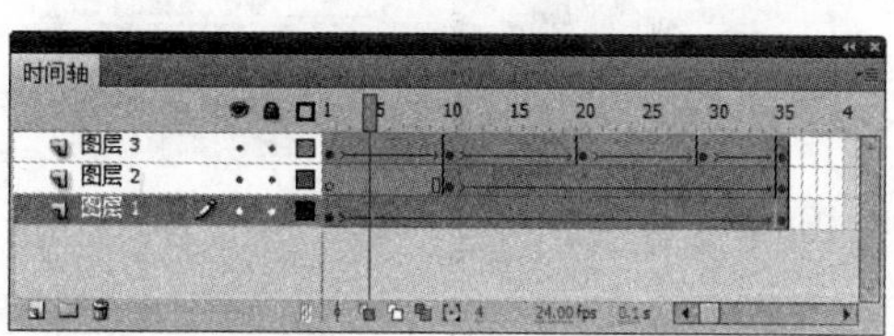

图8-74 选择所有的帧

如果要选择整个图层上的全部帧，可以使用选择工具在图层名称上单击，即可选中整个图层上的帧。

插入帧

插入一个帧：执行【插入】|【时间轴】|【帧】命令，或者直接按"F5"键，即可在当前帧的后面插入一个帧。

插入一个关键帧：执行【插入】|【时间轴】|【关键帧】命令，或者直接按"F6"键，也可以在要插入关键帧的帧上单击鼠标右键，在弹出的快捷菜单中选择【插入关键帧】命令，即可完成关键帧的插入。

插入一个空白关键帧：【插入】|【时间轴】|【空白关键帧】命令，或者直接按"F7"键，即可在播放头所在的位置添加空白关键帧。

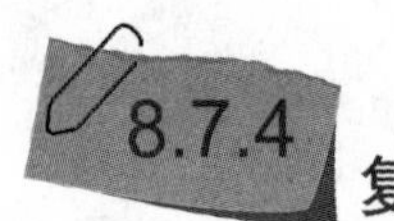

8.7.4 复制帧

按住“Alt”键，将要复制的关键帧拖动到复制的位置，然后释放鼠标即可。

另一种复制的方法是执行【编辑】|【复制】命令复制关键帧，然后在要粘贴的位置选择【粘贴】命令，也可以通过右键快捷菜单进行操作，如图8-75所示。

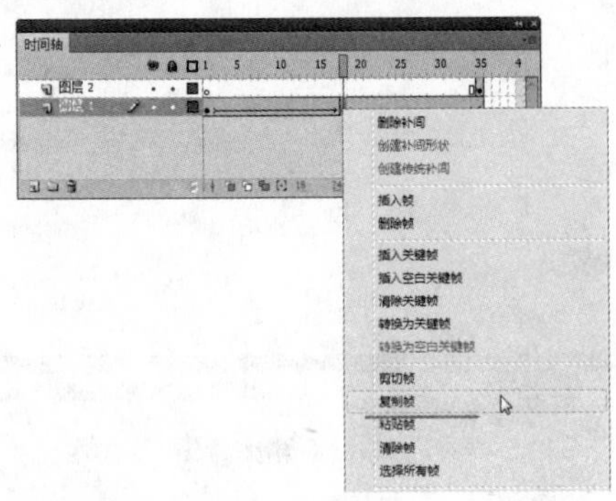

图8-75　复制粘贴关键帧

8.7.5 移动帧

要移动关键帧序列及其内容，只需要将该关键帧或序列拖动到所需要的位置即可，如图8-76所示。

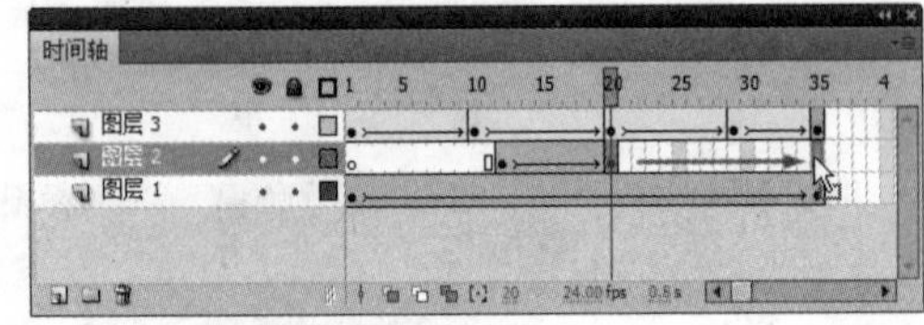

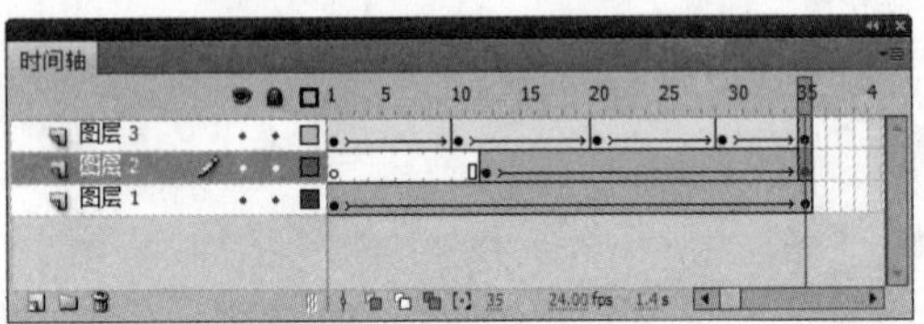

图8-76　移动帧

8.7.6 删除和清除帧

要删除帧、关键帧或帧序列，首先要选择该帧、关键帧或帧序列，然后执行【编辑】|【时间是轴】|【删除帧】命令，如图8-77所示，也可以右击该帧、关键帧或帧序列，在弹出的快捷菜单中选择【删除帧】命令，如图8-78所示，即可完成删除帧的操作。

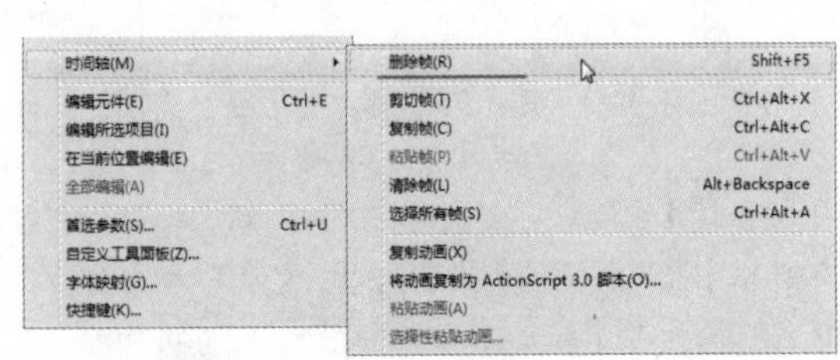

图8-77　执行【删除帧】命令

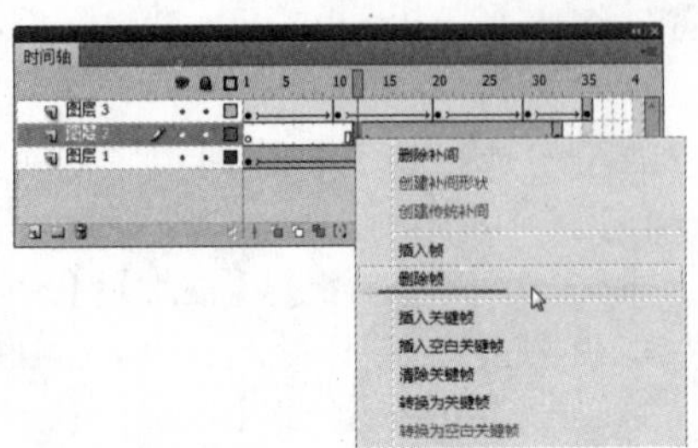

图8-78　执行【删除帧】命令

Tips

在删除帧的操作中，选中要删除的关键帧，如果按快捷键“Shift+F5”，可以将关键帧删除，按快捷键“Shift+F6”，可以将关键帧转换为普通帧。

清除帧主要用于清除帧和关键帧，它清除的是帧中的内容，即帧内部的所有对象，对帧进行了清除后，帧中将没有任何对象，清除帧的操作与删除帧的操作方法基本相同，就不再做过多讲解。

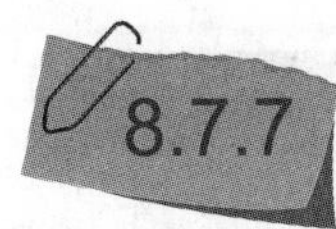

8.7.7 帧标签

在时间轴上选中一个关键帧，在“属性”面板上的“帧”文本框中输入帧的名称，即可创建一个帧的标签，如图8-79所示。

选中刚刚创建标签的帧，在“属性”面板上的“标签类型”下拉列表中可以选择帧标签的类型，分别为“名称”、“注释”和“锚记”。

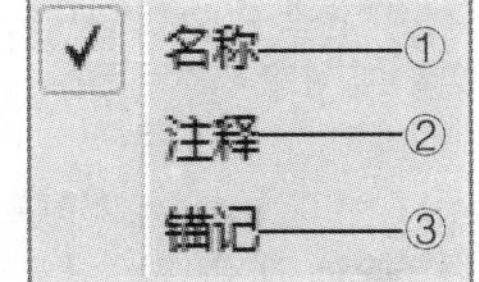

图8-79 “属性”面板

①名称	用于标识时间轴中的关键帧名称，在动作脚本中定位帧时，使用帧的名称。
②注释	表示注释类型的帧标签，只对所选中的关键帧加以注释和说明，文件发布为Flash影片时，不包含帧注释的标识信息，不会增大导出SWF文件的大小。
③锚记	可以使用浏览器中的“前进”和“后退”按钮，从一个帧跳到另一个帧，或是从一个场景跳到另一个场景，从而使得Flash动画的导航变得简单。将文档发布为SWF文件时，文件内部会包括帧名称和帧锚记的标识信息，文件的体积会相应增大，如图8-80所示。 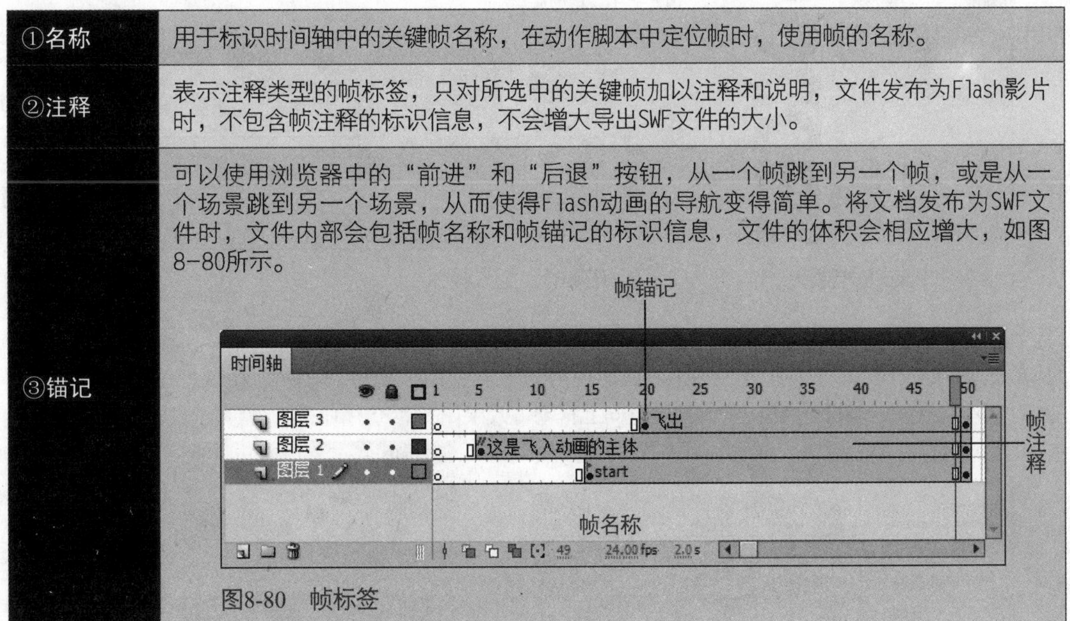 图8-80 帧标签

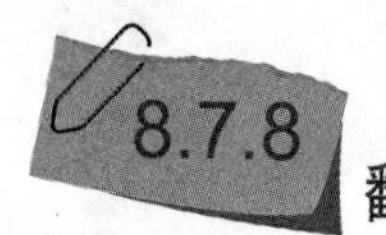

8.7.8 翻转帧

选择一个或多个图层中的合适帧，然后执行【修改】|【时间轴】|【翻转帧】命令，可以完成翻转帧的操作，使影片的播放顺序相反，如图8-81所示。但是有一点需要注意，所选序列的起始位置和结束位置都必须为关键帧。

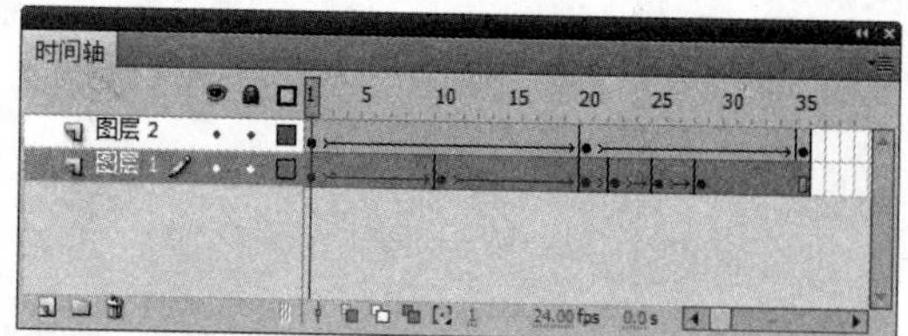

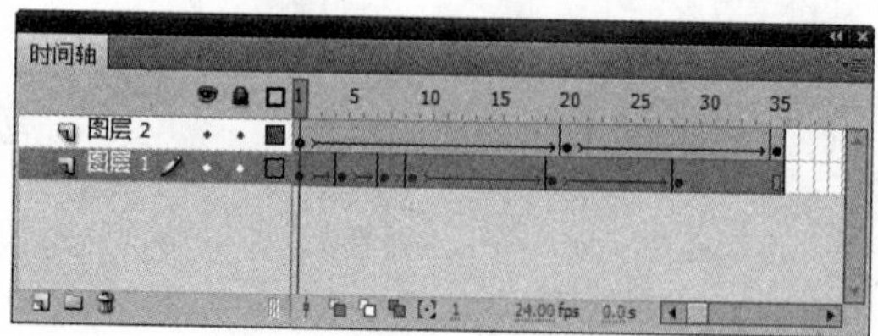

图8-81　翻转帧效果

应用实例：制作运动的足球

本实例制作的是一个循环运动的足球，通过简单的补间动画，然后将其复制并翻转，其主要目的是为了使读者更加明白翻转帧的作用。

源 文 件：光盘\源文件\第 8 章\8-7-9.fla

教学视频：光盘\视频\第 8 章\8-7-9.swf

STEP 01 执行【文件】|【打开】命令，打开“光盘/源文件/第 8 章/8-7-9.fla”，如图 8-82 所示。在“图层 1”中的第 30 帧位置按“F5”键，插入帧，如图 8-83 所示。

图8-82　Flash文档效果

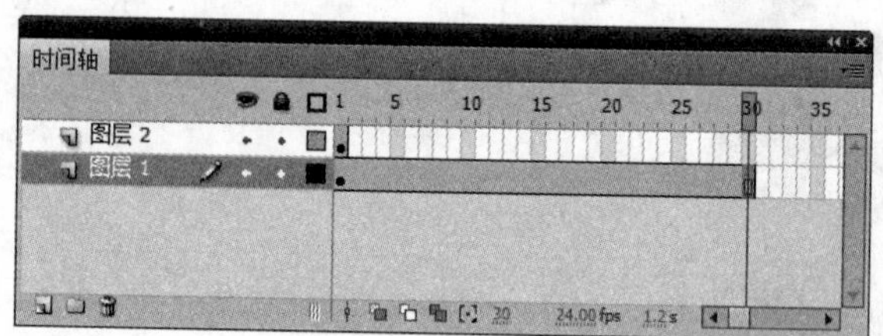

图8-83　插入帧

STEP 02 单击工具箱中的“选择工具”按钮，在舞台中将足球选中，按“F8”键弹出“转换元件”对话框，如图 8-84 所示，单击“确定”按钮，将其转换为图形元件。在“图层 2”中的第 15 帧位置按“F6”键，插入关键帧，按住“Shift”键，将元件垂直向上移动，效果如图 8-85 所示。

图8-84　转换元件

图8-85　垂直移动元件

STEP 03 在第 1 帧到第 15 帧位置插入传统补间，如图 8-86 所示。新建“图层 3”，在第 16 帧位置插入关键帧，选中“图层 2”，如图 8-87 所示。在右侧的时间轴中单击鼠标右键，在弹出的下拉菜单中选择【复制帧】命令。

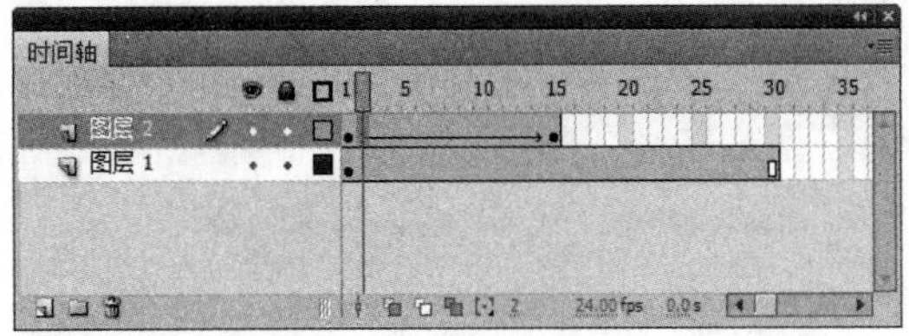

图8-86 创建补间

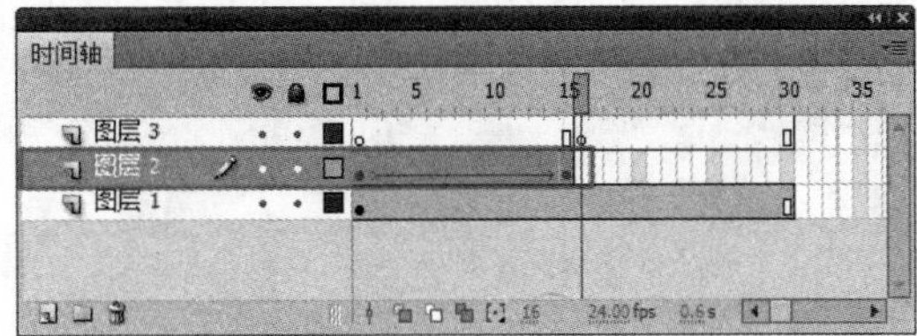

图8-87 复制帧

STEP 04 在“图层 3”位置拖动光标的同时，选中第 16 帧至第 30 帧，在右侧的时间轴中单击鼠标右键，在弹出的下拉菜单中选择【粘贴帧】命令，效果如图 8-88 所示。保持当前的选中状态，执行【修改】|【时间轴】|【翻转帧】命令，如图 8-89 所示。

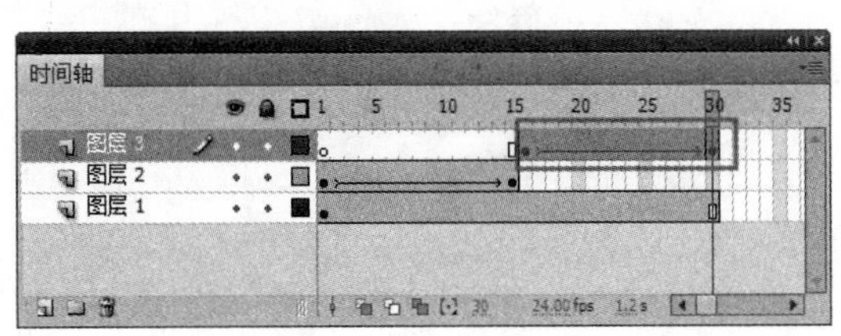

图8-88 粘贴帧

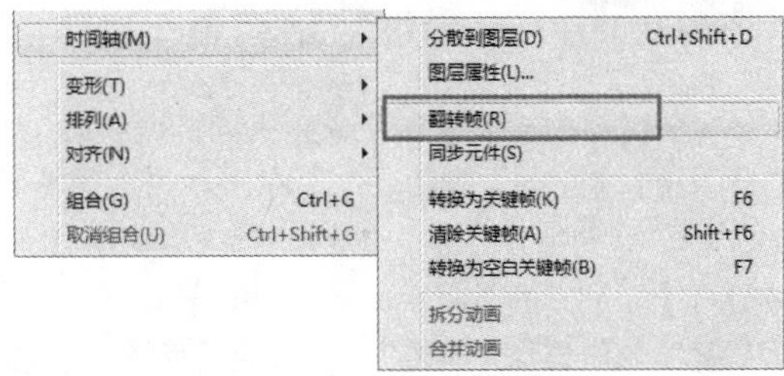

图8-89 翻转帧

STEP 05 完成翻转帧的操作，将文档保存为“光盘 / 源文件 / 第 8 章 /8-7-9.fla”。

复制和粘贴补间动画

在制作动画的过程中，如果想要临时编辑而无须保存补间属性，可以通过执行【编辑】|【时间轴】|【制作动画】命令，将补间属性从一个补间范围复制到另一个补间范围，如粘贴到文件中的其他位置或另一个文件中。补间属性将应用于新的目标对象，但目标对象的位置不会发生任何改变，无须重新定位新目标对象。

STEP 01 在舞台上选择需要复制的补间范围，如图 8-90 所示，在补间范围中单击鼠标右键，在弹出的快捷菜单中选择【复制动画】命令，或者执行【编辑】|【时间轴】|【复制动画】命令，如图 8-91 所示。

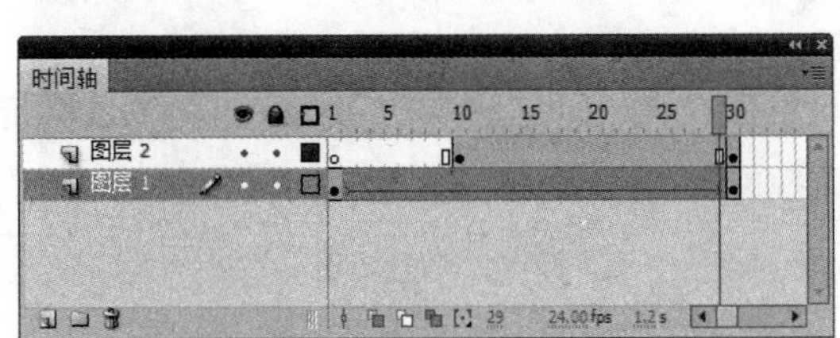

图8-90 选择补间

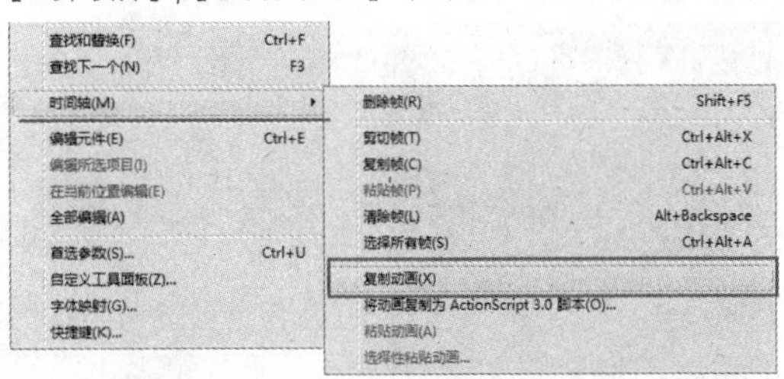

图8-91 执行命令

STEP 02 接下来选择需要粘贴的目标对象位置，如图 8-92 所示，在补间范围中单击鼠标右键，在弹出的快捷菜单中选择【粘贴动画】命令，或者执行【编辑】|【时间轴】|【粘贴动画】命令。

STEP 03 完成操作后，Flash 即会对目标补间范围应用补间属性并调整补间范围的长度，与所复制的补间范围相匹配，如图 8-93 所示。

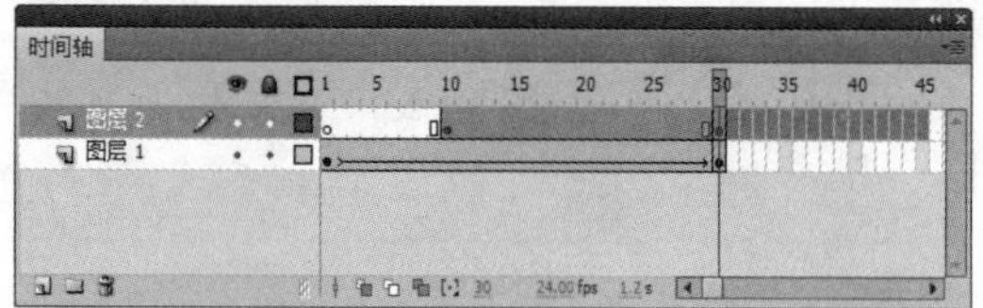

图8-92　选择范围

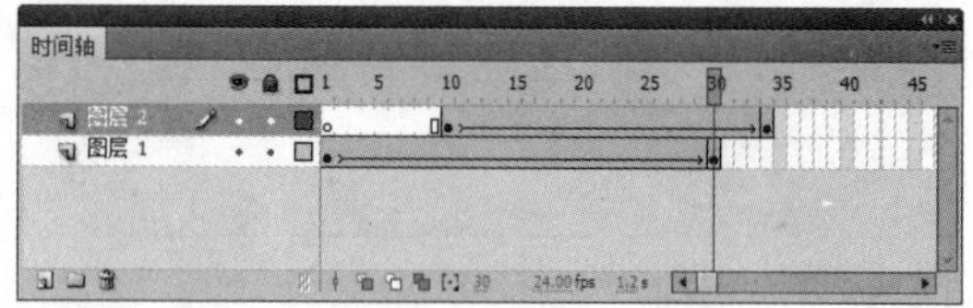

图8-93　粘贴补间效果

8.7.10 选择性粘贴动画

使用【复制动画】和【粘贴动画】命令可以对补间进行复制和粘贴，在粘贴过程中还可以只粘贴要应用其他对象的特定属性。

在“时间轴”面板中选择需要复制的补间或包含在补间中的帧，单击鼠标右键，在弹出的快捷菜单中选择【复制动画】命令，如图8-94所示，然后选择需要粘贴的目标对象位置，单击鼠标右键，在弹出的快捷菜单中选择【选择性粘贴动画】命令，弹出“粘贴特殊动作”对话框，如图8-95所示，单击“确定”按钮后，将插入必须的帧、补间和元件信息，以匹配所复制的原始补间。

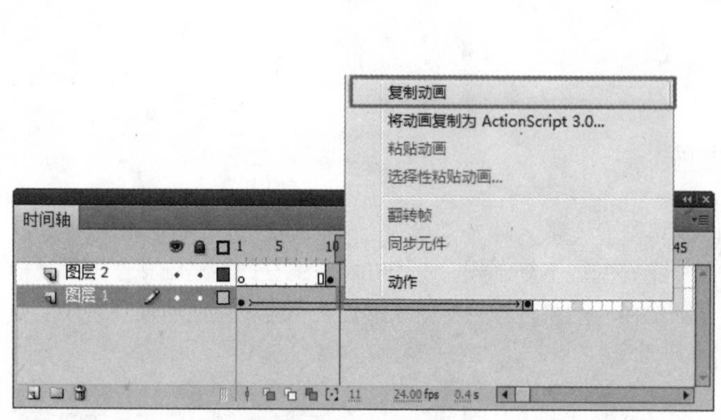

图8-94　选择【选择性粘贴动画】命令

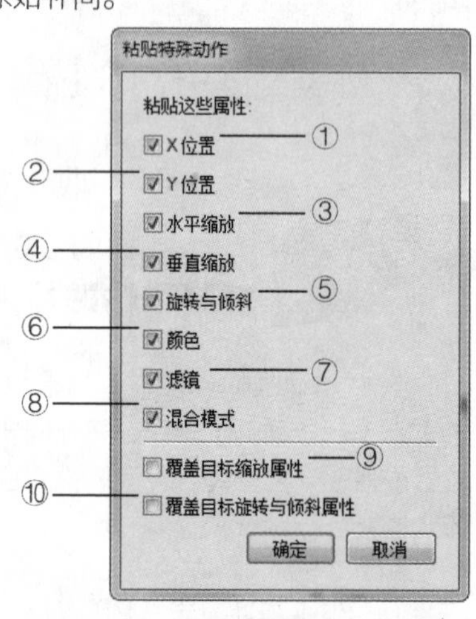

图8-95　“粘贴特殊动作”对话框

①X位置	对象在 x 轴方向上移动的距离。
②Y位置	对象在 y 轴方向上移动的距离。
③水平缩放	指定在水平方向（X）上对象的当前大小与其自然大小的比值。
④垂直缩放	指定在垂直方向（Y）上对象的当前大小与其自然大小的比值。
⑤旋转与倾斜	同时应用旋转和倾斜时，这两个属性会相互影响。必须将这两个属性同时应用于对象。

⑥颜色	所有颜色值（如"色调"、"亮度"和"Alpha"）都会应用于对象。
⑦滤镜	将应用于所选范围的所有滤镜值，如果对对象应用了滤镜，则会粘贴该滤镜（不改动其任何值），并且它的状态（启用或禁用）也将应用于新的对象。
⑧混合模式	应用对象的混合模式。
⑨覆盖目标缩放属性	如果勾选该复选框，则指定相对于目标对象粘贴所有属性。如果未勾选该复选框，此选项将覆盖目标的缩放属性。
⑩覆盖目标的旋转和倾斜属性	如果勾选该复选框，则指定相对于目标对象粘贴所有属性。如果未勾选该复选框，所粘贴的属性将覆盖对象的现有旋转和缩放属性。

将动画复制为 ActionScript 3.0

如果想要将元件的补间复制到"动作"面板，或在其他项目中将它用作 ActionScript，可以使用【将动画复制为 ActionScript 3.0脚本】命令。

使用【将动画复制为 ActionScript 3.0脚本】命令可捕获补间动画的以下属性：位置、缩放、倾斜效果、旋转、变形点、颜色、混合模式、路径方向、"缓存为位图"设置、缓动、滤镜、3D 旋转和位置。

STEP 01 在时间轴中选择补间范围，或在舞台上选择包含要复制的补间动画的对象。只能选择一个要复制为 ActionScript 3.0 脚本的补间范围或补间对象，单击鼠标右键，在弹出的快捷菜单中选择【将动画复制为 ActionScript 3.0 脚本】命令，或者执行【编辑】|【时间轴】|【将动画复制为 ActionScript 3.0 脚本】命令，如图 8-96 所示。

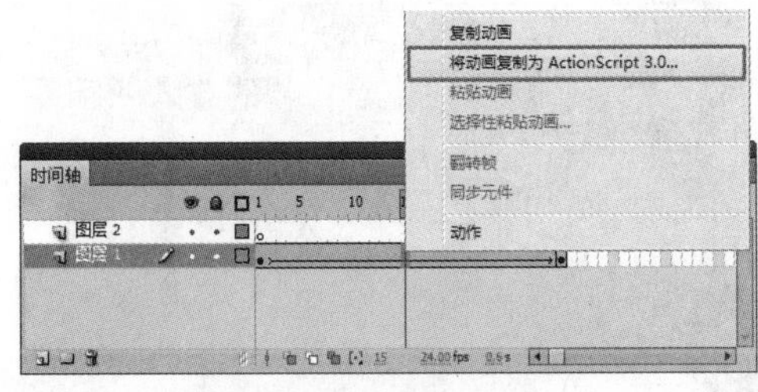

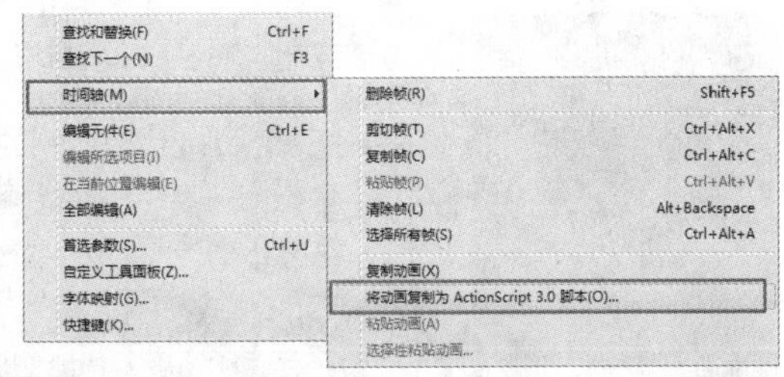

图8-96　执行【将动画复制为 ActionScript 3.0脚本】命令

STEP 02 弹出"提示"对话框，在此输入一个实例名称，如图 8-97 所示。单击"确定"按钮，此时 Flash 将描述所选补间动画的 ActionScript 3.0 代码复制到系统剪贴板上，代码将补间描述为逐帧动画。如果想要使用已复制的代码，可以将其粘贴到 Flash 文档的"动作"面板中，如图 8-98 所示。

图8-97　"提示"对话框

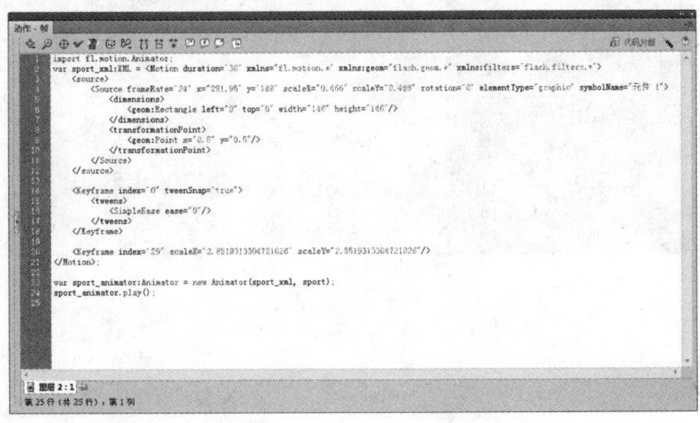

图8-98　"动作"面板

Tips

有关使用 ActionScript 3.0 进行动画处理的详细内容将在后续章节中为读者进行讲解。

8.8 绘图纸外观

通常情况下，Flash在舞台中一次显示动画序列的一个帧。为了帮助定位和编辑逐帧动画，可以在舞台中一次查看两个或多个帧。播放头下面的帧用全彩显示，但是其余的帧是暗淡的，看起来就好像每个帧是画在一张透明的绘图纸上，而这些绘图纸相互层叠在一起。利用绘图纸功能，就不用通过翻转来查看前面帧的内容，并能够平滑地制作出移动的对象。

要使用绘图纸外观功能，可以选择以下选项，如图8-99所示。

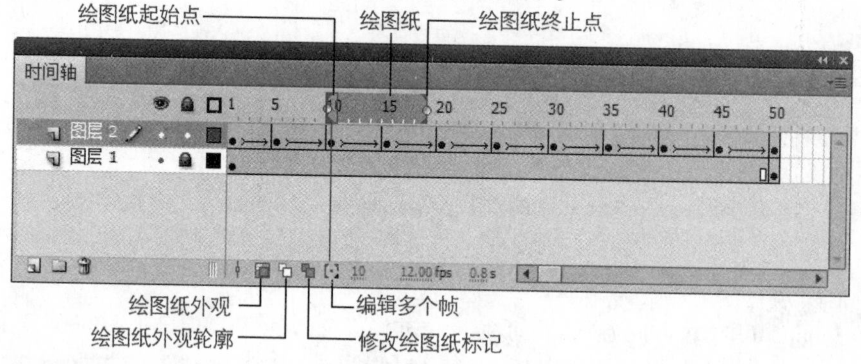

图8-99　绘图纸选项

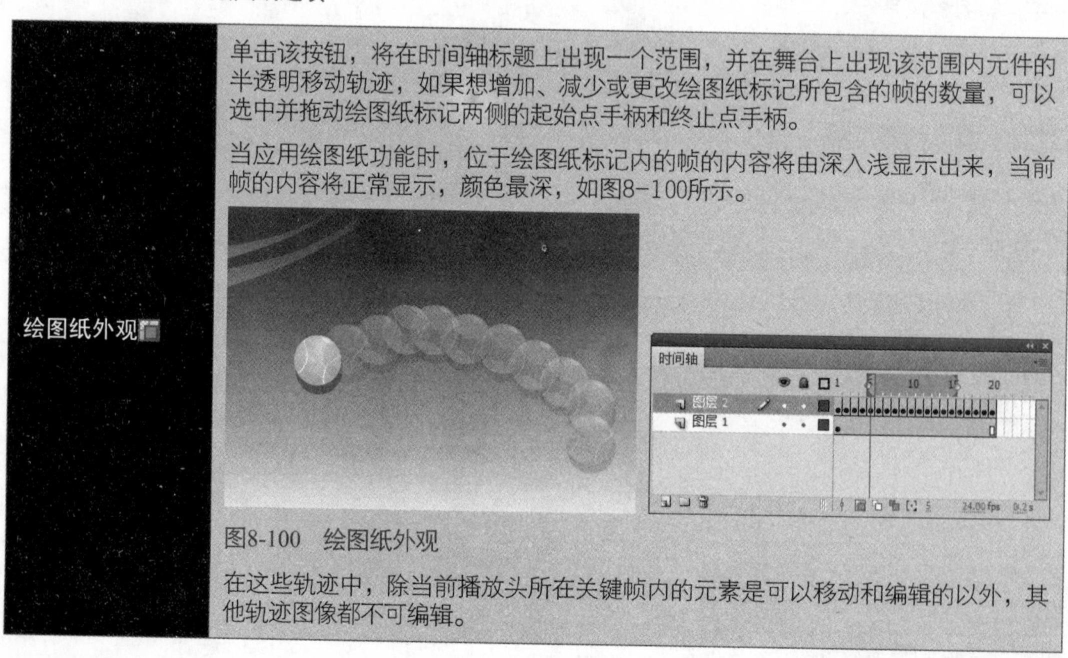

绘图纸外观

单击该按钮，将在时间轴标题上出现一个范围，并在舞台上出现该范围内元件的半透明移动轨迹，如果想增加、减少或更改绘图纸标记所包含的帧的数量，可以选中并拖动绘图纸标记两侧的起始点手柄和终止点手柄。

当应用绘图纸功能时，位于绘图纸标记内的帧的内容将由深入浅显示出来，当前帧的内容将正常显示，颜色最深，如图8-100所示。

图8-100　绘图纸外观

在这些轨迹中，除当前播放头所在关键帧内的元素是可以移动和编辑的以外，其他轨迹图像都不可编辑。

<table>
<tr>
<td>绘图纸外观轮廓</td>
<td>类似于绘图纸外观，单击该按钮后，可以显示多个帧的轮廓，而不是直接显示半透明的移动轨迹。当元素形状较为复杂或帧与帧之间的位移不明显的时候，使用这个按钮能更加清晰地显示元件的运动轨迹。每个图层的轮廓颜色决定了绘图纸轮廓的颜色，如图8-101所示。

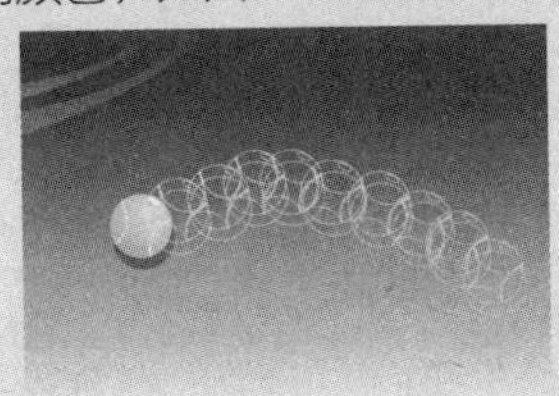

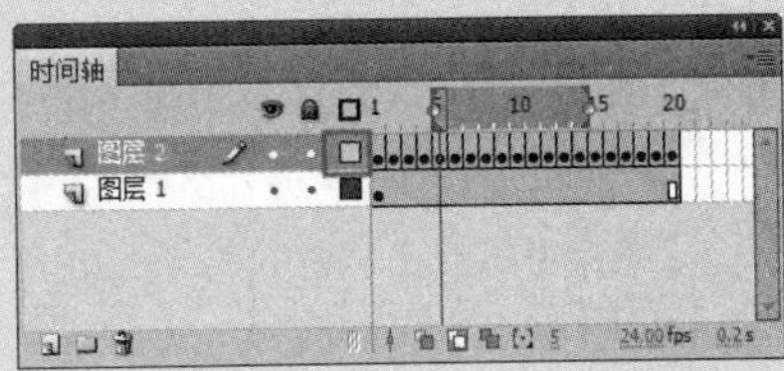

图8-101　绘图纸外观轮廓效果

除了播放头所在关键帧内实体显示的元素可以编辑外，其他轮廓都不可编辑。</td>
</tr>
<tr>
<td>编辑多个帧</td>
<td>类似于绘图纸外观，单击该按钮后，在舞台上会显示包含在绘图纸标记内的关键帧，与使用“绘图纸外观”功能不同，“编辑多个帧”功能在舞台上显示的多个关键帧都可以选择和编辑，如图8-102所示。

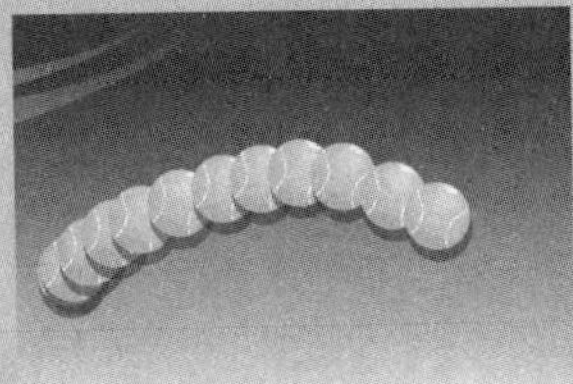

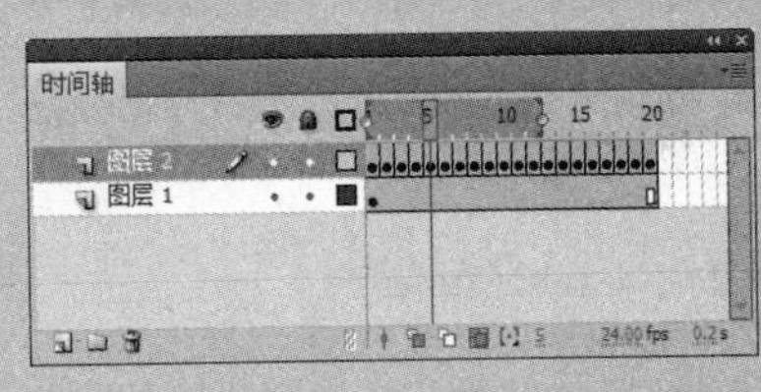

图8-102　编辑多个帧效果</td>
</tr>
<tr>
<td>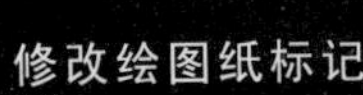
修改绘图纸标记</td>
<td>主要用于修改当前绘图纸的标记，通常情况下，移动播放头的位置，绘图纸的位置也会随之发生相应的变化。
单击该按钮，弹出下拉菜单，如图8-103所示。

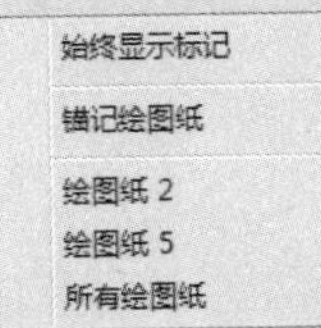

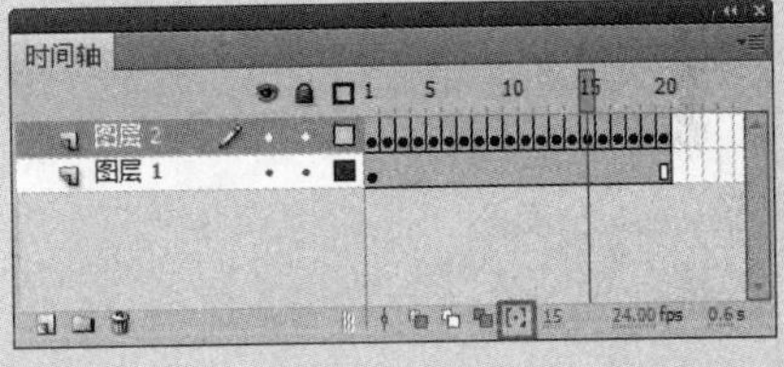

图8-103　修改绘图纸标记

始终显示标记：勾选该选项后，无论用户是否启用了绘图纸功能，都会在时间轴头部显示绘图纸标记范围，如图8-104所示。

锚记绘图纸：勾选该选项后，可以将时间轴上的绘图纸标记锁定在当前位置，不再跟随播放头的移动而发生位置上的改变，如图8-105所示。

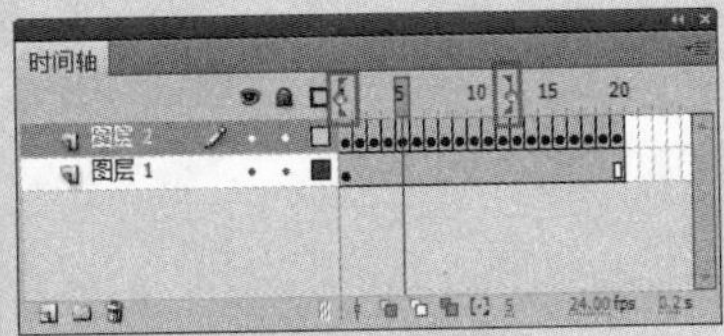

图8-104　始终显示标记

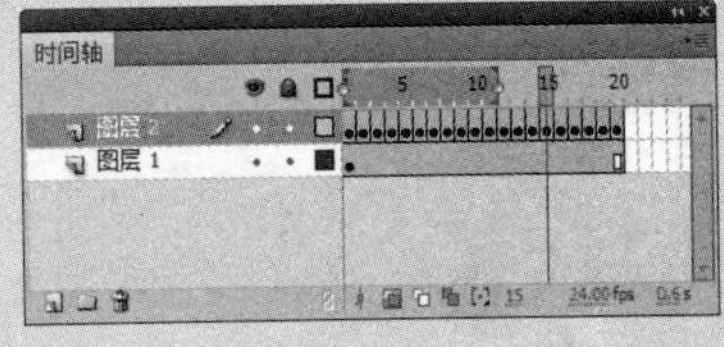

图8-105　锚记绘图纸

绘图纸2：选中该选项后，在当前选定帧的两侧只显示2个帧。

绘图纸5：选中该选项后，在当前选定帧的两侧只显示5个帧。

所有绘图纸：选择该选项后，会自动将时间轴标题上的标记范围扩大到包括整个时间轴上所有的帧。</td>
</tr>
</table>

应用实例：使用绘图纸外观调整影片

本实例制作的是一个简单的传统补间动画，主要目的是为了在制作的过程中，为读者讲解如何使用绘图纸外观，以及动画完成后，如何使用绘图纸外观进行调整。

源文件：光盘\源文件\第8章\8-8.fla

教学视频：光盘\视频\第8章\8-8.swf

STEP 01 执行【文件】|【打开】命令，打开“光盘/源文件/第8章/素材/8-8-1.fla”，如图8-106所示，“时间轴”面板如图8-107所示。

图8-106 Flash文档效果

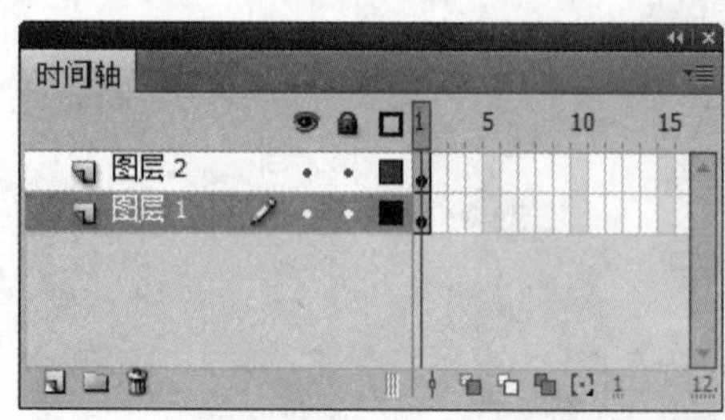

图8-107 “时间轴”面板

STEP 02 选中“图层1”上的元素，按快捷键“F8”弹出“转换元件”对话框，将其转换为图形元件，如图8-108所示。单击“确定”按钮，在“属性”面板中将“样式”的Alpha值设置为15%，如图8-109所示。

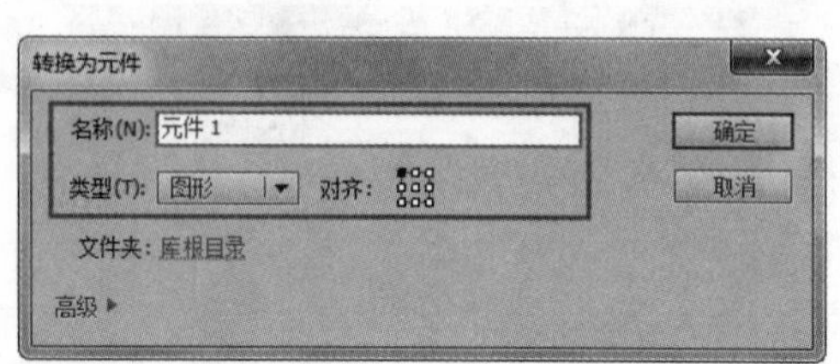

图8-108 转换元件

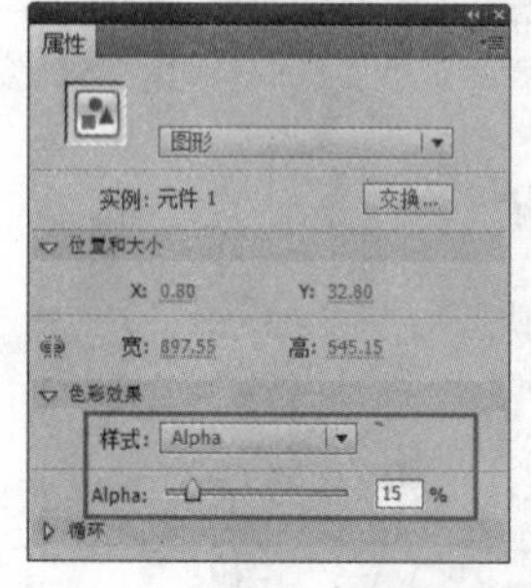

图8-109 设置Alpha值

STEP 03 完成Alpha值的设置，效果如图8-110所示。在“图层1”第35帧位置按“F5”键插入帧，效果如图8-111所示。

图8-110 舞台效果

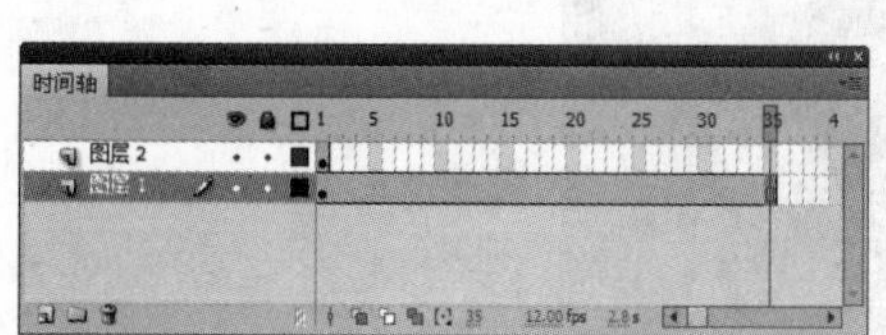

图8-111 插入帧

STEP 04 将"图层 2"上的元素转换为图形元件，如图 8-112 所示。单击"确定"按钮，在第 5 帧位置按 F6 键插入关键帧，单击"时间轴"面板下方的"绘图纸外观"按钮，如图 8-113 所示。

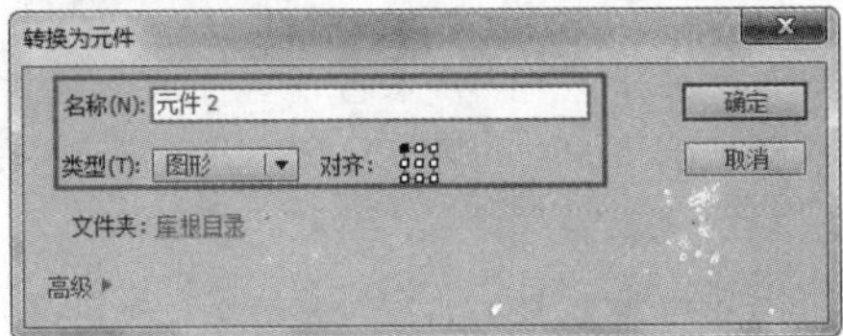

图8-112 转换元件

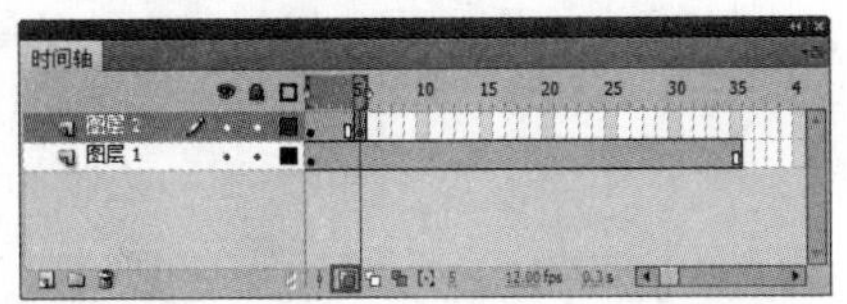

图8-113 "时间轴"面板

STEP 05 在舞台中调整元件位置，如图 8-114 所示。创建第 1 帧到第 5 帧位置的传统补间，可以在绘图纸外观下查看舞台效果，如图 8-115 所示。

图8-114 调整位置

图8-115 创建传统补间

STEP 06 完成相同内容的制作，并在合适位置调整元件的大小，舞台及"时间轴"面板如图 8-116 所示。

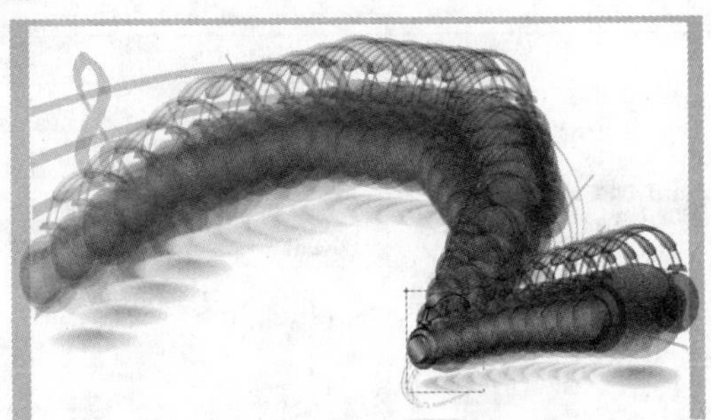

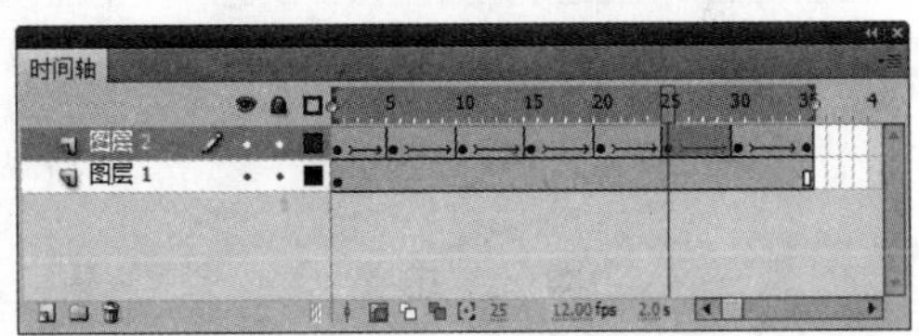

图8-116 舞台及"时间轴"面板效果

STEP 07 此时单击"编辑多个帧"按钮，可以对绘图纸外观标记下的关键帧进行调整，如图 8-117 所示。将文档保存为"光盘 / 源文件 / 第 8 章 /8-8.fla"，按快捷键"Ctrl+Enter"测试影片，动画效果如图 8-118 所示。

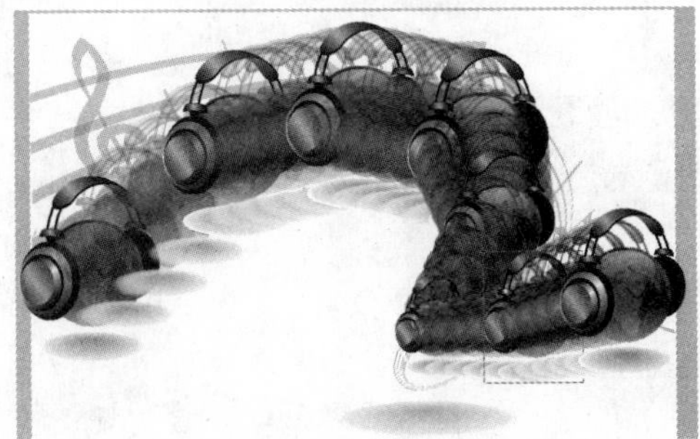

图8-117 调整关键帧

图8-118 测试影片效果

8.9 总结扩展

“时间轴”面板可以对图层和帧中的影片内容进行组织和控制，使这些内容随着时间的推移而发生相应的变化。图层就像堆叠在一起的透明纤维一样，每一层中都包含不同的图像，且它们同时出现在舞台上。在“时间轴”面板中最重要的组件就是帧、图层、帧标题和播放头。

影片中的层列表出现在时间轴窗口的左侧，每一层中包含的帧出现在层名称的右侧。帧标题出现在“时间轴”面板的上方，可以显示动画的帧数，时间轴的播放头可以在“时间轴”中随意移动，指示舞台上的当前帧。“时间轴”面板的底部还有一个“状态”栏，用于显示当前帧数、用户在影片属性中设置的帧频率，以及播放到当前帧所需要的时间。

8.9.1 本章小结

本章主要针对“时间轴”面板进行了详细讲解，其中图层和帧这两大部分内容尤为重要，帧的基本类型、帧的一系列编辑方法，以及图层的一些基本操作都是读者在后期制作Flash动画时不必可少的，需要熟练掌握并能够掌握其中的使用技巧。

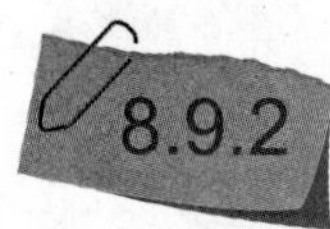

8.9.2 举一反三——制作踢球动画

案例文件：	光盘\源文件\第8章\8-9.fla
视频文件：	光盘\视频\第8章\8-9.swf
难易程度：	★★☆☆☆
学习时间：	5分钟

(1)

(2)

(3)

(4)

（1）新建Flash文档，导入矢量素材8901.ai。

（2）执行【修改】|【时间轴】|【分散到图层】命令，将对象分散到图层中。

（3）将眼睛、腿和球创建为图像元件，制作踢球动画。

（4）完成踢球动画的制作。

第9章 元件、实例和库

元件和实例是组成一部影片的基本元素，通过综合使用不同的元件，可以制作出丰富多彩的动画效果。在“库”面板中可对文档中的图像、声音视频等资源进行统一管理，以方便在动画制作时使用。本章将针对元件的创建及使用进行学习。同时要掌握使用“库”面板管理各种动画元素。

本章学习要点

- 区分元件和实例
- 掌握创建元件和转换元件的方法
- 掌握按钮元件的创建方法
- 掌握元件之间的综合运用
- 掌握“库”面板的基本管理功能

实例名称：制作博客订阅按钮
源 文 件：光盘\源文件\第9章\9-2-1-1.fla
教学视频：光盘\视频\第9章\9-2-1-1.swf

实例名称：设置实例的颜色样式
源 文 件：光盘\源文件\第9章\9-4-3.fla
教学视频：光盘\视频\第9章\9-4-3.swf

实例名称：小幽采蘑菇
源 文 件：光盘\源文件\第9章\9-4-6.psd
教学视频：光盘\视频\第9章\9-4-6.swf

9.1 元件、实例和库概述

元件、实例和库都是构成动画的基本元素，利用这些概念可提高动画制作的效率，减少重复绘制的麻烦，尤其是在对同一元素的微度修改时，变得极为方便，同时在用户修改了元件时，它的实例也会跟着变化，而不需要逐一对每个实例进行修改，引入元件、实例和库概念不仅可提高工作效率，而且在减小文件体积等方面都有其优越性。

9.1.1 元件和实例概述

元件和实例关系紧密，一个元件可派生出多个实例，如图9-1所示，在右侧的库中存在一个名称为“元件 1”的元件，通过把它拖曳到舞台中，即可创建它的多个实例，图中存在“元件 1”的3个实例。

用户可对实例进一步进行旋转、透明度等修改，但这对元件并无影响，在用户删除一个元件的所有实例后，元件并不会被删除，反过来，在用户修改元件后，由它派生的所有实例都会与其同步，如果用户把元件删除了，那么它的实例也会消失。

9.1.2 库概述

“库”用于存放用户创建的所有元件及元件所包含的位图等，如图9-2所示。“库”面板是库概念的具体实现手段，在“库”面板中用户可轻松地对元件执行创建、删除等操作。

图9-1 元件和实例

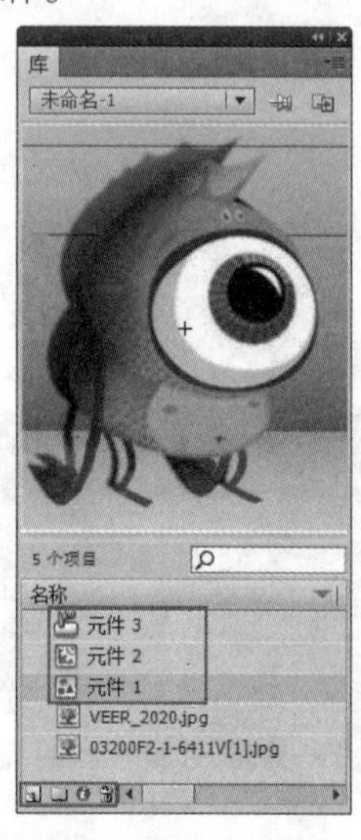

图9-2 “库”面板

9.2 创建和管理元件

了解了元件、实例和库的概念以后，接下来本节将为读者介绍元件的三种类型，及如何创建、转换、删除元件等操作。

9.2.1 元件的类型及创建元件

创建元件需要选择元件的类型，在Flash CS5中有三种元件类型，它们分别是“图形”元件类型、“按钮”元件类型、“影片剪辑”元件类型，元件类型不同，它所能接受的动画元素也会有所不同。

图形元件类型

“图形”元件可用于静态图像，它是一种不能包含时间轴动画的元件，假如在图形元件中创建一个逐帧动画或补间动画后，把它应用在主场景中，在测试影片时可发现它并不能生成一个动画，而是一个静态的图像，如图9-3所示。

按钮元件类型

在鼠标滑过按钮时，按钮变暗或者变大甚至播放动画，如图9-4所示。按钮元件有4种状态“弹起”、“指针经过”、“按下”和“点击”状态，在“弹起”状态下设置鼠标未经过按钮时的状态，“指针经过”设置鼠标放在按钮时的状态，“按下”设置鼠标单击按钮时的状态。

“点击”状态是用于控制响应鼠标动作范围的反应区，只有当鼠标指针放在反应区内时，才会播放指定动画。“点击”状态下的图形或元件在发布预览时都是不可见的。

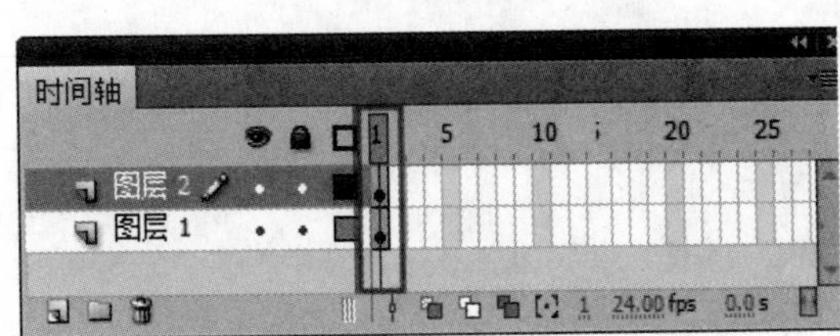

图9-3　图形元件时间轴

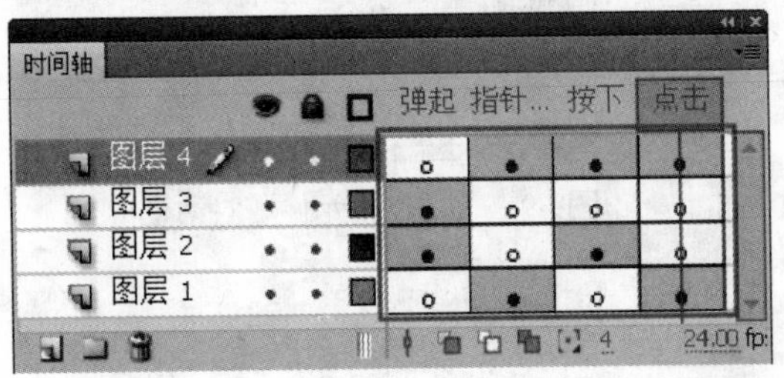

图9-4　按钮元件时间轴

应用实例：制作博客订阅按钮

本例利用“图形”元件，创建按钮元件，设置按钮元件在“弹起”、“指针经过”、“按下”、和“点击”4种状态的效果，当鼠标经过时按钮放大，当鼠标单击时按钮变暗。

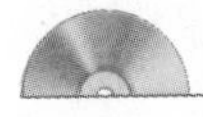

源文件：光盘\源文件\第 9 章\9-2-1-1.fla

教学视频：光盘\视频\第 9 章\9-2-1-1.swf

STEP 01 执行【文件】|【新建】命令，新建一个 Flash 文档，如图 9-5 所示。执行【修改】|【文档】命令，在弹出的“文档设置”对话框中进行设置，如图 9-6 所示，单击“确定”按钮，完成文档属性的设置。

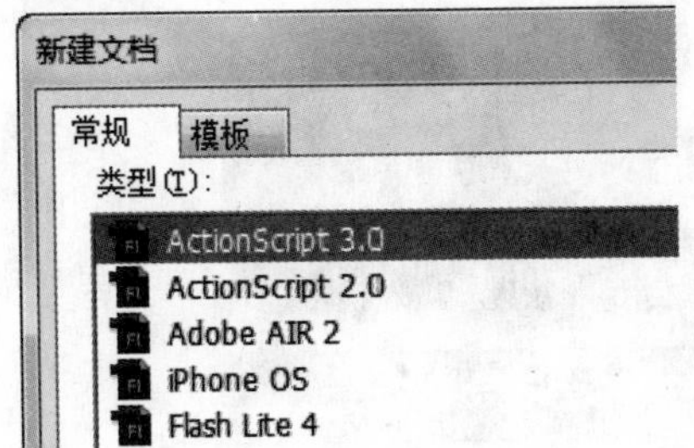

图9-5　“新建文档”对话框

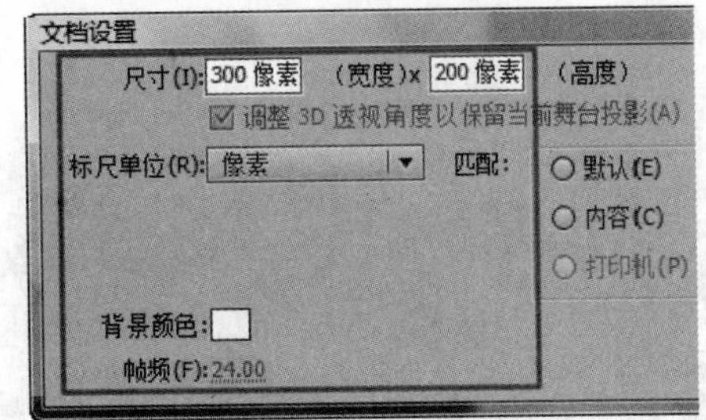

图9-6　“文档设置”对话框

STEP 02 执行【插入】|【新建元件】命令，新建一个名称为“RSS”的“图形”元件，如图9-7所示。执行【文件】|【导入】|【导入到舞台】命令，将图像“光盘\源文件\第9章\素材\92101.png”导入到场景中，如图9-8所示。

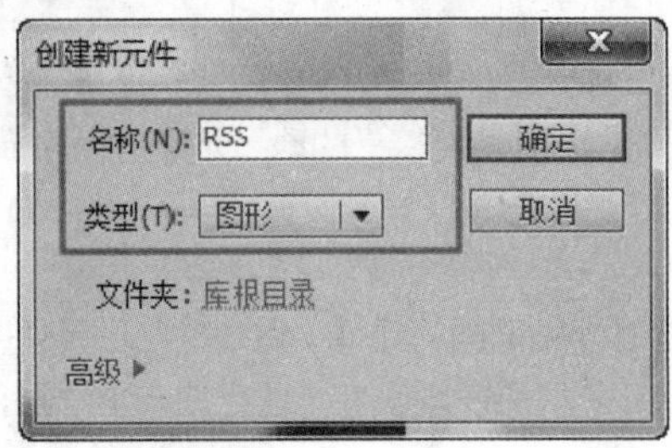

图9-7 “创建新元件”对话框

图9-8 导入素材

STEP 03 执行【插入】|【新建元件】命令，新建一个名称为“添加订阅”的“按钮”元件，如图9-9所示。执行【窗口】|【库】命令，将“RSS”元件从“库”面板中拖入到场景中的位置，效果如图9-10所示。

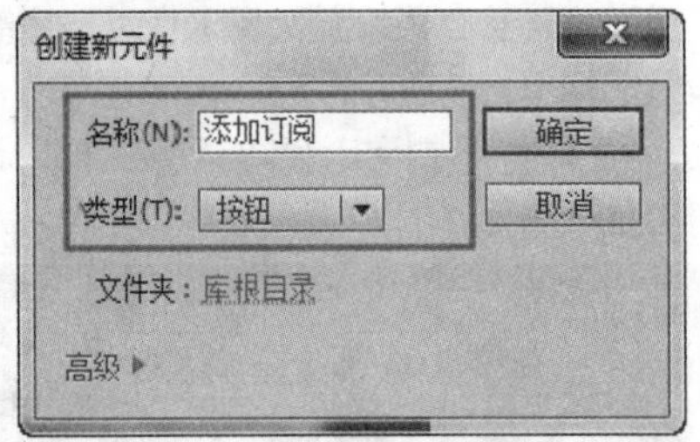

图9-9 “创建新元件”对话框

图9-10 拖入元件

STEP 04 单击“时间轴”面板上的“指针经过”状态，按“F6”键插入关键帧，在工具箱中单击“任意变形工具”按钮，按住“Shift”键放大图像，效果如图9-11所示，“时间轴”面板如图9-12所示。

图9-11 调整图形

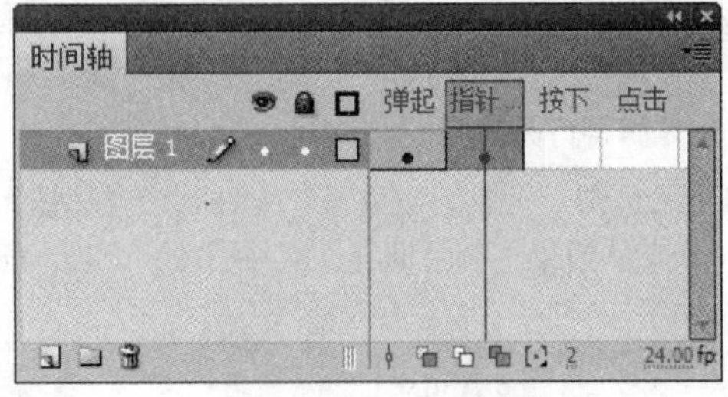

图9-12 “时间轴”面板

STEP 05 单击“时间轴”面板上的“按下”状态，按“F6”键插入关键帧，选中舞台中的元件，打开“属性”面板，设置元件“亮度”，如图9-13所示，效果如图9-14所示。

图9-13 调整元件亮度

图9-14 “亮度”效果

STEP 06 在“点击”帧状态上按F7键，插入空白关键帧，单击工具箱中的“矩形工具”按钮，在舞台中合适的位置绘制矩形，如图9-15所示，“时间轴”面板如图9-16所示。

图9-15 绘制矩形

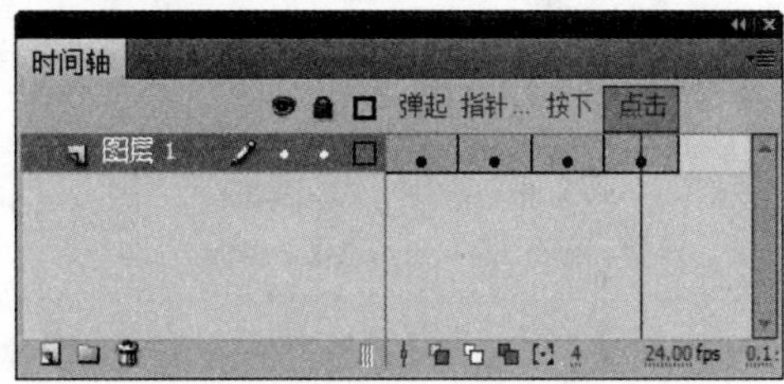

图9-16 “时间轴”面板

在按钮元件中，“点击”状态用于控制按钮响应鼠标单击的范围。

STEP 07 单击“编辑栏”上的“返回”按钮，回到“场景1”编辑状态，将“添加订阅”元件从“库”面板中拖入到场景中，并调整大小及位置，如图9-17所示。完成动画的制作，执行【文件】|【保存】命令，将按钮保存为“光盘\源文件\第9章\9-2-1-1.fla”。按快捷键“Ctrl+Enter”测试影片，测试效果如图9-18所示。

图9-17 拖入元件

图9-18 测试效果

影片剪辑元件类型

“影片剪辑”元件可用于创建一个动画，并在主场景中重复使用它，“影片剪辑”元件的时间轴与场景中的主时间轴是相互独立的，可以将“图形”、“按钮”实例放在“影片剪辑”元件中，也可以将“影片剪辑”实例放在“按钮”元件中创建动画按钮。“影片剪辑”还支持ActionScript脚本语言控制动画，如图9-19所示。

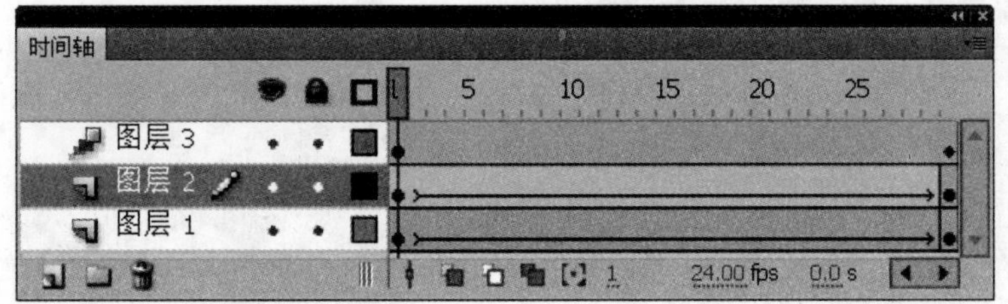

图9-19 影片剪辑元件时间轴

影片剪辑可以是一个多帧、多图层的动画，但它的实例在主时间轴中只占用一帧。

应用实例：心动的礼物

本例先新建一个影片剪辑元件并导入素材，再创建一个影片剪辑元件，使用补间动画创作其心跳动画效果，最后在场景中将心跳动画应用于主场景中。

源文件：光盘\源文件\第9章\9-2-1-2.fla

教学视频：光盘\视频\第9章\9-2-1-2.swf

STEP 01 执行【文件】|【新建】命令，新建一个Flash文档，如图9-20所示。执行【修改】|【文档】命令，在弹出的“文档设置”对话框中进行设置，如图9-21所示，单击“确定”按钮，完成文档属性的设置。

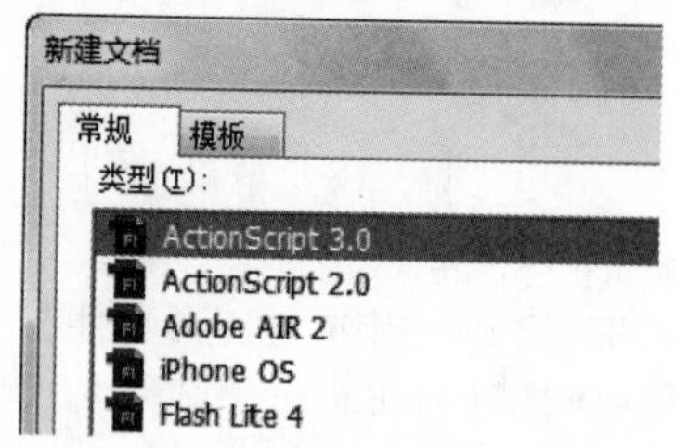

图9-20 “新建文档”对话框

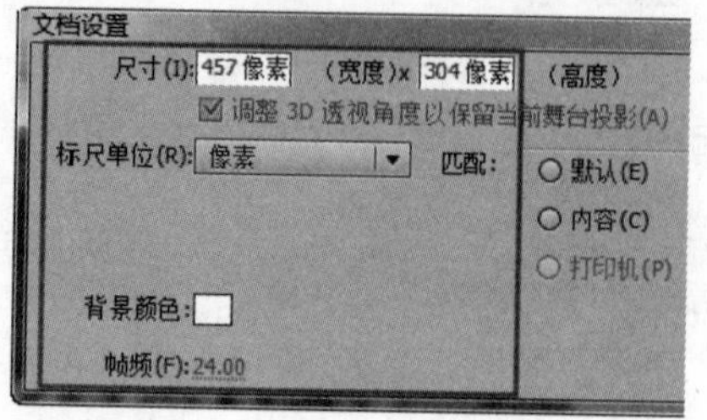

图9-21 “文档设置”对话框

STEP 02 执行【文件】|【新建元件】命令，新建一个名称为“礼品盒”的影片剪辑元件，如图9-22所示。执行【文件】|【导入】|【导入到舞台】命令，将素材图像“光盘\源文件\第9章\素材\92102.png”导入到舞台中，如图9-23所示。

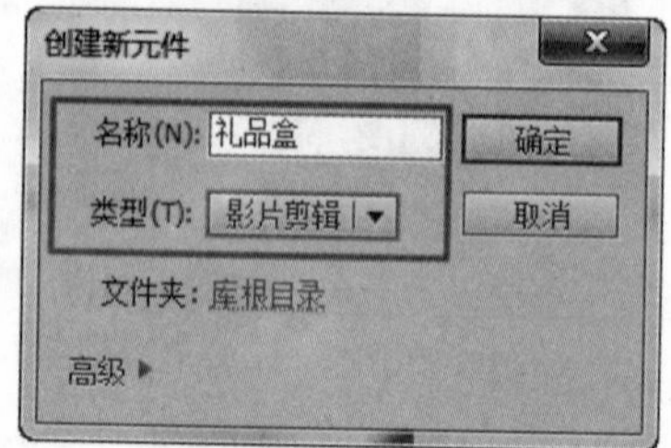

图9-22 新建元件

图9-23 导入素材

STEP 03 新建一个名称为“礼品盒动画”的影片剪辑元件，如图9-24所示。执行【窗口】|【库】命令，将“礼品盒”元件从“库”面板拖入到舞台中，在“时间轴”面板上选中第1帧，单击鼠标右键，在弹出的菜单中执行【创建补间动画】命令，在第5帧插入“全部”关键帧，如图9-25所示，并调整图像大小。

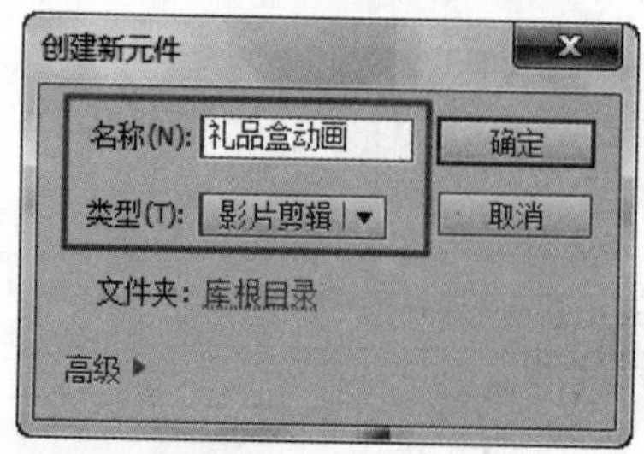

图9-24 新建元件

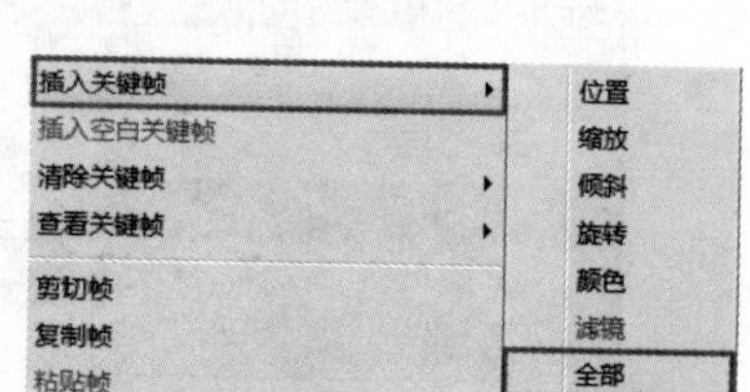

图9-25 插入“全部”关键帧

STEP 04 相同方法，分别在第10、15、20、24帧插入关键帧，并分别对各关键帧上的元件进行调整，时间轴面板如图9-26所示单击“编辑栏”的“返回”按钮，返回到“场景1”编辑状态，导入素材图像“光盘\源文件\第9章\素材\92103.jpg”，调整其大小，如图9-27所示。

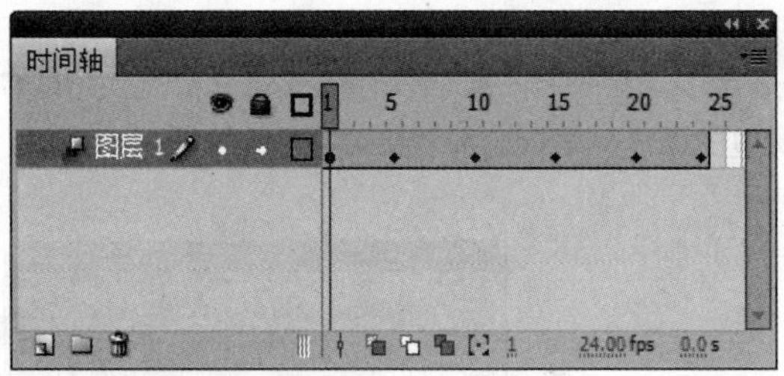

图9-26 “时间轴”面板

图9-27 导入素材

STEP 05 单击“时间轴”面板底部的“新建图层”按钮，新建“图层 2”，打开“库”面板，将“礼品盒动画”从“库”拖曳到舞台中，调整大小，如图 9-28 所示，“时间轴”面板如图 9-29 所示。保存文档为“光盘\源文件\第 9 章\9-2-1-2.fla”。按快捷键“Ctrl+Enter”测试影片，效果如图 9-30 所示。

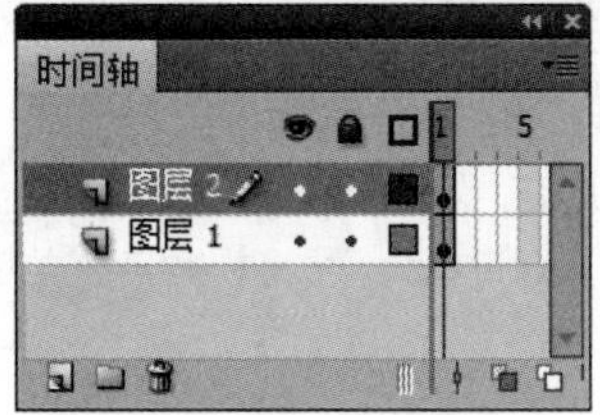

图9-28 “时间轴”面板

图9-29 拖入元件

图9-30 测试影片

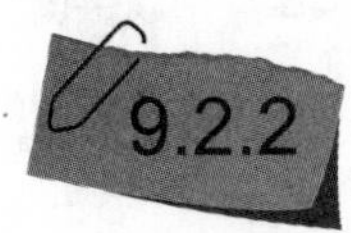

9.2.2 导入素材

用户在使用Flash时，可通过【导入】命令创建不同的动画内容，Flash为用户提供了【导入到舞台】、【导入到库】、【打开外部库】和【导入视频】4种导入命令，可导入图像、声音、视频等多媒体素材。

导入到舞台

使用【导入到舞台】命令可将所选择的素材导入到舞台中，执行【文件】|【导入】|【导入到舞台】命令，弹出“导入”对话框，如图9-31所示，选择要导入的素材文件，单击“打开”按钮即可。

单击“所有格式”可看到所有Flash支持的文件格式，如图9-32所示。

图9-31 “导入”对话框

Adobe Illustrator (*.ai)
PNG 文件 (*.png)
Photoshop (*.psd)
Adobe FXG (*.fxg)
AutoCAD DXF (*.dxf)
位图 (*.bmp,*.dib)
SWF 影片 (*.swf)
GIF 图像 (*.gif)
JPEG 图像 (*.jpg,*.jpeg)
WAV 声音 (*.wav)
MP3 声音 (*.mp3)
Adobe 声音文档 (*.asnd)
QuickTime 影片 (*.mov,*.qt)
MPEG-4 文件 (*.mp4,*.m4v,*.avc)
Adobe Flash 视频 (*.flv,*.f4v)
适用于移动设备的 3GPP/3GPP2 (*.3gp,*.3gpp,*.3gp2,*.3gpp2;*.3g2)
MPEG 文件 (*.mpg;*.m1v;*.m2p;*.m2t;*.m2ts;*.mts;*.tod;*.mpe)
数字视频 (*.dv,*.dvi)
Windows 视频 (*.avi)

图9-32 所有格式

Flash支持导入".jpg" ".jpeg" ".gif"等图像格式，也支持导入".psd" ".ai" ".png"的多图层图像格式。执行【文件】|【导入】|【导入到舞台】命令，打开"光盘\源文件\第9章\素材\92201.psd"，弹出如图9-33所示的界面，在"将图层转换为"标签的下拉列表中选择"Flash图层"，单击确定，"时间轴"面板如图9-34所示。

图9-33　导入PSD文件

图9-34　"时间轴"面板

Flash支持的常用音频格式有".wav" ".mp3"等，音频导入后，用户可在"库"面板中找到它。Flash支持的常用视频格式有".swf" ".mp4" ".3gp" ".mpg" ".avi"等，可将视频嵌入当前动画中。

导入到库

如果使用【导入到库】命令，Flash将不会把导入的素材放入到舞台中，而是导入到"库"中以供调用，用户可以通过执行【窗口】|【库】命令，打开"库"面板对其进行相关操作。

打开外部库

Flash支持在文档中使用其他文档的库资源，执行【打开外部库】命令，打开"光盘\源文件\第9章\素材\92202.fla"文件，在工作区中只出现了92202.fla文件的"库"面板，而不会创建其文档窗口，如图9-35所示。

导入视频

执行【导入视频】命令，打开视频导入向导，如图9-36所示，单击"浏览"按钮，打开"光盘\源文件\第9章\素材\92203.flv"视频文件，单击"下一步"按钮，选择合适的外观，如图9-37所示，单击"下一步"按钮，再单击"完成"按钮，效果如图9-38所示。

图9-35　"库"面板

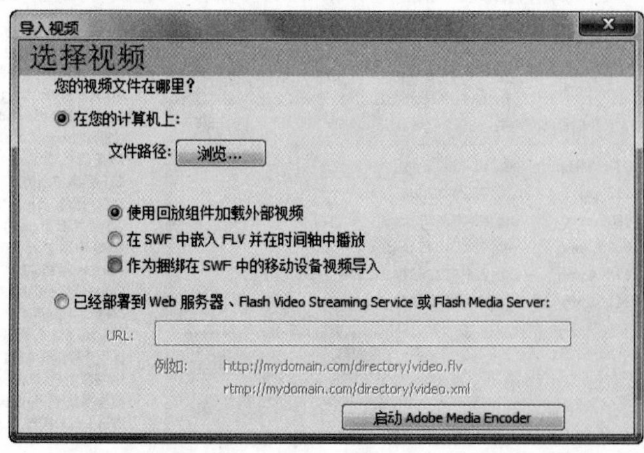

图9-36　导入视频

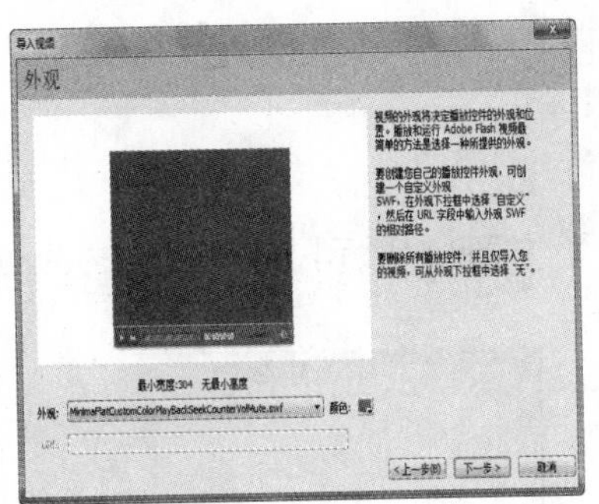

图9-37　选择外观

图9-38　视频效果

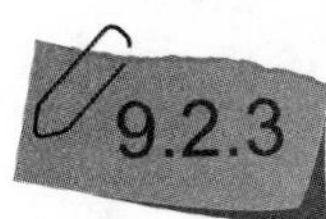

9.2.3 转换元件

Flash CS5支持用户先创建一个空元件，再创建内容，也支持用户把已经创建的内容转换为元件，接下来学习如何转换元件。

选中舞台中的一个对象，执行【修改】|【转换为元件】命令，弹出“转换为元件”对话框，如图9-39所示，输入要转换的元件名称及类型，在“对齐”标签下可设置元件的注册点，单击“确定”按钮，Flash会在“库”中添加该元件，如图9-40所示。

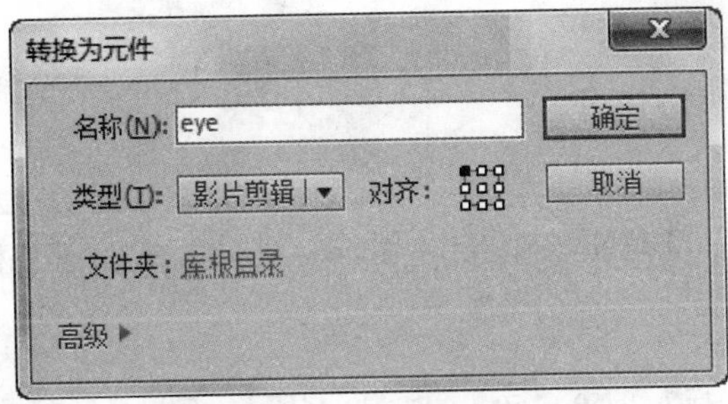

图9-39　“转换为元件”对话框

图9-40　选择对象

Tips

按住“Shift”键，可在舞台中同时选中多个对象并转换为元件，如果对象分布在不同的图层，执行此操作会导致对象合并到高图层中。

把舞台中的动画转换为元件

如果在舞台中已经创建了一个动画效果，要把该效果转换为元件，并在其他元件或场景中重复使用它，可执行以下操作。

在时间轴中选中该动画序列的所有帧，执行【编辑】|【时间轴】|【复制帧】命令，执行【插入】|【新建元件】命令，创建一个“影片剪辑”元件，选中“图层 1”的第1帧，执行【编辑】|【时间轴】|【粘贴帧】命令，即可把主时间轴的动画序列复制到新元件中。

9.2.4 元件的注册点与中心点

在Flash中有两个坐标体系，一个是主场景的坐标体系，如图9-41所示，一个是元件内的坐标体系，如图9-42所示。

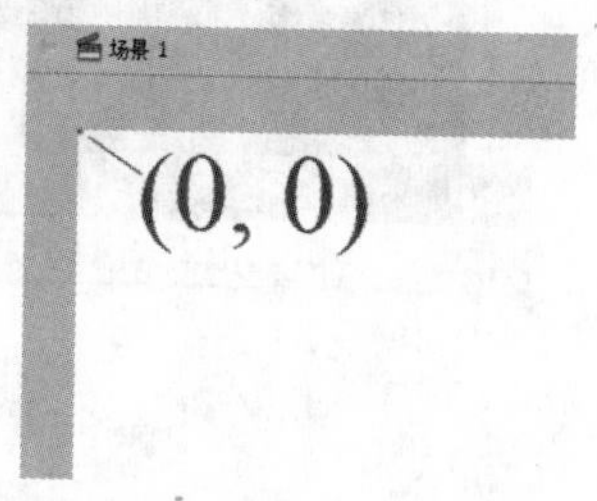

图9-41　主场景的原点坐标

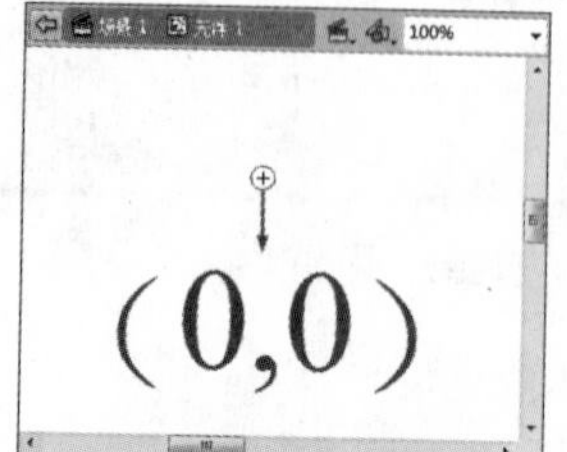

图9-42　原件内的原点坐标

注册点

当用户为元件创建一个实例时，能够直观地看到黑色十字形即为元件注册点，如图9-43所示，它是对象本身的参考点。在“属性”面板中，对其设置*XY*坐标为（0，0），效果如图9-44所示，设置*XY*坐标为（50，50），效果如图9-45所示。

图9-43　图像效果

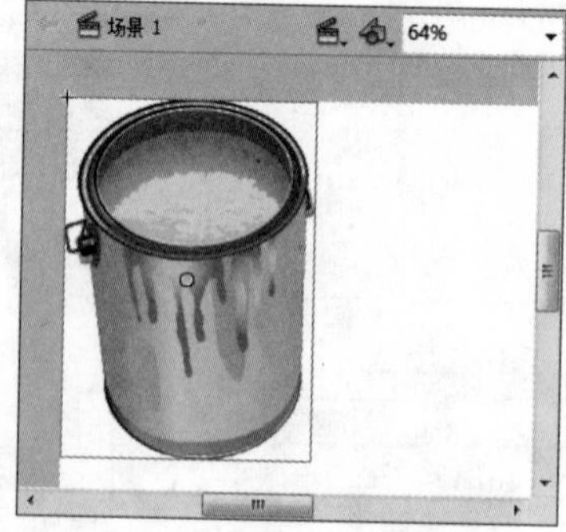

图9-44　（0，0）场景坐标效果

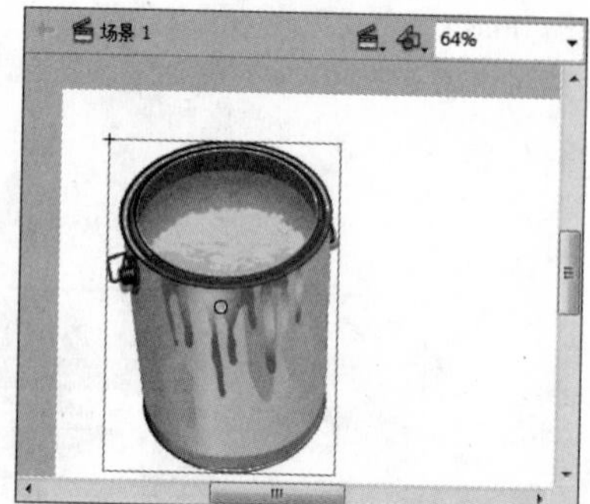

图9-45　（50，-50）场景坐标效果

修改注册点

进入元件编辑状态，修改元件的位置坐标为（-50，-50），如图9-46所示。回到场景中，设置其坐标为（0，0）和（50，50）效果如图9-47、图9-48所示，此时注册点坐标已经改为(-50,-50)，而在场景中设置元件属性的坐标其实是元件注册点在场景中所处位置的坐标。

图9-46　（-50，-50）元件坐标效果

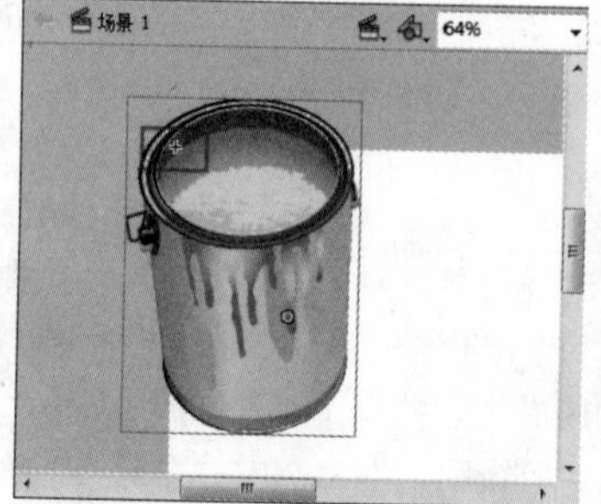

图9-47　（0,0）场景坐标效果

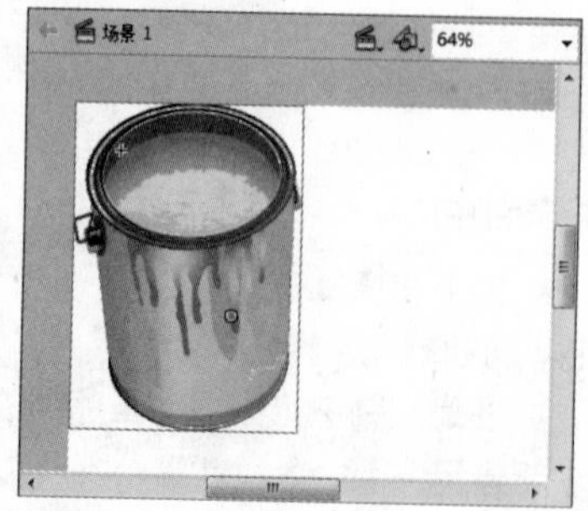

图9-48　（50,50）场景坐标效果

中心点

当用户选中舞台中的一个实例时，除了黑色十字形的注册点外，还有一个小圆点，如图9-49所示。这就是元件的“中心点”。元件在形变时以“中心点”为中心，比如放大、缩小或旋转。

改变中心点

在对元件进行形变操作时，定义不同的中心点对制作出理想效果是很有帮助的。单击工具箱中的“任意变形工具”按钮，在舞台中选中元件，如图9-50所示。此时的中心点是可以拖曳的，把中心点拖曳到不同位置，以实现不同的变形效果。

图9-49　中心点

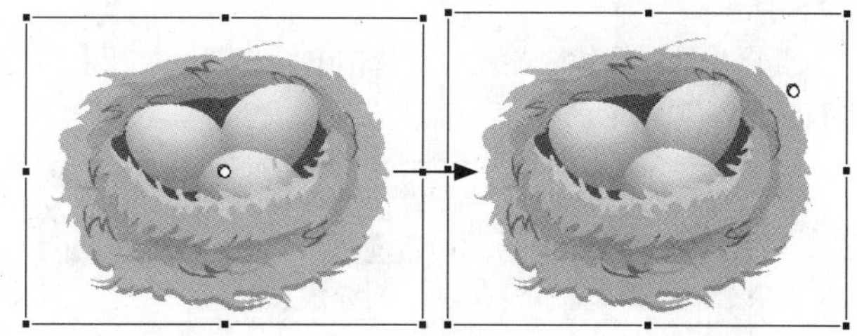

图9-50　改变中心点

9.3 编辑元件

在Flash项目的实际工作中，经常需要对特定的元件进行编辑操作，Flash CS5中对元件的编辑提供了“在当前位置编辑”、“在新窗口中编辑”以及“在元件编辑模式下编辑” 三种方式。

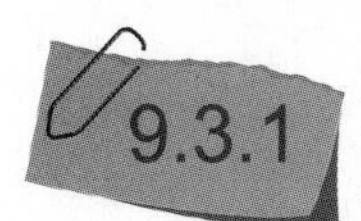

9.3.1 在当前位置编辑元件

使用“在当前位置编辑”时，其他元件以灰色显示的状态出现，正在编辑的元件名称出现在“编辑栏”的左侧，场景名称的右侧，如图9-51所示。

要在当前位置编辑指定元件，可在舞台中选中元件的一个实例，执行【编辑】|【在当前位置编辑】命令即可，如图9-52所示。

图9-51　“在当前位置编辑”效果

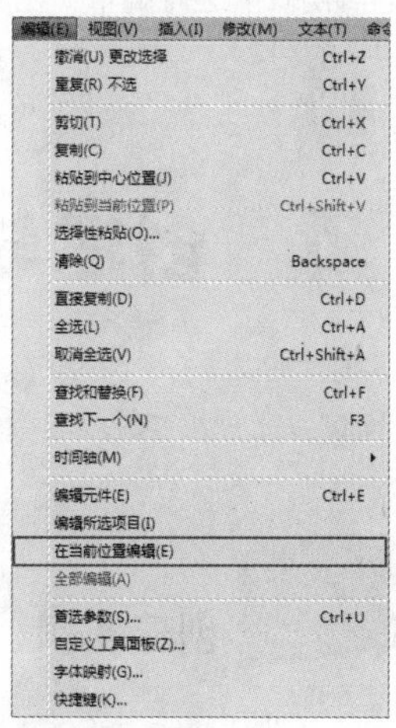

图9-52　菜单

Tips

双击元件也可进入当前位置编辑状态，双击除元件外的其他区域，可退出在当前位置编辑该元件。

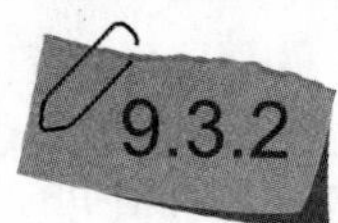

9.3.2 在新窗口中编辑元件

使用“新窗口中编辑元件”时，Flash会为元件新建一个编辑窗口，元件名称显示在“编辑栏”里，如图9-53所示。

在舞台中选中要编辑的元件，单击鼠标右键，执行【在新窗口中编辑】命令，如图9-54所示，即可实现在新窗口中编辑元件。

图9-53　在新窗口中编辑元件

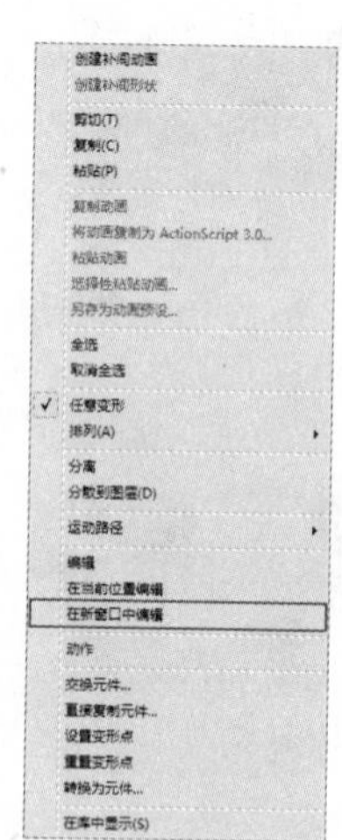

图9-54　菜单

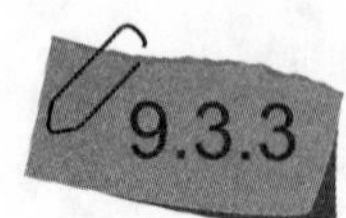

9.3.3 在元件的编辑模式下编辑元件

元件编辑模式与新建元件时的编辑模式是一样的，在“库”面板中双击要编辑的元件，即可让元件在其编辑模式下进行编辑，还可以在舞台中选中要编辑的元件，执行【编辑】|【编辑元件】命令，也可达到同样的目的。

9.4 创建与编辑实例

创建元件之后，可以在文档中的任何地方（包括在其他元件内）创建该元件的实例。当修改元件时，Flash 会更新元件的所有实例。

9.4.1 创建实例

选择一个关键帧，执行【窗口】|【库】命令，打开“库”面板，如图9-55所示，把要创建实例的元

件从“库”面板拖曳到舞台中，如图9-56所示。

图9-55 “库”面板

图9-56 创建实例

实例必须被放置在关键帧中，如果创建实例时没有选择关键帧，那么Flash会将实例添加到当前帧左侧的第一个关键帧上。

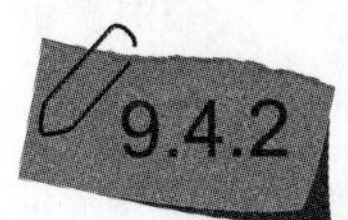

9.4.2 复制实例

选中要复制的实例，执行【编辑】|【复制】命令，或按快捷键“Ctrl+C”快速复制一个实例，执行【编辑】|【粘贴到当前位置】命令，在原实例位置新建一个实例。

复制实例还可以先选中一个实例，按住“Alt”键，使用“选择工具”把它拖曳到一个新的位置，放开鼠标，Flash将在新位置粘贴一份实例副本。

9.4.3 设置实例的颜色样式

通过“属性”面板，用户可以为一个元件的不同实例设置不同的颜色样式。“色彩效果”样式分为“亮度”、“色调”、“高级”、“Alpha”，以及“无”样式。

应用实例：设置实例的颜色样式

本例通过对舞台实例设置不同的色彩效果，让Flash视觉效果更为突出，如果结合补间动画，可打造出更为活泼的Flash动画。

源文件：光盘\源文件\第9章\9-4-3.fla

教学视频：光盘\视频\第9章\9-4-3.swf

STEP 01 执行【文件】|【新建】命令，弹出“新建文档”对话框，参数设置如图9-57所示。单击“确定”按钮，新建一个空文档。执行【修改】|【文档】命令，弹出“文档设置”对话框，参数设置如图9-58所示。

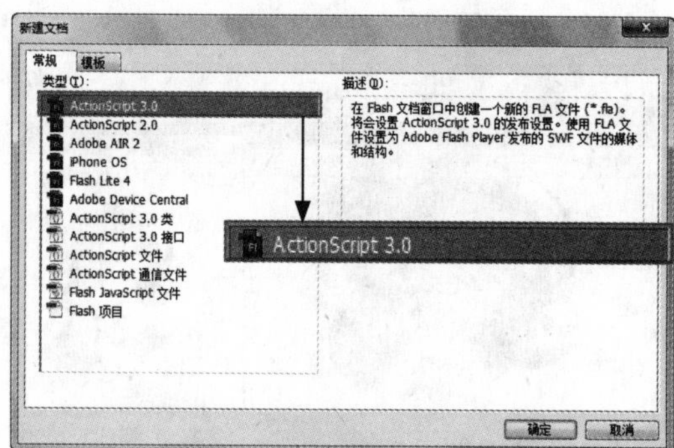
图9-57 "新建文档"对话框

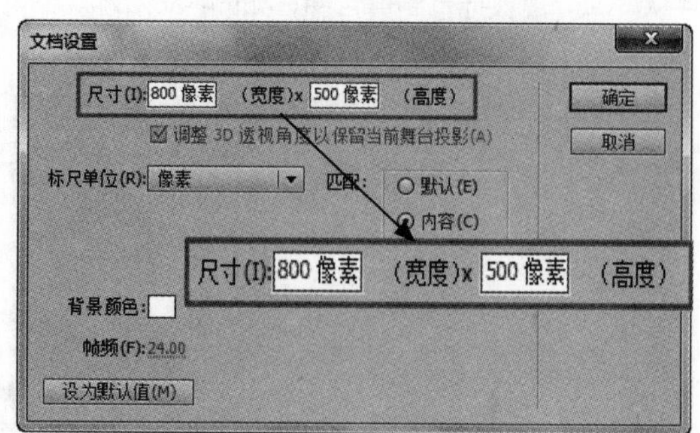
图9-58 "文档设置"对话框

STEP 02 单击"确定"按钮，完成文档设置。执行【插入】|【新建元件】命令，如图9-59所示，弹出"创建新元件"对话框，新建一个名称为"气球"的图形元件，如图9-60所示。

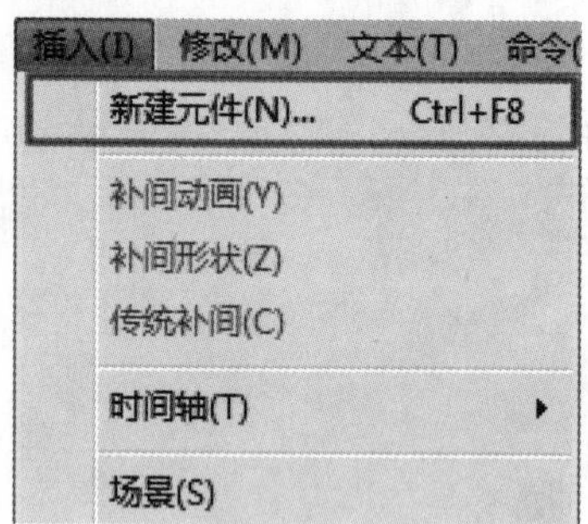

图9-59 【新建元件】命令

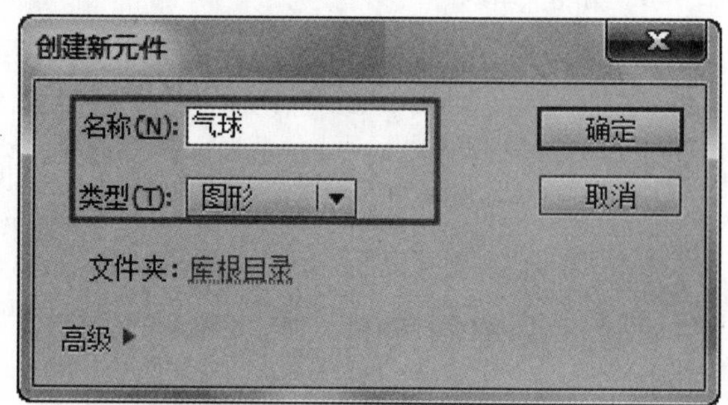

图9-60 "创建新元件"对话框

STEP 03 单击"确定"按钮，完成对"创建新元件"对话框的设置，执行【文件】|【导入】|【导入到舞台】命令，导入素材"光盘\源文件\第9章\素材\94301.png"如图9-61所示。单击编辑栏的"场景1"按钮，返回到场景中，如图9-62所示。

图9-61 素材图像

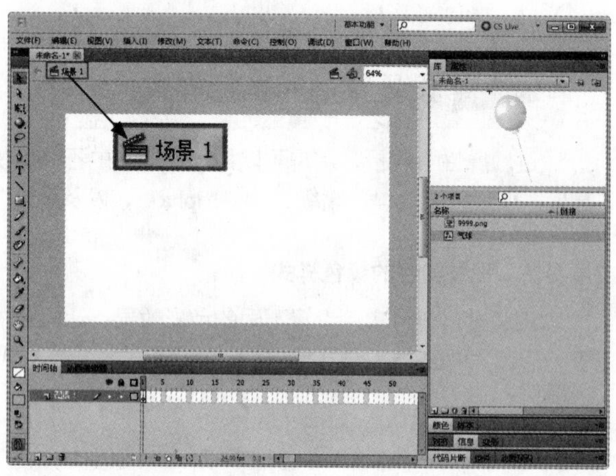
图9-62 返回场景

STEP 04 执行【文件】|【导入】|【导入到舞台】命令，导入素材"光盘\源文件\第9章\素材\94302.jpg"，如图9-63所示。执行【窗口】|【属性】命令，打开"属性"面板，参数设置如图9-64所示。

图9-63　素材图像

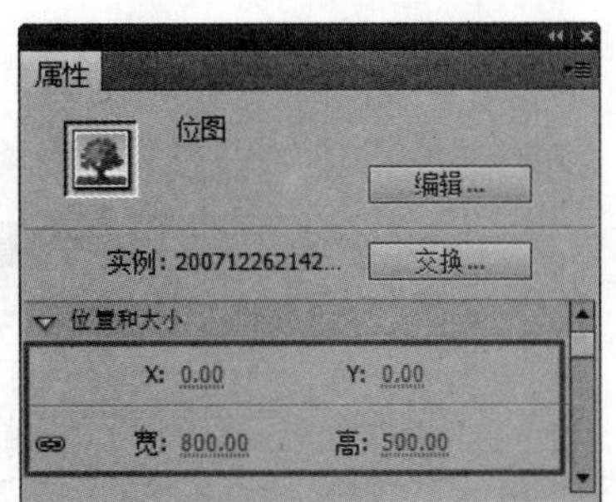

图9-64　“属性”面板

STEP 05 执行【窗口】|图层【时间轴】命令，打开“时间轴”面板，单击面板下方的“新建图层”按钮，新建“图层2”，如图9-65所示。导入素材图像“光盘\源文件\第9章\素材\94303.png”，如图9-66所示。

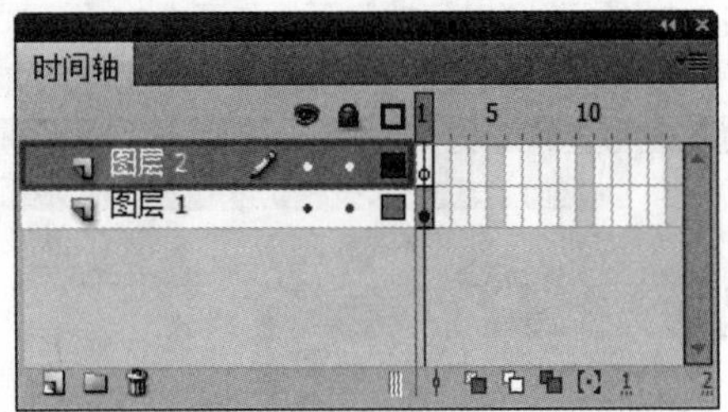

图9-65　“时间轴”面板

图9-66　素材图像

STEP 06 使用“任意变形工具”调整图像大小，并旋转到合适位置，如图9-67所示。单击“时间轴”面板下方的新建“图层3”，如图9-68所示。

图9-67　图像效果

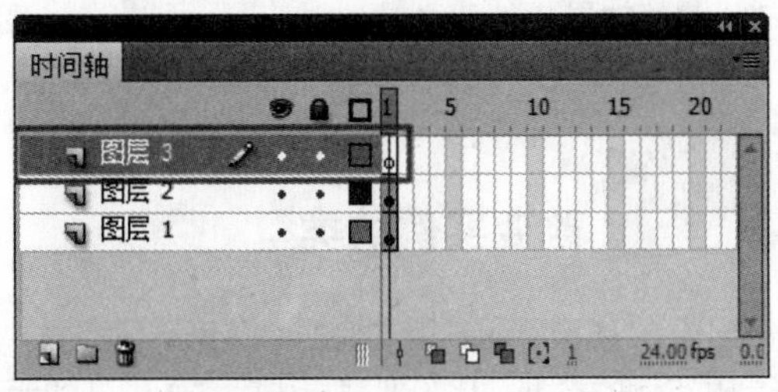

图9-68　“时间轴”面板

STEP 07 执行【窗口】|【库】命令，打开“库”面板，如图9-69所示。拖曳“气球”图形元件到舞台中，使用“任意变形工具”调整气球大小及方向，如图9-70所示。

图9-69　“库”面板

图9-70　调整效果

STEP 08 选中该实例，打开“属性”面板，在“色彩效果”的“样式”下拉列表中选择“色调”，参数设置如图 9-71 所示，效果如图 9-72 所示。

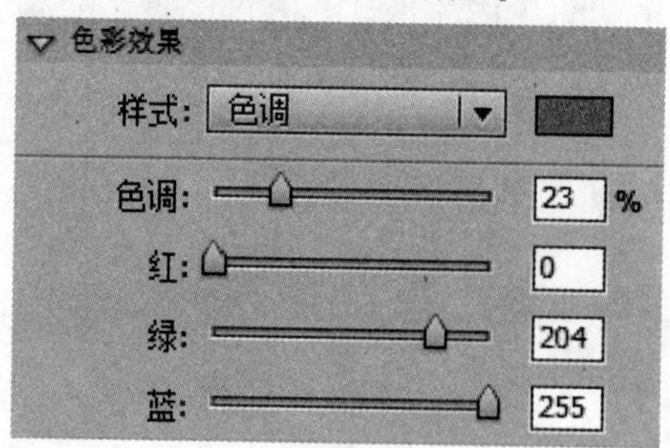

图9-71 “属性”面板

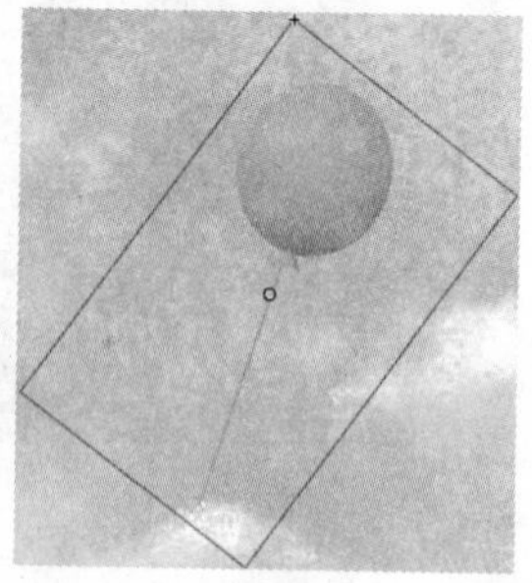

图9-72 色彩效果

STEP 09 设置更多气球实例的色彩效果样式，最终效果如图 9-73 所示，“时间轴”面板如图 9-74 所示。

图9-73 最终效果

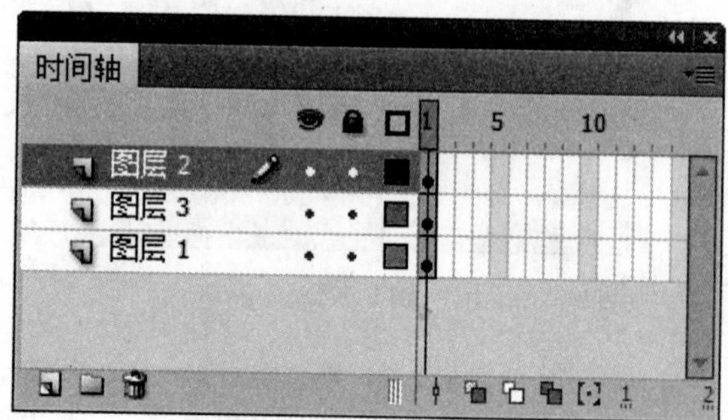

图9-74 “时间轴”面板

9.4.4 改变实例的类型

由于元件类型不同，所支持的内容也不尽相同，所以有时候设计师修改重新定义实例的行为，则必须先更改实例的类型，比如要将原先为“图形”的元件实例编辑为动画，则必须先将它更改为“影片剪辑”类型。

单击舞台中的一个实例，执行【窗口】|【属性】命令，打开“属性”面板，如图9-75所示。在元件类型下拉列表中选择一个元件类型，完成类型的更改。

Tips

修改实例类型还可以通过在“库”面板中单击鼠标右键，执行【属性】命令，在弹出的“元件属性”对话框中修改其类型。

9.4.5 分离实例

由元件创建出来的实例会随着元件的改变而改变，分离实例能使实例与元件分离，在元件发生更改后，实例并不随之改变。

在舞台中选中一个元件，执行【修改】|【分离】命令，如图9-76所示。此操作将该实例分离成它的几个组件图形元素，要修改这些元素，请使用涂色和绘画工具。

图9-75　改变实例类型

图9-76　分离实例

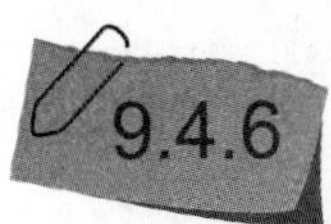

9.4.6 交换实例

在需要将原有实例替换为其他实例时，使用交换实例可以保留原实例的所有属性应用于新实例上，而不必在替换实例后,重新对属性进行编辑。

在舞台中选中一个实例，执行【窗口】|【属性】命令，打开“属性”面板，如图9-77所示，在“属性”面板中单击“交换”按钮，弹出“交换元件”对话框，如图9-78所示，选择要交换的元件，单击“确定”按钮，即可完成元件的交换。

图9-77　交换元件

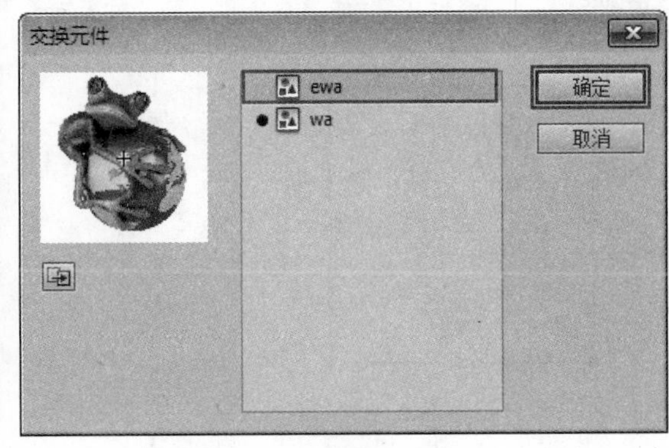

图9-78　“交换元件”对话框

应用实例：小幽采蘑菇

源 文 件：光盘\源文件\第 9 章\9-4-6.fla

教学视频：光盘\视频\第 9 章\9-4-6.swf

STEP 01 执行【文件】|【新建】命令，新建一个 Flash 文档，如图 9-79 所示。执行【修改】|【文档】命令，在弹出的“文档设置”对话框中进行设置，如图 9-80 所示，单击“确定”按钮，完成文档属性的设置。

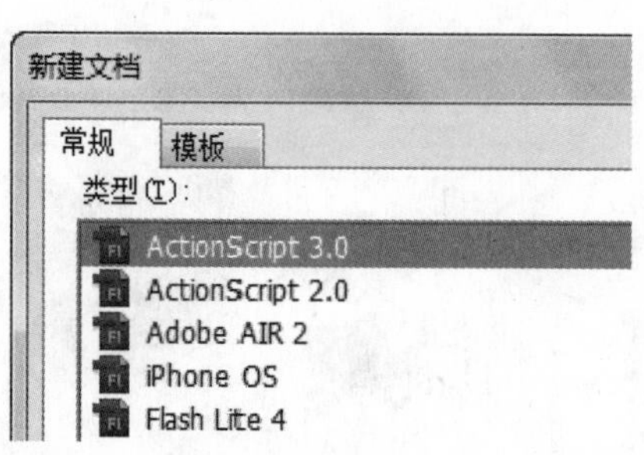

图9-79 “新建文档”对话框

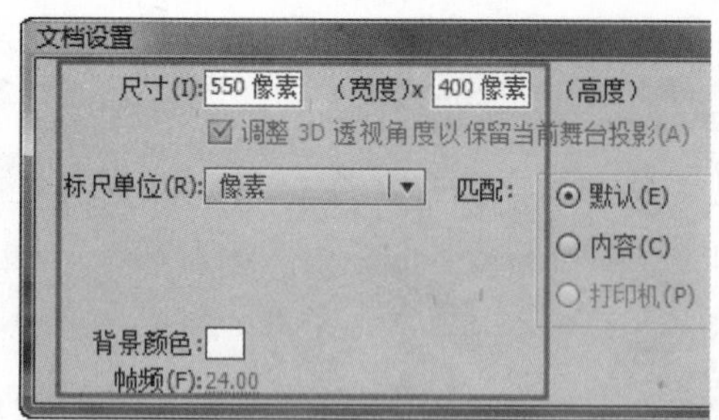

图9-80 “文档设置”对话框

STEP 02 执行【文件】|【导入】|【导入到舞台】命令，将图像“光盘\源文件\第9章\素材\94603.jpg”导入到舞台中，如图9-81所示。在第80帧位置插入帧。执行【插入】|【新建元件】命令，新建一个名称为“小幽”的“图形”元件，如图9-82所示。

图9-81 导入素材

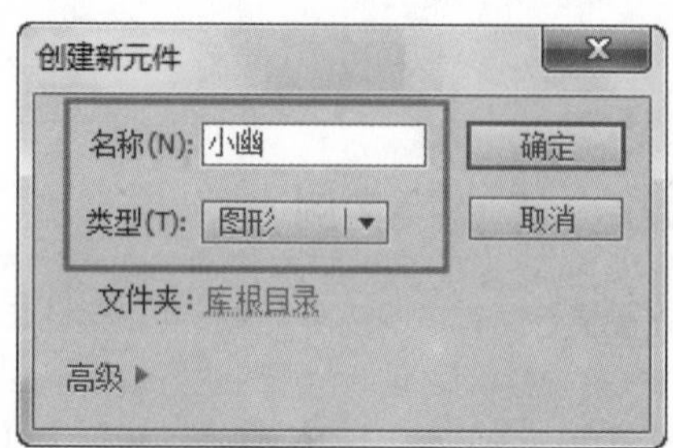

图9-82 创建新元件

STEP 03 执行【文件】|【导入】|【导入到舞台】命令，将素材图像“光盘\源文件\第9章\素材\94604.jpg”导入到舞台，调整图像的大小和位置，如图9-83所示。同样方法，创建一个名为“蘑菇”的“影片剪辑”元件，如图9-84所示。

图9-83 导入素材

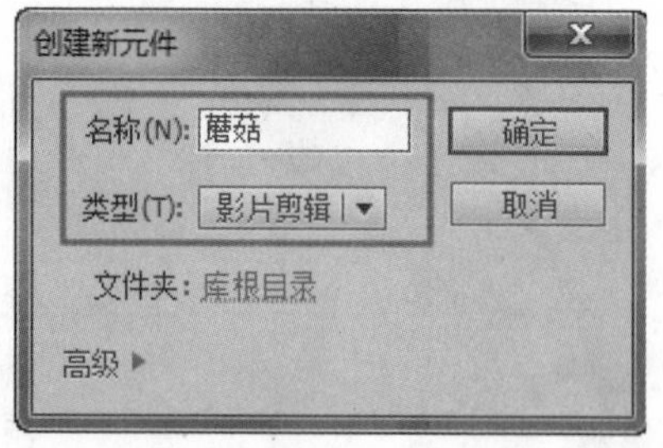

图9-84 创建新元件

STEP 04 将素材图像“光盘\源文件\第9章\素材\94605.jpg”导入到舞台中，如图9-85所示。执行【插入】|【创建新元件】命令，新建一个名称为“长大”的“影片剪辑”元件，如图9-86所示

图9-85 导入素材

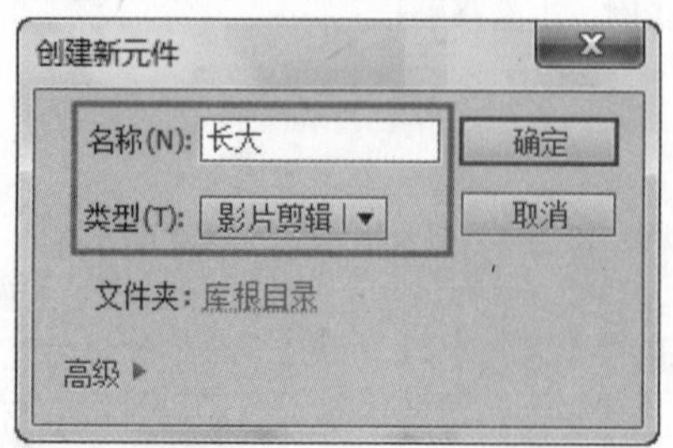

图9-86 创建新元件

STEP 05 执行【窗口】|【库】命令，打开“库”面板，将“小幽”元件从“库”面板中拖入到舞台中。在第30帧位置插入关键帧，使用“任意变形工具”调整帧上元件的大小，如图9-87所示。在第1帧位置插入传统补间动画，“时间轴”面板如图9-88所示。

图9-87　调整大小

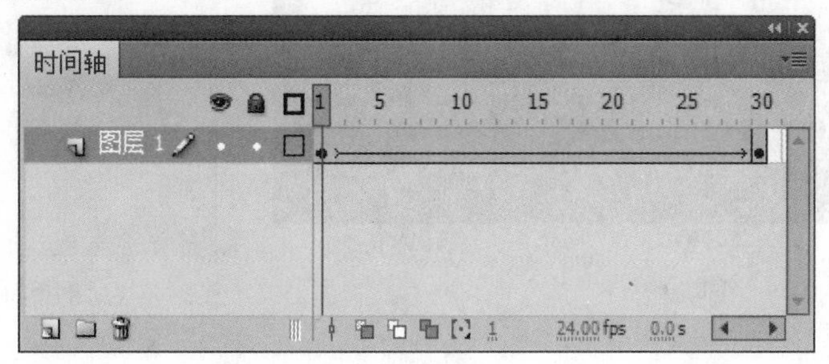

图9-88　“时间轴”面板

STEP 06 单击“编辑栏”上的“返回”按钮，返回到“场景1”编辑状态下，单击“时间轴”面板下方的“新建图层”按钮，新建“图层2”，如图9-89所示。执行【窗口】|【库】命令，将“小幽”元件从“库”面板拖曳到场景中，如图9-90所示。

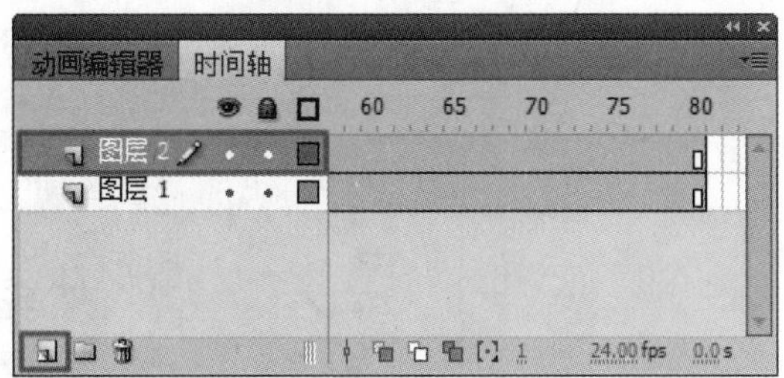

图9-89　“时间轴”面板

图9-90　创建实例

STEP 07 在第49帧位置插入关键帧，并移动元件位置到如图9-91所示的位置。在第50帧插入关键帧，选中帧上的元件，打开“属性”面板，设置其“亮度”为66%，如图9-92所示。

图9-91　移动实例

图9-92　“属性”面板

STEP 08 在第51帧插入关键帧，选中帧上的实例，在“属性”面板中单击“交换”按钮，如图9-93所示，弹出的“交换元件”对话框如图9-94所示，选中“长大”元件，单击“确定”按钮。

图9-93　“属性”面板

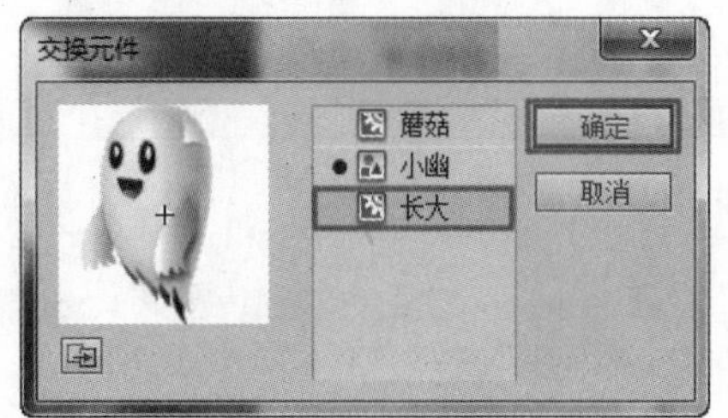

图9-94　“交换元件”对话框

STEP 09 在第1帧处创建传统补间动画。新建“图层3”，将“库”面板的“蘑菇”元件拖入舞台并调整大小，在第49帧处插入关键帧，并调整实例大小，如图9-95所示，“时间轴”面板如图9-96所示。

图9-95　调整大小

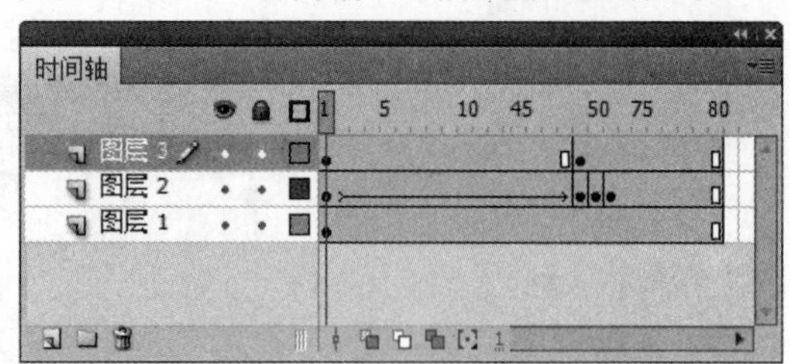

图9-96　“时间轴”面板

Tips

调整大小时，“蘑菇”实例的坐标在第1帧与第40帧处都要一致。

STEP 10 在第50帧处插入关键帧，选中帧上实例，打开“属性”面板，设置其“亮度”为66%，如图9-97所示。单击“滤镜”组下方的“添加滤镜”按钮，添加“发光”滤镜，参数设置如图9-98所示。

图9-97　“属性”面板

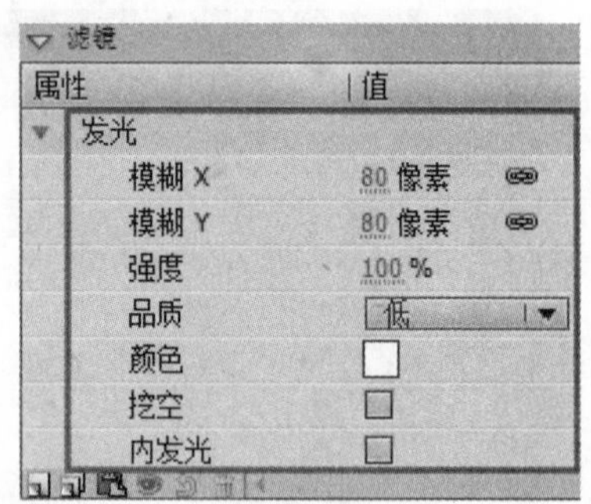

图9-98　“属性”面板

STEP 11 添加“模糊”滤镜，参数设置如图9-99所示。在第53帧处插入关键帧，调整帧上实例的大小，并设置Alpha值为0，效果如图9-100所示。

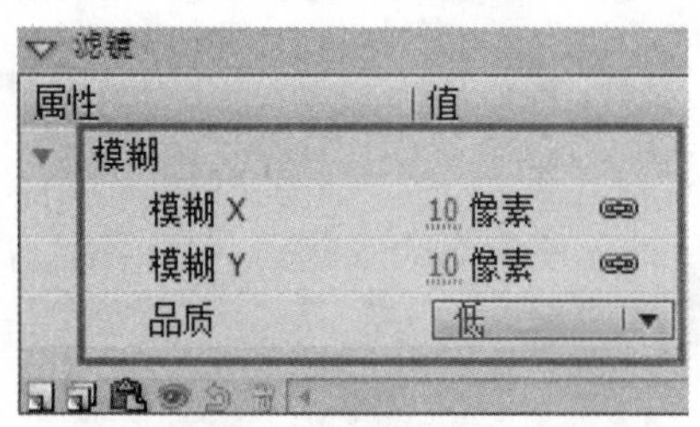

图9-99　“属性”面板

图9-100　效果图

STEP 12 在第54帖插入空白关键帧，在第1、50帧处分别插入关键帧，执行【窗口】|【动作】命令，在“动作-帧”窗口中输入代码，如图9-101所示，关闭该窗口，“时间轴”面板如图9-102所示。

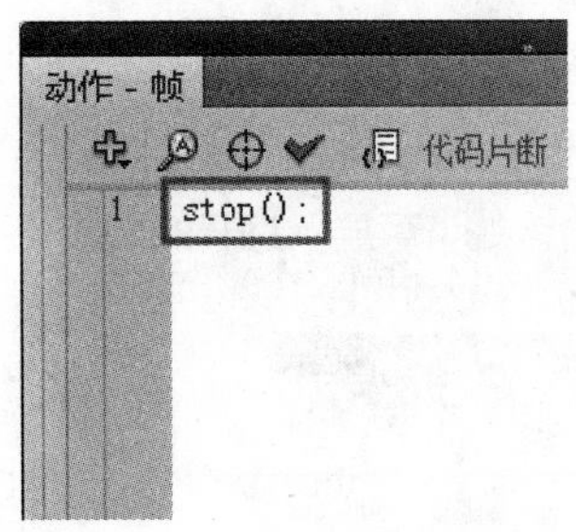

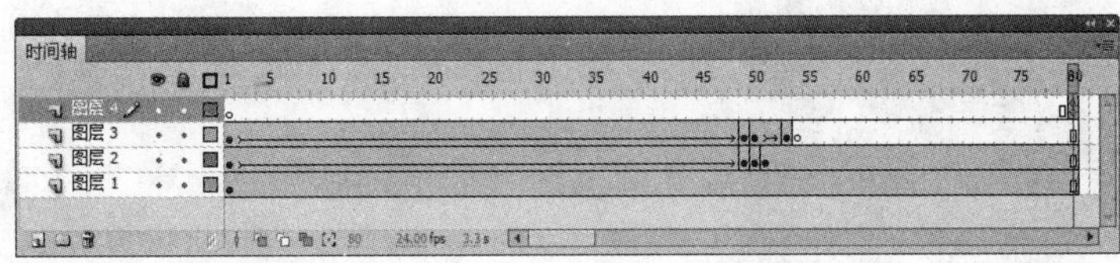

图9-101 “动作-帧”窗口　　图9-102 “时间轴”面板

STEP 13 将文档保存为“光盘\源文件\第 9 章\9-4-6.fla”，按快捷键“Ctrl+Enter”测试影片，效果如图 9-103 所示。

图9-103 测试影片

9.5 “库”面板

“库”面板可用于存放所有存在于动画中的元素，比如元件、插图、视频和声音等，利用“库”面板，可以对库中的资源进行有效的管理。

9.5.1 “库”面板简介

执行【窗口】|【库】命令，或使用快捷键“Ctrl+L”，打开“库”面板，如图9-104所示。

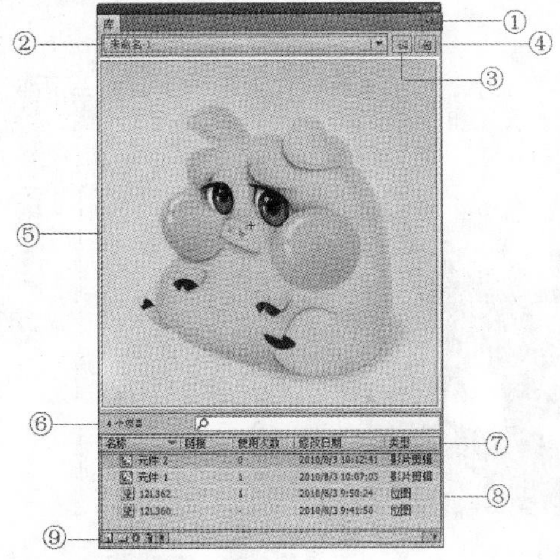

图9-104 “库”面板

①“库”面板菜单	单击该按钮，打开“库”面板菜单，如图9-105所示。在该菜单下可执行【新建字型】、【新建视频】等命令。
②文档列表	该区域用于显示当前显示库资源的所属文档，单击该处，可显示打开的文档列表，用于切换文档库，如图9-106所示。 新建元件... 新建文件夹 新建字型... 新建视频... 重命名 删除 直接复制... 移至... 图9-105 “库”面板菜单 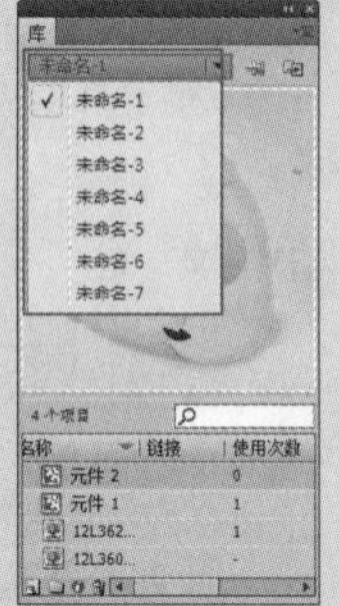 图9-106 文档列表
③固定当前库	“固定当前库”按钮用于切换文档的时候，“库”面板不会随文档的改变而改变，而是固定显示指定文档，如图9-107所示。
④新建库面板	单击“新建库面板”按钮，可同时打开多个“库”面板，每个面板可显示不同文档的库，如图9-108所示。一般在资源列表太长或元件在多文档中调用时会很方便。 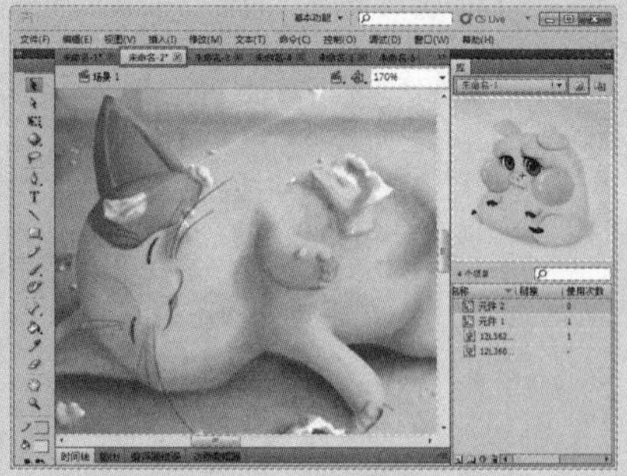 图9-107 固定当前库 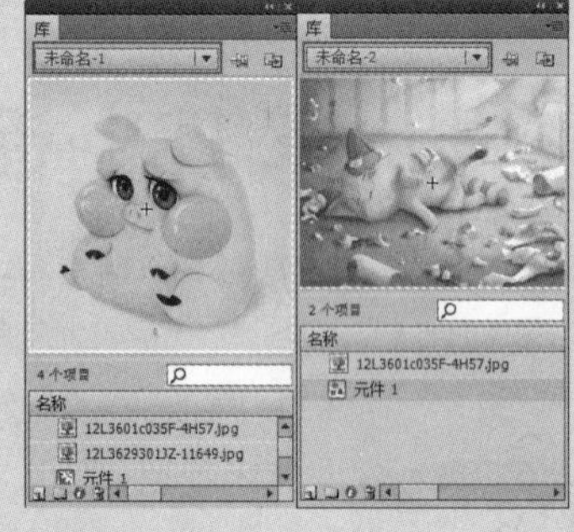 图9-108 新建库面板
⑤项目预览区	在库中选中一个项目，“项目预览区”就会显示该项目的预览，当项目为“影片剪辑”动画时，预览区如图9-109所示，单击预览区右上角的“播放”按钮，即可播放该动画。
⑥统计与搜索	该区域左侧是一个项目计数器，用于显示当前库中所包含的项目数，用户可在右侧文本框中输入项目关键字，快速锁定目标项目，此时左侧显示搜索结果数目，如图9-110所示。  图9-109 项目预览区  图9-110 搜索项目

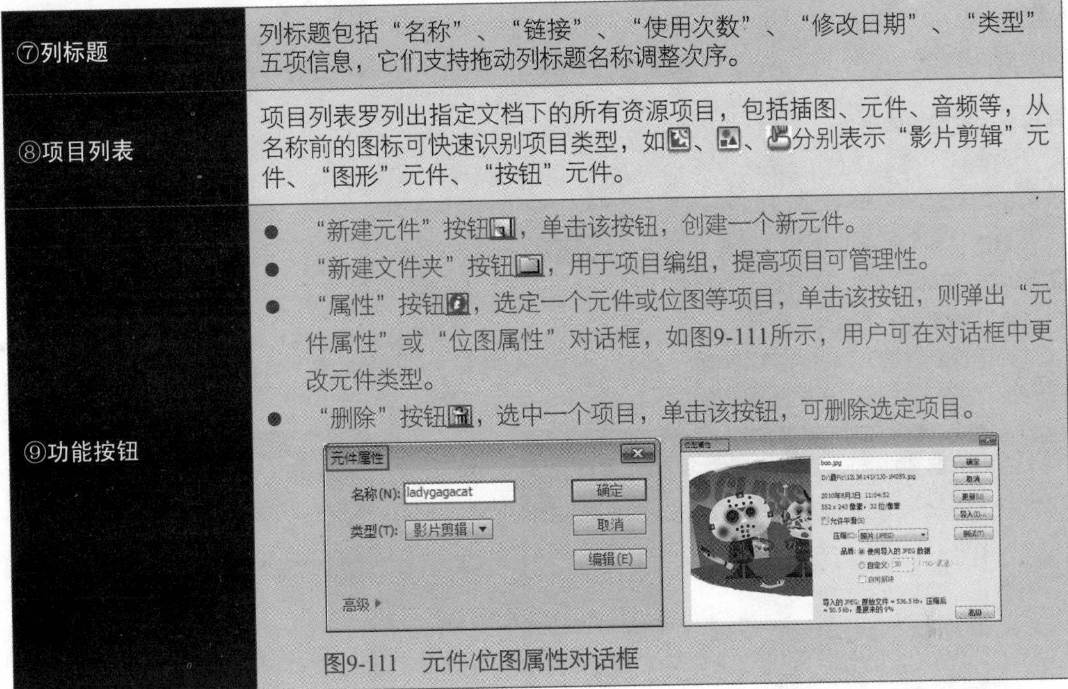

⑦列标题	列标题包括“名称”、“链接”、“使用次数”、“修改日期”、“类型”五项信息，它们支持拖动列标题名称调整次序。
⑧项目列表	项目列表罗列出指定文档下的所有资源项目，包括插图、元件、音频等，从名称前的图标可快速识别项目类型，如、、分别表示“影片剪辑”元件、“图形”元件、“按钮”元件。
⑨功能按钮	● “新建元件”按钮，单击该按钮，创建一个新元件。 ● “新建文件夹”按钮，用于项目编组，提高项目可管理性。 ● “属性”按钮，选定一个元件或位图等项目，单击该按钮，则弹出“元件属性”或“位图属性”对话框，如图9-111所示，用户可在对话框中更改元件类型。 ● “删除”按钮，选中一个项目，单击该按钮，可删除选定项目。 图9-111　元件/位图属性对话框

9.5.2 使用“库”面板管理资源

在“库”面板中可轻松对资源进行编组、项目排序、重命名、更新等管理。

库项目基本操作

● 重命名库项目

在资源列表中选中一个项目，单击鼠标右键，在弹出菜单执行【重命名】命令，输入新项目名称，单击【Enter】键即可。双击项目名称也可对其重命名。

● 删除库项目

在资源列表中选中一个项目，单击面板下方的“删除”按钮，即可删除该项目。使用“Ctrl”键可同时选中非连续的多个文件如图9-112所示，或使用“Shift”键同时选中多个连续的文件如图9-113所示，再执行删除命令，可删除所有选定项目。

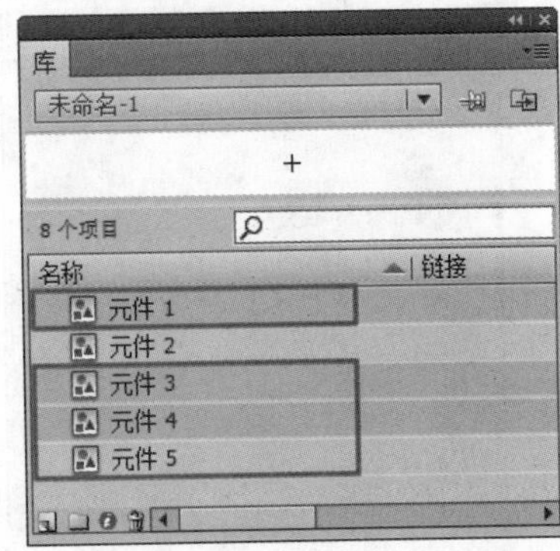

图9-112　多选效果

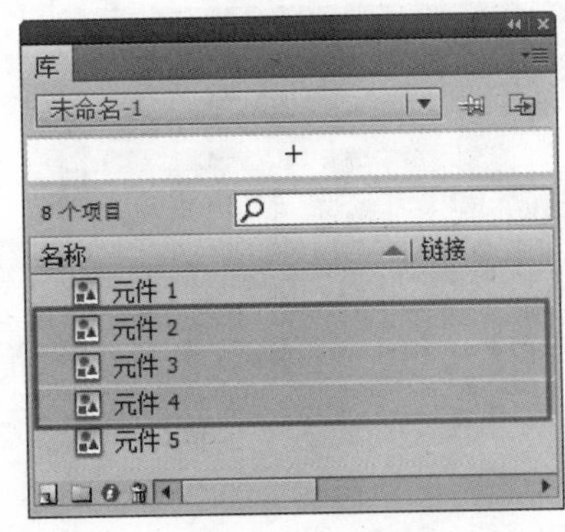

图9-113　多选效果

"库"面板支持撤销操作，例如当用户误删除了一个库项目后，按"Ctrl+Z"快捷键即可撤销删除操作，找回删除的项目。

利用文件夹组织库项目

利用"文件夹"可对库中的项目进行编组，以方便设计师使用库资源。

- 新建文件夹

单击"库"面板底部的"新建文件夹"按钮，即可新建一个文件夹，如图9-114所示，输入文件夹名称按"Enter"键即可创建该文件夹。

- 删除文件夹

选中要删除的文件夹，单击面板下方的"删除"按钮，即可删除该文件夹，或者单击"Delete"键删除文件夹，也可以在面板菜单中执行【删除】命令，如图9-115所示。

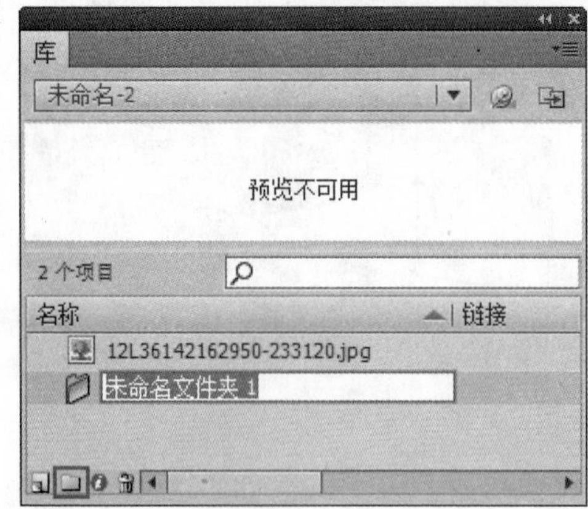

图9-114　新建文件夹

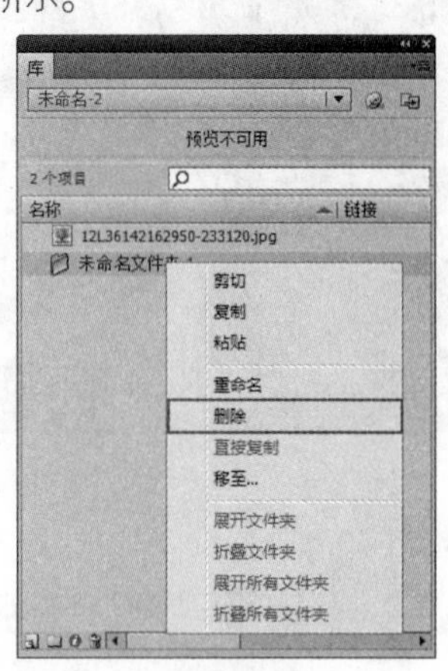

图9-115　删除文件夹

- 重命名文件夹

重命名文件夹与重命名库项目的操作一样，双击文件夹名称，输入新文件夹名，按"Enter"键即可完成对文件夹的重命名。

- 嵌套文件夹

当新建了多个文件夹后，还需要嵌套管理文件夹时，可把被嵌套的子文件夹拖曳到父文件夹中，如图9-116所示，还可实现多层嵌套。

- 展开/折叠文件夹

展开/折叠文件夹可有效利用"库"面板空间，单击文件夹前的小箭头，即可展开/折叠文件夹，如图9-117所示。双击文件夹图标，也可实现展开/折叠文件夹操作。

图9-116　嵌套文件夹

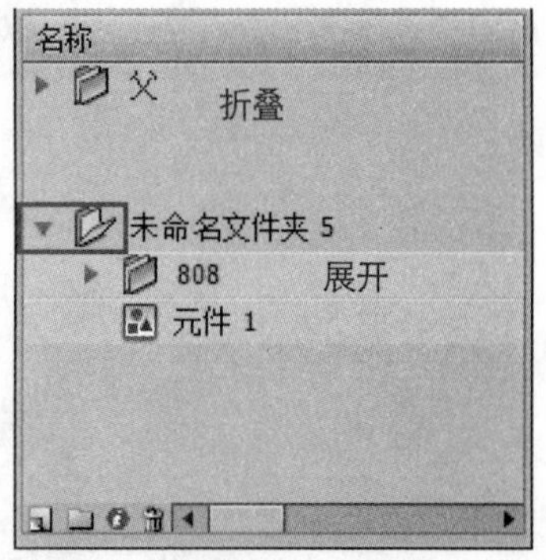

图9-117　折叠/展开文件夹效果

项目排序

当项目较多较凌乱时，可能需要对项目进行排序操作，有助于提高工作效率。选择一个“列标题”，则该标题下的库项目将按字母数字顺序排列，如图9-118所示。

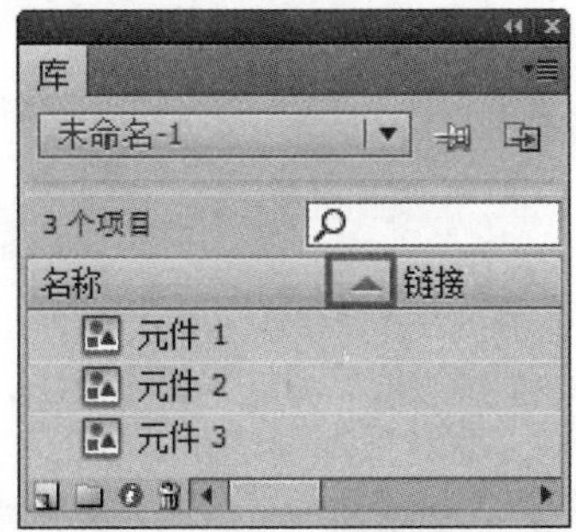

图9-118　项目排序

查找未使用的库项目

若要删除库中未使用的项目，可在“库”面板菜单中执行【选择未用项目】命令，如图9-119所示，找到所有未用项目后，按“Delete”键即可删除它们。

Tips

无须通过删除未用库项目来缩小 Flash 文档的文件大小，这是因为未用库项目并不包含在 SWF 文件中。不过，链接的待导出项目包括在 SWF 文件中。

手动更新库文件

当使用外部编辑器修改库中的资源时，Flash会自动更新其修改，如位图或声音文件等。当Flash没有自动更新时，用户可在面板菜单中执行【更新】命令，如图9-120所示，Flash会把外部文件导入并覆盖库中的文件。

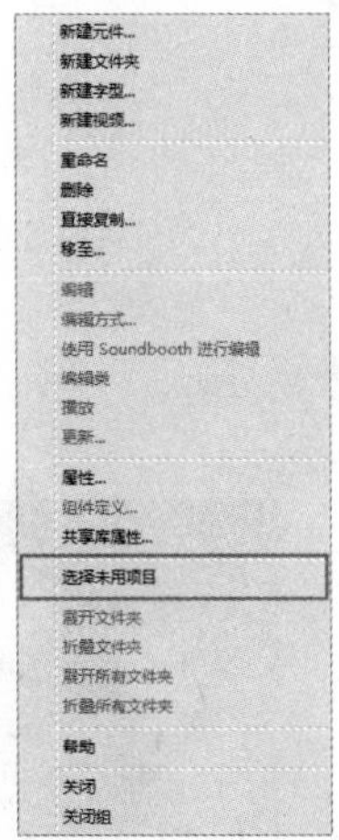

图9-119　“库”面板菜单

图9-120　“库”面板菜单

在文档间复制库资源

在文档间复制库资源，先打开要复制的文档的资源库，选中该资源，执行【编辑】|【复制】命令，再打开要粘贴的文档的资源库，执行【编辑】|【粘贴】命令，即可把前面复制的资源粘贴到当前库中。

9.5.3 公用库

Flash附带的范例库资源称为公用库，可利用公用库向文档添加按钮或声音， 还可以创建自定义公用库，然后与创建的任何文档一起使用。

调用公用库资源

Flash附带的公用库分为“声音”、“按钮”、“类”三类，如图9-121所示。打开一个公用库，即可在任意文档中使用该库中的资源，执行【窗口】|【公用库】命令，单击一个需要的公用库，拖曳其中的资源到目标文档中，即可创建其实例。

“声音”公用库

“按钮”公用库

“类”公用库

图9-121　Flash公用库

应用实例：创建公用库

创建公用库允许用户把自己常用的库资源创建一个库，以弥补公用库的局限性。

源文件：光盘\源文件\第9章\新公用库.fla

教学视频：光盘\视频\第9章\9-5-3.swf

STEP 01 执行【文件】|【新建】命令，弹出“新建文档”对话框，参数设置如图9-122所示。单击“确定”按钮，新建一个新文档。在库中创建多种常用资源，如图9-123所示。

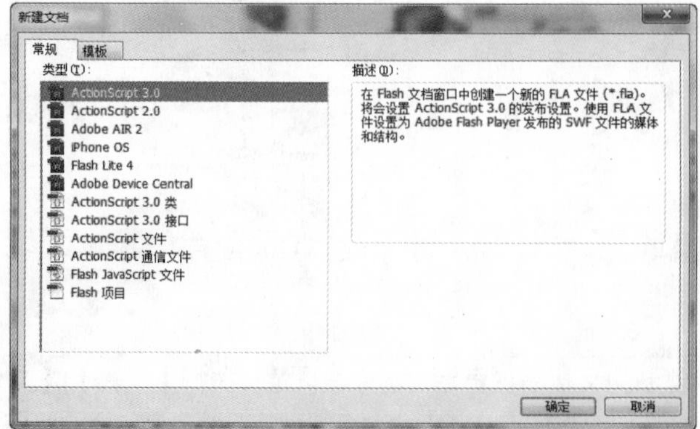

图9-122　“新建文档”对话框

图9-123　“库”面板

STEP 02 执行【文件】|【另存为】命令，在弹出的“另存为”对话框里，定位到“C:\Users\Administrator\Local Settings\Adobe\Flash CS5\zh_CN\Configuration\Libraries”，输入文档名称为“新公用库.fla”。执行【窗口】|【公用库】命令时，会多出一个【新公用库】命令，如图9-124所示。

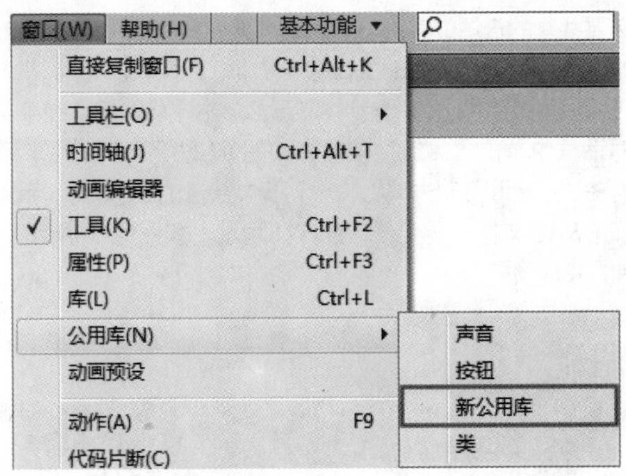

图9-124 【新公用库】命令

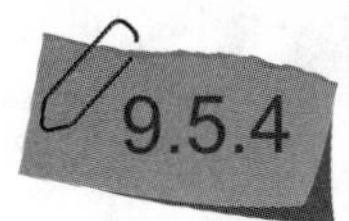

9.5.4 调用外部库中的元件

在Flash中编辑一份文档时，不仅可以使用本文档库、公用库，还可使用外部FLA文件中的库资源。

执行【文件】|【导入】|【导入外部库】命令，弹出“作为库打开”对话框，如图9-125所示，选择要使用的库的文档，打开一个浮动的外部库资源面板，如图如图9-126所示。

图9-125 “作为库打开”对话框

图9-126 “库”面板

9.5.5 使用共享资源

使用共享资源可以优化工作流程和文档资源管理。在文档中使用其他文档的共享资源进行创作，那么在源文档中对其资源进行修改时，应用该资源的文档也会随之更新。这是与使用公用库和外部库最大的不同之处。

Flash的资源共享方式有两种，运行时共享资源和创作期间共享资源，它们都是基于网络传输而实现的共享，但所适用的网络环境却有所不同。

运行时共享资源

运行时共享资源不需要在本地网络上。

- 在源文档中创建共享资源库

首先在源文档中定义要共享的资源的字符串和源文档要发布的URL地址（仅支持以http或https打头的），如http://www.*.com/lido/flash。

执行【窗口】|【库】命令，选中要共享的元件资源，单击鼠标右键，在菜单中选择【属性】命令，在弹出的“元件属性”对话框中单击“高级”按钮，如图9-127所示，在共享标签中勾选“为运行时共享导出”，在“链接”标签的“标识符”中输入一个不含空格的名称作为标识符，在“共享”标签的“URL”中输入资源所在的SWF文件在服务器中的URL地址，如图9-128所示。设置完成后，单击“确定”按钮，完成对该资源的共享设置。

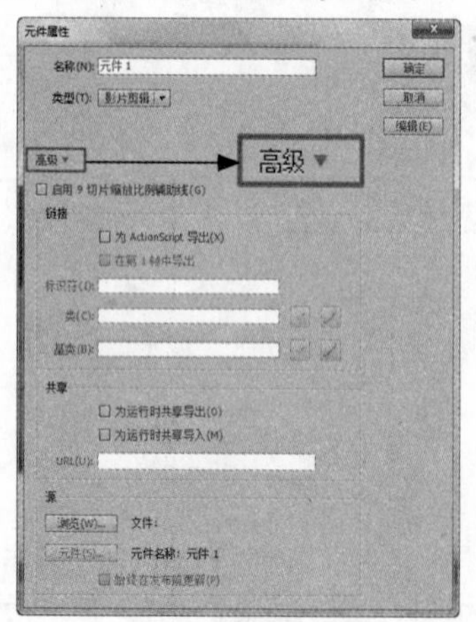

图9-127　“元件属性”对话框

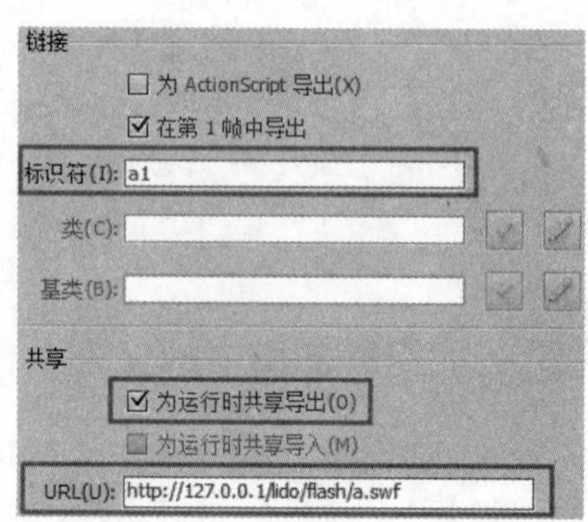

图9-128　定义共享资源

- 在目标文档中使用共享资源

定义好的共享资源在任意目标文档中都可以调用它。

执行【窗口】|【库】命令，在打开的“库”面板中选择要转换为共享资源的元件，单击鼠标右键，在菜单中选择【属性】命令，单击“高级”按钮，如图9-129所示。在“共享”标签下勾选“为运行时共享导入”，在对“标识符”和“URL”进行设置时，需要与源文档设置的“标识符”和“URL”相同，如图9-130所示。

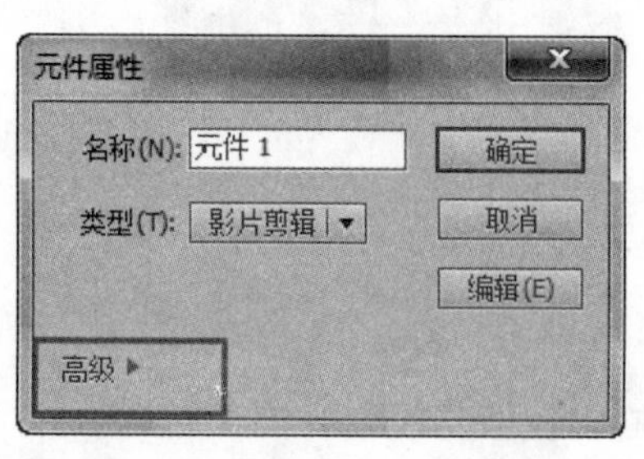

图9-129　“元件属性”对话框

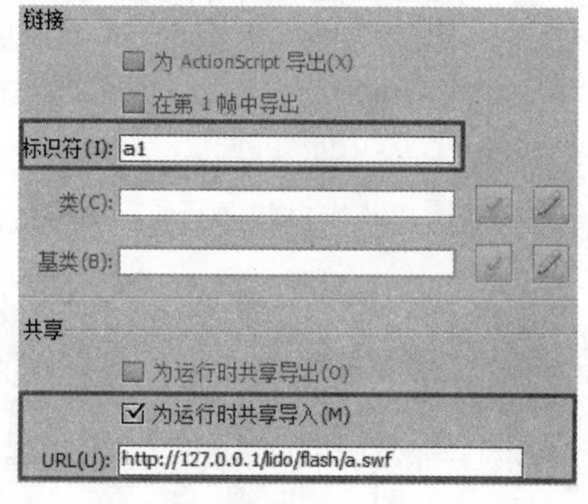

图9-130　链接共享资源

Tips

当选中的是已有内容的元件时，在导入共享后，该元件将被覆盖。在目标文档中使用共享资源，还可以通过【文件】|【导入】|【打开外部库】命令的方法实现。

- **断开目标文档与源文档共享资源的链接**

当目标文档中使用源文档的共享资源后，只要源文档对该资源进行修改，目标文档中的资源也会随之同步，断开它们的链接后，源文档对共享资源的修改将不再同步到目标文档中。

断开目标文档中的某个资源，可在“库”面板中选中该资源，单击鼠标右键，在菜单中执行【属性】命令，在弹出的“元件属性”对话框中单击 “高级”按钮，取消“共享”标签下的“为运行时共享导出”，如图9-131所示。

Tips

直接在目标文档中编辑共享的元件也会断开共享。

图9-131　断开资源共享链接

创作期间的共享资源

Flash提供了利用FLA文件实现源文档对目标文档元件的更新及替换。在目标文档中打开“库”面板，单击需要被替换的元件，单击鼠标右键，在菜单中执行【属性】命令，弹出“元件属性”对话框，单击“高级”按钮，如图9-132所示，单击“源”标签下的“浏览”按钮，如图9-133所示。

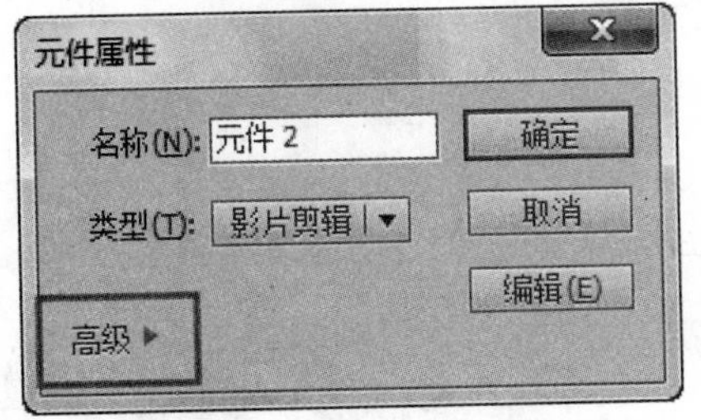

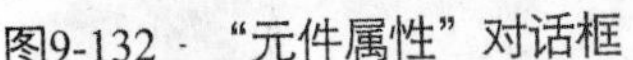

图9-132 “元件属性”对话框

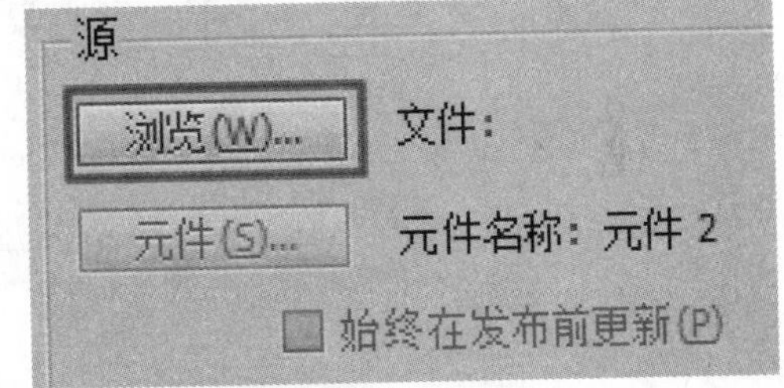

图9-133　设置源

在弹出的“查找FLA文件”对话框中选择需要的FLA源文件，单击“打开”按钮，弹出“选择元件”对话框，如图9-134所示。选中需要用于替换的新元件，单击“确定”按钮，即可替换旧元件，如图9-135所示。

图9-134　“查找FLA文件”对话框

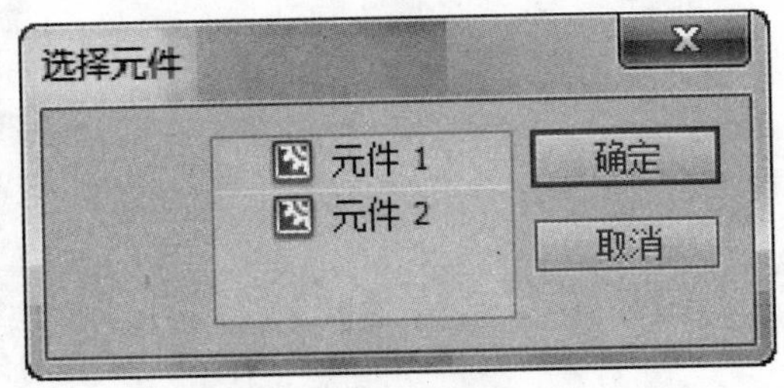

图9-135　“选择元件”对话框

当用户对源文件中的元件进行编辑时，目标文档中的元件也会随之同步。

创作期间的共享资源比运行时的共享资源范围小，它只支持本地网络中的资源共享，在元件替换或更新时，目标文档中的元件保留了原始名称和属性，但其内容会被更新或替换为所选元件的内容。

9.6 总结扩展

通过本章的学习，读者可进一步了解到元件、实例和库概念在Flash中所发挥的作用，本章主要讲解了元件、实例和库的基本概念和相关操作基础，使读者能较快上手，发掘Flash的乐趣。

9.6.1 本章小结

本章知识点都较为基础，对元件的类型及创建、实例的创建与应用、在库中的管理技巧等知识均有涉及，对于“注册点”与“中心点”的区别，以及共享资源的使用相对较难，读者应用心体会。

9.6.2 举一反三——制作一个漂亮的按钮元件

案例文件：	光盘\源文件\第9章\9-6-2.fla
素材文件：	无
视频文件：	光盘\视频\第10章\9-6-2.swf
难易程度：	★★☆☆☆
学习时间：	10分钟

（1） 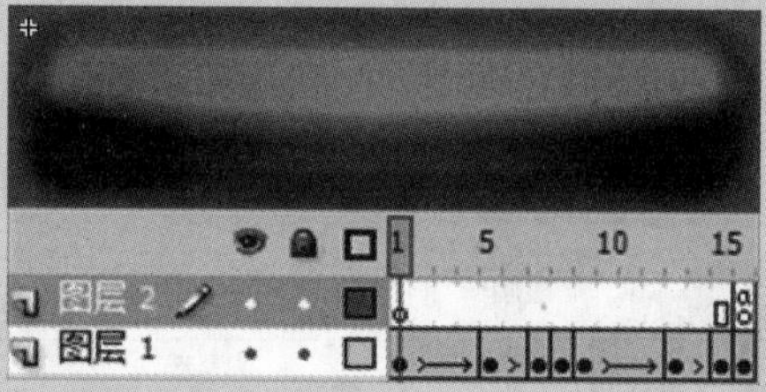 （2）

（3） 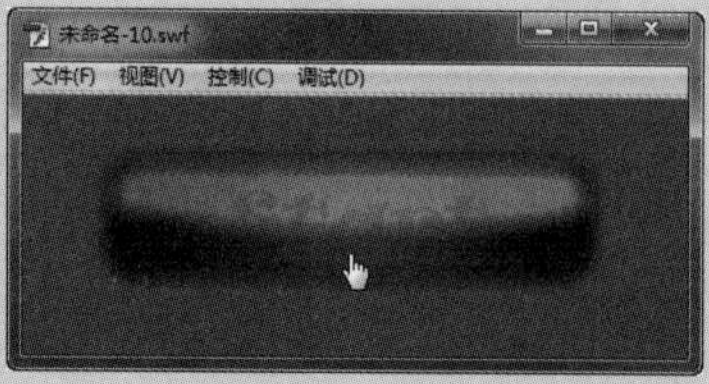 （4）

（1）新建一个Flash空白文档，创建图形元件并绘制图形，创建“背景”影片剪辑元件，制作按钮背景。

（2）使用“模糊”滤镜制作“按钮动画”元件。

（3）完成“Start”按钮元件的制作。

（4）完成按钮的制作，测试动画。

第10章　元件的滤镜与混合

在Flash中为对象实例设置循环，可以轻松制作出动画效果，而为元件应用滤镜和混合，可以为元件增加各种效果，设置元件之间的复合形式，使制作出的动画多种多样、五彩缤纷，本章就上述内容进行具体讲解。

本章学习要点

- 掌握为对象实例设置循环的方法
- 了解缩放和缓存元件的原理
- 掌握混合的使用方法
- 掌握滤镜的使用方法

实例名称：使用“发光”滤镜制作闪烁发光动画效果
源 文 件：光盘\源文件\第10章\10-5-2.fla
教学视频：光盘\视频\第10章\10-5-2.swf

实例名称：使用循环制作角色360° 旋转
源 文 件：光盘\源文件\第10章\10-1.fla
教学视频：光盘\视频\第10章\10-1.swf

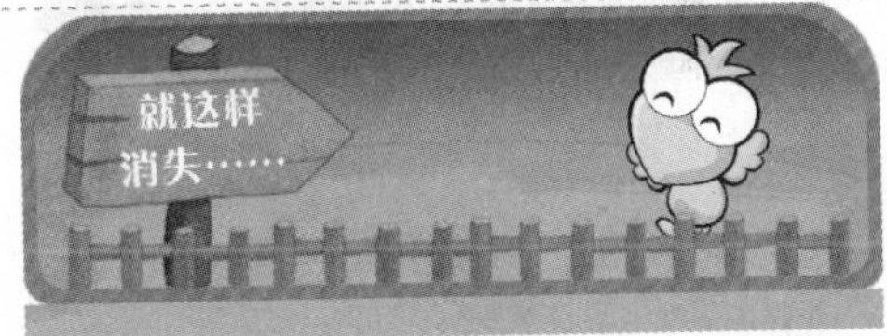

实例名称：使用“模糊”滤镜效果制作渐隐动画效果
源 文 件：光盘\源文件\第10章\10-4-2.fla
教学视频：光盘\视频\第10章\10-4-2.swf

10.1 为对象实例设置循环

为对象实例设置循环，可以设置Flash中对象实例内的动画序列，设置时要注意元件的类型必须是图形，设置方法通常在“属性”面板的“循环”属性选项中实现，如图10-1所示。

①选项	可以设置对象实例的播放方式，在此下拉列表中有3个选项，如图10-2所示。 ● 循环：按照当前实例占有的帧数来循环播放该实例内的所有动画序列。 ● 播放一次：从指定帧开始播放动画序列直到动画结束，然后停止。 ● 单帧：指定要显示的帧，显示动画序列的一帧。
②第一帧	可以设置播放时首先显示的对象元件的帧，设置方法是在“第一帧”文本框中输入帧编号。

图10-1 “循环”属性

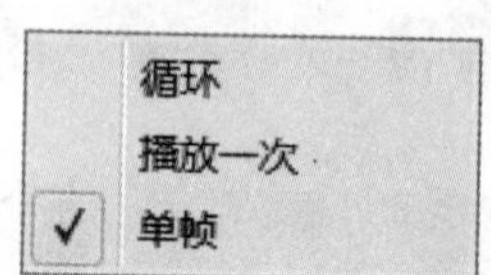

图10-2 选项

Tips

动画对象元件是与放置该元件的文档的时间轴联系在一起的。相比之下，影片剪辑元件拥有自己独立的时间轴。因为动画对象元件使用与主文档相同的时间轴，所以在文档编辑模式下显示它们的动画。影片剪辑元件在舞台上显示为一个静态对象，并且在Flash编辑环境中不会显示为动画。

应用实例：使用循环制作角色360°旋转

本实例是制作角色360°旋转动画，在制作本实例的过程中，首先制作出角色旋转动画，然后对实例对象设置循环，设置动画序列的播放方式，完成动画制作。

源文件：光盘\源文件\第10章\10-1.fla

教学视频：光盘\视频\第10章\10-1.swf

STEP 01 执行【文件】|【新建】命令，新建一个Flash文档，如图10-3所示。单击“属性”面板上的“编辑”按钮，在弹出的“文档设置”对话框中进行设置，如图10-4所示，单击“确定”按钮，完成“文档属性”的设置。

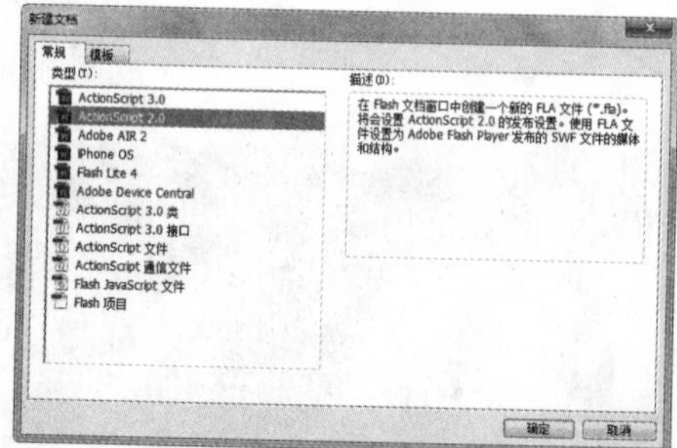

图10-3 新建Flash文档

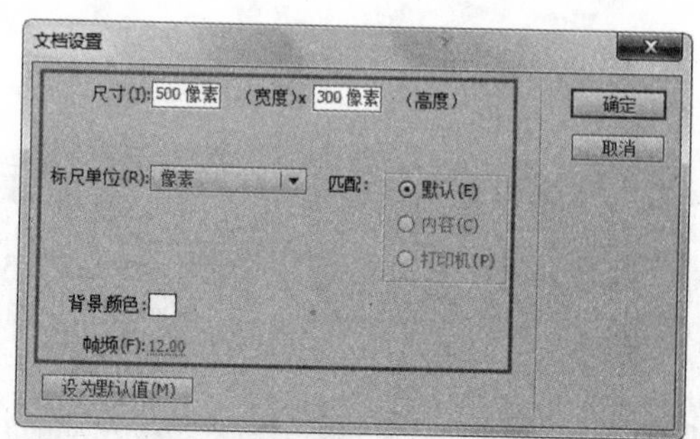

图10-4 设置“文档设置”对话框

STEP 02 执行【插入】|【新建元件】命令，新建一个“名称”为“头部动画”的“图形”元件，如图 10-5 所示，单击工具箱中的“椭圆工具”按钮，设置“填充颜色”为 #F4C4A4，“笔触颜色”为 #804010，在舞台中绘制如图 10-6 所示的圆形。

图10-5　新建元件

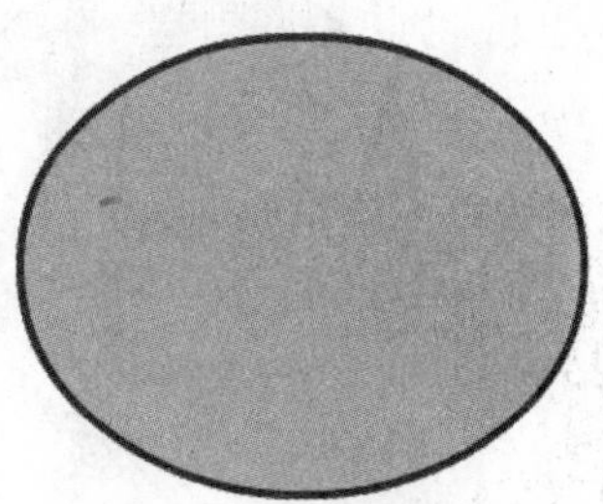

图10-6　绘制图形

STEP 03 单击工具箱中的“部分选取工具”按钮，配合“选择工具”调整图形，效果如图 10-7 所示，在第 11 帧位置插入关键帧，对第 11 帧上的图形进行调整，如图 10-8 所示。

图10-7　调整图形

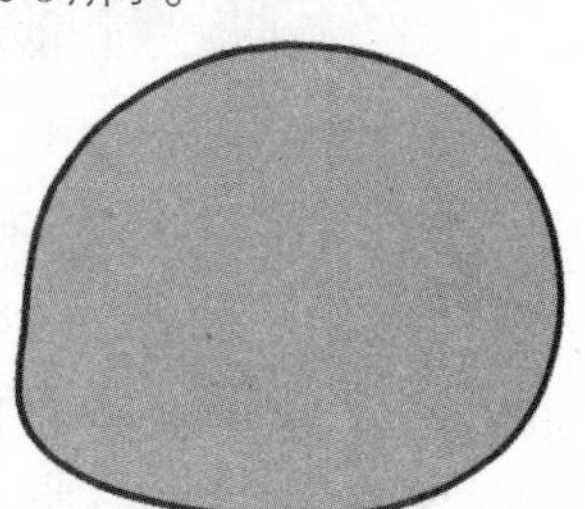

图10-8　调整图形

STEP 04 在第 5 帧位置插入关键帧，并对帧上的元件进行调整，调整完成后的第 15 帧元件效果如图 10-9 所示，相同的方法，分别在第 22、31、35 和 38 帧位置插入关键帧，并分别对各帧上的图形进行调整，“时间轴”面板如图 10-10 所示。

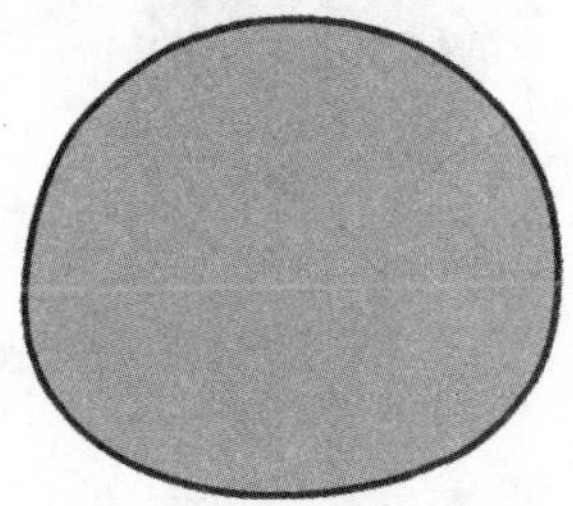

图10-9　调整图形

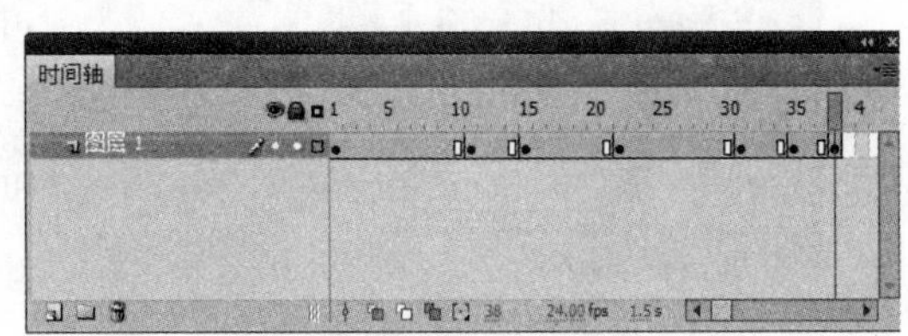

图10-10　“时间轴”面板

STEP 05 分别在各相应的关键帧创建形状补间动画，“时间轴”面板如图 10-11 所示。

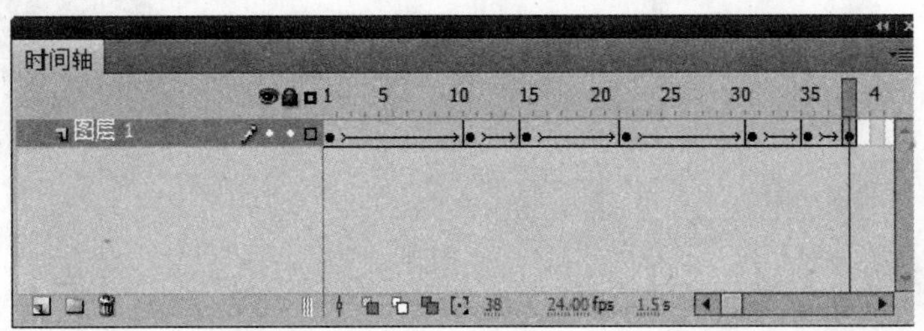

图10-11　“时间轴”面板

STEP 06 根据“图层 1”的制作方法，制作出“图层 2”，效果如图 10-12 所示，完成其他图层的制作，效果如图 10-13 所示。

图10-12　元件效果

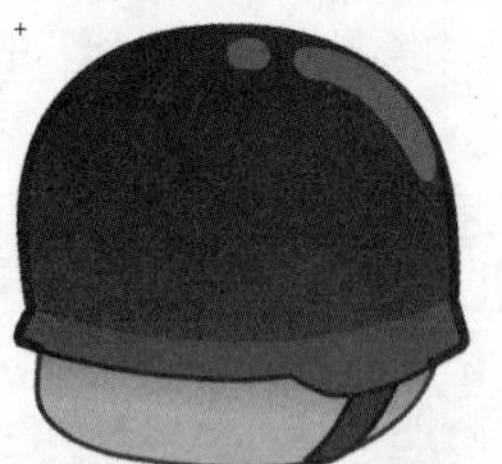

图10-13　元件效果

STEP 07 完成制作后的“时间轴”面板如图 10-14 所示。

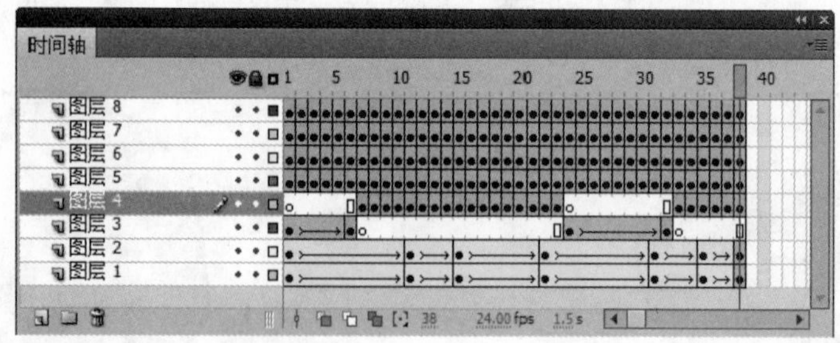

图10-14　“时间轴”面板

STEP 08 新建一个“名称”为“整体动画”的“图形”元件，将“头部动画”元件从“库”面板拖入到舞台中，在第帧位置插入关键帧，在“属性”面板中为第 1 关键帧设置循环，如图 10-15 所示，根据前面绘制图形的方法，制作出身体部分，元件效果如图 10-16 所示。

图10-15　设置“循环”选项

图10-16　元件效果

STEP 09 为第 2 关键帧设置“循环”属性，如图 10-17 所示，绘制出身体部分，元件效果如图 10-18 所示。

图10-17　设置“循环”选项

图10-18　元件效果

STEP 10 根据前面的方法，完成“整体动画”元件的制作，第 3 ~ 8 关键帧的效果如图 10-19 所示。

图10-19　第3至8关键帧元件的效果

STEP 11 返回到“场景 1”的编辑状态，执行【文件】|【导入】|【导入到舞台】命令，将图像“光盘\源文件\第 10 章\素材\10101.png”导入到场景中，如图 10-20 所示，如图 10-32 所示，在第 8 帧位置插入帧，新建“图层 2”，将“整体动画”从“库”面板中拖入到场景中的合适位置，效果如图 10-21 所示。

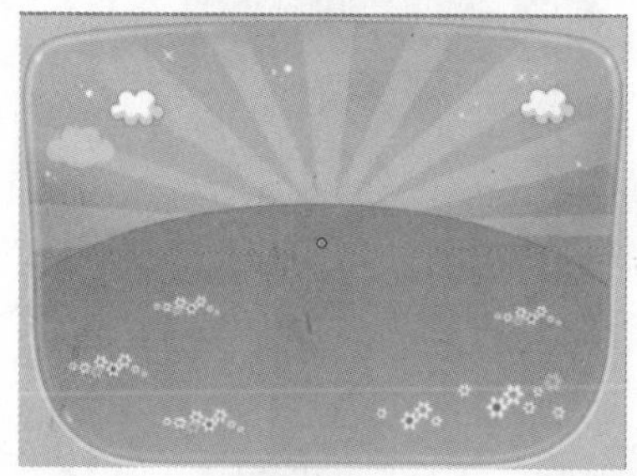

图10-20　导入素材

图10-21　拖入元件

STEP 12 完成动画的制作，执行【文件】|【保存】命令，将动画保存为“光盘\源文件\第 10 章\10-1.fla”。按快捷键“Ctrl+Enter”测试动画，测试效果如图 10-22 所示。

图10-22　测试动画

10.2 缩放和缓存元件

在Flash中要了解缩放和缓存元件的相关知识，使用缩放元件可以在启用9切片缩放比例影片剪辑的基础上缩放元件的特定区域，使用缓存元件可以提高播放动画的性能。

10.2.1 缩放元件

缩放元件是通过在“元件属性”面板中“启用9切片缩放比例影片剪辑”选项来实现的，下面将对9切片缩放具体进行讲解。

关于 9 切片缩放和影片剪辑元件

使用 9 切片缩放可以设置影片剪辑特定区域的缩放应用方式。使用 9 切片缩放，可以确保影片在缩放时能正确显示。使用正常缩放时，Flash对影片剪辑的所有部分在水平和垂直尺寸上进行均等缩放。对许多影片剪辑而言，这样的均等缩放使剪辑的对象看起来很奇怪，尤其是在矩形影片剪辑的角落处和边缘处。对于用作用户界面元素的影片剪辑（例如按钮），这种情况经常出现。

应用 9 切片缩放后的影片剪辑元件，在“库”面板预览中显示为带辅助线，如图10-23所示。影片剪辑在视觉上被分割为具有类似网格类叠加层的9个区域，如图10-24所示，各个区域都能独立缩放，为了保持影片剪辑的视觉整体性，不缩放转角，而是按需要放大或缩小（不同于拉伸）对象的其他区域。

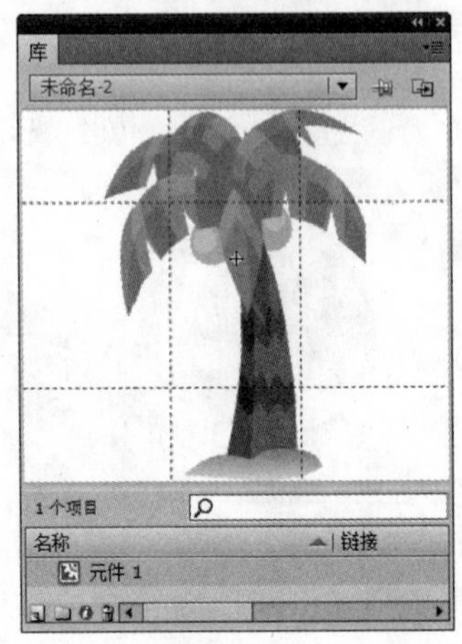

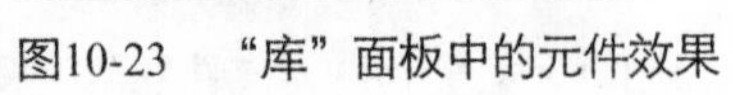
图10-23 “库”面板中的元件效果

图10-24 应用9切片后的元件

9切片缩放有时也称为“缩放 9”，它不能在“对象”或“按钮”元件上应用。启用 9 切片的影片剪辑中的位图将正常缩放，不会造成 9 切片扭曲，而且其他影片剪辑内容将根据 9 段式辅导线进行缩放。

Tips

启用 9 切片的影片剪辑可以包含嵌套对象，但只有影片剪辑中某些类型的对象能够按 9 切片方式正确缩放。若要制作带有内部对象的影片剪辑，并且使这些对象在影片剪辑缩放时也能进行 9 切片缩放，则这些嵌套对象必须是形状、绘制对象、组或对象元件。

使用9切片缩放编辑影片剪辑元件

默认状态下，切片辅助线位于距元件的宽度和高度边缘的25%或四分之一处。在元件编辑模式中，切片辅助线将作为虚线叠加显示在元件上。将元件拖到剪贴板时，切片辅导线不会紧贴移动，元件在舞台上时，辅助线不会显示，并且不能在舞台当前位置对启用9切片的元件进行编辑，必须在元件编辑模式中对其进行编辑。

为现有影片剪辑元件启用 9 切片缩放

在“库”面板中选择一个影片剪辑、按钮或对象元件。单击鼠标右键，在弹出的菜单中选择【属性】命令，弹出“元件属性”对话框，如图10-25所示，单击“高级”选项，展开其各选项的内容，在其中勾选“启用 9 切片缩放比例辅助线”选项，如图10-26所示，即可设置缩放。

图10-25 “元件属性”对话框

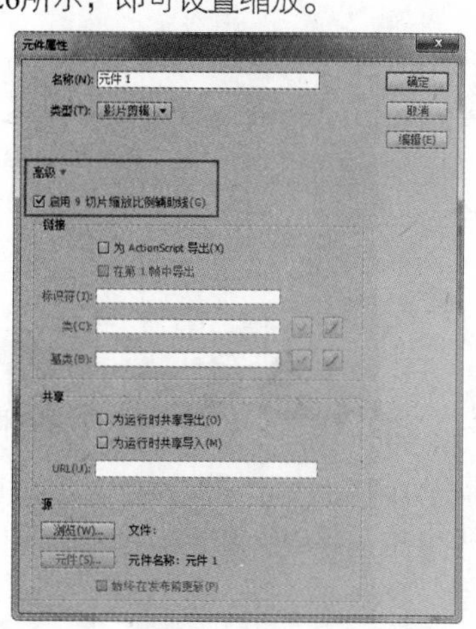

图10-26 勾选“启用 9 切片缩放比例辅助线”选项

编辑已启用的 9 切片影片剪辑元件

在舞台上选择元件的一个实例，单击鼠标右键，在弹出的菜单中选择【编辑】命令，或在“库”面板中双击元件，进入到元件的编辑状态，通过拖动辅助线的方式，可以移动水平或垂直辅导线，此时在库预览中就会更新该元件的辅助线位置。

10.2.2 缓存元件

对元件进行缓存操作，可以在播放动画时，提高播放性能，优化回放性能，使动画播放更快、更平滑。

使用位图缓存改进呈现性能

运行时位图缓存允许指定某个静态影片剪辑（如背景对象）或按钮元件，在运行时缓存为位图，从而优化回放性能。

默认状态下，Flash Player 将在每一帧中重绘舞台上的每个矢量项目。将影片剪辑或按钮元件缓存为位图，可防止 Flash Player 必须不断重绘项目，因为对象是位图，在舞台上的位置不会更改，这极大地改进了播放性能。

位图缓存允许使用影片剪辑并自动将其冻结在当前位置上。如果某个区域发生更改，则矢量数据可更新位图缓存。此过程很大程度上减少了 Flash Player 必须执行的重绘次数，从而使回放更加快速流畅。

它只对复杂的静态影片剪辑使用位图缓存，并且这些影片剪辑的动画各帧中应该只有位置而无内容。

“缓存为位图”选项只能对影片剪辑和按钮元件使用。

在以下情况中，影片剪辑不会使用位图，即使选择了“缓存为位图”选项也不可以，而会通过使用矢量数据来呈现影片剪辑或按钮元件：

- 位图过大，即在任一方向上大于 2880 像素。
- Flash Player 无法为位图分配内存，即引发内存不足等错误。

为影片剪辑指定位图缓存

选择要应用位图缓存的影片剪辑或按钮元件，在“属性”面板中的“显示”属性中勾选“缓存为位图”选项即可设置，如图10-27所示。

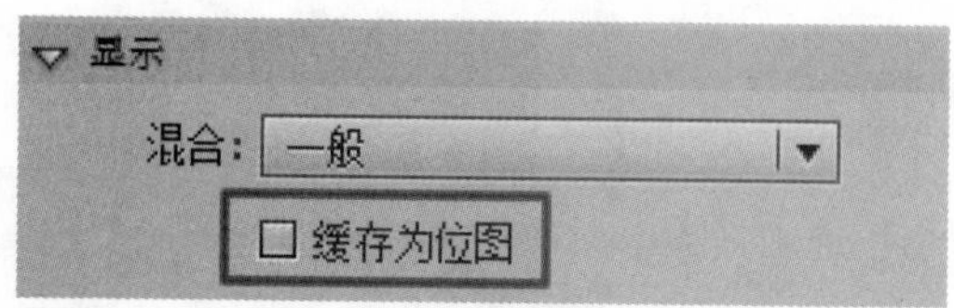

图10-27 “缓存为位图”选项

10.3 混合模式

混合是一种元件的属性，并且只是对影片剪辑起作用的一种属性，通过混合模式中的各个选项，可以为影片剪辑元件创建出独特的视觉效果。

混合简介

使用混合模式，可以创建复合对象，复合是改变两个或两个以上重叠对象的透明度或者颜色相互关系的过程。使用混合，可以混合重叠影片剪辑中的颜色，从而创造出别具一格的视觉效果。

混合模式

混合模式的创建是通过“属性”面板中的“显示”属性来实现的，“显示”属性如图10-28所示，单击“混合模式”按钮，弹出模式下拉列表，如图10-29所示，其中包括混合模式的多种选项。

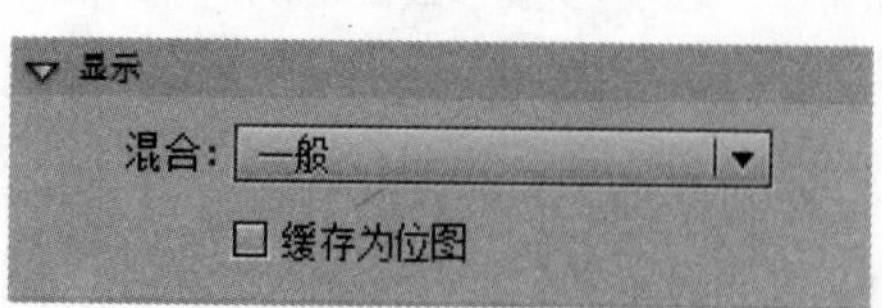

图10-28 “显示”属性

图10-29 “混合”选项

①一般	可以正常应用颜色，不与基准颜色发生混合变化，应用“正常”模式后的效果如图10-30所示。
②图层	可以层叠各个影片剪辑，而不影响其颜色，应用“图层”模式后的效果如图10-31所示。 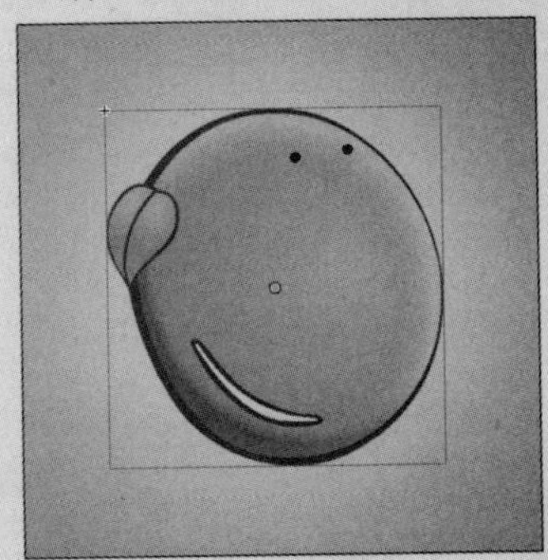 图10-30 “正常”模式 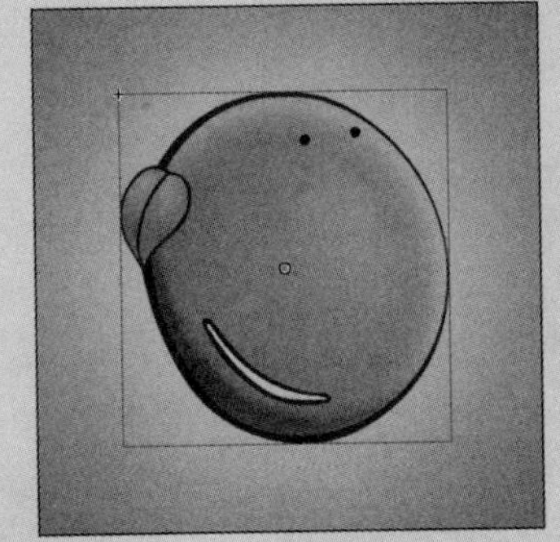 图10-31 “图层”模式
③变暗	只替换比混合颜色亮的区域， 比混合颜色暗的区域将保持不变，应用“变暗”模式后的效果如图10-32所示。
④正片叠底	可以将基准颜色与混合颜色复合，从而产生较暗的颜色，应用“正片叠底”模式后的效果如图10-33所示。 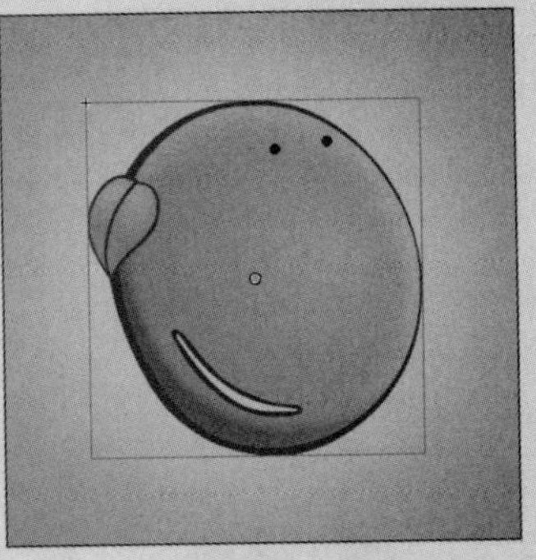 图10-32 “变暗”模式 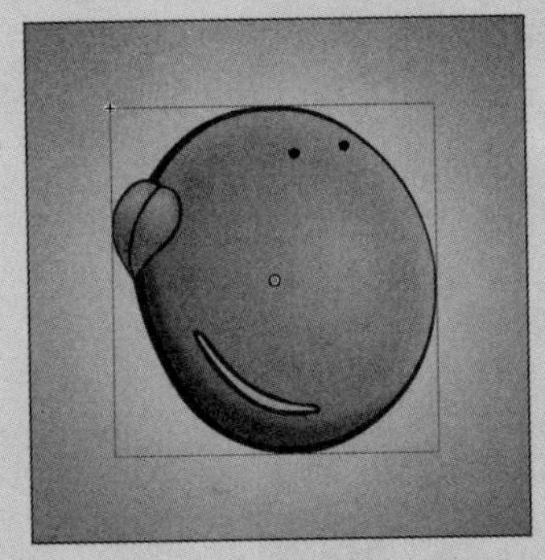 图10-33 “正片叠底”模式
⑤变亮	只替换比混合颜色暗的像素，比混合颜色亮的区域将保持不变，应用“变亮”模式后的效果如图10-34所示。
⑥滤色	可以将混合颜色的反色与基准颜色复合，从而产生漂白效果，应用“滤色”模式后的效果如图10-35所示。 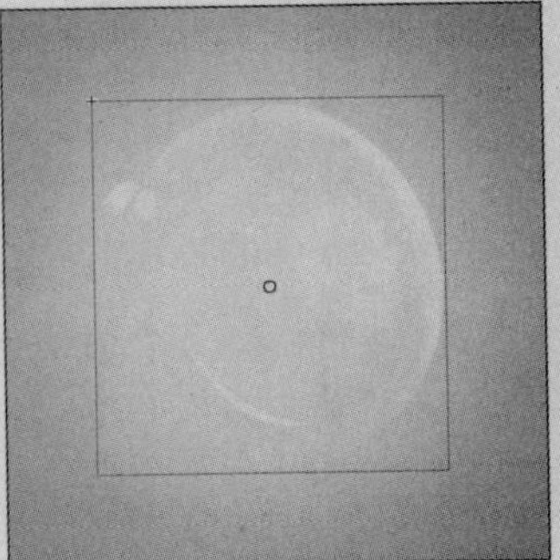 图10-34 “变亮”模式 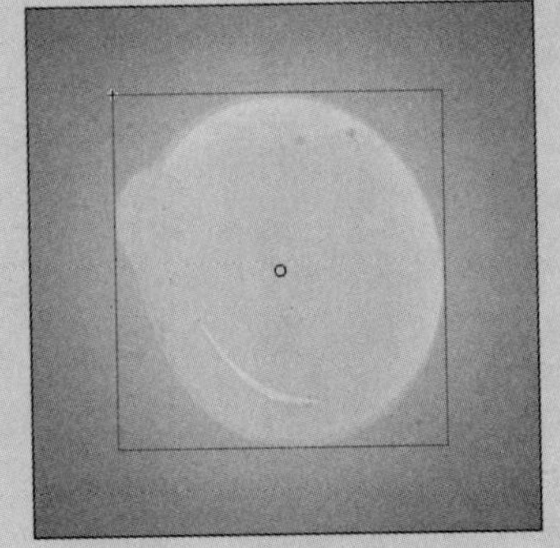 图10-35 “滤色”模式

⑦叠加	可以复合或过滤颜色，结果颜色需取决于基准颜色，应用“叠加”模式后的效果如图10-36所示。
⑧强光	可以复合或过滤颜色，结果颜色需取决于混合模式颜色。此效果类似于用点光源照射对象，应用“强光”模式后的效果如图10-37所示。 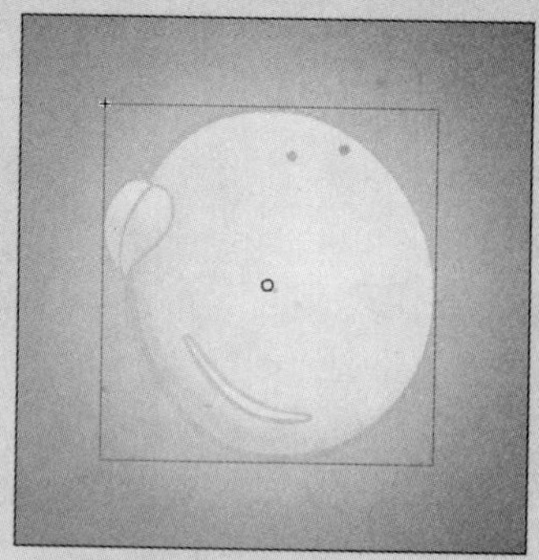 图10-36 “叠加”模式 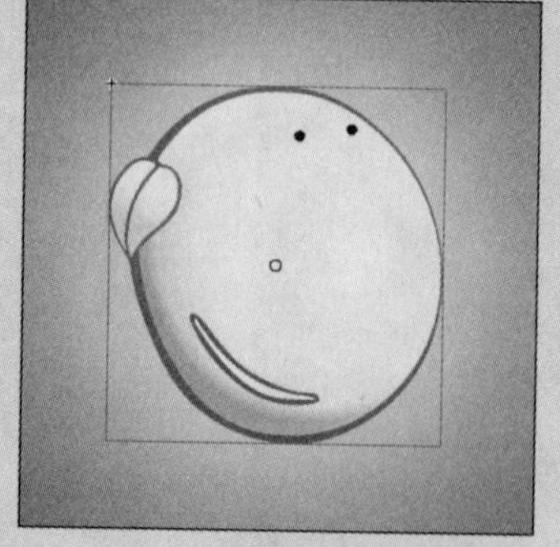 图10-37 “强光”模式
⑨增加	通常用于在两个对象之间创建动画的变亮分解效果，应用“增加”模式后的效果如图10-38所示。
⑩减去	通常用于在两个对象之间创建动画的变暗分解效果，应用“减去”模式后的效果如图10-39所示。 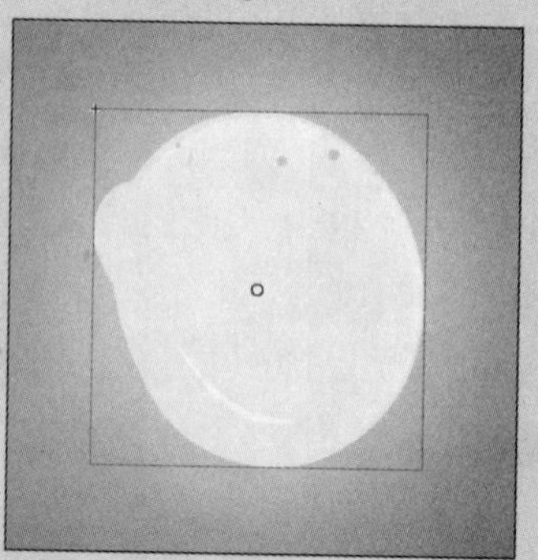 图10-38 “增加”模式 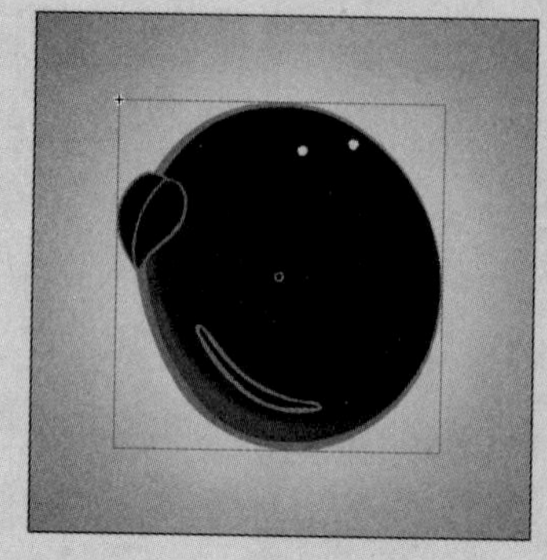 图10-39 “减去”模式
⑪差值	从基色减去混合色或从混合色减去基色，结果颜色取决于哪一种的亮度值较大，此效果类似于彩色底片，应用“差值”模式后的效果如图10-40所示。
⑫反相	可以反转基准颜色，应用“反相”模式后的效果如图10-41所示。 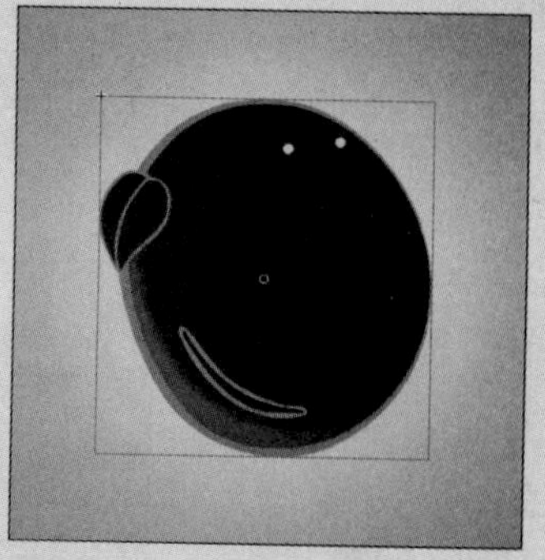 图10-40 “差值”模式 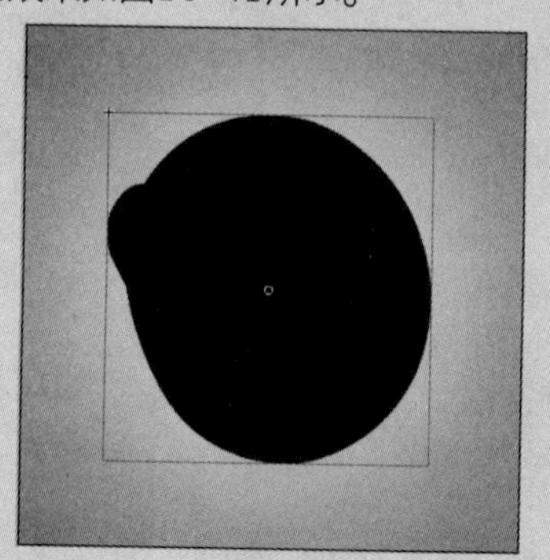 图10-41 “反相”模式

⑬Alpha	应用 Alpha 遮罩层，应用“Alpha”模式后的效果如图10-42所示。
⑭擦除	可以删除所有基准颜色像素，包括背景对象中的基准颜色像素，应用“擦除”模式后的效果如图10-43所示。 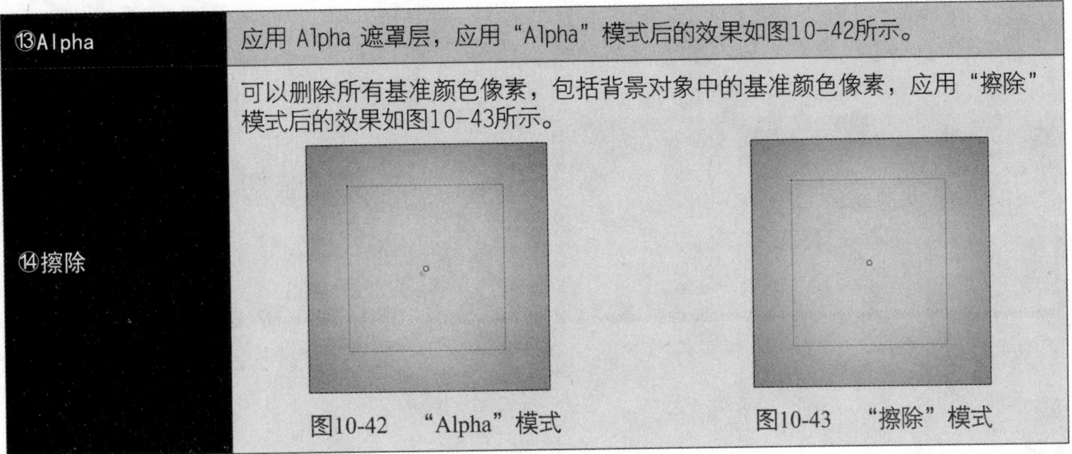 图10-42　“Alpha”模式　　图10-43　“擦除”模式

Tips

根据混合模式选项的内容，在混合时一般可分为以下几种：

- 混合颜色应用于混合模式的颜色。
- 不透明度应用于混合模式的透明度。
- 基准颜色混合颜色下面的像素颜色。
- 结果颜色基准颜色上混合效果的结果。

Tips

混合模式不仅取决于要应用混合的对象颜色，还取决于基础颜色。在使用时，用户可试验不同的混合模式，以获得所需的效果。

“擦除”和“Alpha”混合模式要求将“图层”混合模式应用于父级影片剪辑。不能将背景剪辑更改为“擦除”并应用它，因为该对象将是不可见的。

应用实例：使用“滤色”模式制作闪耀光芒动画效果

使用混合模式可以混合影片剪辑的颜色，生成某种特定的颜色，下面以“滤色”混合模式为例，向用户讲解应用混合模式制作动画的方法。

源 文 件：光盘 \ 源文件 \ 第 10 章 \10-3-2.fla

教学视频：光盘 \ 视频 \ 第 10 章 \10-3-2.swf

STEP 01 执行【文件】|【新建】命令，新建一个 Flash 文档，如图 10-44 所示。单击“属性”面板上的“编辑”按钮，在弹出的“文档设置”对话框中进行设置，如图 10-45 所示，单击“确定”按钮，完成“文档属性”的设置。

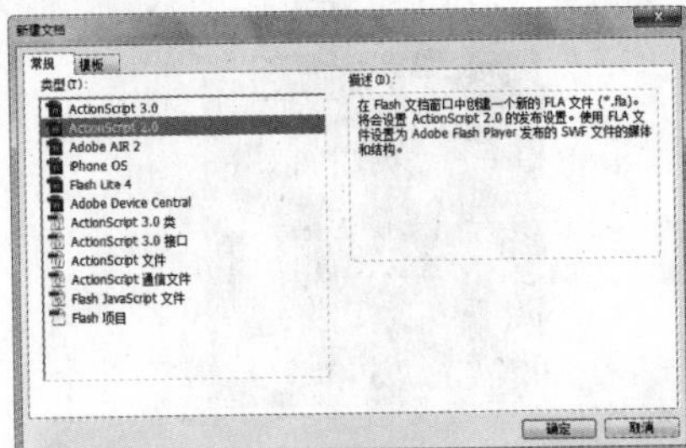

图10-44　新建Flash文档

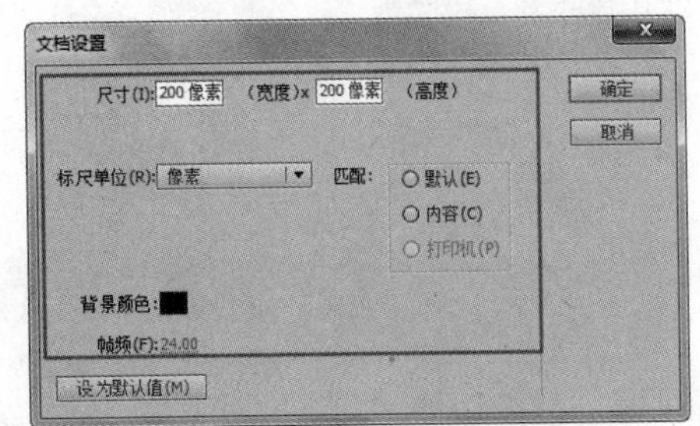

图10-45　设置“文档设置”对话框

STEP 02 执行【插入】|【新建元件】命令，新建一个“名称”为“元件 1”的“影片剪辑”元件，如图 10-46 所示，执行【文件】|【导入】|【导入到舞台】命令，将图像“光盘\源文件\第 10 章\素材\quan0001.jpg”导入到场景中，在弹出的提示框中单击“是”按钮，如图 10-47 所示。

图10-46　导入素材

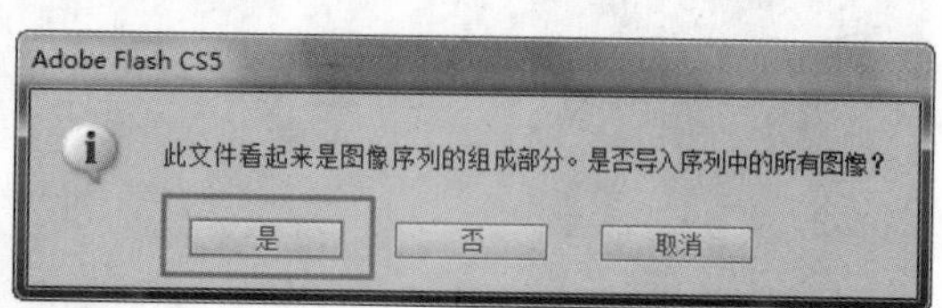

图10-47　“提示”对话框

STEP 03 导入完成后，“时间轴”面板如图 10-48 所示。

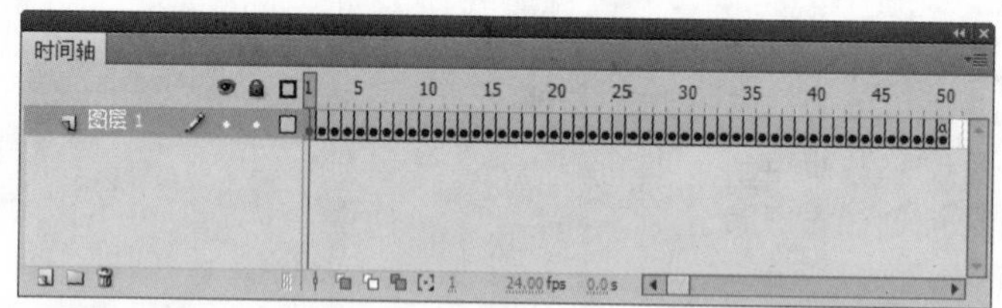

图10-48　“时间轴”面板

STEP 04 返回到“场景 1”编辑状态，执行【窗口】|【颜色】命令，打开“颜色”面板，参数设置如图 10-49 所示。设置完成后，单击工具箱中的“矩形工具”按钮，在场景中绘制矩形，效果如图 10-50 所示。

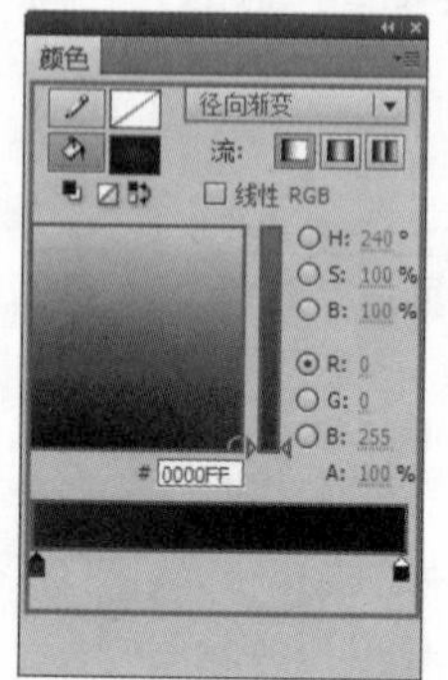

图10-49　设置“颜色”面板

图10-50　绘制图形

STEP 05 新建“图层 2”，将“元件 1”从“库”面板中拖入到场景中的合适位置，选中元件，在“显示”属性中更改混合模式为“滤色”，如图 10-51 所示，更改后的效果如图 10-52 所示。

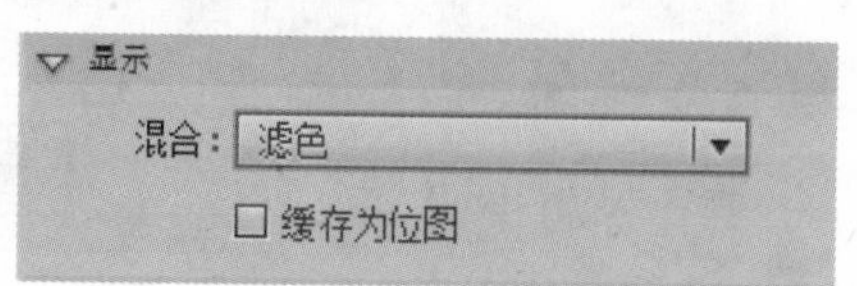

图10-51　设置“混合”选项

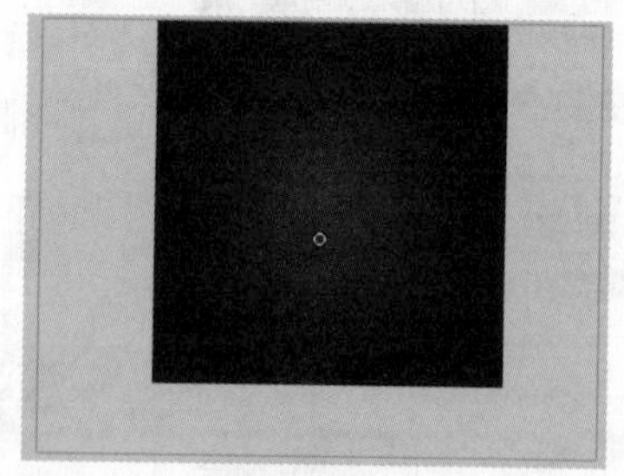

图10-52　对象效果

STEP 06 完成动画的制作，执行【文件】|【保存】命令，将动画保存为“光盘\源文件\第 10 章\10-3-2.fla”。按快捷键“Ctrl+Enter”测试动画，测试效果如图 10-53 所示。

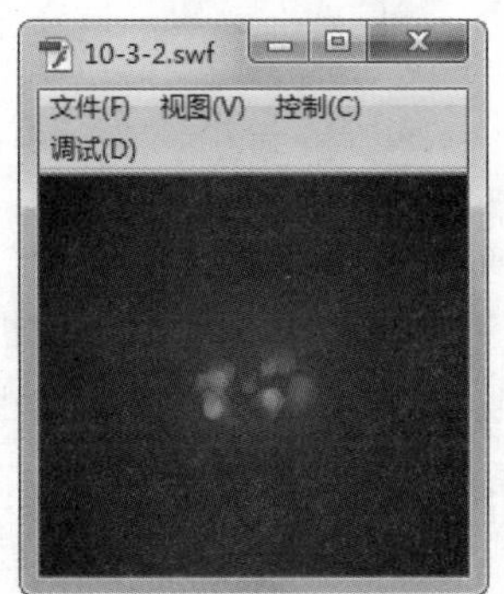

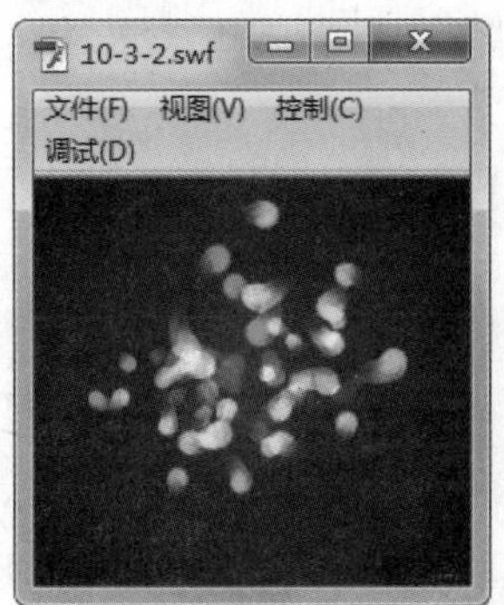

图10-53　测试动画

10.4 滤镜效果

在Flash中使用滤镜，可以为文本、按钮和影片剪辑增添有趣的视觉效果，而Flash 所独有的一个功能是可以使用补间动画让应用的滤镜动起来。

10.4.1 滤镜简介

在Flash中为元件增加滤镜，可以创建动画的特定效果，下面向用户讲解滤镜的相关知识和动画滤镜的原理。

关于滤镜和 Flash Player 的性能

对象的滤镜类型、数量和质量会直接影响到SWF文件的播放性能，对象应用的滤镜越多， Flash Player要正确显示创建的视觉效果所需的处理量也就越大。

系统建议对一个对象只应用有限数量的滤镜，而每个滤镜都包含控件，可以调整所应用滤镜的强度和质量。如果计算机运行的速度较慢，使用较低的设置可以提高性能;如果要创建在一系列不同性能的计算机上回放的内容，或不能确定用户使用计算机的计算能力，可以将滤镜品质级别设置为“低”，以实现最佳的回放性能。

关于 Pixel Bender 滤镜

Adobe Pixel Bender是 Adobe 开发的一种编程语言，用户可以使用该语言创建自定义滤镜、效果和混合模式，以用于 Flash和 After Effects。

Pixel Bender与硬件无关，可高效地运行于各种 GPU 和 CPU 体系结构之上。Pixel Bender 开发人员通过编写 Pixel Bender 代码，并将代码保存在文件扩展名为 pbj 的文本文件中来创建滤镜，编写完成后，Pixel Bender 滤镜便可以由任何 Flash 文档使用，使用 ActionScript 3.0 可加载滤镜并使用其控件。

关于动画滤镜

动画滤镜可以在时间轴中让滤镜活动起来。如果对元件创建了传统补间动画，那么在中间帧上会显示传统补间的相应滤镜参数。如果某个滤镜在传统补间的另一端没有相匹配的滤镜，那么系统会自动添加匹配的滤镜，以确保在动画序列的末端出现该效果。

为防止在传统补间一端缺少某个滤镜，或滤镜在每一端以不同的顺序应用时，传统补间动画不能正常运行，Flash 会执行以下操作：

插入关键帧时	如果将传统补间动画应用于已应用滤镜的影片剪辑，在传统补间的另一端插入关键帧时，则影片剪辑在传统补间的最后一帧上自动具有它在传统补间开头所具有的滤镜，并且层叠顺序相同。
多个滤镜时	如果将影片剪辑放在两个不同的帧上，并且对于每个影片剪辑应用不同的滤镜，而两帧之间又应用了传统补间动画，那么Flash 会首先处理滤镜最多的影片剪辑，然后，Flash 会比较应用于第一个影片剪辑和第二个影片剪辑的滤镜，如果在第二个影片剪辑中找不到匹配的滤镜， Flash 会生成一个不带参数并具有现有滤镜颜色的虚拟滤镜。
添加滤镜时	如果在两个关键帧之间存在传统补间动画并向其中一个关键帧中的对象添加了滤镜时，那么Flash 会在到达补间另一端的关键帧时，自动将一个虚拟滤镜添加到影片剪辑中。
删除滤镜时	如果在两个关键帧之间存在传统补间动画，并从其中一个关键帧中的对象上删除了滤镜，那么 Flash 会在到达补间另一端的关键帧时，自动从影片剪辑中删除匹配的滤镜。
不同滤镜设置时	如果传统补间动画起始处和结束处的滤镜参数设置不一致， Flash 会将起始帧的滤镜设置应用于插补帧。 以下参数在补间起始和结束处设置不同时，会出现不一致的设置：挖空、内侧阴影、内侧发光，以及渐变发光的类型和渐变斜角的类型。如果使用投影滤镜创建传统补间动画，在传统补间的第一帧上应用挖空投影，而在传统补间的最后一帧上应用内侧阴影，那么Flash会更正传统补间动画中滤镜使用不一致的现象。在这种情况下，Flash 会应用传统补间的第一帧上所用的滤镜设置，即挖空投影。

10.4.2 滤镜效果

通过“属性”面板中的“滤镜”属性，可以为对象添加各种滤镜效果，单击“滤镜”属性底部的“添加滤镜”按钮，弹出“滤镜”选项，如图10-54所示，单击相应的选项，可为选定的对象添加一个新的滤镜，此时在滤镜列表中会显示出该滤镜的各种参数设置，如图10-55所示。下面将对相关滤镜的各项参数进行详细讲解。

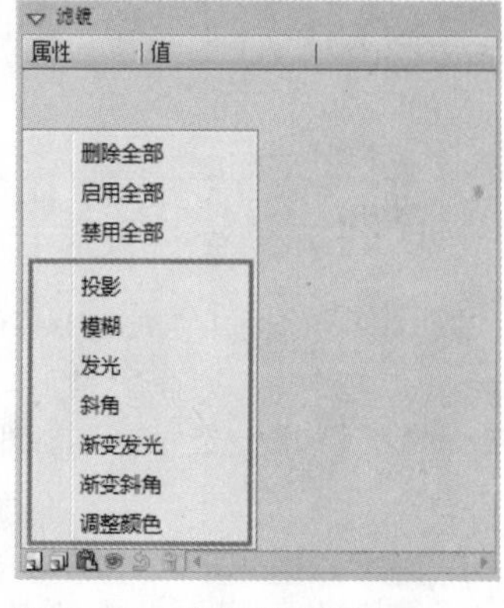

图10-54 “滤镜”选项

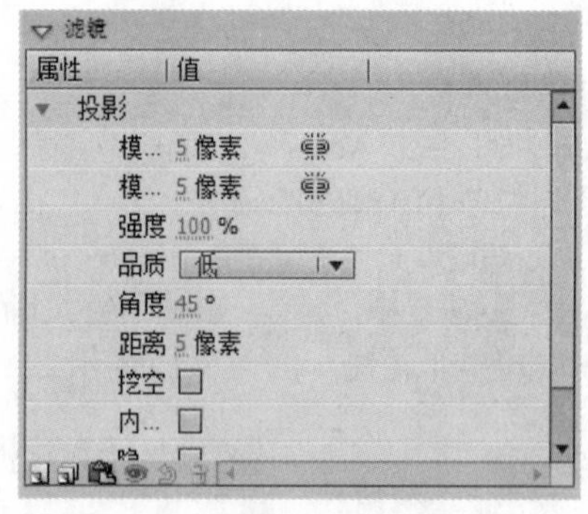

图10-55 “滤镜”参数

投影

“投影”滤镜可以模拟对象向一个表面投影的效果，或是在背景中剪出一个形似对象的形状来模拟对象的外观。

在“滤镜”属性中选择“投影”选项，可以看到列表中包括很多参数，如模糊、强度、品质、角度、距离、挖空、内阴影等，如图10-56所示，通过这些参数设置，可以为元件添加不同的投影效果，如图10-57所示为应用“投影”滤镜的效果。

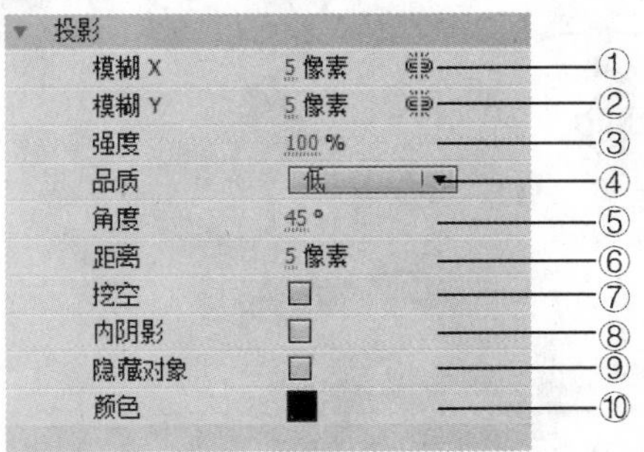

图10-56 “投影”选项

图10-57 应用“投影”滤镜效果

<table>
<tr><td>①模糊X</td><td>可以在X轴方向设置投影的模糊大小，数值越大，投影越模糊，取值范围为0～255,如图10-58所示为不同模糊数值的投影效果。

（模糊为1）

（模糊为20）
图10-58 模糊X效果</td></tr>
<tr><td>②模糊Y</td><td>可以设置在Y轴方向设置投影的模糊大小，数值越大，投影越模糊，如图10-59所示为不同模糊数值的投影效果。

（模糊为1）

（模糊为20）
图10-59 模糊Y效果
在“模糊X”和“模糊Y”选项后分别有两个按钮，即“链接X和Y属性值”按钮，单击此处，按钮会变成形状，这时X轴和Y轴会同比例地增加或减少数值。
此外，当按钮变成形状时，所有的“滤镜”选项按钮也会随之改变。</td></tr>
</table>

③强度	可以设置投影的明暗度，取值范围是0～1000，强度越大，投影就越暗，如图10-60所示为强度不同的投影效果。  （强度为20%）　（强度为80%） 图10-60　强度不同的投影效果
④品质	可以设置投影的质量级别，在此列表中有3个选项可供选择，如图10-61所示，选择不同的选项，投影的质量也会发生相应的变化，如图10-62所示。 ● 低：可以实现最佳的回放性能。 ● 中：介于低和高中间。 ● 高：则近似于高斯模糊。  图10-61　“品质”选项   （“低”品质）　（“中”品质）　（“高”品质） 图10-62　不同品质的投影效果
⑤角度	可以设置投影的角度，取值范围为0～360°，如图10-63所示为角度不同的投影效果。   （角度为90°）　（角度为135°） 图10-63　角度不同的投影效果

<table>
<tr><td>⑥距离</td><td>可以设置投影与对象之间的距离，如图10-64所示为距离不同的投影效果。

（距离为1px）

（距离为20px）
图10-64　距离不同的投影效果</td></tr>
<tr><td>⑦挖空</td><td>勾选此选项，可挖空源对象，即从视觉上隐藏源对象，并在挖空对象上只显示投影效果，“挖空”效果如图10-65所示。</td></tr>
<tr><td>⑧内阴影</td><td>勾选此选项，可以在对象边界内应用投影，“内阴影”效果如图10-66所示。</td></tr>
<tr><td>⑨隐藏对象</td><td>勾选此选项，可以只显示其投影，而不显示原来的对象，还可以更轻松地创建逼真的投影，“隐藏对象”效果如图10-67所示。
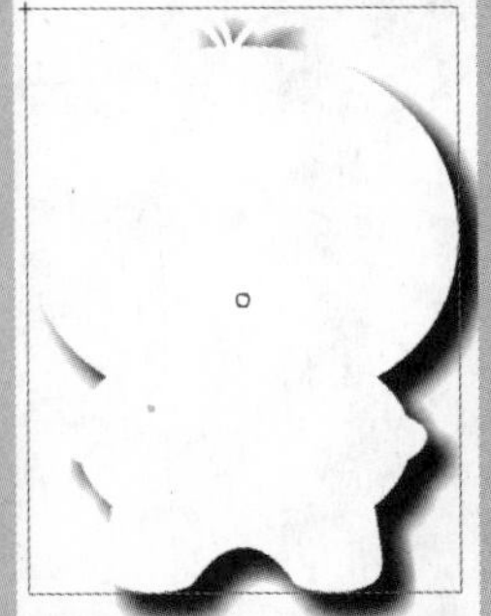
图10-65　“挖空”效果

图10-66　“内阴影”效果

图10-67　“隐藏对象”效果</td></tr>
<tr><td>⑩颜色</td><td>可以设置投影的颜色。单击“颜色”控件，在打开的面板中选择相应的颜色即可设置，如图10-68所示为颜色不同的投影效果。

（颜色为#996600）

（颜色为#CCCCCC）
图10-68　距颜色不同的投影效果</td></tr>
</table>

模糊

“模糊”滤镜可以柔化对象的边缘和细节,将其应用于对象，看起来好像位于其他对象的后面，或者使对象看起来好像是运动的。

在“滤镜”属性中选择“模糊”选项，可以看到列表中包括很少的参数，如图10-69所示，其设置与“投影”滤镜相似，只是效果不一样，如图10-70所示为应用“模糊”滤镜的效果。

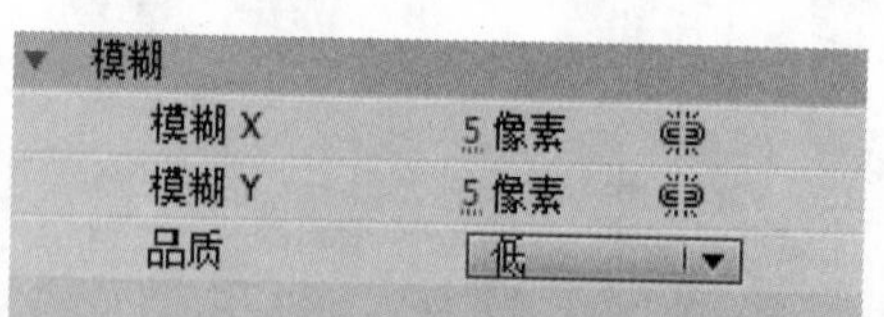

图10-69 “模糊”选项

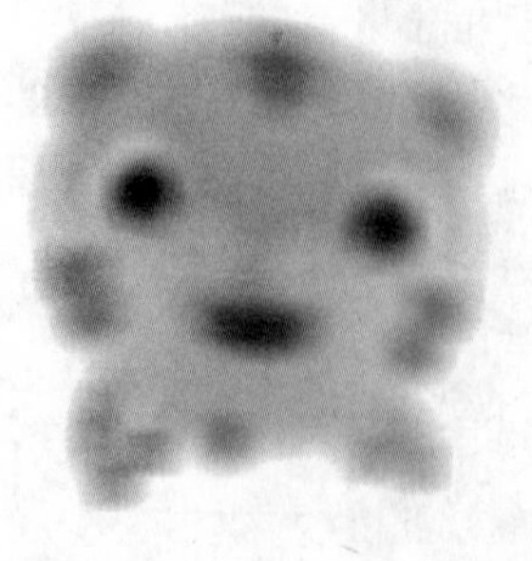

图10-70 应用“模糊”滤镜效果

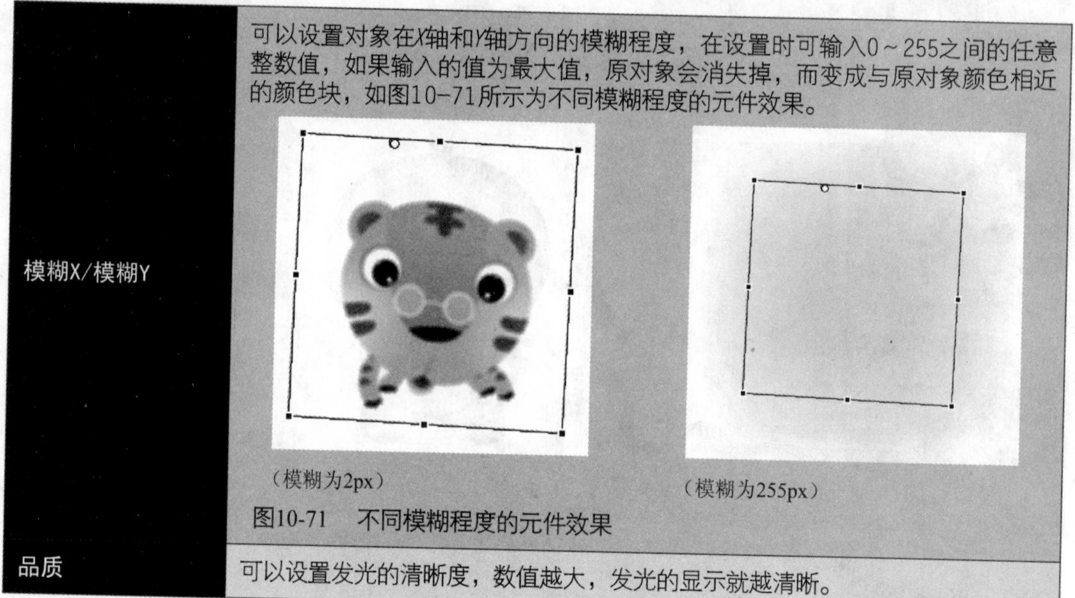

模糊X/模糊Y	可以设置对象在X轴和Y轴方向的模糊程度，在设置时可输入0～255之间的任意整数值，如果输入的值为最大值，原对象会消失掉，而变成与原对象颜色相近的颜色块，如图10-71所示为不同模糊程度的元件效果。 （模糊为2px） （模糊为255px） 图10-71 不同模糊程度的元件效果
品质	可以设置发光的清晰度，数值越大，发光的显示就越清晰。

应用实例：使用“模糊”滤镜效果制作渐隐动画效果

本实例是制作动物的渐隐动画效果，在制作过程中，主要使用“模糊”滤镜对各个元件进行调整，从而形成渐隐动画效果。

源 文 件：光盘 \ 源文件 \ 第 10 章 \10-4-2.fla

教学视频：光盘 \ 视频 \ 第 10 章 \10-4-2.swf

STEP 01 执行【文件】|【新建】命令，新建一个 Flash 文档，如图 10-72 所示，单击“属性”面板上的“编辑”按钮，在弹出的“文档设置”对话框中进行设置，如图 10-73 所示，单击“确定”按钮，完成“文档属性”的设置。

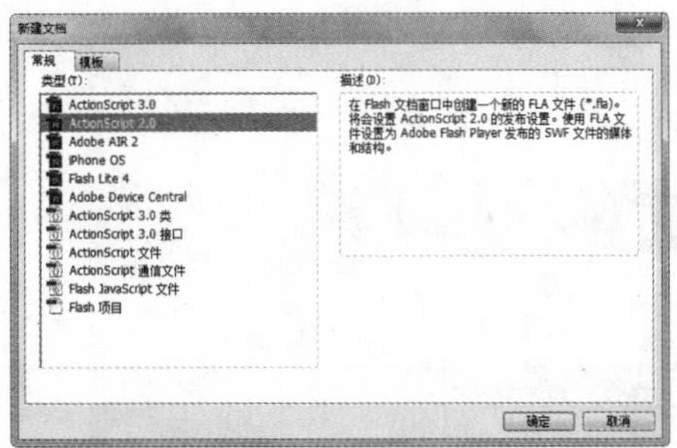

图10-72 “新建文档”对话框

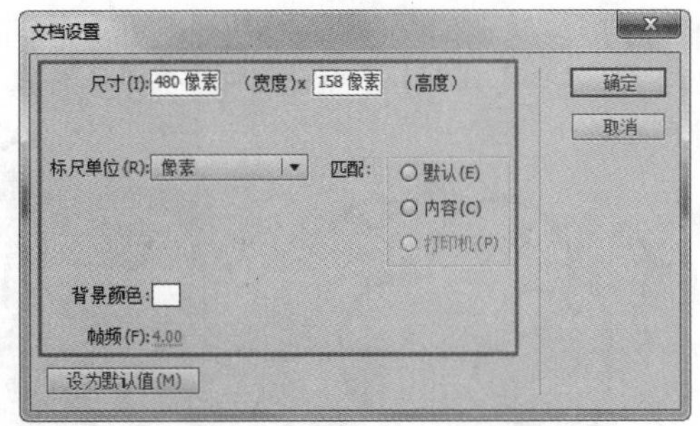

图10-73 设置“文档设置”对话框

STEP 02 执行【插入】|【新建元件】命令，新建一个“名称”为“头部”的“图形”元件，如图 10-74 所示，单击工具箱中的“椭圆工具”按钮，设置“填充颜色”为 #000000，“笔触颜色”为无，在场景中绘制如图 10-75 所示的圆形。

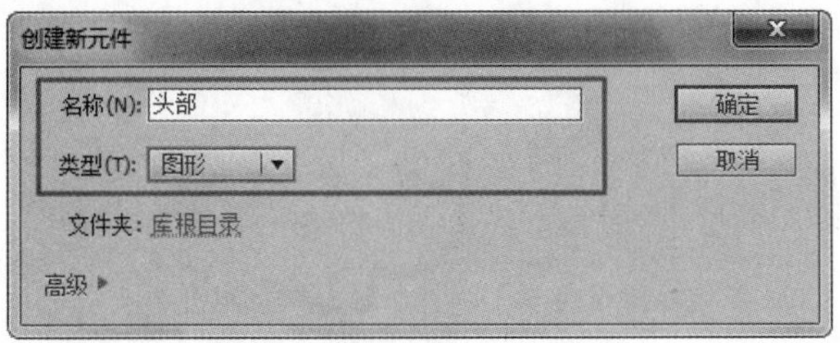

图10-74 创建新元件

图10-75 绘制图形

STEP 03 单击工具箱中的“部分选取工具”按钮，配合“选择工具”调整图形，效果如图 10-76 所示，使用同样的方法制作出其他的图形，如图 10-77 所示。

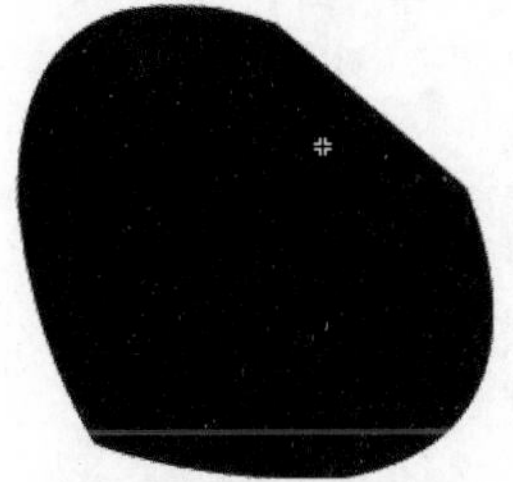

图10-76 调整图形

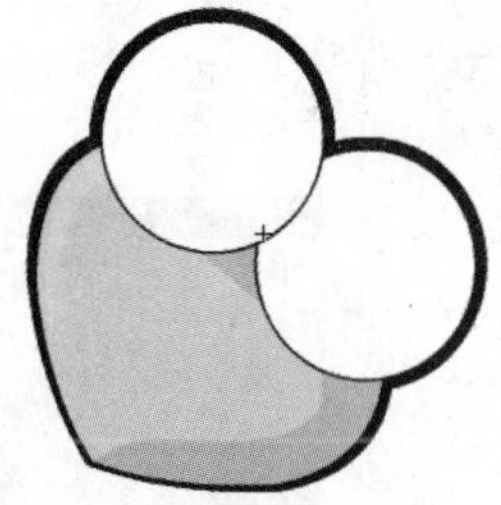

图10-77 绘制图形

STEP 04 使用“椭圆工具”，设置“填充颜色”为 #000000，“笔触颜色”为无，在场景中绘制如图 10-78 所示的圆形，设置“填充颜色”为 #FFFFFFF，“笔触颜色”为无，绘制白色圆形，并将白色圆形删除，效果如图 10-79 所示。

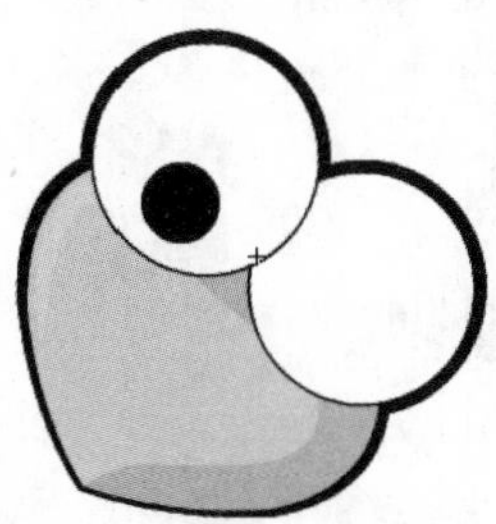

图10-78 绘制图形

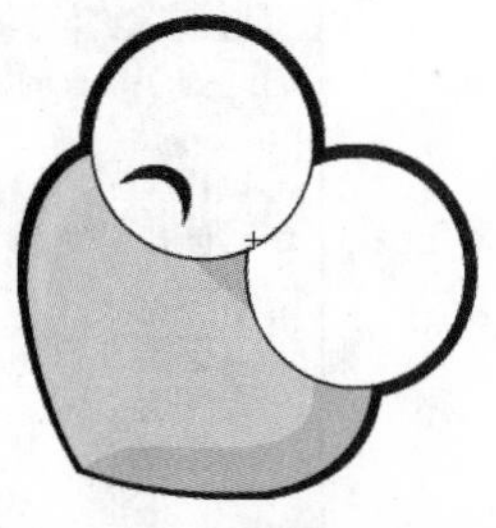

图10-79 绘制并删除图形

STEP 05 完成“头部”元件的绘制，效果如图 10-80 所示，并根据绘制“头部”元件的方法绘制出其他元件内容。执行【插入】|【新建元件】命令，新建一个“名称”为“整体动画”的“影片剪辑”元件，如图 10-81 所示。

图10-80　绘制图形

图10-81　创建新元件

STEP 06 将“翅膀”元件拖入到舞台中，如图 10-82 所示，在第 2 帧插入关键帧，对元件进行旋转操作，如图 10-83 所示。

图10-82　拖入元件

图10-83　调整元件

STEP 07 分别在第 3 帧至第 12 帧插入关键帧，分别对各帧上的元件进行调整，“时间轴”效果如图 10-84 所示。相同的制作方法，可以完成其他图层中动画的制作，“时间轴”效果如图 10-85 所示。

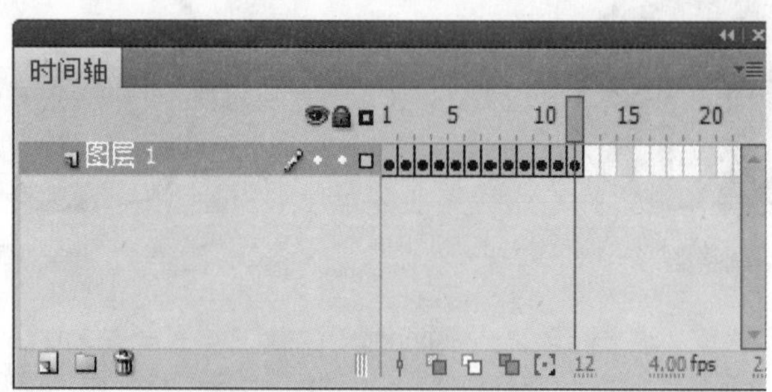

图10-84　“时间轴”面板

图10-85　“时间轴”面板

STEP 09 完成后的图形效果如图 10-86 所示，返回到“场景 1”的编辑状态，将“图形 1”元件拖入到场景中，效果如图 10-87 所示，并在第 20 帧位置插入帧。

图10-86 元件效果

图10-87 拖入素材

STEP 10 新建“图层 2”，将“整体动画”元件拖入到场景中，效果如图 10-88 所示，在第 3 帧位置插入关键帧，调整元件至如图 10-89 所示的位置。

图10-88 拖入元件

图10-89 调整元件位置

STEP 11 选择第 3 关键帧上的元件，在“属性”面板的“滤镜”属性中单击“添加滤镜”按钮，在弹出的菜单中选择【模糊】命令，参数设置如图 10-90 所示，完成后的图形效果如图 10-91 所示。

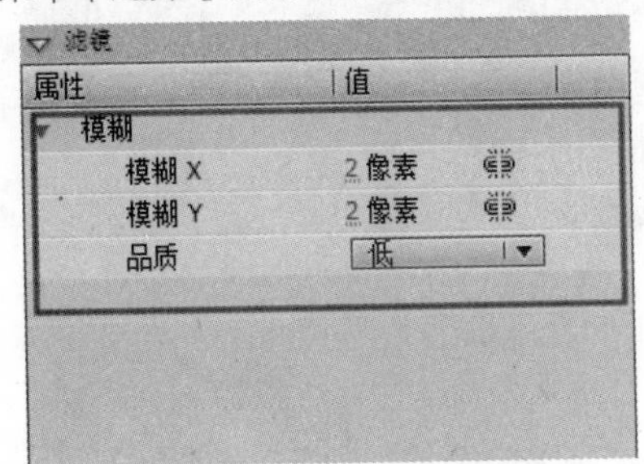

图10-90 设置“模糊”滤镜

图10-91 元件效果

STEP 12 在第 1 关键帧处创建传统补间动画，完成“图层 2”的制作，“时间轴”面板如图 10-92 所示。

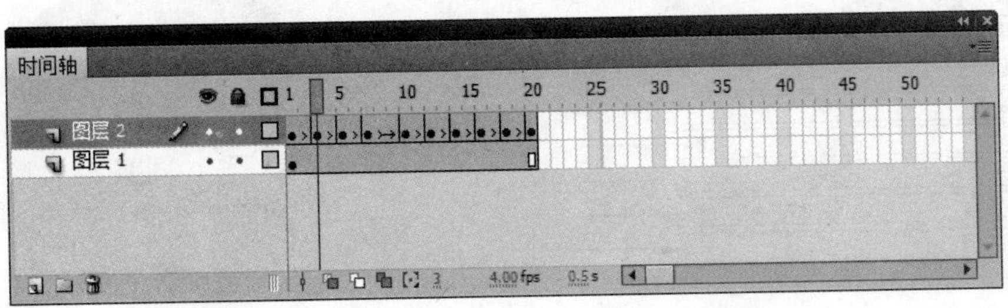

图10-92 “时间轴”面板

STEP 13 完成其他图层的制作，完成后的“时间轴”面板，如图 10-93 所示。

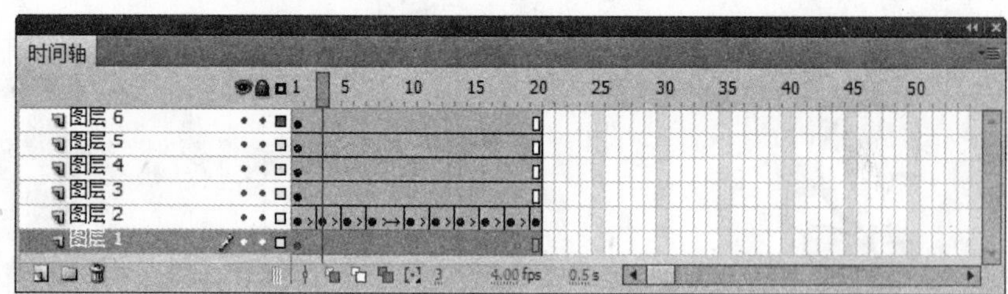

图10-93 “时间轴”面板

STEP 14 完成制作后的效果如图 10-94 所示。

图10-94 动画效果

STEP 15 完成动画的制作，执行【文件】|【保存】命令，将动画保存为“光盘\源文件\第 10 章\10-4-2.fla”，按快捷键“Ctrl+Enter”测试动画，测试效果如图 10-95 所示。

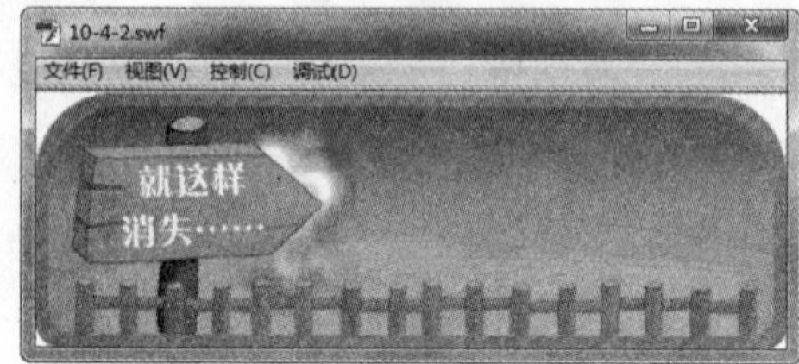

图10-95 测试效果

发光

“发光”滤镜可以为对象的周边应用颜色，通过此滤镜，可以制作发光的动画效果。

在“滤镜”属性中选择“发光”选项，可以看到列表中的参数与“投影”滤镜的参数相似，如图10-96所示，其设置与“投影”滤镜相似，只是效果不一样，如图10-97所示为应用“发光”滤镜的效果。

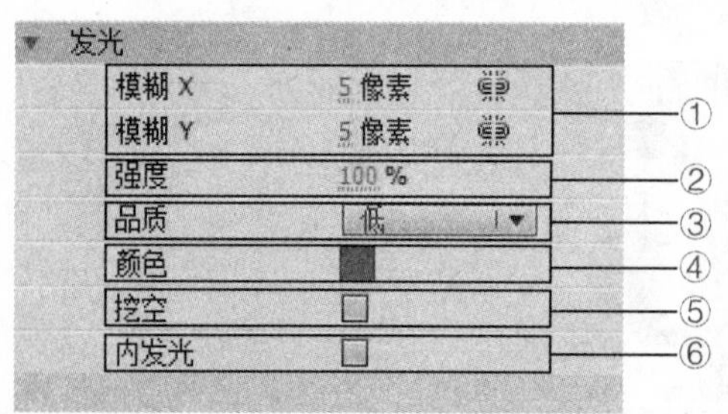

图10-96 “发光”属性

图10-97 应用“发光”滤镜效果

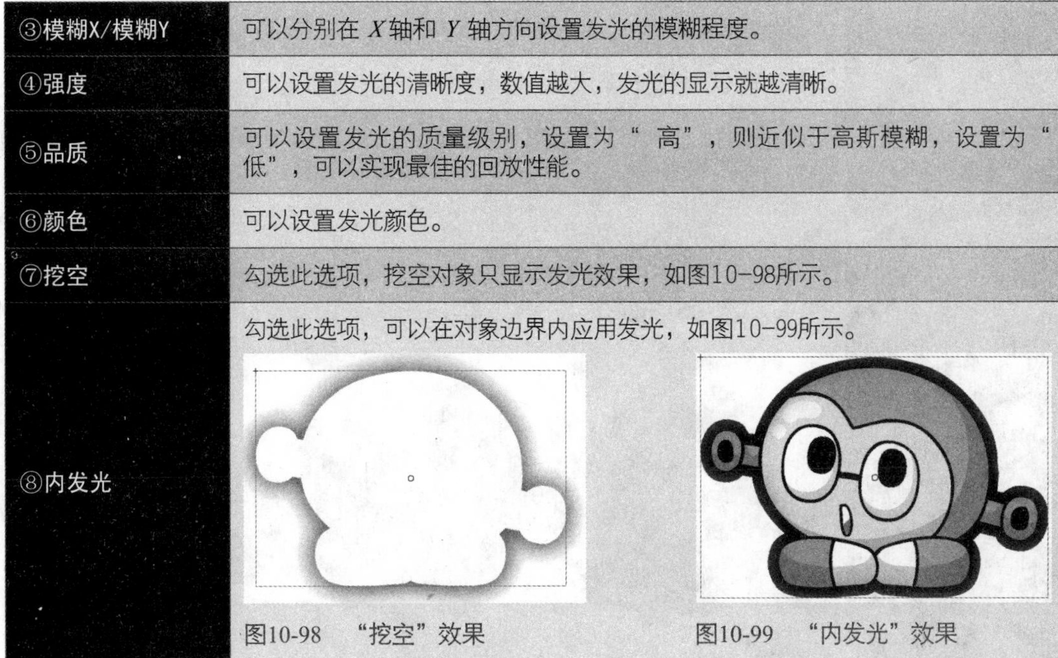

③模糊X/模糊Y	可以分别在 *X* 轴和 *Y* 轴方向设置发光的模糊程度。
④强度	可以设置发光的清晰度，数值越大，发光的显示就越清晰。
⑤品质	可以设置发光的质量级别，设置为“ 高”，则近似于高斯模糊，设置为“低”，可以实现最佳的回放性能。
⑥颜色	可以设置发光颜色。
⑦挖空	勾选此选项，挖空对象只显示发光效果，如图10-98所示。
⑧内发光	勾选此选项，可以在对象边界内应用发光，如图10-99所示。 图10-98 “挖空”效果 图10-99 “内发光”效果

斜角

“斜角”滤镜可以向对象应用加亮效果，使其看起来凸出于背景表面，制作出立体的浮雕效果。

在“滤镜”属性中选择“斜角”选项，可以看到列表中的参数与“投影”滤镜的参数相似，如图10-100所示，其设置与“投影”滤镜相似，只是效果不一样，如图10-101所示为应用“斜角”滤镜的效果。

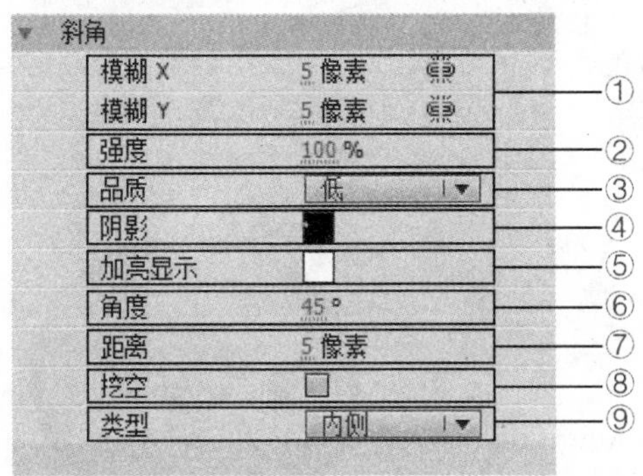

图10-100 “斜角”滤镜

图10-101 应用“斜角”滤镜效果

①模糊X/模糊Y	可以在X轴和Y轴方向设置斜角的模糊程度。
②强度	可以设置斜角的清晰度，即不透明度。如果将该值设置为0，将不会显示斜角效果。
③品质	可以设置斜角的质量级别，级别越高，则越模糊。
④阴影	可以设置斜角阴影的颜色。
⑤加亮显示	可以对斜角的高光设置颜色。
⑥角度	可以设置斜角的角度。

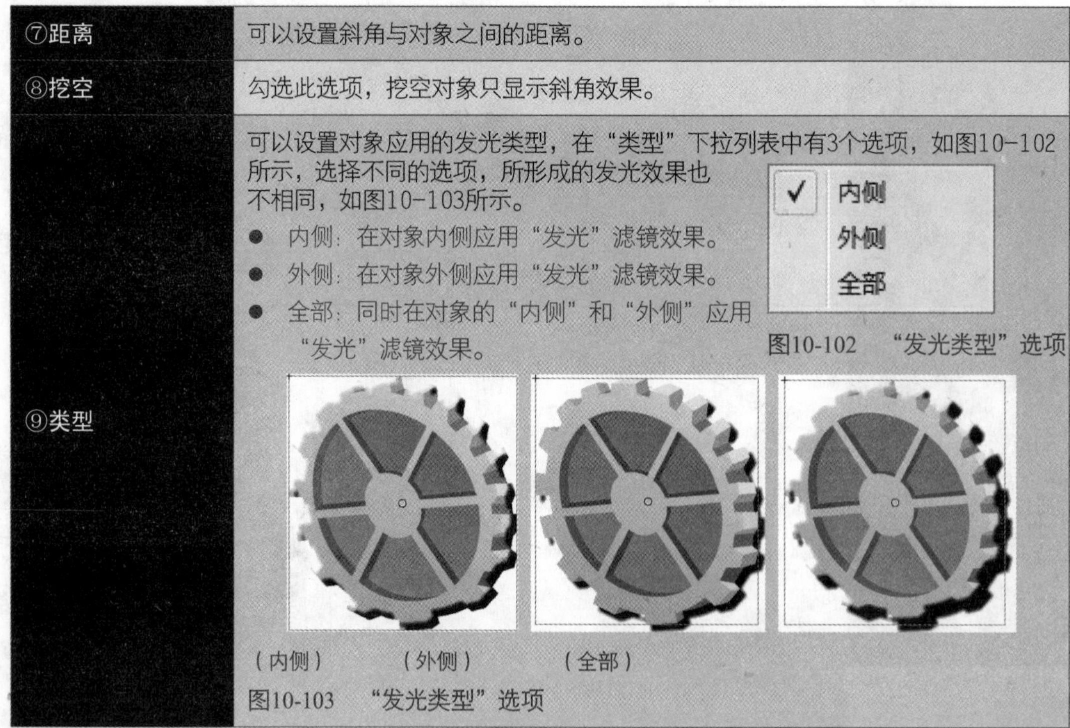

⑦距离	可以设置斜角与对象之间的距离。
⑧挖空	勾选此选项，挖空对象只显示斜角效果。
⑨类型	可以设置对象应用的发光类型，在“类型”下拉列表中有3个选项，如图10-102所示，选择不同的选项，所形成的发光效果也不相同，如图10-103所示。 ● 内侧：在对象内侧应用“发光”滤镜效果。 ● 外侧：在对象外侧应用“发光”滤镜效果。 ● 全部：同时在对象的“内侧”和“外侧”应用“发光”滤镜效果。 ✓ 内侧 外侧 全部 图10-102 “发光类型”选项 （内侧） （外侧） （全部） 图10-103 “发光类型”选项

渐变发光

“渐变发光”滤镜，可以在发光表面产生带渐变颜色的发光效果。渐变发光要求渐变开始处颜色的Alpha值为0，并且不能移动此颜色的位置，但可以改变它的颜色。

在“滤镜”属性中选择“渐变发光”选项，可以看到列表中的参数与“投影”滤镜的参数相似，如图10-104所示，其设置与“投影”滤镜相似，只是效果不一样，如图10-105所示为应用“渐变发光”滤镜的效果。

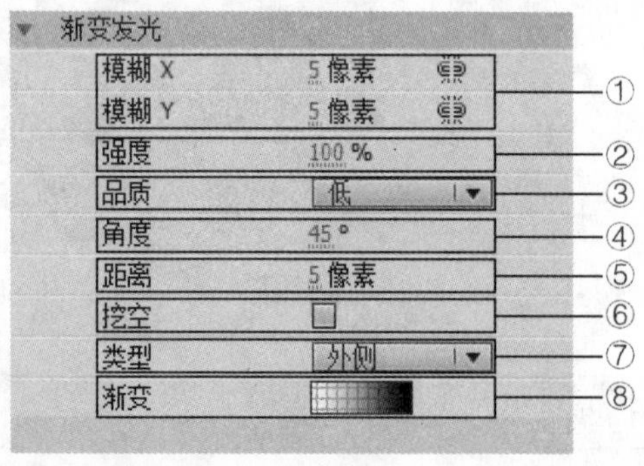

图10-104 “渐变发光”滤镜

图10-105 应用“渐变发光”滤镜的效果

①模糊X/模糊Y	设置渐变发光的模糊程度。
②强度	设置渐变发光的清晰度。
③品质	设置渐变发光的质量级别。
④角度	设置渐变发光的角度。

⑤距离	可以设置渐变发光与对象之间的距离。
⑥挖空	挖空对象只显示渐变发光效果。
⑦类型	可以设置渐变发光的类型，在此下拉列表中包括3个选项，如图10-106所示，选择相应的选项，则分别在对象内侧、外侧应用渐变发光效果，其中“外侧”选项是默认设置。 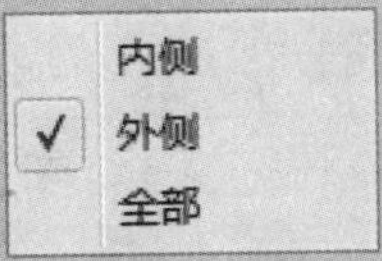 内侧 ✓ 外侧 全部 图10-106　“类型”选项
⑧渐变	可以设置发光的渐变颜色，其设置方法与前面章节讲到的渐变填充的方法相似。 单击“渐变预览器”按钮，打开“渐变编辑”区域，如图10-107所示，可以看到面板中有两个滑块，渐变开始颜色称为 Alpha 颜色，不可以删除和改变它的位置，但是可以改变它的颜色。 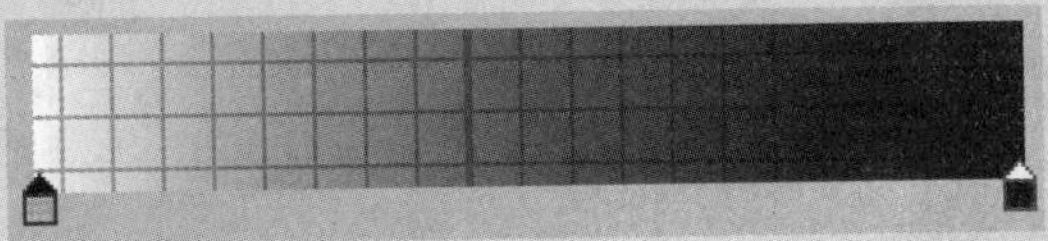 图10-107　“渐变编辑”区域 ● 改变滑块颜色：单击相应的颜色滑块，在打开的面板中选择相应的颜色即可。 ● 改变滑块位置：选择相应的滑块，左右拖动可以改变其位置。 ● 添加滑块：在颜色显示区域下方，当光标变成形状时，单击可添加滑块。 ● 删除滑块：单击相应的颜色滑块，将其拖离颜色显示区域，此滑块会自动消失。

渐变斜角

使用“渐变斜角”滤镜可以使对象产生一种凸起效果，看起来好像从背景上凸起，且斜角表面有渐变颜色。渐变斜角要求渐变的中间有一种颜色的Alpha值为0。

在“滤镜”属性中选择“渐变斜角”选项，可以看到列表中的参数与“投影”滤镜的参数相似，如图10-108所示，其设置与“渐变发光”滤镜相似，只是效果不一样，如图10-109所示为应用“渐变斜角”滤镜的效果。

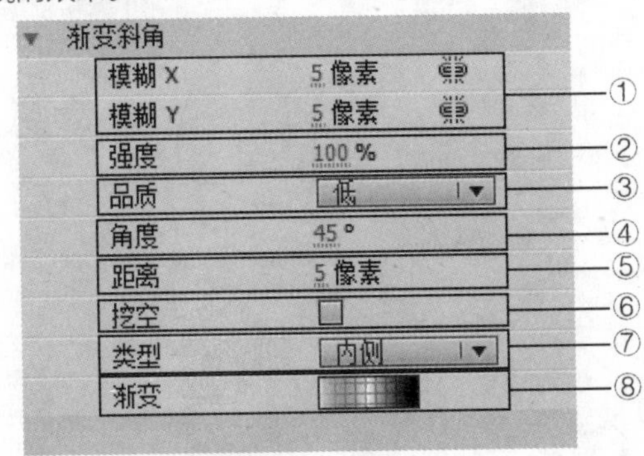

图10-108　“渐变斜角”滤镜

图10-109　应用“渐变斜角”滤镜效果

①模糊X/模糊Y	设置渐变斜角的模糊程度。
②强度	设置渐变斜角的清晰度。
③品质	设置渐变斜角的质量级别。
④角度	设置渐变斜角的角度。
⑤距离	设置渐变斜角与对象之间的距离。
⑥挖空	挖空对象只显示渐变斜角效果。
⑦类型	可以设置渐变斜角的应用位置，在此下拉列表中包括3个选项，如图10-110所示，选择相应的选项，则分别在对象内侧、外侧应用渐变斜角效果，其中“内侧”选项是默认设置。 ✓ 内侧 外侧 全部 图10-110　“类型”选项
⑧渐变	可以设置斜角的渐变颜色，其设置方法与“渐变发光”效果相似。单击“渐变预览器”按钮，打开“渐变编辑”区域，如图10-111所示，可以看到面板中有三个滑块，其中渐变第二个颜色称为 Alpha 颜色，不可以删除和改变它的位置，可以改变它的颜色，但按“Ctrl”键单击此滑块，可以删除此滑块。 图10-111　“渐变编辑”区域

调整颜色

使用“调整颜色”滤镜可以很好地设置所选对象的颜色属性，包括对比度、亮度、饱和度和色相。在“滤镜”属性中选择“调整颜色”选项，显示出调整颜色的相关参数设置，如图10-112所示。

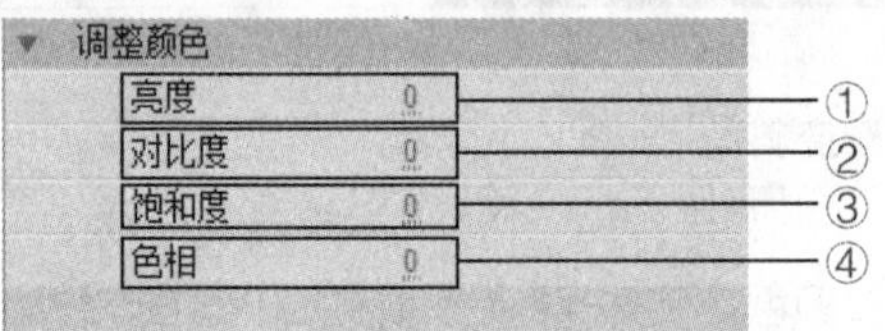

图10-112　“调整颜色”属性

①亮度	在此处输入-100～100之间的数值，可以设置对象的亮度，如图10-113所示为不同亮度的对象效果。 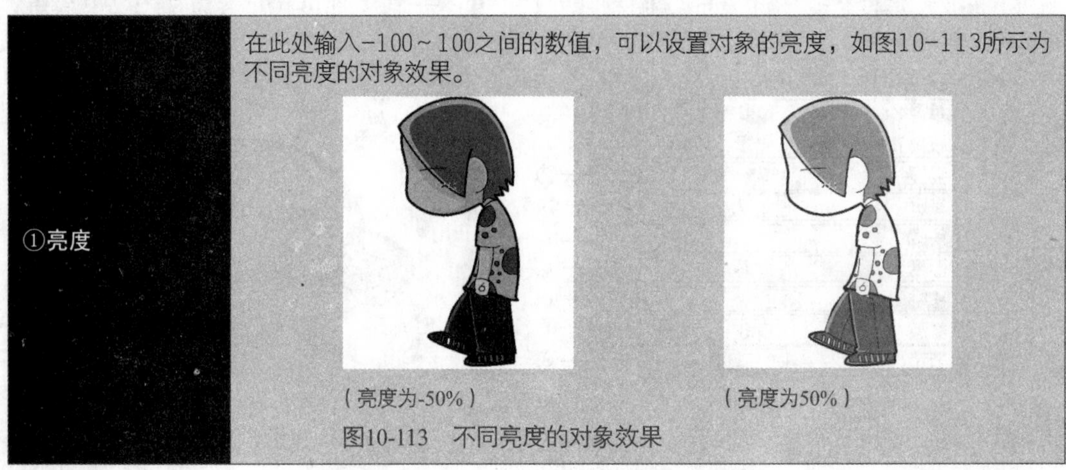 （亮度为-50%）　（亮度为50%） 图10-113　不同亮度的对象效果

<table>
<tr><td>②对比度</td><td>在此处输入-100～100之间的数值，可以设置对象加亮、阴影及中调的对比度，如图10-114所示为不同对比度的对象效果。

（对比度为-100%）

（对比度为100%）
图10-114　不同对比度的对象效果</td></tr>
<tr><td>③饱和度</td><td>在此处输入-180～180之间的数值，可以设置颜色的强度，如图10-115所示为不同饱和度的对象效果。

（饱和度为-100%）

（饱和度为100%）
图10-115　不同饱和度的对象效果</td></tr>
<tr><td>④色相</td><td>在此处输入-100～100之间的数值，可以为对象设置不同的颜色，如图10-116所示为不同色相的对象效果。

（色相为-100%）

（色相为100%）
图10-116　不同色相的对象效果</td></tr>
</table>

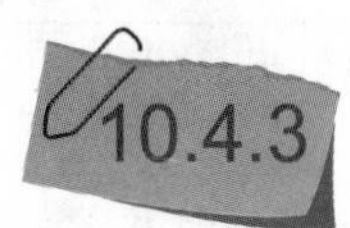

10.4.3 滤镜的编辑

在为对象应用滤镜时，可以对一个对象应用多个滤镜，也可以删除以前应用的滤镜，还可以将滤镜存储为预设，方便以后使用，下面将对滤镜的编辑方法具体进行讲解。

添加、删除与重置滤镜

在使用“滤镜”时，可以对文本、按钮和影片剪辑对象应用滤镜，同样还可以对滤镜进行添加、删除与重置操作。

- 添加滤镜：在“滤镜”属性中单击“添加滤镜”按钮，然后选择一个滤镜，即可添加一个新滤镜。
- 删除滤镜：在已应用滤镜的列表中选择要删除的滤镜，然后在“滤镜”属性中单击“删除滤镜”按钮，即可将该滤镜删除。
- 重置滤镜：在已应用滤镜的列表中选择要重新设置的滤镜，然后在“滤镜”属性中单击“重置滤镜”按钮，可以将滤镜的参数设置恢复到系统默认状态。

滤镜预设

创建预设滤镜库可以将滤镜设置保存为预设库，以便轻松应用到影片剪辑和文本对象。

单击“预设”按钮，弹出菜单选项，如图10-117所示，选择相应的选项，即可存储、重命名和删除预设。

图10-117 “预设”选项

①另存为	单击此选项，弹出“将预设另存为”对话框，如图10-118所示，在“预设名称”文本框中输入滤镜设置的名称，然后单击“确定”按钮，完成存储，此时存储的滤镜出现在“预设”列表中，如图10-119所示。  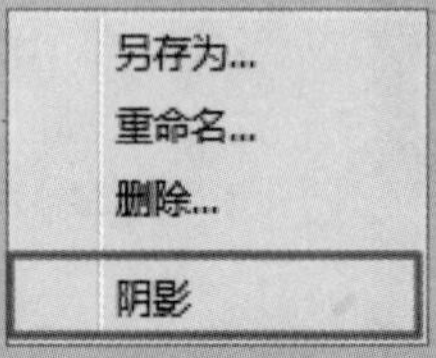 图10-118 “将预设另存为”对话框 图10-119 “另存为预设”后的选项
②重命名	单击此选项，弹出“重命名预设”对话框，如图10-120所示，双击要修改的预设名称，输入新的预设名称，然后单击“重命名”按钮，完成重命名操作。
③删除	单击此选项，弹出“删除预设”对话框，如图10-121所示，选择要删除的预设，然后单击“删除”按钮，完成删除预设的操作。 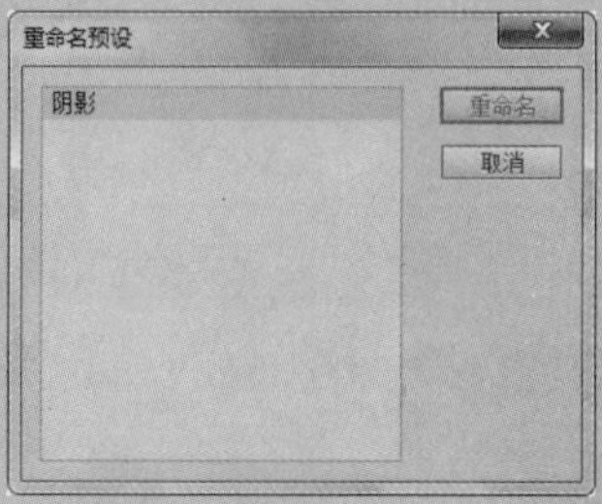 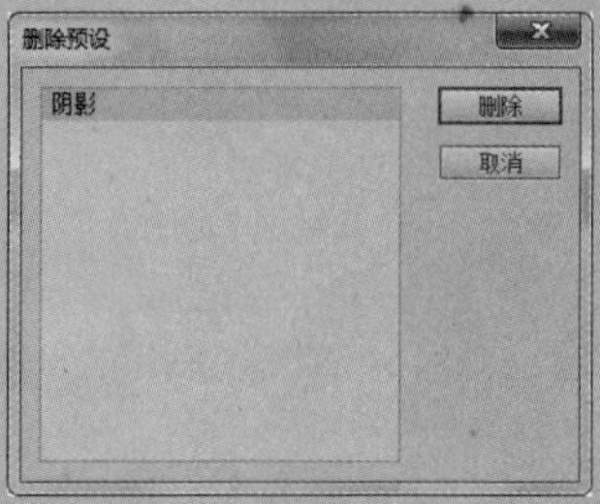 图10-120 “重命名预设”对话框 图10-121 “删除预设”对话框

Tips

将滤镜预设应用于对象时，Flash 会将当前应用于所选对象的所有滤镜替换为该预设中使用的滤镜。

Tips

为对象应用预设滤镜，选择要应用滤镜预设的对象，然后选择“滤镜”选项卡，单击“添加滤镜”按钮，然后选择“预设”，从预设菜单底部的可用预设列表中选择要应用的滤镜预设。

复制与粘贴

通过复制与粘贴功能，可以复制已经设置好的滤镜，然后粘贴到所选对象中，为其应用相同的滤镜效果。单击“滤镜”属性底部的“剪贴板”按钮，弹出下拉菜单，如图10-122所示，选择相应的选项，即可复制或粘贴滤镜。

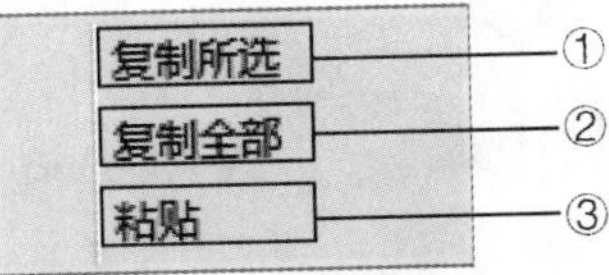

图10-122 “剪贴板”选项

①复制所选	可以复制当前选择的滤镜设置。
②复制全部	可以复制“滤镜”列表中所有的滤镜设置。
③粘贴	可以将复制的滤镜设置应用到所选对象中。

启用和禁用

通过启用或禁用功能，可以方便、快捷地查看对象应用滤镜的效果，或删除不需要的滤镜效果，单击“添加滤镜”按钮，在弹出的菜单中有3个关于启用或禁用滤镜的选项，如图10-123所示，下面将对这些选项具体进行讲解。

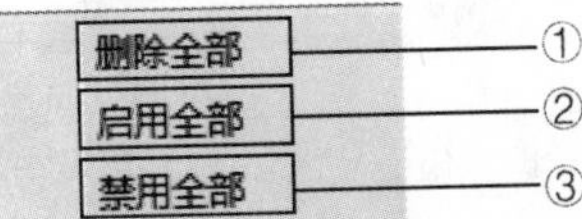

图10-123 “启用或禁用滤镜”选项

①删除全部	可以删除滤镜列表中的所有滤镜。
②启用全部	可以启用滤镜列表中的所有滤镜。
③禁用全部	可以禁用滤镜列表中的所有滤镜。

除了使用菜单选项对滤镜进行启用或禁用操作外，还可以通过使用“启用或攀用滤镜”按钮进行操作，在操作时可以配合快捷键使用，也可以配合鼠标使用，具体使用方法如下：

- 在“滤镜”列表中单击需要禁用的滤镜，单击“启用或禁用滤镜”按钮，可禁用滤镜，禁用操作后的“滤镜”列表如图10-124所示，再次单击此按钮，即可启用该滤镜，使滤镜设置恢复正常，如图10-125所示。

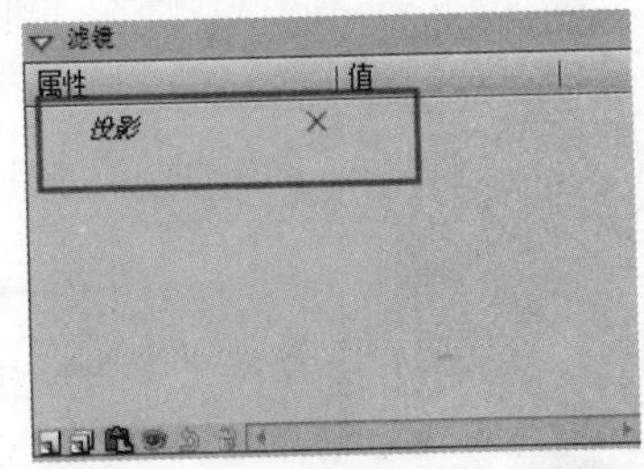

图10-124 禁用滤镜

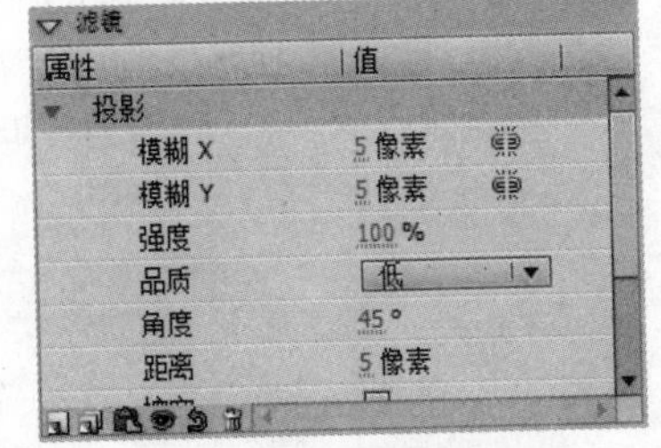

图10-125 启用滤镜

- 在所有滤镜都启用的状态下，选择“滤镜”列表中的一个滤镜，按住键盘上的“Alt”键，单击“滤镜”列表中的“启用或禁用滤镜”按钮，会保留所选滤镜的启用状态，并禁用列表中的所有其他滤镜，再次按住“Alt”键，单击启用或禁用滤镜按钮，则启用所选滤镜。

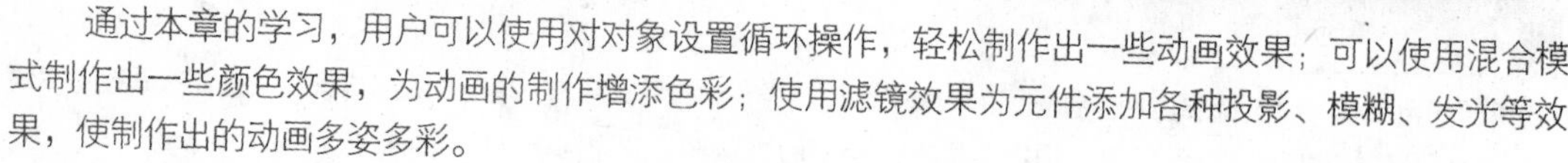

10.5 总结扩展

通过本章的学习，用户可以使用对对象设置循环操作，轻松制作出一些动画效果；可以使用混合模式制作出一些颜色效果，为动画的制作增添色彩；使用滤镜效果为元件添加各种投影、模糊、发光等效果，使制作出的动画多姿多彩。

10.5.1 本章小结

本章讲解了元件的滤镜与混合及使用滤镜、混合和循环属性制作动画的方法，主要包括为对象设置循环；变亮、滤色、变暗、正片叠底、反相等混合模式的使用方法；投影、发光、斜角、渐变发光、渐变斜角等滤镜效果的使用方法，通过本章的学习，用户需要掌握使用元件的滤镜与混合制作动画的方法，以及为对象实例设置循环的方法。

10.5.2 举一反三——使用“发光”滤镜制作闪烁发光动画效果

案例文件：	光盘\源文件\第10章\10-5-2.fla
素材文件：	光盘\源文件\第10章\105201.png
视频文件：	光盘\视频\第10章\10-5-2.swf
难易程度：	★★★☆☆
学习时间：	10分钟

(1)

(2)

(3)

(4)

(1) 新建一个Flash空白文档。

(2) 将素材导入到场景中，并转换为影片剪辑元件，在时间轴上插入关键帧。

(3) 为相应的关键帧添加“发光”滤镜效果，并创建传统补间动画。

(4) 完成动画的制作，测试动画。

第11章　Flash基础动画制作

本章主要讲解了一些基础动画的制作，包括逐帧动画、形状补间动画、传统补间动画和补间动画。虽然这些动画制作起来相对比较简单，但是也不可轻视。在一些网站上的大型Flash动画都是由它们演变而来的，有了这些知识的学习，再加上独特的创意思路，创作出不同凡响的Flash动画就轻而易举了。

本章学习要点

- 逐帧动画
- 开关补间动画
- 传统补间与补间动画
- 使用动画预设

实例名称：制作散步的女孩动画
源 文 件：光盘\源文件\第11章\11-1-3.fla
教学视频：光盘\视频\第11章\11-1-3.swf

实例名称：制作播报动画
源 文 件：光盘\源文件\第11章\11-2-3.fla
教学视频：光盘\视频\第11章\11-2-3.swf

实例名称：制作啤酒广告动画
源 文 件：光盘\源文件\第11章\11-3-1.fla
教学视频：光盘\视频\第11章\11-3-1.swf

实例名称：制作女孩滑冰动画
源 文 件：光盘\源文件\第11章\11-3-2.fla
教学视频：光盘\视频\第11章\11-3-2.swf

11.1 逐帧动画

创建逐帧动画需要每一帧都定义为关键帧，然后为每个帧创建不同的图像。每个新关键帧最初包含的内容和它前面的关键帧是一样的，因此可以在此基础上修改得到新的画面，而且会存储每个完整帧的值。

11.1.1 逐帧动画的特点

逐帧动画最大的特点就是在每一帧都能够更改舞台内容，尤其适合于图像在每一帧中都在变化，而不仅是在舞台上移动的复杂动画，如图11-1所示为逐帧动画的不同帧效果。逐帧动画增加文件大小的速度比补间动画快得多。

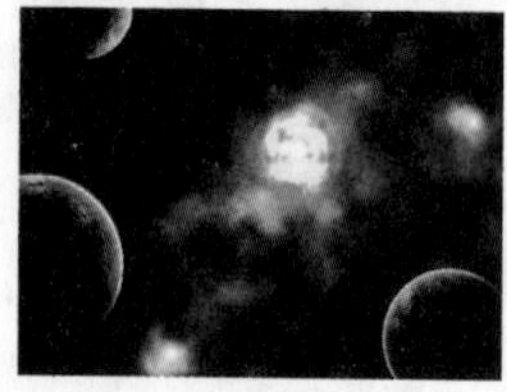
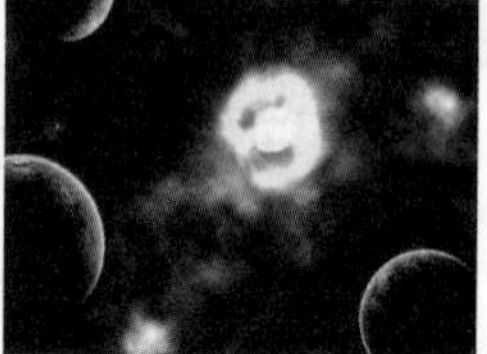
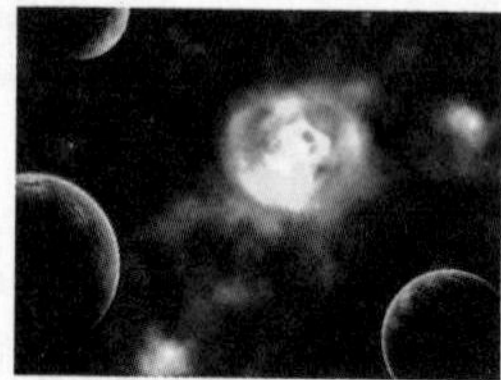
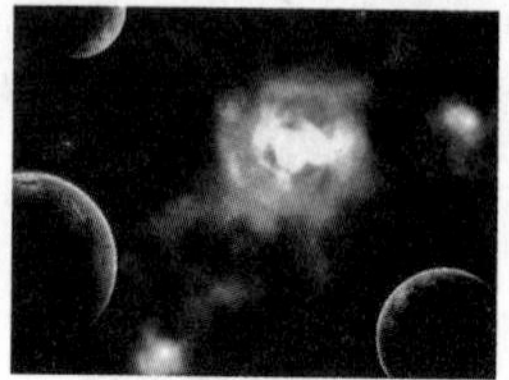

图11-1　动画效果

11.1.2 导入逐帧动画

创建逐帧动画需要把每个帧都定义为关键帧，然后在每一帧上创建不同的图像。如果导入图像序列，只需选择图像序列的开始帧后，将图像序列进行导入，创建逐帧动画，下面讲解导入图像序列，创建逐帧动画。

在场景中导入背景图像，如图11-2所示。新建一个图层，选择该图层的第1帧，如图11-3所示。

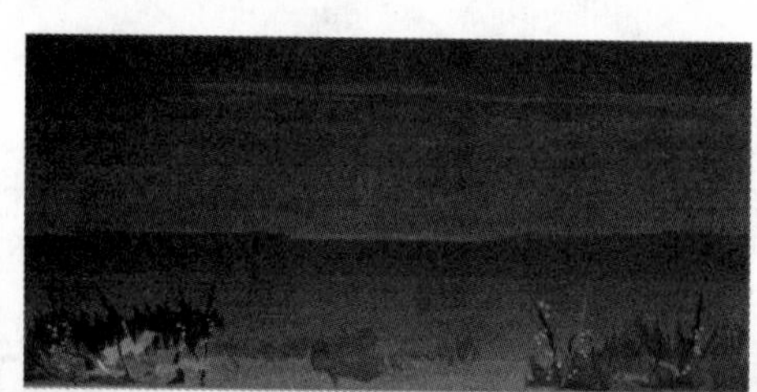

图11-2　导入图像

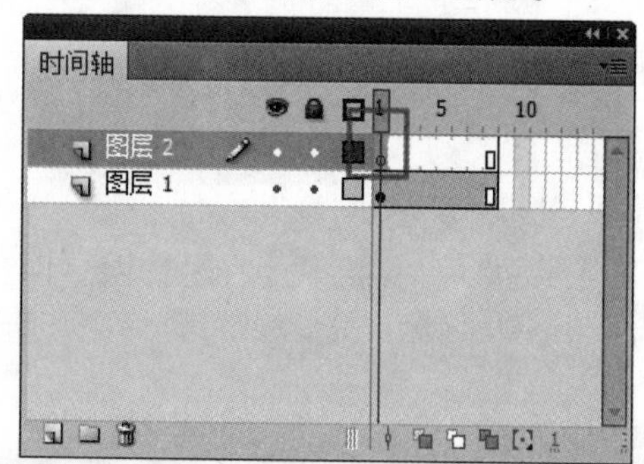

图11-3　选择帧

执行【文件】|【导入】|【导入到舞台】命令，会弹出“导入”对话框，在该对话框中选择需要导入的图像，如图11-4所示。单击“打开”按钮，弹出提示框，提示是否以图像序列导入图像，如图11-5所示。

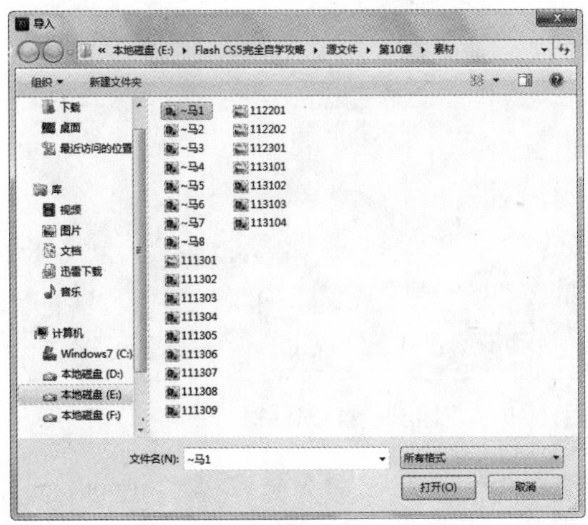

图11-4 “导入”对话框

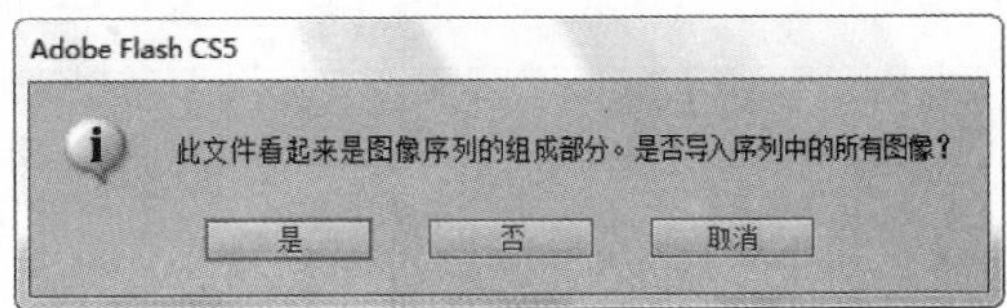

图11-5 提示框

单击“是”按钮，将图像序列导入，此时时间轴上将以连续关键帧显示，如图11-6所示。利用“绘图纸外观”可将多帧显示，效果如图11-7所示。

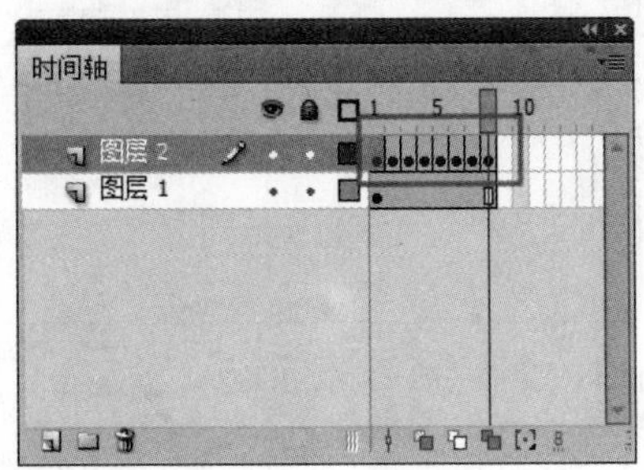

图11-6 “时间轴”面板

图11-7 显示效果

应用实例：制作散步的女孩动画

本实例制作一个散步的女孩动画，此动画为一个逐帧动画，在制作过程中，主要控制逐帧动画的开始帧，定位了开始帧后，即可导入相应的素材图像，然后可以利用“绘图纸外观”调整多个帧的位置，完成动画的制作，最终效果如图11-8所示。

图11-8 动画效果

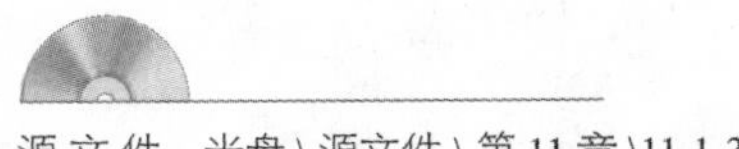

源文件：光盘\源文件\第11章\11-1-3.fla
教学视频：光盘\视频\第11章\11-1-3.swf

STEP 01 执行【文件】|【新建】命令，新建一个Flash文档，如图11-9所示。单击“属性”面板上的“编辑”按钮，弹出“文档设置”对话框中进行设置，如图11-10所示，单击“确定”按钮，完成“文档属性”的设置。

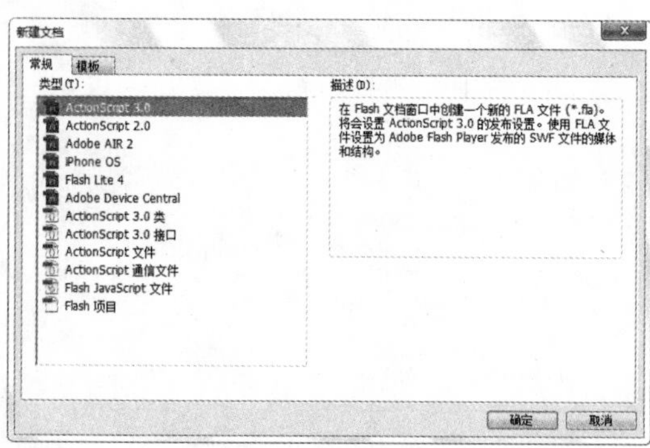

图11-9 “新建文档”对话框

图11-10 “文档设置”对话框

STEP 02 执行【文件】|【导入】|【导入到舞台】命令，将图像“光盘\源文件\第11章\素材\111301.jpg”导入到场景中，如图11-11所示。在第15帧位置插入帧，“时间轴”效果如图11-12所示。

图11-11 导入图像

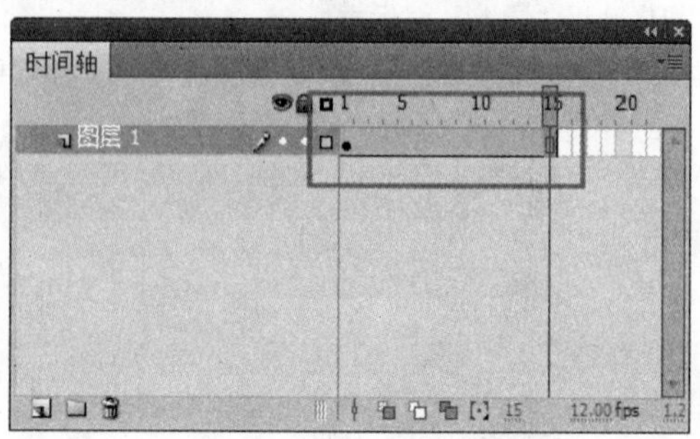

图11-12 “时间轴”面板

STEP 03 新建“图层2”,执行【文件】|【导入】|【导入到舞台】命令,打开图像“光盘\源文件\第11章\素材\111302.png”，弹出提示框，如图11-13所示。单击“是”按钮，将图像按图像序列导入到舞台中，“时间轴”效果如图11-14所示。

图11-13 提示框

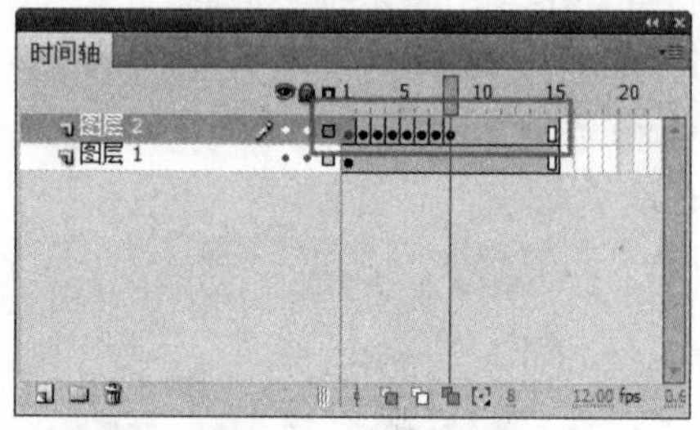

图11-14 “时间轴”面板

STEP 04 将“图层1”锁定，如图11-15所示。单击“时间轴”面板底部的“编辑多个帧”按钮，单击“修改绘图纸标记”按钮，在打开的菜单中选择【所有绘图纸】命令，如图11-16所示。

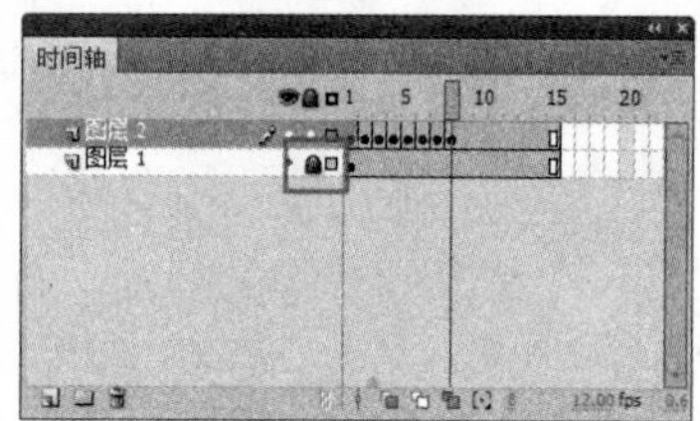

图11-15 锁定图层

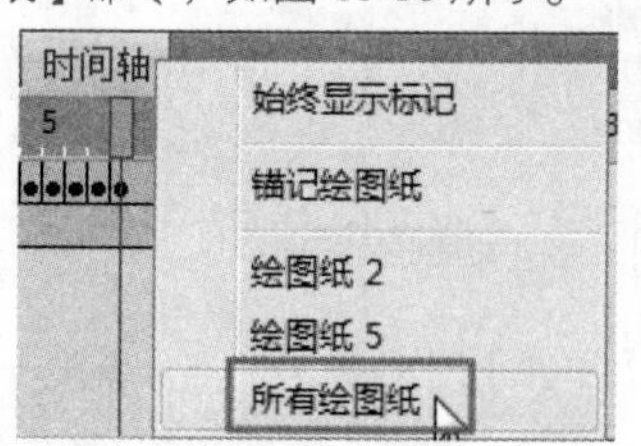

图11-16 选择命令

在进行多帧编辑时，编辑的是场景中的全部对象，为了避免误操作，所以要将一些不需要编辑的图层进行锁定。

STEP 05 执行【编辑】|【全选】命令，此时“时间轴”和场景效果如图11-17所示。单击工具箱中的“任意变形工具”按钮，调整所有图像的大小和位置，如图11-18所示。单击“编辑多个帧”按钮，取消编辑多个帧操作。

图11-17　全选后效果

图11-18　编辑多个帧

默认状况下，导入的对象被放在场景坐标“0，0”处，而且大小有可能与场景内容不符，所以有些时候需要通过调整其大小并移动位置。

STEP 06 单击“绘图纸外观”按钮，分别选择不同帧上的位图，移动所有位图并重叠到一起，如图11-19所示。单击“绘图纸外观”按钮，在第1帧单击鼠标右键，在打开的菜单中选择【插入帧】命令，在第1帧后插入帧，如图11-20所示。

图11-19　重叠效果

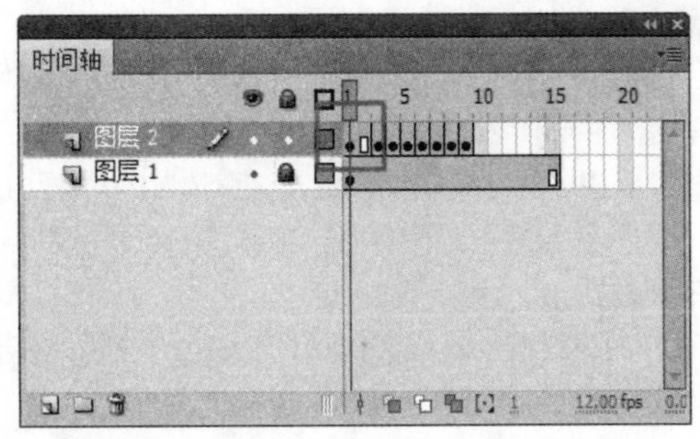

图11-20　“时间轴”面板

STEP 07 在相应帧后插入帧，如图11-21所示。同时选中第16帧到第24帧，单击鼠标右键，在打开的菜单中选择【删除帧】命令，将多余帧删除，如图11-22所示。

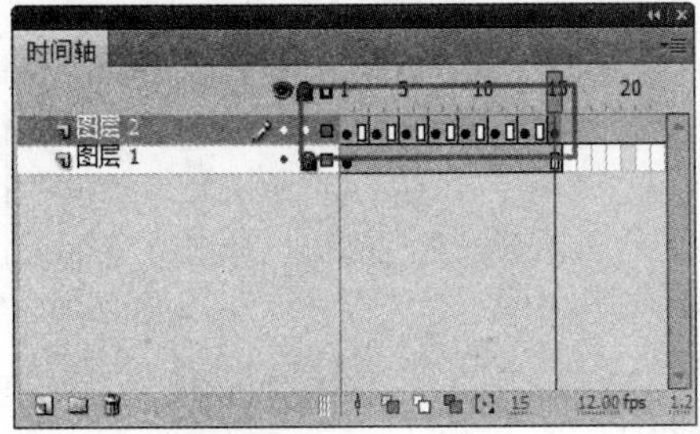

图11-21　重叠效果

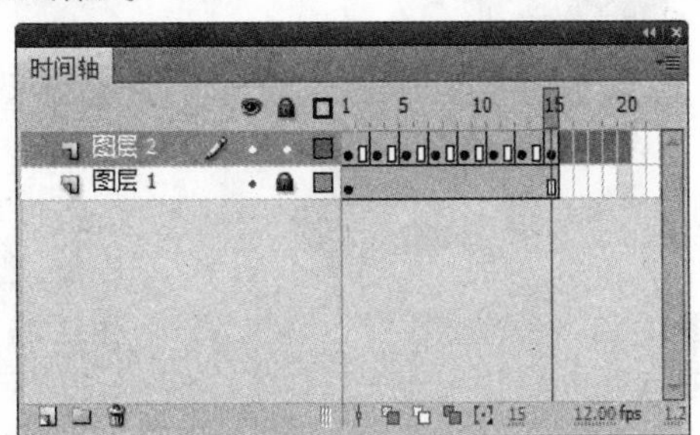

图11-22　删除帧

STEP 08 完成动画的制作，执行【文件】|【保存】命令，将动画保存为“光盘\源文件\第 11 章\11-1-3.fla”，按“Ctrl+Enter”快捷键测试影片，预览动画效果如图 11-23 所示。

图11-23 动画效果

11.2 形状补间动画

如今在不少电影中经常会看到动物身躯自然地变成人形的场景，一般将这种变化功能称为变形效果。形状补间正是类似于这样一种功能，可以用来改变形状不同的两个对象。但补间形状的功能没有电影中的那样强大，本节将对形状补间动画进行讲解。

形状补间动画的特点

在运动的起始和结束位置插入不同对象，即可在动画中自动创建中间过程。不同于补间动画的是，在形状补间中，插入到起始位置和结束位置的对象可以不一样，但必须具有分离属性。

补间形状虽然可以使具有分离属性的要素发生自然变化，但由于变化是不规则的，因此无法获知具体的中间过程。

在舞台中绘制一只鸟，如图11-24所示，然后根据需要设置动画的长度，这里在第30帧插入空白关键帧，如图11-25所示。

图11-24 图形效果

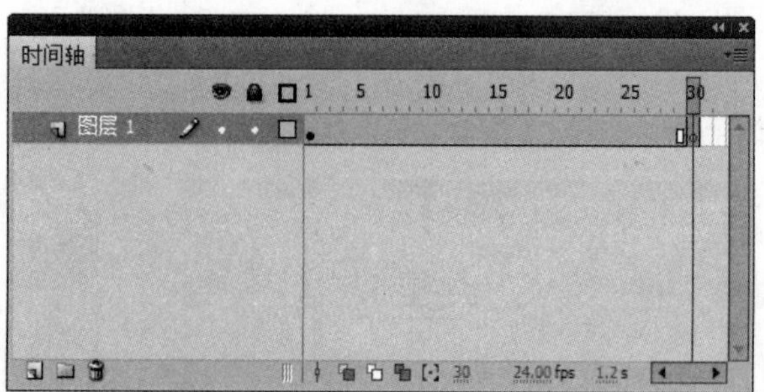

图11-25 “时间轴”面板

在空白的舞台中绘制一只企鹅，如图11-26所示，此时在第1~30帧任意一帧，单击鼠标右键，在弹出的快捷菜单中选择【创建补间形状】命令，此时时间轴如图11-27所示。

图11-26　图形效果

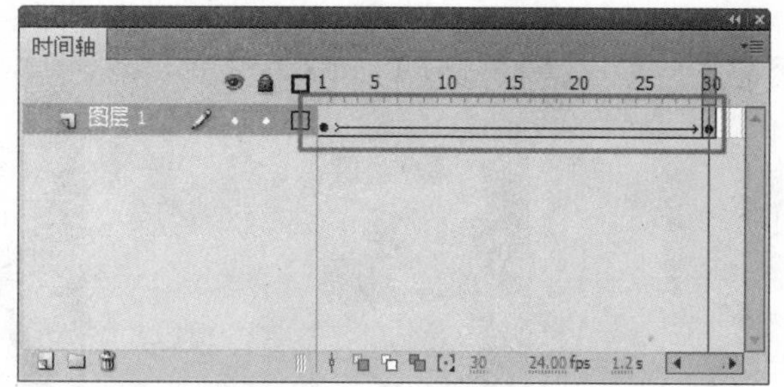

图11-27　“时间轴”面板

此时按快捷键“Ctrl+Enter”测试动画，可以看到影片效果，如图11-28所示为不同的帧动画效果。

图11-28　动画效果

11.2.2 使用形状提示控制形状变化

在需要控制更加复杂或罕见的形状变化时，可以使用形状提示。形状提示会标识起始形状和结束形状中相对应的点。例如将具有分离属性的字母E变形成为具有分离属性的字母K，变化过程没有任何规律，如图11-29所示。

图11-29　动画效果

执行【修改】|【形状】|【添加形状提示】命令后，形状提示会在该形状中某处显示为一个带有字母a的红色圆圈，如图11-30所示。将形状提示移动到相应的点，如图11-31所示，然后在结束形状中与开始标记的第一个点相对应，如图11-32所示。

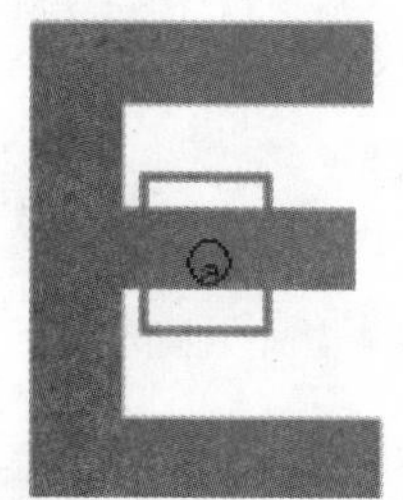

图11-30　添加形状提示

图11-31　移动形状提示

图11-32　标记对应点

同样可以添加多个形状提示，如图11-33所示。形状提示包含从a到z的字母，用于识别起始形状和结束形状中相对应的点，最多可以使用26个形状提示。

图11-33　添加开始和结束对应点

此时变化过程会根据相对应的点进行变形，如图11-34所示。

图11-34　动画效果

Tips

要想在补间形状中获得最佳效果，可以遵循以下准则：

- 在复杂的补间形状中，需要创建中间形状，然后进行补间，而不要只定义起始和结束的形状。
- 确保形状提示是符合逻辑的。如果在一个三角形中使用三个形状提示，则在原始三角形和要进行补间的三角形中，它们的顺序必须相同。它们的顺序不能在第一个关键帧中是abc，而在第二个中是acb。
- 如果按逆时针顺序从形状的左上角开始放置形状提示，它们的工作效果最好。

应用实例：制作图像转换动画

本实例制作一个图像转换动画，首先导入不同的素材图像，然后绘制矩形，制作形状补间动画，利用形状提示调整变化过程，最后建立遮罩层，完成动画的制作，最终效果如图11-35所示。

图11-35　动画效果

源 文 件：光盘\视频\第 11 章\11-2-2.fla

教学视频：光盘\视频\第 11 章\11-2-2.swf

STEP 01 执行【文件】|【新建】命令，新建一个 Flash 文档，如图 11-36 所示。单击“属性”面板上的“编辑”按钮，在弹出的“文档设置”对话框中进行设置，如图 11-37 所示，单击“确定”按钮，完成“文档属性”的设置。

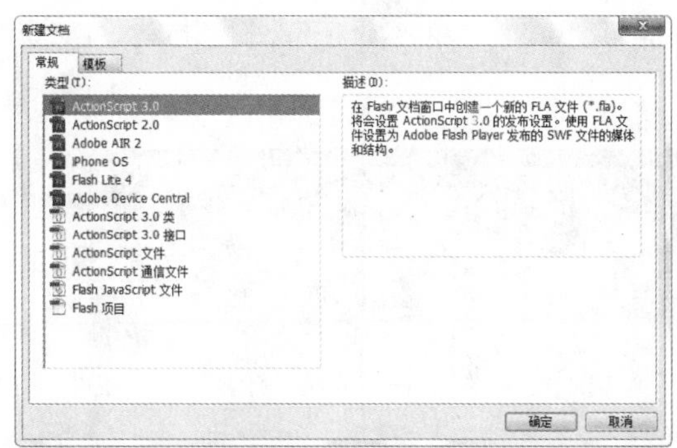

图11-36　“新建文档”对话框　　图11-37　“文档设置”对话框

STEP 02 执行【文件】|【导入】|【导入到舞台】命令，将图像“光盘\源文件\第 11 章\素材\112201.jpg”导入到场景中，如图 11-38 所示。在第 60 帧位置插入帧，“时间轴”效果如图 11-39 所示。

图11-38　导入图像

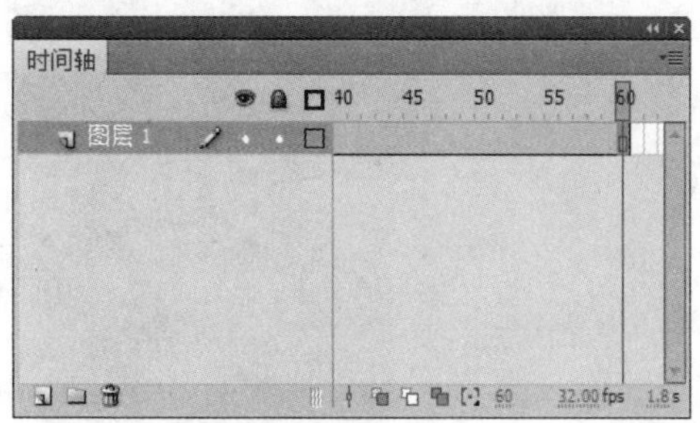

图11-39　“时间轴”面板

STEP 03 新建“图层 2”，将图像“光盘\源文件\第 11 章\素材\112202.jpg”导入到场景中，如图 11-40 所示。新建“图层 3”，单击工具箱中的“矩形工具”按钮，在场景中绘制一个矩形，如图 11-41 所示。

图11-40　导入图像

图11-41　绘制图形

STEP 04 分别在第 11 帧和第 30 帧插入关键帧，如图 11-42 所示。选择第 11 帧上的图形，单击工具箱中的“任意变形工具”按钮，调整矩形角度和大小，并移动到合适位置，如图 11-43 所示。

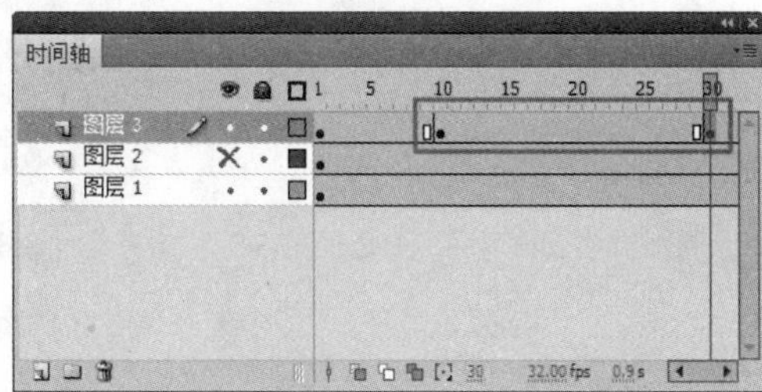

图11-42　“时间轴”面板

图11-43　变形图形

STEP 05 选择第 30 帧上的图形，使用“任意变形工具”调整矩形大小，如图 11-44 所示。分别在第 1 帧和第 11 帧创建补间形状动画，如图 11-45 所示。

图11-44 变形图形

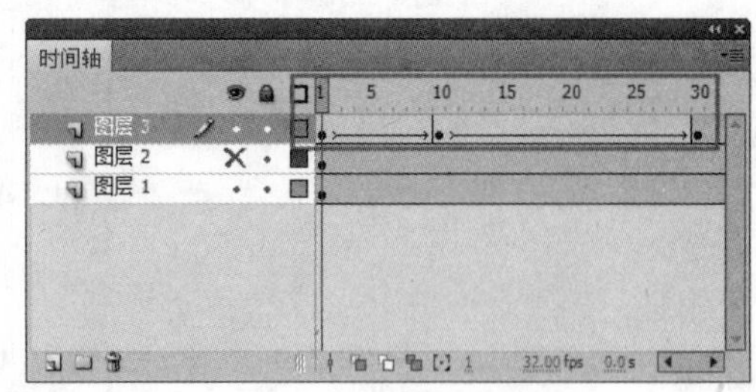

图11-45 “时间轴”面板

STEP 06 选择第 1 帧，执行【修改】|【形状】|【添加形状提示】命令，显示红色圆形字母 a，将其拖曳到矩形左侧最上方的棱角处，如图 11-46 所示。使用相同的方法进行制作，会显示红色圆形字母 b、c、d，并将它们布置到相应的位置，如图 11-47 所示。

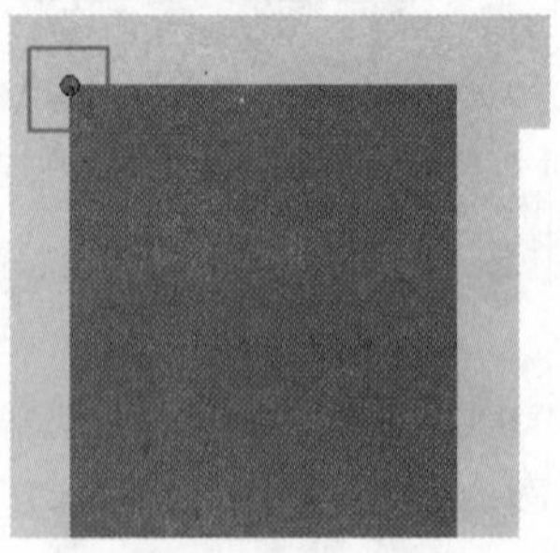

图11-46 添加形状提示

图11-47 添加多个形状提示

STEP 07 选择第 11 帧，拖动不同的字母到相应位置，如图 11-48 所示。使用鼠标右键单击“图层 3”名称处，在弹出的快捷菜单中选择【遮罩层】命令，“时间轴”面板如图 11-49 所示。

图11-48 调整位置

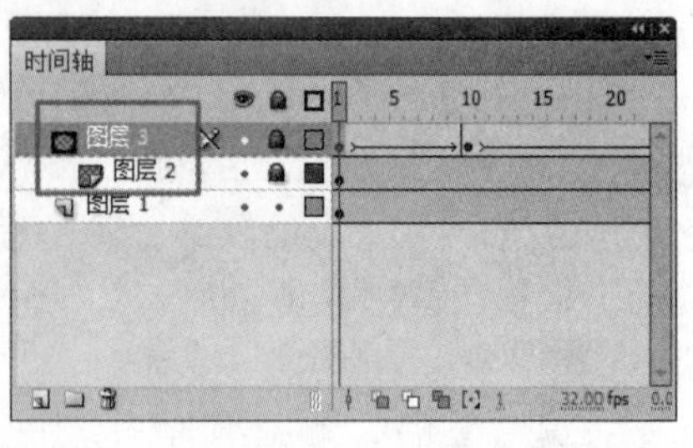

图11-49 “时间轴”面板

将第 1 帧的 a 位置移动到第 11 帧的 a 位置，再将其他的点也移动到相应的字幕位置。使用这种方法可以控制运动的变化过程。

遮罩动画并不难，本实例中的图层 3 相当于要显示的区域，图层 2 相当于显示区域，即图层 3 的对象将显示在图层 2 的对象中，后面的章节中还将对遮罩动画进行具体的讲解。

STEP 08 完成动画的制作，执行【文件】|【保存】命令，将动画保存为“光盘\源文件\第 11 章\11-2-2.fla”，按“Ctrl+Enter”快捷键测试影片，预览动画效果如图 11-50 所示。

图11-50 预览动画效果

应用实例：制作播报动画

本实例制作播报动画，首先在场景中导入素材图像，然后绘制人物的嘴，并制作说话的动画，最后创建补间形状动画，完成动画的制作，最终效果如图11-51所示。

图11-51 动画效果

Tips

源 文 件：光盘 \ 源文件 \ 第 11 章 \11-2-3.fla

教学视频：光盘 \ 视频 \ 第 11 章 \11-2-3.swf

STEP 01 执行【文件】|【新建】命令，新建一个 Flash 文档，如图 11-52 所示。单击“属性”面板上的“编辑”按钮，在弹出的“文档设置”对话框中进行设置，如图 11-53 所示，单击“确定”按钮，完成“文档属性”的设置。

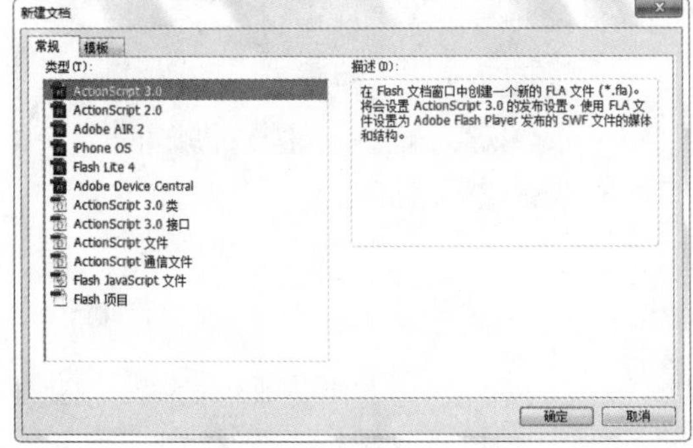

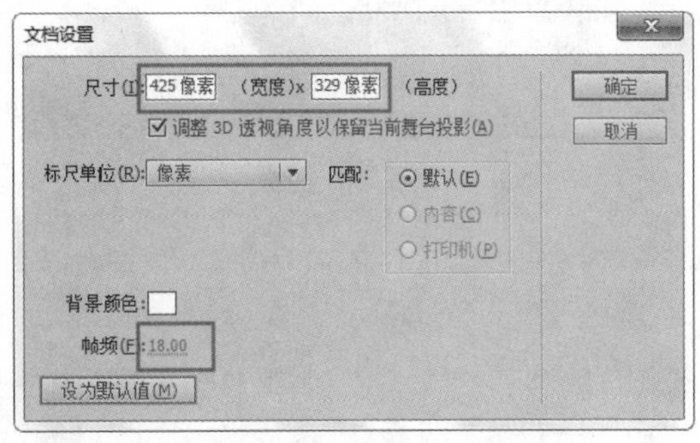

图11-52 “新建文档”对话框

图11-53 “文档设置”对话框

STEP 02 执行【文件】|【导入】|【导入到舞台】命令，将图像“光盘\源文件\第 11 章\素材\112301.jpg”导入到场景中，如图 11-54 所示。在第 20 帧位置按“F5”键插入帧，“时间轴”效果如图 11-55 所示。

图11-54　导入图像

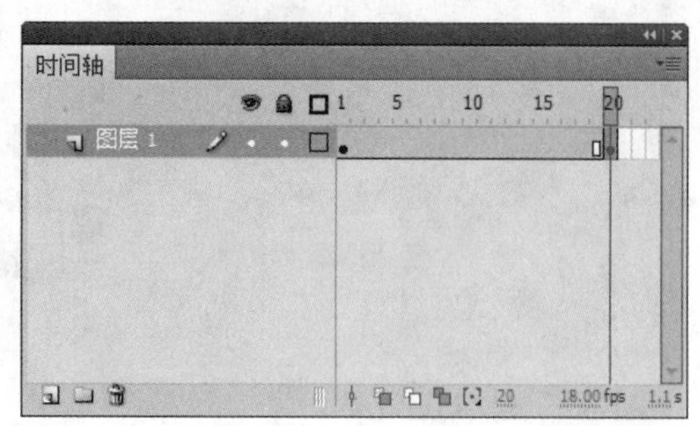

图11-55　“时间轴”面板

STEP 03 新建“图层 2”，单击工具箱中的“椭圆工具”按钮，打开“颜色”面板，设置从 Alpah 值为 100% 的 #FFCCCC 到 Alpha 值为 100% 的 #993300 的径向渐变效果，“颜色”面板如图 11-56 所示，在场景中绘制一个如图 11-57 所示的椭圆。

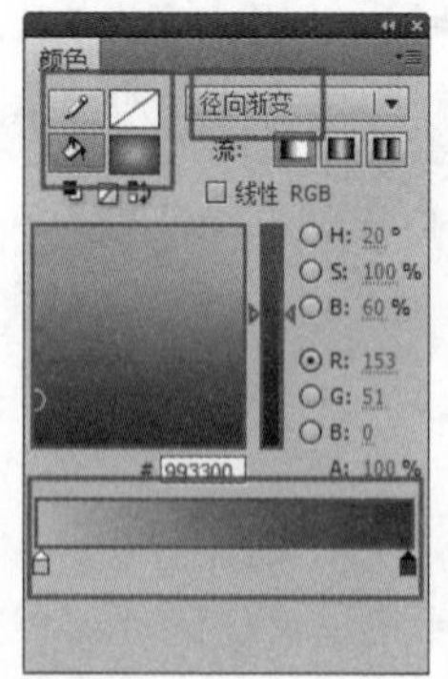

图11-56　“颜色”面板

图11-57　椭圆效果

STEP 04 分别在第 5 帧、第 11 帧、第 15 帧和第 20 帧位置依次插入关键帧，“时间轴”效果如图 11-58 所示。单击工具箱中的“任意变形工具”按钮，将第 5 帧上的图形进行放大，如图 11-59 所示。

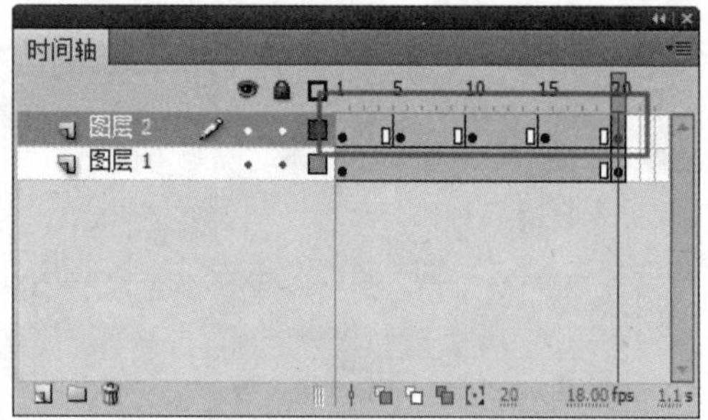

图11-58　“时间轴”面板

图11-59　图形效果

Tips

对图形进行放大时，可以按住“Shift”键约束比例进行调整。

STEP 05 使用“任意变形工具”将第 11 帧上的图形进行调整，如图 11-60 所示。使用相同的方法，分别调整第 15 帧和第 20 帧上的图形，分别在第 1 帧、第 5 帧、第 11 帧和第 15 帧上创建形状补间动画，如图 11-61 所示。

图11-60　图形效果

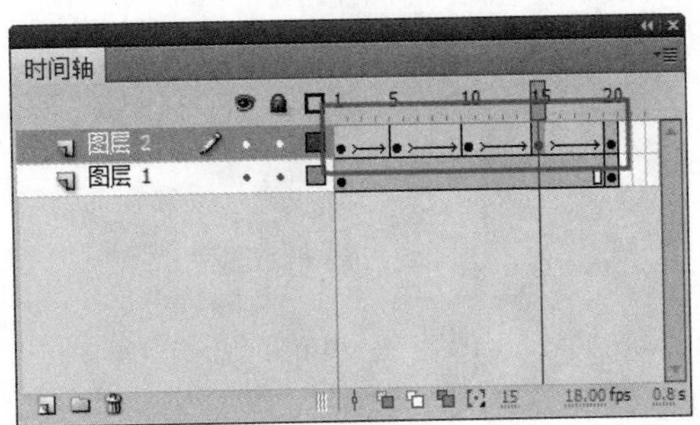

图11-61　“时间轴”面板

STEP 06 完成动画的制作，执行【文件】|【保存】命令，将动画保存为“光盘\源文件\第 11 章\11-2-3.fla”，按“Ctrl+Enter”快捷键测试影片，预览动画效果如图 11-62 所示。

图11-62　预览动画效果

11.3 传统补间与补间动画

Flash支持不同类型的补间以创建动画，如补间动画、传统补间动画等。补间动画是一种随时间移动和变化的动画，而传统补间动画在使用上不是很方便，感觉操作过于复杂，但传统补间所具有的某些类型的动画控制功能是独有的。

11.3.1 传统补间动画

传统补间动画在某种程度上，其创建过程较为复杂，使用起来也不那么灵活。但是，传统补间所具有的某些类型的动画控制功能是其他补间动画所不具备的。

创建传统补间动画

传统补间动画是利用动画对象起始帧和结束帧建立补间，创建动画的过程是先定起始帧和结束帧位置，然后创建动画。这个过程中，Flash将自动完成起始帧与结束帧之间的过渡动画。

在舞台中导入素材图像，将其转换为影片剪辑元件，并调整元件大小和位置，如图11-63所示。在第

50帧插入关键帧，将飞机移动到适当位置，并进行放大，如图11-64所示

图11-63　导入图像

图11-64　调整图像

此处场景中的背景已经事先调整好，在第50帧插入了帧，因此当在第50帧插入关键帧后，背景图像依然存在。

当确定了起始帧和结束帧后，在它们之间右击，在打开的快捷菜单中选择【创建传统补间】命令，即可创建传统补间动画，如图11-65所示。

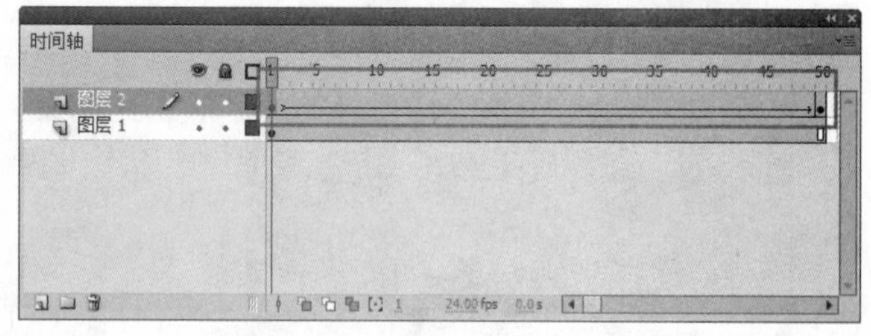

图11-65　“时间轴”面板

还可以添加模糊效果，选择第1帧上的元件，打开“属性”面板，可在“滤镜”选项区域下添加“模糊”等效果，此处添加了模糊效果，如图11-66所示。此时可以看到第1帧上的元件模糊效果，如图11-67所示。

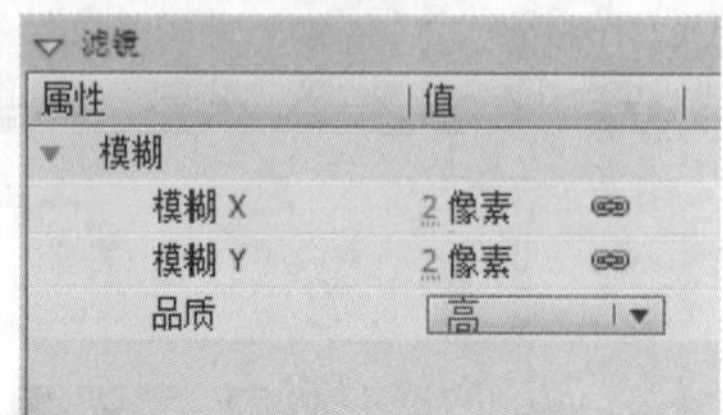

图11-66　设置模糊参数

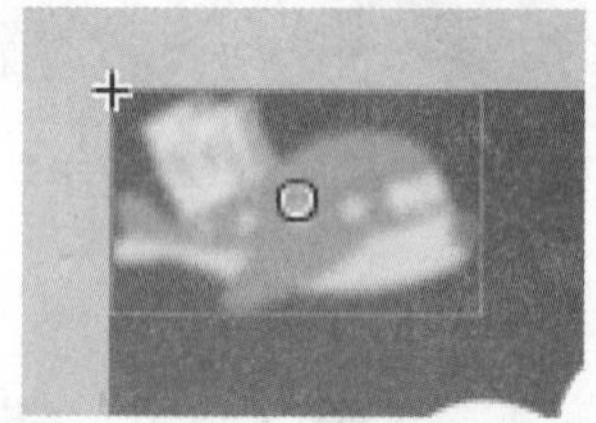

图11-67　元件模糊效果

传统补间动画相关选项

创建传统补间动画后，选择传统补间动画上的任意一帧，打开“属性”面板，可以对该帧的相关参数进行设置，如图11-68所示。由于传统补间动画中帧的属性与补间动画中帧的属性有些选项类似，此处就不做过多讲解。

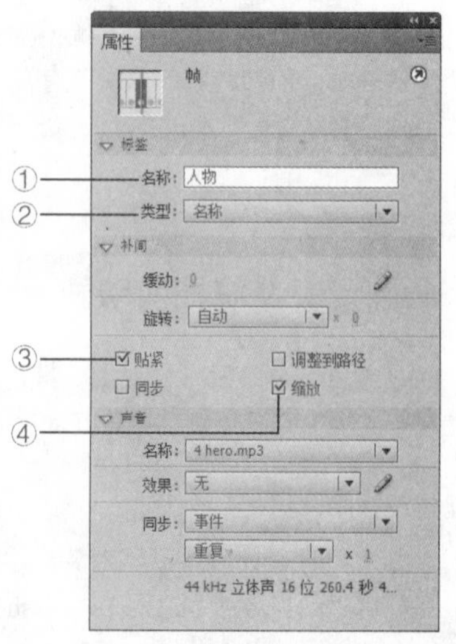

图11-68　传统补间动画相关参数

①名称	用于标记此传统补间动画，可在输入框中输入动画名称后，在时间轴中的前面会显示该名称，如图11-69所示。 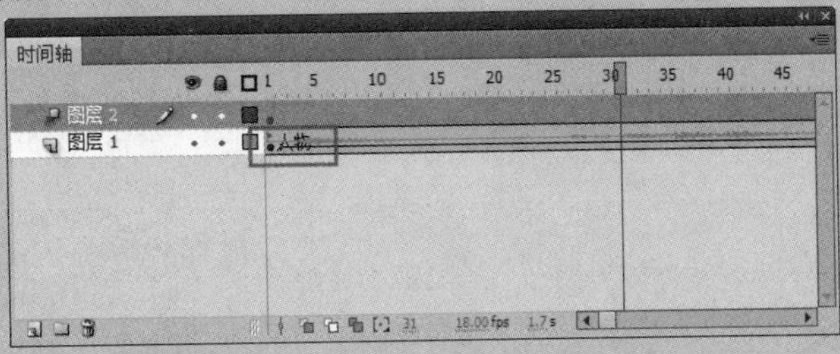 图11-69 “时间轴”面板
②类型	在该下拉列表中包括3种标签类型，即名称、注释和锚记。 ● 名称：帧标签的名称，可以让AS来识别此帧。 ● 注释：一种解释，方便文件修改。 ● 锚记：动画记忆点，发布成HTM文件的时候，可以在IE的地址栏输入锚点，这样可以直接跳转到对应的片断播放，比如在场景2的第一帧加入一个锚点，那么在IE中填入锚点以后，就可以直接播放场景2，而不需要播放场景1的内容，方便预览。
③紧贴	当使用辅助线定位时，能够使对象紧贴辅助线，帮助用户精确绘制和安排对象。
④缩放	勾选此选项，制作缩放动画时，会随着帧的移动逐渐变大或变小；若取消勾选，则只在结束帧直接显示缩放后的对象大小。

应用实例：制作啤酒广告动画

本实例制作一个啤酒广告动画，此动画为传统补间动画，首先创建不同的元件并制作动画，然后回到场景中导入背景图像，最后拖入相应的元件，完成动画的制作，最终效果如图11-70所示。

图11-70 动画效果

源文件：光盘\视频\第11章\11-3-1.fla

教学视频：光盘\视频\第11章\11-3-1.swf

STEP 01 执行【文件】|【新建】命令，新建一个Flash文档，如图11-71所示。单击“属性”面板上的“编辑”按钮，在弹出的“文档设置”对话框中进行设置，如图11-72所示，单击“确定”按钮，完成“文档属性”的设置。

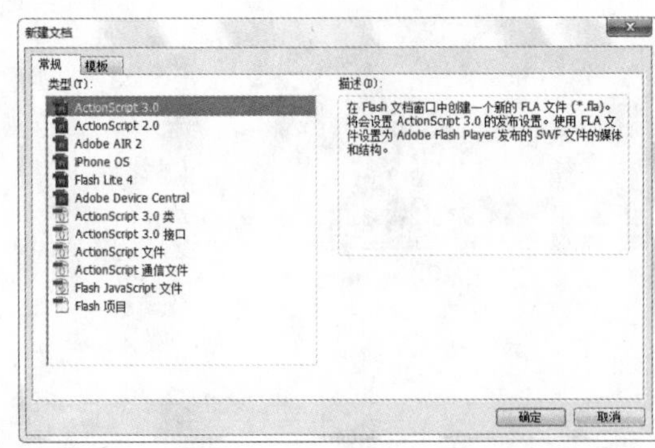

图11-71　“新建文档”对话框

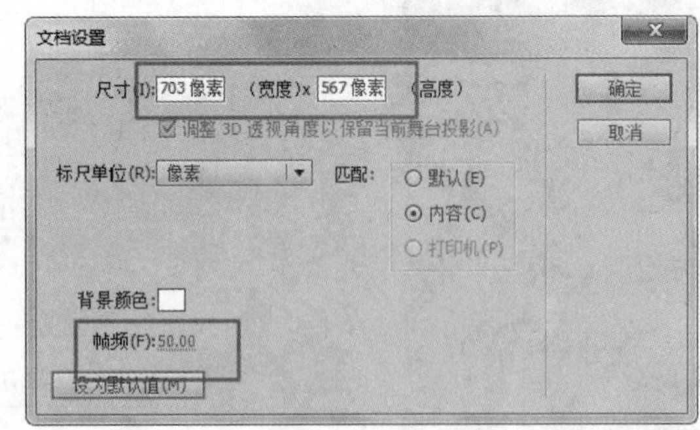

图11-72　“文档设置”对话框

STEP 02 执行【插入】|【创建新元件】命令，弹出“创建新元件”对话框，参数设置如图 11-73 所示。单击“确定”按钮，新建一个影片剪辑元件，执行【文件】|【导入】|【导入到舞台】命令，将图像“光盘\源文件\第 11 章\素材\113102.png”导入到场景中，如图 11-74 所示。

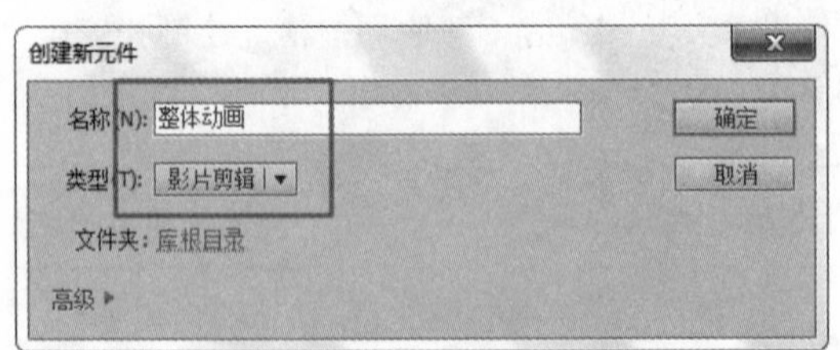

图11-73　“创建新元件”对话框

图11-74　导入图像

STEP 03 选择刚刚导入到场景中的图像，执行【修改】|【转换为元件】命令，弹出“转换为元件”对话框，参数设置如图 11-75 所示。在第 145 帧插入帧，分别在第 40 帧、第 55 帧、第 60 帧、第 64 帧、第 67 帧和第 69 帧插入关键帧，如图 11-76 所示。

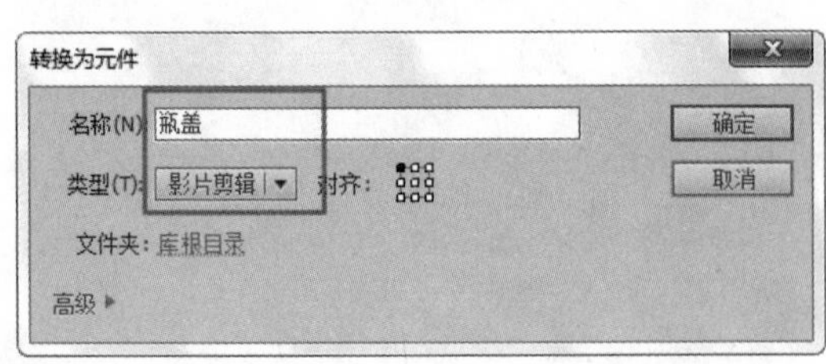

图11-75　“转换为元件”对话框

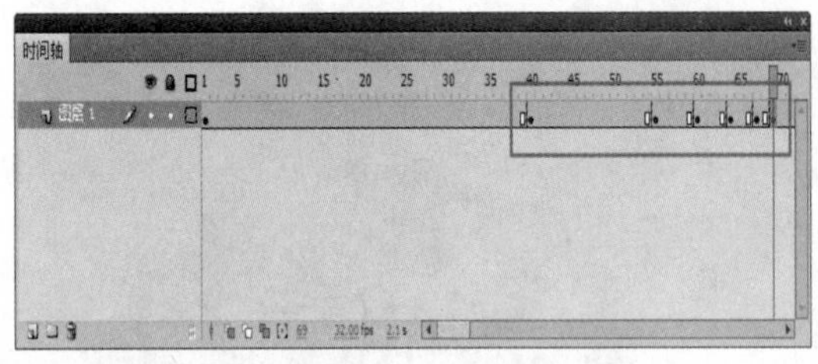

图11-76　插入关键帧

STEP 04 选择第 1 帧上的元件，在“属性”面板上设置“色彩效果”的 Alpha 值为 0%，设置“模糊 X”值为 18 像素，“品质”为“中”，如图 11-77 所示。选择第 40 帧上的元件，将其水平向左移动到如图 11-78 所示位置。

只有在使用“选择工具”选中元件后，“属性”面板上才会出现元件的设置面板。

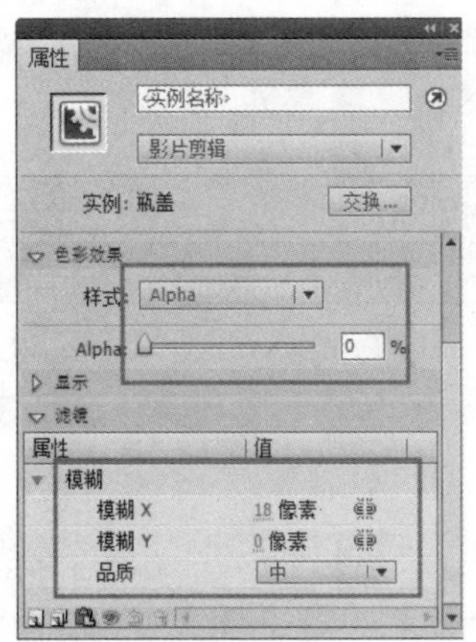

图11-77 设置帧属性

图11-78 设置元件属性

STEP 05 选择第 40 帧上的元件，将其水平向左移动到如图 11-79 所示的位置，并在“属性”面板中进行相应的设置，如图 11-80 所示。

图11-79 移动元件

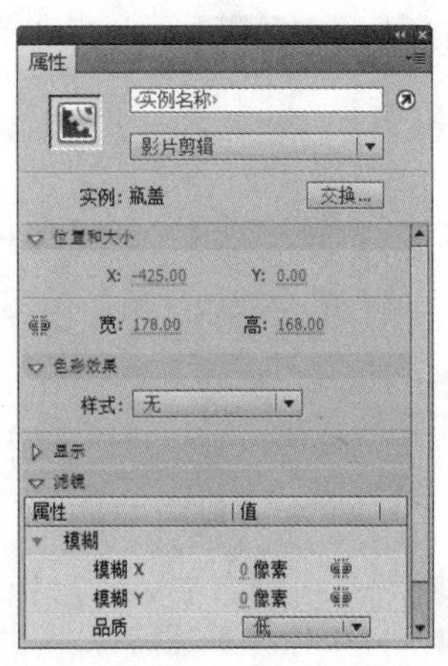

图11-80 “属性”面板

STEP 06 相同的方法，分别设置其他关键帧上元件的属性，并在第 1 帧、第 40 帧、第 55 帧、第 60 帧、第 64 帧、第 67 帧上单击鼠标右键，在打开的快捷菜单中选择“创建传统补间”选项，“时间轴”效果如图 11-80 所示。选择第 1 帧，打开“属性”面板，设置“旋转”参数，如图 11-81 所示。

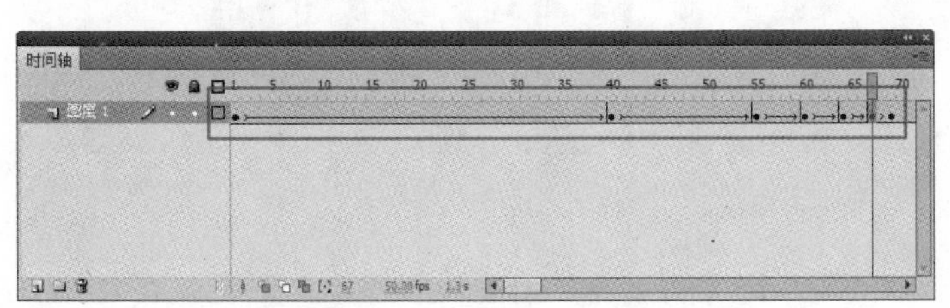

图11-81 “时间轴”面板

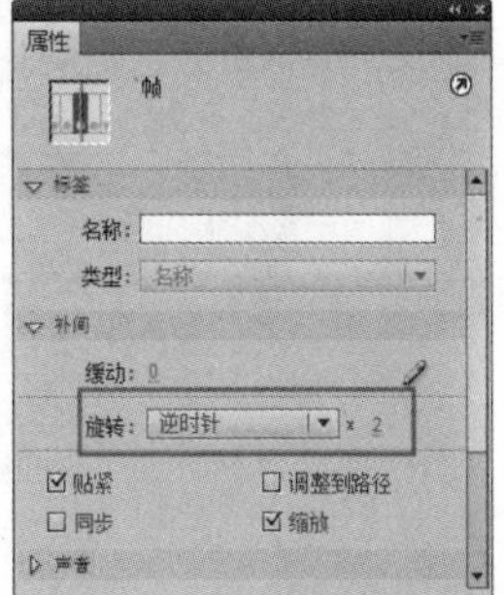

图11-82 设置帧属性

STEP 07 使用相同的方法，将其他图像导入到场景中，转换为元件，并制作传统补间动画，如图 11-83 所示。

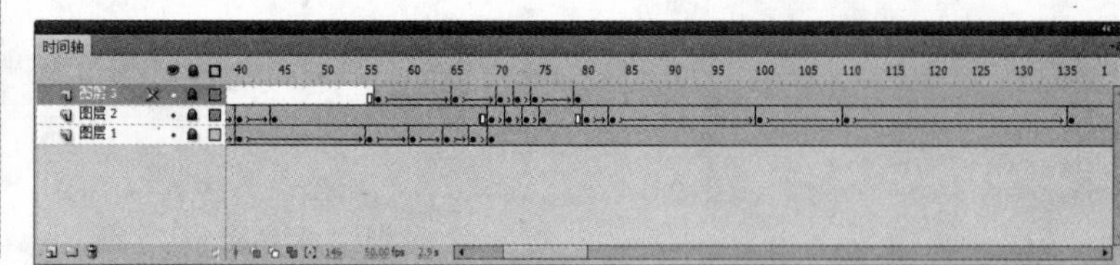

图11-83　其他元件动画效果

STEP 08 新建“图层 4”，在第 146 帧插入关键帧，打开“动作”面板，输入 stop(); 脚本代码，如图 11-84 所示。返回到“场景 1”的编辑状态，执行【文件】|【导入】|【导入到舞台】命令，将图像“光盘 \ 源文件 \ 第 11 章 \ 素材 \ 113101.jpg”导入到场景中，如图 11-85 所示。

STEP 09 新建“图层 2”，打开“库”面板，将刚刚制作的“整体动画”影片剪辑元件拖入到场景中的相应位置，如图 11-86 所示。

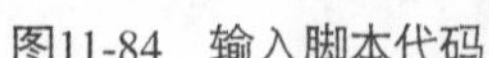

图11-84　输入脚本代码

图11-85　导入图像

图11-86　拖曳元件

STEP 10 完成动画的制作，执行【文件】|【保存】命令，将动画保存为“光盘 \ 源文件 \ 第 11 章 \11-3-1.fla”，按“Ctrl+Enter”快捷键测试影片，预览动画效果如图 11-87 所示。

图11-87　动画效果

11.3.2 补间动画

补间是通过为一个帧中的对象属性指定一个值，并为另一个帧中的相同属性指定另一个值创建的动画。Flash计算这两个帧之间该属性的值，还提供了可以更详细调节动画运动路径的锚点。

创建补间动画

补间动画只能应用于元件实例和文本字段。在将补间应用于所有其他对象类型时，这些对象将包装在元件中。元件实例可包含嵌套元件，这些元件可在自己的时间轴上进行补间。创建补间动画的过程比较人性化，符合人们的逻辑思维，首先定起始帧位置，然后开始制作动画，最后定结束帧的位置。

在场景中导入素材图像，调整图像大小和位置，如图11-88所示。使用鼠标右键单击第1帧，在打开的快捷菜单中选择【创建补间动画】命令，此时会弹出警告框，如图11-89所示。补间动画要求的对象必须是元件，因此必须先转换为元件，单击“确定”按钮后，将图像转换为影片剪辑元件，并创建补间动画。

图11-88　导入图像

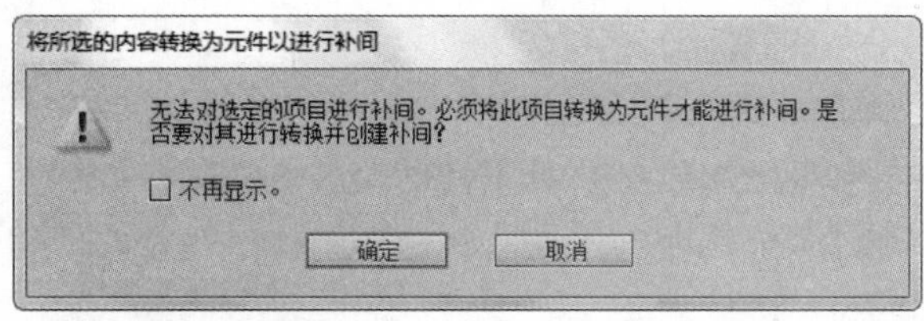

图11-89　警告框

此时时间轴将自动增加到32帧，颜色由灰色变成蓝色，如图11-90所示。如果希望自己控制补间动画的帧数，可以将光标移至结束帧，当鼠标变成左右箭头图标时，将其拖曳到需要的帧处，如图11-91所示。

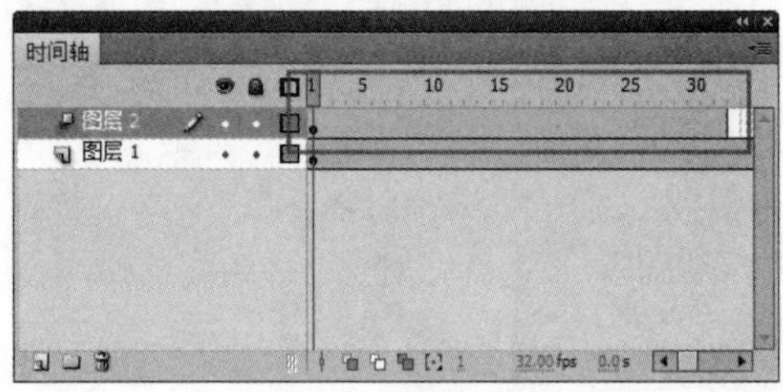

图11-90　“时间轴”面板

图11-91　设置补间范围

在第50帧单击，将人物拖动到合适的位置，并使用“任意变形工具”改变大小，设置完成后，可以看到人物是按照位移路径进行直线运动，如图11-92所示。

如果需要让人物进行曲线运动，可以通过更改路径线条来改变运动轨迹，使用“选择工具”，当光标靠近路径时，指针会变成此图标，此时按住鼠标并拖动，即可调整路径线条，如图11-93所示。

图11-92　场景效果

图11-93　调整路径以改变运动路线

如果需要更改路径端点的位置，可以将鼠标放置到需要改变位置的端点，此时指针会变成此图标，按住鼠标左键不放进行拖动，即可改变端点位置，如图11-94所示。

如果需要更改整个路径的位置，可以单击路径，路径线条会变为实线，此时单击鼠标左键不放进行拖动，即可改变路径位置，如图11-95所示。

图11-94　拖动端点

图11-95　拖动路径

补间动画相关选项

创建补间动画后，按"Ctrl"键选择任意一帧，打开"属性"面板，可以对该帧的相关参数进行设置，如图11-95所示。

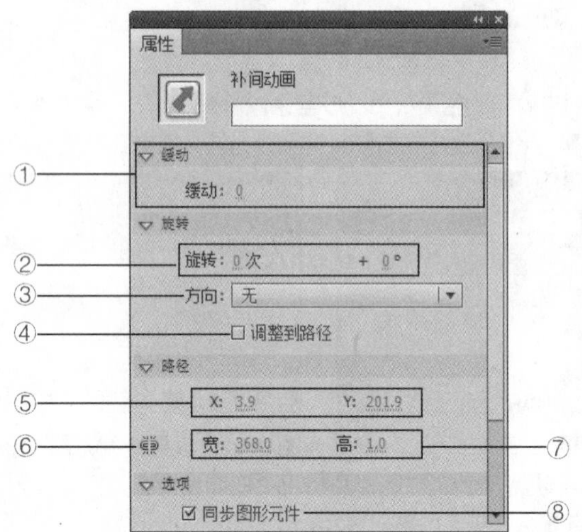

图11-95　补间动画相关参数

①缓动	用于设置动画播放过程中的速率，单击缓动数值可激活输入框，然后直接输入数值，或者将鼠标放置到数值上，当鼠标变成此图标后，左右拖动也可调整数值。数值范围在-100到100之间。数值为0时，表示正常播放；数值为负值，表示先慢后快；数值为正值时，表示先快后慢。
②旋转次数/其他旋转	用于设置影片剪辑实例的角度和旋转次数。
③方向	在该选项下拉列表中有三个选项： 无：如果防止旋转，请选择该选项，此选项为默认设置。 顺时针：如果需要朝顺时针方向旋转，请选择该选项。 逆时针：如果需要朝逆时针方向旋转，请选择该选项。

④调整到路径	勾选此选项，补间对象将随运动路径随时调整自身的方向，如图11－96所示。 图11-96　不同帧元件效果
⑤选区位置	设置选区在舞台中的位置。如果改变选区的位置，路径线条也将随之移动，如图11－97所示。可以通过单击*X*、*Y*轴数值，激活输入框后输入数值，也可在数值上按住鼠标左键进行左右拖曳。 X：30，Y：50　　X：100，Y：120 图11-97　不同选区数值下的元件效果
⑥锁定	此选项用于将元件的宽度和高度值固定在同一比例上，当修改其中的一个值时，另一个数值也随之变大或变小，再次单击可以解除比例锁定。
⑦选区宽度/高度	改变选区宽度和高度的同时，会对路径曲线进行调整，如图11－98所示。  宽度：100，长度：50　　宽度：200，长度：300 图11-98　调整选区前后的对象效果
⑧同步图形元件	勾选此选项，会重新计算补间的帧数，从而匹配时间轴上分配给它的帧数，使图形元件实例的动画和主时间轴同步。此选项适用于当元件中动画序列的帧数不是文档中图形实例占用帧数的偶数倍时。

应用实例：制作女孩滑冰动画

本实例制作一个女孩滑冰动画，首先在场景中导入背景图像，然后，导入人物素材，将其转换为元件，并制作补间动画，最后绘制人物阴影动画，完成动画的制作，最终效果如图11-99所示。

图11-99 动画效果

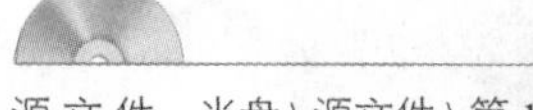

源 文 件：光盘\源文件\第 11 章\11-3-2.fla

教学视频：光盘\视频\第 11 章\11-3-2.swf

STEP 01 执行【文件】|【新建】命令，新建一个 Flash 文档，如图 11-100 所示。单击“属性”面板上的“编辑”按钮，弹出“文档设置”对话框，参数设置如图 11-101 所示，单击“确定”按钮，完成“文档属性”的设置。

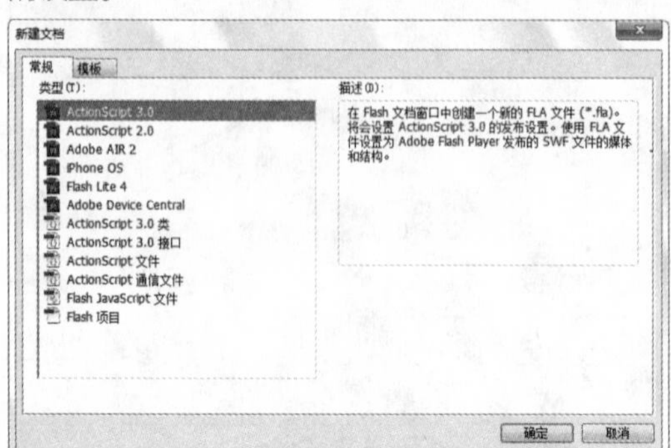

图11-100 “新建文档”对话框

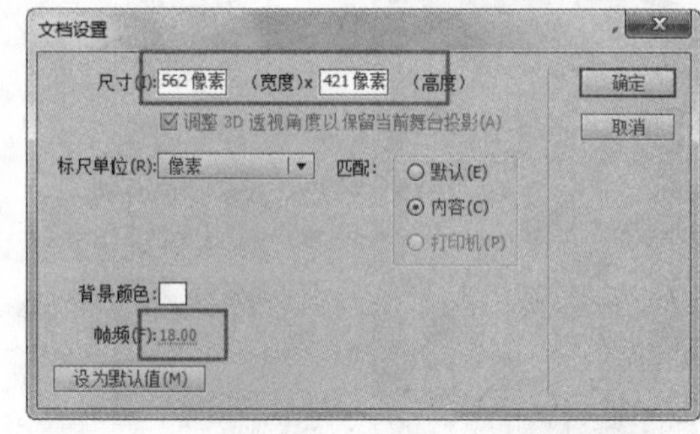

图11-101 “文档设置”对话框

STEP 02 执行【文件】|【导入】|【导入到舞台】命令，将图像“光盘\源文件\第 11 章\素材\113201.jpg”导入到场景中，如图 11-102 所示。在第 115 帧位置插入帧，“时间轴”效果如图 11-103 所示。

图11-102 导入图像

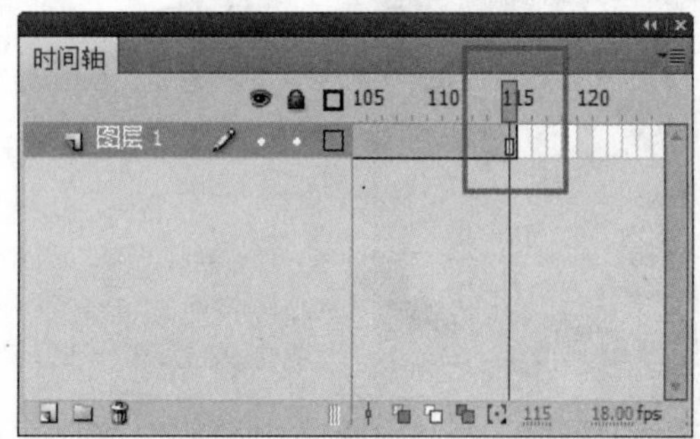

图11-103 “时间轴”面板

STEP 03 新建“图层 2”，执行【文件】|【导入】|【导入到舞台】命令，将图像“光盘\源文件\第 11 章\素材\113202.png”导入到场景中相应的位置，并调整大小，如图 11-104 所示。选择刚刚导入的图像，执行【修改】|【转换为元件】命令，弹出“转换为元件”对话框，参数设置如图 11-105 所示。

图11-104　导入图像

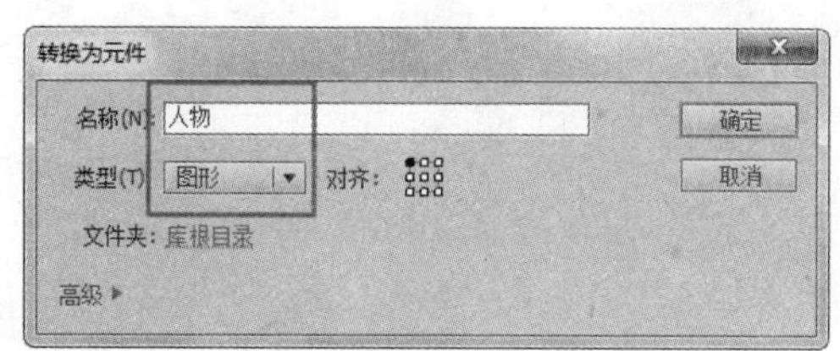

图11-105　“时间轴”面板

STEP 04 单击“确定”按钮，将其转换为图形元件，使用鼠标右键，单击“图层 2”的第 1 帧，在打开的快捷菜单中选择【创建补间动画】命令，“时间轴”面板如图 11-106 所示。

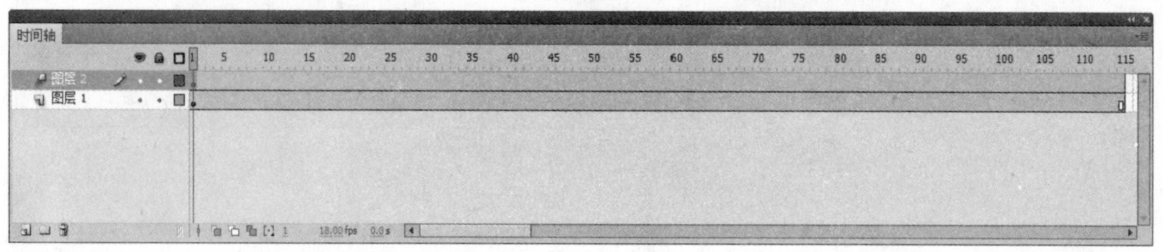

图11-106　“时间轴”面板

STEP 05 在第 60 帧位置单击，使用“选择工具”将元件水平向左移动，场景效果如图 11-107 所示。在第 61 帧位置单击，执行【修改】|【变形】|【水平翻转】命令，在第 115 帧位置单击，将元件水平向右移动，场景效果如图 11-108 所示。

图11-107　移动元件

图11-108　元件效果

STEP 06 选择第 60 帧，执行【修改】|【变形】|【水平翻转】命令，新建“图层 3”，将“人物”元件从“库”面板中拖曳到场景中，执行【修改】|【变形】|【垂直翻转】命令，并移动到相应位置，如图 11-109 所示。选择刚刚拖入的“人物”元件，在“属性”面板中进行设置，如图 11-110 所示，设置完成后，元件效果如图 11-111 所示。

图11-109　场景效果

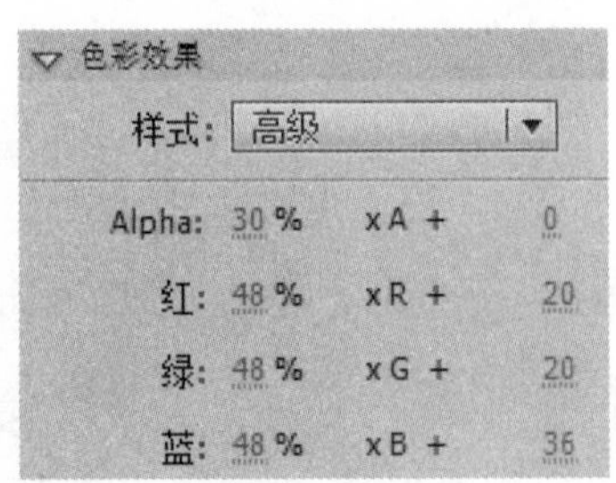

图11-110　设置“色彩效果”参数

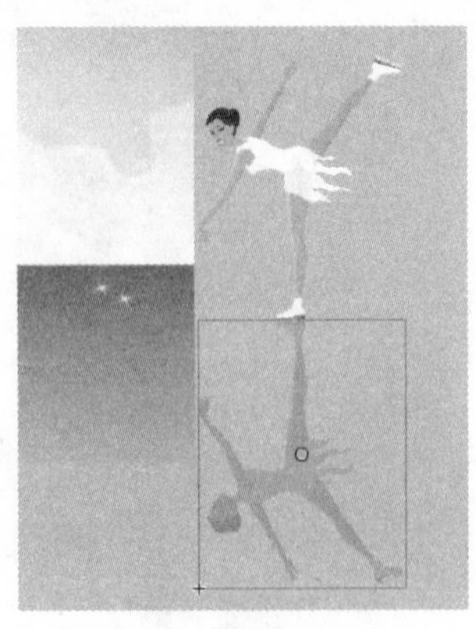

图11-111　场景效果

STEP 07 根据前面的制作方法，制作出“图层 3”的动画效果，“时间轴”面板如图 11-112 所示。

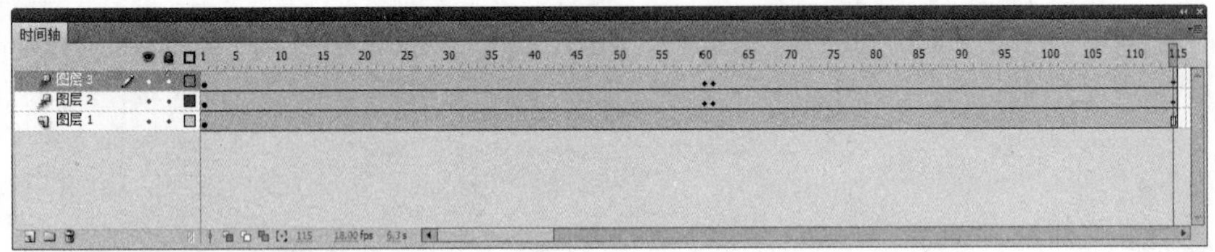

图11-112　“时间轴”面板

STEP 08 完成动画的制作，执行【文件】|【保存】命令，将动画保存为“光盘\源文件\第 11 章\11-3-2.fla”，按“Ctrl+Enter”快捷键测试影片，预览动画效果如图 11-113 所示。

图11-113　动画效果

11.3.3 补间动画与传统补间动画的差异

补间动画功能强大且易于创建。通过补间动画可对补间的动画进行最大程度的控制，传统补间的创建过程更为复杂。补间动画提供了更多的补间控制，而传统补间提供了一些用户可能希望使用的某些特定功能。补间动画与传统补间动画的差异请参看下表：

关键帧	传统补间使用的关键帧是其中显示对象新实例的帧。补间动画只能具有一个与之关联的对象实例，并使用属性关键帧而不是关键帧。
目标对象	补间动画在整个补间范围上由一个目标对象组成，而传统补间动画则可以是多个。
对象类型	补间动画和传统补间都只允许对特定类型的对象进行补间。若应用补间动画，则在创建补间时，会将所有不允许的对象类型转换为影片剪辑。而应用传统补间会将这些对象类型转换为图形元件。
文本对象	补间动画会将文本视为可补间的类型，而不会将文本对象转换为影片剪辑。传统补间会将文本对象转换为图形元件。
脚本	在补间动画范围上不允许帧脚本。补间目标上的任何对象脚本都无法在补间动画范围的过程中更改。传统补间则允许帧脚本。
时间轴	可以在时间轴中对补间动画范围进行拉伸和调整，并将它们视为单个对象。传统补间包括时间轴中可分别选择的帧的组。
选择帧	若要在补间动画范围中选择单个帧，必须按住“Ctrl”键单击某个帧，而传统补间动画则直接单击即可。
缓动	对于传统补间，缓动可应用于补间内关键帧之间的帧组。对于补间动画，缓动可应用于补间动画范围的整个长度。若要仅对补间动画的特定帧应用缓动，则需要创建自定义缓动曲线。
色彩效果	利用传统补间，可以在两种不同的色彩效果（如色调和Alpha透明度）之间创建动画。补间动画可以对每个补间应用一种色彩效果。
3D对象	只可以使用补间动画来为3D对象创建动画效果。无法使用传统补间为3D对象创建动画效果。
动画预设	只有补间动画才能保存为动画预设，而传统补间动画则不能。
交换元件	对于补间动画，无法交换元件或设置属性关键帧中显示的图形元件的帧数，而在运用这些技术制作动画时，则需要使用传统补间。

11.4 使用动画预设

动画预设是预配置的补间动画，可以将它们应用于舞台上的对象。只需选择对象并单击“动画预设”面板中的“应用” 按钮即可。使用动画预设就是学习在Flash中添加动画的快捷方法。一旦了解了预设的工作方式后，自己制作动画就非常容易了。

11.4.1 预览动画预设

Flash的每个动画预设都包括预览，可在“动画预设”面板中查看其预览。通过预览，可以了解在将动画应用于FLA文件中的对象时所获得的结果。对于创建或导入的自定义预设，可以添加自己的预览。

执行【窗口】|【动画预设】命令，打开“动画预设”面板，在“默认预设”文件夹中选择一个默认的预设，即可预览默认动画预设，如图11-114所示。如果需要停止预览播放，在“动画预设”面板外单击即可。

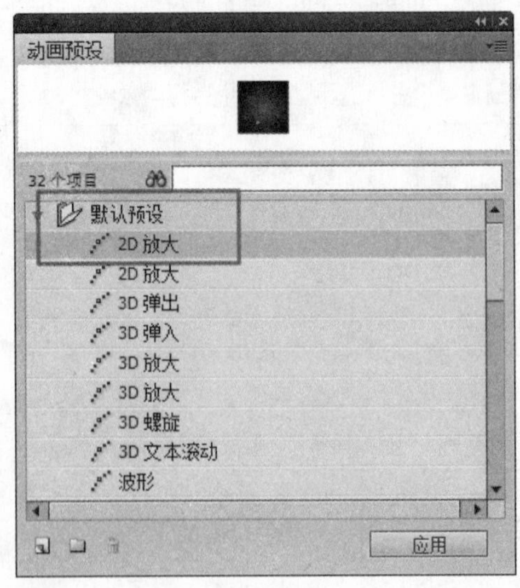

图11-114　“动画预设”面板

11.4.2 应用动画预设

在舞台上选中了可补间的对象，如图11-115所示。在默认预设中选择一个预设，单击“应用”按钮即可应用预设，如图11-116所示为应用“2D放大”预设动画后的效果。

图11-115　选择对象

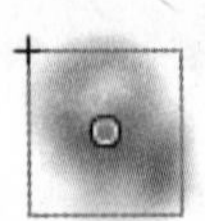

图11-116　动画在第6帧和第15帧的效果

每个对象只能应用一个预设。如果将第二个预设应用于相同的对象时，会弹出提示框，提示是否替换当前动画预设，如图11-117所示。单击“是”按钮，则第二个预设将替换第一个预设。

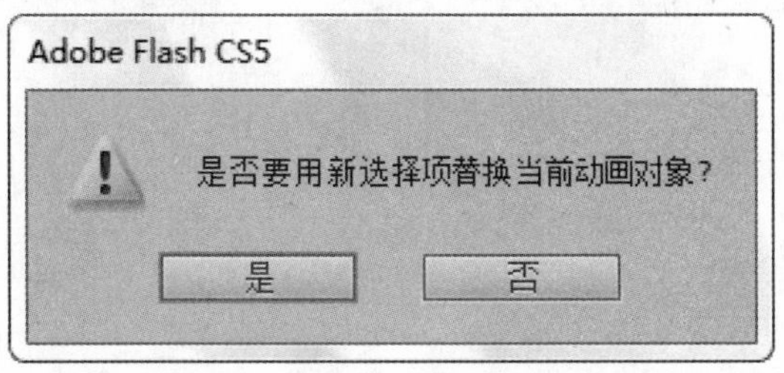

图11-117　提示对话框

包含3D动画的动画预设只能应用于影片剪辑实例。已补间的3D属性不适用于图形或按钮元件，也不适用于文本字段。可以将2D或3D动画预设应用于任何2D或3D影片剪辑。

Tips

如果动画预设对 3D 影片剪辑的 z 轴位置进行了动画处理，则该影片剪辑在显示时，也会改变其 x 和 y 位置。这是因为 z 轴上的移动是沿着从 3D 消失点（在 3D 元件实例属性检查器中设置）辐射到舞台边缘的不可见透视线执行的。

11.5　总结扩展

虽说Flash中简单的基础动画制作只是本章介绍的一些动画类型，但是在应用上非常广泛，如传统补间动画就广泛应用于一些食品网站的产品宣传，有时加上一些传统元素，更能吸引人们的眼球。

Flash广泛的使用范围为不同类型的动画制作开阔了制作思路，如Flash在教学领域、产品展示等。归根结底，不要一味地追求概念性的动画，还是要多将动画本身与实际相结合，这样才能制作出充满创意的动画作品。

11.5.1 本章小结

本章主要讲解了一些基本动画的操作，这些基本动画都具备了自身的特点，使用起来根据动画效果的不同，按需选择。希望读者通过本章的学习，可以为后面的学习打下坚实的基础。

11.5.2 举一反三——制作眩光动画

案例文件：	光盘\源文件\第11章\11-5.fla
素材文件：	光盘\源文件\第11章\11501.jpg、11502~11546.png
视频文件：	光盘\视频\第11章\11-5.swf
难易程度：	★★★☆☆
学习时间：	15分钟

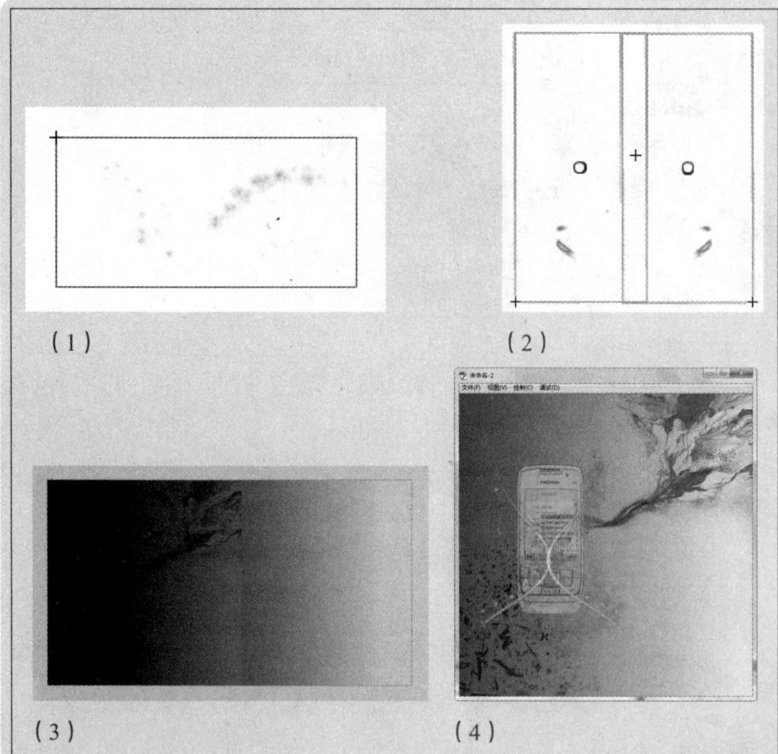

（1）新建元件，将素材以图像序列导入，并新建图层，在相应的帧输入stop()；脚本语言。

（2）使用相同的方法，新建元件，将相应的元件从“库”面板拖曳到场景中的合适位置。

（3）使用相同的方法，新建元件，制作手机淡出动画。回到场景1，导入素材图像，并制作渐变矩形，由右向左移动动画。

（4）将相应的元件拖曳到到场景中的相应位置，并调整大小，完成动画的制作，测试动画效果。

第12章　Flash 高级动画制作

本章主要针对Flash中两个高级动画的制作进行讲解，即遮罩动画和引导层动画。这两种动画在网站Flash动画设计中占据了重要地位，一个Flash动画的创意层次主要体现在它们的制作中。在本章还通过不同风格的实例，更深入地讲解遮罩动画和引导层动画的商业应用。

本章学习要点

- 掌握遮罩动画制作
- 理解遮罩层原理
- 理解引导层的原理
- 掌握引导层动画的制作
- 掌握综合多种动画的制作方法

实例名称：制作儿童网站动画

源 文 件：光盘\源文件\第12章\12-1-2.fla

教学视频：光盘\视频\第12章\12-1-2.swf

实例名称：制作百叶窗变换动画

源 文 件：光盘\源文件\第12章\12-1-3.fla

教学视频：光盘\视频\第12章\12-1-3.swf

实例名称：制作汽车登场动画

源 文 件：光盘\源文件\第12章\12-2-3.fla

教学视频：光盘\视频\第12章\12-2-3.swf

实例名称：制作卷轴动画

源 文 件：光盘\源文件\第12章\12-3.fla

教学视频：光盘\视频\第12章\12-3.swf

12.1 遮罩动画

遮罩动画能够制作出许多独特的Flash动画效果，比如聚光灯效果、过渡效果、动态效果等。在日常浏览网页的时候，经常会看到一些整站为Flash动画的网站，然而每一件商品不可能在一个平面视觉上展示，只能通过不同变化的遮罩动画来体现。本节将对遮罩动画的制作进行讲解。

遮罩动画的概念

遮罩动画的概念非常容易理解，就是限制动画的显示区域。在实际动画制作中，遮罩的作用非常大，因此不少动画制作经常会用到此功能。

遮罩动画的创建需要两个图层，即遮罩层和被遮罩层。遮罩层位于上方，用于设置待显示区域的图层；被遮罩层是指位于遮罩层的下方，用来插入待显示区域对象的图层，如图12-1所示。一般情况下，一个遮罩动画中可以同时存在多个被遮罩图层。

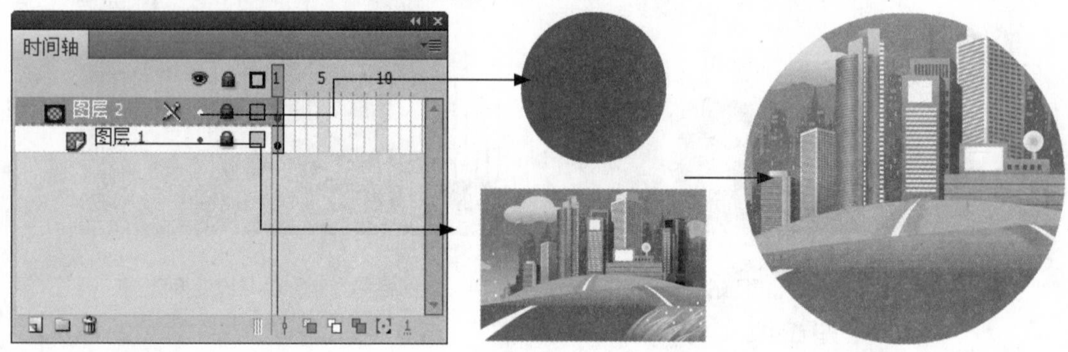

图12-1　遮罩动画

创建遮罩动画

了解了遮罩动画的基本概念后，下面将讲解遮罩动画的设置方法，以及更改遮罩动画中图层属性的相关参数。

在一个场景中绘制一个圆形，如图12-2所示，然后，在第50帧插入关键帧，使用“任意变形工具”对椭圆进行放大，放大到覆盖整个背景，如图12-3所示。

图12-2　绘制圆形

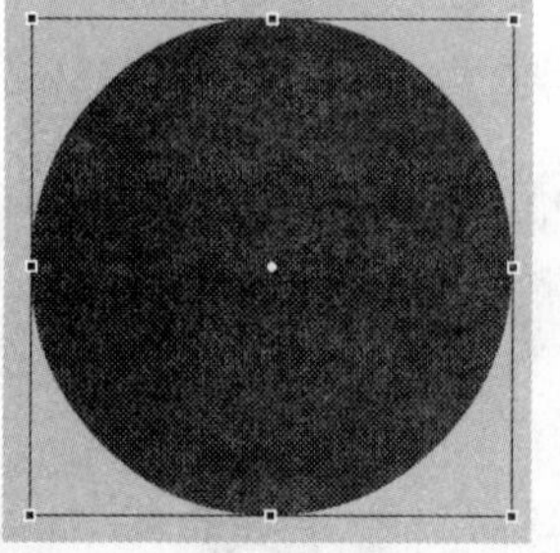

图12-3　放大圆形

在开始帧与结束帧之间任意一帧单击鼠标右键，在打开的快捷菜单中选择【创建补间形状】命令，如图12-4所示。

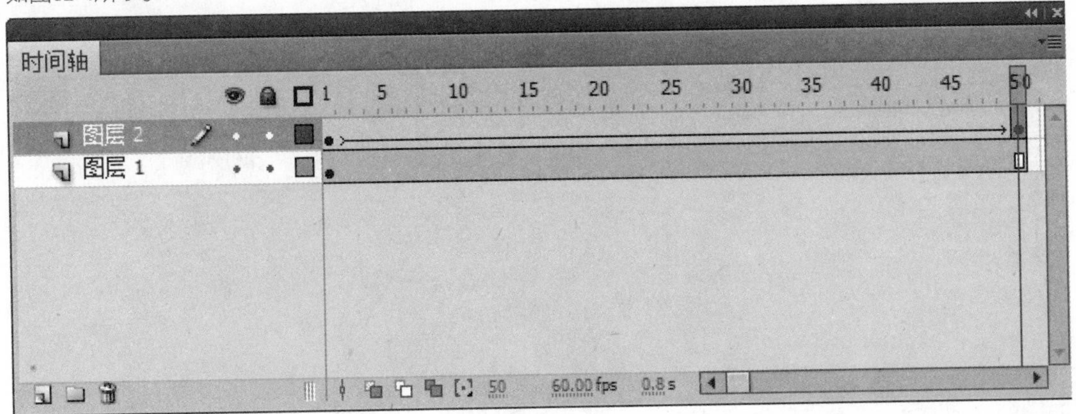

图12-4 “时间轴”面板

在“图层2”名称处单击鼠标右键，在打开的快捷菜单中选择【遮罩层】命令，此时将该图层设置为遮罩层，如图12-5所示，此时测试动画，效果如图12-6所示。

图12-5 设置遮罩层

图12-6 动画效果

应用实例：制作儿童网站动画

本实例制作一个儿童网站动画，首先新建元件，导入相应的素材图像，并转换为图形元件，其次使用“椭圆工具”绘制椭圆，并对其进行修改后，制作遮罩动画，再次输入文本，制作文字淡出动画，最后回到场景1，制作渐变背景，拖入相应的元件，完成动画的制作，最终效果如图12-7所示。

图12-7 动画效果

源文件：光盘\源文件\第 12 章\12-1-2.fla.

教学视频：光盘\视频\第 12 章\12-1-2.swf

STEP 01 执行【文件】|【新建】命令，新建一个 Flash 文档，如图 12-8 所示。单击“属性”面板上的“编辑”按钮，弹出“文档设置”对话框，参数设置如图 12-9 所示，单击“确定”按钮，完成“文档属性”的设置。

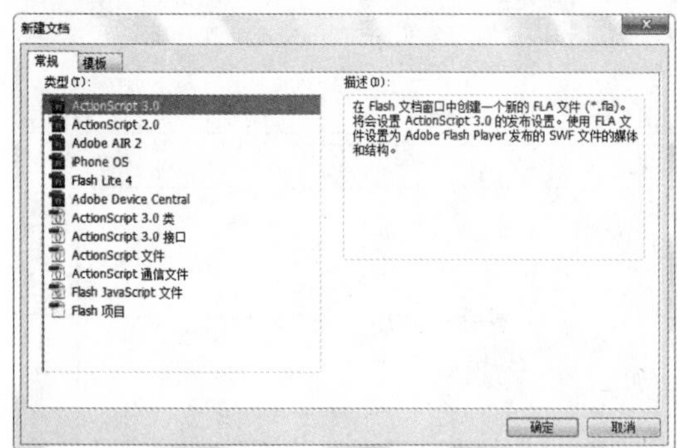

图12-8 “新建文档”对话框

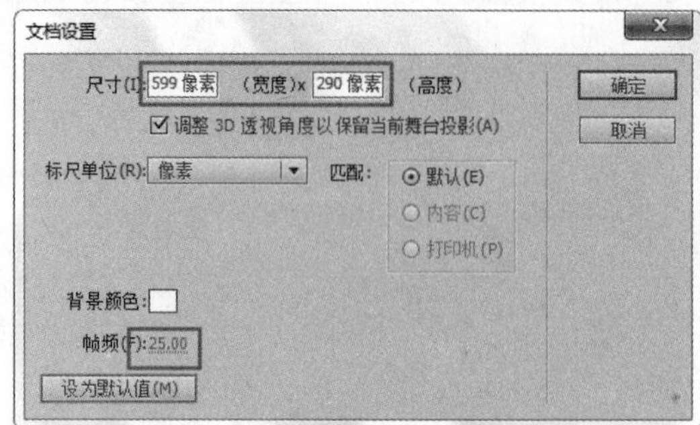

图12-9 “文档设置”对话框

STEP 02 执行【插入】|【创建新元件】命令，弹出“创建新元件”对话框，参数设置如图 12-10 所示。单击“确定”按钮，新建一个影片剪辑元件，在第 116 帧插入关键帧，执行【文件】|【导入】|【导入到舞台】命令，将图像“光盘\源文件\第 12 章\素材\121201.jpg”导入到场景中，如图 12-11 所示。

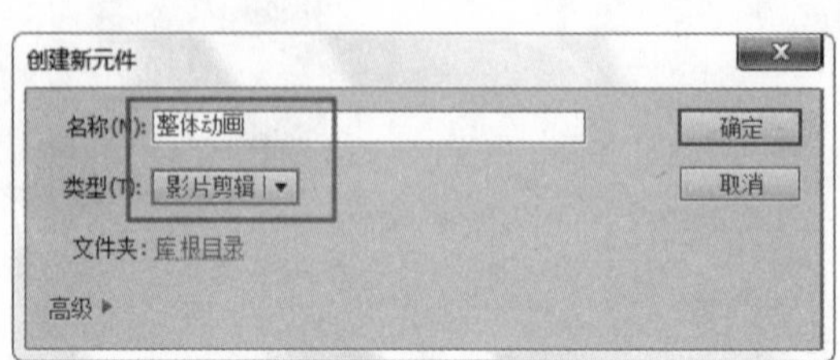

图12-10 “创建新元件”对话框

图12-11 导入图像

STEP 03 在执行【修改】|【转换为元件】命令，弹出“转换为元件”对话框，设置如图 12-12 所示。单击“确定”按钮，将其转换为图形元件，在 306 帧插入帧，新建“图层 2”，如图 12-13 所示。

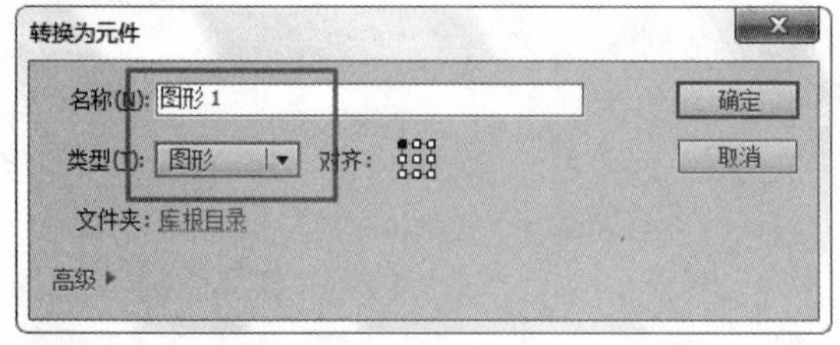

图12-12 “转换新元件”对话框

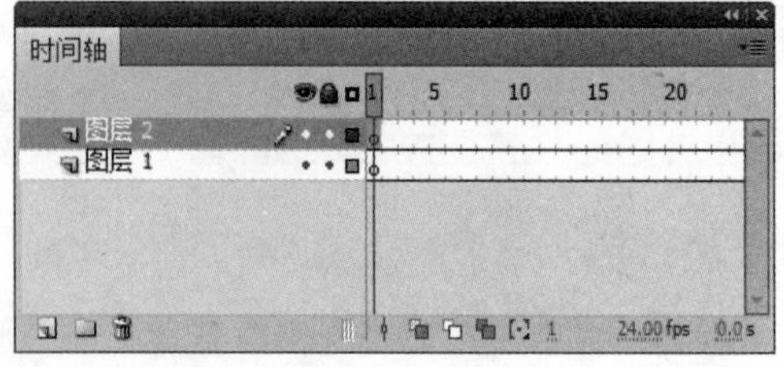

图12-13 “时间轴”面板

Tips

删除帧可以在需要删除帧的起始帧单击，然后按住“Shift”键，同时选择删除帧的结束帧，在任意一帧上单击鼠标右键，在打开的快捷菜单中选择【删除帧】命令即可。

STEP 04 将“图形 1”元件从“库”面板中拖曳到场景中相应的位置，如图 12-14 所示。新建“图层 3”，选择第 1 帧，单击工具箱中的“椭圆工具”按钮，在场景中绘制椭圆，并使用“选择工具”将其变形，如图 12-15 所示。

图12-14　拖入元件

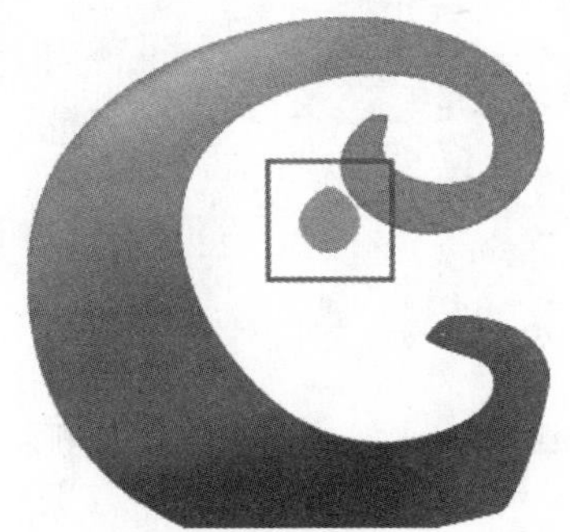

图12-15　绘制形状

STEP 05 在第 10 帧插入关键帧，使用“移动工具”改变图形形状，并调整位置，如图 12-16 所示。相同的方法，分别在第 18 帧、第 27 帧插入关键帧，并调整图形形状，如图 12-17 所示。

图12-16　调整图形形状

图12-17　不同帧图形形状

STEP 06 在“图层 3”上单击鼠标右键，在弹出菜单中选择“遮罩层”选项，创建遮罩动画，“时间轴”效果如图 12-18 所示。相同的制作方法，可以制作出“图层 4”至“图层 8”上的动画内容，“时间轴”效果如图 12-19 所示。

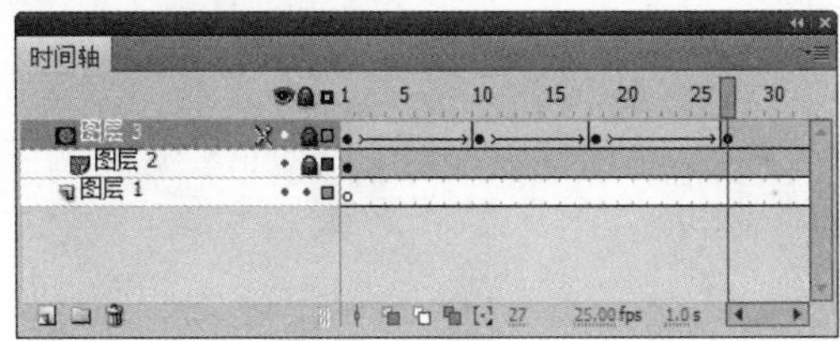

图12-18　“时间轴”面板

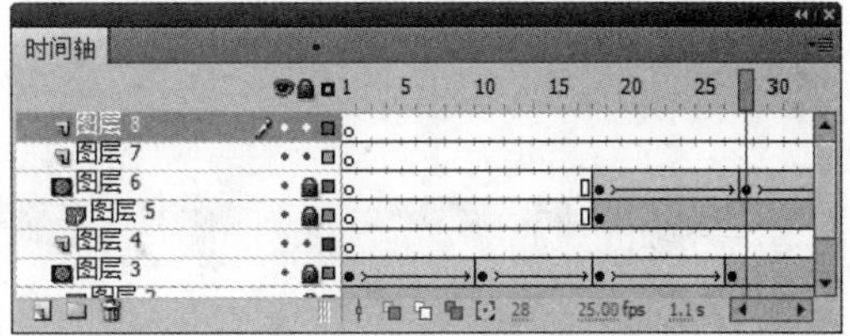

图12-19“时间轴”面板

STEP 07 新建“图层 9”，在 109 帧插入关键帧，单击工具箱中的“文本工具”按钮T，打开“属性”面板，参数设置如图 12-20 所示。设置完成后，在场景中输入文字，如图 12-21 所示。

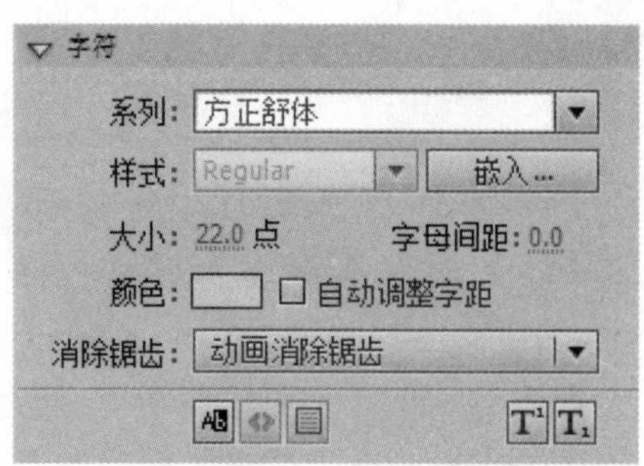

图12-20 设置文字属性

图12-21 文字效果

STEP 08 按快捷键“Ctrl+B”两次，将文字分离成图形，并将其转换为“名称”为“文字”的图形元件，如图 12-22 所示。确认当前选择为第 109 帧，选择“文字”元件，打开“属性”面板，参数设置如图 12-23 所示。

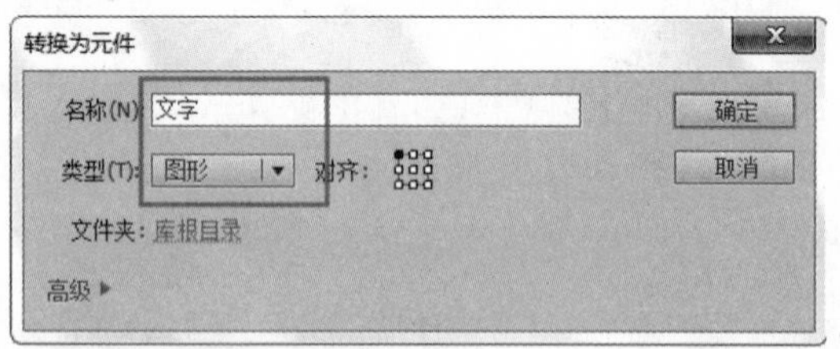

图12-22 “转换为元件”对话框

图12-23 设置Alpha值

STEP 09 在第 180 插入关键帧，打开“属性”面板，设置 Alpha 值为 100%，在第 109 帧单击鼠标右键，在打开的快捷菜单中选择【创建传统补间】命令，创建传统补间动画，如图 12-24 所示。

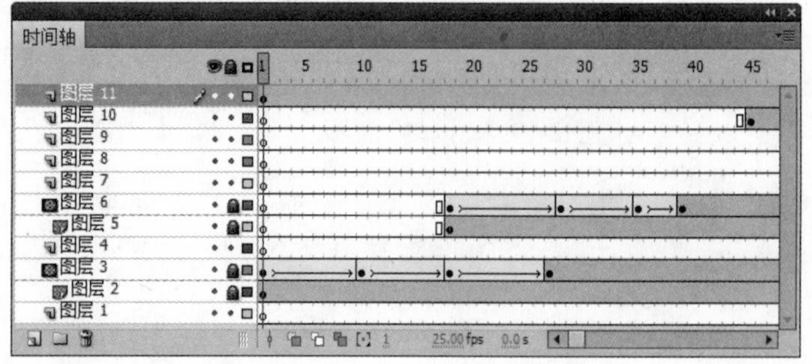

图12-24 “时间轴”面板

STEP 10 相同的方法，制作出其他图层内容，如图 12-25 所示。新建“图层 12”，在 306 帧插入关键帧，执行【窗口】|【动作】命令，打开“动作”面板，输入 gotoAndPlay(1); 脚本语言，如图 12-26 所示。

图12-25 “时间轴”面板

图12-26 输入脚本

STEP 11 回到“场景 1”的编辑状态，单击工具箱中的“矩形工具”按钮，打开“颜色”面板，参数设置如图 12-27 所示。设置完成后，在场景中绘制矩形，效果如图 12-28 所示。

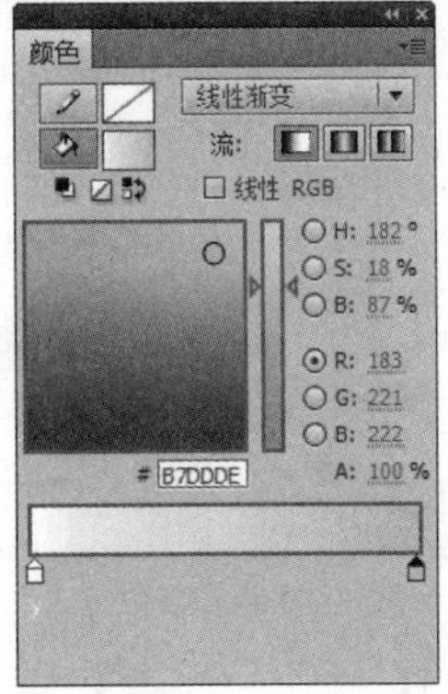

图12-27　“颜色”面板

图12-28　渐变效果

STEP 12 单击工具箱中的“渐变变形工具”按钮，改变渐变角度，效果如图 12-29 所示。新建“图层 2”，将“整体动画”影片剪辑元件拖曳到场景中，如图 12-30 所示。

图12-29　调整渐变角度

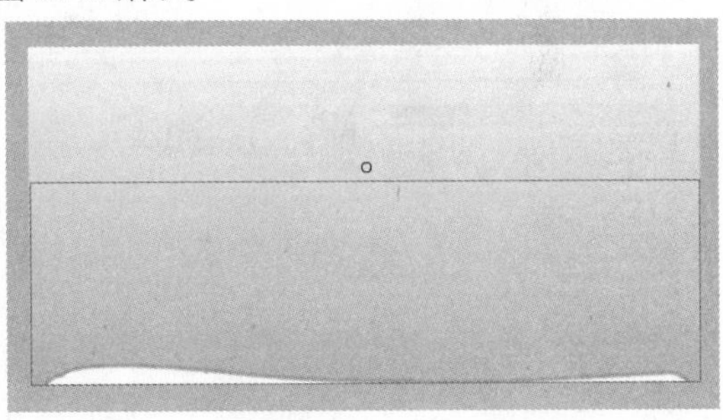

图12-30　拖入元件

STEP 13 完成动画的制作，执行【文件】|【保存】命令，将动画保存为“光盘 \ 源文件 \ 第 12 章 \12-1-2.fla”，按“Ctrl+Enter”快捷键测试影片，预览动画效果如图 12-31 所示。

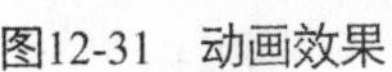

图12-31　动画效果

12.1.3 实例：制作百叶窗变换动画

本实例制作一个百叶窗变换动画，首先绘制矩形，并制作矩形收缩动画，然后新建元件，制作百叶窗动画，最后回到场景导入相应的素材，并将相应的元件拖入到场景中，完成动画的制作，最终效果如

图12-32所示。

源文件：光盘\源文件\第12章\12-1-3.fla

图12-32 动画效果

STEP 01 执行【文件】|【新建】命令，新建一个Flash文档，如图12-33所示。单击“属性”面板上的“编辑”按钮，弹出“文档设置”对话框，参数设置如图12-34所示，单击“确定”按钮，完成文档属性的设置。

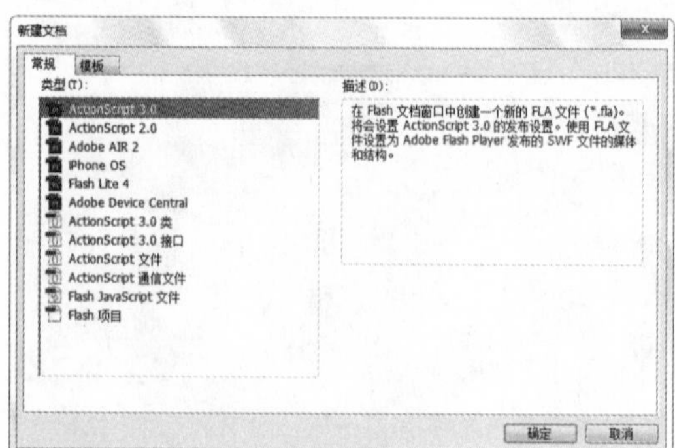

图12-33 “新建文档”对话框

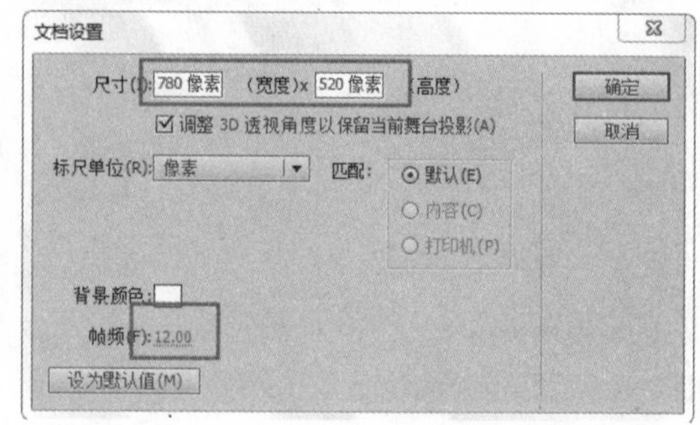

图12-34 “文档设置”对话框

STEP 02 执行【插入】|【新建元件】命令，弹出“创建新元件”对话框，参数设置如图12-35所示。单击“确定”按钮，新建一个影片剪辑元件，单击工具箱中的“矩形工具”按钮，在舞台中绘制一个矩形，如图12-36所示。

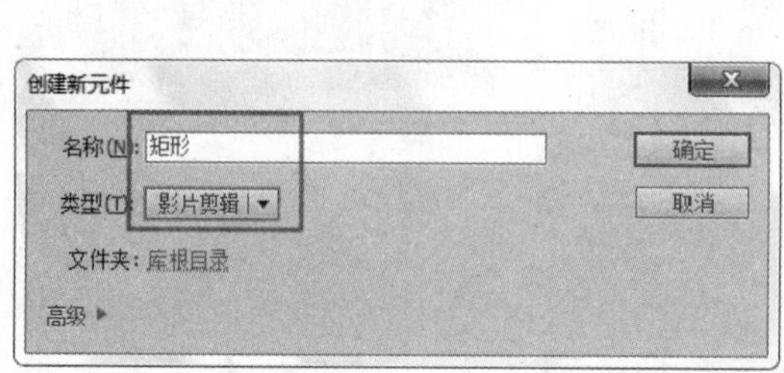

图12-35 “创建新元件”对话框

图12-36 绘制矩形

STEP 03 在第 20 帧插入关键帧，单击工具箱中的“任意变形工具”按钮，调整矩形宽度，如图 12-37 所示。在第 1 到第 20 帧之间任意一帧上单击鼠标右键，在打开的快捷菜单中选择【创建补间形状】命令，“时间轴”面板如图 12-38 所示。

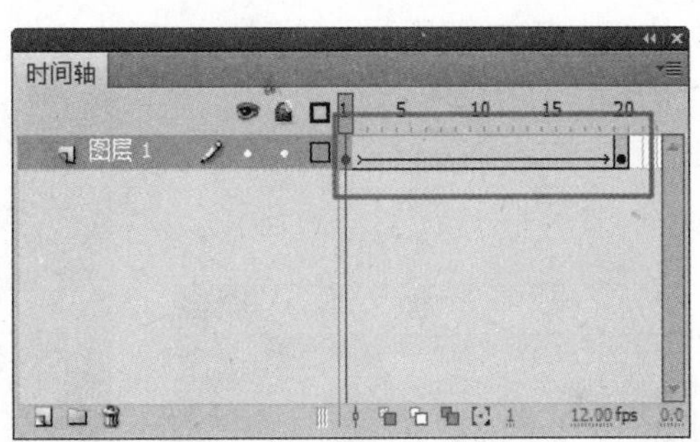

图12-37　调整矩形宽度　　图12-38　“时间轴”面板

STEP 04 新建“图层 2”，在第 21 帧插入空白关键帧，打开“动作”面板，输入 stop(); 脚本语言，如图 12-39 所示，“时间轴”面板如图 12-40 所示。

图12-39　“动作”面板

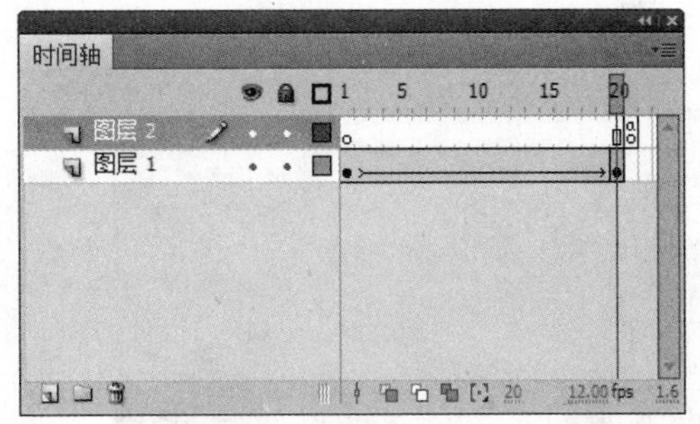

图12-40　“时间轴”面板

STEP 05 执行【插入】|【创建新元件】命令，弹出“创建新元件”对话框，参数设置如图 12-41 所示。单击“确定”按钮，创建一个影片剪辑元件，打开“库”面板，将“矩形”元件拖曳到舞台中，并复制多个，如图 12-42 所示。

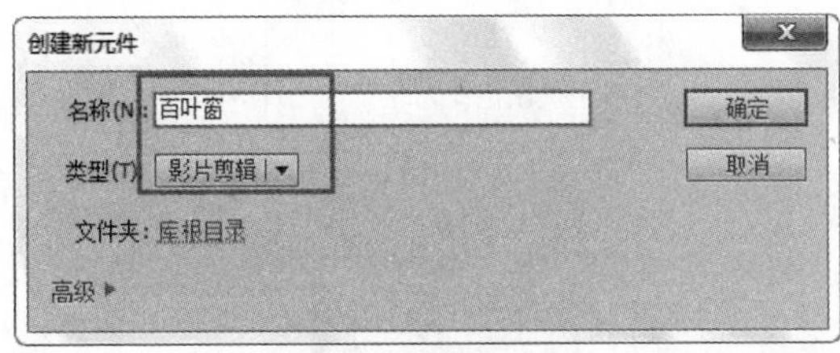

图12-41　“创建新元件”对话框

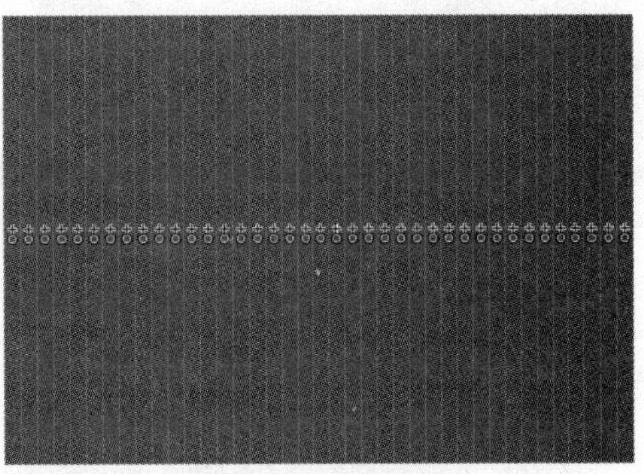

图12-42　拖曳元件并复制

Tips

对拖入到场景中的多个元件进行排列时，可以利用“对齐”面板中的相关选项对元件进行精确排列。

STEP 06 执行【插入】|【新建元件】命令，弹出“创建新元件”对话框，参数设置如图12-43所示。单击“确定”按钮，新建一个影片剪辑元件，执行【文件】|【导入】|【导入到舞台】命令，将图像“光盘\源文件\第12章\素材\121301.jpg”导入到场景中，如图12-44所示。

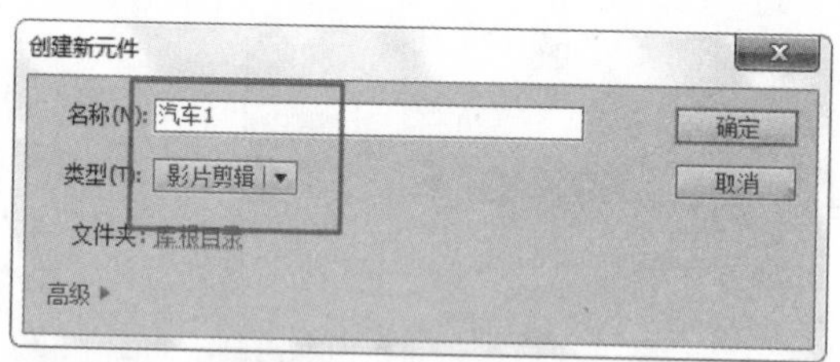

图12-43 “创建新元件”对话框

图12-44 导入图像

STEP 07 新建“图层2”，将图像121302.jpg导入到舞台中，如图12-45所示。新建“图层3”，将“百叶窗”元件从“库”面板拖曳到舞台中，如图12-46所示。

图12-45 导入图像

图12-46 拖入元件

STEP 08 在“图层3”名称处单击鼠标右键，在弹出的快捷菜单中选择【遮罩层】命令，将其设置为遮罩层，如图12-47所示。使用相同的制作方法，制作出其他元件的遮罩动画，如图12-48所示。

图12-47 “时间轴”面板

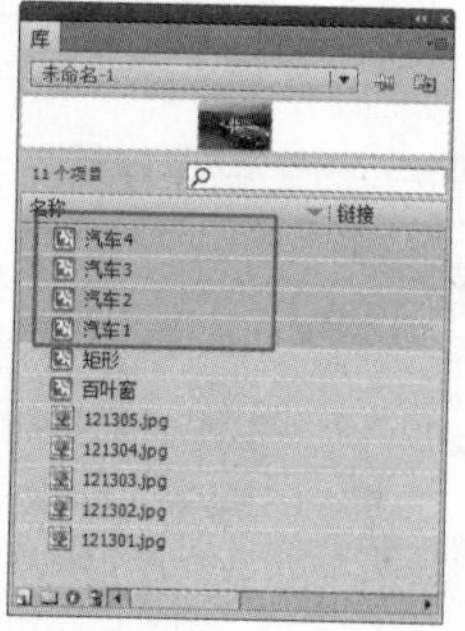

图12-48 “库”面板

Tips

显示区域的“百叶窗”元件位于“图层 3”中，由于该元件的存在，将会显示图层 2 的图像，但“百叶窗”元件越接近第 20 帧，百叶窗效果就日趋淡化，随之显示隐藏在后面的“图层 1”图像，观察后发现，“图层 2”中的图像此时已转换为“图层 1”图像。

STEP 09 返回到“场景 1”的编辑状态，将“汽车 1”元件从“库”面板拖曳到场景中，如图 12-49 所示。在第 20 帧插入空白关键帧，将“汽车 2”元件从“库”面板拖曳到场景中，如图 12-50 所示。

图12-49　拖曳元件

图12-50　拖曳新元件

STEP 10 分别在第 40 帧、第 60 帧插入空白关键帧，并拖入相应的元件，在第 80 帧插入帧，延长帧长度，如图 12-51 所示。

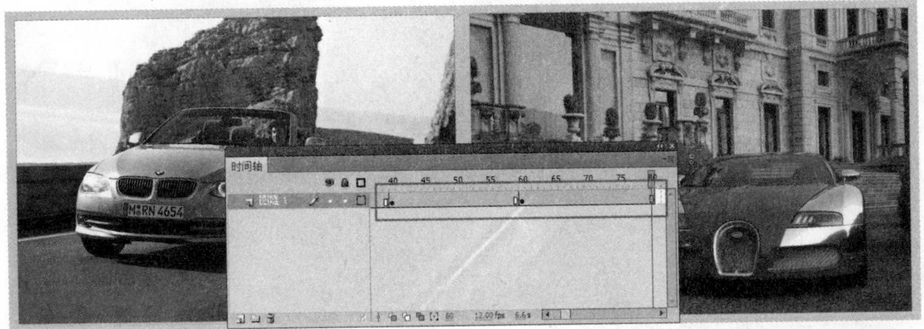

图12-51　拖入元件效果

STEP 11 完成动画的制作，执行【文件】|【保存】命令，将动画保存为“光盘\源文件\第 12 章\12-1-3.fla”，按“Ctrl+Enter”快捷键测试影片，预览动画效果如图 12-52 所示。

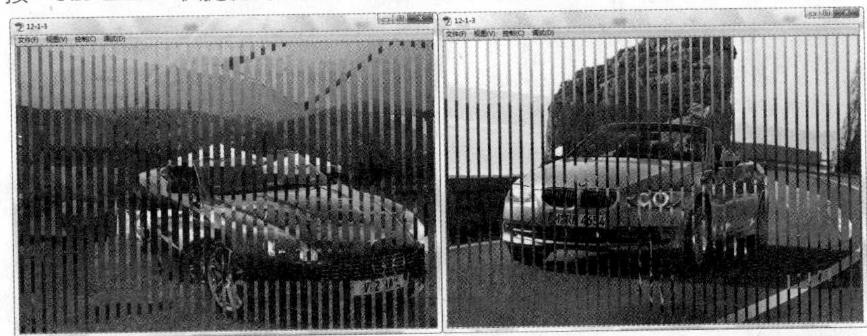

图12-52　动画效果

12.2 引导层动画

创建补间动画后，会自动生成引导线，并且可以自由改变引导线。如果创建的动画为传统补间动画，则必须使用绘图工具绘制路径后，将对象紧贴开始帧的开头，将对象拖曳到结束帧的结尾。本节将对引导层的相关知识进行讲解。

12.2.1 引导层动画的概念

引导层动画需要两个图层，即绘制路径的图层，以及在起始和结束位置应用传统补间动画的图层。引导层可以在绘图时帮助对象对齐，使其他图层上的对象与在引导层上创建的对象对齐。引导层不能导出，因此不会显示在发布的SWF文件中。任何图层都可以使用引导层，当一个图层为引导层后，图层名称左侧的辅助线图标表明该层是引导层，如图12-53所示。

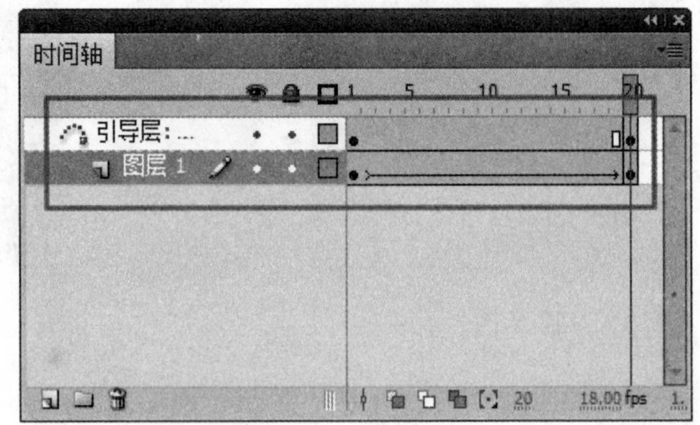

图12-53 "时间轴"面板

Tips

对象的中心必须与引导线相连，如果对象的中心没有和引导线连接起来，对象就不能沿着引导线自由运动，位于运动起始位置的对象的中心通常会自动连接到引导线，结束位置的要素必须通过手动方式连接到引导线。

12.2.2 创建引导层动画

了解了引导层的概念后，下面对创建引导层动画的方法进行讲解，创建引导层的方法有两种，一是直接选择一个图层，执行【添加传统运动引导层】命令，一是先执行【引导层】命令，使其自身变成引导层，再将其他图层拖曳到引导层中，使其归属于引导层。

创建引导层

引导层起到辅助静态对象定位的作用，无须使用被引导层，可以单独使用，层上的内容不会被输出，和辅助线作用差不多。

创建运动引导层

打开一个创建好的对象，选择"图层1"，在该图层名称处单击鼠标右键，在弹出的快捷菜单中选择【添加传统运动引导层】命令，如图12-54所示。

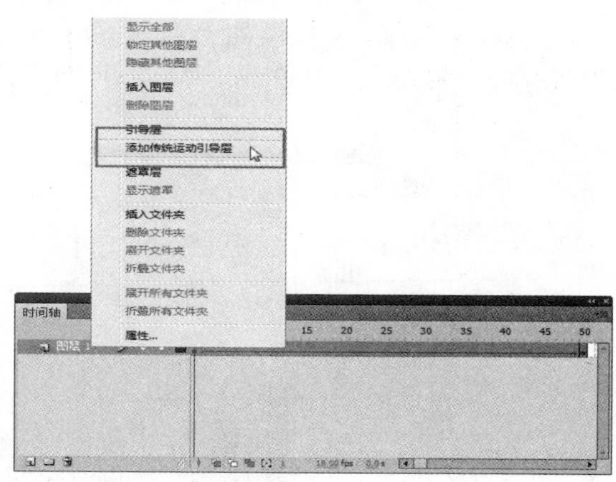

图12-54　选择相应选项

选择了该选项后，会自动添加引导层，此时在该引导层中绘制对象运动的路径，对象会自动移动到该路径的起点，如图12-55所示。选择传统补间动画的结束帧，这里是第50帧，然后将对象元件的中心点放置在引导线的结束位置，如图12-56所示。此时对象元件将会沿着引导线移动。

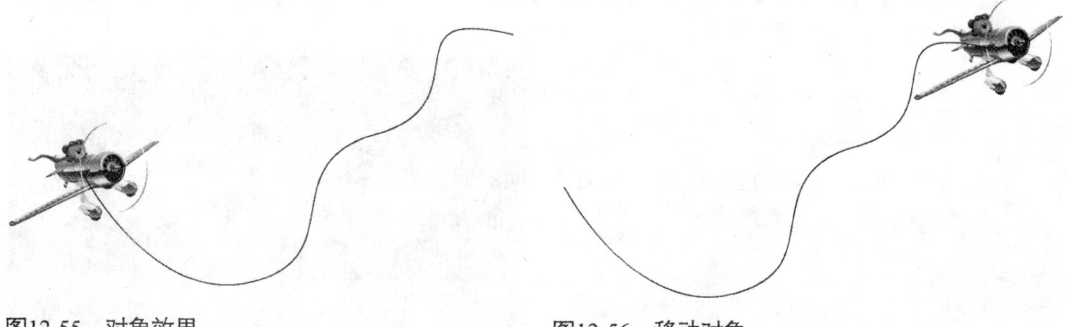

图12-55　对象效果

图12-56　移动对象

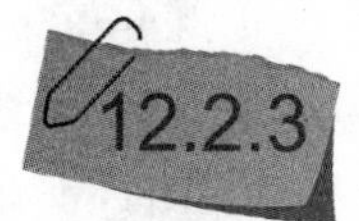

12.2.3 应用实例：制作汽车登场动画

本实例制作汽车登场动画，首先新建元件，导入素材图像，然后打开“外部库”，导入相应的元件，并制作引导层动画，最后返回到场景中导入场景图像，拖入元件，完成动画的制作，最终效果如图12-57所示。

图12-57　动画效果

源文件：光盘\源文件\第 12 章\12-2-3.fla

教学视频：光盘\视频\第 12 章\12-2-3.swf

STEP 01 执行【文件】|【新建】命令，新建一个 Flash 文档，如图 12-58 所示。单击“属性”面板上的“编辑”按钮，弹出“文档设置”对话框，参数设置如图 12-59 所示，单击“确定”按钮，完成“文档属性”的设置。

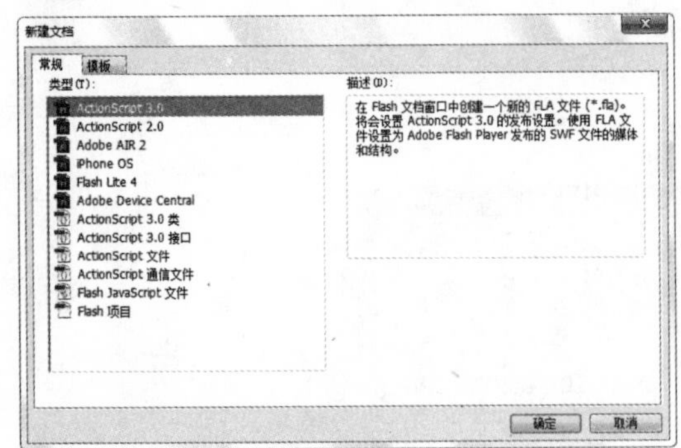

图12-58 “新建文档”对话框

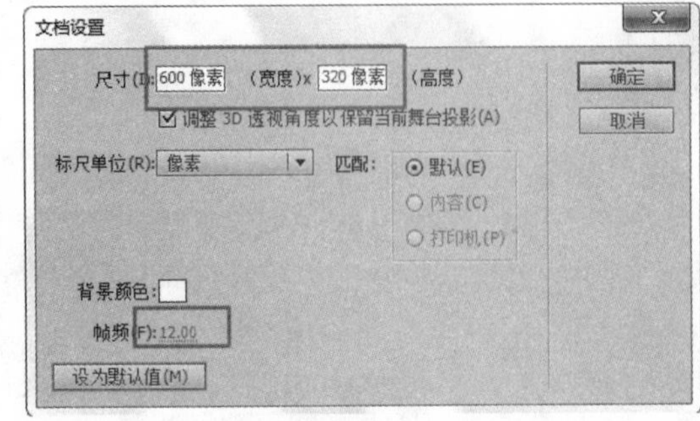

图12-59 “文档设置”对话框

STEP 02 执行【插入】|【创建新元件】命令，弹出“创建新元件”对话框，参数设置如图 12-60 所示。执行【文件】|【导入】|【导入到舞台】命令，将图像“光盘\源文件\第 12 章\素材\122301.jpg”导入到场景中，如图 12-61 所示。

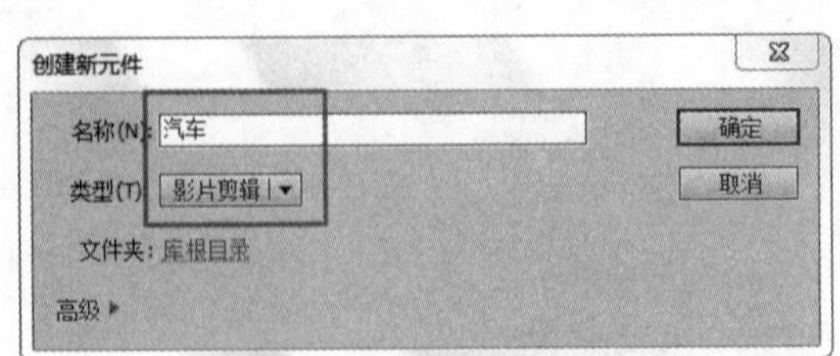

图12-60 “创建新元件”对话框

图12-61 导入素材图像

STEP 03 执行【文件】|【导入】|【打开外部库】命令，打开外部库“光盘\源文件\第 12 章\素材\12-2-3-1.fla”，如图 12-62 所示。新建“图层 2”，将外部库中的“M：圆”元件拖曳到场景中的相应位置，如图 12-63 所示。

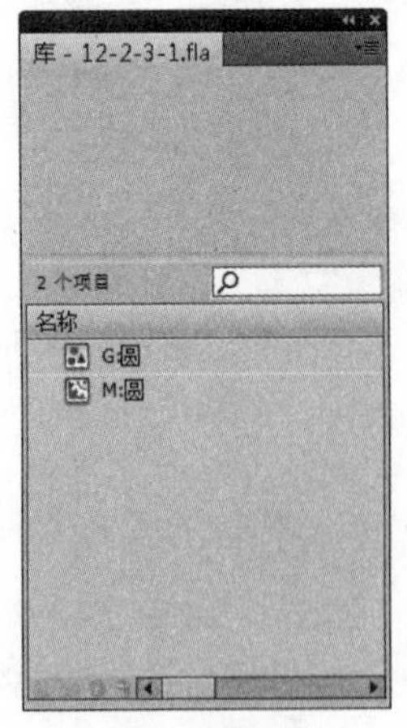

图12-62 外部库

图12-63 拖入元件

“M：圆”用于显示图像的区域。利用引导层时，圆出现在影片剪辑内部的多个地方。将“M：圆”放在待显示图像的上方，然后设置遮罩，这样就能看到汽车的登场效果。

STEP 04 双击“M：圆”元件，进入该元件的编辑状态，执行【视图】|【预览模式】|【轮廓】命令，将所有图层以轮廓显示，如图 12-64 所示。选择“图层 1”的第 1 帧，将“G：圆”图形元件从外部库中拖拽到场景中的相应位置，如图 12-65 所示。

图12-64　轮廓显示

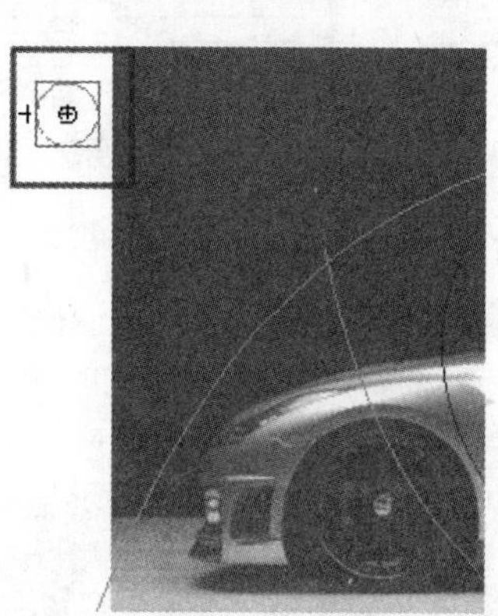

图12-65　拖入元件

STEP 05 在第 20 帧插入关键帧，使用“选择工具”移动“G：圆”图形元件到相应的位置，如图 12-66 所示。执行【视图】|【预览模式】|【消除文字锯齿】命令，回到最初的显示状态，如图 12-67 所示。

图12-66　移动元件

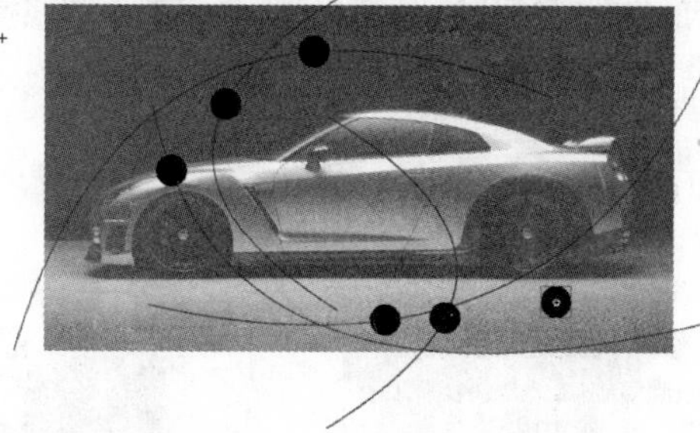

图12-67　恢复显示

STEP 06 在第 25 帧插入关键帧，单击工具箱中的“任意变形工具”按钮，将圆形放大，如图 12-68 所示。分别在第 1 帧和第 20 帧单击鼠标右键，在打开的快捷菜单中选择【创建传统补间】命令，如图 12-69 所示。

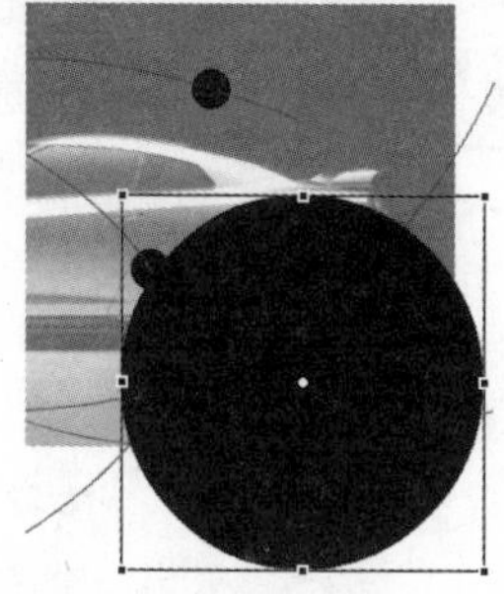

图12-68　移动元件

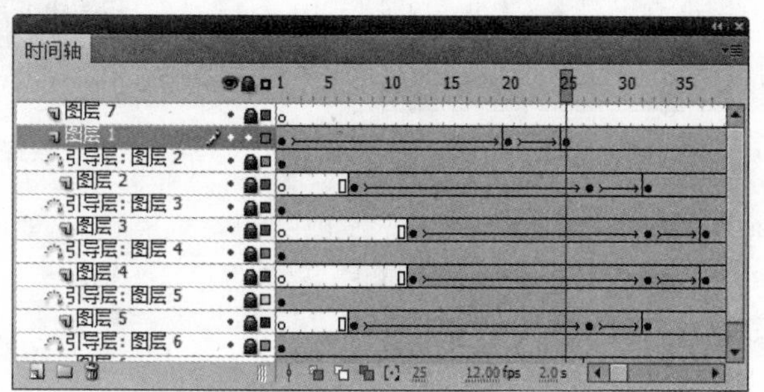

图12-69　“时间轴”面板

STEP 07 右键单击“图层 1”名称处，在打开的快捷菜单中选择“添加传统运动引导层”选项，添加引导层，如图 12-70 所示。单击工具箱中的“钢笔工具”按钮，在场景中绘制直线，如图 12-71 所示。

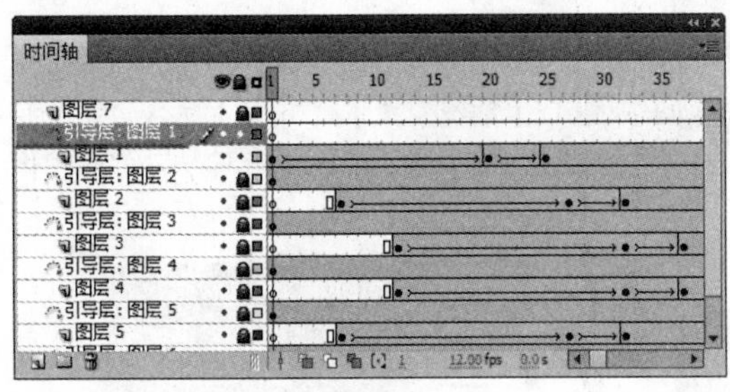

图12-70 “时间轴”面板

图12-71 绘制直线

STEP 08 使用“选择工具”将直线调整为曲线线条，并调整第 1 帧、第 20 帧和第 25 帧处元件的中心点到引导线的起始和结束位置，如图 12-72 所示。返回到“汽车”影片剪辑元件的编辑状态，如图 12-73 所示。

图12-72 设置引导层线条

图12-73 回到元件编辑状态

STEP 09 使用鼠标右键单击“图层 2”名称处，在打开的快捷菜单中选择【遮罩层】命令，创建遮罩层，如图 12-74 所示。返回“场景 1”编辑状态，执行【文件】|【导入】|【导入到舞台】命令，将图像“光盘\源文件\第 12 章\素材\122302.jpg”导入到场景中，如图 12-75 所示。

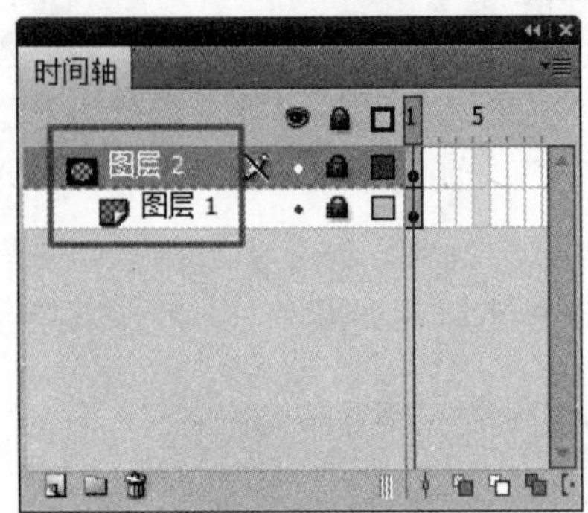

图12-74 “时间轴”面板

图12-75 场景效果

STEP 10 新建“图层 2”，将“汽车”影片剪辑元件拖曳到场景中，完成动画的制作，执行【文件】|【保存】命令，将动画保存为“光盘\源文件\第 12 章\12-2-3.fla”，按“Ctrl+Enter”快捷键测试影片，预览动画效果如图 12-76 所示。

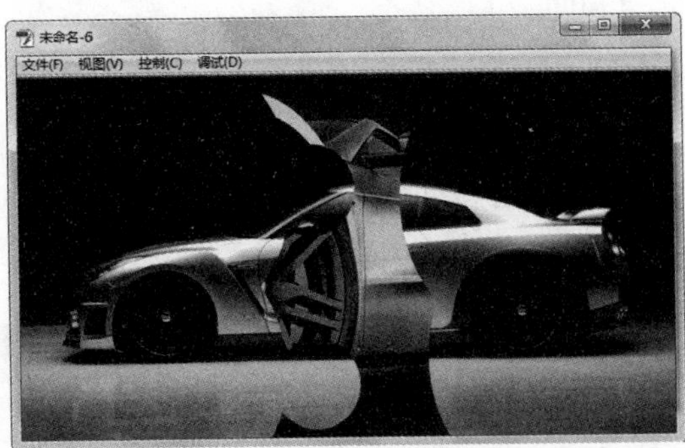

图12-76　动画效果

12.3 总结扩展

Flash动画归根结底就是“遮罩+补间动画+逐帧动画…”与元件（主要是影片剪辑）的混合物，通过这些元素的不同组合，从而可以创建千变万化的效果。

一个好的Flash动画具备了多种动画类型，通过不同的创意思维的结合，才能达到不同网站视觉上的冲击效果。

12.3.1 本章小结

本章主要讲解了高级动画的制作方法与技巧，根据动画制作风格的不同，所使用的动画类型也不同。希望读者通过本章的学习，能够将学过的知识综合起来，结合本章所学到的动画类型，制作出独特的Flash动画效果。

12.3.2 举一反三——制作卷轴动画

案例文件：	光盘\源文件\第12章\12-3.fla
素材文件：	光盘\源文件\第12章\12301.jpg、12502.png
视频文件：	光盘\视频\第12章\12-3.swf
难易程度：	★★☆☆☆
学习时间：	15分钟

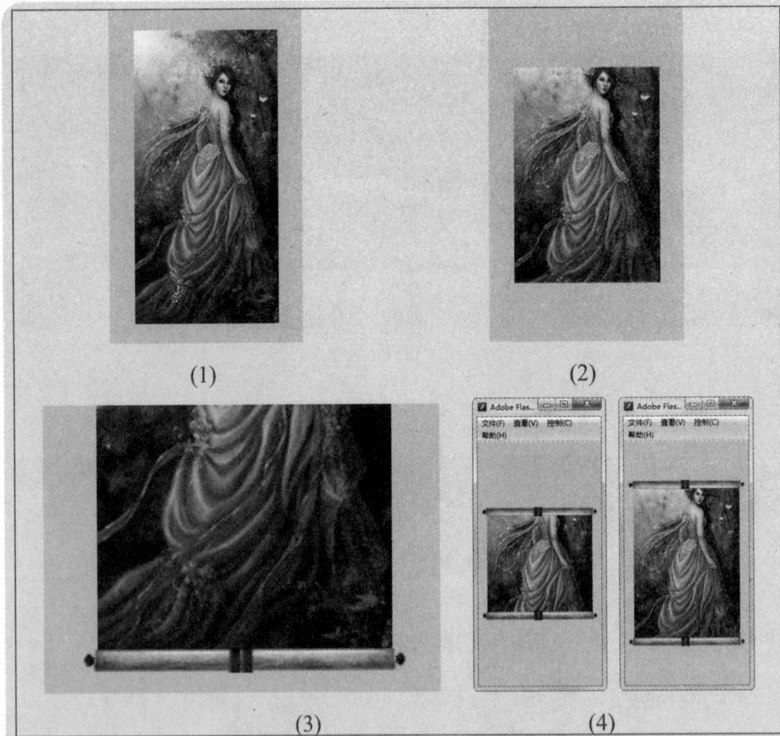

(1) (2) (3) (4)

（1）新建Flash文档，设置合适的文档属性，并导入素材图像。

（2）新建图层，使用“矩形工具”绘制遮罩图形，并制作遮罩动画。

（3）导入素材图像，并将其转换为元件，在主场景中制作卷轴动画。

（4）相同方法，制作另一半卷轴动画，完成动画的制作，测试动画。

第13章 骨骼运动和3D动画

在Flash CS4中新增的骨骼工具和3D工具在Flash CS5中得到了强化，操作起来更加方便。本章将针对使用骨骼工具制作二足动画和使用3D工具制作旋转和平移动画进行学习。通过学习，读者可以使用Flash轻松完成人物奔跑、跳跃等动画效果，还能制作出具有强烈立体空间感的动画效果。

本章学习要点

- 掌握骨骼工具的使用
- 掌握线条的使用
- 掌握骨骼形状的基本编辑方法
- 能够使用骨骼工具创建动画
- 掌握3D旋转工具的使用
- 掌握3D平移工具的使用

实例名称：使用骨架制作皮影动画

源 文 件：光盘\源文件\第13章\13-1-2.fla

教学视频：光盘\视频\第13章\13-1-2.swf

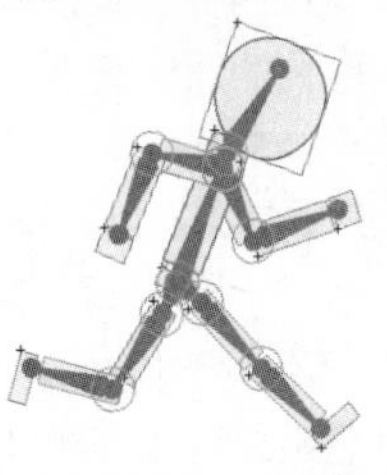

实例名称：使用元件创建骨骼系统

源 文 件：光盘\源文件\第13章\13-1-1.fla

教学视频：光盘\视频\第13章\13-1-1.swf

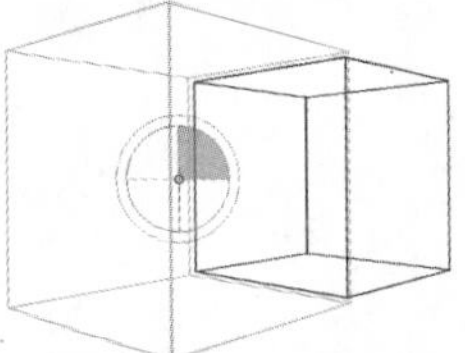

实例名称：举一反三——制作立体三维旋转动画

源 文 件：光盘\源文件\第13章\13-3-2.fla

教学视频：光盘\视频\第13章\13-3-2.swf

13.1 关于反向运动

反向运动 (IK) 是一种使用骨骼的有关结构对一个对象或彼此相关的一组对象进行动画处理的方法。使用骨骼工具，只需做很少的设计工作，就可以使元件实例和形状对象按复杂而自然的方式移动。例如通过反向运动可以更加轻松地创建人物动画，如胳膊、腿和面部表情。

可以向单独的元件实例或单个形状的内部添加骨骼。在一个骨骼移动时，与运动的骨骼相关的其他连接骨骼也会移动。使用反向运动进行动画处理时，只需指定对象的开始位置和结束位置即可。通过反向运动，可以更加轻松地创建自然的运动。

13.1.1 创建骨骼动画

在Flash CS5中，可以通过骨骼系统和反向运动工具为一系列独立的元件添加骨骼，轻松制作类似于图形链的动画效果。

在 Flash 中可以按两种方式创建骨骼系统。第一种方式是，添加骨骼，将实例与其他实例连接在一起，用关节连接一系列的元件实例。骨骼允许元件实例一起移动。例如可能创建一组影片剪辑，其中的每个影片剪辑都表示人体的不同部分。通过将躯干、上臂、下臂和手链接在一起，可以创建逼真的胳膊。可以创建一个分支骨架，以包括两个胳膊、两条腿和头。

Flash CS5包括两个用于处理反向运动的工具。使用骨骼工具可以向元件实例和形状添加骨骼。使用绑定工具可以调整形状对象的各个骨骼和控制点之间的关系。

为图形添加骨骼系统后，可以在“属性”面板中对IK骨架进行设置，如图13-1所示。

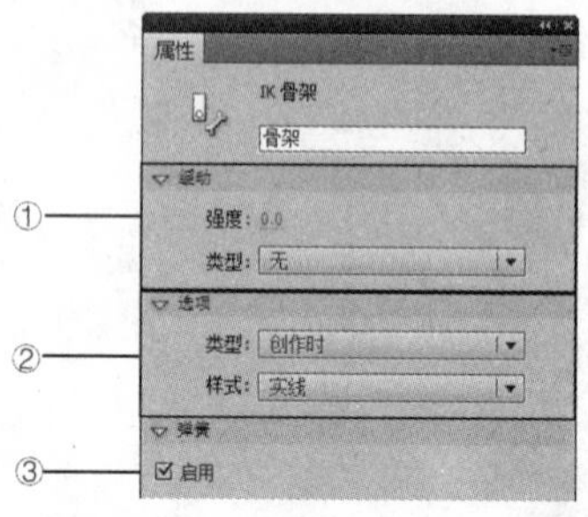

图13-1　IK“属性”面板

①缓动	使用缓动可以控制动画中某一帧上的动画速度，实现加速和减速动画效果。 ● 强度：默认强度是 0，即表示无缓动。最大值是 100，实现加速运动。最小值是 -100，实现减速运动。 ✓ 无 简单（慢） 简单（中） 简单（快） 简单（最快） 停止并启动（慢） 停止并启动（中） 停止并启动（快） 停止并启动（最快） 图13-2　缓动 ● 类型：可用的缓动包括4个简单缓动和4个停止并启动缓动，如图13-2所示。

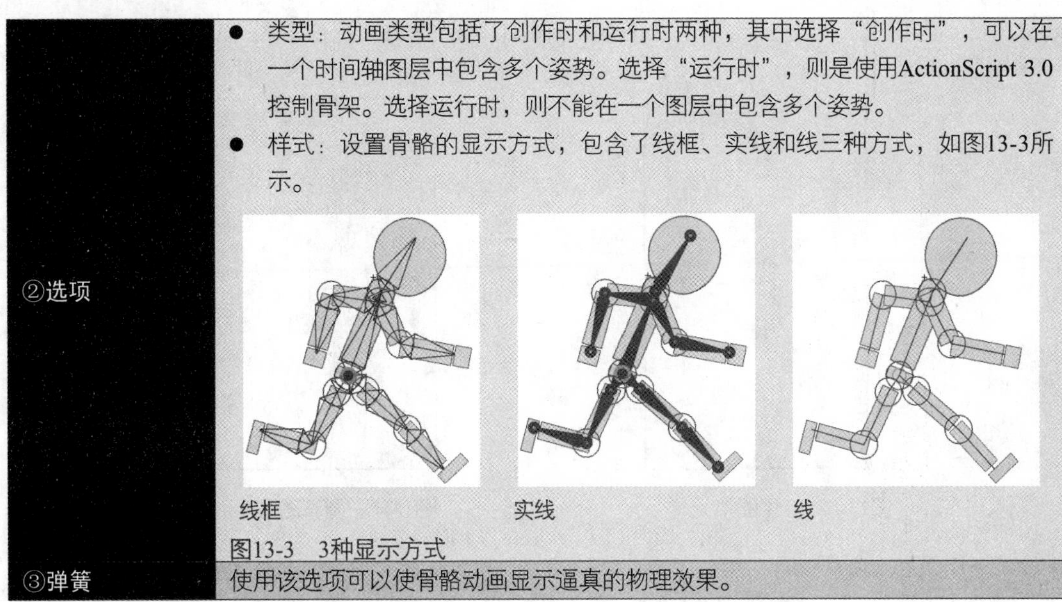

②选项	● 类型：动画类型包括了创作时和运行时两种，其中选择“创作时”，可以在一个时间轴图层中包含多个姿势。选择“运行时”，则是使用ActionScript 3.0控制骨架。选择运行时，则不能在一个图层中包含多个姿势。 ● 样式：设置骨骼的显示方式，包含了线框、实线和线三种方式，如图13-3所示。 线框　实线　线 图13-3　3种显示方式
③弹簧	使用该选项可以使骨骼动画显示逼真的物理效果。

Tips

“骨骼工具”需要在 ActionScript 3.0 的文件中才能够执行，而且不能够任意在不同的图层之间移动关键帧，只能适用于发生在同一个图层的动作，例如走路、骑车等。不适合应用于需要在不同图层之间调整的动画，例如转头、转身。

应用实例：实例元件创建骨骼系统

骨骼系统也称为骨架。在父子层次结构中，骨架中的骨骼彼此相连。骨架可以是线性的或分支的，源于同一骨骼的骨架分支称为同级，骨骼之间的连接点称为关节。

源 文 件：光盘 \ 源文件 \ 第 13 章 \13-1-1.fla

教学视频：光盘 \ 视频 \ 第 13 章 \13-1-1.swf

STEP 01 执行【文件】|【新建】命令，弹出“新建文档”对话框，如图 13-4 所示，单击“确定”按钮，新建一个 Flash 文档。使用“椭圆工具”和“矩形工具”在场景中绘制如图 13-5 所示的图形。

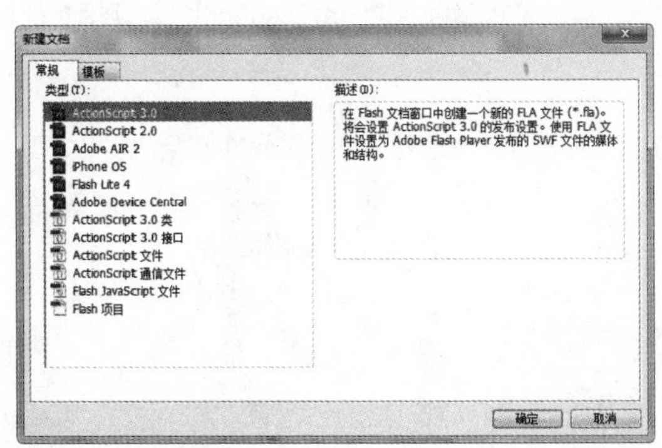

图13-4　新建文档

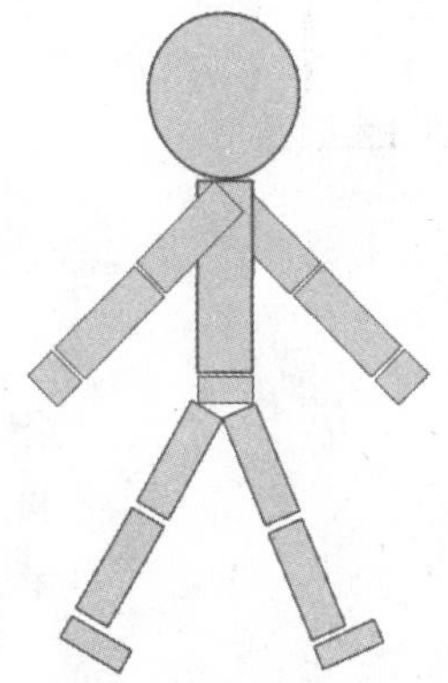

图13-5　绘制图形

STEP 02 分别选中图形，按“F8”键将其转化为“图形”元件，效果如图 13-6 所示。

STEP 03 单击工具箱中的“任意变形工具”按钮，分别选中图形元件，调整其中心点位置到元件顶部，效果如图 13-7 所示。

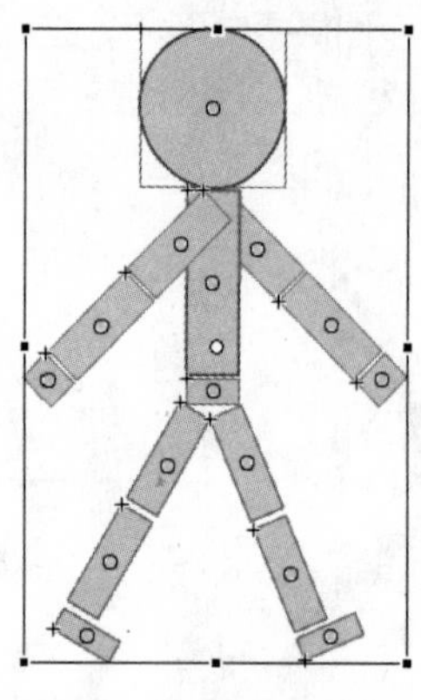

图13-6　转化图形元件

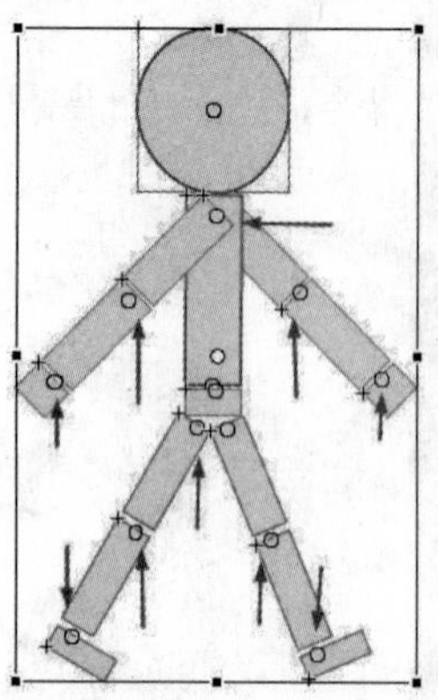

图13-7　调整图形中心

Tips

和传统补间动画一样，在进行动作的设置之前，要确定中心点的位置。单击工具箱中的“任意变形工具”按钮后，骨骼会隐藏，剩下骨骼的关节点，也就是元件的中心点，将中心点调整到关节弯曲的位置上。

STEP 04 单击工具箱中的“骨骼工具”按钮，选中臀部元件，按下左键向上拖骼，创建如图 13-8 所示的骨骼。按下鼠标继续创建骨骼，效果如图 13-9 所示。

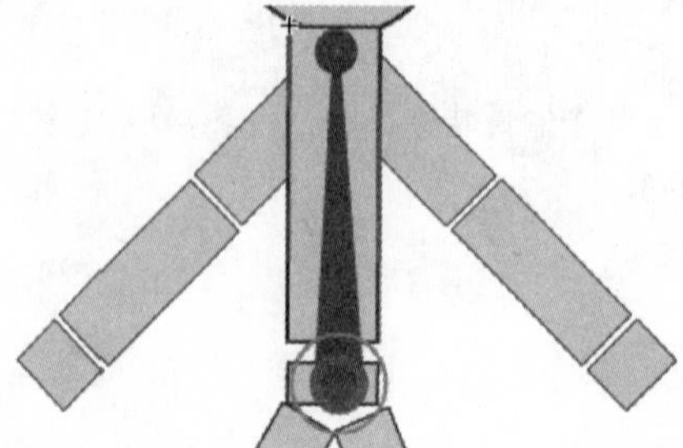

图13-8　创建躯干骨骼

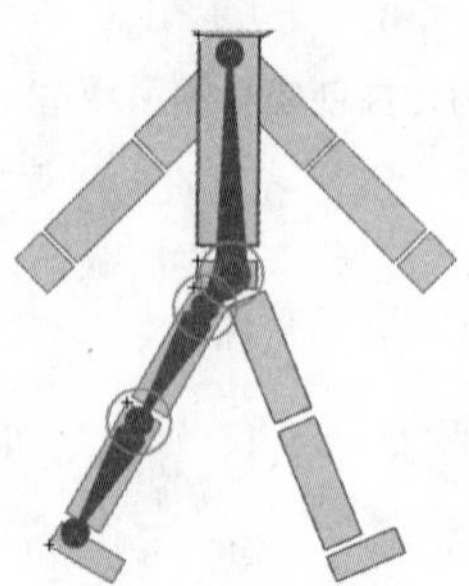

图13-9　创建腿部骨骼

Tips

如果希望修改骨骼的长度，则可以使用“直接选择工具”选中元件，调整元件的中心点位置，则骨骼的长度就会根据中心点的位置发生变化。

STEP 05 继续创建骨骼系统，将腿部元件依次链接，如图 13-10 所示，将手臂元件链接，效果如图 13-11 所示。

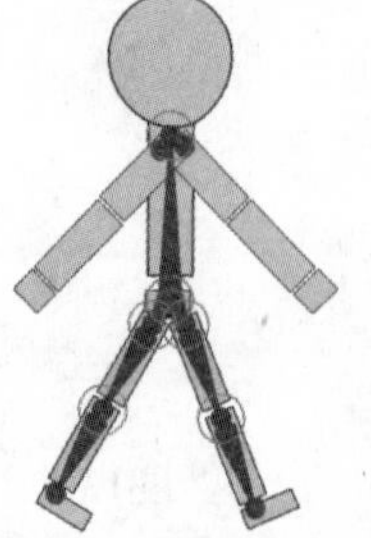

图13-10　创建腿部骨骼

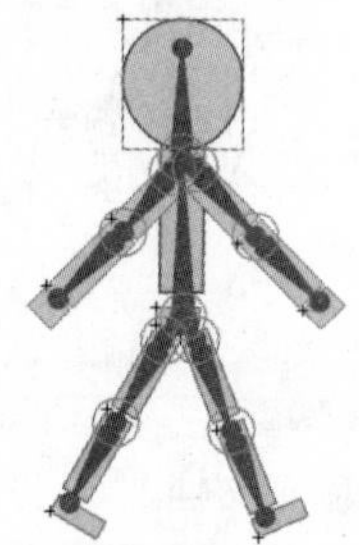

图13-11　创建手臂骨骼

STEP 06 使用“选择工具”调整骨骼系统，效果如图 13-12 所示。在第 20 帧位置单击右键，选择【插入姿势】命令，使用选择工具调整骨骼系统，效果如图 13-13 所示。

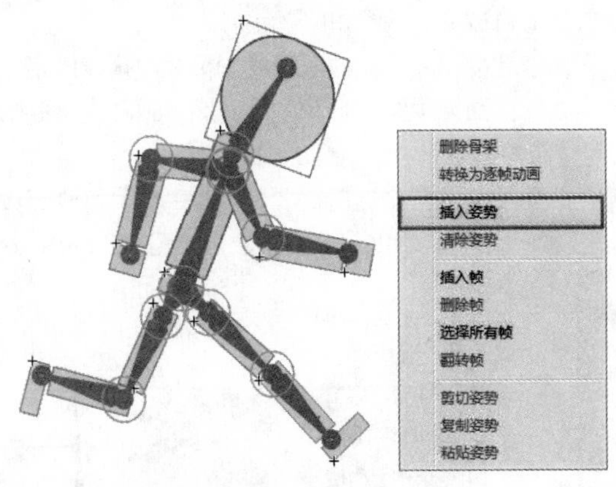

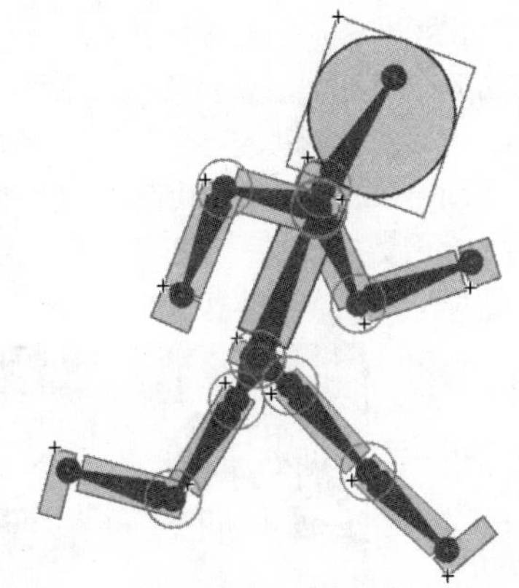

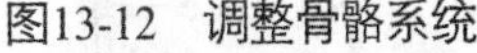

图13-12 调整骨骼系统

图13-13 插入姿势并调整骨骼系统

STEP 07 按下“Ctrl”键，选中第 1 帧上的对象，单击鼠标右键，选择【复制姿势】命令，如图 13-14 所示。在第 40 帧位置插入姿势，并执行【粘贴姿势】命令，时间轴效果如图 13-15 所示。

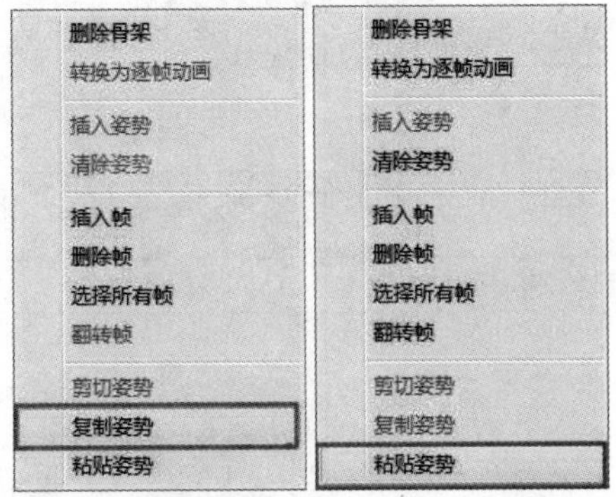

图13-14 复制姿势

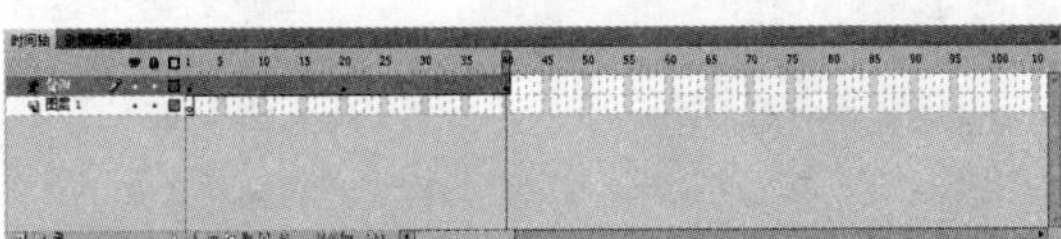

图13-15 粘贴姿势及时间轴效果

调整骨骼系统时，除了要注意姿势以外，还要注意使用【排列】命令控制元件的层次，使用“任意变形工具”调整元件的角度。

STEP 08 将动画保存为“光盘\源文件\第 13 章\13-1-1.fla”。按快捷键“Ctrl+Enter”测试动画，动画效果和时间轴效果如图 13-16 所示。

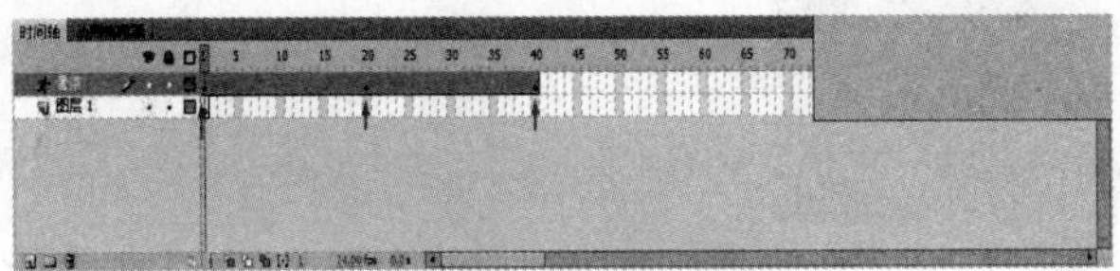

图13-16 测试效果及时间轴效果

使用“骨骼工具”连接元件的时候，没有限制要将元件放在同一个图层中，或是不同的图层上，因为用“骨骼工具”连接元件之后，骨骼与受控制的元件会放到一个新的图层上，并且会改变该图层的显示。

第二种方式是向形状对象的内部添加骨架。可以在合并绘制模式或对象绘制模式中创建IK形状。通过骨骼，可以移动形状的各个部分并对其进行动画处理，而无须绘制形状的不同版本或创建补间形状。例如可能向简单的蛇图形添加骨骼，以使蛇逼真地移动和弯曲。

在制作骨骼动画时，并不是所有骨骼都是一样的角度和方向。这就需要分别对每个骨骼进行设置。使用“选择工具”选中需要调整的骨骼，在“属性”面板中将显示IK骨骼的参数，如图13-17所示。

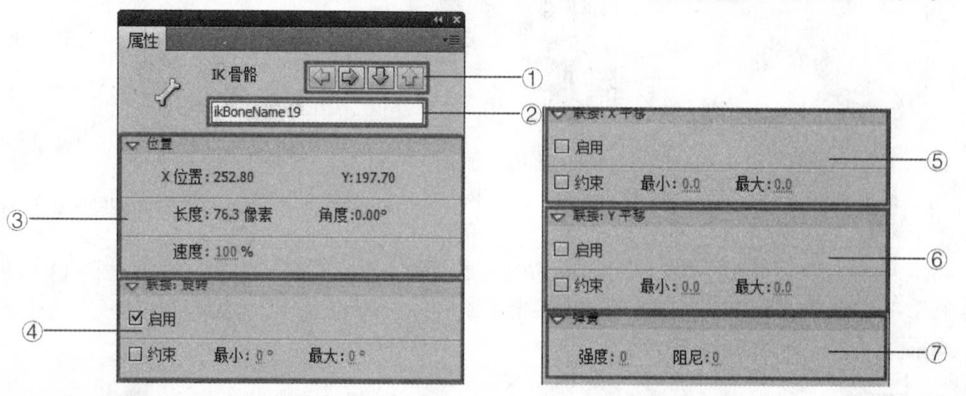

图13-17　IK骨骼参数

①级别	如果想要选择相邻的骨骼，可以单击“属性”面板上的上一个同级、下一个同级、父级和子级按钮。
②实例名称	此处可以命名该骨骼的名称，以方便选择和控制。
③位置	X/Y位置：显示了当前骨骼的位置坐标。 长度：显示当前骨骼的长度。 角度：显示当前骨骼的角度。 速度：设置骨骼的粗细效果，可以限制骨骼的运动速度。
④链接：旋转	● 启用：骨骼可以围绕其父连接，以及x和y轴旋转。 ● 约束：规定选择的最小度数和最大度数。
⑤链接：X平移	● 启用：骨骼可以沿X轴平移。 ● 约束：骨骼X轴平移的最小值和最大值。
⑥链接：Y平移	● 启用：骨骼可以沿Y轴平移。 ● 约束：骨骼Y轴平移的最小值和最大值。
⑦弹簧	可将弹簧属性添加到 IK骨骼中。骨骼的“强度”和“阻尼”属性通过将动态物理集成到骨骼 IK系统中，使IK 骨骼体现真实的物理移动效果。借助这些属性，可以更轻松地创建更逼真的动画。“强度” 和“阻尼”属性可使骨骼动画效果逼真，并且动画效果具有高可配置性。最好在向姿势图层添加姿势之前设置这些属性。 ● 强度：弹簧强度。值越高，创建的弹簧效果越强。 ● 阻尼：弹簧效果的衰减速率。值越高，弹簧属性减小得越快。如果值为 0，则弹簧属性在姿势图层的所有帧中保持其最大强度。

应用实例：图形元件创建骨骼系统

通过为图形添加骨骼系统，可以制作图形的变形动画，完成更丰富的动画效果。

源文件：光盘\源文件\第13章\13-1-1-2.fla

教学视频：光盘\视频\第13章\13-1-1-2.swf

STEP 01 执行【文件】|【新建】命令，新建一个ActionScript 3.0文档。使用绘图工具在场景中绘制如图13-18所示的图形。

STEP 02 单击“骨骼工具”按钮，在图形上创建如图13-19所示的骨骼。

图13-18　绘制图形

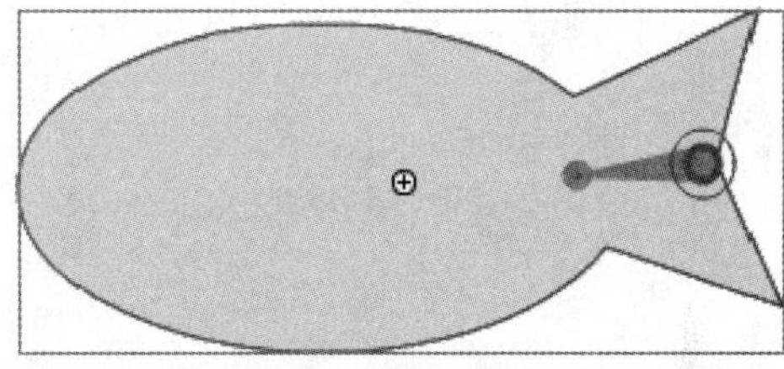

图13-19　创建骨骼

STEP 03 为图形添加骨骼系统，完成效果如图13-20所示。在时间轴第15帧位置单击鼠标右键，选择【插入姿势】命令，如图13-21所示。

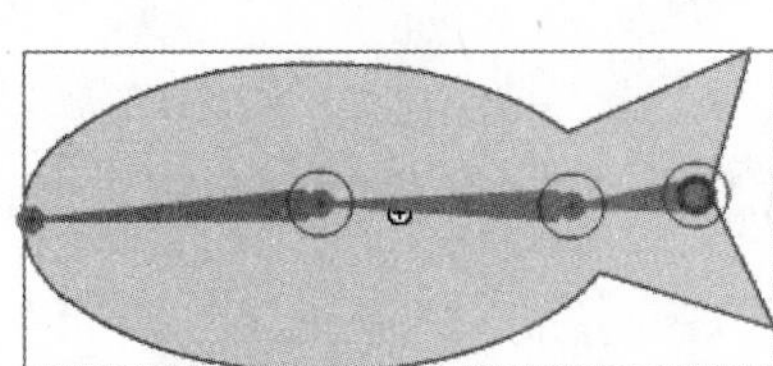

图13-20　创建骨骼

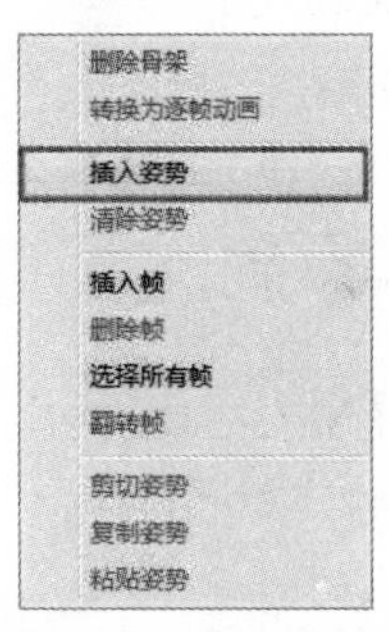

图13-21　插入姿势

为图形创建骨骼系统时，如果图形外观太过复杂，则系统将提示不能为图形添加骨骼系统。

STEP 04 单击工具箱中的“选择工具”按钮，将鼠标移动到骨骼上，调整骨骼形状，如图13-22所示，时间轴效果如图13-23所示。

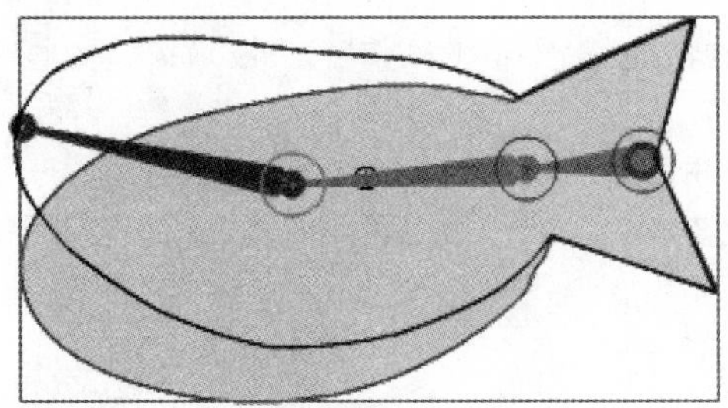

图13-22　调整骨骼

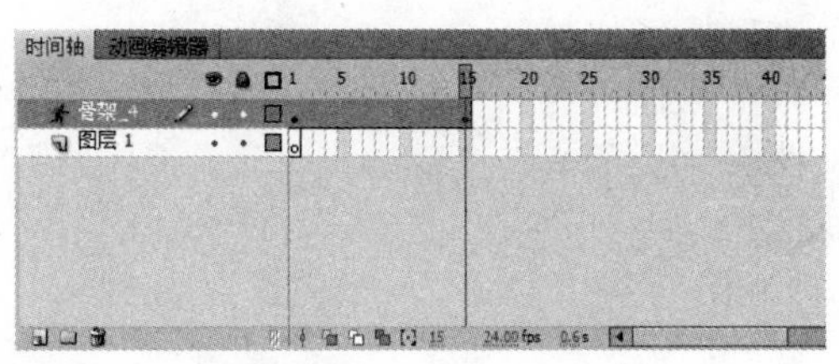

图13-23　时间轴效果

STEP 05 单击时间轴的第 8 帧位置，单击鼠标右键，选择【插入姿势】命令，使用“选择工具”调整骨骼形状，如图 13-24 所示，时间轴效果如图 13-25 所示。

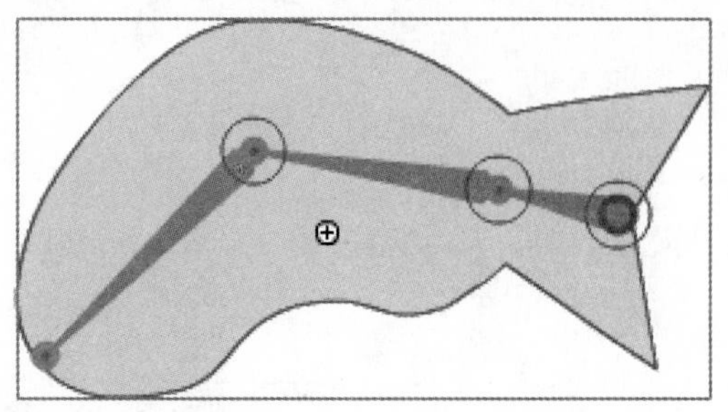

图13-24　调整骨骼

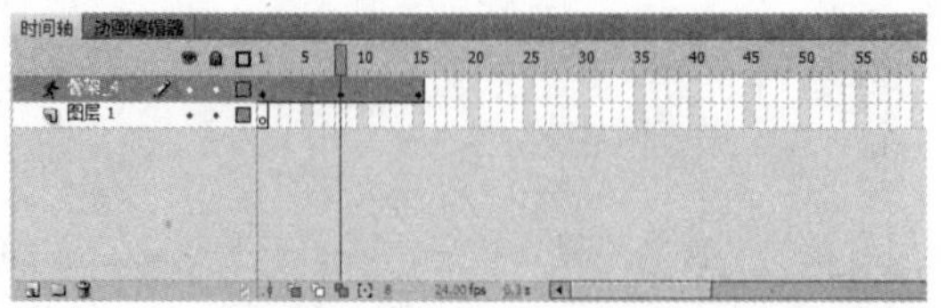

图13-25　时间轴效果

STEP 06 将动画保存为“光盘 \ 源文件 \ 第 13 章 \13-1-1-2.fla”。按快捷键“Ctrl+Enter”测试动画，动画效果和时间轴效果如图 13-26 所示。

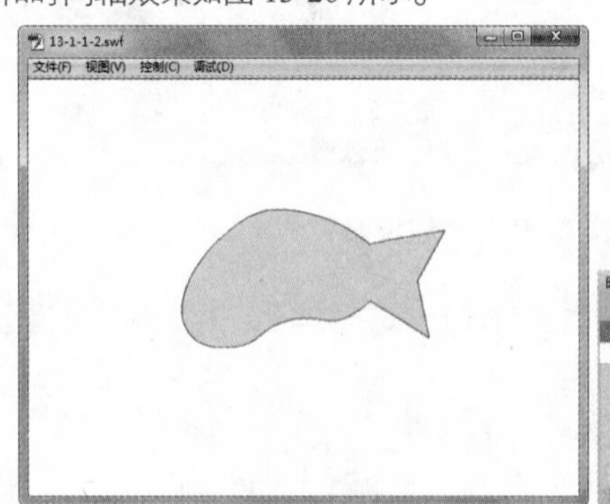

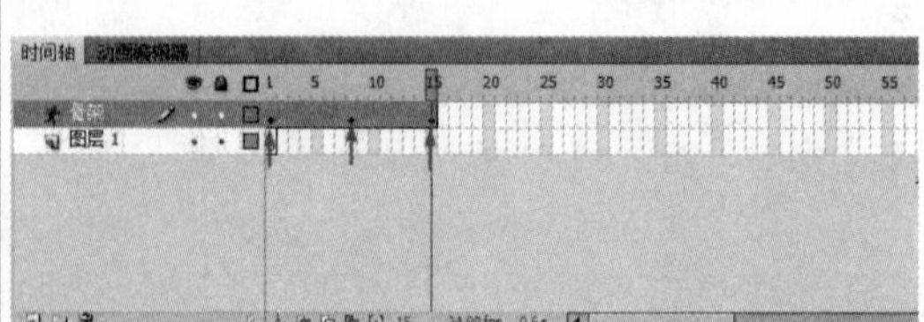

图13-26　测试效果

Tips

骨骼工具是一个非常智能的工具，使用它调整动画后，Flash 将自动创建关键帧和补间动画。骨骼动画实际上是一种特殊的补间动画，姿势帧相当于补间动画的关键帧，可以用调整补间动画的方法来调整骨骼动画。

13.1.2 骨骼动画的编辑

创建骨骼后，可以使用多种方法编辑它们。可以重新定位骨骼及其关联的对象，在对象内移动骨骼，更改骨骼的长度，删除骨骼，以及编辑包含骨骼的对象。

Tips

如果只是为了调整骨架姿势，以达到所需要的动画效果，则可以在姿势图层的任何帧中进行位置更改，Flash 将会自动把该帧转换为姿势帧。

需要注意的是，只能在IK骨架所在的第一帧中对骨骼进行编辑。在后续帧中重新定位骨架后，无法对骨骼结构进行更改。若要编辑骨架，请从时间轴中删除姿势图层中骨架所在的第一帧之后的任何附加姿势。

选择骨骼和关联的对象

选择骨骼

● 若要选择单个骨骼，请使用选取工具单击该骨骼。属性检查器中将显示骨骼属性。也可以通过按住“Shift”键并单击来选择多个骨骼。若要选择整个骨架并显示骨架的属性及其姿势图层，请在按下“Ctrl”键的同时，单击姿势图层中包含骨架的帧。

● 若要将所选内容移动到相邻骨骼，请在属性检查器中单击“父级”、“子级”或“下一个/上一个同级”按钮。

● 若要选择骨架中的所有骨骼，请双击某个骨骼。属性检查器中将显示所有骨骼的属性，如图13-27所示。

● 若要选择IK形状，在时间轴上单击，属性检查器中将显示IK形状属性，如图13-28所示。若要选择连接到骨骼的元件实例，请单击该实例，属性检查器中将显示实例属性。

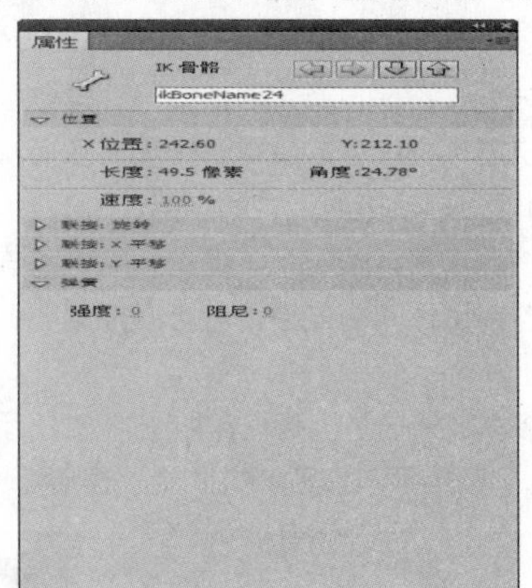

图13-27　选中骨骼

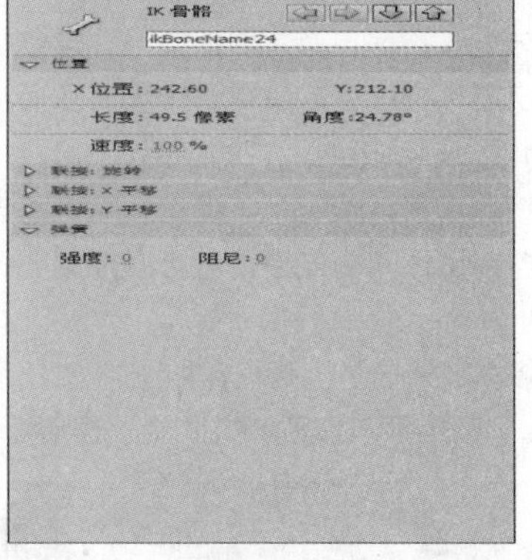

图13-28　选中IK形状

重新定位骨骼和关联的对象

● 若要重新定位线性骨架，请拖动骨架中的任何骨骼。如果骨架已连接到元件实例，则还可以拖动实例。这样还可以相对于其骨骼旋转实例。

● 若要重新定位骨架的某个分支，请拖动该分支中的任何骨骼。该分支中的所有骨骼都将移动，骨架其他分支中的骨骼不会移动。

● 若要将某个骨骼与其子级骨骼一起旋转而不移动父级骨骼，请按住“Shift”键并拖动该骨骼。

● 若要将某个IK形状移动到舞台上的新位置，请在属性检查器中选择该形状并更改其*X*和*Y*属性。

删除骨骼

● 若要删除单个骨骼及其所有子级，请单击该骨骼并按“Delete”键。通过按住“Shift”键单击每个骨骼，可以选择要删除的多个骨骼。

● 若要从某个IK形状或元件骨架中删除所有骨骼，请选择该形状或该骨架中的任何元件实例，然后选择【修改】|【分离】命令，IK形状将还原为正常形状。

相对于关联的形状或元件移动骨骼

● 若要移动IK形状内骨骼任一端的位置，请使用部分选取工具拖动骨骼的一端。

● 若要移动元件实例内骨骼连接、头部或尾部的位置，请使用“变形”面板（【窗口】|【变形】）移动实例的变形点。骨骼将随变形点移动，如图13-29所示。

● 若要移动单个元件实例而不移动任何其他链接的实例，请按住“Alt”键拖动该实例，或者使用任意变形工具拖动它。连接到实例的骨骼将变长或变短，以适应实例的新位置，如图13-30所示。

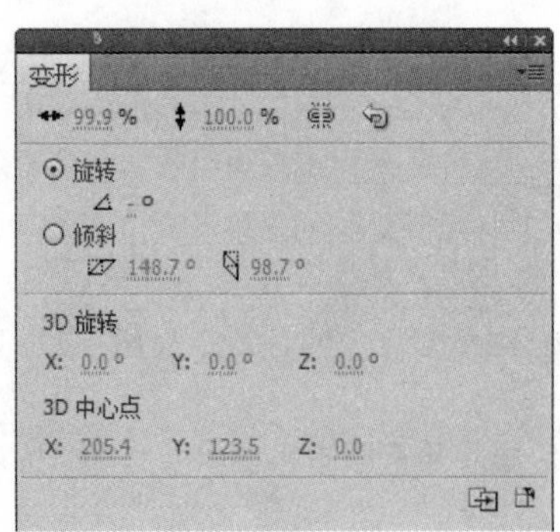

图13-29　变形面板

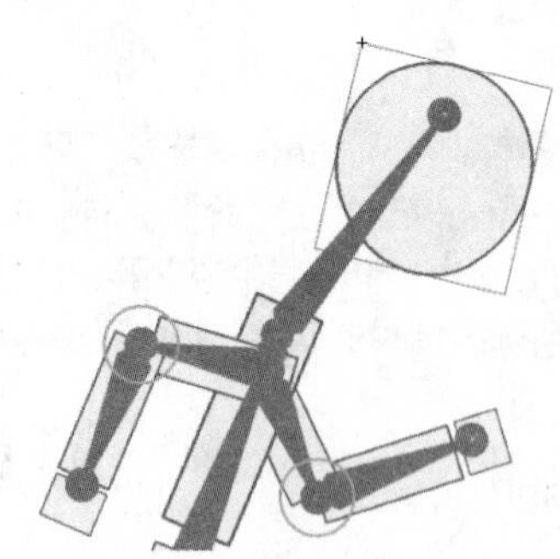

图13-30　改变骨骼长度

绑定工具的使用

有的时候用户会发现，在移动骨架时，对象扭曲的方式并不是自己想要的效果，这是因为默认情况下，形状的控制点链接到离它们最近的骨骼。使用“绑定工具”，可以编辑单个骨骼和形状控制点之间的连接。这样就可以控制在每个骨骼移动时笔触扭曲的方式，以获得更满意的结果。

在移动骨架时，形状的笔触并不按令人满意的方式扭曲。默认情况下，形状的控制点连接到离它们最近的骨骼。使用绑定工具，可以编辑单个骨骼和形状控制点之间的连接，就可以控制在每个骨骼移动时笔触扭曲的方式，以获得更满意的结果，如图13-31所示。

可以将多个控制点绑定到一个骨骼，以及将多个骨骼绑定到一个控制点，如图13-32所示。使用绑定工具单击控制点或骨骼，将显示骨骼和控制点之间的连接，然后可以按各种方式更改连接。

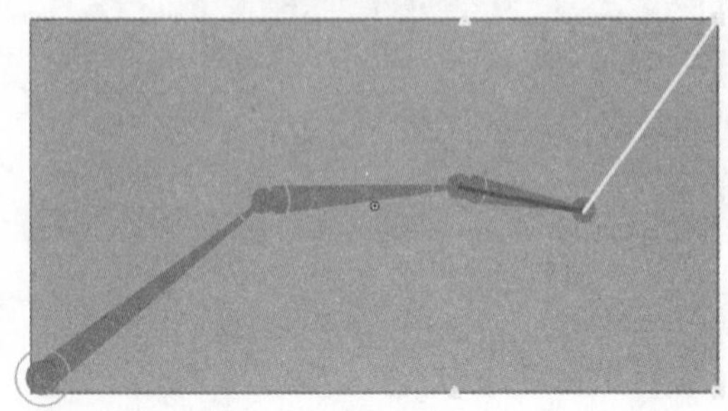

图13-31　骨骼和形状点连接

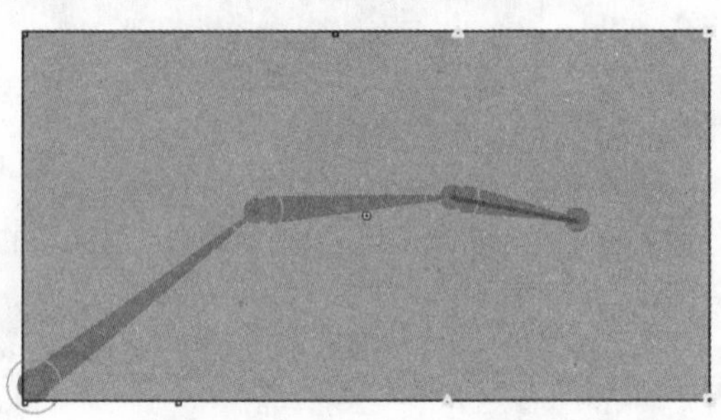

图13-32　编辑骨骼和控制点

- 若要加亮显示已连接到骨骼的控制点，请使用绑定工具单击该骨骼。已连接的点以黄色加亮显示，而选定的骨骼以红色加亮显示，如图13-33所示。连接到一个骨骼的控制点显示为方形，连接到多个骨骼的控制点显示为三角形，如图13-34所示。

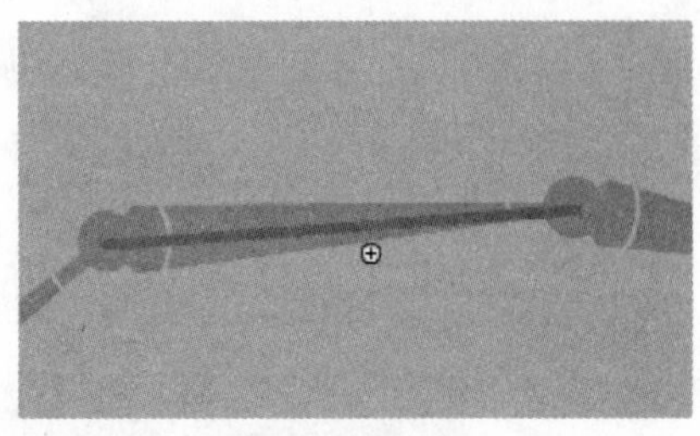

图13-33　选定骨骼

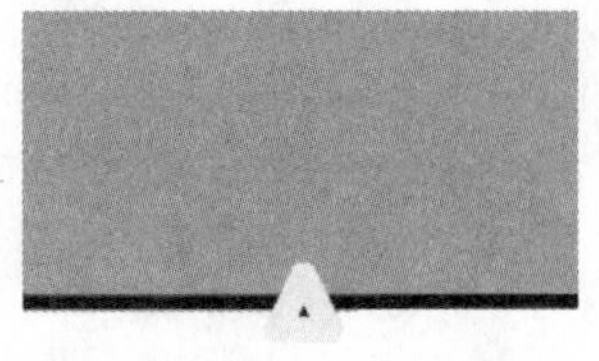

图13-34　连接多个骨骼

- 若要向选定的骨骼添加控制点，请按住“Shift”键，单击未加亮显示的控制点。也可以通过按住“Shift”键并拖动来选择要添加到选定骨骼的多个控制点。
- 若要从骨骼中删除控制点，请按住“Ctrl”键并单击以黄色加亮显示的控制点，也可以通过按住

“Ctrl”键拖动来删除选定骨骼中的多个控制点。

- 若要加亮显示已连接到控制点的骨骼，可使用绑定工具单击该控制点。已连接的骨骼以黄色加亮显示，而选定的控制点以红色加亮显示。
- 若要向选定的控制点添加其他骨骼，请按住“Shift”键单击骨骼。
- 若要从选定的控制点中删除骨骼，请按住“Ctrl”键单击以黄色加亮显示的骨骼。

调整 IK 运动约束

若要创建 IK 骨架的更多逼真运动，可以控制特定骨骼的运动自由度。例如可以约束作为胳膊一部分的两个骨骼，以便肘部无法按错误的方向弯曲。

默认情况下，创建骨骼时会为每个 IK 骨骼分配固定的长度。骨骼可以围绕其父连接，以及 *x* 和 *y* 轴旋转，但是它们无法以父级骨骼长度的方式移动。

可以启用、禁用和约束骨骼的旋转以及 *x* 或 *y* 轴的运动。默认情况下，启用骨骼旋转，而禁用 *x* 和 *y* 轴运动。启用 *x* 或 *y* 轴运动时，骨骼可以不限度数地沿 *x* 或 *y* 轴移动，而且父级骨骼的长度将随之改变，以适应运动，也可以限制骨骼的运动速度，在骨骼中创建粗细效果。

选定一个或多个骨骼时，可以在属性检查器中设置这些属性。

- 若要使选定的骨骼可以沿 *x* 或 *y* 轴移动，并更改其父级骨骼的长度，请在属性检查器的“连接: *X* 平移”或“连接: *Y* 平移”部分中选择“启用”，如图13-35所示。将显示一个垂直于连接上骨骼的双向箭头，指示已启用 *x* 轴运动。将显示一个平行于骨骼的双向箭头，指示已启用 *y* 轴运动，如图13-36所示。

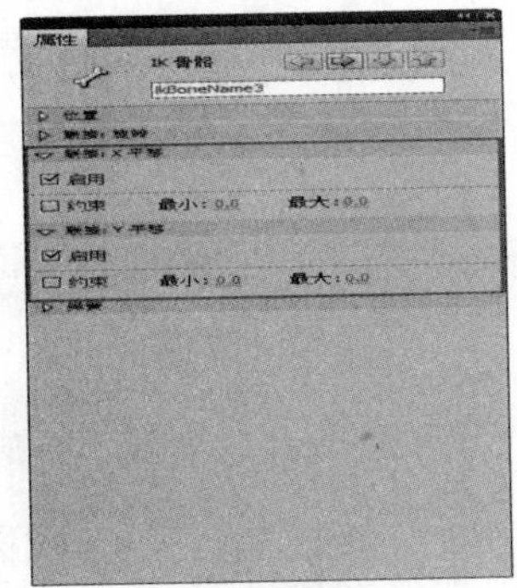

图13-35　启用平移

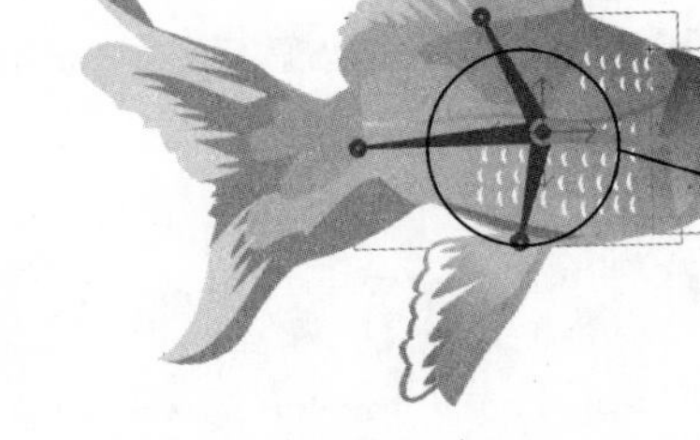

图13-36　骨骼效果

- 若要限制沿 *x* 或 *y* 轴启用的运动量，请在属性检查器的“连接: *X* 平移”或“连接: *Y* 平移”部分中选择“约束”，然后输入骨骼可以行进的最小距离和最大距离，如图13-37所示。
- 若要禁用选定骨骼绕连接的旋转，请在属性检查器的“连接: 旋转”部分中取消选中“启用”复选框。默认情况下会选中此复选框，如图13-38所示。

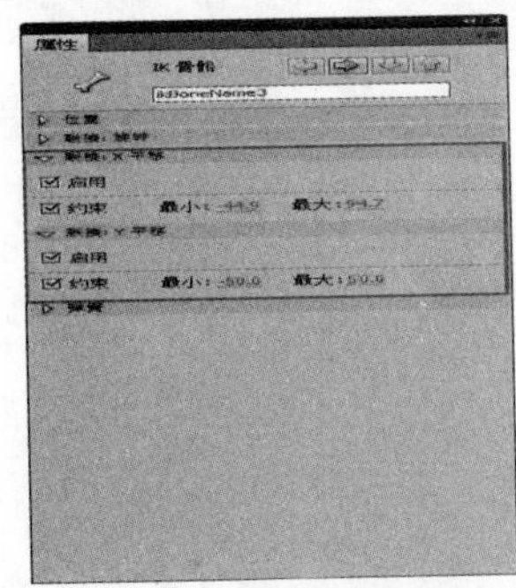

图13-37　启用移动约束

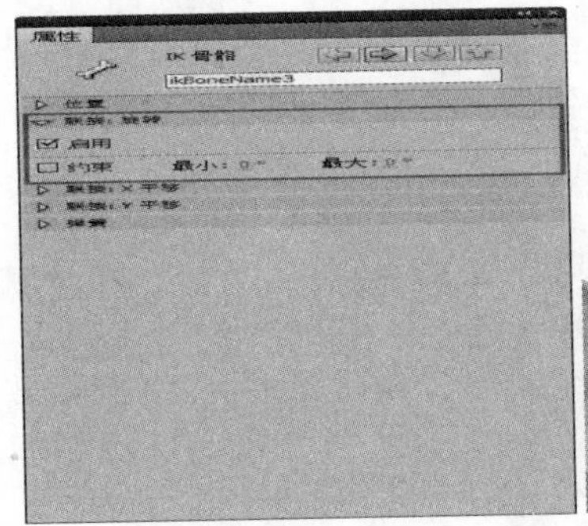

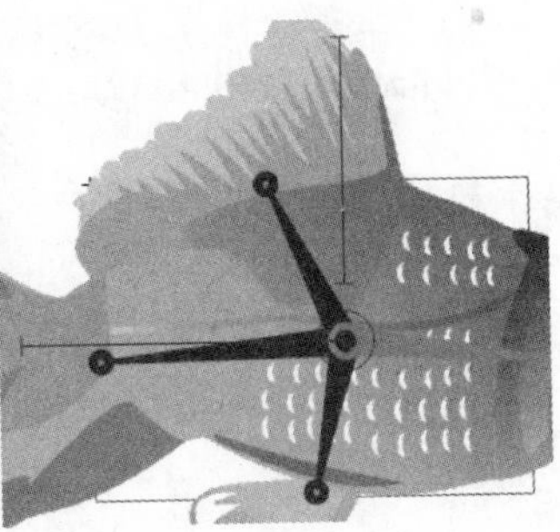

图13-38　启用骨骼旋转

- 若要约束骨骼的旋转，请在属性检查器的“连接: 旋转”部分中输入旋转的最小度数和最大度数。旋转度数相对于父级骨骼，在骨骼连接的顶部将显示一个指示旋转自由度的弧形，如图13-39所示。
- 若要使选定的骨骼相对于其父级骨骼是固定的，请禁用旋转以及 x 和 y 轴平移。骨骼将变得不能弯曲，并跟随其父级的运动。
- 若要限制选定骨骼的运动速度，请在属性检查器的“ 连接速度” 字段中输入一个值。连接速度为骨骼提供了粗细效果，如图13-40所示。最大值 100% 表示对速度没有限制。

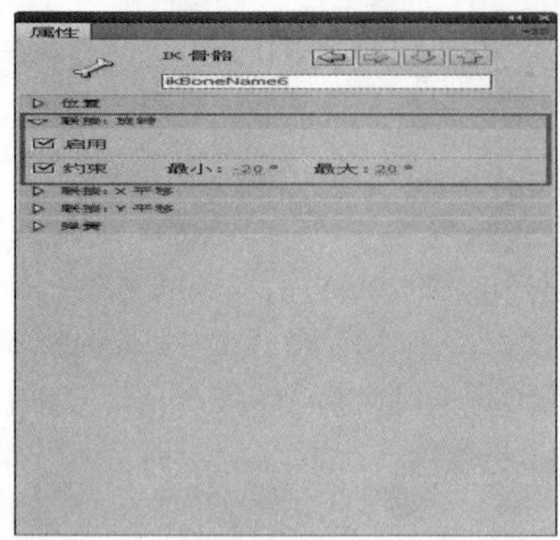

图13-39　启用旋转约束

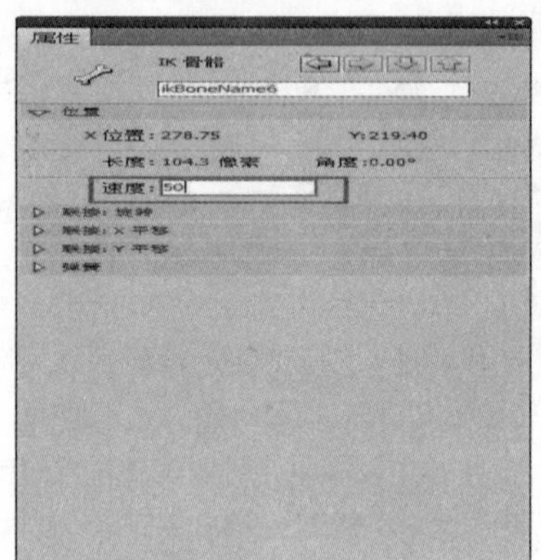

图13-40　启用骨骼运动速度

应用实例：使用骨架制作皮影动画

对骨架进行动画处理的方式与 Flash 中的其他对象不同。对于骨架，只需向姿势图层添加帧并在舞台上重新定位骨架即可，姿势图层中的关键帧称为姿势。由于 IK 骨架通常用于动画目的，因此每个姿势图层都自动充当补间图层，如图13-41所示。

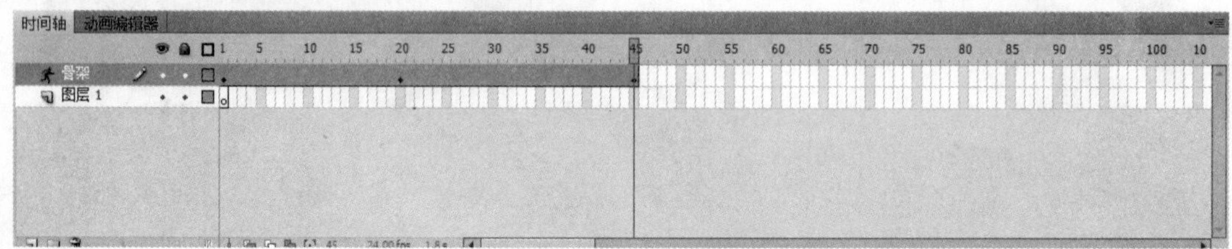

图13-41　姿势图层

姿势图层不同于补间图层，因为无法在姿势图层中对除骨骼位置以外的属性进行补间。若要对 IK 对象的其他属性（如位置、变形、色彩效果或滤镜）进行补间，请将骨架及其关联的对象包含在影片剪辑或图形元件中。

源 文 件：光盘 \ 源文件 \ 第 13 章 \13-1-2.fla

教学视频：光盘 \ 视频 \ 第 13 章 \13-1-2.swf

STEP 01 执行【文件】|【新建】命令，新建一个 ActionScript 3.0 文档，新建一个名称为“头部”的“影片剪辑”元件，如图 13-42 所示。执行【文件】|【导入】|【导入到舞台】命令，将“光盘 \ 素材 \ 第 13 章 \131201.jpg”文件导入到场景中，如图 13-43 所示。

图13-42　创建影片剪辑元件

图13-43　导入素材

STEP 02 使用同样的方法，依次将其他图片导入，制作出其他元件，如图 13-44 所示。

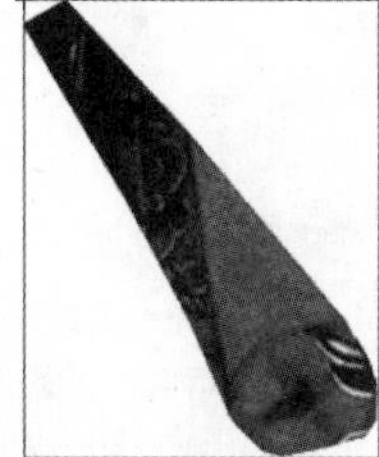

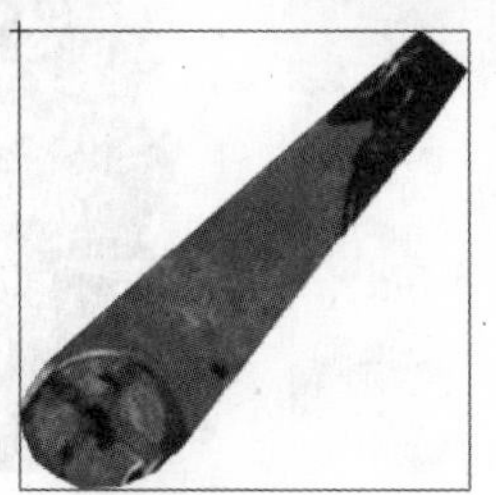

图13-44　制作其他元件

STEP 03 将元件依次从“库”面板中拖入到场景中，排列效果如图 13-45 所示。使用“骨骼工具”创建骨骼形状，效果如图 13-46 所示。

图13-45　组合实例元件

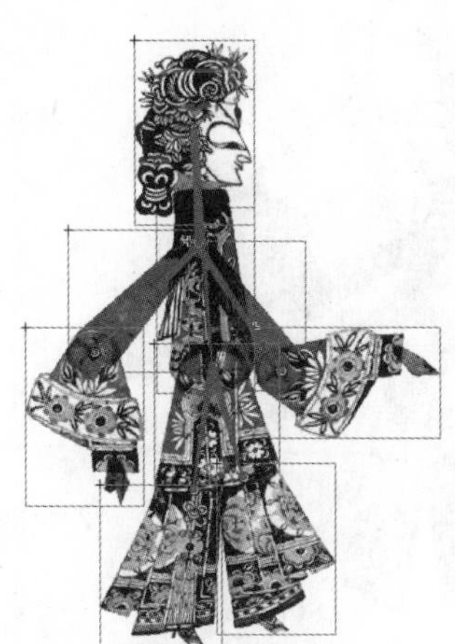

图13-46　添加骨骼形状

STEP 04 单击“任意变形工具”按钮，修改每个元件的中心点到合适位置，如图 13-47 所示。在时间轴第 5 帧位置单击鼠标右键，选择【插入姿势】命令，如图 13-48 所示。使用选择工具调整骨架，如图

13-49 所示。

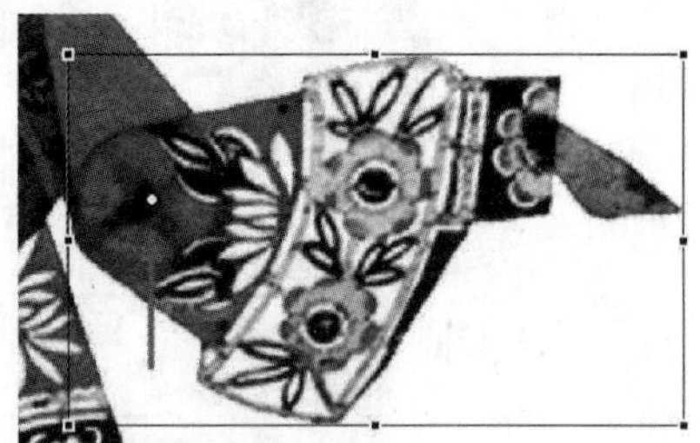

图13-47　调整元件中心

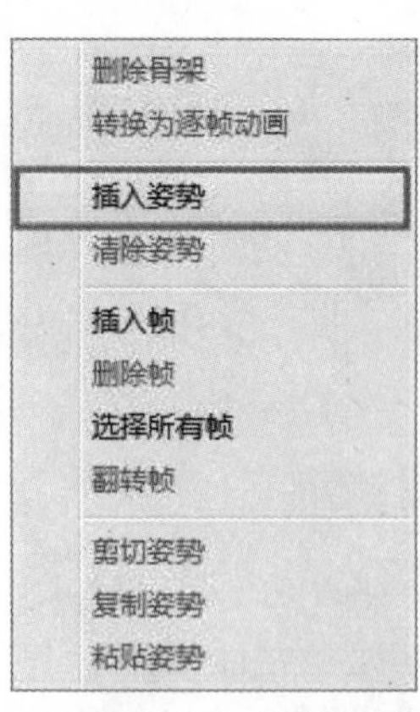

图13-48　插入姿势

图13-49　调整骨架

STEP 05 选择头部元件骨骼，如图 13-50 所示。在“属性”面板中取消“旋转”选项，如图 13-51 所示。使用选择工具调整头部元件位置，如图 13-52 所示。

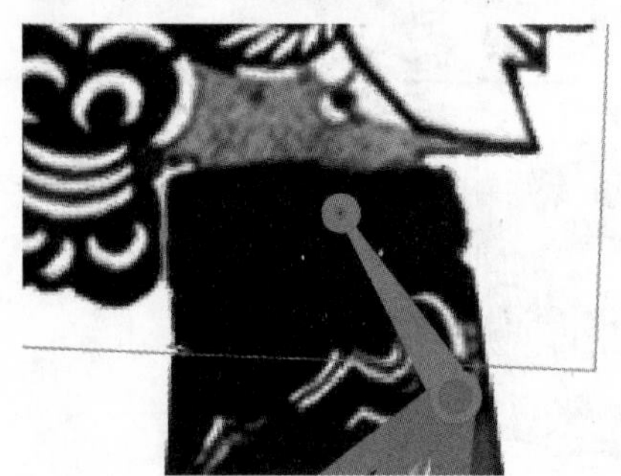

图13-50　选中骨骼

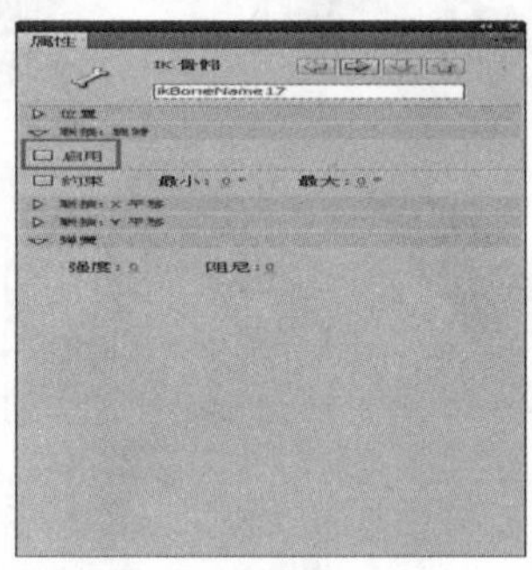

图13-51　取消旋转

图13-52　调整元件

STEP 06 根据需要在时间轴中插入姿势，依次调整人物姿势，如图 13-53 所示。将动画保存为“光盘\源文件\第 13 章\13-1-2.fla”。按快捷键“Ctrl+Enter”测试动画，测试效果如如图 13-54 所示。

图13-53　调整骨骼形状

图13-54　测试影片

13.2 3D转换动画

通过使用3D选择和平移工具，将原来只具备2D动画效果的动画元件制作成具有空间感的补间动画，可以沿着 x、y、z 轴任意旋转和移动对象，从而产生极具透视效果的动画效果。

13.2.1 3D旋转动画

制作3D旋转动画要使用“3D旋转工具”。通过3D旋转控件旋转影片剪辑实例，使其沿X、Y、Z轴旋转，产生一种类似三维空间的透视效果。3D旋转控件由4部分组成：红色的是X控件，绿色的是Y控件，蓝色的是Z控件，橙色的是自由旋转控件。

应用实例：实例元件3D旋转动画

一般的Flash动画都是二维动画，由于3D工具的出现，可以使得在Flash中制作三维动画变成了现实，接下来通过一个案例学习如果制作3D旋转动画。

源 文 件：光盘\源文件\第 13 章\13-2-1.fla

教学视频：光盘\视频\第 13 章\13-2-1.swf

STEP 01 执行【文件】|【新建】命令，弹出“新建文档”对话框，如图 13-55 所示，单击“确定”按钮，新建一个 Flash 文档。执行【文件】|【导入】|【导入到舞台】命令，将“光盘\素材\第 13 章\132101.jpg”文件导入到场景中，如图 13-56 所示。

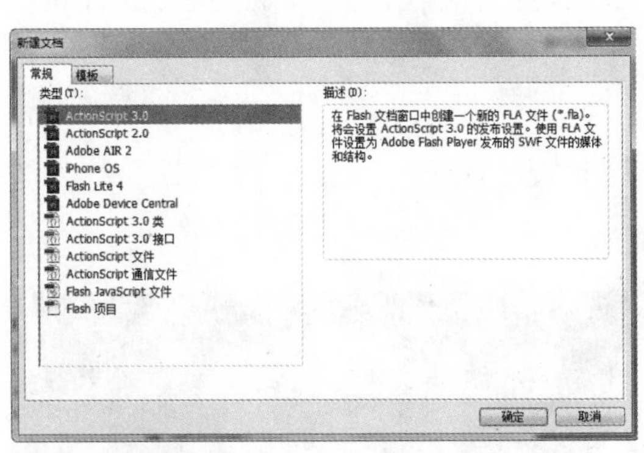

图13-55　新建文档

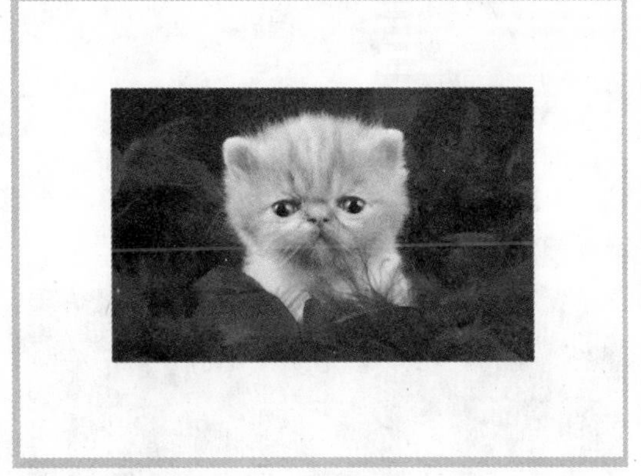

图13-56　导入图像

STEP 02 执行【修改】|【转化为元件】命令，将图像转化为元件，如图 13-57 所示，单击“确定”按钮，新建一个“名称”为猫咪的“影片剪辑”元件。在第一帧单击鼠标右键，选择【补间动画】命令，如图 13-58 所示。

图13-57 转化为元件

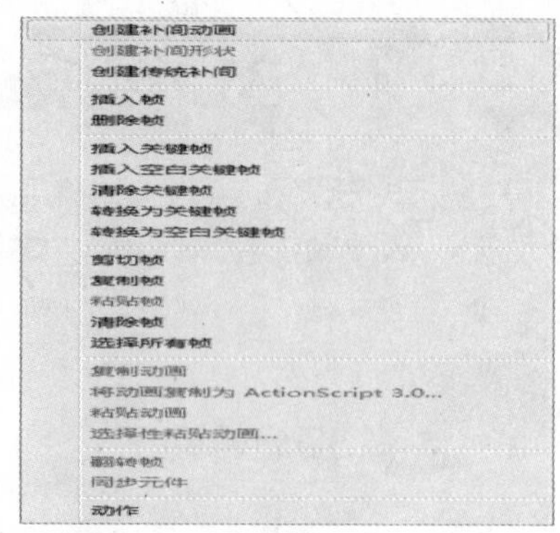

图13-58 创建补间动画

要制作3D旋转或者平移动画，不能使用传统补间动画，只能使用补间动画进行制作。一旦完成了3D旋转或平移动画，则该动画类型会自动变为“3D动画”类型。

STEP 03 创建补间动画后，时间轴效果如图13-59所示。

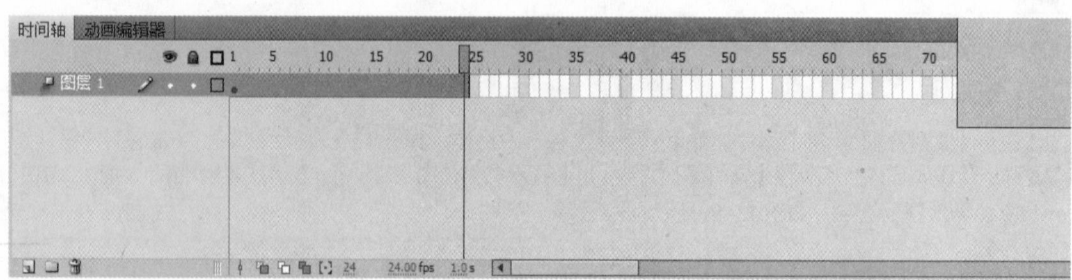

图13-59 时间轴效果

STEP 04 确定指针在第24帧位置，单击工具箱中的“3D旋转工具”按钮，单击场景中的对象，对象的中心出现旋转控件，如图13-60所示。移动光标到旋转控件中的红色X控件上，拖动鼠标可以将对象沿X轴旋转，如图13-61所示。

图13-60 使用3D旋转工具

图13-61 X轴旋转

旋转过程中，旋转控件中可以显示出旋转的角度。移动X控件的同时，其他的控件也改变了颜色，表示当前不可操作，这样将确保对象不受其他控件的影响。

STEP 05 移动鼠标到绿色 *Y* 控件上，拖动鼠标可以将对象沿 *Y* 轴旋转，效果如图 13-62 所示。移动光标到蓝色 *Z* 控件上，拖动鼠标可以将对象沿 *Z* 轴旋转，效果如图 13-63 所示。

图13-62　沿*Y*轴旋转

图13-63　沿*Z*轴旋转

STEP 06 移动鼠标到最外部的橙色自由旋转控件上，拖动鼠标可以将对象同时在 *X*、*Y*、*Z* 轴方向上旋转，效果如图 13-64 所示，将动画保存为“光盘\源文件\第 13 章\13-2-1.fla”，按快捷键“Ctrl+Enter”测试动画，测试效果如如图 13-65 所示。

图13-64　沿三轴旋转

图13-65　沿测试效果

Tips

如果需要旋转多个影片剪辑实例，只要选中它们，再用“3D 旋转工具”移动其中一个，其他对象将以相同的方式移动。如果需要把轴控件移动到另一个对象上，按住“Shift”键的同时单击这个对象即可。

13.2.2 全局转换与局部转换

当选择了“3D旋转工具”后，在工具箱下面的选项栏中增加一个“全局转换”的选项，如图13-66所示。

“3D旋转工具”的默认模式是“全局转换”，与其相对的模式是“局部转换”，单击工具选项栏中的“全局转换”按钮，可以在这两个模式中进行转换。

两种模式的主要区别是：在“全局转换”模式下的3D旋转控件方向与舞台无关，而“局部转换”模式下的3D旋转控件方向与影片剪辑空间相关，如图13-67所示。

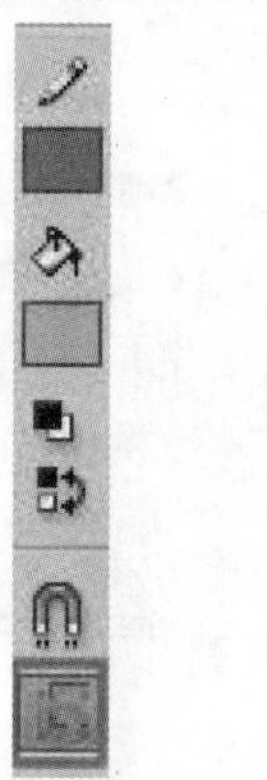

图13-66　全局转换　　图13-67（1）　全局转换　　图13-67（2）　局部转换

13.2.3 3D平移工具

使用“3D平移工具”可以用来在3D空间中移动影片剪辑实例。在使用该工具选择影片剪辑实例后，*X*、*Y*、*Z*三个轴将显示在它上面，*X*轴为红色，*Y*轴为绿色，*Z*轴为蓝色。

使用3D平移工具选中影片剪辑实例后，“属性”面板中将显示相应的参数，如图13-68所示。

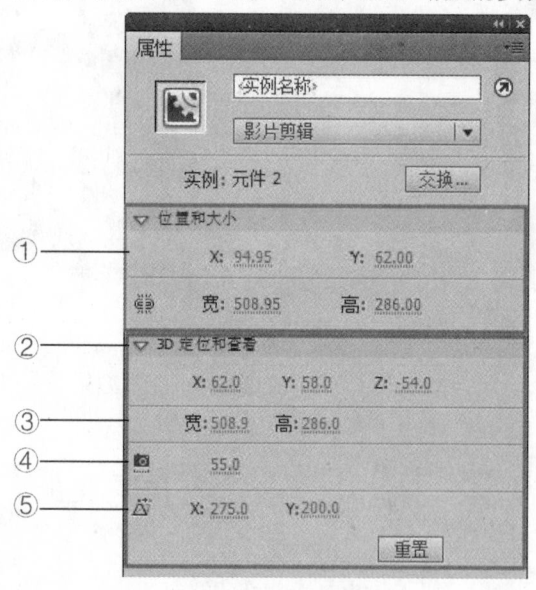

图13-68　“属性”面板

①位置和大小	此处主要显示实例元件的坐标位置，以及元件的宽度和高度。
②3D定位和查看	此处主要设置影片剪辑实例元件在3D控件中所处的位置。
③透视3D宽度/高度	显示所选影片剪辑实例的透视宽度和高度，这两个数值是灰色的，不可编辑。

④透视角度	用来控制应用了3D旋转或3D平移的影片剪辑实例的透视角度。增大透视角度可使3D对象看起来更接近查看者。减小透视角度属性可使3D对象看起来更远。此效果与通过镜头更改视角的照相机镜头缩放类似，如图13-69所示。 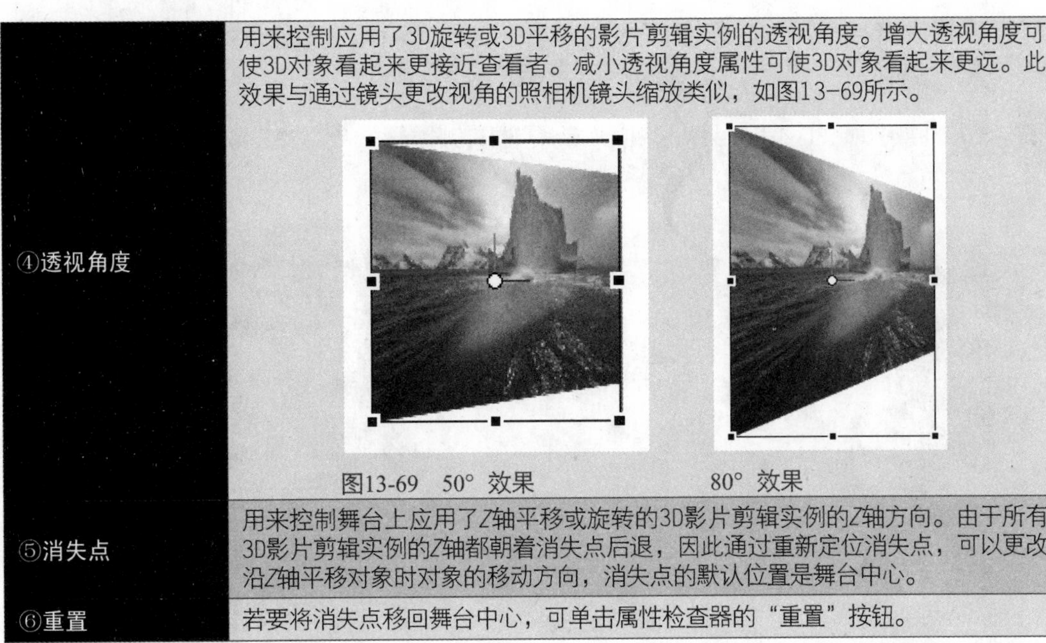 图13-69　50° 效果　　80° 效果
⑤消失点	用来控制舞台上应用了Z轴平移或旋转的3D影片剪辑实例的Z轴方向。由于所有3D影片剪辑实例的Z轴都朝着消失点后退，因此通过重新定位消失点，可以更改沿Z轴平移对象时对象的移动方向，消失点的默认位置是舞台中心。
⑥重置	若要将消失点移回舞台中心，可单击属性检查器的“重置”按钮。

应用实例：平移动画制作

平移动画一般应用到进场和出场动画。较好的立体感使得动画整体变得更加生动，接下来通过一个案例，进一步学习3D平移工具的使用。

源 文 件：光盘\源文件\第 13 章\13-2-3.fla

教学视频：光盘\视频\第 13 章\13-2-3.swf

STEP 01 新建一个 Flash 文档。单击工具箱中的“矩形工具”按钮，设置“颜色”面板，如图 13-70 所示。在场景中绘制矩形，使用“颜料桶工具”修改填充方向，如图 13-71 所示。

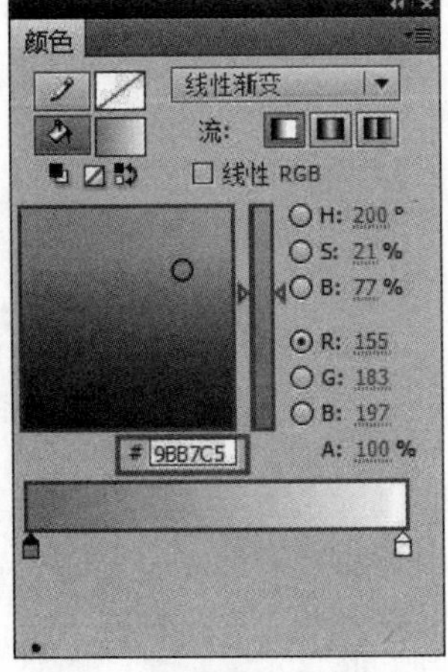

图13-70　设置填充颜色

图13-71　创建渐变效果

STEP 02 执行【文件】|【导入】|【导入到舞台】命令，将“光盘\素材\第13章\132301.png”文件导入到舞台中，如图13-72所示，将其转换成名称为“气球”的“影片剪辑”元件。

STEP 03 单击工具箱中的“3D平移工具”按钮，在影片剪辑实例上单击，效果如图13-73所示。

图13-72　导入位图

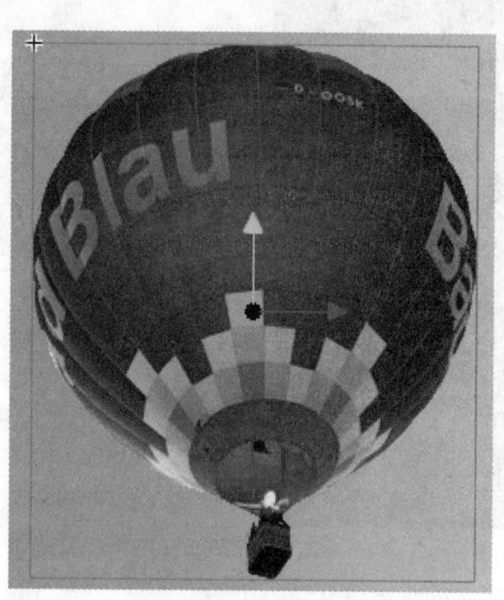

图13-73　使用3D平移工具

STEP 04 在第一帧位置单击鼠标右键，选择【创建补间动画】命令，确定在时间轴的第24帧位置，使用3D平移工具沿 *Z* 轴移动实例元件，效果如图13-74所示。在“图层1”的第24帧位置按“F5”键插入帧，时间轴效果如图13-75所示。

图13-74　平移影片剪辑实例

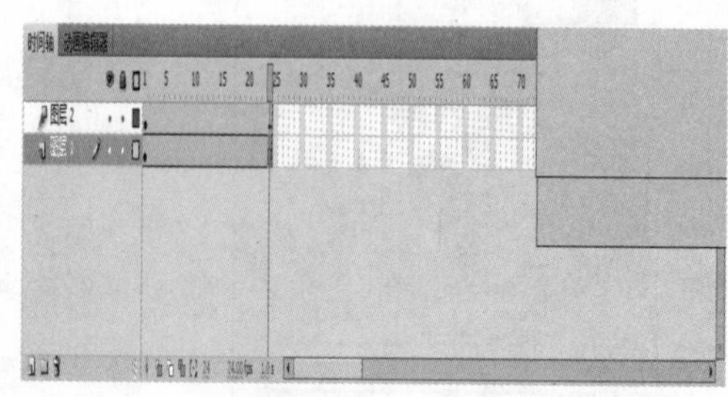

图13-75　时间轴效果

STEP 06 将动画保存为“光盘\源文件\第13章\13-2-3.fla”。按快捷键“Ctrl+Enter”测试动画，测试效果如图13-76所示。

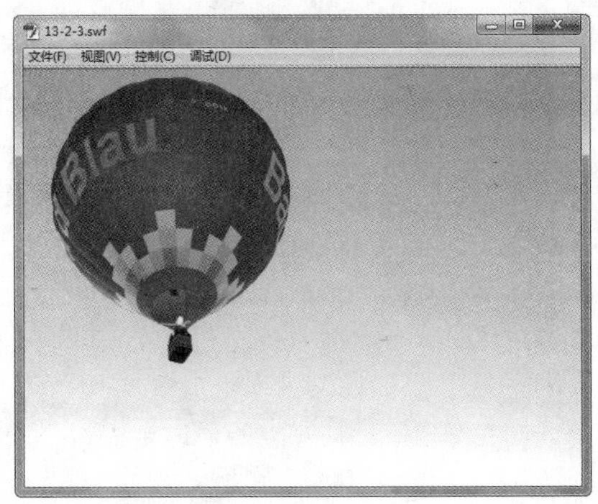

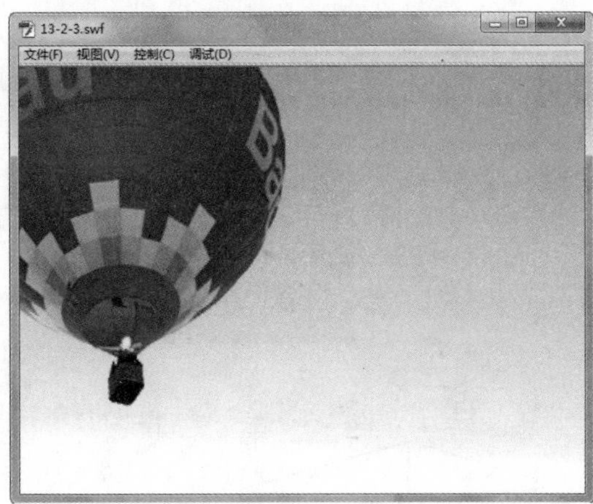

图13-76　测试动画效果

13.3 总结扩展

骨骼工具的出现使得使用Flash制作更加自然流畅的动画成为现实。通过骨骼系统可以轻松完成人物行走、奔跑的动画，大大提高了工作效率，而且使用骨骼工具还可以制作出很多风格各异的动画效果，例如具有浓郁中国特色的皮影动画。但是由于骨骼工具的参数较多，要想能够熟练掌握它，需要边做边思考，形成自己的动画制作经验。

3D工具的出现，彻底让Flash动画从二维走向了三维。将具有空间感的Z轴引入到了Flash动画制作中，这样就更容易制作一些旋转、缩放动画，而且动画效果更加逼真，和整个动画场景融合得更加自然。

13.3.1 本章小结

本章主要针对Flash CS5中的骨骼工具和3D工具进行了学习。通过学习，读者应掌握使用骨骼工具创建骨架，制作二足动画的方法和技巧，并能熟练控制骨骼完成各种姿势的调整。

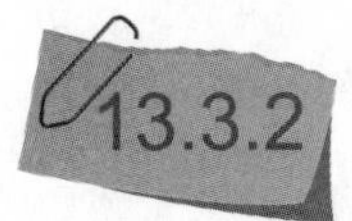

13.3.2 举一反三——制作立体三维旋转动画

案例文件：	光盘\源文件\第13章\13-3-2.fla
视频文件：	光盘\视频\第13章\13-3-2.swf
难易程度：	★★★☆☆
学习时间：	8分钟

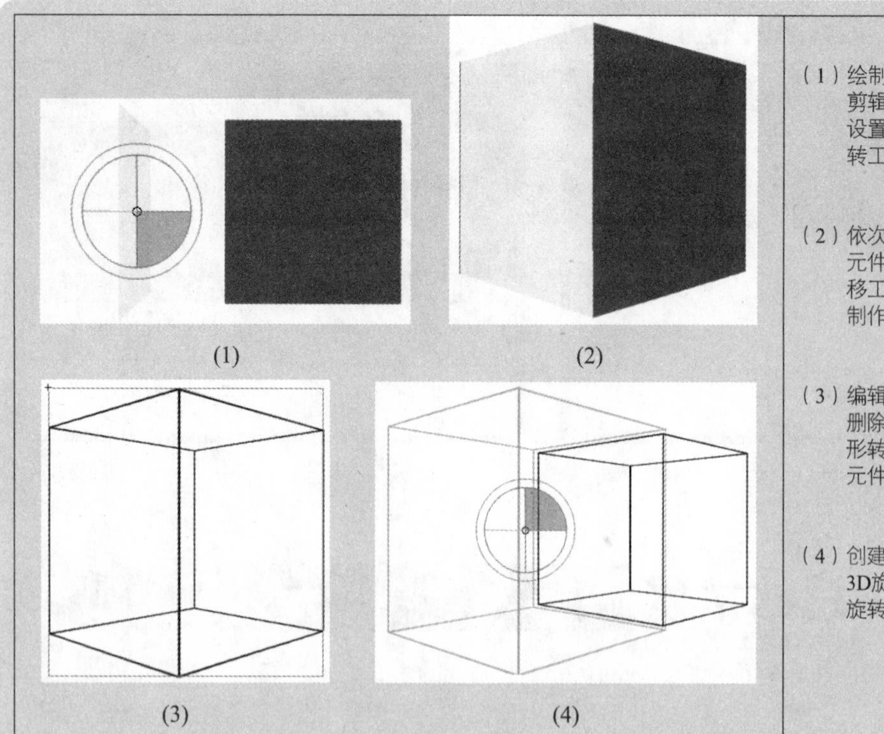
(1) (2) (3) (4)

（1）绘制矩形并转换为影片剪辑元件，复制元件，设置色调，使用3D旋转工具进行旋转。

（2）依次复制元件，并设置元件色调。使用3D平移工具和3D旋转工具制作立体盒子效果。

（3）编辑元件，添加笔触，删除填充，并将4个图形转换为一个影片剪辑元件。

（4）创建补间动画，使用3D旋转工具制作三维旋转动画。

第14章　应用声音和视频

在Flash动画中运用声音元素可以使Flash动画本身的效果更加丰富，对Flash本身起到很大的烘托作用，除了声音以外，视频也越来越多地参与到了Flash动画中，用于制作出更加炫目的动画效果。本章将针对Flash中的声音和视频元素的应用进行详细讲解，以帮助读者深刻理解视频的运用技巧。

本章学习要点

- 了解声音的基础知识
- 掌握在Flash中导入声音的方法
- 掌握在Flash中编辑声音的方法
- 掌握视频的导入方法
- 掌握视频的处理方法

实例名称：为按钮添加声音

源 文 件：光盘\源文件\14章\14-2-3.fla

教学视频：光盘\视频\第14章\14-2-3.swf

实例名称：导入进行渐进式下载的视频

源 文 件：光盘\源文件\第14章\14-5-2.fla

教学视频：光盘\视频\第14章\14-5-2.swf

实例名称：嵌入视频

源 文 件：光盘\源文件\第14章\14-5-2-1.fla

教学视频：光盘\视频\第14章\14-5-2-1.avi

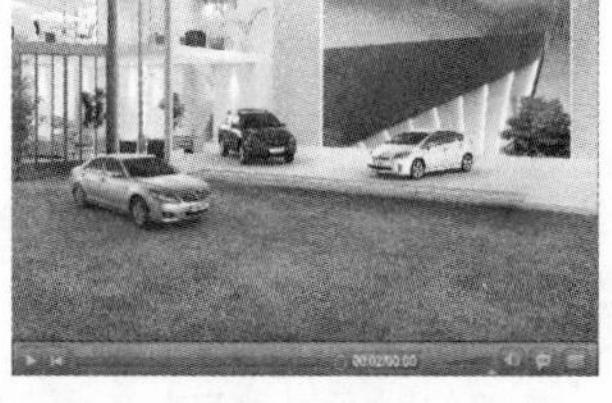

实例名称：举一反三——导入视频文件

源 文 件：光盘\源文件\第14章\14-6-2.fla

教学视频：光盘\视频\第14章\14-6-2.swf

14.1 声音的基础知识

在Flash中，声音文件需要占用大量的磁盘空间和大量的内存，但是在Flash影片完成以后，需要通过网络发布，发布的过程中，对文件的大小又有严格的要求，为了确保声音的质量，应尽量减小其音量。

影响声音质量的因素主要包括声音的采样率、声音的位深、声道和声音的保存格式等。其中声音的采样率和声音的位深直接影响到声音的质量，甚至影响到声音的立体感，下面将针对声音的基础知识进行讲解。

14.1.1 声音的格式

在Flash中可以通过导入命令，将外界各种类型的声音文件导入到动画场景中，在Flash中支持被导入的声音文件格式如下：

文件格式	适用环境
ASND	Windows 或 Macintosh
WAV	Windows
AIFF	Macintosh
MP3	Windows 或 Macintosh
如果系统中安装了 QuickTime 4 或更高版本，则可以导入如下附加的声音文件格式：	
AIFF	Windows 或 Macintosh
Sound Designer II	Macintosh
QuickTime 影片	Windows 或 Macintosh
Sun AU	Windows 或 Macintosh
System 7 声音	Macintosh
WAV	Windows 或 Macintosh

由于声音文件本身比较大，会占有较大的磁盘空间和内存，所以在制作动画时，尽量选择效果相对较好、文件较小的声音文件。MP3声音数据是经过压缩处理的，所以比WAV或AIFF文件较小。如果使用WAV或AIFF文件，应使用16位22kHz单声；如果要向Flash添加声音效果，最好导入16位声音。如果内存有限，就尽可能使用短的声音文件或用8位声音文件。

14.1.2 声音的采样率

采样率，指单位时间内对音频信号采样的次数，即在一秒钟的声音中采集了多少声音样本，可用赫兹（Hz）来表示。在一定的时间内，采集的声音样本越多，声音就与原始声音越接近，采样率越高，声音越好，但是占用的空间也越大。

在日常听到的声音中，CD音乐的采样率是44.1kHz(即每秒钟采样44100次)，而广播的采样率只有22.5kHz。

声音采样率与声音品质的关系如下：

采样率	声音品质
48kHz	演播质量，用于数字媒体上的声音或音乐。
44.1kHz	CD品质，高保真声音和音乐。
32kHz	接近CD品质，用于专业数字摄像机音频。
22.05kHz	FM收音品质效果，用于较短的高质量音乐片段。
11kHz	作为声效可以接受，用于演讲、按钮声音等效果。
5kHz	可接受简单的演讲、电话。

值得注意的是，几乎所有的声卡内置的采样频率都是44.1 kHz，所以在Flash 动画中播放的声音采样率应该是44.1的倍数，如22.05、11.025等，如果使用了其他采样率的声音，Flash 会对它进行重新采样，虽然可以播放，但是最终播放出来的声音可能会比原始声音的声调偏高或偏低，这样就会偏离原来的创意，影响整个Flash动画的效果。

14.1.3 声音的位深

声音品质的好坏决定于声音样本的质量，而决定样本质量的因素就是位深。

声音的位深就是指录制每一个声音样本的精确程度。位深就是位的数量，如果以级数来表示，则级数越多，样本的精确程度就越高，声音的质量就越好。

声音的位深与声音品质的关系如下：

位深	声音品质
24位	专业录音棚效果，用于制作音频母带。
16位	CD效果，高保真声音或音乐。
12位	接近CD效果，用于效果好的音乐片段。
10位	FM收音品质效果，用于较短的高质量音乐片段。
8位	可接受简单的人声演讲、电话。

14.1.4 声道

人耳是非常灵敏的，具有立体感，能够辨别声音的方向和距离。数字声音为了给人的耳朵提供具有立体感的声音，引入了声道的概念。

声道也就是声音通道。把一个声音分解成多个声音通道，再分别进行播放，各个通道的声音在空间中进行混合，就模拟出了声音的立体效果。

通常所说的立体声，其实就是双声道，即左声道和右声道。随着科技的发展，已经出现了四声道、五声道，甚至更多声道的数字声音了。每个声道的信息量几乎是一样的，因此增加一个声道也就意味着多一倍的信息量，声音文件也相应大一倍，这对Flash动画作品的发布有很大的影响，为减小声音文件大小，在Flash动画中通常使用单声道就可以了。

14.2 在Flash中导入声音

通过执行【文件】|【导入】|【导入到库】命令，可以将声音文件导入到库中，从而为文档添加声音文件，在Flash中插入声音一般分为按钮添加声音和为影片添加声音，下面将进行详细讲解。

14.2.1 了解声音的两种类型

在Flash中有两种类型的声音：事件声音和流式声音。

1. 事件声音

事件声音就是指将声音与一个事件相关联，只有当该事件被触发时，才会播放声音，如设置按钮激发声音就是事件声音最典型的例子。事件声音必须完全下载后，才能开始播放，除非明确停止，否则它将一直连续播放。这种播放的类型对于体积大的声音文件来说非常不利，比较适合用于体积小的声音文件。

2. 流式声音

所谓流式声音，就是一边下载一边播放的声音。利用这种驱动方式，可以在整个电影范围内同步播放和控制声音。如果电影播放停止，声音也会停止。这种播放类型一般用于体积大，需要同步播放的声音文件，如MV电影中的MP3声音文件。

14.2.2 导入声音文件

执行【文件】|【导入】|【导入到场景（或导入到库）】命令，弹出“导入”对话框，从中找到需要添加的文件，如图14-1所示。单击“打开”按钮，即可将该声音文件导入到场景中，在“库”面板中可以看到刚刚导入的声音文件并对其进行编辑，如图14-2所示。

图14-1　选择声音文件

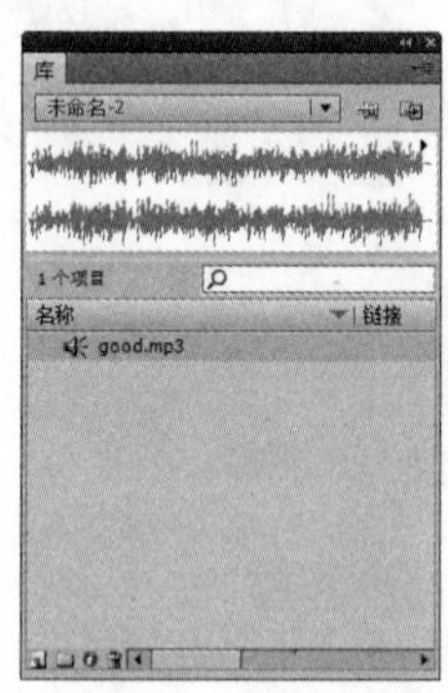

图14-2　“库”面板

14.2.3 应用实例：为按钮添加声音

声音可以与按钮元件的不同状态相关联，声音文件与按钮元件是一同保存的。将声音文件插入到按钮元件的相关帧处，当插入该帧时，就会播放此声音文件，例如当需要设置鼠标经过时发出声音，则应该在“指针经过”的帧处创建一个关键帧，并将声音放置在该帧处。

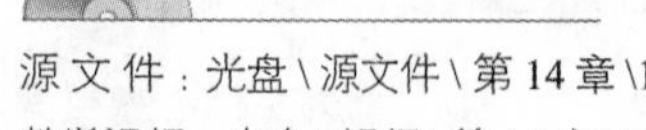

源 文 件：光盘\源文件\第 14 章\14-2-3.fla

教学视频：光盘\视频\第 14 章\14-2-3.swf

STEP 01 执行【文件】|【打开】命令，打开 Flash 文档“光盘 / 源文件 / 第 14 章 / 素材 /14-2-3.fla”，如图 14-3 所示。执行【文件】|【导入】|【导入到库】命令，弹出“导入”对话框，从中找到需要添加的文件，如图 14-4 所示。

图14-3　舞台效果

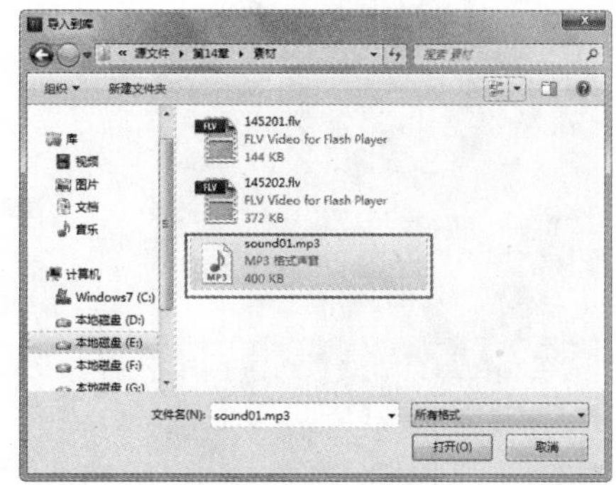

图14-4　选择声音文件

STEP 02 单击“打开”按钮，将声音文件导入到库中，打开“库”面板，效果如图14-5所示。双击场景中的按钮元件，如图14-6所示，进入元件编辑状态。

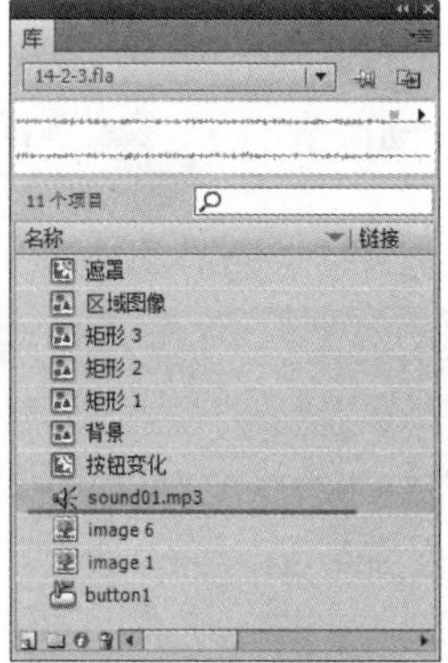

图14-5　“库”面板

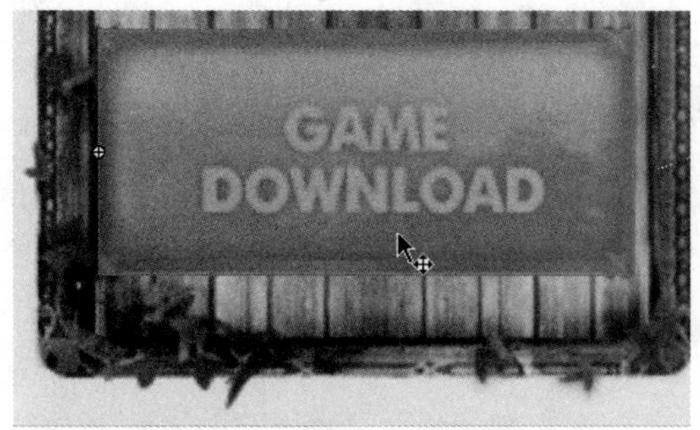

图14-6　双击按钮元件

STEP 03 在按钮元件编辑状态中可以看到时间轴效果，如图14-7所示。在这里将设置点击状态时播放音乐，新建“图层2”，单击“点击”帧，在该帧位置插入空白关键帧，如图14-8所示。

图14-7　时间轴效果

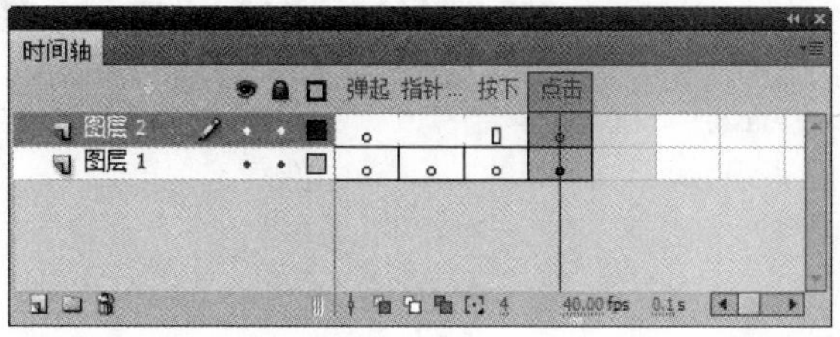

图14-8　插入空白关键帧

STEP 04 打开“属性”面板，在“属性”面板上的声音属性区域进行设置，如图14-9所示。完成“属性”面板的设置，即可将声音添加到按钮中，“时间轴”面板如图14-10所示。

图14-9 "属性"面板

图14-10 "时间轴"面板

14.2.4 为影片添加声音

在影片中添加声音，需要将声音文件导入到影片文件中，新建一个新图层，用来放置声音。选中需要加入声音的关键帧，在"库"中将声音文件拖入到场景中即可。

可在同一层中插入多种声音，也可以把声音放入含有其他对象的图层中，时间轴如图14-11所示。

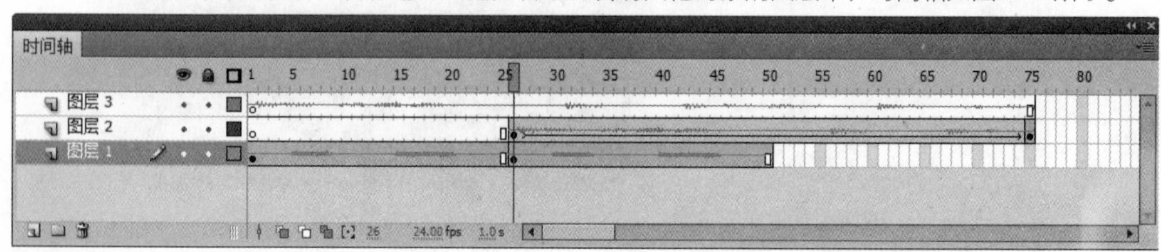

图14-11 时间轴效果

Tips

在为 Flash 影片添加声音时，一般建议将每个声音放在一个独立图层上，每个图层作为一个独立的声音通道，当重放 a 影片时，所有图层上的声音会自动混合在一起。

14.3 在Flash中编辑声音

在Flash中可以通过声音的"属性"面板为声音添加效果、设置事件和播放次数，通过声音的编辑控制功能，还可以定义声音的起始点、控制声音的音量、改变声音开始播放和停止播放的位置，以及将声音文件中多余的部分删除，以减小文件的大小，下面将针对声音的编辑进行详细讲解。

14.3.1 选择声音

所有直接导入到Flash文档中的声音都会自动添加到该文档的库中，这样就方便了用户在制作动画的过程中重复使用库中的声音，以制作出各种不同的声音效果。

如果要改变已添加到时间轴上的声音文件，可以直接在时间轴中包含需要更改的声音的任意一帧中单击，然后在“属性”面板中可以看到当前添加的声音文件名，如图14-12所示。如果需要更改其声音文件，可以单击下拉按钮，在下拉列表中选择需要的声音即可，如图14-13所示。

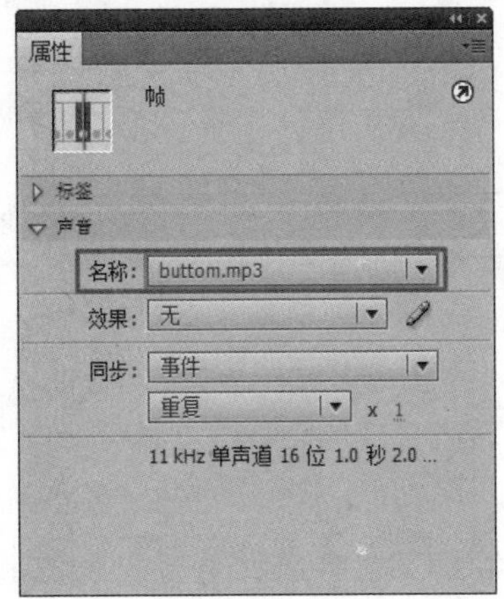

图14-12　当前添加的声音文件

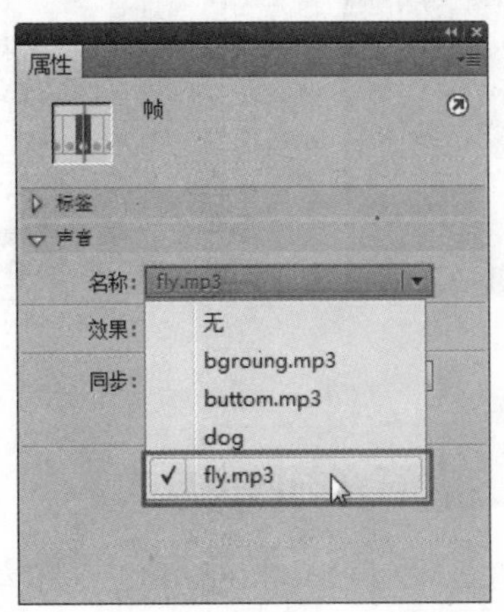

图14-13　更改声音

如果在文档中导入了多个声音，在“声音”下拉列表中将显示所有导入到该文档中的声音。

14.3.2 声音的效果

引用到时间轴上的声音，往往还需要在声音“属性”面板中进行适当的属性设置，才能更好地发挥声音的效果。

在包含需要更改的声音效果的任意一帧中单击，在“属性”面板的“效果”下拉列表中可以设置一种效果，如图14-14所示，也可以单击“编辑声音封套按钮”按钮，在弹出的“编辑封套”对话框中也可以对其效果进行设置，如图14-15所示。

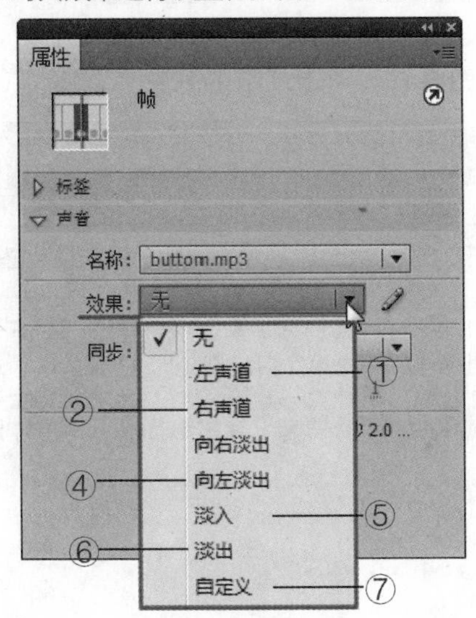

图14-14　“效果”下拉列表

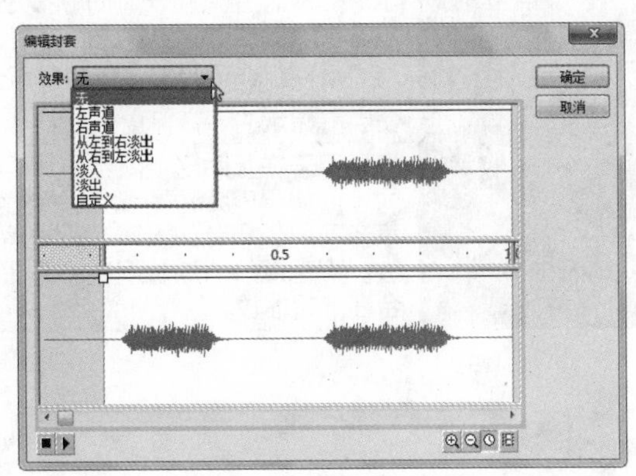

图14-15　“编辑封套”对话框

无	不对声音进行任何设置。
左声道	只在左声道播放。
右声道	只在右声道播放。
向右淡出	控制声音在播放时从左声道切换到右声道。
向左淡出	控制声音在播放时从右声道切换到左声道。
淡入	随着声音的播放逐渐增加音量。
淡出	随着声音的播放逐渐减小音量。
自定义	允许用户自行编辑声音的效果，选择该选项后，将弹出“编辑封套”对话框，可以在该对话框中创建自定义的声音淡入和淡出点。

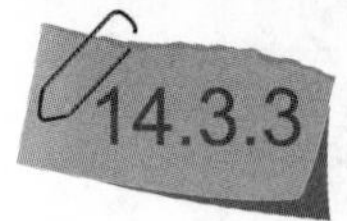

14.3.3 声音的同步方式

Flash动画有关声音最常见的操作就是在动画的关键帧上开始或停止播放声音，使声音和动画保持同步。

如果想要使声音和场景中的事件保持同步，可以为声音选择一个开始关键帧或停止关键帧，该关键帧将和场景中事件的关键帧相对应，然后在“属性”面板的“同步”下拉列表中选择“事件”即可，如图14-16所示。除了“事件”以外，“同步”下拉列表中还提供了其他几个选项，如图14-17所示。

图14-16　选择“事件”选项

图14-17　“同步”下拉列表

①事件	会将声音和一个事件的发生过程同步起来。事件声音在它的起始关键帧开始显示时播放，并独立于时间轴播放整个声音，即使影片停止也会继续播放。当播放发布的影片时，事件声音会混合在一起。
②开始	与“事件”选项相似，但如果声音正在播放，则新声音就不会播放。
③停止	使当前指定的声音停止播放。
④数据流	主要用于在互联网上同步播放声音，Flash会协调动画与声音流，使动画与声音同步。如果Flash显示动画帧的速度不够快，Flash会自动跳过一些帧。与事件声音不同的是，如果声音过长而动画过短，声音流将随着动画的结束而停止播放。声音流的播放长度决不会超过它所占的帧的长度。发布影片时，声音流混合在一起播放。

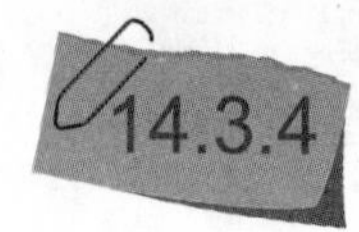

14.3.4 声音的重复

在“重复”后的文本框中可以指定声音播放的次数，如图14-18所示，默认为播放一次，如果需要将声音持续播放较长时间，可以在该文本框中输入较大的数值。

也可以选择单击“重复”下拉列表，从中选择“循环”选项，以连续播放声音，如图14-19所示。但是需要注意，如果将声音设为循环播放，帧就会添加到文件中，文件的大小就会根据声音循环播放的次数而倍增，所以通常情况下不建议设置为循环播放。

图14-18　设置“重复”次数

图14-19　选择“循环”选项

声音编辑器

使用声音属性中的声音编辑控制功能可以定义声音的起始点、终止点及播放时的音量大小。除此之外，使用这一功能还可以去除声音中多余的部分，以减小声音文件的大小。

选中需要编辑声音的动画帧，在“属性”页面板中的“效果”下拉列表中选择“自定义”选项，或者直接单击“编辑声音封套按钮”按钮，都会弹出“编辑封套”对话框，在该对话框中可以进行声音文件的各种编辑，如图14-20所示。

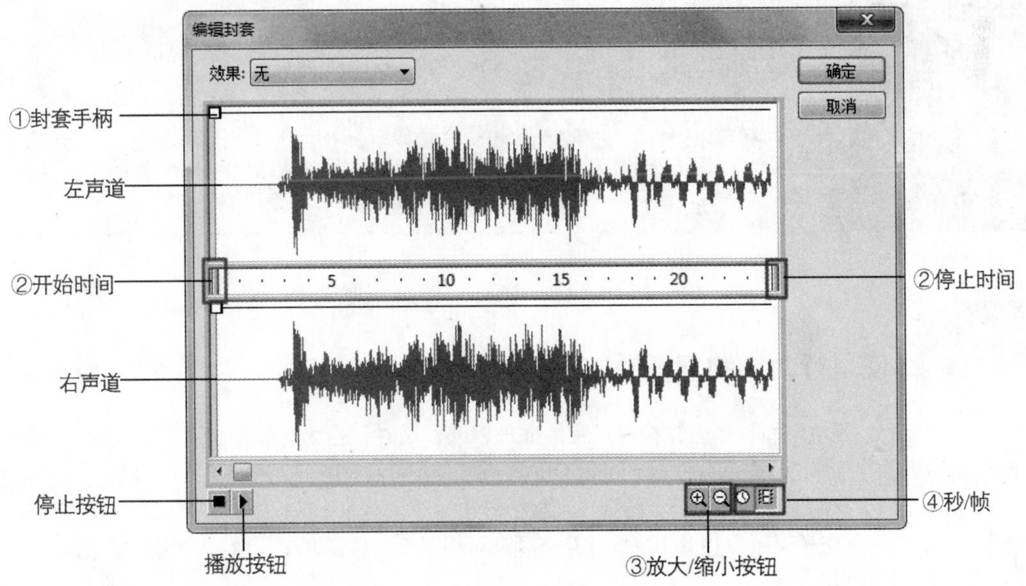

图14-20　“编辑封套”对话框

①封套手柄	通过拖动封套手柄可以更改声音在播放时的音量高低，如图14-21所示。封套线显示了声音播放时的音量，单击封套线可以增加封套手柄，最多可达到8个手柄，如果想要将手柄删除，可以将封套线拖至窗口外面。 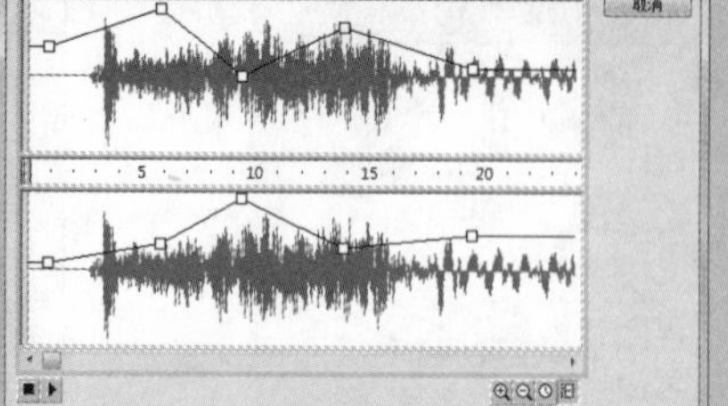 图14-21　增加/删除手柄
②“开始时间”和“停止时间”	拖动“开始时间”和“停止时间”控件，可以改变声音播放的开始点和终止点的时间位置，如图14-22所示。 拖动“开始时间”控件，声音将从所拖动的位置开始播放；同理，拖动“结束时间”控件，将使声音在拖到的位置结束。通过此操作，不仅可以去除声音中多余的部分，还可以使同一声音的不同部分产生不同的效果。 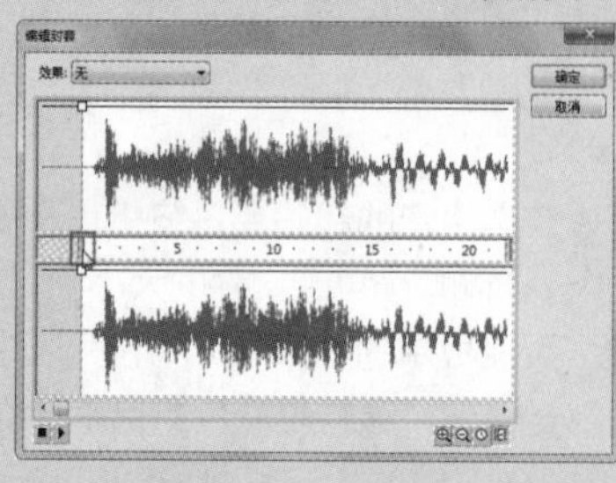 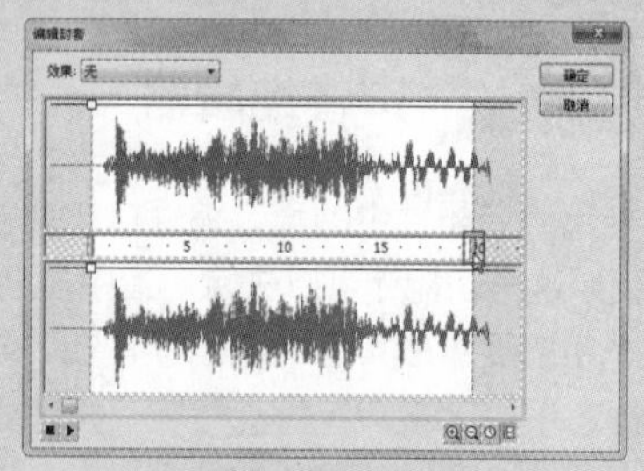 图14-22　更改播放位置
③放大/缩小	使用缩放按钮可以使窗口中的声音波形图样以放大或缩小模式显示。通过这些按钮可以对声音进行微调。
④秒/帧	秒/帧按钮可以以秒数或帧数为度量单位转换窗口中的标尺。如果想要计算声音的持续时间，可以选择以秒为单位；如果要在屏幕上将可视元素与声音同步，可以选择帧为单位，这样就可以确切地显示出时间轴上声音播放的实际帧数。

14.3.6 使用行为控制声音播放

除了在声音的“属性”面板中可以控制声音的播放以外，通过“行为”面板也可以控制声音的播放，如图14-23所示。行为是预先编写的ActionScript脚本，可以将它们应用于对象。

执行【窗口】|【行为】命令，打开“行为”面板，单击“添加行为”按钮，在弹出的菜单中选择【声音】命令，打开下级子菜单，在其中选择任意选项都可用于控制声音，如图14-24所示。根据需要进行选择，即可为对象添加行为。

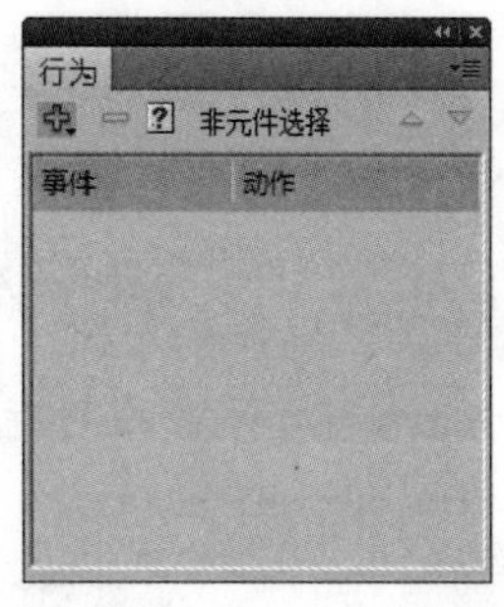

图14-23 "行为"面板

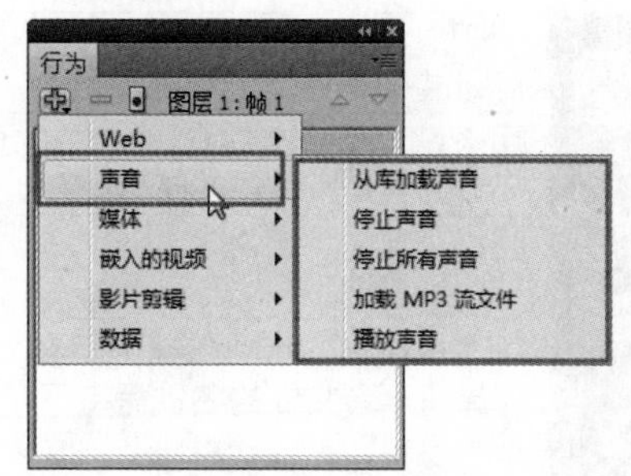

图14-24 "声音"子菜单

Tips

行为可以使用户将 ActionScript 编码的强大功能、控制能力和灵活性添加到文档中，而不必自己创建 ActionScript 代码。需要注意的是，ActionScript 3.0 不支持此功能，如果想要使用此功能，需要在"属性"面板中单击"编辑"按钮，在弹出的"发布设置"对话框中将其转换为 ActionScript 2.0。

通过使用"从库中加载声音"或"加载MP3流文件"行为，可以将声音文件添加到文档中并创建声音的实例，实例名称将用于控制声音。

"播放声音"、"停止声音"和"停止所有声音"这些行为可以控制播放。要使用这些行为，必须先使用其中一种"加载"行为加载声音；要使用行为播放或停止声音，可以使用"行为"面板，将该行为应用于触发对象上。

14.4 声音的压缩

将Flash动画导入到网页中时，由于网络速度的限制，必须考虑制作后Flash动画的大小，尤其是带有声音的文件。在导出时，压缩声音可以在不影响动画效果的同时减少数据量。可以为单个的事件声音选择压缩选项，然后按这些设置导出单独的声音，也可以为单个的流式声音选择压缩选项。

14.4.1 设置声音属性

如果想为声音设置输出属性，可以打开包含声音文件的"库"面板，在声音文件上单击鼠标右键，在弹出的快捷菜单中选择【属性】命令，也可以双击"库"面板中声音文件前的图标，都可弹出"声音属性"对话框，如图14-25所示。

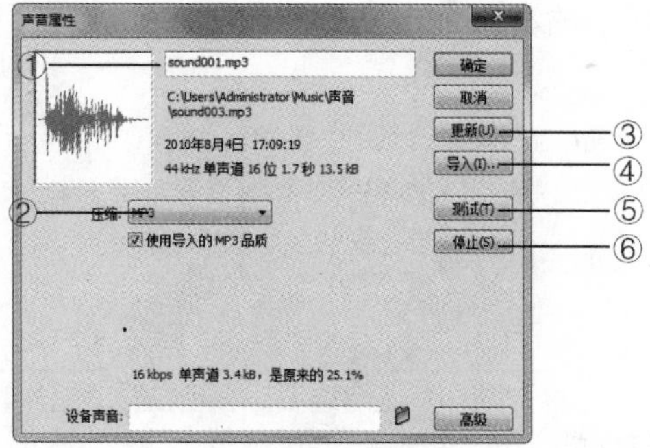

图14-25 "声音属性"对话框

①名称	用于显示该声音文件的名称，用户也可在该文本框中输入新的名称，来更改Flash中该声音文件的名称。
②压缩	用来设置声音文件在Flash中的压缩方式，在该下拉列表框中提供了5种压缩方式，分别是默认、ADPCM、MP3、原始、语音。
③更新	如果声音文件已经在外部编辑过了，可以单击该按钮，按照新的设置更新声音文件的属性。
④导入	单击该按钮，可导入新的声音文件。导入的声音文件将替换原有的声音文件，但原有声音文件的名称保持不变。
⑤测试	单击该按钮，可按照当前设置的声音属性对声音文件进行测试。
⑥停止	单击该按钮，可停止正在播放的声音。

14.4.2 声音的压缩设置

使用“声音属性”对话框中的压缩设置可以很好地控制单个声音文件的导出质量和大小，如图14-26所示。如果没有定义声音的压缩设置，则Flash将使用“发布设置”对话框中默认的压缩设置来导出声音，用户也可以通过执行【文件】|【发布设置】命令，在弹出的“发布设置”对话框中按自己的需要进行设置，如图14-27所示。如果在本地播放Flash影片，则可以创建高保真的音频效果，反之，如果影片要在Web上播放，则适当降低保真效果、缩小声音文件是非常必要的。

图14-26 “声音属性”对话框

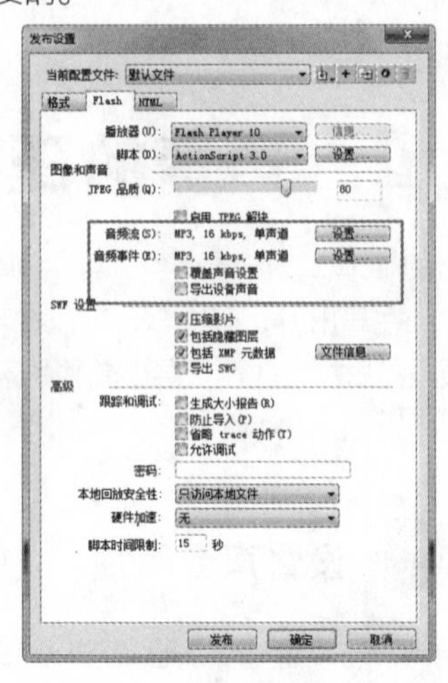

图14-27 “发布设置”对话框

但是在导出影片时，采样率和压缩比将显著影响声音的质量和大小。压缩比越高、采样率越低，则文件越小音质越差。要想取得最好的效果，必须不断地尝试才能获得最佳平衡。

Tips

当导入MPS文件时，可以选择使用导入时的设置，以MP3格式导出文件，MP3最大的特点就是以较小的比特率、较大的压缩比，达到近乎完美的CD音质，所以用MP3格式对WAV音乐文件进行压缩，既可以保证效果，也达到了减少数据量的目的。

默认压缩选项

如果从“压缩”下拉列表中选择“默认”压缩选项，表示在导出影片时，将使用“发布设置”对话框中默认的压缩设置，该设置没有附加设置可供选择。

使用ADPCM压缩选项

ADPCM压缩方式用于8位或16位声音数据的压缩设置。当导出较短的事件声音（如按钮单击的声音）时，可以使用ADPCM压缩方式。

在“声音属性”对话框中选择“压缩”下拉列表框里的ADPCM选项，如图14-28所示。

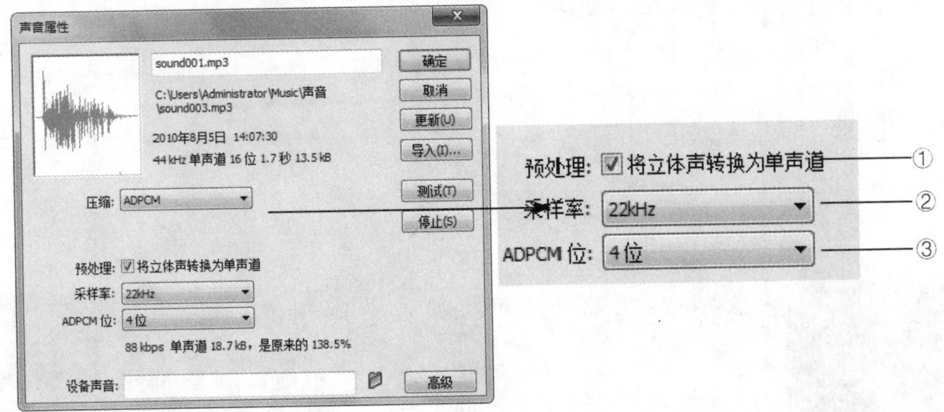

图14-28 选择ADPCM选项

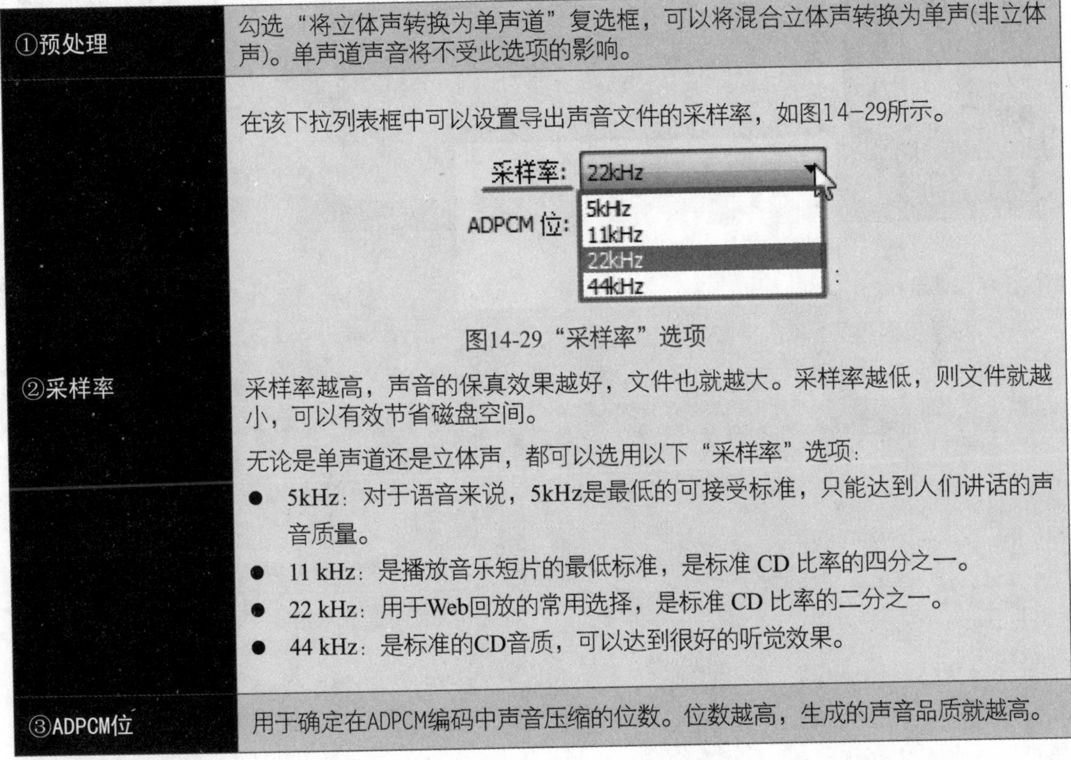

①预处理	勾选“将立体声转换为单声道”复选框，可以将混合立体声转换为单声(非立体声)。单声道声音将不受此选项的影响。
②采样率	在该下拉列表框中可以设置导出声音文件的采样率，如图14-29所示。 采样率: 22kHz / ADPCM 位: / 5kHz / 11kHz / 22kHz / 44kHz 图14-29“采样率”选项 采样率越高，声音的保真效果越好，文件也就越大。采样率越低，则文件就越小，可以有效节省磁盘空间。 无论是单声道还是立体声，都可以选用以下“采样率”选项： ● 5kHz：对于语音来说，5kHz是最低的可接受标准，只能达到人们讲话的声音质量。 ● 11 kHz：是播放音乐短片的最低标准，是标准 CD 比率的四分之一。 ● 22 kHz：用于Web回放的常用选择，是标准 CD 比率的二分之一。 ● 44 kHz：是标准的CD音质，可以达到很好的听觉效果。
③ADPCM位	用于确定在ADPCM编码中声音压缩的位数。位数越高，生成的声音品质就越高。

使用MP3压缩选项

在需要导出较长的流式声音（如乐曲）时，可以使用MP3压缩格式导出声音，在“声音属性”对话框中选择“压缩”下拉列表框里的MP3选项，如图14-30所示。

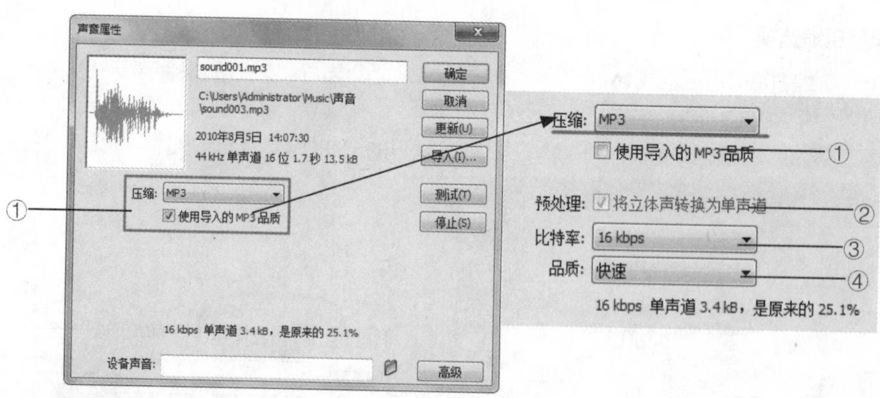

图14-30 选择MP3选项

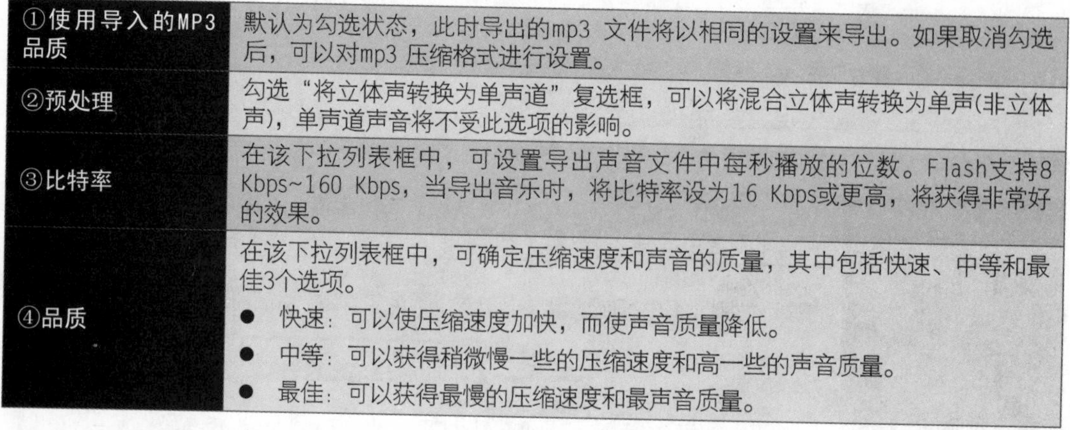

①使用导入的MP3品质	默认为勾选状态，此时导出的mp3 文件将以相同的设置来导出。如果取消勾选后，可以对mp3 压缩格式进行设置。
②预处理	勾选“将立体声转换为单声道”复选框，可以将混合立体声转换为单声(非立体声)，单声道声音将不受此选项的影响。
③比特率	在该下拉列表框中，可设置导出声音文件中每秒播放的位数。Flash支持8 Kbps~160 Kbps，当导出音乐时，将比特率设为16 Kbps或更高，将获得非常好的效果。
④品质	在该下拉列表框中，可确定压缩速度和声音的质量，其中包括快速、中等和最佳3个选项。 ● 快速：可以使压缩速度加快，而使声音质量降低。 ● 中等：可以获得稍微慢一些的压缩速度和高一些的声音质量。 ● 最佳：可以获得最慢的压缩速度和最声音质量。

原始压缩和语音压缩

“原始”压缩选项导出的声音是不经过压缩的，“语音”压缩选项使用一个特别适合于语音的压缩方式导出声音，如图14-31所示为“原始”压缩和“语音”压缩的设置。

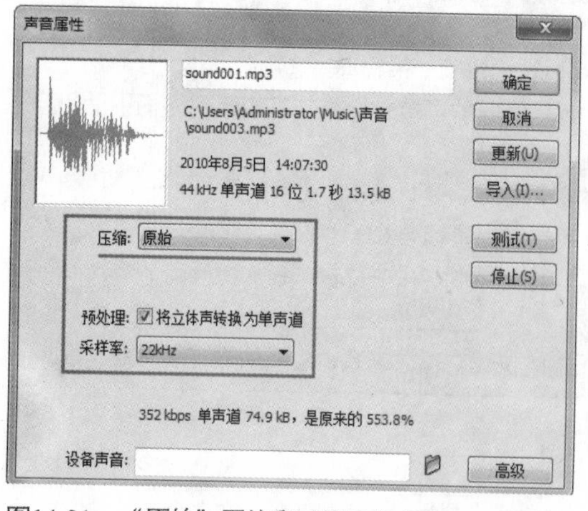

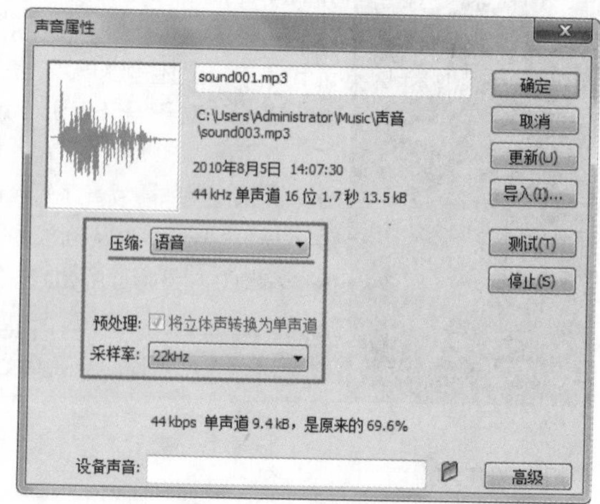

图14-31 “原始”压缩和“语音”压缩

14.4.3 导出Flash文档声音的准则

除了采样率和压缩外，还可以使用下面几种方法在文档中有效地使用声音并保持较小的文件大小：

（1）设置切入和切出点，避免静音区域保存在Flash文件中，从而减小声音文件的大小。

（2）通过在不同的关键帧上应用不同的声音效果（如音量封套、循环播放和切入/切出点），从同一声音中获得更多的变化。只需一个声音文件，就可以得到许多声音效果。

（3）循环播放短声音作为背景音乐。

（4）不要将音频流设置为循环播放。

（5）从嵌入的视频剪辑中导出音频时，应记住音频是使用"发布设置"对话框中所选的全局流设置来导出的。

（6）当在编辑器中预览动画时，使用流同步使动画和音轨保持同步。如果计算机运行速度不够快，绘制动画帧的速度跟不上音轨，那么 Flash 就会跳过帧。

（7）当导出 QuickTime 影片时，可以根据需要使用任意数量的声音和声道，不用担心文件大小。将声音导出为 QuickTime 文件时，声音将被混合在一个单音轨中。使用的声音数不会影响最终的文件大小。

14.5 在Flash中导入视频

视频文件包含了许多种不同的格式，在Flash中想要使用视频文件，首先需要了解其所支持的格式，然后才通过导入命令将需要的视频文件导入到Flash文档中，下面将针对Flash中所支持的视频文件格式，以及导入视频的方法进行讲解。

14.5.1 可导入的视频格式

在Flash中可以导入的视频文件格式有很多种，如果用户系统中安装了适用于Macintosh的Quick Time 7、Windows的Quick Time 6.5，或者安装了DirectX 9或更高版本（仅限于Windows），则可以导入多种文件格式的视频剪辑，如MOV、AVI和MPG/MPEG等格式，还可以导入MOV格式的链接视频剪辑。可以将带有嵌入视频的Flash文档发布为SWF文件。如果使用带有链接的Flash文档，就必须以Quick Time格式发布。

如果安装了Quick Time 7，则导入嵌入视频时支持的格式有以下几种：

文件类型	扩展名
音频视频	.avi
数字视频	.dv
运动图像专家组	.mpg、.mpeg
Quick Time视频	.mov

如果系统中安装了DirectX 9或者更高版本（仅限于Windows），则在导入嵌入视频时支持以下视频文件格式：

文件类型	扩展名
音频视频	.avi
运动图像专家组	.mpg、.mpeg
Windows Media文件	.wmv、.asf

Tips

如果在Flash文档中导入的视频或音频文件不支持，则会弹出一条警告信息，提示无法完成文件导入。还有一种情况是可以导入视频，但无法导入音频，解决办法是通过其他软件对视频或音频进行格式修改。

在Flash中导入视频文件

Flash中的视频根据文件的大小及网络条件，可能采用3种方式将视频导入到Flash文档中，即渐进式下载、嵌入视频和流式加载视频。

执行【文件】|【导入】|【导入视频】命令，如图14-32所示。弹出“导入视频”对话框，在该对话框中提供了三个视频导入选项，如图14-33所示。

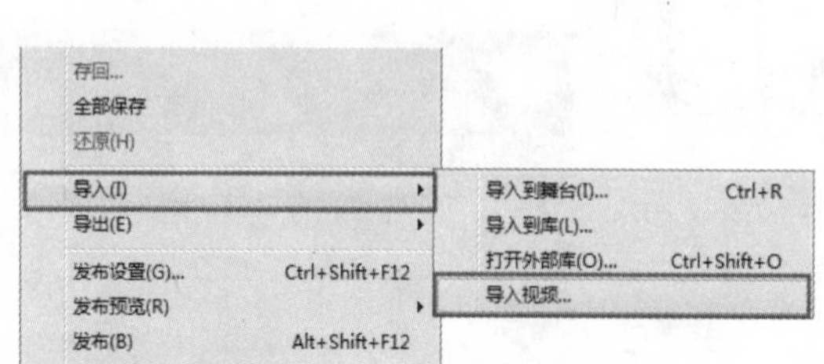

图14-32　执行命令

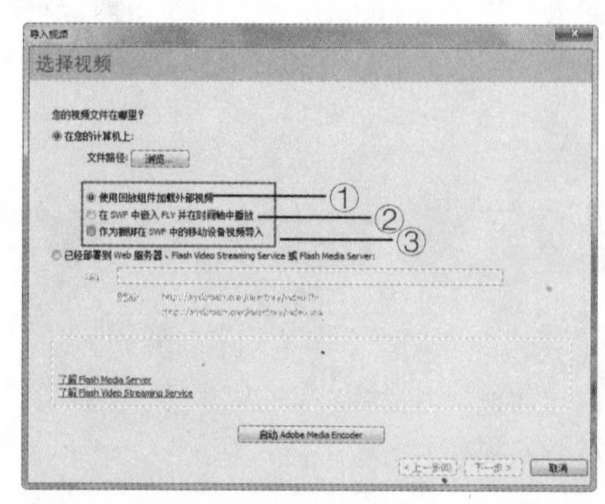

图14-33　“导入视频”对话框

①使用回放组件加载外部视频	导入视频，并同时通过FLVPlayback 组件创建视频的外观，将 Flash 文档作为 SWF 文件发布并将其上载到 Web 服务器时，还必须将视频文件上载到 Web 服务器或 Flash Media Server，并按照已上载视频文件的位置进行配置。
②在 SWF中嵌入FLV并在时间轴中播放	允许将FLV 或 F4V 嵌入到 Flash 文档中，成为 Flash 文档的一部分，导入的视频将直接置于时间轴中，可以清晰地看到时间轴帧所表示的各个视频帧的位置。
③作为捆绑在 SWF 中的移动设备视频导入	与在 Flash 文档中嵌入视频类似，将视频绑定到 Flash Lite 文档中，以部署到移动设备。要使用该功能，必须以Flash Lite 2.0、Flash Lite 2.1、Flash Lite 3.0和Flash Lite 3.1为目标。

应用实例：导入进行渐进式下载的视频

渐进式下载允许用户使用脚本将外部的FLV格式文件加载到SWF文件中，并且可以在播放时控制给定文件的播放或回放。由于视频内容独立于其他Flash内容和视频回放控件，因此只更新视频内容，而无须重复发布SWF文件，使视频内容的更新更加容易。

与嵌入的视频相比，渐进式下载具有以下优点：

（1）可以快速预览，缩短预览的时间。

（2）播放时，下载完第一段并缓存到本地计算机的磁盘驱动器后，即可开始播放。

（3）播放时，视频文件将从计算机驱动器加载到SWF文件上，并且没有文件大小和持续的时间限制。不存在音频同步的问题，也没有内存的限制。

（4）视频文件的帧频可以不同于SWF文件的帧频，减少了制作的烦琐。

源文件：光盘源文件第 14 章 14-5-2.fla

教学视频：光盘视频第 14 章 14-5-2.swf

STEP 01 执行【文件】|【新建】命令，新建一个 Flash 文档，如图 14-34 所示。单击“属性”面板上的“编辑”按钮，在弹出的“文档设置”对话框中进行相应的设置，如图 14-35 所示。

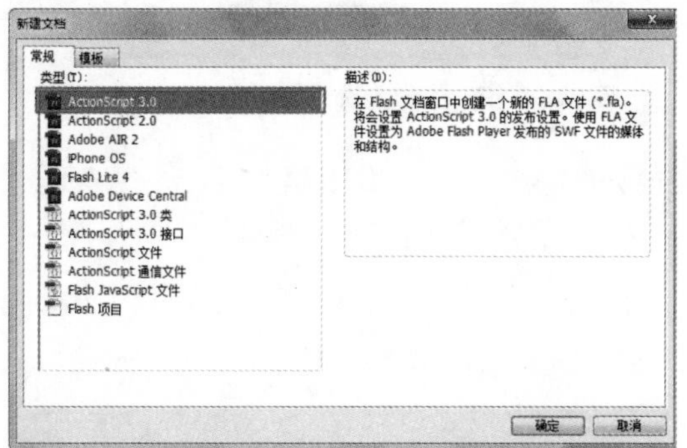

图14-34　新建文档

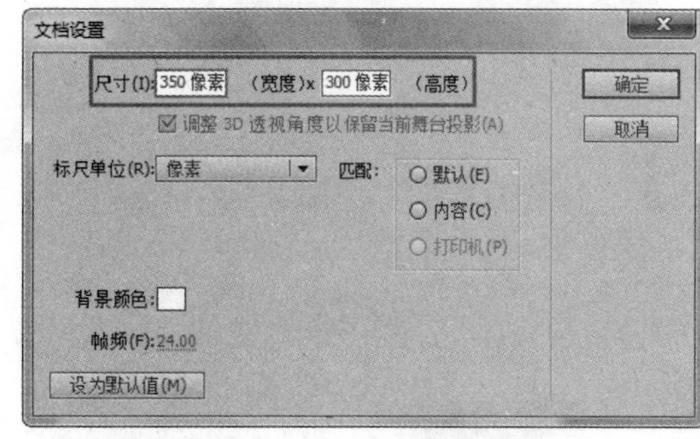

图14-35　设置“文档设置”对话框

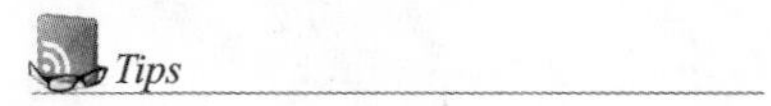

在 Flash 动画中使用视频不会直接将视频导入播放，一般都要为其添加控制按钮，所以场景的尺寸通常要比视频的实际尺寸设置得大一些。

STEP 02 执行【文件】|【导入】|【导入视频】命令，弹出“导入视频”对话框，如图 14-36 所示。在文件路径后单击“浏览”按钮，弹出“打开”对话框，从中选择需要导入的视频，如图 14-37 所示。

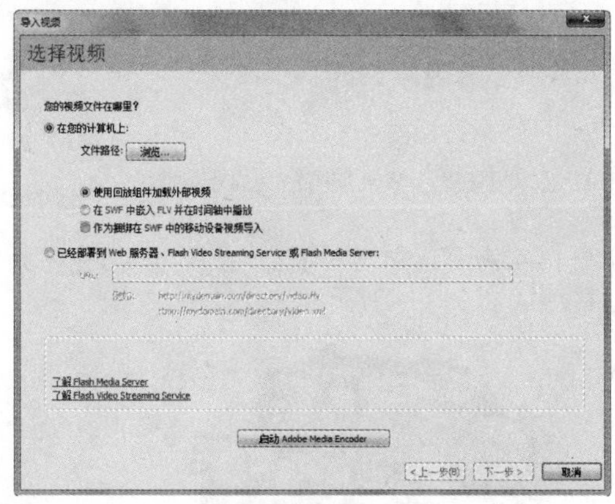

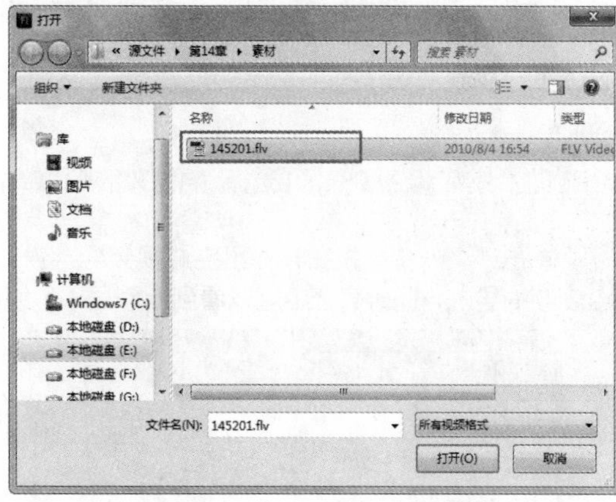

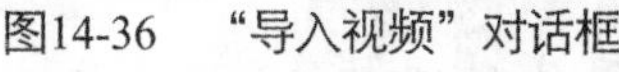

图14-36　“导入视频”对话框

图14-37　选择视频文件

STEP 03 单击“打开”按钮，关闭“打开”对话框，在“导入视频”对话框中可以看到导入的视频路径，如图 14-38 所示。继续选择视频导入选项，在这里保持默认选择“使用播放组件加载外部视频”，如图 14-39 所示。

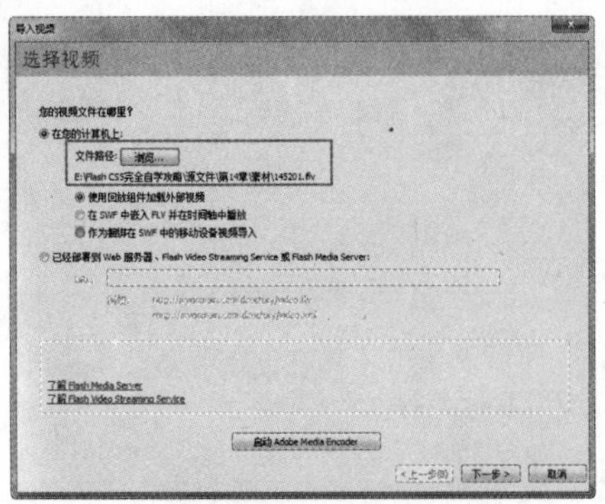
图14-38 视频路径

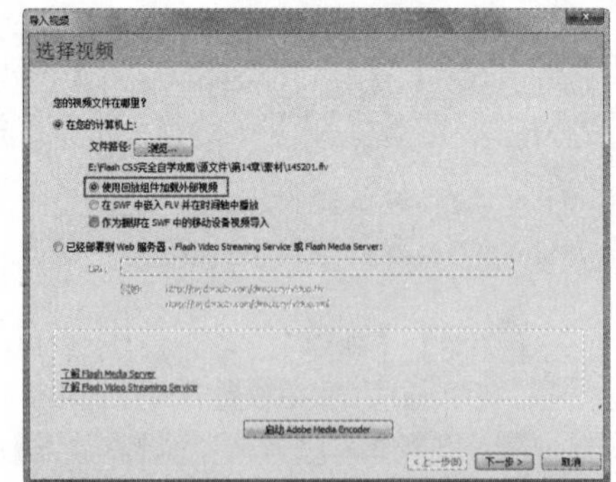
图14-39 选择导入选项

STEP 04 单击“下一步”按钮，进入外观窗口，在这里可以选择一种视频的外观，如图 14-40 所示。在“外观”下拉列表框中还可以选择其他的预定义外观，如图 14-41 所示，Flash 会将外观复制到 FLA 文件所在的文件夹。

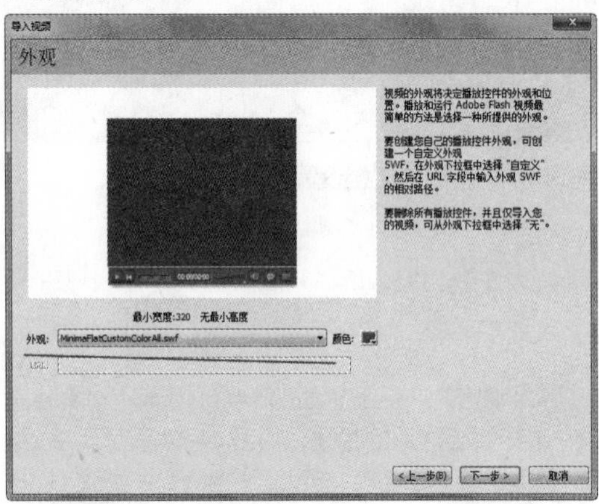
图14-40 选择外观

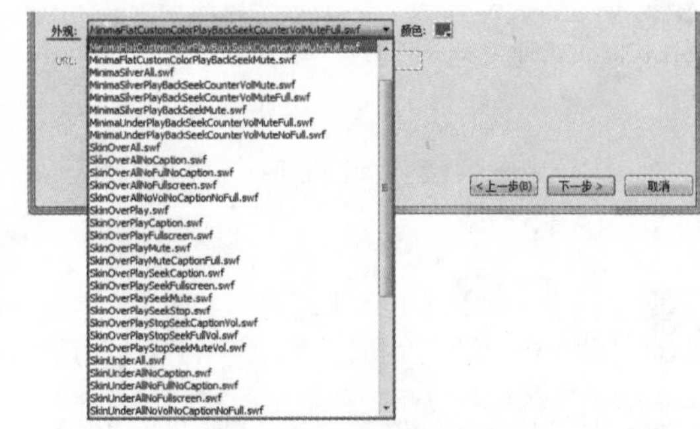
图14-41 “外观”下拉列表

Tips

也可以在“外观”下拉列表框中选择“自定义外观 URL”，在 URL 文本框中输入 Web 服务器上的外观地址。

STEP 05 单击“下一步”按钮，弹出完成视频导入窗口，如图 14-42 所示。单击“完成”按钮，即可完成视频的导入，此时舞台中可以看到刚刚导入的视频文件效果，如图 14-43 所示。

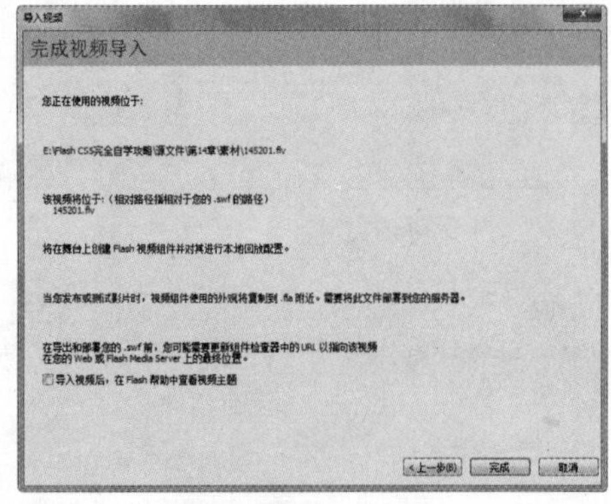
图14-42 完成视频导入

图14-43 舞台效果

STEP 06 执行【文件】|【保存】命令，将文档保存为“光盘 / 源文件 / 第 14 章 /14-5-2.fla”，按快捷键“Ctrl+Enter”测试影片，既可以欣赏导入的视频效果，还可以通过视频组件上的按钮控制视频的播放和声音的大小，如图 14-44 所示。

STEP 07 打开源文件所在的文件夹，可以发现除了视频文件以外，多了一个 MinimaFlatCustomColorAll.swf 文件，这就是刚刚所设置的视频外观，如图 14-45 所示。

图14-44　测试影片

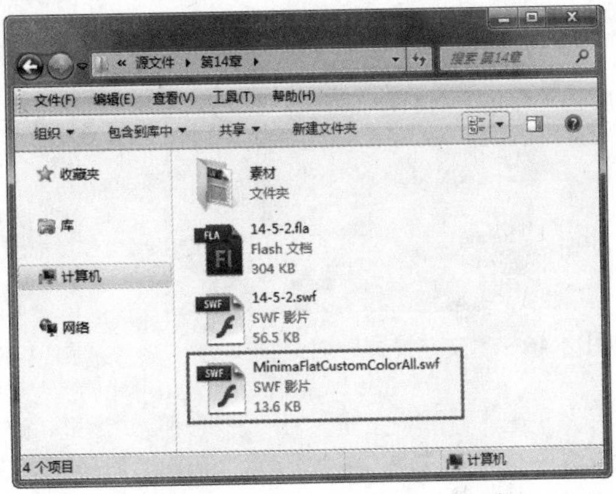

图14-45　源文件

应用实例：嵌入视频

嵌入的视频允许将视频文件嵌入到SWF文件，使用这种方法导入视频时，该视频将被直接放置在时间轴上，与导入的其他文件一样，嵌入的视频成了Flash文档的一部分。

嵌入的视频的局限如下：

（1）嵌入的视频文件不宜过大，否则在下载播放过程中会占用系统过多的资源，从而导致动画播放失败。

（2）较长的视频文件（长度超过 10 秒）通常会在视频和音频之间存在不同步问题，不能达到很好的播放效果。

（3）要播放嵌入的SWF文件的视频，必须先下载整个影片，所以如果嵌入的视频过大，则需要一个漫长的等待过程。

（4）将视频嵌入到文档后，将无法对其进行编辑，必须重新编辑和导入其他视频文件。

（5）在通过 Web 发布SWF文件时，必须将整个视频都下载到浏览者的计算机上，然后才能开始视频播放。

（6）在运行时，整个视频必须放入计算机的本地内存中。

（7）导入的视频文件的长度不能超过 16 000 帧。

（8）视频帧速率必须与 Flash 时间轴帧速率相同。设置 Flash 文件的帧速率，以匹配嵌入视频的帧速率。

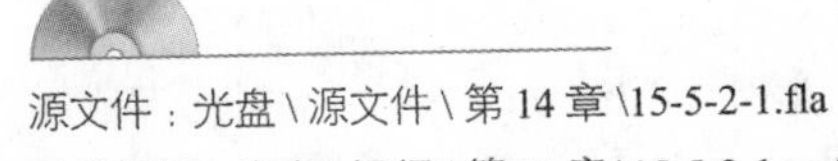

源文件：光盘 \ 源文件 \ 第 14 章 \15-5-2-1.fla

教学视频：光盘 \ 视频 \ 第 14 章 \15-5-2-1.swf

STEP 01 新建一个 Flash 文档，单击“属性”面板上的“编辑”按钮，弹出“文档设置”对话框，参数设置如图 14-46 所示。执行【文件】|【导入】|【导入视频】命令，弹出“导入视频”对话框，在文件路径后单击“浏览”按钮，弹出“打开”对话框，从中选择需要导入的视频，如图 14-47 所示。

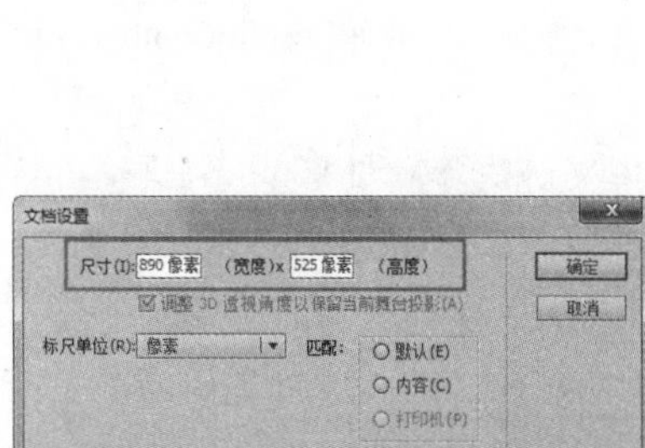

图14-46 “文档设置”对话框

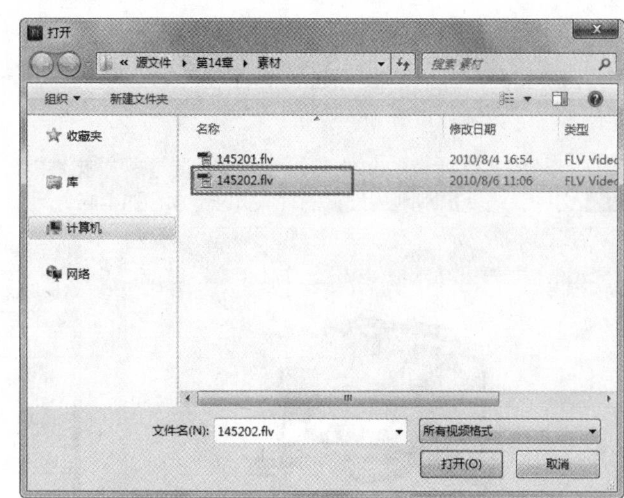

图14-47 选择视频文件

STEP 02 单击“打开”按钮，关闭“打开”对话框，选择视频导入选项为“在 SWF 中嵌入 FLV 并在时间轴中播放”，如图 14-48 所示。单击“下一步”按钮，进入嵌入窗口，从中可以选择用于将视频嵌入到 SWF 文件的元件类型，如图 14-49 所示。

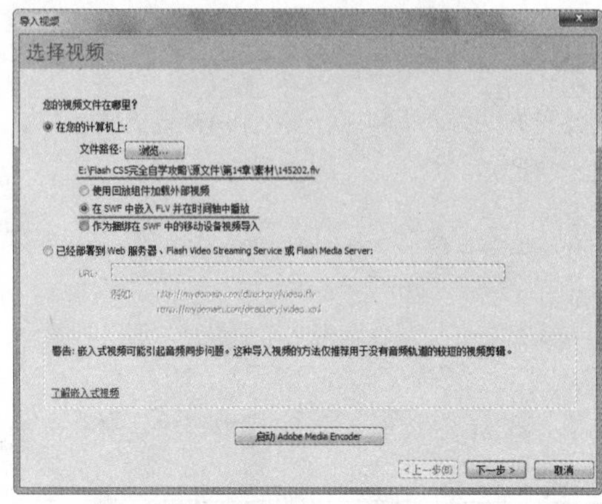

图14-48 选择导入选项

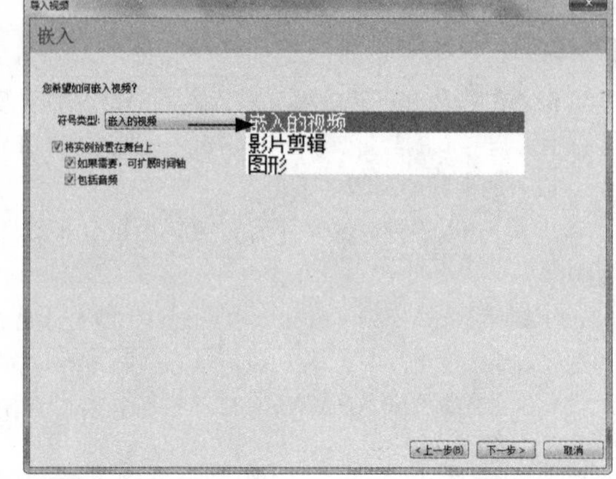

图14-49 嵌入窗口

嵌入的视频	直接将视频导入到时间轴上。
影片剪辑	将视频置于影片剪辑实例中，这样可以很好地控制影片剪辑，视频的时间轴将独立于主时间轴进行播放。通过使用这种方法，可以减少因视频的导入而扩展很多帧。
图形	将视频置于图形元件中，通常这种方法将无法使用 ActionScript 与该视频进行交互。

STEP 03 单击“下一步”按钮，弹出完成视频导入窗口，如图 14-50 所示。单击“完成”按钮，即可完成视频的导入，此时在舞台中可以看到刚刚导入的视频文件效果，如图 14-51 所示。

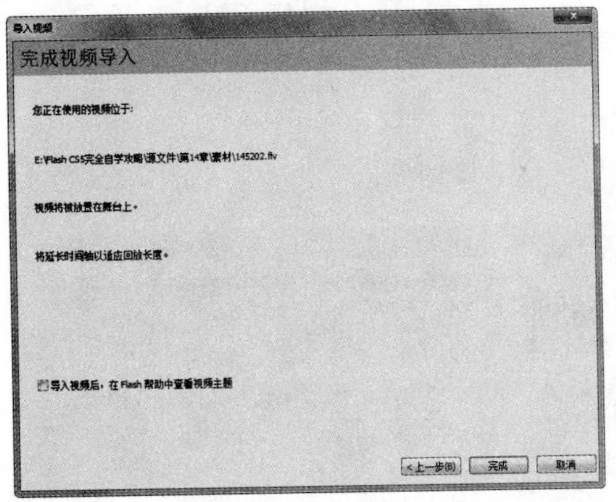

图14-50　完成视频导入

图14-51　舞台效果

Tips

让视频文件参与到 Flash 常规动画制作中，可以使得动画效果更加丰富，有时还可以达到让人匪夷所思的效果，但是加入视频后的文件一般体积都会有所增大，读者要慎重使用。

使用Flash Media Server流式加载视频

Flash Media Server 是基于用户的可用带宽，使用带宽检测传送视频或音频内容。在传送的过程中，每个Flash客户端都打开一个到Flash Media Server 的持久连接，并且传送中的视频和客户端交互之间存在受控关系。根据用户访问和下载内容的能力，向他们提供不同的内容。

与嵌入和渐进式下载的视频相比，使用 Flash Media Server 传送视频流有以下优势：

（1）回放视频的开始时间与其他集成视频的方法相比更早一些。

（2）由于客户端无须下载整个文件，所以流传送使用的客户端内存和磁盘空间相对较少一些。

（3）使用 Flash Media Server 传送视频时，只有用户查看的视频部分才会传送给客户端，所以网络资源的使用变得更加有效。

（4）由于在传送媒体流时，媒体不会保存到客户端的缓存中，因此媒体传送更加安全。

（5）相对于其他视频，具备更好的跟踪、报告和记录能力。

（6）可以传送实时视频和音频演示文稿，或者通过 Web 摄像头或数码摄像机捕获视频。

（7）Flash Media Server 为视频聊天、视频信息和视频会议应用程序提供多用户的流传送。

（8）通过使用服务器端脚本控制视频和音频流，可以根据客户端的连接速度，创建服务器端播放曲目、同步流和更智能的传送选项。

14.5.3 处理导入的视频文件

在Flash文档中导入视频时，不一定每个视频文件都适合Flash文档的需求，这就需要将导入的视频文件进行相应的设置或更改，从而使视频符合Flash文件需求。

使用“属性”面板

使用视频的“属性”面板，可以更改舞台上嵌入或链接视频剪辑的实例属性。“属性”面板如图14-52所示，在该面板中可以为实例指定名称，设置其宽度、高度，以及舞台上的坐标位置，单击“更换”按钮，从弹出的“交换视频”对话框中还可以更换当前文档中新的视频，如图14-53所示。

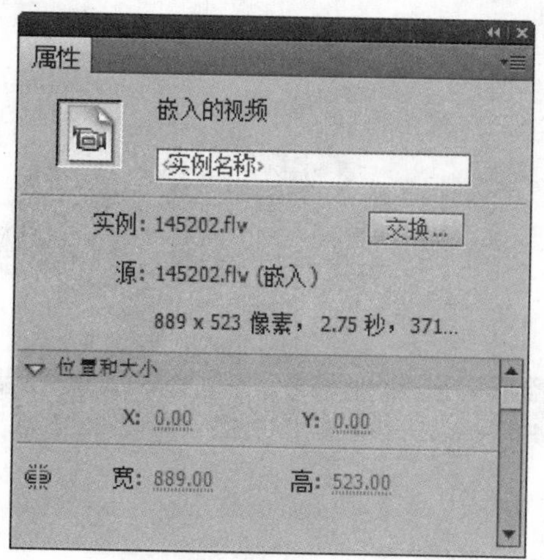

图14-52 “属性”面板

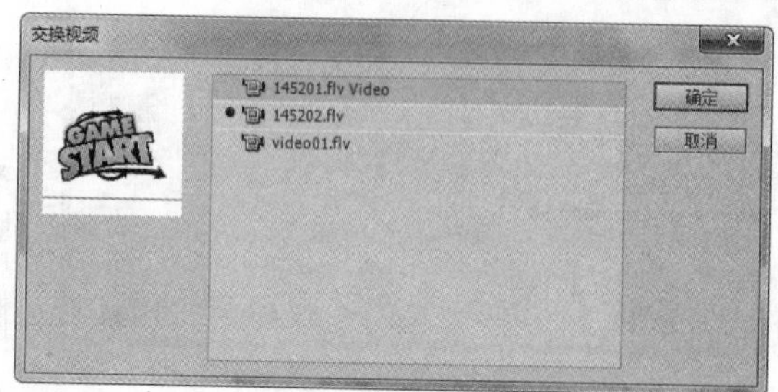

图14-53 “交换视频”对话框

使用“视频属性”对话框

除了在视频的“属性”面板中可以对视频进行设置以外，还可以通过在视频文件上单击鼠标右键，在弹出的快捷菜单中选择【属性】命令，如图14-54所示，或者双击“库”面板中视频文件前的图标，弹出“视频属性”对话框，如图14-55所示。

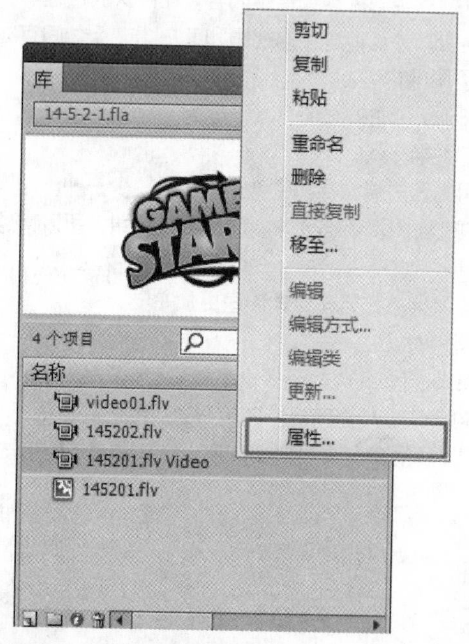

图14-54 选择【属性】命令

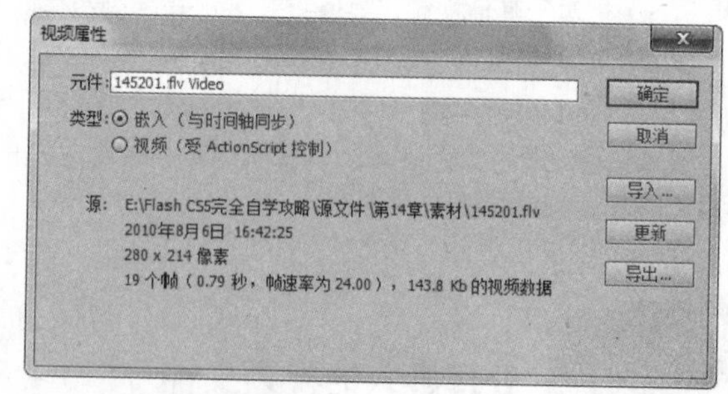

图14-55 “视频属性”对话框

元件	用于更改视频剪辑的元件名称。
源	用于查看导入的视频剪辑的相关信息，包括视频剪辑的类型、名称、路径、创建日期、像素、长度和文件大小。
导入	如果想要使用 FLV 或 F4V 文件替换视频，可以单击该按钮。
更新	如果在外部编辑器中对视频剪辑进行了修改，单击该按钮可以进行更新。

导出	单击该按钮，弹出“导出FLV”对话框，如图14-56所示，在该对话框中选择好文件的保存位置，并为其进行命名，然后单击“保存”按钮，即可将当前选定的视频剪辑导出为.flv文件。  图14-56“导出FLV”对话框

14.6 总结扩展

在制作动画的同时，为动画添加声音和视频是使用Flash制作动画最突出的特点之一，在Flash中可以使声音独立于时间轴连续播放，又可以使声音和动画保持同步播放效果。

而且随着Flash版本的逐步提升，其对视频的支持度也会逐步加强，动画中可以随意应用音频和视频的功能，使得Flash称为制作动画的首选。

在Flash动画中插入声音和视频，首先需要考虑Flash所支持的文件格式，选择合适的文件格式才能将其导入Flash中进行编辑和制作。声音和视频在Flash动画中的应用有着不可忽视的作用，它可以让一个本来死板的动画变得活灵活现，为动画带来更多意想不到的效果。

14.6.1 本章小结

本章主要学习了如何在Flash动画中应用声音和视频，其中对声音和视频的类型、导入，以及编辑方法进行了着重讲解，通过本章的学习，读者需要对动画中使用音频和视频的格式有充分了解，并能够熟练掌握声音和视频的编辑方法。

14.6.2 举一反三——导入视频文件

案例文件：	光盘\源文件\第14章\14-6-2.jpg
视频文件：	光盘\视频\第14章\14-6-2.swf
难易程度：	★☆☆☆☆
学习时间：	2分钟

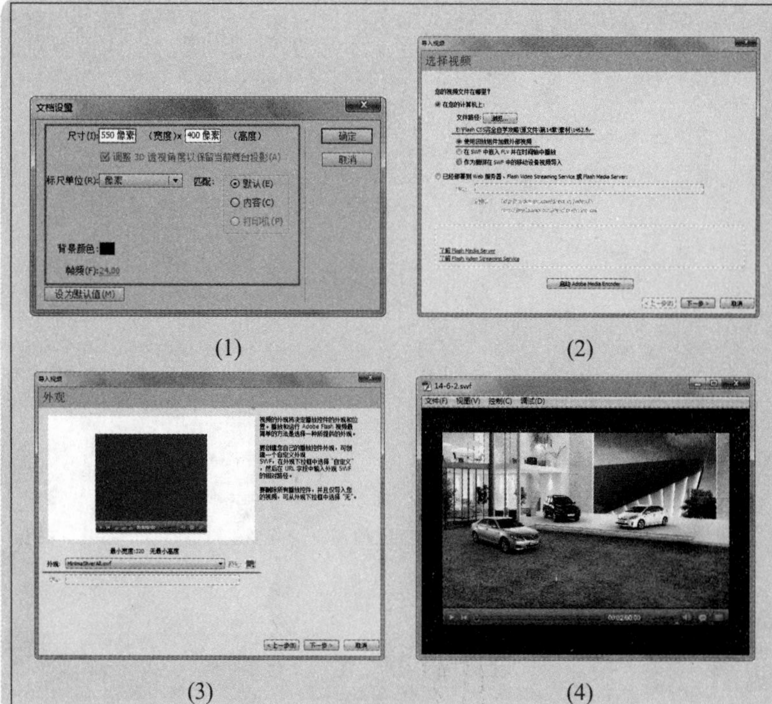

（1）新建Flash文档，设置“文档设置”对话框。

（2）执行【文件】|【导入】|【导入视频】命令，在“导入”视频对话框中选择视频和导入选项。

（3）单击“下一步”按钮，在外观中为视频选择一种外观。

（4）单击“下一定”按钮，完成视频的导入，测试视频效果。

第15章 ActionScript 3.0基础

本章主要介绍了ActionScript 3.0的基础知识，包括一些有关于ActionScript 3.0语言的基本元素的语法知识。这些内容学起来很简单，也似乎和Flash动画没有什么关系，但却是以后能否制作出功能强大的动画的先决条件。通过学习，读者要快速掌握这些内容，如果学习过ActionScript 2.0，就需要仔细比较两者之间的不同。

本章学习要点

- 了解ActionScript的新增功能
- 掌握ActionScript的工作环境
- 了解常量和变量
- 理解变量的数据类型
- 掌握数据运算的方法
- 掌握流程控制的方法
- 函数的定义和调用

15.1 ActionScript 3.0概述

ActionScript 是Adobe FlashPlayer 和 Adobe AI运行时的编程语言。它在 Flash、Flex 、 AIR 内容和应用程序中实现交互性、数据处理，以及其他许多功能。

ActionScript 在 ActionScript 虚拟机 (AVM) 中执行，后者包含在 Flash Player 和 AIR 中。ActionScript 代码通常由编译器转换为字节代码格式。字节代码是一种由计算机编写和识别的编程语言。编译器示例有：内置到 Adobe FlashProfessional 中的编译器、内置到 Adobe Flash Builder中的编译器，以及 Adobe Flex SDK 中提供的编译器。字节代码嵌入在 Flash Player 和 AIR 执行的 SWF 文件中。

ActionScript 3.0是一种面对对象的编程语言，是一种把面向对象的思想应用于软件开发过程中，指导开发活动的系统方法。它与C#、Java等语言风格十分接近，是时下较为流行的开发环境。

同其他任何程序语言一样，ActionScript 3.0也是由一些语法构成的。这些语法按逻辑被分为不同的类别，每一个类别都涉及不同的功能领域。典型的功能领域包括处理变量和变量的运算。

接下来一起学习一下ActionScript 3.0的基本语法。

15.1.1 与ActionScript 2.0的区别

ActionScript 2.0是早期版本ActionScript 1.0的升级版本，首次引入了面向对象的概念，但它并不是完全面向对象的语言，只是在编译过程中支持OOP语法。ActionScript 2.0的面向对象虽然不全面，但却是首次将OOP带到了Flash中，而ActionScript 3.0是一个完全基于OOP的标准化面向对象语言，最重要的就是它不是ActionScript 2.0的简单升级，而完全是两种思想的语言。可以说，ActionScript 3.0全面采用了面向对象的思想，而ActionScript 2.0则仍然停留在面向过程阶段。

所以ActionScript 3.0绝不是ActionScript 2.0的升级版，在ActionScript 3.0中，可以看到java和C#的影子，确实这三种语言大部分思想都是一致的，只有一些小的区别，例如ActionScript 3.0引入了命名空间的概念，但是不支持比如委托，ActionScript 2.0与ActionScript 3.0的主要区别如下：

运行时异常机制处理

在编译阶段，ActionScript 2.0采用的是AVM1（actionscript vitual machine），而ActionScript 3.0采用的是AVM2。新一代虚拟机采用了OOP思想，在执行速度上比起AVM1也快了10倍，还提供了异常处理。以前在使用ActionScript 2.0编程时，一旦出错，AVM1选择的是静默失败，很难查出什么地方出错了，会浪费大量纠错时间。而AVM2与目前主流的编译器一样，运行出错会输出错误提示，工作效率大大提高。如果做个对比，AVM1就是大刀长矛，而AVM2就是手枪，大刀和长矛也能杀敌，但是能杀的敌人都是实力比较弱小的，面对一个大型项目，就要使用现代化的工具。

事件机制

初学者在刚接触ActionScript 3.0时会发现连一个简单的按钮点击的方法都写不出来。实际上ActionScript 3.0的事件机制采用的是监听的方式，和ActionScript 2.0onClipEvent不同，ActionScript 3.0里所有的事件都是需要触发器、监听器、执行器三种结构的，这样做的好处就是使得这个语言非常安全而且很标准。ActionScript 3.0的代码很丰富，可以这样写，也可以那样写，代码变得很难懂，可读性太差，执行效率也大大降低。要特别说明的是，ActionScript 3.0的所有事件都直接继承event对象，而event是直接继承自BOSS类object，结构非常合理。所以在ActionScript 3.0中，所有的事件都继承自相同的父亲，结构相同，提高了程序的利用率。

封装性

ActionScript 3.0与ActionScript 2.0最大的不同就是在ActionScript 3.0中引入了封装的概念，使得程序安全性大大提高，各个对象之间的关系也通过封装、访问控制而得以确定，避免了不可靠的访问给程序带来的意外问题。

XML

这是最令人激动的改变，在ActionScript 2.0中对XML的存取仍然需要解析，而在ActionScript 3.0中，则将XML也视作一个对象，存取XML就像存取普通对象的属性一样方便，用点语法无疑大大提高了效率。

容器的概念

AS3采用了容器的概念，告别ActionScript 2.0中一个MovieClip打天下的局面。对于ActionScript 2.0程序员来说，可能不能理解。在ActionScript 2.0时代，做什么都使用MovieClip,而且MovieClip也是直接继承自object，这样做就造成了极大的浪费。所以使用ActionScript 2.0编出的swf文件一般比ActionScript 3.0编译出来的swf文件要大上几倍。ActionScript 3.0把所有用户用到的显示对象都分开，既节省了制作成本，又大大调高了程序的功能。

对于ActionScript 3.0来说，变化的地方很多，此处由于篇幅的关系，就不再一一讲解。

15.1.2 ActionScript 3.0的新增功能

ActionScript 3.0 包含许多类似于 ActionScript 1.0 和 2.0 的类和功能。但是 ActionScript 3.0 在架构和概念上与早期的ActionScript 版本不同。ActionScript 3.0 中的改进包括新增的核心语言功能。

核心语言功能

核心语言定义编程语言的基本构造块，例如语句、表达式、条件、循环和类型。ActionScript 3.0 包含许多加快开发过程的功能。

运行时异常

ActionScript 3.0 报告的错误情况比早期的 ActionScript 版本多。运行时经常用于常见的错误情况，可改善调试体验并使您能够开发处理错误的应用程序。运行时错误可提供带有源文件和行号信息注释的堆栈跟踪，以便能快速定位错误。

- 运行时类型

在 ActionScript 3.0 中，类型信息在运行时保留。这些信息用于运行时的类型检查，以改善系统的类型安全性。类型信息还可用于以本机形式表示变量，这样提高了性能，减少了内存使用量。经过比较，在 ActionScript 2.0 中，类型批注主要是一个开发人员的辅助手段，所有值都在运行时以动态方式键入。

- 密封类

ActionScript 3.0 中引入了密封类的概念。密封类只能拥有在编译时定义的一组固定的属性和方法，不能添加其他属性和方法。由于不能在运行时更改类，使得编译时检查更严格，因此开发的程序更可靠。默认情况下，ActionScript 3.0 中的所有类都是密封的，但可以使用 dynamic 关键字将其声明为动态类。

- 闭包方法

ActionScript 3.0 使用闭包方法可以自动记起它的原始对象实例，此功能对于事件处理非常有用。在ActionScript 2.0 中，闭包方法无法记起它是从哪个对象实例提取的，所以调用闭包方法时会导致意外的行为。

- ECMAScript for XML (E4X)

ActionScript 3.0 实现了 ECMAScript for XML (E4X)，后者最近被标准化为 ECMA-357。E4X 提供一组用于操作 XML的自然流畅的语言构造。与传统的 XML 分析 API 不同，使用 E4X 的 XML 就像该语言的本机数据类型一样执行。E4X 通过大大减少所需代码的数量来简化操作 XML 的应用程序的开发。

- 正则表达式

ActionScript 3.0 包括对正则表达式的固有支持，因此您可以快速搜索并操作字符串。由于在 ECMAScript (ECMA-262) 第3 版语言规范中对正则表达式进行了定义，因此 ActionScript 3.0 实现了对正则表达式的支持。

- 命名空间

命名空间与用于控制声明（public、private、protected）的可见性的传统访问说明符类似。它们的工作方式与名称由您指定的自定义访问说明符类似。命名空间使用统一资源标识符 (URI) 以避免冲突，而且在您使用 E4X 时，还用于表示 XML 命名空间。

- 新基元类型

ActionScript 3.0 包含三种数值类型：Number、int 和 uint。Number 表示双精度浮点数。int 类型是一个带符号的 32 位整数，它可充分利用 CPU 的快速处理整数数学运算的能力，int 类型对使用整数的循环计数器和变量都非常有用。uint 类型是无符号的 32 位整数类型，可用于 RGB 颜色值、字节计数和其他方面，而 ActionScript 2.0 只包含Number 一种数值类型。

API 功能

ActionScript 3.0 中的 API 包含许多可用于在低级别控制对象的类。语言体系结构的设计比早期版本更为直观。虽然有太多的类需要详细介绍，但是一些重要的区别更值得注意。

- DOM3 事件模型

文档对象模型级别 3 事件模型（DOM3）提供了一种生成和处理事件消息的标准方式。这种事件模型的设计允许应用程序中的对象进行交互和通信、维持其状态以及响应更改。ActionScript 3.0 事件模型的模式遵守万维网联合会 DOM 级别 3 事件规范。这种模型提供的机制比早期版本的 ActionScript 中提供的时间系统更清楚、更有效。

Tips

事件和错误事件都位于 flash.events 包中。Flash Professional 组件和 Flex 框架使用的事件模型相同，因此整个 Flash 平台中的事件系统是统一的。

- 显示列表API

API 由使用可视元素的类组成。Sprite 类是一个轻型构建基块，被设计为可视元素（如用户界面组件）的基类。Shape 类表示原始的矢量形状。可以使用 new运算符实例化这些类，并可以随时重新指定其父类。

深度管理是自动进行的。提供了用于指定和管理对象的堆叠顺序的方法。

- 处理动态数据和内容

ActionScript 3.0 包含用于加载和处理应用程序中的资源和数据的机制，这些机制在 API 中是直观的并且是一致的。Loader类提供了一种加载 SWF 文件和图像资源的单一机制，并提供了一种访问已加载内容的详细信息的方式。URLLoader 类提供了一种单独的机制，用于在数据驱动的应用程序中加载文本和二进制数据。

- 低级数据访问

多种 API 都提供对数据的低级访问。对于正在下载的数据而言，可使用 URLStream 类在下载数据的同时访问原始二进制数据。使用 ByteArray 类可优化二进制数据的读取、写入，以及使用。使用 Sound API，可以通过 SoundChannel 类和SoundMixer 类对声音进行精细控制。安全性 API 提供有关 SWF 文件或加载内容的安全权限的信息，使您能够更好地处理安全错误。

● 使用文本

ActionScript 3.0 包含一个用于所有与文本相关的API 的flash.text 包。TextLineMetrics 类为文本字段中的一行文本提供精确度量。该类取代了 ActionScript 2.0 中的 TextFormat.getTextExtent() 方法。TextField 类包含可以提供有关文本字段中一行文本或单个字符的特定信息的低级别方法。例如 getCharBoundaries() 方法返回一个表示字符边框的矩形。getCharIndexAtPoint() 方法返回位于指定点的字符的索引。getFirstCharInParagraph() 方法返回段落中第一个字符的索引。行级方法包括 getLineLength()（返回指定文本行中的字符数）和 getLineText()（返回指定行的文本）。Font 类提供了一种管理SWF 文件中的嵌入字体的方法。

为了对文本进行更低级别的控制， flash.text.engine 包中的类组成了 Flash 文本引擎。这组类提供对文本的低级控制，是针对创建文本框架和组件而设计的。

15.2 ActionScript 3.0工作环境

作为开发环境，Flash CS5中有一个具备强大功能的ActionScript代码编辑器——“动作”面板。使用该编辑器，初学者和熟练的程序员都可以迅速而有效地编写出功能强大的程序。Flash CS5的程序编辑器提供代码提示、代码格式自动识别及搜索替换功能。

15.2.1 “动作”面板的概念

执行【文件】|【新建】命令，新建一个ActionScript 3.0文档。执行【窗口】|【动作】命令，打开“动作”面板，如图15-1所示。

“动作”面板大致可以分为工具栏、动作工具箱、脚本导航器和脚本编辑窗口四部分。

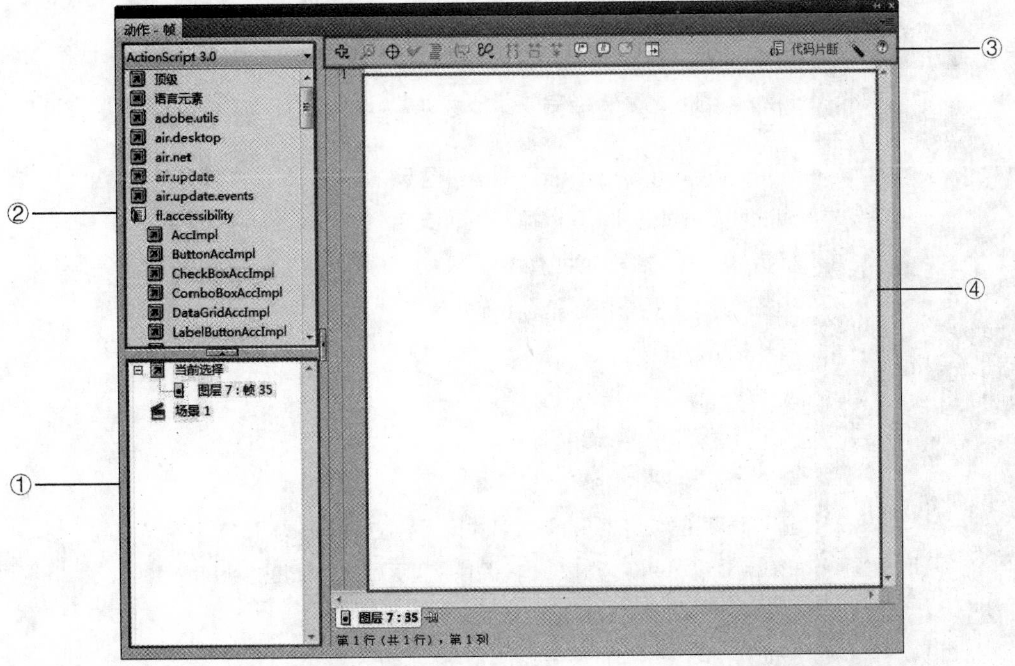

图15-1 “动作”面板

<table>
<tr><td>①动作工具箱</td><td>动作工具箱主要用来浏览ActionScript元素的分类列表。用户可以通过工具栏中的“显示隐藏工具箱”按钮打开/关闭工具箱。
用鼠标单击按钮，即可打开包、类、方法和属性集合。用鼠标双击动作工具箱列表中的相应方法，或直接拖动该元素到脚本编辑窗口中，就能够轻松创建ActionScript程序语句，如图15-2所示。
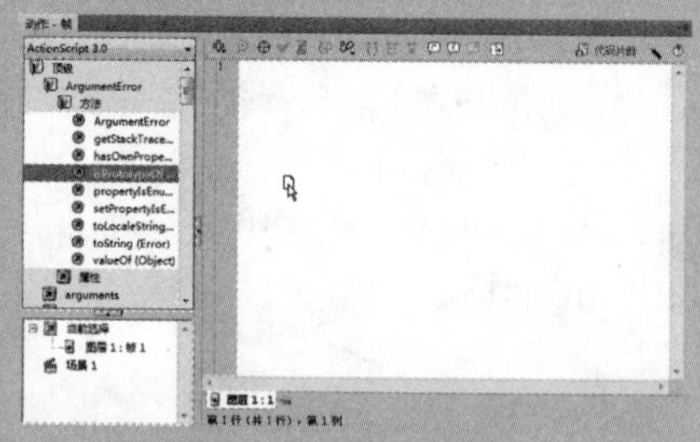 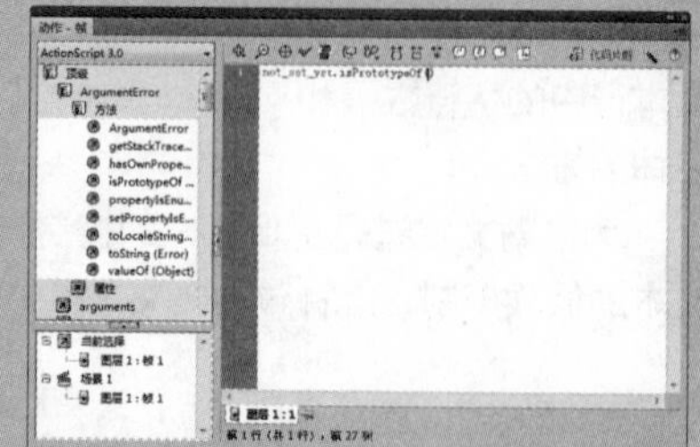
图15-2　创建ActionScript程序</td></tr>
<tr><td>②脚本导航器</td><td>脚本导航器可以快速显示正在工作的对象，以及在哪些帧上添加了脚本，使用它可以在Flash文档中的各个脚本之间快速切换，如图15-3所示。
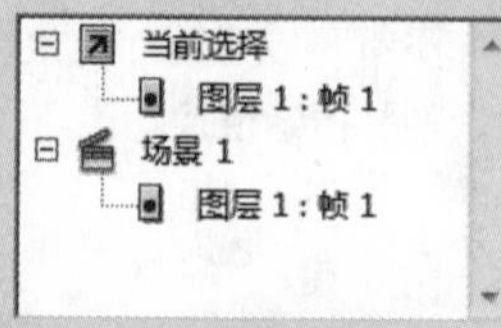
图15-3　脚本导航器</td></tr>
<tr><td>③工具栏</td><td>工具栏中有在创建代码时常用的一些工具：
添加：将新的属性、事件、或者添加到脚本中去；
查找：查找和替换内容；
插入：插入目标路径；
语法检查：检查代码中存在的问题；
自动套用格式：当完成部分编码后，可以用这个工具来规范、整理代码格式；
显示代码提示：显示代码的语法提示；
调试：调试选项，可以插入/更改断点；
折叠：将大括号中的内容折叠起来；
折叠所选：折叠所选择的全部内容；
展开:展开折叠内容；
应用块注释：注释多行代码；
应用行注释：注释单行代码；
删除注释：删除注释；
显示/隐藏工具箱：打开或者关闭面板左侧的工具箱；
代码片段 代码片断：打开“代码片段”面板，添加集成的代码片段；
脚本助手：开启脚本助手功能；
帮助：打开“帮助”面板。</td></tr>
</table>

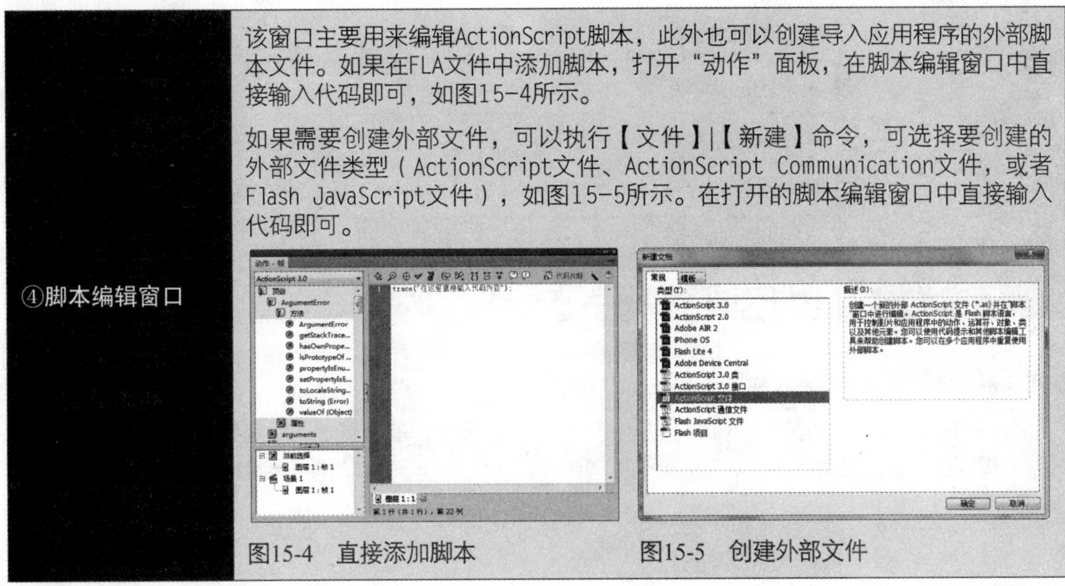

④脚本编辑窗口	该窗口主要用来编辑ActionScript脚本，此外也可以创建导入应用程序的外部脚本文件。如果在FLA文件中添加脚本，打开“动作”面板，在脚本编辑窗口中直接输入代码即可，如图15-4所示。 如果需要创建外部文件，可以执行【文件】|【新建】命令，可选择要创建的外部文件类型（ActionScript文件、ActionScript Communication文件，或者Flash JavaScript文件），如图15-5所示。在打开的脚本编辑窗口中直接输入代码即可。 图15-4　直接添加脚本　　图15-5　创建外部文件

15.2.2 脚本助手模式

在使用ActionScript脚本的时候，可以借助“脚本助手”来编写代码。在使用过程中，脚本助手会提供一个输入参数的窗口，用户并不需要知道详细的语法规则，只要知道自己在完成项目的时候会用到哪些函数就足够了。

在“动作”面板中单击“脚本助手”按钮，切换到脚本助手模式，如图15-6所示。在此模式下，工具栏发生一些变化：

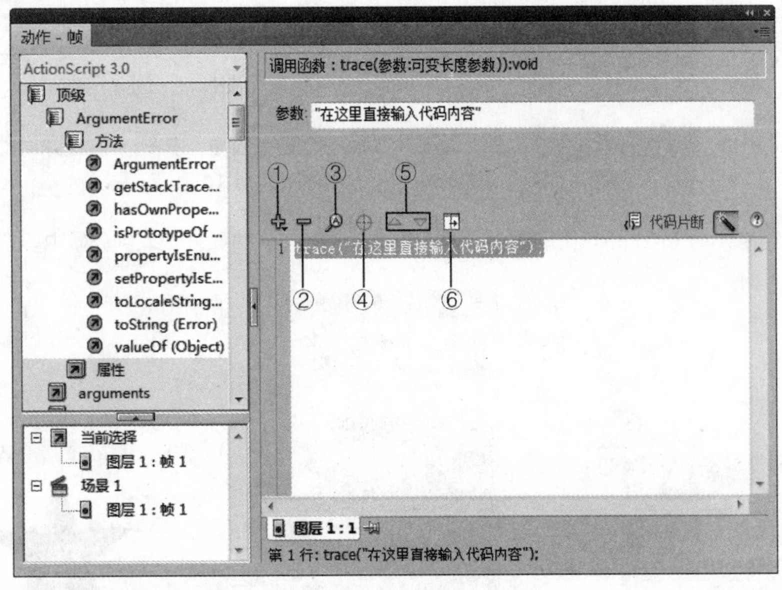

图15-6　脚本助手模式

①添加	将新的属性、事件、方法添加到脚本中。
②删除	将选中的脚本删除。
③查找	查找和替换内容。
④插入	插入目标路径；单击该按钮可以显示当前舞台中所有实例的相对或绝对路径。
⑤移动	上下移动所选动作。
⑥显示/隐藏工具箱	打开或关闭面板左侧的工具箱。

应用实例：使用脚本助手制作拖曳动画

很多Flash动画制作人员对于脚本的使用规则并不是很熟悉。有了脚本助手的帮助，就可以轻松完成想要的脚本操作了，虽然还是不能完成复杂的动画效果，但是对于基本的动画控制已经足够了。

源 文 件：光盘\源文件\第 15 章\15-2-2.fla

教学视频：光盘\视频\第 15 章\15-2-2.swf

STEP 01 执行【文件】|【新建】命令，新建一个 ActionScript 3.0 文档，如图 15-7 所示，执行【文件】|【新建元件】命令，新建一个名称为“星星”的“影片剪辑”元件，如图 15-8 所示。

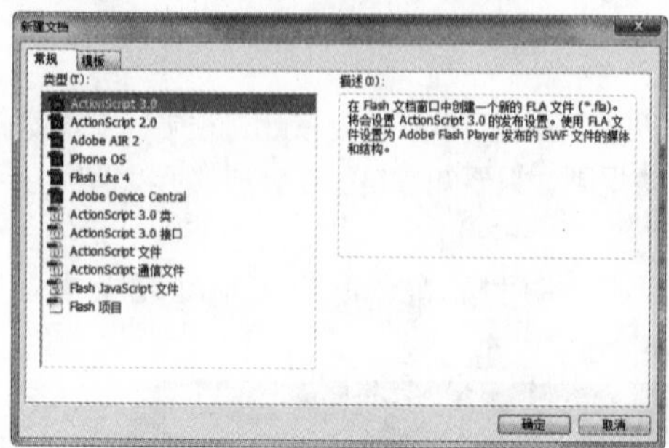

图15-7 新建文档

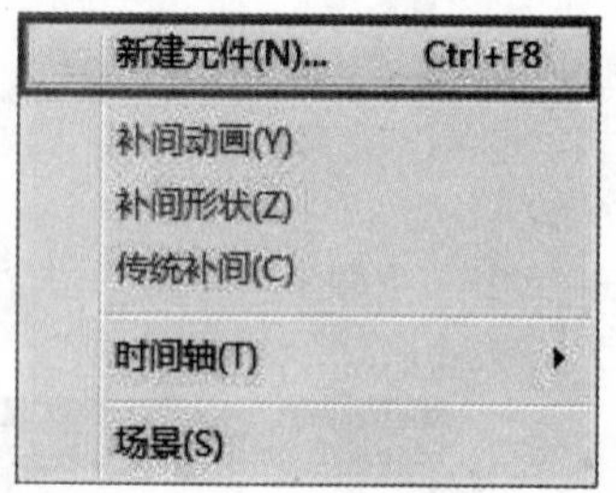

图15-8 创建元件

STEP 02 单击工具箱中的“多角星形工具”，在“属性”面板中单击“设置”按钮，设置弹出的“工具设置”对话框如图 15-9 所示。设置“颜色”面板中的各项参数如图 15-10 所示。

STEP 03 在场景中绘制如图 15-11 所示中的图形，返回场景编辑状态，将元件拖入到场景中。

图15-9 设置图形

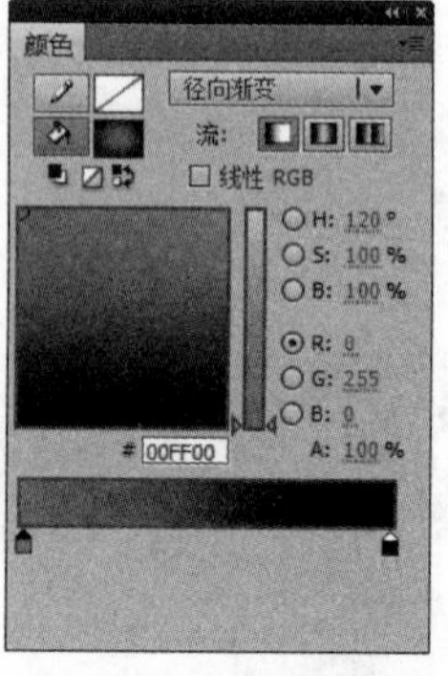

图15-10 设置填充色

图15-11 绘制图形

STEP 04 选中元件，在“属性”面板中将其命名为 star，如图 15-12 所示。

STEP 05 在“动作”面板中单击“脚本助手”按钮，如图 15-13 所示。

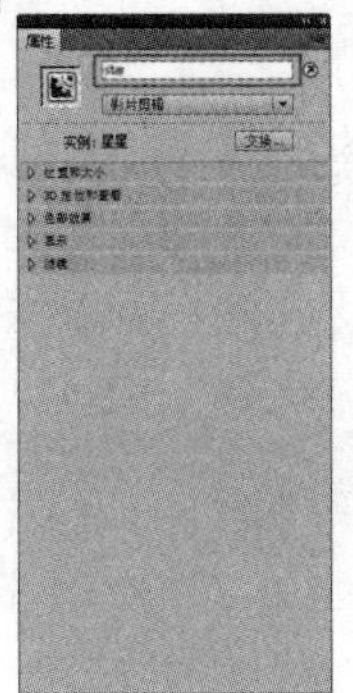

图15-12 命名实例名称

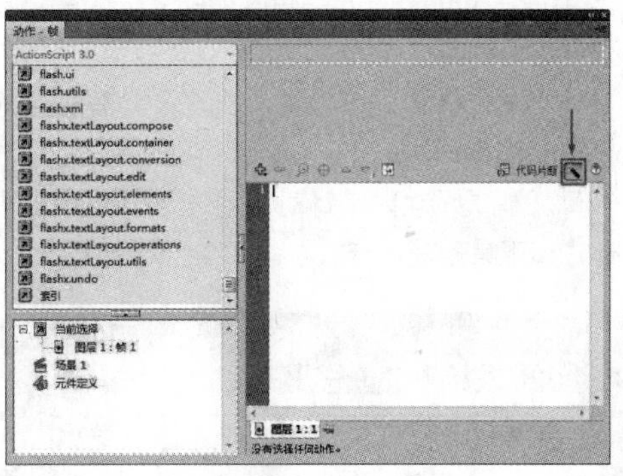

图15-13 使用脚本助手

STEP 06 在左侧“工具箱”中选择如图 15-14 所示的代码并双击添加到编辑框，在“对象”文本框中输入 star，如图 15-15 所示。

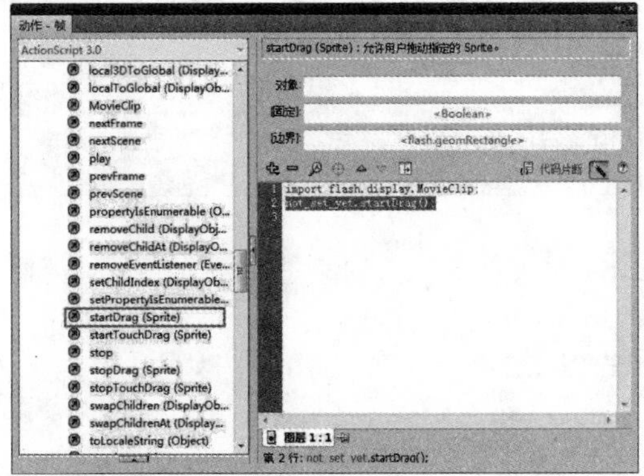

图15-14 选择脚本

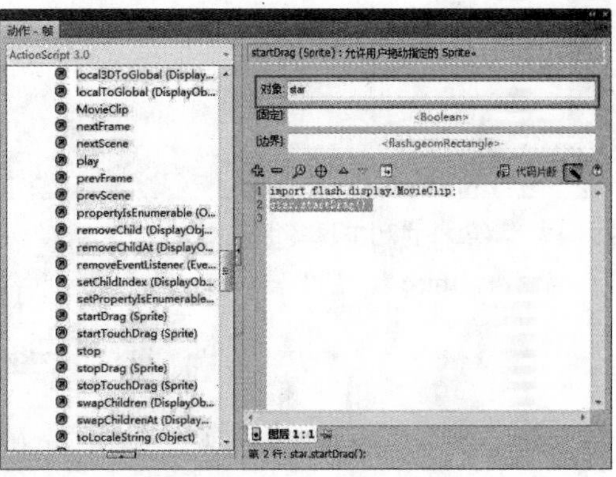

图15-15 输入对象

STEP 07 执行【文件】|【保存】命令，将动画保存为“光盘\源文件\第 15 章\15-2-2.fla”，按“Ctrl+Enter”快捷键测试影片，预览动画效果如图 15-16 所示。

图15-16 测试动画效果

15.2.3 代码提示

当用户在ActionScript编辑区域输入一个关键字时，程序编辑器会自动识别关键字及上下文环境，并自动弹出适用的属性和方法，甚至可以是属性和方法的参数列表，以供选择。

除此之外，弹出的参数提示列表还会有相应的简单介绍，这就大大方便了初学者，有利于快速掌握ActionScript程序语法。

自动代码提示功能是针对"动作"面板标准模式而言的，对于脚本助手模式无效，如图15-17所示为菜单样式和工具条提示样式。

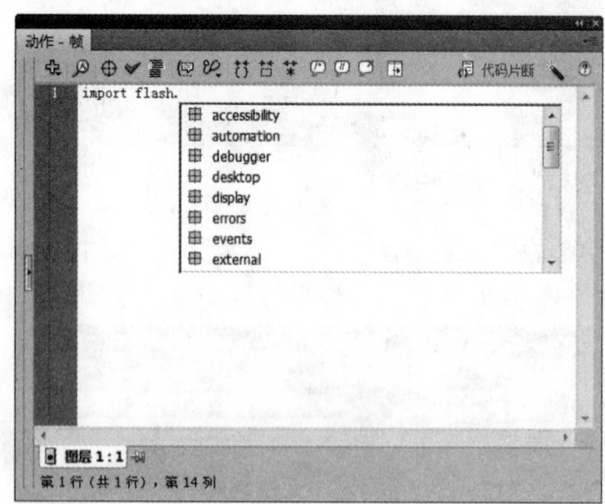

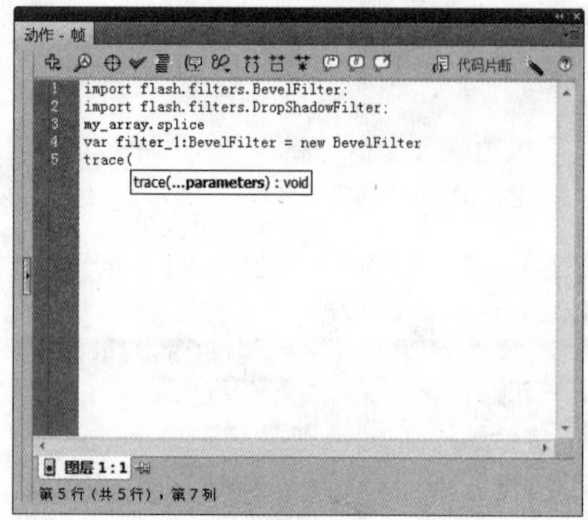

图15-17　菜单样式和工具条提示样式

当输入"truce（"的时候，Flash做出如下参数提示：

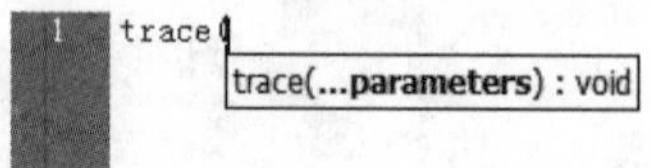

当需要为变量声明数据类型时，键入"："hou ,Flash做出如下的提示：

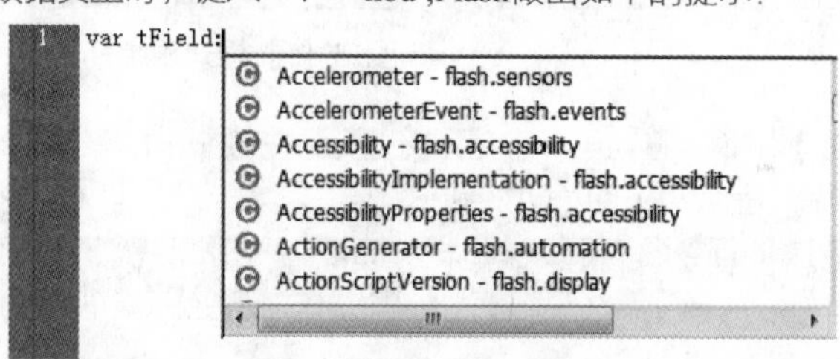

当实例化某个类的对象，需要调用该类的具体方法时，键入"."后，Flash做出如下的提示：

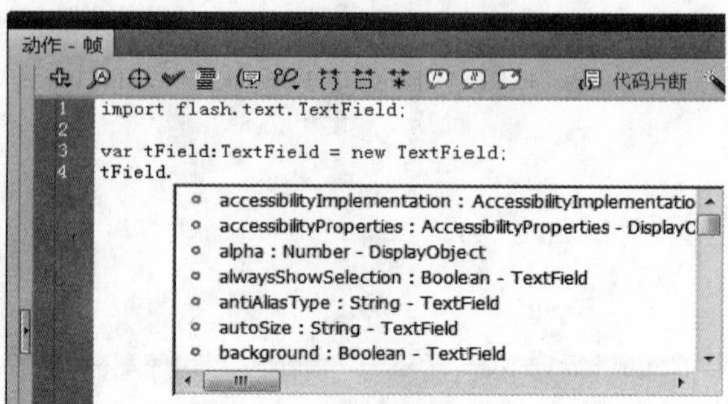

Tips

当用户知道需要查找的方法或属性名称的前几个字母时，代码提示的效率会更高，例如使用 TextField 类实例的 background 属性，输入“.”出现代码提示列表后。继续输入“b”，则在代码提示列表中自动选择以字母“b”开头的属性，用键盘的“上下”键或鼠标选择后，按“Enter”键或双击即可使用。

很多程序代码需要创建类的新实例才能使用它的方法和属性，例如在代码myMovieClip.gotoAndPlay（3）中，gotoAndPlay方法指示实例myMovieClip转到特定的帧，然后开始播放该影片剪辑。“动作”面板并不知道实例myMovieClip属于MovieClip类，因此不知道显示哪些代码提示。

如果想要“动作”面板显示类实例的代码提示，要么在创建实例时为该实例定义数据类型，要么必须向每个实例名添加一个特定的类后缀。例如想要显示MovieClip的代码，可以定义实例为MovieClip类型：

```
var myMovieClip:MovieClip;
```

这样就可以在myMoviecClip后面输入一个“.”，以弹出提示菜单，如图15-18所示。

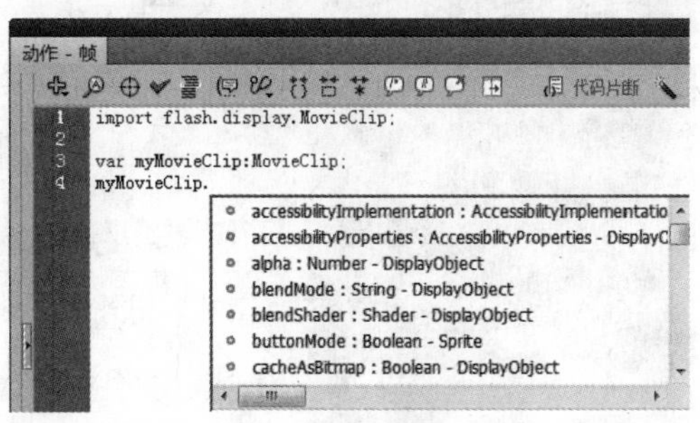

图15-18　定义类型

15.2.4 自定义ActionScript编辑器环境

编辑器环境一般都可以自己定制，ActionScript代码编写环境也是可以自己定制的。用户可以定制“动作”面板中编辑器的环境参数，不但可以定制背景色和前景色，还可以定制保留字、语法关键字、字符串及注释的颜色、字体和大小等。

要想自定义编辑器环境，执行【编辑】|【首选参数】命令，弹出“首选参数”对话框，如图15-19所示。

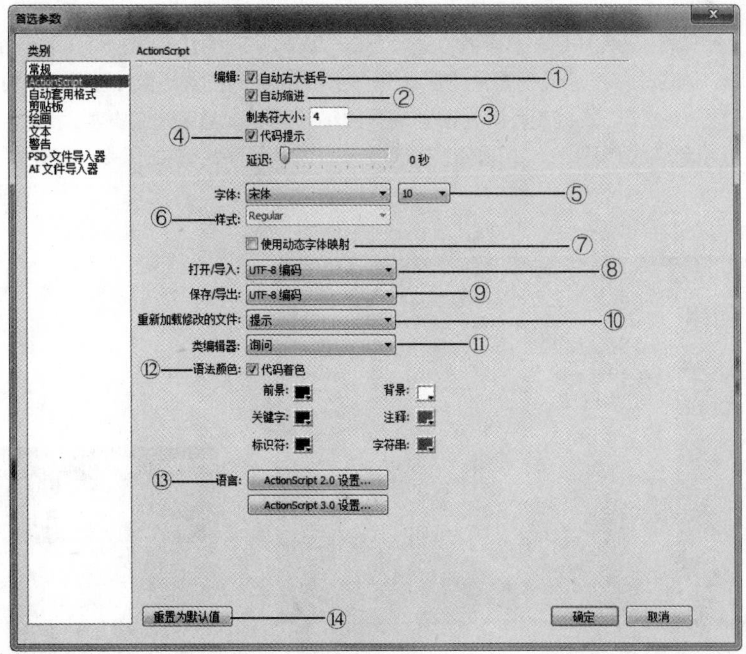

图15-19　自定义ActionScript编辑器环境

①自动右大括号	当输入左大括号后，按“Enter”自动添加右大括号。
②自动缩进	设置缩进字符数。
③制表符大小	查找和替换内容。
④代码提示	是否开启代码提示，可以设置出现代码提示的延迟时间。
⑤字体	设置文字的字体、大小和编码类型。
⑥样式	设置字体的样式类型。
⑦使用动态字体映射	可用于Windows平台上的Unicode编码的选项。
⑧打开/导入	打开或导入外部文件时使用的字体编码。
⑨保存/导出	保存或导出外部文件时使用的字体编码。
⑩重新加载修改的文件	指定当as文件被修改、移除或删除的时候，是否出现提示警告。
⑪类编辑器	设置类编辑器的不同软件，可以选择Flash professional和Flash Builder。
⑫语法颜色	设置脚本语法配色。
⑬语言	打开ActionScript 2.0/3.0设置。
⑭重置为默认值	单击该按钮，将回复所有选择为Flash最初的设置。

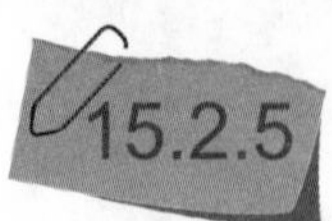

15.2.5 ActionScript代码的位置

在Flash中添加脚本代码有两个位置可以放置：可以放在时间轴的帧上，也可以放在外部类文件中。

在帧中编写ActionScript程序代码是最常见也是最主要的代码位置，选中主时间轴上或者影片剪辑中的某一个帧，打开“动作”面板就可以为该帧编写程序代码了。当在帧中编写代码时，“动作”面板顶部的选项卡会提示为“帧代码”，并在底部的选项卡上提示程序代码位于哪一个图层的哪一帧，如图15-20所示。

添加代码后的帧上会出现一个小写的a，表示该帧中包含代码，如图15-21所示。

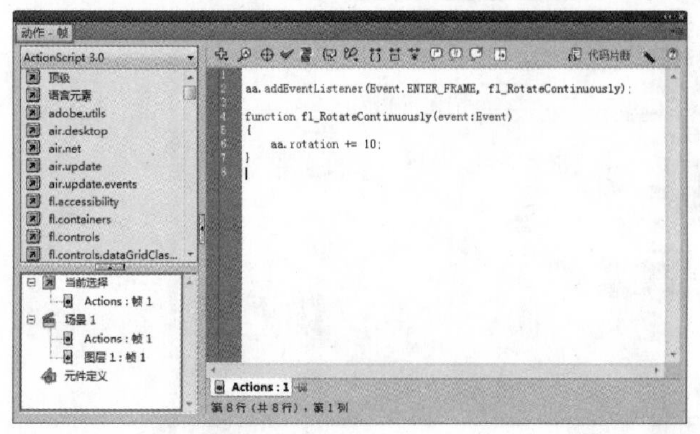

图15-20　“动作”面板

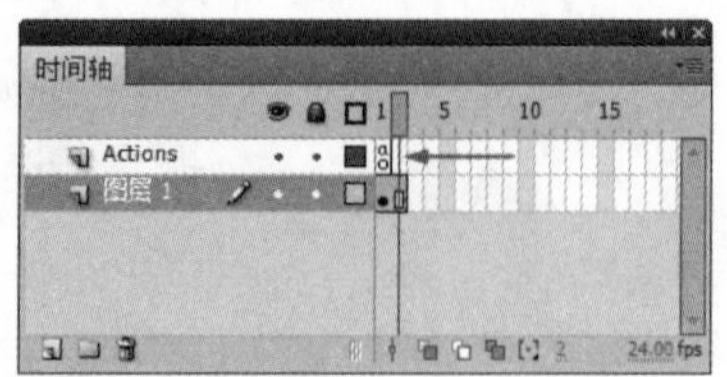

图15-21　时间轴效果

在外部类文件中编写

除了将代码直接写在帧上以外，ActionScript程序代码可以位于外部类文件中，然后可以使用多种方法将类文件中的定义应用到当前的应用程序。

使用Flash CS5，用户可以轻松创建和编辑外部类文件，执行【文件】|【新建】命令，在弹出的对话框中选择“ActionScript文件”选项，即可创建一个外部类文件，如图15-22所示。

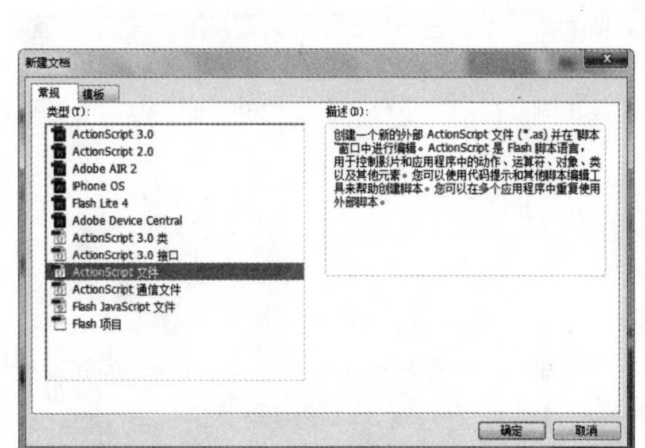

图15-22　创建外部ActionScript 文件

创建的ActionScript编辑器将不再是“动作”面板，它转换成了一种纯文本格式。可以使用任何文本编辑器编辑，而且无须定义ActionScript版本，因为最终将被加载到帧中编译。

外部的as文件并非全部是类文件，有些是为了管理方便，将帧代码按照功能放置在一个个的as文件中。使用include指令将as文件中的代码导入到当前帧中，指令格式如下：

```
Include  “【path】filename.as”
```

Tips

Include 指令在编译时调用，并不是动态调用的。因此如果对外部文件进行了更改，则必须保存该文件，并重新编译所有使用它的源文件。

不但可以在帧代码中使用include指令，也可以在as文件中使用include指令，但不能在ActionScript类文件中使用。

Include可以对要包括的文件不指定路径、指定相对路径或指定绝对路径。as文件必须位于下3个位置之一。

- 与FLA文件位于同一个目录；
- 位于全局Include目录下，该目录的路径为：

```
C:\Documents and Settings\用户\Local Settings\Application Data\Adobe\Flash cs5\语言\Configuration\Include
```

- 位于下面的目录下：

```
C:\program  Files\Adobe\Adobe Flash CS5\语言\First Run\Include
```

如果在此目录下保存一个文件，则在下次启动Flash时，会将此文件复制到全局Include目录中。若要为as文件指定相对路径，使用单个点（.）表示当前目录；使用两个点（..）表示上一级目录，并使用正斜杠（/）来指示字目录。

15.2.6 ActionScript代码的封装

为了增加Flash的安全性，并方便管理维护，现在越来越多的网站都采用了代码封装的方式制作Flash动画。

封装又叫隐藏实现，具体的意思是将实现的细节隐藏起来，只将必要的功能接口对外公开。比如用户只需要知道如何使用手机打游戏上网就可以了，具体的关于手机里的构造细节，用户不用知道，而这些细节，就是属于封装了。

在ActionScript 3.0中，使用“访问控制说明符”来控制代码的可见度。访问控制说明符从“毫无限制”到“严格限制”的顺序如下：

（1）public 完全公开。

（2）protected 在private的基础上，允许子类访问。

（3）internal 包内可见。

（4）private 类内可见。

由于封装是将代码分成一个个相对独立的单元，代码结构可以任意改动，保证了代码单元的修改和替换更加方便，软件维护的成本大大降低了。通过将程序封装,也使得修改代码更加容易和安全。

15.3 ActionScript 3.0的编程基础

每种语言都有自己独特的方面。Flash是一种注重交互的语言，而且它是一种基于时间轴的应用程序，接下来一起学习一下ActionScript 3.0的基本语法。

15.3.1 常量

常量也是变量，但它是一个用来表示其值永远不会改变的变量，任何一种语言都会定义一些内建的常量，ActionScript语言定义了下表的内建常量：

常　量	说　明
false	一个表示与true相反的唯一逻辑值，表示逻辑假。
infinity	表示正无穷大的IEEE-754值，trace（1/0）返回Infinity。
-infinity	表示负无穷大的IEEE-754值，trace（-1/0）返回-Infinity。
NaN	表示IEEE-754定义的非数字值，Trace（0/0）返回NaN。
*	指定变量是无类型的。
Null	一个可以分配给变量的或由未提供数据的函数返回的特殊值。
True	一个表示与false相反的唯一逻辑值，表示逻辑真。
Undefined	一个特殊值，通常用来指示变量尚未赋值。

用户可以使用const关键字自定义常量，并给它们赋原义值，例如：

```
const  myName : Boolean = true;
const  myHeight : int = 172;
//错误的操作，试图改变常量数值
myHeight = 180;
```

Tips

为了避免在运行脚本时对常量重新赋值，最好采用统一的命名方案区分变量和常量。例如可以使用 con_ 作为常量的前缀，或者常量名的所有字母大写。将常量和变量区分开，可以在复杂脚本开发时避免混乱。

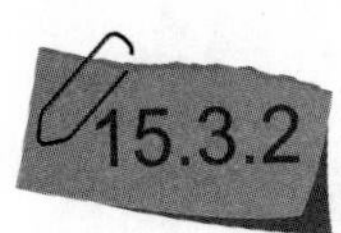

15.3.2 变量的定义

和任何的程序语言一样，ActionScript语法也必须有基本的变量定义。变量的使用存在于ActionScript程序的方方面面，它是开发应用程序的基础。ActionScript使用关键字Var声明变量并遵守变量命名约定，并且变量是区分大小写的。

Tips

对开发 ActionScript 程序的团队来说，为了保证程序的一致性，避免因为变量命名问题造成工作的延误，最好使用相同的变量名命名风格。

定义和命名变量

在声明变量时，要严格指定数据类型。具体的操作就是在变量名后面跟上一个冒号，然后是数据类型，例如声明一个名称是startName的字符串类型变量。

```
var startName:String;
```

也可以在一条语句中声明多个变量，用逗号分隔各个声明：

```
var startName:String , goodName:String , endName:String;
```

在声明变量时，也可以直接为变量赋值，例如：

```
var startName:String =" Tom" ;
```

同样一条语句可以定义多个变量，同时为这些变量赋值：

```
Var startName:String=" tom"  , goodName:Sting= “David” , endName:String="
Elliott"
```

需要注意的是，ActionScript中的变量名区分大小写。例如下面的两个变量是不同的两个变量：

```
var startName =String;
var StartName = String;
```

变量命名规则

变量名必须是一个ActionScript标识符，ActionScript标识符应遵循以下标准的命名规则：

- 第一个字符必须为字母、下划线或者美元符号。
- 后面可以跟字母、下划线、美元符号、数字，最好不要包含其他符号。虽然使用其他Unicode符号作为ActionScript标识符，但不推荐使用，以避免代码混乱。
- 变量不能是一个关键字或逻辑常量（true、false、null或undefined）。
- 保留的关键字是一些英文单词，因为这些单词是保留给ActionScript使用的，所以不能在代码中将它们作为变量、实例、自定义类等。

- 变量不能是ActionScript语言中的任何元素，例如不能是类名称。
- 变量名在它的作用范围内必须是唯一的。

变量的数据类型

在定义和使用变量时，除了要了解如何声明变量外，还必须要了解变量的数据类型。只有了解了变量的数据类型，才能更好地运用变量。

数据类型就是将各种数据加以分类，是对数据或变量类的说明，它指示该数据或变量可能取值的范围。很多程序语言都提供了一些标准的基本数据类型，例如逻辑型、字符型、整型、浮点型等。ActonScript的数据类型极其丰富，并且允许用户自定义类型。

数据类型分为简单数据类型和复杂数据类型。

1）简单数据类型

简单数据类型是构成数据的最基本元素，如下表为所示为ActionScript的简单数据类型。

数据类型	取值范围
Boolean（布尔值）	true或false，默认值是false。
Int（数字）	有符号的32位整数，数值范围-2147483648（负的2的31次方）到2147483648（正的2的31次方，减一）
Null（数字）	仅包含一个值null，也就是数值为“空”。
Number（数字）	类型是64位浮点值。它的数值范围是1.79769313486231e+308到4.940656458412467e-324。“e+308”是科学记数法的表示方式，默认值为NaN。
String（字符串）	字符序列，默认值为null。
Uint（数字）	无符号的32位整数，数值范围是0～4294967295，默认值为0。

- Boolean数据类型

Boolean是两位逻辑数据类型，逻辑值是true或false中的一个。ActionScript也会在适当的时候将值true和false转换为1和0。逻辑值经常与ActionScript语句中的逻辑运算符一起使用。

- String数据类型

String即为字符串类型，无论是单一字符还是数千字符串，都使用这个变量类型，除了内存限制以外，对其长度没有限制。值得注意的是，要赋字符串值给变量，要在首尾加上双引号或单引号。

- Int、Number、Uint数据类型

这3个类型都是数字，但是数字的取值范围却不同。

Numbr > int　Number > uint

在使用数值类型时，能用整数值时优先使用int和uint。整数值有正负之分时，使用int。

只处理正整数时，优先使用uint。处理和颜色相关数值时，使用uint。如果涉及到小数点时，要使用Number。

- Null数据类型

Null数据类型可以被认为是常量，它只有一个值，即Null。这意味着没有值，即缺少数据。在很多情况下可以指定null值，以指示某个属性或变量尚未复制。

- undefined数据类型

undefined数据类型也可以被认为是常量，它只有一个值，即undefined，可以使用undefined数据类型检查是否已设置或定义某个变量。此数据类型允许编写只在应用程序运行时执行的代码，代码如下：

```
if (init == undefined) {
     trace(" 正在下载……")
     init= true;
}
```

如果应用程序中有很多帧，则代码不会执行第二次，因为init变量不再是未定义的了。

2）复杂数据类型

ActionScript中包含很多的复杂数据类型，并且用户也可以自定义复杂的数据类型，所有的复杂数据类型都是由简单数据类型组成的。

- Void数据类型

Void数据类型仅有一个值undefined，用来在函数定义中指示函数不返回值，例如下面的代码：

```
//创建返回类型为void的函数
function  myFunction(): void{}
```

- Array数据类型

在编程中，常常需要将一些数据放在一起使用，例如一个班级所有学生的姓名，这个清单就是一个数组。在ActionScript中数组是极为常用的数据结构。

Array为数组变量，数组可以是连续数字索引的数组，也可以是复合数组，ActionScript不可以定义三维、二维或多维数组。数组中的元素很自由，可以是String、Number或Boolean，甚至是复杂的数据类型。

- Object数据类型

Object是属性的集合，属性是用来描述对象特性的，例如对象的透明度是描述其外观的一个特性，因此alpha（透明度）是一个属性。每个属性都有名称和值。属性的值可以是任何Flash数据类型，甚至可以是Object数据类型，这样就可以使对象包含对象（即将其嵌套）。

- MovieClip数据类型

影片剪辑是Flash应用程序中可以播放动画的元件，它也是一个数据类型，同时被认为是构成Flash应用的最核心元素。

MovieClip数据类型允许用户使用MovieClip类的方法控制影片剪辑元件的实例。

在程序中使用变量

声明变量后，就可以在程序中使用变量了，其中包括为变量赋值，传递变量的值等。

声明变量后，才能为变量赋值，只有赋了值的变量才有真正的意义。

为变量赋值

在变量名后直接使用等于号（=）就可以为变量赋值，例如下面的代码为变量userName赋值：

```
var userName:String;
userName = "liu xiang";
```

首先声明一个变量，然后为该变量赋值，该变量类型为String（字符串），所以需要置于引号中。如果要显示变量的值，可以使用trace()语句，例如：

```
var userName:String;
userName = "liu xiang";
trace(useName);
//返回值为liu xiang
```

使用变量和获取变量值

变量的值可以互相传递，也可以作为函数的参数被使用，或者也可以被直接显示在输出面板中，例如：

```
var  var_a:int, var_b:int;
var var_c:String;
var_a=100;
var_b=var_a+2000;//var_b的值现在等于2100
```

首先定义三个变量var_a、var_b、var_c；

然后为var_a赋值。

变量var_b被赋值为var_a。将var_a的值传送给var_b。

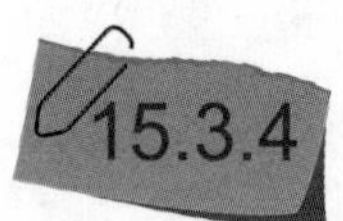

15.3.4 创建和使用Object

在ActionScript中，类是属性和方法的集合。每个对象都有各自的名称，并且都是特定类的实例。

内建对象都是在ActionScript中预定义的类，它们是预定义类的实例。例如内建的Date类可以提供用户计算机上的系统日期的信息，可以使用内建的LoadVars类将变量加载到SWF文件中。

ActionScript中内建了一个名为Object的类。通过创建一个Object实例，可以保存数据的集合，例如一个公司的名称、电话和地址；也可以创建一个Object实例来保存图形的颜色信息。使用Object组织数据有助于更好地组织Flash文档。

在ActionScript中创建一个Object有很多方法。要创建Object，必须首先使用new运算符创建一个该类的实例，例如下面的代码创建了一个新的Object实例，并在该Object中定义了几个属性：

```
var person:Object = new Object();
person.sex =  “male” ;
person.age = 30;
person.birthday = new Date(1977,4,12);//1977年4月12日
```

使用构造器语法创建一个Objecit的实例（使用new运算符创建实例也称为构造器语法），然后使用实例为Object定义属性并赋值。这一过程也可以按下面的形式简写，直接在构造器中定义属性并赋值：

```
var person:object = {sex:” male” ,age:30,birthday:new Date(1977,4,12)};
```

一旦创建了Object实例并被赋予了属性，那么就可以使用该实例引用该属性，例如下面的代码就可以访问person对象的birthday属性并返回该属性的值：

```
trace (person.birthday)
```

使用下面的语句可以在“输出”面板中显示Object的属性：

```
var person:Object = new Object();
person.sex = "male";
person.age = 30;
person.birthday = new Date(1977,4,12);
var i:String;
for (i in person){
trace(i+":"+ person【i】);
}
```

按“Ctrl+Enter”快捷键测试影片，在“输出”面板中获得如图15-23所示的结果。

```
输出
birthday:Thu May 12 00:00:00 GMT+0800 1977
age:30
sex:male
```

图15-23　输出结果

15.3.5 创建和使用数组

Array就是数组，是ActionScript中较为复杂的数据类型，它也是内建的一个核心类，其属性由标识该数组结构中位置的数字来表示。实际上，Array是一系列项目的集合。

Tips

数组中的各元素不必是相同的数据类型。可以在每个数组索引上混合使用数字、日期、字符串、Object，甚至添加一个嵌套的数组。

创建数组

数组是一个类，要使用它，必须首先使用new运算符创建一个该类的实例，例如创建一个简单的日期名称数组：

```
var myArr:Array = new Array();
myArr【0】 = "Monday";
myArr【1】 = "Tuesday";
myArr【2】 = "Wednesday";
myArr【3】 = "Thursday";
```

首先使用构造器语法创建一个Array的实例，然后使用实例为数组元素赋值。这一数组也可以按下面的形式重写，直接在构造器中赋值：

```
var myArr:Array =new Array( “Monday” ,” Tuesday” ,” Wednesday” ,” Thursday” );
```

或者使用“【 】”运算符也可以创建Array类的实例，例如：

```
var myArr:Array =new Array【 “Monday” ,” Tuesday” ,” Wednesday” ,” Thursday” 】;
```

在ActionScript中，Array是一个强大的数据类型，用户可以创建一维数组，也可以创建多维数组，而且数组中元素的数据类型可以不同，甚至元素的内容可以是其他的类，还可以创建复合数组。

创建和使用索引数组

索引数组存储了一系列值，可以为一个或多个。可以通过项目在数组中的位置查找它们，第一个索引始终是数字0，添加到数组中的每个后续的元素的索引以1为增量递增。将下面的ActionScript添加到时间轴的第1帧：

```
var myArr:Array = new Array();
myArr【0】 = "Monday";
myArr【1】 = "Tuesday";
myArr【2】 = "Wednesday";
myArr【3】 = "Thursday";
trace(myArr);
```

在“输出”面板中获得如图15-24所示的结果。

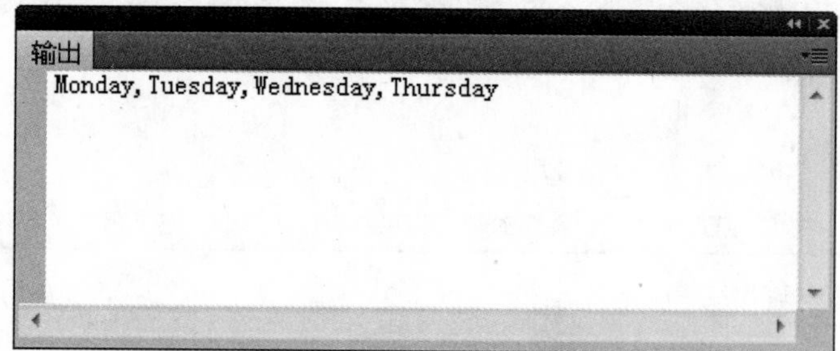

图15-24　输出结果

如果想修改数组中某个元素的值，可以直接使用赋值语句，例如：

```
myArr【1】 = “sunday”;
```

数组的维数可以自动扩展，但如果使用赋值语句指定了当前的最大维数，那么运行时就会自动认定该数组的维数。如果数组中某一个小于维数索引上的元素未定义，那么就会将该元素自动赋一个undefined值，例如：

```
var myArr:Array = new Array();
myArr【0】 = "Monday";
myArr【2】 = "Wednesday";
trace(myArr【1】);                    //返回undefined
```

创建和使用多维数组

在ActionScript中，可以将数组实现为嵌套数组，其本质上就是数组的数组。嵌套数组又称为多维数组，下面就创建了一个多维数组：

```
var twoDArray:Array = new Array(new Array(“one”,” two”),new Array(“three”,” four”));
trace(twoDArray);
```

在此数组中twoDArray包含两个数组元件。这两个元素本身也包含两个元素的数组。在此例中twoDArray是包含两个嵌套数组的主数组。要检索多维数组的元素，可以在顶层数组的名称之后使用多个数组访问运算符（【 】）。第一个“【 】”指向顶层数组的索引，随后的数组访问运算符指向嵌套数组的元素：

```
trace (twoDArray【0】 【0】);            //输出one
trace (twoDArray【1】 【1】);            //输出four
```

创建和使用复合数组

复合数组类似于Object，是由无序的键和值组成的无序集合。复合数组使用键而不是数字索引来组织存储的值，每一键都是唯一的字符串，与一个值相关联并用于访问该值。值可以是数字，也可以是Array、Object等数据类型。在代码中，不要期望复合数组的键按特定的顺序排列。

键和值之间的关联通常称为绑定，键和值之间相互映射。例如名片可以是一个复合数组，其中姓名是键，地址是值。

在ActionScript中有两种创建复合数组的方法，分别是使用Object构造器和使用数组构造器。

- 使用数组构造器创建复合数组

使用数组构造器创建一个名为person的复合数组，并添加一个名为sex的键和一个名为age的键，也为这些键赋值。

```
var person:Array = new Array();
```

```
person【"sex"】= "male";
person【"age"】= "30";
person【"birthday"】= new Date(1977,4,12);
trace(person【"sex"】 + ","+person【"age"】);//输出male，30
```

使用Object构造器创建复合数组

使用Object构造器创建的对象也可以被认为是一个复合数组，例如：

```
var person:Object = new Object();
person.sex = "male";
person.age = "30";
person.birthday = new Date(1977,4,12);
```

使用点运算符和数组访问语法都可以访问属性，例如：

```
trace(person.sex);
trace(person.age);
```

可以看出，复合数组实质上是Object类的实例，使用数组构造器创建复合数组并没有什么优势，数组构造器最适合于创建索引数组。

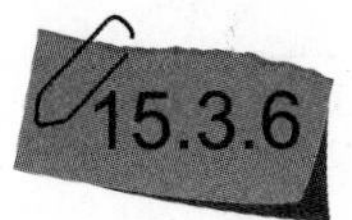

15.3.6 ActionScript 3.0基本语法

和其他程序开发语言一样，ActionScript具有语法和标点规则，这些规则用来定义创建代码的字符（character）、单词（word）、语句（statement），以及撰写deep顺序。下面就这些基本的语法规则进行学习。

空白和多行书写

首先了解一下“空白”这个概念。“空白”包括空格键插入的空格、“Tab”键插入的缩进，以及按“Enter”键。

```
varmyAlign;

var myAlign myAlign = “right”;
```

在关键字var和mayAlign之间应该有空格（空格键插入的空格），var myAlign和myAlign = “right”；是两条语句，它们之间应该使用分号（;）作为分隔符。

一条语句必须在一行内完成，如果一行代码过长，则可以采用多行书写的方式，由于ActionScrip将分号(;)作为语句之间的分隔符，所以只需使用空格或者按“Enter”键换行就可以完成多行书写的方式，例如下面的代码：

```
var myArray: Array=【“鼠”, “牛”, ”虎”, ”兔”,
                    ”龙”, ”蛇”, ”马”, ”羊”,
                    ”猴”, ”鸡”, ”狗” ,”猪”】;
```

这样的代码更容易阅读。但是不能将引号内的字符串放到两行去，这样将会导致程序错误。

点语法

在ActionScript中，点（.）被用来表明与某个对象相关的属性和方法，它也用于标识变量的目标路径。点语法表达式由对象名开始，接着是一个点，紧跟的是要指定的属性、方法或者变量。

```
myArr.height
```

height是Array对象的属性，它是指数组的元素数量。表达式是指Array类实例myArr的height属性。

表达一个对象的方法遵循相同的模式。例如myArr实例的join方法把myArr数组中所有的元素连接成为一个字符串：

```
myArr.join();
```

表达一个影片剪辑的方法遵循相同的模式。例如man_mc实例的play方法移动man_mc的时间轴播放头，开始播放：

```
man_mc.play();
```

点语法有两个特殊的别名：root和parent。root是指主时间轴，可以使用root创建一个绝对路径：

```
root.functions.myFunc();
```

这段代码的意思就是调用主时间轴上影片剪辑实例functions内的myFunc()函数；

也可以使用别名parent引用嵌套当前影片剪辑的影片剪辑，也可以用parent创建一个相对目标路径：

```
parent.stop();
```

影片剪辑dog_mc被嵌套在影片剪辑animal_mc之中，实例dog_mc将在执行命令后停止播放。

花括号

ActionScript语句用花括号（{}）分块，例如下面的代码，使用花括号来包围函数的代码：

```
function myFunction(): void  {
var myDate: Date = new Date ( ) ;
var currentMonth: Number = myDate.getMonth();
}
```

条件语句、循环语句也经常用花括号进行分块。

分号

ActionScript语句以换行符作为一条语句的结束，但也可以使用分号作为一条语句的分隔符，这可以实现在一行中书写多条语句：

```
var var_a = true;  var var_c=20100807;
```

如果省略了这行语句中间的分号，程序则会报错，并中止执行后面的代码。程序代码最后一个分号可以省略。

圆括号

当定义函数时，要把参数放在圆括号中：

```
myFunction  (" steve",10,true);
```

圆括号也可以用来改变ActionScript运算符的优先级，或者使编写的ActionScript程序更容易理解。

也可以用圆括号来计算语法中点左边的表达式：

```
(new Array (" steve",10,true).concat(2010);
```

圆括号中的表达式创建一个新的数组对象。如果没有加括号，则代码需要如下修改

```
var myArray = new Array (" steve",10,true);
myArray.concat(2010);
```

字母的大小写

在ActionScript中，变量和对象都区分大小写，例如下面的语句就定义了两个不同的变量：

```
var ppr: Number = 0;
var PPR: Number = 2;
```

如果在书写关键字时没有正确使用大小写，程序将会出现错误。当在“动作”面板中启用语法突出显示功能时，用正确的大小写书写的关键字显示为蓝色。

程序注释

一般的程序有很多行，为了方便阅读修改，可以在“动作”面板中使用注释语句给代码添加注释。而且添加注释有助于开发者更好地理解编写的程序，从而提高工作效率。

为程序添加了注释，使得复杂的程序也变得更易理解。

```
//创建新的日期对象
var myDate: Date = new Date();
var currentMont:Number = myDate.getMouth();
//把用数字表示的月份转换为用文字表示的月份
var monthName:Namber = calcMonth(currentMonth);
var year:Number = myDate.getFullYear();
var currentDate:Number = myDate.getDate();
```

如果要使用多行注释，可以使用“/*”和“*/”。位于注释开始标签（/*）和注释结束标签（*/）之间的任何字符都被ActionScript解释程序解释为注释并忽略。

需要注意在使用多行注释时，不要让注释陷入递归循环当中，否则会引起错误：

```
/*
“使用多行注释时要注意”；/*递归注释会引起问题*/
*/
```

在“动作”面板中，注释内容以灰色显示，长度不限，而且注释不会影响输出文件的大小，也不需要遵循ActionScript语法规则。

关键字

ActionScript保留一些单词用于特定的用途，因此不能用这些保留字作为变量名、函数名或者标签名。

15.4 ActionScript 3.0数据运算

要完成对数据的处理和变量的运算，就必须有运算符。定义好变量后，需要对它们进行赋值。改变和执行计算，这些都是由运算符来完成。运算符是指怎样结合、比较或修改表达式的值的字符。

运算符可以用来处理数字、字符串及其他需要进行比较运算的条件。运算符的强大与否直接决定了一种语言的强大与否。ActionScript内建了非常丰富的运算符，用来完成表达式运算功能。

15.4.1 表达式

ActionScript表达式是指能够被ActionScript解释器计算并生成单个值的ActionScript“短语”，短语可以包含文字、变量、运算符等。生成的单个值可以是任何有效的ActionScript类型：数字（Number）、字符串（String）、逻辑值（Boolean）；对象（Object）。

简单表达式和复杂表达式

按照表达式的复杂程度可以分为简单表达式和复杂表达式。最简单表示式仅仅是由文字组成的：

```
3.15                                //数字文字
"你好"                              //字符串文字
True                                //逻辑文字
Null                                //文字空值
(x:1, y:2)                          //对象文字
【1,2,3】                           //数组文字
Function(abc) {return abc+abc;}     //函数文字
```

更多复杂的表达式中包含变量、函数、函数调用及其他表达式。可以用运算符将表达式组合，创建复合表达式：

```
var anExpression:Number = 3*(4/5) + 6;
trace (Math.PI * radius * radius);
String("(" + var_a + ") %(" +anExpression + ")");
```

赋值表达式和单值表达式

从功能上分，可以分成两种类型的表达式：一种表达式用于赋值，另一种表达式用来计算单个值：

例如表达式x = 5就是一个表达式。例如5+3也是一种表达式，它的计算结果为8，但是没有将其结果赋给任何变量，仅仅是单个值，这个值可以被某个运算直接显示在"输出"面板中，或者传递给函数作为参数。例如下面的代码就是用来计算单个值的：

```
trace ( 5 + 3 );
String ("(" + var_a + ") %(" + anExpression + ") ");
```

15.4.2 算术运算符

算术运算符就是用来处理四则运算的符号，这是最简单、最常用的符号，尤其是数字的处理，几乎都会使用算术运算符，这些运算符如下表所示：

运算符号	意 义	运算符号	意 义
+	加法运算	%	取余数
-	减法运算	++	累加
*	乘法运算	--	递减
/	除法运算		

```
var a:Number = 1;
var b:Number = 2;
var c:Number = 3;
trace (a+b);
trace (a-b);
trace (a*b);
trace (a/b);
trace (a%c);
```

```
a++;
trace (a);
c--;
trace (c);
```

将代码输入到“动作”面板中，按“Ctrl+Enter”快捷键测试影片，“输出”面板如图15-25所示。

输出

3
-1
2
0.5
1
2
2

图15-25　输出结果

字符串运算符

字符串运算符使用加法运算符来完成，它可以将字符串连接起来，变成合并的新字符串。例如：

```
var a:String = "努力学习";
var b:String = "Flash CS5";
trace (a+b);
```

将代码输入到“动作”面板中，按“Ctrl+Enter”快捷键测试影片，“输出”面板如图15-26所示。

图15-26　输出结果

比较运算符和逻辑运算符

比较运算符和逻辑运算符通常用来测试真假值，有时也被归为一类，统称为逻辑运算符。最常见的逻辑运算就是循环和条件的处理，用来判断是否该离开循环或继续执行循环内的指令，这些运算符如下表所示：

运算符号	意 义	运算符号	意 义
<	小于	&&	并且（And）。两边表达式必须为true。
>	大于	‖	或者（Or）。两边表达式只要一个为true。
<=	小于等于	!	不（Not）。
>=	大于等于	===	两个表达式，包括表达式类型都相等，则结果为true。
==	等于		
!=	不等于	!==	测试结果与全等运算符（===）正好相反。

下面是一个逻辑运算的例子，用于获得a与c的关系：

```
var a:Number,b:Number,c:Number;
a = 1;
b = 3;
c = 5;
if (a>b && b>c) {
trace("a大于c");
}else if(b>a&&c>b){
     trace("a小于c");
}else{
     trace("无法判定")
}
```

尝试改变3个变量a、b、c的值，按“Ctrl+Enter”快捷键测试影片，体会不同的运行效果。下面是另一个逻辑运算的例子，用来测试变量a是否不等于2：

```
var a:Number = 2;
if (a !=2){
      trace("a的值不是2");
}else{
      trace("a的值是2");
}
```

考虑数据类型

在比较运算和逻辑运算时，要注意数据类型，例如“108”和108就不是相同的数据类型，前一个是字符串，后一个是数字，例如：

```
var a:String = "10";
var b:Number = 10;
if (a == b){
   trace("a等于b");
}else{
   trace("a不等于b");
}
```

按“Ctrl+Enter”组合键测试影片，在编译器严格模式下，会导致编译器警告，提醒用户这两个不同的数据类型在比较，并且编辑不会通过，如图15-27所示。

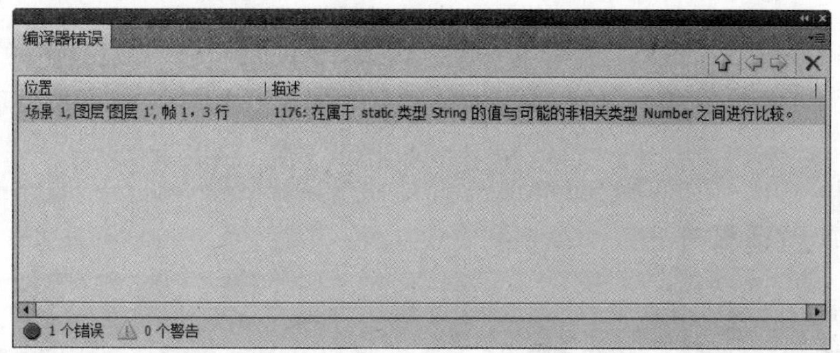

图15-27　输出结果

在进行逻辑运算时，首先将它们转成相同的数据类型，然后进行对比。变量a和b的数据类型虽然不同，比较运算（a == b）返回true。

全等运算符

全等运算符（===）用来测试两个表达式是否相等，运算的对象包括数字、字符串、逻辑值、变量、对象、数组或函数。

除了不转换数据类型外，全等运算符（===）与等于运算符（==）执行运算的方式相同。如果两个表达式（包括它们的数据类型）相等，则结果为true。

前面的代码如果使用了全等运算符：

```
var a:String = "10";
var b:Number = 10;
if (a === b){
	trace("a等于b");
}else{
	trace("a不等于b");
}
```

按"Ctrl+Enter"快捷键测试影片，在非严格编译模式下，将会返回：a不等于b。

确定是否相等取决于参数的数据类型：

- 数字和逻辑值按值进行比较，如果它们具有相同的值，则视为相等。
- 如果字符串表达式具有相同的字符数，而且这些字符都相同，则这些字符串表达式相等。
- 表示对象、数组和函数的变量按引用进行比较。如果两个变量引用同一个对象、数组或函数，则它们相等。而两个单独的数组即使具有相同数量的元素，也不会被视为相等。

下面的代码说明了全等运算符的运算规律：

```
var string1:String = "5";
var string2:String = "5";
trace(string1 ==string2);                //输出true
trace(string2 ===string2);               //输入true
//=================================================
//值相同，但数据类型不同
var string:String = "5";
var num;Number = 5;
trace(string1==num);                     //输出true
trace (string2===num);                   //输出flase
//=================================================
//值相同，但数据类型不同
var string:String = "1";
```

```
var bool1:Boolean = true;
trace(string1 ==bool1);                    //输出true
trace(string1 ===bool1);                   //输出false
```

位运算符

ActionScript的位运算符共有7个，这些运算符如下表所示：

运 算 符 号	意　　义
&（位AND）	将运算符左边的值和右边的值转换为32位无符号二进制整数，并对整数的每一位执行逻辑AND运算，相同位置上的位都是1时才返回1，否则返回0。
!（位OR）	将运算符左边的值和右边的值转换为32位无符号二进制整数，并对整数的每一位执行逻辑OR运算，相同位置上的位有一个是1就返回1，否则返回0。
~（位NOT）	也称为对1求补运算符或者按位求补运算符。
^（位XOR）	将运算符左边的值和右边的值转换为32位无符号二进制整数，并在左边或右边值中为1（但不是在两者中均为1）的对应位的整数指定的位数。
<<(位左移)	将运算符左边的值和右边的值转换为32位无符号二进制整数，并将左边的值中的所有位向右移动，由右边的值转换所得到的整数指定的位数。
>>（位右移）	将运算符左边的值和右边的值转换为32位无符号二进制整数，并将右边的值中的所有位向右移动，由右边的值转换所得到的整数指定的位数。
>>>(位无符号右移)	除了不保留原始表达式的符号外，此运算符与向右移动运算符相同，因为左侧的位始终用0填充。通过舍去小数点后面的所有位，将浮点数转换为整数。

位运算首先将运算符前后的表达式转换成二进制数，然后进行运算，例如：

```
trace (13 & 11); //返回9
```

13的二进制数是1101，11的二进制数是1011，将二进制数相加，运算结果是1001，也就是十进制数9。

赋值运算符

赋值运算符用来为变量或者常量赋值，它可以让程序更精简，增加程序的执行效率，运算符如下表所示：

运 算 符 号	意　　义
=	将右边的值赋到左边。
+=	将右边的值加左边的值，并将结果赋给左边。
-=	将右边的值减左边的值，并将结果赋给左边。
*=	将左边的值乘右边的值，并将结果赋给左边。

/=	将左边的值除以右边的值，并将结果赋给左边。
%=	将左边的值对右边的值取余数，并将结果赋给左边。
&=	将左边的值对右边的值做&运算，并将结果赋给左边。
<<=	将左边的值对右边的值做<<运算，并将结果赋给左边。
¦=	将左边的值对右边的值做！运算，并将结果赋给左边。
>>=	将左边的值对右边的值做>>运算，并将结果赋给左边。
>>>=	将左边的值对右边的值做>>>运算，并将结果赋给左边。
^=	将左边的值对右边的值做^运算，并将结果赋给左边。

下面来看几个简单的赋值运算案例：

```
var a :Number = 1;
a += 1;//即 a = a+1
trace(a);
var b:String ="你好";
b += "!";//b= "你好! "
b +="flash cs5";//此时b="你好flash cs5
trace(b);
```

15.4.7 运算符的使用规则

不同的运算符号是有优先顺序的，在使用运算符之前，必须先了解运算符的使用规则，其中包括运算符的优先级规则和结合规则。

优先级规则

当两个或多个运算符被使用在同一个语句中时，一些运算符要比其他一些运算符优先，这称为运算符的优先级规则。

ActionScript按照精确的等级来决定哪一个运算符优先执行。例如乘法总是在加法前先执行，但是括号内的项却比乘法优先。因此在没有括号时，ActionScript首先执行乘法，如下：

```
var total: Namber = 3+4*2;
```

结果是11。但是如果有括号括住加法运算，则要先进行加法运算，然后才是乘法。

```
Var totol: Namber = (3+4)*2;
```

结果是14。

运算符结合规则

当两个或多个运算符优先级相同时，它们的结合规则决定它们被执行的顺序。结合规则可以是从左到右。例如乘法运算符的结合规则是从左到右，所以下面的两个语句是等阶的。

```
var total:Number = 3*3*5;
var total:Number = (3*3)*5;
```

在ActionScript中，一般运算符优先级都是从左到右计算，当然也有例外，例如下面的几种运算符就是从右到左计算：

运算符号	意　义	结合规则
?:	三元条件运算符，逻辑运算符的一种	从右到左
=，*=，/=，%=，+=，-=，&=，¦=，^=,<<=,>>=,>>>=	赋值运算符	从右到左

15.5 ActionScript 3.0流程控制

在开始建立复杂的应用程序之前，任何一种编程语言都需要的基本构件块包括：分支结构和循环结构。

ActionScript有两种分支结构：if……else语句和switch……case条件语句，有3种循环结构：do……while循环、for循环和while循环。

ActionScript程序语言的流程控制语句非常重要，也非常强大。它是一种结构化的程序语言，它提供了3种控制流来控制程序的流程：顺序、条件分支和循环语句。ActionScript程序遵循顺序流程，运行环境执行程序语句，从第一行开始，然后按顺序执行，直至到达最后一行语句，或者根据指令跳转到其他地方继续执行命令。

If语句、do……while循环语句和return语句可以在执行程序的过程中跳过下一条语句，从这些语句指定的地方开始执行ActionScript程序。

在流程的部分分隔符号上，都是使用“{”作为部分的开头，用“}”作为结尾。ActionScript语法中在每条指令结束时都要加上分号（；），但是在部分结尾符号“}”后面不再加分号结束。

15.5.1 语句和语句块

ActionScript程序是语句的集合，一条ActionScript语句相当于英语中的一个完整句。很多个ActionScript语句结合起来，完成一个任务。

语句

一条语句由一个或多个表达式、关键字或者运算符组成。一条语句写一行，但是一条语句也可以超过两行或多行。两条或更多条语句也可以写在同一行上，语句之间用分号（；）隔开。

一般情况下，每一新行开始一条新语句，语句的终止符号是分号（；）。

语句块

在ActionScript中，用花括号（{}）括起来的一组语句称为语句块。分组到一个语句块中的语句通常可作为单条语句处理。在ActionScript期望有一条单个语句的大多数地方可以使用语句块。但是以for和while打头的循环语句是个例外情况。另外，语句块中的原始语句以分号结束，但语句块本身并不以分号结束。

```
{
        myBook_1;
        myBook_2;
```

```
        .
        .
        myBook_n;
}
```

通常在函数和条件语句中使用语句块，下面的语句中在花括号中使用两条语句构成一个语句块。

```
if (date ==  “mon” ) {
    trace(” 一周的第一天” );
    trace (“努力工作吧”);
}
```

15.5.2 if……else条件语句

If…..else条件语句有3种结构形式。

第一种只用到if条件，作为单纯的判断，语法格式如下：

```
if (condition) {
      statements
      }
```

其中的参数condition为判断的条件表达式，通常都是使用逻辑符号作为判断的条件。而statement为符合条件的部分程序，若程序只有一行，可以省略花括号。例如：

```
if  (date ==” mon” )  trace(“好好工作吧”);
```

与下面的代码等价：

```
if (date ==” mon” ) {
     trace (“好好工作”);
}
```

在这里，条件表达式（condition）就是：

```
    date == ” mon”
```

判断今天是不是周一，如果满足条件，就执行花括号内的语句（statements），即

```
    trace (“好好工作”);
```

如果程序不只一行，例如下面的代码，就不能省略花括号：

```
if (date ==” mon” ) {
     trace(” 一周的第一天” );
     trace (“努力工作吧”);
}
```

这种结构形式有一个缺陷，就是如果不满足条件，就不会做任何处理，也不返回任何结果。

第二种结构形式是除了if之外，还可以加上else条件，从而可以避免第一种结构形式的缺陷，代码如下：

```
if (condition) {
    statements
} else {
    statements
}
```

例如下面的代码：

```
var date:String = "mon";
    if (date == "sun") {
       trace ("努力工作吧");
       play();
       } else {
trace("好好休息");
}
```

这段代码也是先判断if关键词后面的条件表达式，如果满足条件，就执行随后花括号内的语句，如果不满足条件，就会执行else后花括号内的语句，测试效果如图15-28所示。

图15-28 输出结果

第三种结构形式是递归的if…..else条件语句，通常用在多种决策判断时。它将多个if…..else拿来合并运算处理，语法格式如下：

```
if (condition) {
   statements
}else if (condition-n){
   statements
……
}else {
   statements
}
```

一个if条件运算构成一个逻辑运算模块，简称if块。在if块中可以防止任意多个else if子句，但是都必须在else子句之前。

15.5.3 switch条件语句

Switch条件语句通常处理复合式的条件判断，每个子条件都是case指令部分。在实际运用上，如果存在许多类似的if条件语句，就可以将它们综合成switch条件语句。

基本语法格式如下：

```
switch (expr) {
  case expr1:
    statement1;
    break;
…….
 default:
   statement;
   break;
}
```

其中的参数expr通常为变量名称，而case后的exprN通常表示变量值，冒号后则为符合该条件要执行的部分（注意要使用break跳离条件）。

例如下面的代码判断当天是周几，这段代码使用了Date对象来获取当前的日期：

```
var rightNow:Date = new Date();
var day:Number = rightNow.getDay();
switch(day){
 case 1:
 trace ("今天星期一");
 break;
 case 2:
 trace ("今天星期二");
 break;
 case 3:
 trace ("今天星期三");
 break;
 case 4:
 trace ("今天星期四");
 break;
 case 5:
 trace ("今天星期五");
 break;
 case 6:
 trace ("今天星期六");
 break;
 case 7:
 trace ("今天星期日");
 break;
}
```

这段代码如果使用了if语句就稍微麻烦了。当然，在编写代码时，要将出现概率最大的条件放在最前面，最少出现的条件放在后面，可以增加程序的执行效率。这个案例由于每天出现的概率相同，所以不用注意条件的顺序，测试效果如图15-29所示。

图15-29　输出结果

switch结构在其开始处使用一个只计算一次的简单测试表达式。表达式的结果将与结构中每个case的值比较。如果匹配，则执行与该case关联的语句块。

在这段代码中，首先计算switch关键词后的变量date的值，然后将该计算结果与结构中每个case的值比较，如果相同就执行该case下面的语句。

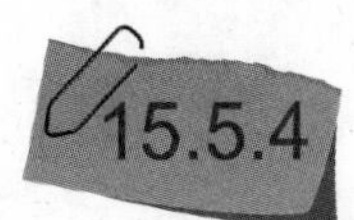

15.5.4 do……while循环

do…..while是用来重复执行语句的循环。最单纯的就是只有while语句的循环，用来在指定的条件内不断地重复执行指定的语句，语法格式如下：

```
while （condition） {
  statement
}
```

其中的参数condition为判断的条件，通常都是用逻辑运算表达式作为判断的条件。而statement为复合条件的部分程序，若程序只有一行，可以省略花括号。

如果参数condition计算结果为true，则在循环返回并再次计算条件之前执行语句。只有在条件计算结果为false时，才会跳过语句并结束循环。

例如下面的代码，while语句用于测试表达式。在i的值小于等于10时，跟踪i的值。当条件不再为true时，循环将退出，从而可以显示循环执行几次。

```
var i:Number = 1;
while (i<=10) {
 trace("这是第"+i+"次执行");
 i++;
}
```

测试效果如图15-30所示。

第二种模式是先执行do…..while循环，再判断是否需要继续执行，也就是说循环至少执行一次，语法格式如下：

```
do {
 statement
} while（condition）;
```

例如下面的代码：

```
var i:Number = 11;
do {
 trace("这是第"+i+"次执行");
 i++;
} while (i<10);
```

测试效果如图15-31所示。

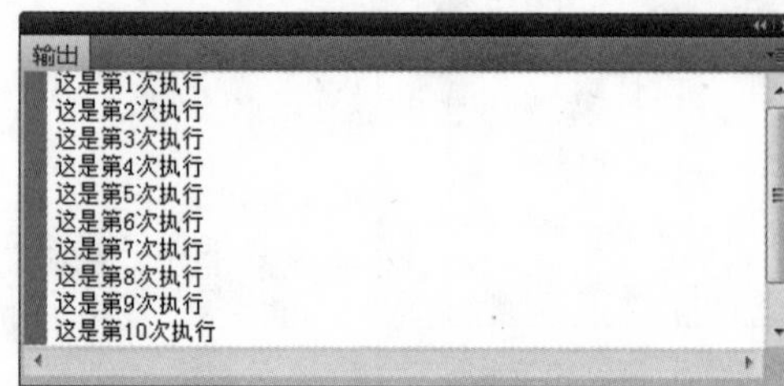

图15-30　输出结果

图15-31　输出结果

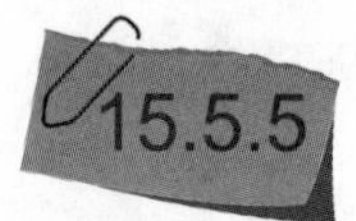

15.5.5 for循环

for循环是一种非常常用的循环语句，它的语法格式如下：

```
for (expr1; expr2;expr3) {
statement
}
```

其中的参数expr1为条件的初始值；参数expr2为判断的条件，通常都是用逻辑运算表达式作为判断的条件；参数expr3为执行statement后面的部分，用来改变条件，供下次的循环判断；参数statement为符合条件的部分程序，若程序只有一行，可以省略花括号。

例如下面的程序代码和使用while循环进行比较，结果相同。

```
var i:Number;
  for(i=1;i<=10;i++) {
   trace("这是第"+i+"次执行");
}
```

从这个例子可以看出，使用for和使用while的不同，在实际应用中，若循环有初始值，且都要累加（或累减），则使用for循环比用while循环好。

15.6 使用with语句

with语句可以方便地引用某个特定对象的方法和属性，语法格式如下：

```
with (Object) {
   statement(a);
}
```

参数Object是某个ActionScript对象。参数statement（a）表示花括号中包含的一个或一组语句。

使用with语句，允许用户使用Object参数指定一个对象，并使用statement（a）参数计算对象的方法和属性，这样就不必重复书写对象。例如下面的代码：

```
var rightNow:Date=new Date();
 with (rightNow) {
      trace(getDay());
      trace(getMonth());
      trace(getFullYear());
}
```

如果不使用with语句，就必须这样写：

```
var rightNow:Date = new Date();
  trace(rightNow.getDate());
  trace(rightNow.getMonth());
  trace(rightNow.getFullYear());
```

with语句的作用在于省略了rightNow这个对象。如果要在with语句中设置变量，该变量必须已在with语句外部进行了声明。如果未声明该变量，就需要在with语句中进行设置，则该with语句将根据范围链寻找该值。如果该变量还不存在，则将在调用with语句的作用范围上设置此新值。

若要查找statement(a)参数中某标识符的值，脚本将从object参数指定的范围链的开头开始查找，并以特定的顺序在范围链的每个级别中搜索该标识符。

with语句使用范围链解析标识符，该范围链从下表中的第一项开始，一直到最后一项结束。

在with语句最里面的object参数中指定的对象。
在with语句最外面的object参数中指定的对象。
激活的对象（当调用函数时自动创建的临时对象，该函数包含函数所调用的局部变量）。
该对象包含当前正在执行的脚本。
全局对象。

with语句对于在范围链列表中同时访问多项时十分有用。在下面的代码中，内建类Math被放置在范围链的前面。将Math设置为默认对象，可以将标识符cos、sin和PI分别解析为Math.cos、Math.sin与Math.PI。标识符a、x、y与r不是Math类的方法或属性，但由于它们存在于函数polar的对象激活范围中，所以将它们解析为相应的局部变量：

```
function polar(r:Number):void {
    var a:Number,x:Number,Y:Number;
    with(Math) {
        a = Pi*r*r;
        x = r*cos(PI);
        Y = R*sin(PI/2);
    }
    trace("area ="+a);
    trace("x="+x);
    trace( “y=” +y);
}
```

with语句也可以嵌套，可以使用嵌套的with语句访问多重范围中的信息。例如下面的代码，设定对象都有名为color的属性：

```
with(myBody) {
    with(shangyi) {
        color = "blue";
    }
    with(kuzi) {
        color = "red";
    }
}
```

这些语句设置shangyi和kuzi的color值，但不会改变myBody的color值。

15.7 全局函数和自定义函数

函数可以将重复的运算封装在一起，有利于代码的重复使用。这是高级程序语言不可或缺的。ActionScript中内建了很多预定好的函数，用于处理一些常见的操作，而且用户还可以自定义函数，从而将一些重复运算的语句封装起来，以便可以多次使用。

15.7.1 使用预定义全局函数

ActionScript中包含了几个预定义函数，也被称为全局函数或者顶级函数，接下来做一下简单介绍。

使用trace()函数

trace()函数可以在调用时将表达式的值显示在“输出”面板上，调试在编写程序时非常重要，因此trace()函数的使用在编写ActionScript程序时非常重要。

单个trace()函数可以支持多个参数，如果函数中的任何参数包含String之外的数据类型，则该函数将调用与该数据类型关联的toString()方法。

例如下面的代码将在“输出”面板上显示两个变量的值：

```
trace(var_a - var_b);
```

转义操作函数

在ActionScript中有很多函数可以用来进行转义操作，包括了转义和反向转义。

- escape()函数和unescape()函数

escapeh()函数是转义函数，它将参数转换为字符串，并以URL编码格式进行表示，在这种格式中，所有空格、标点、重音符号及其他非ASCII字符都用%XX十六进制序列编码代替。

escape()函数的语法格式如下：

```
escape(expression);
```

参数expression是要转换为字符串并以URL编码格式进行编码的表达式。

unescape()函数是反向转义函数，该函数与escape()函数的功能恰恰相反，它将参数作为字符串计算，该字符串从URL编码格式进行解码，并返回该字符串。

unescape()函数的语法格式如下：

```
unescape(expression);
```

参数expression是要转义的十六进制序列字符串。

- encodeURI()函数和decodeURI()函数

encodeURI函数将文本字符串编码为一个有效的统一资源标识符(URI)。如果用户将编码结果传递给decodeURI函数，那么将返回初始的字符串。

encoderURI()函数的语法格式如下：

```
encodeURI(URIString)
```

参数URIString代表一个将编码的URI字符串。

decodeURI()函数的语法格式如下：

```
decodeURI(URIString)
```

URIString参数代表一个已编码的URI字符串。如果URIString无效，那么将产生一个URIError。

encodeURIStringComponent()函数和decodeURIComponent()函数

这两个函数也是用来编码和解码的。

decodeURIComponent()函数的语法格式如下：

```
decodeURIComponent (URIString)
```

必选的URIString参数代表一个已编码的URI组件。

encoderURIComponent()函数的语法格式如下：

```
encodeURIComponent (URIString)
```

encodeURIComponent()函数可以转义所有的字符，除了下面的几个字符：

英文字母、数字、- _ . ! ~ * ` ( )

转换函数

转换函数用于转换数据类型。

- parseFloat()函数

该函数将字符串转化为浮点数（浮点数就是带小数部分的数字）。此函数解析并返回字符串中的数字，直到它到达不是数字部分的字符。如果字符串不是以一个可以分析的数字开始的，则parseFloat()函数返回 NaN。有效整数前面的空白将被忽略，有效整数后面的非数值字符也将被忽略。

语法格式如下：

```
parseFloat(string)
```

参数string要读取并转换为浮点数的字符串。

- parseInt函数

该函数将字符串转换为整数。如果参数中指定的字符串不能转换为数字，则此函数返回NaN。以0开头的整数不会被解释为八进制数字，只有指定基数为8的整数，才会被解释为八进制数字。以0x开头的字符串被解释为十六进制数字。有效整数前面的空白将被忽略，有效整数后面的非数值字符也将被忽略。

语法格式如下：

```
parseInt(expression, 【radix】)
```

参数expression是要转换为整数的字符串。

参数radix表示要分析数字的技术（代表数字的进制），这是一个整数，合法值为2-36，此参数为可选。

- Number()函数和String()函数

这两个函数可以将一个对象转换成数字或者字符串，语法格式如下：

```
Number(objRef)
String (objRef)
```

参数objRef是一个对象引用。

- Boolean()函数

Boolean()函数可以将一个对象转换成逻辑值，返回值取决于参数的数据类型和值，该函数的运算规则如下表所示：

输入类型/值	范　例	返 回 值
0	Boolean(0)	False
NaN	Boolean(NaN)	False
数字（非0或NaN）	Boolean(4)	True
空字符串	Boolean("")	False
非空字符串	Boolean("6")	True
null	Boolean(null)	False
undefined	Boolean(undefined)	False
Object类的实例	Boolean(new object())	True
如参数	Boolean()	False

- int()函数和Uint()函数

```
int(expression)
uint(expression)
```

int()函数将给定数值转换成十进制整数值，uint()函数将给定数值转换成无符号十进制整数值。uint()函数转换过程中有一些特殊的规则，该函数针对各种输入类型和值的返回值，如下表所示：

输入类型/值	范　例	返 回 值
Undefined	Uint (undefinded)	0
Null	Uint (null)	0
0	Uint (0)	0
NaN	Uint.(NaN)	0
正浮点数	Uint (5.31)	5
负浮点数	Uint (-5.78)	截断为整数，然后应用负整数规则
负整数	Uint (-5)	Uint.MAX_VALUE与负整数的和
True	Uint (true)	1
False	Uint (false)	0
空字符串	Uint (" ")	0
转换为数字的字符串	Uint (" 5")	数字
没有转为数字的字符串	Uint (" 5a")	0

- XML()函数和XMLList()函数

XML()函数和XMLList()函数分别将表达式转换成XML对象和XMLList对象，以应用E4X方法处理XML数据。语法格式如下：

```
XML (expression)
xmllist (expression)
```

对于不同的表达式，返回的结果也不同，XML()函数针对不同表达式类型的返回值，如下表所示：

参 数 类 型	XML () 函数返回值
Boolean	首先将值转换成一个字符串，然后转换成一个XML对象。
Null	发生运行时的错误 (TypeError异常) 。
Number	首先将值转换成一个字符串，然后转换成一个XML对象。
Object	仅当值为字符串值、数值或逻辑值时，才转换为XML，否则会发生运行时的错误 (TypeError异常) 。
String	转换为XML的值。
未定义	发生运行时的错误。
XML	返回未修改的输入值。
XMLList	仅当XMLList对象只包含XML类型的某个属性时，才返回XML对象，否则会发生运行时的错误 (TypeError异常) 。

XMLList()函数针对不同表达式类型的返回值如下表所示：

参 数 类 型	XML()函数返回值
Boolean	首先将值转换成一个字符串，然后转换成一个XMLList对象。
Null	发生运行错误(TypeError异常)。
Number	首先将值转换成一个字符串，然后转换成一个XMLList对象。
Object	仅当值为字符串值、数值或逻辑值时，才能转换为XMLList，否则会发生运行时的错误（TypeError异常）。
String	将值转换成一个XMLList对象。
未定义	发生运行时的错误（TypeError异常）。
XML	将值转换成一个XMLList对象。
XMLList	返回未修改的输入值。

判断函数

判断函数用于判断某个表达式是否是可操作的。

- isXMLName()函数

确定指定字符串对于XML元素或属性是否为有效名称。语法格式如下：

```
isXMLName (expression)
```

参数expression是要计算的字符串。如果参数expression为有效的XML名称，则返回true，否则返回false。

- isFinite()函数

该函数查看某个数值是否为有限数，如果其为有限数，则返回true；如果为无穷大或负无穷大，则返回flase。无穷大或负无穷大的出现一般是表示有错误的教学条件。

语法格式如下：

```
isFinie (expression)
```

参数expression是要计算的逻辑表达式、变量表达式或其他表达式。

- isNaN函数

该函数查看某个数值是否为数字，如果值不是数字（NaN），则返回true，这一般表示存在数学错误。

语法格式如下：

```
isNaN (expression)
```

参数expression是要计算的逻辑表达式、变量表达式或其他表达式。

15.7.2 使用函数

函数是封装运算的一种工具，ActionScript中的函数有两种：有返回值的函数和无返回值的函数。

判断函数

在ActionScript网页中，必须使用function关键字声明函数，以下就是函数的定义语法：

```
function myfunc (var_1:Type,var_2:Type,…,var_n:Type):Type {
//执行一些语句
```

```
return “一些数据或者变量”;
}
```

首先是function关键字，然后是函数名（myfunc），函数名可以是任何的ActionScript标识符。

括号内是该函数的参数，var_1、var_n等都是该函数使用的参数，参数之间使用逗号隔开。如果该函数没有参数，那么也必须包含空括号()。

参数后的花括号即为整个函数内容。函数如果返回值，使用return可将值返回。

另外就是参数的类型，只要参数是ActionScript支持的变量类型，都可以使用，无论是数组、字符串，或是整数等，返回值也是一样的。当函数无返回值时，数据类型为void。

例如下面的函数定义，这个函数定义了两个参数，再将两个参数相加后返回：

```
function add(x:Number,y:Number):Number {
return(x-y);//执行减法并返回结果
}.
```

函数的调用

要调用自定义函数，直接使用“函数名（参数1，……，参数n）”方式调用就可以了，并且参数是有先后顺序的，就像使用预定义函数那样。

对于前面定义的减法函数，可以使用下面的方法调用，假设要计算5-2。

```
add(5,2);
```

在调用函数时，参数必须严格数量，并且必须严格数据类型：

```
function myfunc (var_1:Namber,var_2:Nambe,var_3:String):void  {
    trace(var_1-var_2);
    trace(var_3);
}
```

定义参数初始值

参数还可以事先定义初始值或默认值，有定义默认值的参数在使用函数时可以省略，但一定要放在没有配置默认值参数的后面，否则ActionScript在解析函数时，会出现错误。

下面是一个使用默认值和不用默认值的程序代码：

```
function myfunc (var_1:Namber,var_2:Nambe,var_3:String=”默认值”):void  {
    trace(var_1-var_2);
    trace(var_3);
}
myfunc(3, 4); //参数var_3可以省略
myfunc(6, 6, ”不用默认值”); //输入参数var_3
```

…(rest)参数

如果用户想定义参数函数，可以使用…(rest)参数声明，该参数可用来指定一个数组参数，以接受任意多个以逗号分隔的参数，并且在定义…（rest）参数的同时，可以定义其他参数，但是…（rest）参数必须在参数列表的最后定义。

例如下面的代码：

```
//函数定义使用了一个…args参数声明
function traceArgArray(… args):void {
for (var i:uint = 0; i<args.length;i++ {
trace(args【i】;
```

```
    }
  }
  //但是，调用时可以使用多个参数
  traceArgArray(1,2,3);
```

15.8 数据类型检查

类型检查是指验证变量和表达式的类型是否兼容。因此Flash检查为变量指定的类型是否与赋给它的值相匹配。

ActionScript 3.0是动态类型的语言，它在运行时执行类型检查，但是随着程序功能的增多，在运行时进行类型检查势必会增加资源消耗。因此在编译时进行类型检查是个不错的方法。

在Flash CS5中内建的ActionScript 3.0编译器默认就是严格模式，所以在编译ActionScript 3.0代码时，就会进行类型检查。执行【文件】|【发布设置】命令，在“发布设置”对话框中选择Flash选项，单击“脚本ActionScript 3.0”后面的“设置”按钮，如图15-32所示。

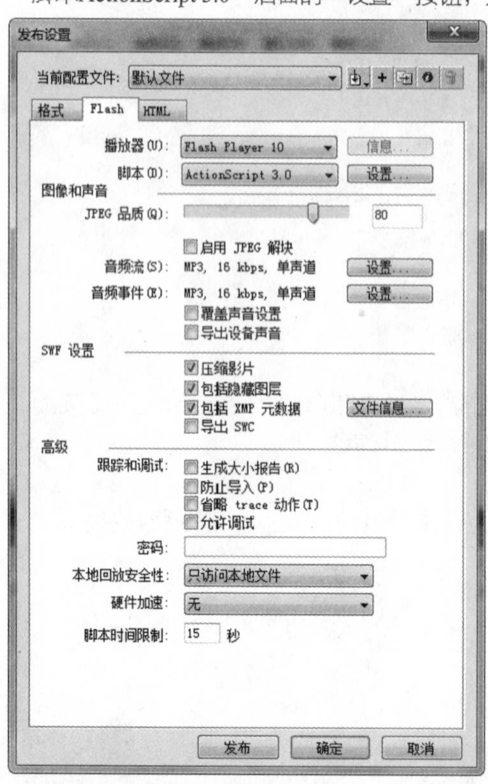

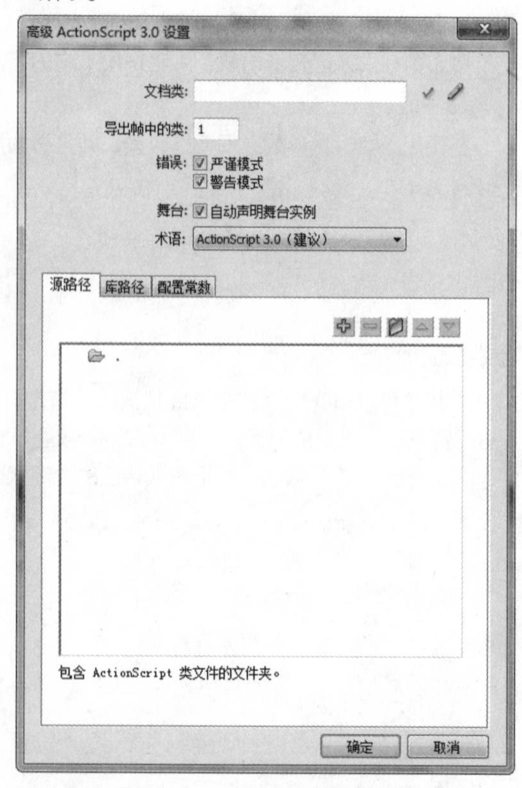

图15-32　设置错误检查方式

严谨模式	如果存在错误，编译将会失败。如果选定该复选框，那么就等于是将编译器设置为严格模式。在严格模式下，类型检查既发生在编译时，也发生在运行时。但是在标准模式下，类型检查仅发生在运行时。
警告模式	报告多余警告，这项功能对将ActionScritp 2.0代码更新到ActionScritp 3.0时，发现不兼容现象非常有用。

15.9 总结扩展

除了上面的流程控制命令之外，还有break和continue两个流程控制命令。这两个控制命令可以和标签指令配合使用。

break语句

break出现在循环（for、for….in、do…..while或while）内或与switch语句中的特点情况相关的语句块内。当在循环句中使用时，break语句提示Flash跳过循环体的其余部分，停止循环语句，并执行循环语句后面的语句。当在switch中使用时，break语句提示Flash跳过此case块中的其余语句，并跳到包含它的switch语句后面的第一个语句中。

在嵌套循环中，bireak语句只跳过当前循环的其余部分，而不是跳出整个系列的潜逃循环。用来跳出目前执行的循环，例如下面的代码：

```
var i:Number = 0;
    while (I<=10){
    if (myArray【i】 ==" stop" ) {
    break;
}
    i++;
}
```

continue语句

continue语句用来立即停止目前执行的循环，并回到循环的条件判断处。在下面的while循环中，continue使Flash解释程序跳过循环体的其余部分，并转到循环的顶端。

```
trace( "example 1" )
var i:Number=0;
    while (i<=10) {
   if (i%3 ==0) {
    i++;
   continue;
   }
   trace(i);
   i++;
   }
```

标签语句

标签为语句提供一个标识符，用于直接跳转到该标识符所指定的行。但是不同于其他语言的是，ActionScript没有像goto这样的跳转语句。这个标签语句仅能由Break和continue语句使用，用来指示break和continue到哪个语句，语法格式如下：

```
label:
  statements
```

参数label用于为后面的语句定义一个唯一的标识符，它可以是任何符合ActionScript变量定义规则的标识符。

参数statements是与label相关联的一个或多个语句，也可以是复合语句。

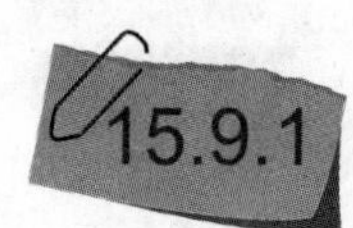

15.9.1 本章小结

本章主要介绍Flash CS5中的ActionScript 3.0的基础知识。主要学习了ActionScript 3.0的基本语法规则、新增功能，还对其在Flash CS5中的工作环境进行了介绍。通过学习，读者要掌握使用ActionScript 3.0定义变量的方法、编程的基础和数据运算的方法等，为以后对ActionScript进行更深层次的学习打下基础。

15.9.2 举一反三——计算输出结果

请计算出下面代码的输出结果：

```
var  i:uint=50;
var  m:unint=30;
var  n:unint=60;
 trace (i = m);
 trace(i == m);
 trace(i == n);
```

trace(i=m);语句中包含了一个赋值语句，执行这行代码后，i=30，所以输出的结果应该是30 true false。

第16章 ActionScript 3.0应用

本章将针对在Flash动画制作中常用的类进行学习，分别学习了类的基本概念和调用方法，还对动画中的现实层级和显示对象进行了学习。通过学习，读者可以基本掌握在Flash CS5中一些基本的脚本使用方法，理解不同对象的多种脚本控制方法。

本章学习要点

- 理解使用类的原因
- 掌握调用对象的方法
- 掌握常用类的编写
- 掌握响应鼠标的方法
- 理解响应键盘的方法
- 能够使用封包制作动画

实例名称：制作鼠标拖曳动画效果
源 文 件：光盘\源文件\第16章\16-2-1.fla
教学视频：光盘\视频\第16章\16-2-1.swf

实例名称：动态类的使用
源 文 件：光盘\源文件\第16章\16-2-3.fla
教学视频：光盘\视频\第16章\16-2-3.swf

实例名称：使用键盘控制游戏人物方向
源 文 件：光盘\源文件\第16章\16-4.fla
教学视频：光盘\视频\第16章\16-4.swf

实例名称：举一反三——制作鼠标跟随动画效果
源 文 件：光盘\源文件\第16章\16-5-2.fla
教学视频：光盘\视频\第16章\16-5-2.swf

16.1 在ActionScript 3.0中使用类

在Flash CS5中提供了很多类，这些类按照不同的功能封装了一些函数和变量，用于不同的数据运算，例如字符串运算、数学运算、数值转化、格式化等。在绝大多数的Flash应用程序中都会使用到它们，而且无须导入就可以使用这些类，这些类也被称为顶级类。

在“动作”面板的工具栏中，这些ActionScript顶级类位于“顶级”结点下，如图16-1所示。这些类的实现被包含在ActionScript解释器Flash Player中，直接使用即可。

16.1.1 创建类的实例

要使用该类中某个具体的个体时，必须为这个个体创建一个实例来表示它。例如可以使用People这个类来描述“人”这个范畴，人类可以有肤色、头发这些属性，也可以有跑、坐这些方法。但是当要使用People类中的某个个体时，就必须创建一个实例标识该个体。一般会使用new关键字。

例如下面的代码就是创建一个名称为jason的People实例：

```
var Jason:People = new People();
```

ActionScript中的类也是某一样事物的抽象，所以也必须创建实例才能使用。例如Date类，首先要创建该类的新实例，然后才能使用它的方法和属性。

可以使用new运算符和构造器方法来创建类的实例（构造器方法是类用于创建新实例的函数）。创建了类的一个新实例后，该类的所有属性和方法都会被复制到该实例中。例如下面的语句将创建一个名为fullDate的Date类新实例，然后调用Date类的getMinutes方法：

```
var  fullDate:Date  = new Date();
var  fullMinutes:Number = fullDate .getMinutes();
```

构造器方法也可以带参数，例如下面的代码在创建Number类的实例时，使用了带参数的构造器方法：

```
var myNumber: Number = new Number(1234);
```

也可以使用对象初始化运算符（{}）创建通用类型Object类的实例。例如下面的语句中，属性名称为radius和area，它们的值分别为10和后面表达式的值：

```
var myRadius:Number = 5;
var myCircle:Object = { radius:myRadius,area(Math.PI*myRadius*myRadius) };
```

括号将先对它们中的表达式进行计算，然后将返回的值赋给变量area。

也可以嵌套数组，把Object类初始化，例如下面的语句：

```
var new Object:Object = (name:”jason”,projects:【“flash”,”photoshop”】);
```

但是，有一些类虽然也是事物的抽象，但是它们一般不会有什么个体而言。例如可以将长城抽象为一个类，该类有方法和属性，但是世界上只有一个长城，它是唯一的，所以谈不上个体，也就无须实例化。

ActionScript中内建的Math类就属于这一种类型，无须实例化，直接使用就可以了，例如下面的代码：

```
var area:Number = Math.PI*radius*radius;
```

这就没有实例化Math类。

有一些类的方法和属性也具有某种唯一性，虽然该类中的其他方法或属性必须首先创建实例才能调用，但是这些具有唯一性的方法和属性无须实例化就可以调用，它们一般被称为静态方法或静态属性。

16.1.2 访问对象属性

在面对对象的编程中，对象是类的实例。使用点（.）运算符可以访问对象中的属性的值。对象名称在点的左边，而属性名称在点的右边。例如在下面的语句中，myObject是对象，name是属性名：

```
myObject.name
```

为属性赋值：

```
myObject.name = “aaa”;
```

更改属性值只需赋给它一个新值：

```
myObject.name =”bbb”;
```

也可以使用数组访问运算符（【 】）来访问对象的属性；

```
myObject【name】
```

一些无须实例化的类可以直接访问属性，在这种情况下，类名称在点的左边，而属性名称在点的右边，例如：

```
var ratio: Number = Math.PI;
```

16.1.3 调用对象方法

类中定义的函数被称为方法，可以通过在类的实例后点（.）运算符的后面加上方法名。例如下面的代码将调用Number类的toString方法：

```
var myNumber:Number = new Number (1234);
myNumber.toString(16);
```

一些无须实例化的类可以直接调用方法，在这种情况下，类名称在点的左边，而方法名称在点的右边，例如下面的代码：

```
var myValue:Number = Math.floor(5.5);
```

16.2 常用类的编写

类指的是对某个对象的定义，它包含有关对象动作方式的信息，包括它的名称、方法、属性和事件。实际上它本身并不是对象，因为它不存在于内存中。当引用类的代码运行时，类的一个新的实例即对象，就在内存中创建了。虽然只有一个类，但能从这个类中创建多个相同类型的对象。

接下来通过几个实例来了解ActionScript中常见的几种类的编写。

16.2.1 响应鼠标事件

ActionScript可以响应很多种鼠标事件，大部分可以使用MouseEvent类的常量表示，也有几个使用Event类的常量表示，这些常量如下表所示：

MouseEvent.CLICK	表示对象的click事件。
MouseEvent.DOUBLE_CLICK	表示对象的doubleClick事件。
MouseEvent.MOUSE_DOWN	表示对象的mouseDowen事件。
Event.MOUSE_LEAVE	表示对象的mouseLeave事件，当鼠标指针移出Flash Player窗口区域时，由Stage对象进行调用。
MouseEvent.MOUSE_MOVE	表示对象的mouseMove事件。
MouseEvent.MOUSE_OUT	表示对象的mouseOut事件。
MouseEvent.MOUSE_OVER	表示对象的mouseOver事件。
MouseEvent.MOUSE_UP	表示对象的mouseUp事件。
MouseEvent.MOUSE_WHEEL	表示对象的mouseWheel事件。
MouseEvent.ROLL_OUT	表示对象的rollOut事件。
MouseEvent.ROLL_OVER	表示对象的roolOver事件。

应用实例：制作鼠标拖曳动画效果

Flash动画中使用鼠标实现交互效果是非常普遍的。在本实例中通过对MouseEvent类的调用，实现了对应用剪辑元件的拖曳。

源文件：光盘\源文件\第16章\16-2-1.fla

教学视频：光盘\视频\第16章\16-2-1.swf

STEP 01 执行【文件】|【新建】命令，新建一个Flash文档，在弹出的“新建文档”面板中选择ActionScript 3.0，如图16-1所示。单击“属性”面板上的“编辑”按钮，在弹出的“文档设置”对话框中设置“尺寸”为615像素×149像素，其他设置如图16-2所示。

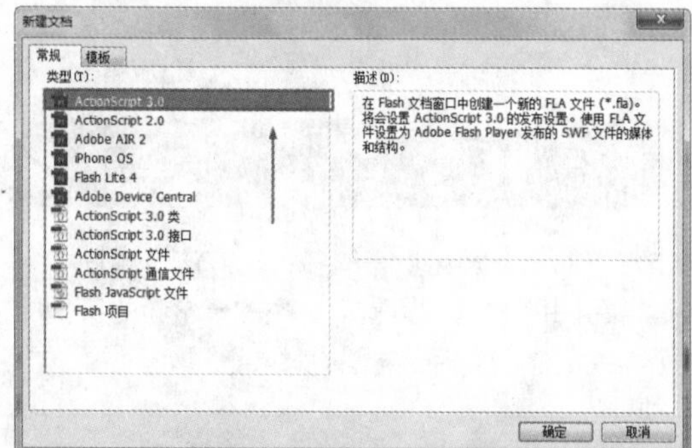

图16-1 新建文档

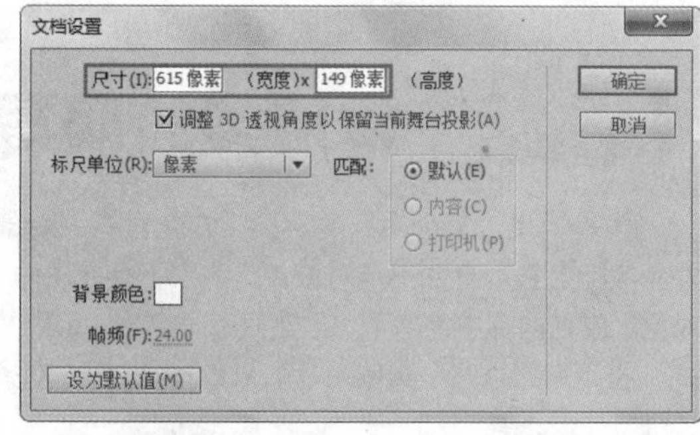

图16-2 设置文档尺寸

STEP 02 执行文件【导入】|【导入到舞台】命令，将文件“光盘\素材\第16章\素材\170201.jpg”导入到场景中，并调整大小及位置，如图16-3所示，新建一个名称为sun的“影片剪辑”元件，如图16-4所示。

图16-3　导入图像

图16-4　新建文件

STEP 03 将文件"光盘\素材\第16章\素材\170202.png"导入到场景中，并调整大小及位置，如图16-5所示。返回场景编辑状态。将元件sun从"库"面板中拖入到场景中，调整大小及位置，如图16-6所示。

图16-5　导入元件

图16-6　调整元件位置大小

STEP 04 选中元件，设置其"属性"面板上的"实例名称"为sun，如图16-7所示。新建"图层2"，单击第1帧位置，执行【窗口】|【动作】命令，在弹出的"动作-帧"面板中输入以下代码：

```
    //设置当光标移到sun上时显示手形
sun.buttonMode = true;
// 侦听事件
sun.addEventListener(MouseEvent.CLICK,onClick);
sun.addEventListener(MouseEvent.MOUSE_DOWN,onDown);
sun.addEventListener(MouseEvent.MOUSE_UP,onUp);
//定义onClick事件
function onClick(event:MouseEvent):void{
 trace("circle clicked");
}
//定义onDown事件
function onDown(event:MouseEvent):void{
 sun.startDrag();
}

function onUp(event:MouseEvent):void{
 sun.stopDrag();
}
```

时间轴效果如图16-8所示。

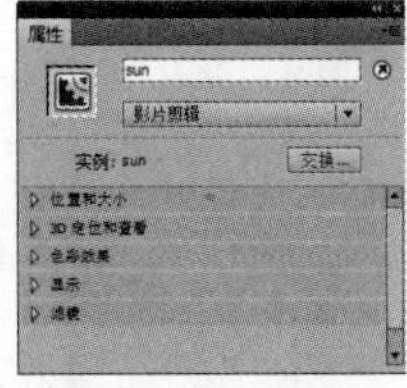

图16-7　命名实例名称

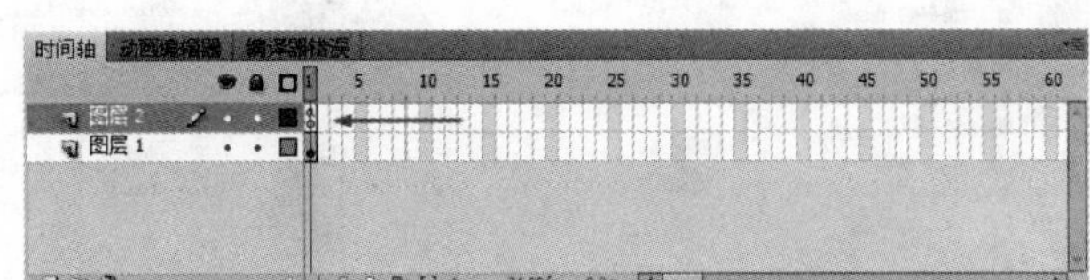

图16-8　加入脚本

STEP 05 执行【文件】|【保存】命令，将文件保存为16-2-1.fla，完成动画制作，同时按"Ctrl+Enter"快捷键测试动画，测试效果如图16-9所示。

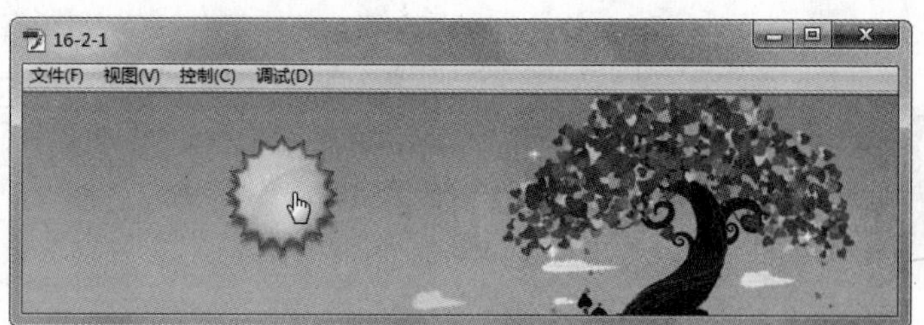

图16-9 测试效果

应用实例：使用inclue方法导入外部类

为了使动画方便修改，并增加其安全性，可以将代码程序写在一个ActionScript文件中，然后在动画中通过inclue方法导入类，从而实现动画效果。

源文件：光盘\源文件\第16章\16-2-1-1.fla、16-2-1-1.as

教学视频：光盘\视频\第16章\16-2-1-1.swf

STEP 01 将上一个案例源文件16-2-1.fla打开，执行【窗口】|【动作】命令，选中弹出的“动作-帧”面板中的代码，单击鼠标右键，选择弹出的快捷菜单中的【剪切】命令，如图16-10所示。执行【文件】|【新建】命令，新建一个ActionScript文件，如图16-11所示。

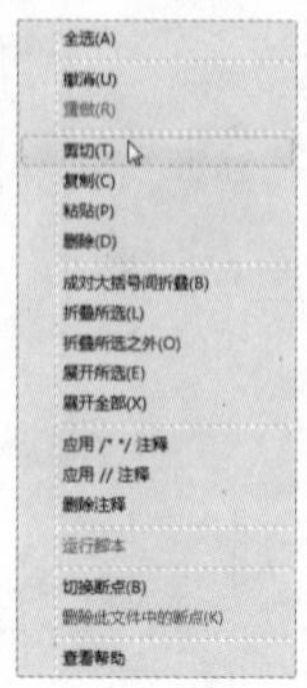

图16-10 执行【剪切】命令

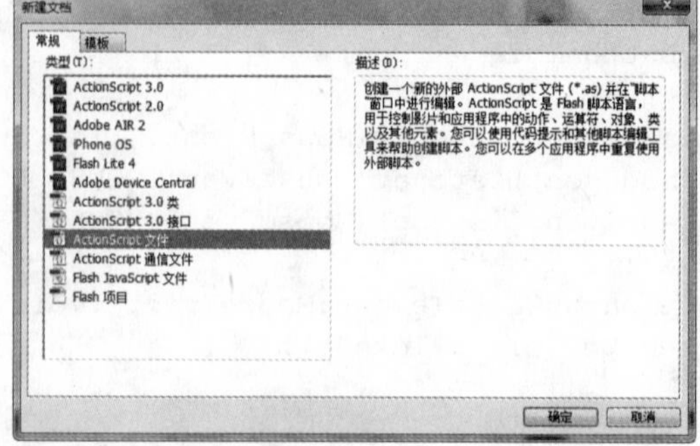

图16-11 新建脚本文件

STEP 02 单击“确定”按钮，单击鼠标右键，执行【粘贴】命令，如图16-12所示。将代码粘贴到场景中，如图16-13所示。执行【文件】|【保存】命令，将文件保存为16-2-1-1.as。

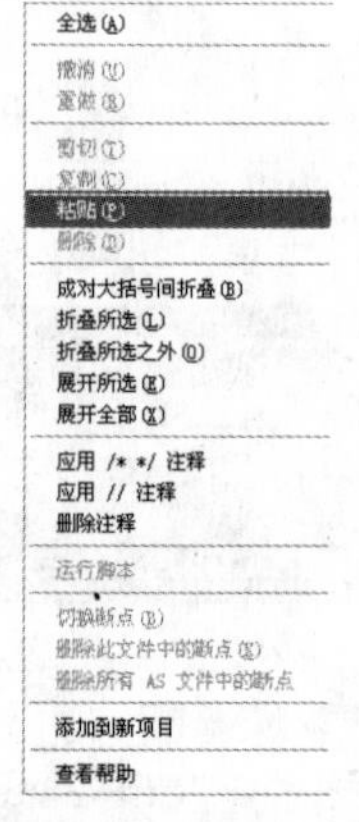

图16-12 执行【粘贴】命令

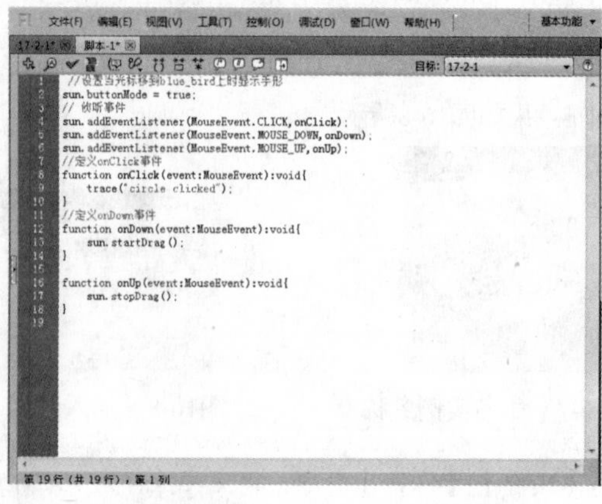

图16-13 粘贴效果

STEP 03 返回文件 16-2-1.fla 文件，单击“图层 2”的第 1 帧位置，在“动作 - 帧”面板中输入以下代码：

```
include “16-2-1-1.as”
```

将文件另存为16-2-1-1.fla，同时按“Ctrl+Enter”快捷键测试动画，测试效果如图16-14所示。

图16-14 测试效果

16.2.2 元件类

这里的元件类实际是指为Flash影片中的元件指定一个链接类名。与上面的include 的不同之处于在于它使用的是严格的类结构，而不是大家习惯上的时间线编写方式。

下面将太阳拖动功能封装起来，这样会变得很轻松，只需要创建它的实例并显示出来即可。

源文件：光盘\源文件\第 16 章\16-2-2.fla,sun_class.as

教学视频：光盘\视频\第 16 章\16-2-2.swf

STEP 01 接下来使用上例继续学习，打开 16-2-1-1.fla 文件，将其另存为 16-2-2.fla 文件，新建一个 Actionscript 文件，将其保存为 sun_class.as 文件，与 16-2-2.fla 文件在相同目录下。将上面的例子中的代码抽象成类：

```
package {
    import flash.display.MovieClip;
    import flash.events.MouseEvent;
    public class sun_class extends MovieClip {
        public function sun_class(){
            this.buttonMode = true;
            this.addEventListener(MouseEvent.CLICK,onClick);
            this.addEventListener(MouseEvent.MOUSE_DOWN,onDown);
            this.addEventListener(MouseEvent.MOUSE_UP,onUp);
        }
        private function onClick(event:MouseEvent):void{
            trace( “circle clicked” );
        }
        private function onDown(event:MouseEvent):void{
            this.startDrag();
        }
        private function onUp(event:MouseEvent):void{
            this.stopDrag();
        }
    }
}
```

因为将类的名称设置为 sun_class，所以此类文件一定要保存为 sun_calss.as 文件。

为了保证文件运行正常，要将 fla 源文件中的图层 2 上的脚本代码删除，否则将会报错。

STEP 02 执行【窗口】|【库】命令，在元件 sun 名上单击鼠标右键，选择弹出的快捷菜单上的【属性】命令，如图 16-15 所示。单击“高级”选项，设置类为 sun_class，如图 16-16 所示。

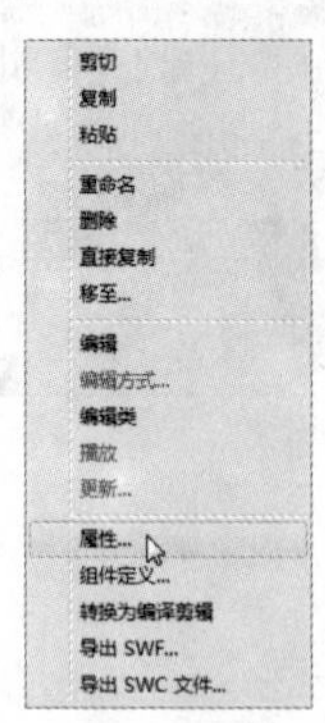

图16-15　设置链接属性

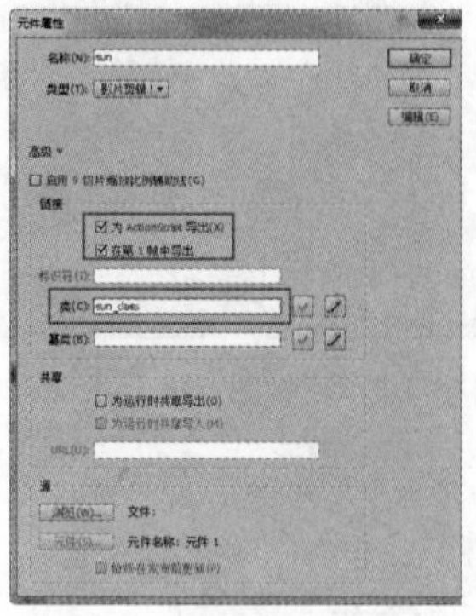

图16-16　添加链接类名称

STEP 03 测试影片，结果与上例一样。这里注意一点，场景中仍要保证 sun 的存在。

16.2.3 动态类

对于一些稍微复杂的程序来说，是由主类和多个辅助类组成的。辅助类封装分割开的功能，主类用来显示和集成各部分功能。如上例已经封装了太阳的拖动功能，现在可以创建10个这样可以拖动的元件。

上例中已经封装了拖动功能的类，现在再创建一个主类，用来显示这10个具有拖动功能的小球，本例使用ActionScript 3.0的DocumnetClass 新特性。

源 文 件：光盘 \ 源文件 \ 第 16 章 \16-2-3\16-2-3.fla,Drag_butterfly.as, DocumentClass.as

教学视频：光盘 \ 视频 \ 第 16 章 \16-2-3.swf

STEP 01 新建一个 ActionScript 3.0 文档，如图 16-17 所示。单击“属性”面板上的“编辑”按钮，在弹出的“文档设置”对话框中设置“尺寸”为 667 像素 ×343 像素，其他设置如图 16-18 所示。

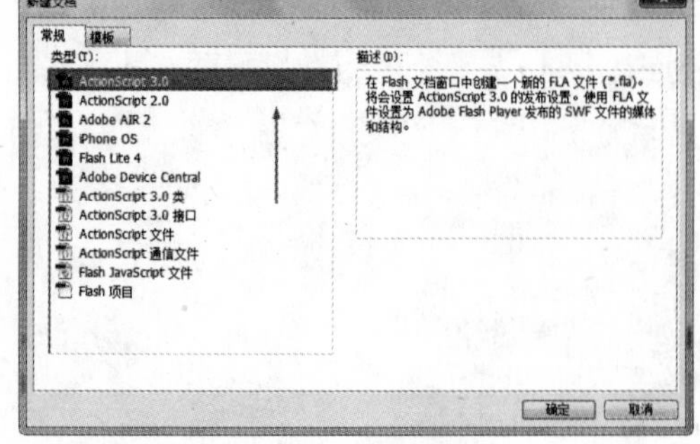

图16-17　新建文档

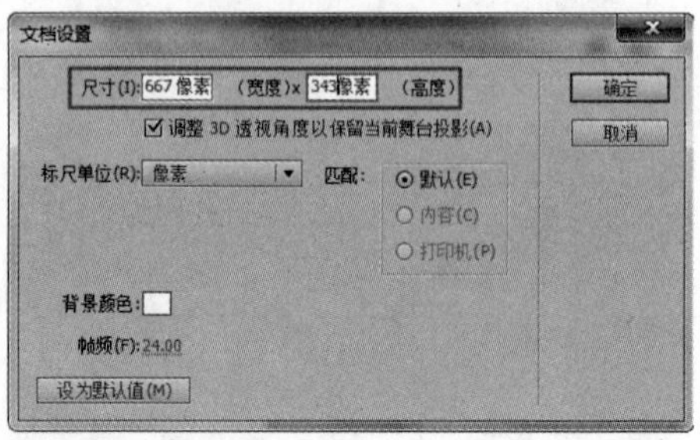

图16-18　设置文档尺寸

STEP 02 执行文件【导入】|【导入到舞台】命令，将文件“光盘\素材\第 16 章\素材\170204.jpg”导入到场景中，并调整大小及位置，如图 16-19 所示。新建一个名称为“蝴蝶”的“影片剪辑”元件，如图 16-20 所示。

图16-19　导入图像

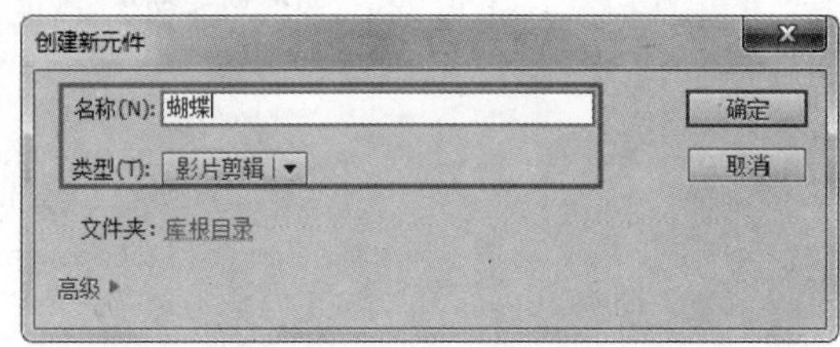

图16-20　新建元件

STEP 03 执行文件【导入】|【导入到舞台】命令，将文件“光盘\素材\第 16 章\素材\170203.png”导入到场景中，并调整大小及位置，如图 16-21 所示。

STEP 04 在打开的“库”面板中使用鼠标右键单击元件“蝴蝶”，选择弹出的快捷菜单上的【属性】命令，单击“高级”选项，设置类为 Drag_butterfly，如图 16-22 所示，单击“确定”按钮，返回场景编辑状态。

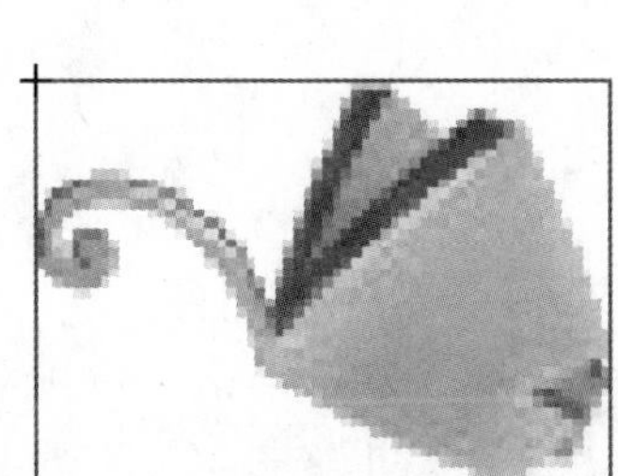

图16-21　导入元件

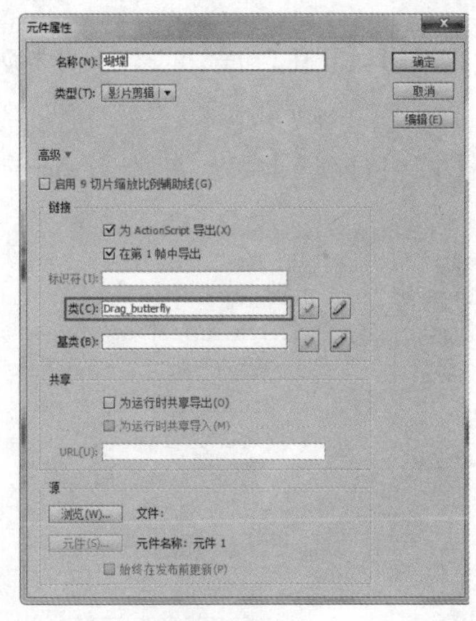

图16-22　设置链接属性

Tips

此处注意并没有将元件从“库”面板中拖入场景中，而是还将其放置在库内。

STEP 05 执行【文件】|【保存】命令，将文件保存为 16-2-3.fla，完成动画制作。

STEP 06 执行【文件】|【新建】命令，新建一个 ActionScript 文件，在场景中输入以下代码：

```
package {
    import flash.display.MovieClip;
    public class DocumentClass extends MovieClip {
          // 属性
```

```
        private var _circle:Drag_butterfly;
        private const maxBalls:int = 25;
        // 构造函数
        public function DocumentClass(){
                var i:int;
                // 循环创建蝴蝶
                for(i=0;i<=maxBalls; i++){
                        // 创建可拖动蝴蝶的实例
                        _circle = new Drag_butterfly();
                        // 设置蝴蝶实例的一些属性
                        _circle.scaleY = _circle.scaleX = Math.random();
                        // 场景中的x,y位置
    _circle.x= Math.round(Math.random()*(stage.stageWidth - _circle.width));
   _circle.y= Math.round(Math.random()*(stage.stageHeight - _circle.height));
                        // 在场景上显示
                        addChild(_circle);
                }
        }
        }
    }
```

STEP 07 执行【文件】|【保存】命令，将文件保存为DocumentClass.as，完成主类的创建。

STEP 08 执行【文件】|【新建】命令，新建一个ActionScript文件，在场景中输入以下代码：

```
package {
    import flash.display.Sprite;
    import flash.events.MouseEvent;
    public class Drag_butterfly extends Sprite {
        public function Drag_butterfly(){
            this.buttonMode = true;
            this.addEventListener(MouseEvent.CLICK,onClick);
            this.addEventListener(MouseEvent.MOUSE_DOWN,onDown);
            this.addEventListener(MouseEvent.MOUSE_UP,onUp);
        }
            private function onClick(event:MouseEvent):void{
            trace("circle clicked");
        }

        private function onDown(event:MouseEvent):void{
            this.startDrag();
        }
        private function onUp(event:MouseEvent):void{
            this.stopDrag();
        }
    }
}
```

STEP 09 执行【文件】|【保存】命令，将文件保存为Drag_butterfly.as，完成辅助类的创建。返回16-2-3.fla文件，在"属性"面板中的"文档类"文本框中输入DocumentClass，如图16-23所示。

STEP 10 同时按“Ctrl+Enter”快捷键测试动画，测试效果如图 16-24 所示。

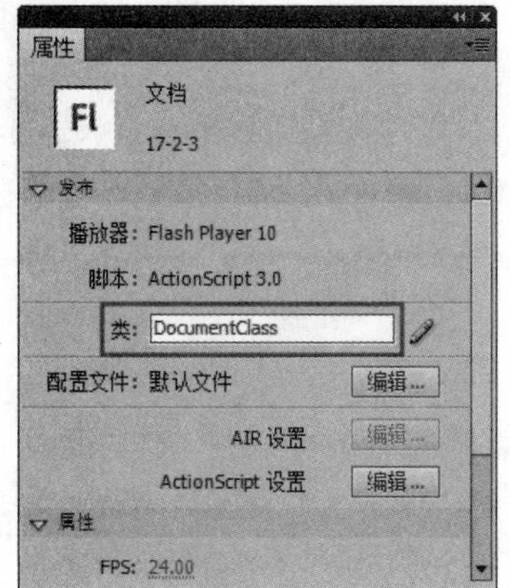
图16-23　添加文档类

图16-24　测试动画

16.2.4 不使用库元件的“动态类”

在上例中使用的是已创建好的影片剪辑，并在库中进行了类的链接，对于一些有复杂图形的动画是比较好的选择，如果应用Drawing Api绘制出想要的图形，那么也可以不使用库元件，可以直接在类中编写。

很显然不使用库中的元件，就需要在类中直接使用Drawing Api来直接绘制，类的结构与动态类是相同的。

源 文 件：光盘 \ 源文件 \ 第 16 章 \16-2-4\16-2-4.fla, DocumentClass.as, Drag_circle.as
教学视频：光盘 \ 视频 \ 第 16 章 \16-2-4.swf

STEP 01 执行【文件】|【打开】命令，将文件 16-2-3.fla 文件打开，将“库”面板中的元件“蝴蝶”删除。执行【文件】|【保存】命令，将文件另存为 16-24.fla 文件。

STEP 02 执行【文件】|【新建】命令，新建一个 ActionScript 文件，在场景中输入以下代码：

```
  package {
import flash.display.MovieClip;
public class DocumentClass extends MovieClip {
  private var _circle:Drag_circle;
  private const maxBalls:int = 100;
  public function DocumentClass(){
    var i:int;
    for(i=0;i<=maxBalls; i++){
      _circle = new Drag_circle();
      _circle.scaleY = _circle.scaleX = Math.random();
      _circle.x= Math.round(Math.random()*(stage.stageWidth - _circle.width));
      _circle.y= Math.round(Math.random()*(stage.stageHeight - _circle.height));
      addChild(_circle);
```

```
            }
          }
        }
}
```

STEP 03 执行【文件】|【保存】命令，将文件保存为 DocumentClass.as，执行【文件】|【新建】命令，新建一个 ActionScript 文件，在场景中输入以下代码：

```
package {
import flash.display.Sprite;
 import flash.display.Shape;
  import flash.events.MouseEvent;
public class Drag_circle extends Sprite {
private var _circle:Sprite;
    public function Drag_circle(){
    _circle = new Sprite();                          // 构造函数
     _circle.graphics.beginFill(0xf18b25);          //橙色小球
    _circle.graphics.drawCircle(-5, -5, 10);        // 绘制一个圆形
    _circle.graphics.endFill();
    _circle.buttonMode =true;
    addChild(_circle);
    _circle.addEventListener(MouseEvent.CLICK,onClick);
    _circle.addEventListener(MouseEvent.MOUSE_DOWN,onDown);
    _circle.addEventListener(MouseEvent.MOUSE_UP,onUp);
}
private function onClick(event:MouseEvent):void{
    trace("circle clicked");
}
    private function onDown(event:MouseEvent):void{
    _circle.startDrag();
}
      private function onUp(event:MouseEvent):void{
      _circle.stopDrag();
 }
}
}
```

STEP 04 执行【文件】|【保存】命令，将文件保存为 Drag_circle.as。返回 16-2-4.fla 文件，在“属性”面板中的“文档类”文本框中输入 DocumentClass，如图 16-25 所示。

STEP 05 同时按“Ctrl+Enter”快捷键测试动画，测试效果如图 16-26 所示。

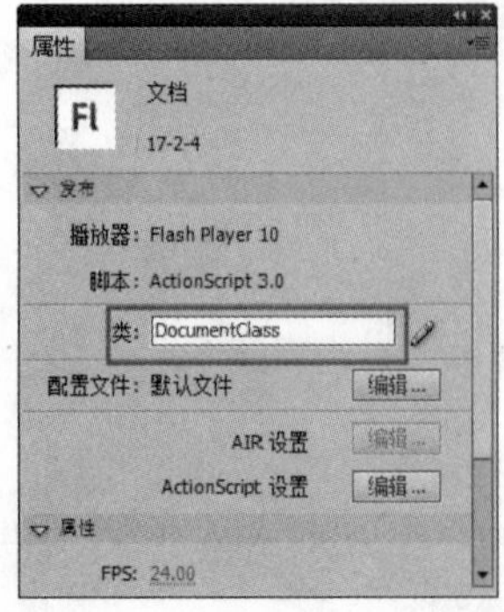

图16-25　添加文档类

图16-26　测试动画

16.2.5 使用“类包”

一般来说，一个.as文件中就是一个类，但是在ActionScript 3.0中，现在允许在一个文件中定义多个类，用来辅助主类。 在.as文件中的辅助类，必须定义在类包以外，并且只针对此文件中的主类和其他辅助类可见。它的基本结构如下：

```
package {
 class MyClass {
        function MyClass() {
    var helper:MyHelper = new MyHelper();
 }
}
}
class MyHelper {
 function MyHelper() {
 var helper:HelpersHelper = new HelpersHelper();
}
}
class HelpersHelper {
 function HelpersHelper () {
}
}
```

源文件：光盘\源文件\第 16 章\16-2-5\16-2-5.fla, DocumentClass.as
教学视频：光盘\视频\第 16 章\16-2-5.swf

STEP 01 执行【文件】|【打开】命令，将文件 16-2-4.fla 文件打开，执行【文件】|【另存为】命令，将文件另存为 16-2-5.fla 文件。

STEP 02 执行【文件】|【新建】命令，新建一个 ActionScript 文件，在场景中输入以下代码：

```
package {
  import flash.display.MovieClip;
  import flash.display.Sprite;
  import flash.events.MouseEvent;
// Document Class
  public class DocumentClass extends MovieClip {
   private var _circle:Drag_circle;
   private const maxBalls:int = 100;
   public function DocumentClass() {
    var i:int;
    for (i=0; i<=maxBalls; i++) {
     _circle = new Drag_circle();
     _circle.scaleY = _circle.scaleX = 1Width - _circle.width));
     _circle.y= Math.round(Math.random()*(stage.stageHeight - _circle.height));
     addChild(_circle);
   }
```

```
    }
  }
}
import flash.display.Sprite;
import flash.events.MouseEvent;
class Drag_circle extends Sprite {
 private var _circle:Sprite;
 public function Drag_circle() {
  _circle = new Sprite();
  _circle.graphics.beginFill(0x009933);
  _circle.graphics.drawCircle(-5, -5, 10);
  _circle.graphics.endFill();
  addChild(_circle);
  this.buttonMode = true;
  _circle.addEventListener(MouseEvent.CLICK,onClick);
  _circle.addEventListener(MouseEvent.MOUSE_DOWN,onDown);
  _circle.addEventListener(MouseEvent.MOUSE_UP,onUp);
 }
 private function onClick(event:MouseEvent):void {
  trace("circle clicked");
 }
 private function onDown(event:MouseEvent):void {
  _circle.startDrag();
 }
 private function onUp(event:MouseEvent):void {
  _circle.stopDrag();
 }
}
```

STEP 03 执行【文件】|【保存】命令，将文件保存为 DocumentClass.as。返回 16-2-5.fla 文件，同时按"Ctrl+Enter"快捷键测试动画，测试效果如图 16-27 所示。

图16-27　测试动画

16.3 显示层级和显示对象

在ActionScript 3.0中,最大的改变之一就是Flash对可视内容渲染显示，其中理解对象层级和显示对象是非常必要的，下面针对此内容进行学习。

创建对象

在ActionScrpt 2.0中创建MovieClip对象时，通常使用如下的方式。

- createEmptyMovieClip()：创建一个空的影片剪辑。
- createTextField()：创建一个文本域。

而在ActionScript 3.0中都是通过构造实例的方式来创建的。

- new MoiveClip()：创建一个新的空的影片剪辑。
- new Sprite()：创建一个新的空的sprite。
- new TextField()：创建一个新的空的文本域。
- new Shape()：创建一个画布。

对于库中已有的元件处理方式如下：

在ActionScript 2.0中，通常要为库中的元件命名一个链接id，然后使用attachMovie()的方法来将它到场景中，如图16-28所示，而在Actionscript 3.0中，仍要为其他指定id，只是这个id，是作为一个类的名称，如图16-29所示：

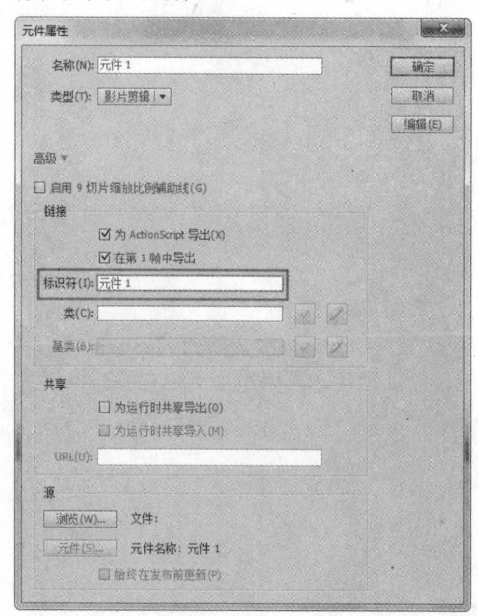

图16-28　为元件设置标识符

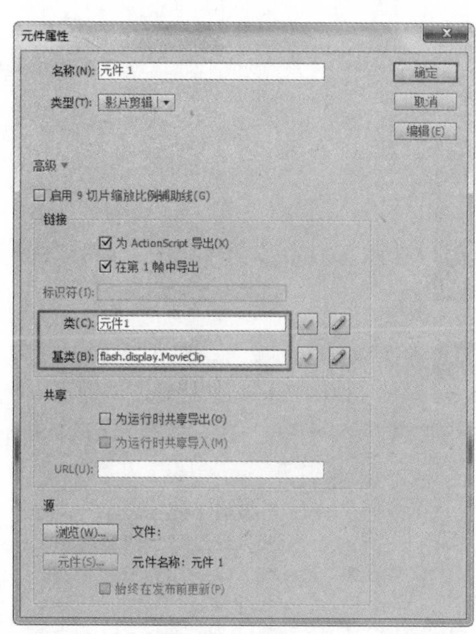

图16-29　设置类

在Actionscript 3.0中，当指定了类名称后，这个类可以有，也可以没有，如果没有编写名为Star.as的类时，在编译时Flash会自动创建一个。接下来仍要在代码中使用new Star()构造实例的方式来创建。这种方式实际上就是Actionscrpt 2.0中的attachMovie()。

当创建对象完成后，并不会立即显示在场景中，需要将其加入到“类”后，才会显示出来。在ActionScript 3.0中使用是addChild()方法。

16.3.2 显示对象

当创建了对象后，如果要想显示出来，则需要将其加入到“类”中，使用addChild方法可以让其显示出来，还可以将显示了的对象重新不显示，将其移出“类”即可，如removeChild，实例如下：

源文件：光盘\源文件\第16章\16-3-2.fla, CircleShape.as

教学视频：光盘\视频\第16章\16-3-2.swf

STEP 01 新建一个Flash文档，执行【文件】|【保存】命令，将文件保存为16-3-2.fla文件。

STEP 02 再次新建一个ActionScript文档，在场景中输入以下代码：

```
package {
    import flash.display.Sprite;
    import flash.display.Shape;
    public class CircleShape extends Sprite
    {      // 创建圆形
        public function CircleShape()
        {
            var myCircle:Shape = new Shape();
            myCircle.graphics.beginFill(0xFFcc00, 1);
            myCircle.graphics.drawCircle(280, 190, 100);

        }
    }
}
```

STEP 03 执行【文件】|【保存】命令，将文件保存为CircleShape.as。

STEP 04 返回16-3-2.fla文件，在其“属性”面板中的“文档类”中输入类CircleShape，如图16-30所示。同时按“Ctrl+Enter”快捷键测试动画。测试发现，并没有出现任何内容，原因是上例中并没有将创建好的对象加入到“类”中，切换到CircleShape.as中，修改代码如下：

```
package {
    import flash.display.Sprite;
    import flash.display.Shape;
    public class CircleShape extends Sprite
    {
        public function CircleShape()
        {
            var myCircle:Shape = new Shape();
            myCircle.graphics.beginFill(0x3cadfc, 1); //圆形的颜色
            myCircle.graphics.drawCircle(280, 190, 100); //圆形的位置和大小
            addChild(myCircle);                          //将对象添加到类中
        }
    }
}
```

STEP 05 保存文件，返回 16-3-2.fla 文件，测试动画，效果如图 16-31 所示。

图16-30　输入文档类

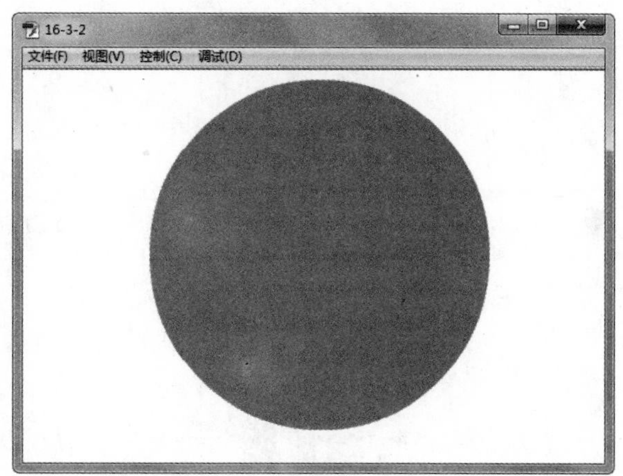

图16-31　测试动画

应用实例：在“对象”中加入子内容

接下来在Actionscript 3.0 中使用类似ActionScripts 2.0中的attachMovie方法进行测试，测试在“对象”中是否可以加入子内容。

源文件：光盘\源文件\第 16 章\16-3-2-1.fla, CircleShape2.as

STEP 01 将 16-3-2.fla 文件另存为 16-3-2-1.fla 文件，并修改其“属性”面板上的“文档类”为 CircleShape2，如图 16-32 所示。

STEP 02 新建一个名为“高光”的“影片剪辑”元件，使用绘图工具在场景中绘制一个如图 16-33 所示的渐变效果。

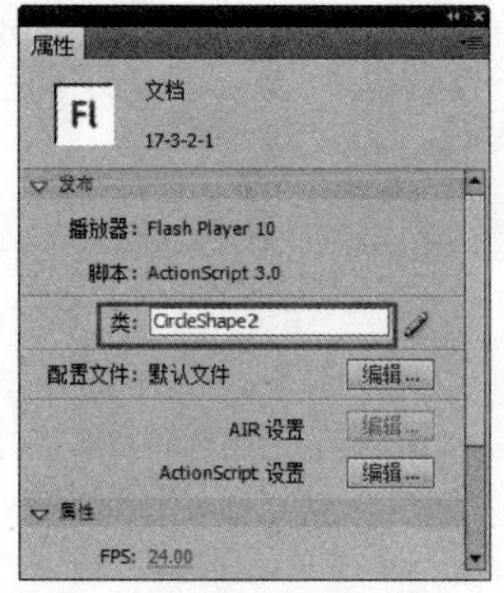

图16-32　输入文档类

图16-33　绘制图形

STEP 03 返回场景编辑状态。使用鼠标右键单击“库”面板的“高光”元件，选择【属性】命令，单击“高级”选项，设置类为 star，如图 16-34 所示。

STEP 04 执行【文件】|【新建】命令，在场景中输入以下代码：

```
package {
 import flash.display.Sprite;
 import flash.display.Shape;
 public class CircleShape2 extends Sprite
 {
     public function CircleShape2()
     {
          var myCircle:Sprite = new Sprite();
          myCircle.graphics.beginFill(0x3cadfc, 1);
          myCircle.graphics.drawCircle(280, 190, 100);
          addChild(myCircle);
          var myStar = new Star();
          myStar.x=280;
          myStar.y=180;
          myCircle.addChild(myStar);
          //显示链接
     }
 }
}
```

STEP 05 执行【文件】|【保存】命令，将文件保存为 CircleShape2.as 文件。

STEP 06 返回 16-3-2-1.fla 文件，测试动画，测试效果如图 16-35 所示。

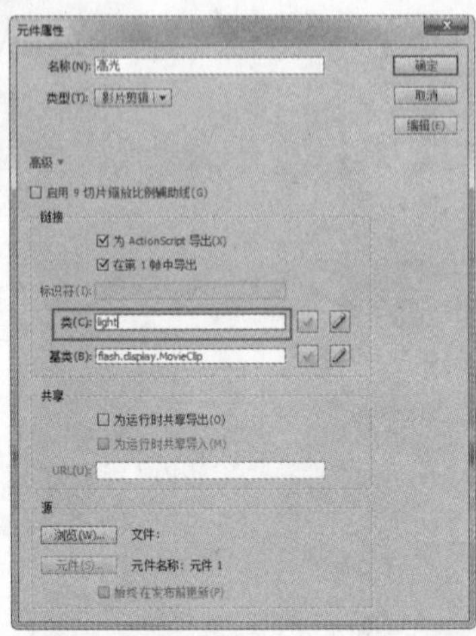

图16-34 设置类名

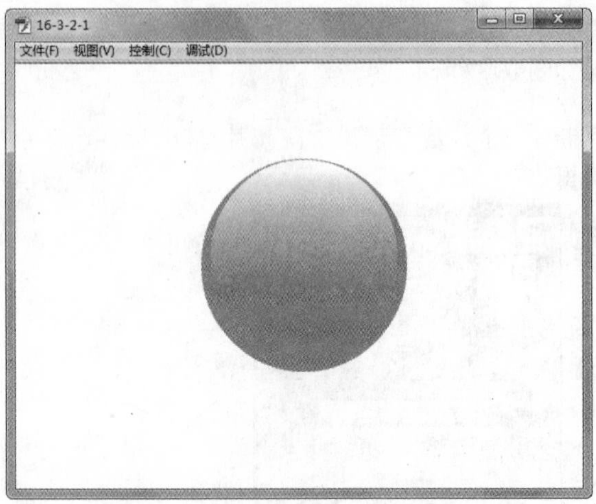

图16-35 测试动画

16.4 使用键盘响应

ActionScript可以响应两种键盘事件：键按下和键弹起。分别使用KeyboardEvent类的两个常量表示：KeyboardEvent.KEY_DOWN和KeyboardEvent.KEY_UP。例如下面的代码：

```
function keyDownHandler(evt:KeyboardEvent):void {
```

```
trace("键已被按下");
}
function keyUpHandler(evt:KeyboardEvent):void {
trace("键已弹起");
}
this.stage.addEventListener(KeyboardEvent.KEY_DOWN,keyDownHandler);
this.stage.addEventListener(KeyboardEvent.KEY_UP,keyUpHandler);
```

这段代码放在主时间轴中，按键盘数字键就可以测试效果，可以在输出面板中看到交替的文字输出。

应用实例：使用键盘控制游戏人物方向

键盘响应经常会应用到Flash游戏制作上，通过脚本的运用，可以轻松实现游戏中元素的控制，本例将通过脚本控制游戏中人物的行走。

源 文 件：光盘\源文件\第 16 章\16-4.fla, CircleShape2.as

教学视频：光盘\视频\第 16 章\16-4.swf

STEP 01 新建一个 Action Script 3.0 文档，如图 16-36 所示。单击“属性”面板上的“编辑”按钮，设置弹出的“文档设置”面板中的“尺寸”为 554 像素 ×454 像素，帧频为 30，其他设置如图 16-37 所示。

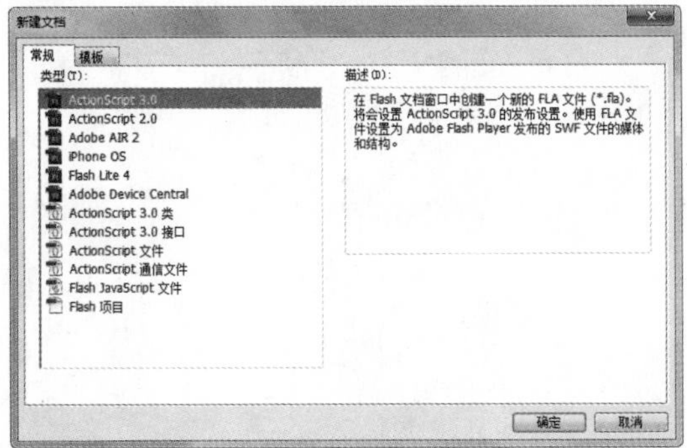

图16-36　新建文档

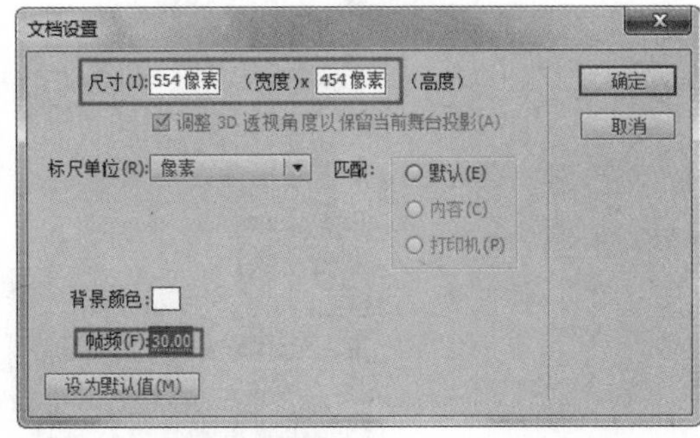

图16-37　设置文档属性

STEP 02 执行【文件】|【导入】导入到场景中，将图像“光盘\素材\第 16 章\素材\170401.jpg”导入到场景中，并调整大小及位置，如图 16-38 所示。将图像 170402.png 导入场景中，并分别复制几个，效果如图 16-39 所示。

图16-38　导入图像

图16-39　导入图像

STEP 03 执行【文件】|【保存】命令，将文件保存为17-4.fla。

STEP 04 执行【文件】|【新建】命令，新建一个ActionScript 3.0文件，在场景中输入以下代码：

```
package {
    import flash.display.*;
    import flash.net.*;
    import flash.utils.Timer;
    import flash.events.*;
    import flash.geom.*;
    public class GameSprite extends Sprite {
        private var timer:Timer;
        private var sWidth:uint;
        private var sHeight:uint;
        private var sStep:uint;
        private var sDirection:uint;
        private var loader:Loader;
        private var maps:Array;
        private var pointer:uint;
        private var map:Bitmap;
        function GameSprite() {
            //角色大小;
            sWidth = 100;
            sHeight = 100;
            //角色移动方向;
            sDirection = 0;
            //角色步数;
            sStep = 1;
            //角色动作数组;
            maps = new Array();
            //初始化角色动作运行指针;
            pointer = 0;
            //初始化time;
            timer = new Timer(100);
            timer.addEventListener(TimerEvent.TIMER, timerHandler);
            //图片加载对象;
            loader = new Loader();
     loader.contentLoaderInfo.addEventListener(Event.COMPLETE, completeHandler);
     loader.contentLoaderInfo.addEventListener(IOErrorEvent.IO_ERROR, errorHandler);
            loader.load(new URLRequest("kk.png"));
            stage.addEventListener(KeyboardEvent.KEY_DOWN, keyDownHandler);
        }
        //错误处理事件;
        private function errorHandler(event:IOErrorEvent):void {
            trace("IOErrorEvent");
        }
        //键盘事件,通过方向键更改角色移动方向;
        private function keyDownHandler(event:KeyboardEvent):void {
            switch (event.keyCode) {
```

```
                case 40 :
                    sDirection = 0;
                    break;
                case 38 :
                    sDirection = 3;
                    break;
                case 37 :
                    sDirection = 1;
                    break;
                case 39 :
                    sDirection = 2;
                    break;
            }
        }
        //定时器运行事件;
        private function timerHandler(event:Event):void {
            //删除旧的角色动作图像;
            if (map != null) {
                removeChild(map);
            }
            //显示新的角色动作图像;
            map = new Bitmap(maps【sDirection】【pointer】);
            addChild(map);
            //角色动作循环处理;
            if (pointer < sStep-1) {
                pointer ++;
            } else {
                pointer = 0;
            }
        }
        //加载图片完成处理事件;
        private function completeHandler(event:Event):void {
            //根据图片的大小初始化BitmapData;
            /*
             * 注意如果你要保留原来图片的透明度，应将transparent设置为true,同时设
置填充色值的前两位为00;
             */
            var sBmd:BitmapData = new
    BitmapData(loader.width,loader.height,true,0x00FFFFFF);
            sBmd.draw(loader);
            //计算移动步数;
            sStep = Math.floor(loader.width/sWidth);
            for (var j:uint = 0; j<Math.floor(loader.height/sHeight); j++) {
                var arr:Array = new Array();
                for (var i:uint = 0; i<sStep; i++) {
                    var bmd:BitmapData = new
    BitmapData(sWidth,sHeight,true,0x00FFFFFF);
                    //获取单个角色的BitmapData对象;
     bmd.copyPixels(sBmd,new Rectangle(sWidth*i, sHeight*j, sWidth,
sHeight),new Point(0,0));
                    arr.push(bmd);
```

```
                }
                //放入角色数组里;
                maps.push(arr);
            }
            //释放sBmd资源;
            sBmd.dispose();
            //开始运行角色动作;
            timer.start();
        }
    }
}
```

Tips

本实例通过对一个图像文件的调用，从而实现游戏中人物的不同形态，制作时要注意将素材文件中的 KK.png 文件复制到源文件目录下，图像效果如图 16- 40 所示，否则将不能实现动画效果。

STEP 05 执行【文件】|【保存】命令，将文件保存为 GameSprite.as。返回 16-4.fla 文件，在其“属性”面板上的“文档类”中输入 GameSprite，如图 16-41 所示。

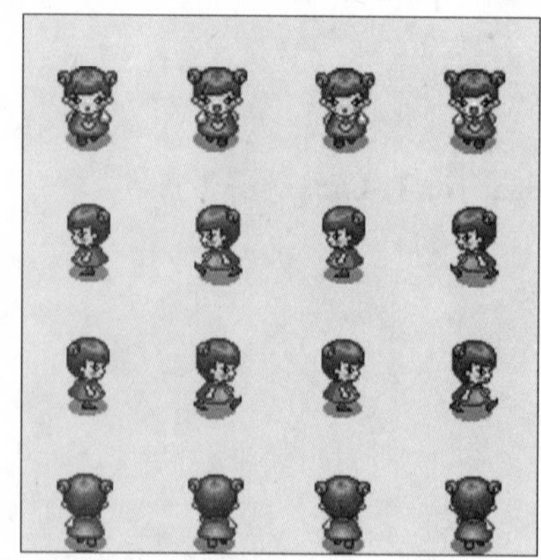

图16-40　素材图像

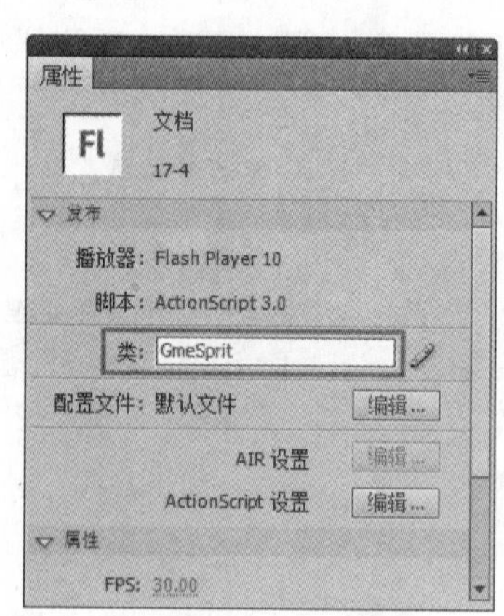

图16-41　设置文档类

STEP 06 同时按“Ctrl+Enter”快捷键测试动画，测试效果如图 16-42 所示。

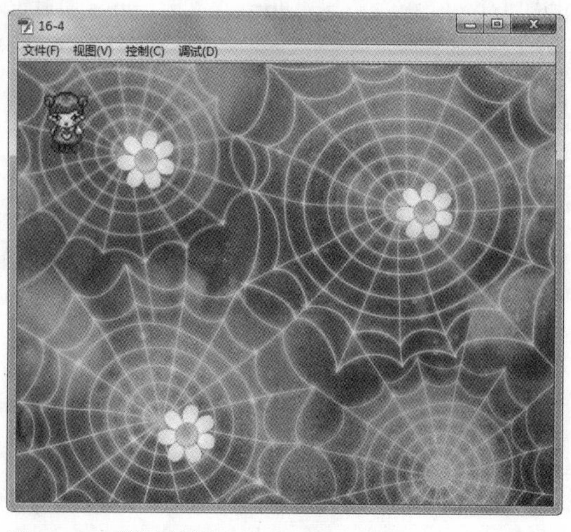

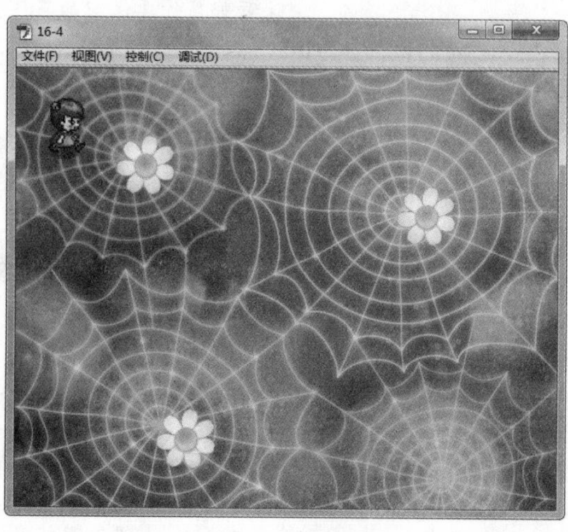

图16-42　测试效果

16.5 总结扩展

ActionScript是面向对象的编程语言，其特点就是交互功能的实现。对于一些使用ActionScript 2.0的用户来说，对于MovieClip的控制印象深刻，同样在ActionScript 3.0中也可以实现MovieClip。

控制影片剪辑播放和停止

影片剪辑同Flash应用程序影片一样，在该时间轴上应用play和stop语句、nextFrame和prevFrame，以及goto语句，可以实现同影片主时间轴同样的效果。例如下面的代码可以实现控制影片剪辑实例myMovieClip的跳转：

```
myMoveClip.gotoAndPlay(" red" );
```

需要注意的是，影片剪辑不包含场景，所以goto语句中不能使用场景。可以使用MovieClip的属性currentScent获取影片剪辑实例所在的场景。

MovieClip.currentScene返回的是一个Scene对象，该对象包含了场景的名称、帧数和帧标签。

影片剪辑的拖曳

startDrag语句和stopDrag语句相互配合可以实现影片剪辑实例的拖动效果。一次只能拖动一个影片剪辑，当一个starDrag操作被执行后，影片剪辑将一直保持可拖动状态，直到明确调用stopDrag动作才停止。

拖动都是为响应鼠标事件而产生的，因此一般都是当鼠标按住影片剪辑时，可以开始拖动，松开鼠标时停止拖动，代码如下：

```
import flash events.MouseEvent;
    // 按下鼠标按键时，会调用此函数，并开始拖动
function starDragging(evt:MouseEvent):void {
// evt.currentTarget就是myMovieClip
evt.currentTarget.startDrag();
}
    //松开鼠标按键时，会调用此函数，停止拖动
function stopDragging(evt:MouseEvent):void {
    //evt.currentTarget就是myMovieClip
evt.currenTarget.stopDrag();
}
    //注册鼠标按下事件和鼠标松开按键事件
myMovieClip.addEventListener(MouseEvent.MOUSE_DOWN,startDragging);
myMovieClip.addEventListener(MouseEvent.MOUSE_UP,stopDrgging);
```

删除影片剪辑

如果想删除某个影片剪辑，例如删除当前时间轴所在舞台上的影片剪辑实例myMovieClip，则代码如下：

```
this.removeChild(myMovieClip);
```

使用removeChild()方法，将影片剪辑实例名作为参数，就可以将其从舞台上删除，也可以使用removeChild()方法使用索引号作为参数，删除某个影片剪辑，例如下面的代码：

```
this.removeChild(0);
```

Flash CS5中的ActionScript可谓是功能强大。由于篇幅的关系，本章只是介绍了一些常用的应用方式，还有很多强大的功能请读者参看较为全面的ActionScript教材。

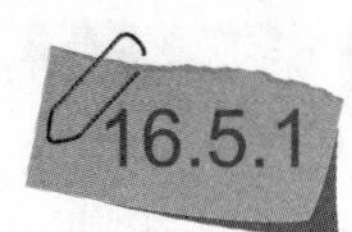

16.5.1 本章小结

本章主要讲解了ActionScript 3.0的常见应用方法。通过实例依次学习了响应鼠标和响应键盘的方法，此外还有如何创建类、元件类，以及类的引用方式等，还学习了常用的封装类包的制作方法。通过学习，读者应基本掌握在Flash CS5中使用ActionScript的一些方法，并能够简单应用到实际操作中。

16.5.2 举一反三——制作鼠标跟随动画效果

案例文件：	光盘\源文件\第16章\16-5-2.fla
视频文件：	光盘\视频\第16章\16-5-2.swf
难易程度：	★★★☆☆
学习时间：	8分钟

(1)

(2)

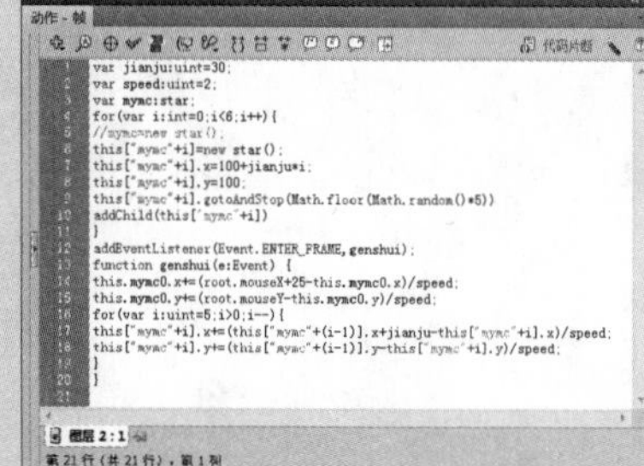

(3)

(4)

(1) 新建文档，使用绘制工具绘制完成一个星星，并转换为影片剪辑元件。

(2) 为元件添加类标识，将外部的一张素材图片导入到舞台中。

(3) 新建图层，在第一帧上添加脚本语言。

(4) 测试动画，可以看到鼠标跟随动画效果。

第17章 Flash动画的测试与发布

在Flash中制作动画时，或是在制作完动画后，常常需要查看动画的效果，使用测试动画或测试场景功能可以查看动画播放时的效果，如果动画的播放不是那么顺利，还可以通过相关功能对影片进行优化操作。如果想在其他软件中使用Flash文件，可以使用发布功能，将Flash影片发布出其他模式，以方便在其他地方使用Flash文件，本章将对上述内容进行详细讲解。

本章学习要点

- 掌握测试影片的方法
- 掌握发布影片的方法
- 明确发布影片的几种格式
- 掌握导出图像和影片的方法

实例名称：使用【发布】命令发布SWF加密文件

源 文 件：光盘\源文件\第17章\17-3-1.swf

教学视频：光盘\视频\第17章\17-3-1.swf

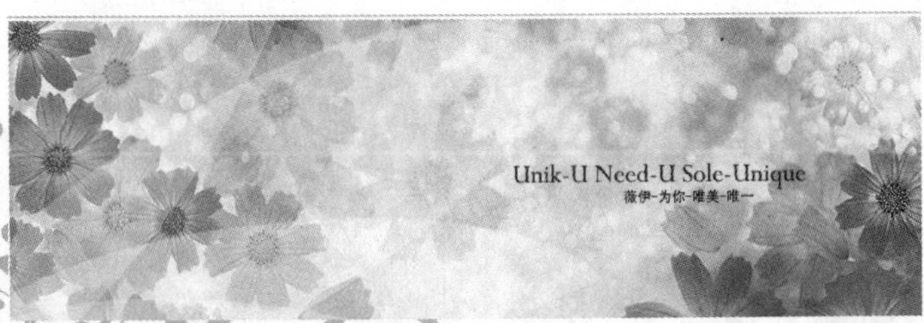

实例名称：使用【发布】命令发布Windows放映文件(.exe)

源 文 件：光盘\源文件\第17章\17-5-2.exe

教学视频：光盘\视频\第17章\17-5-2.swf

17.1 Flash动画的测试

通过Flash动画的测试功能可以测试部分动画、特定场景、整体动画等效果，这样可以对所做的动画随时预览，以确保动画的质量和正确性。

通过【控制影片】菜单中的【测试场景】和【测试影片】命令，可以对动画进行测试操作，如图17-1所示为测试动画的相关命令，单击“测试场景”选项，在“测试场景”中包括以下菜单选项，如图17-2所示,下面对测试影片和场景的方法具体进行讲解。

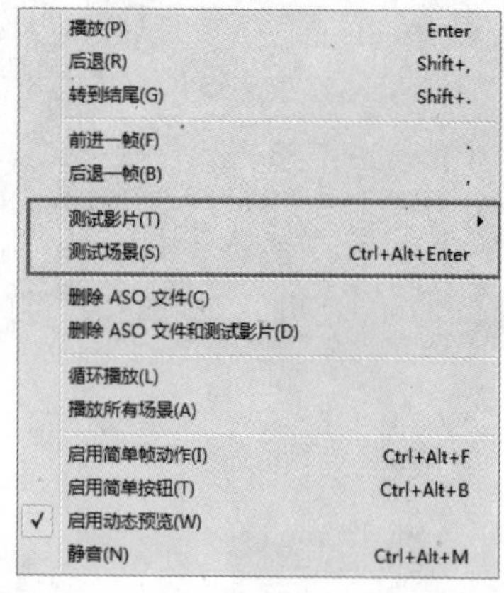

图17-1 动画测试命令

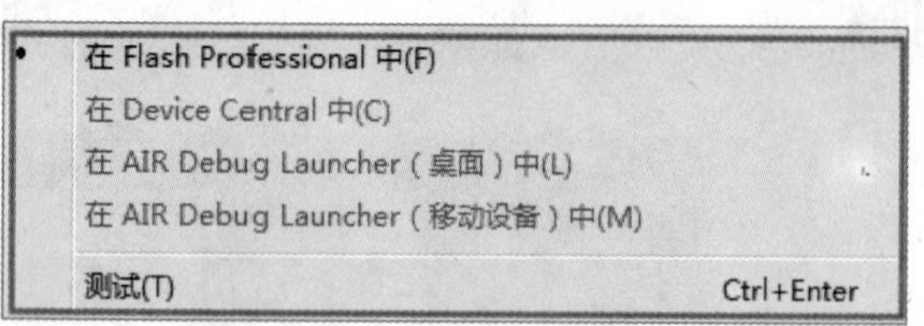

图17-2 “测试影片”菜单

17.1.1 测试影片

在动画制作完成后，有时需要对动画整体进行测试，查看动画播放时的效果，这时可以使用【测试动画】命令。

打开文档“光盘/源文件/第17章/素材/17-1-1.fla”，效果如图17-3所示，如果用户想预览动画的播放效果，可执行【控制影片】|【测试场景】|【测试】命令，如图17-4所示为测试影片效果。

图17-3 动画效果

图17-4 测试影片

17.1.2 测试场景

在制作动画的过程中，根据需要将会创建多个场景，或是在一个场景中创建多个影片剪辑动画效果，如果要对当前的场景或元件进行测试，可以使用【测试场景】命令。

在17-1-2.fla文档打开的状态下，双击场景中的任意动画元件，进入到元件的编辑状态，如图17-5所示。这时想预览动画的播放效果，可执行【控制影片】|【测试场景】命令，如图17-6所示为测试场景的效果。

图17-5 动画效果

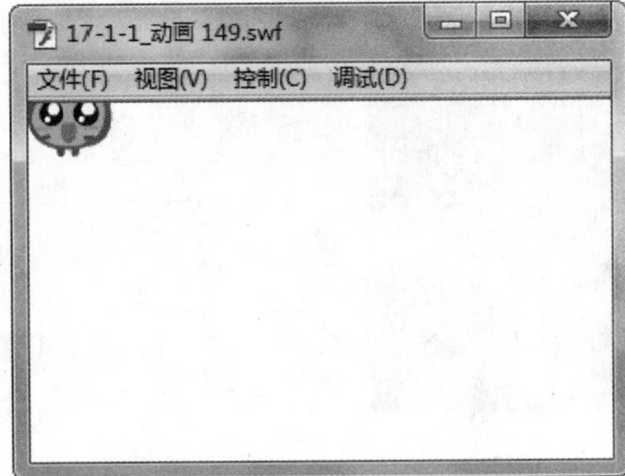

图17-6 测试场景

对 Flash 动画进行测试时，除了使用操作命令外，还可以使用快捷键进行操作。在测试影片时，可以按快捷键“Ctrl+Enter”来执行，在测试场景时，可以按快捷键“Alt+Ctrl+Enter”或“Enter”键来执行。

17.2 优化影片

动画在互联网上进行展示时，它的质量与数量问题会直接影响到动画的播放速度和播放时间。质量较高会增加文档的大小，而文档越大，下载的时间就会越长，动画的播放速度也会越慢，所以对Flash影片进行优化便显得非常有必要了，文档尺寸增大的元素包括很多，如帧、声音、代替过渡的关键帧、嵌入字体、渐变色等，下面给用户列举优化影片的一些方法，但要注意在优化时不要损害影片的播放质量。

元件的优化	如果影片对象在影片中多次出现，应使用元件，这样在网上浏览时，下载的数据就会减少许多。重复使用元件并不会使影片文件明显增大，因为影片文件只需要存储一次元件的图形数据。
动画的优化	在制作时尽量使用补间动画，少使用逐帧动画，关键帧使用得越多，动画文件就会越大。
线条的优化	多采用实线，少用虚线，限制特殊线条类型，如短划线、虚线、波浪线等数量，因为实线占用的资源比较少，可以使文件变小，但用铅笔工具绘制的线条比使用刷子工具绘制的线条占用的资源要少。
图形的优化	多用构图简单的矢量图形，矢量图形越复杂，CPU运算起来就越费力。少用位图图像、矢量图可以任意缩放却不影响Flash的画质，位图图像一般只作为静态元素或背景图，Flash不擅长处理位图图像的动作，应避免位图图像元素的动画。
位图的优化	导入的位图图像文件尽可能小一点，并以JPEG方式压缩，避免将位图作为影片的背景。

音频的优化	音效文件最好以MP3方式压缩，MP3是使声音最小化的格式。
文字的优化	限制字体和字体样式的数量。尽量不要使用太多不同的字体，尽可能使用Flash内定的字体。尽量不要将字体打散，字体打散后就变成图形，这样会使文件增大。
填色的优化	尽量减少使用渐变色和Alpha透明度，使用过渡填充颜色填充一个区域比使用纯色填充区域要多占50个字节左右。
帧的优化	尽量缩小动作区域。限制每个关键帧中发生变化的区域，一般应使动作发生在尽可能小的区域内。
图层的优化	尽量避免在同一时间内安排多个对象同时产生动作。有动作的对象也不要与其他静态对象安排在同一图层中，应该将有动作的对象安排在独立的图层内，以加速动画的处理过程。此外尽量使用组合元素，使用层来组织不同时间，不同元素的对象。
尺寸的优化	动画的长宽尺寸越小越好，尺寸越小，动画文件就越小，可以通过菜单命令修改影片长宽尺寸。
优化命令	执行【修改】|【形状】|【优化】命令，可以最大程度地减少用于描述图形轮廓的单个线条的数目。

17.3 发布Flash动画

通过发布Flash动画操作，可以将制作好的动画发布为不同的格式，并应用在不同的其他文档中，以实现动画的制作目的或价值。

发布操作通常是在【文件】菜单中实现的，如图17-7所示，其中包括3个关于发布的命令，即【发布设置】命令、【发布预览】命令、【发布】命令。

发布设置(G)...	Ctrl+Shift+F12
发布预览(R)	▸
发布(B)	Alt+Shift+F12

图17-7 发布菜单命令

17.3.1 发布设置

通过【发布设置】命令，用户可以在发布动画前，设置想要发布的格式，默认情况下，【发布】命令会创建一个 Flash SWF 文件和一个 HTML 文档，如图17-8所示，此HTML 文档会将 Flash 内容插入到浏览器窗口中。在“发布设置”对话框中勾选其他的“格式”选项，会出现相应的发布格式选项卡，如图17-9所示。

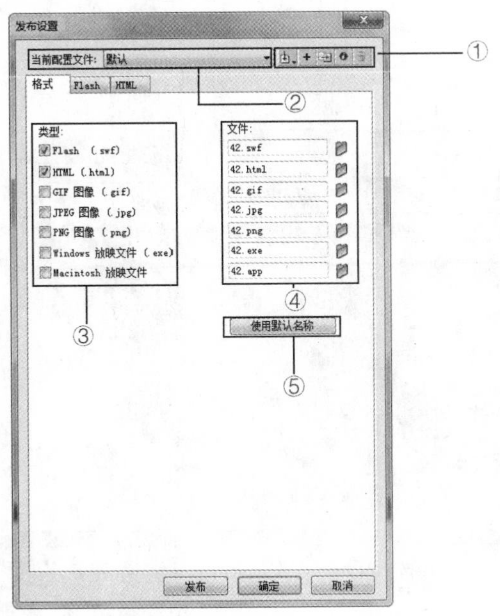

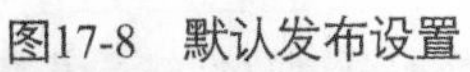
图17-8　默认发布设置

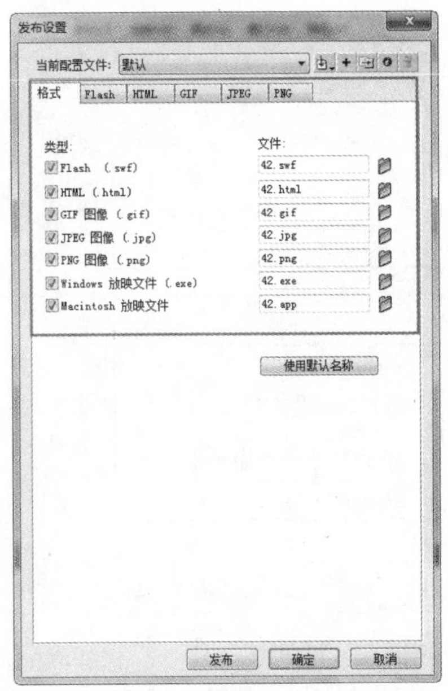

图17-9　更多发布设置

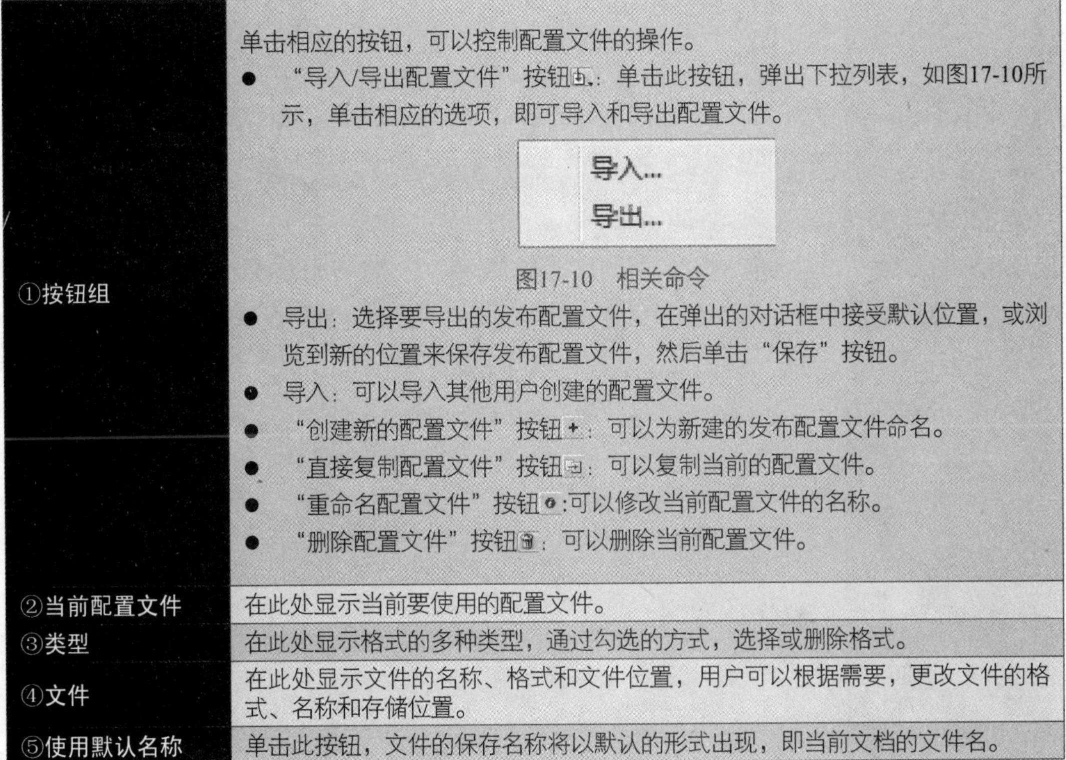

①按钮组	单击相应的按钮，可以控制配置文件的操作。 ● “导入/导出配置文件”按钮：单击此按钮，弹出下拉列表，如图17-10所示，单击相应的选项，即可导入和导出配置文件。 导入... 导出... 图17-10　相关命令 ● 导出：选择要导出的发布配置文件，在弹出的对话框中接受默认位置，或浏览到新的位置来保存发布配置文件，然后单击“保存”按钮。 ● 导入：可以导入其他用户创建的配置文件。 ● “创建新的配置文件”按钮：可以为新建的发布配置文件命名。 ● “直接复制配置文件”按钮：可以复制当前的配置文件。 ● “重命名配置文件”按钮:可以修改当前配置文件的名称。 ● “删除配置文件”按钮：可以删除当前配置文件。
②当前配置文件	在此处显示当前要使用的配置文件。
③类型	在此处显示格式的多种类型，通过勾选的方式，选择或删除格式。
④文件	在此处显示文件的名称、格式和文件位置，用户可以根据需要，更改文件的格式、名称和存储位置。
⑤使用默认名称	单击此按钮，文件的保存名称将以默认的形式出现，即当前文档的文件名。

在“发布设置”对话框中选择“Flash”选项卡，打开Flash发布格式的相关选项，如图17-11所示，下面将对这些选项进行讲解，以便进行发布设置，如图17-12所示为发布后的Flash图像效果。

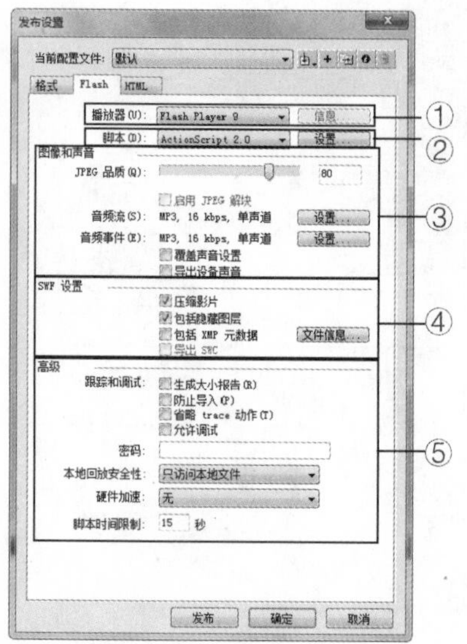

图17-11 "Flash"选项

图17-12 发布效果

①播放器	可以选择播放器的版本。在此下拉列表中包括多个播放器版本，但并不是所有的版本都能适用于Flash CS5的发布设置。
②脚本	可以选择ActionScript的版本，在此下拉列表中有3个脚本选项，用户如果选择ActionScript 2.0 或 3.0 并创建了类，可以单击"设置"来设置类文件的相对类路径，该路径与在"首选参数"中设置的默认目录的路径不同。
③图像和声音	● JPEG 品质：在此处移动滑块或在文本框中输入相应的数值，可以控制位图压缩，数值越小，图像的品质就越低，生成的文件就越大；反之数值越大，图像的品质就越高，压缩比越小，文件越大。 ● 启用 JPEG 解块：勾选此选项，可以使高度压缩的JPEG图像显得更为平滑，即可减少由于 JPEG压缩导致的典型失真，如图像中通常出现的8×8（像素）的马赛克，但可能会使一些JPEG图像丢失少许细节。 ● 音频流/音频事件：分别单击两者旁边的"设置"按钮，在弹出的对话框中进行相应的设置，可以为SWF文件中的所有声音流或事件声音设置采样率和压缩。 ● 覆盖声音设置：若要覆盖在属性检查器的"声音"部分中为个别声音指定的设置，请选择"覆盖声音设置"。若要创建一个较小的低保真版本的SWF文件，请选择此选项。如果取消选择了"覆盖声音设置"选项，则 Flash 会扫描文档中的所有音频流（包括导入视频中的声音），然后按照各个设置中最高的设置发布所有音频流。如果一个或多个音频流具有较高的导出设置，则可能增加文件大小。 ● 导出设备声音：要导出适合于设备（包括移动设备）的声音，而不是原始库声音。

④SWF设置	● 压缩影片（默认）：可以减小文件大小和缩短下载时间。当文件包含大量文本或 ActionScript 时，使用此选项十分有益。 经过压缩的文件只能在 Flash Player 6 或更高版本中播放。 ● 包括隐藏图层（默认）：导出 Flash 文档中所有隐藏的图层。 取消选择“导出隐藏的图层”将阻止把生成的 SWF 文件中标记为隐藏的所有图层（包括嵌套在影片剪辑内的图层）导出。 这样您就可以通过使图层不可见来轻松测试不同版本的 Flash 文档。 ● 包括 XMP 元数据：默认情况下，将在“文件信息”对话框中导出输入的所有元数据。单击“ 文件信息”按钮，打开此对话框。也可以通过选择【文件】|【文件信息】命令，打开“ 文件信息” 对话框。在 Adobe Bridge 中选定 SWF 文件后，可以查看元数据。 ● 导出 SWC ：导出 .swc 文件，该文件用于分发组件。.swc 文件包含一个编译剪辑、组件的 ActionScript 类文件，以及描述组件的其他文件。
⑤高级	● 跟踪或调试：在此处有4个复选框，通过勾选的方式进行选择。 ● 生成大小报告：列出最终Flash内容中的数据量。 ● 防止导入：防止其他人导入SWF文件，并将其转换回FLA文档。 可使用密码来保护Flash SWF文件。 ● 省略Trace动作：使 Flash 忽略当前SWF文件中的ActionScript trace 语句。如果选择此选项，trace语句的信息将不会显示在“输出”面板中。 ● 允许调试：激活调试器并允许远程调试Flash SWF文件。 可让您使用密码来保护SWF文件。 ● 密码：可以在“密码”文本字段中输入密码，防止他人调试或导入SWF文件，如果想执行调试或导入操作，则必须输入密码。但只有用户使用的是ActionScript 2.0或3.0，并且选择了“允许调试”或“防止导入”选项，才能激活“密码”选项。 ● 本地回放安全性：可以选择要使用的Flash安全模型，是授予已发布的SWF文件本地安全性访问权，还是网络安全性访问权。 ● 只访问本地文件：可使已发布的 SWF 文件与本地系统上的文件和资源交互，但不能与网络上的文件和资源交互。 ● 只访问网络：可使已发布的 SWF 文件与网络上的文件和资源交互，但不能与本地系统上的文件和资源交互。 ● 硬件加速：可以设置SWF文件使用硬件加速，其默认设置是无。 ● 第一级——直接：通过允许Flash Player在屏幕上直接绘制，而不是让浏览器进行绘制，从而改善播放性能。 ● 第二级——GPU：Flash Player利用图形卡的可用计算能力执行视频播放并对图层化图形进行复合。根据硬件的不同，将提供更高一级的性能优势。如果用户拥有高端图形卡，则可以使用此选项。 ● 脚本时间限制：可以设置脚本在SWF文件中执行时占用的最大时间量，在此文本框中输入一个数值，Flash Player将取消执行超出此限制的任何脚本。

应用实例：使用【发布】命令发布SWF加密文件

本实例是使用【发布】命令，发布SWF加密文件，在制作本实例的过程中，首先打开要加密的文档，然后在“发布设置”对话框中进行相应的设置，完成加密文件的操作。

源文件：光盘\视频\第17章\17-3-1.swf
教学视频：光盘\视频\第17章\17-3-1.swf

STEP 01 执行【文件】|【打开】命令，打开素材“光盘/源文件/第17章/素材/180301.fla”，效果如图17-13所示。执行【文件】|【发布设置】命令，弹出“发布设置”对话框，在该对话框中取消“HTML”选项，如图17-14所示。

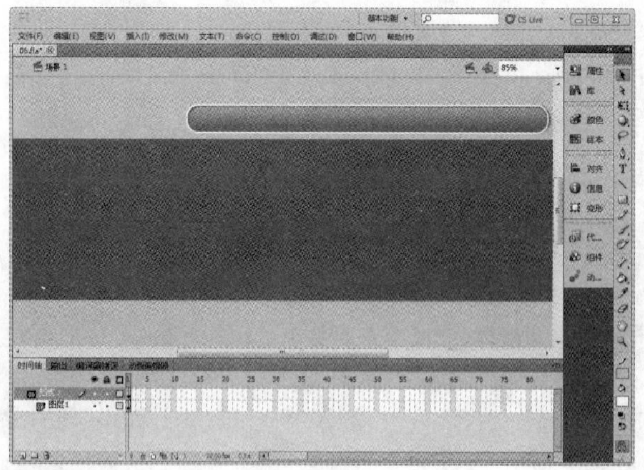

图17-13　打开文档

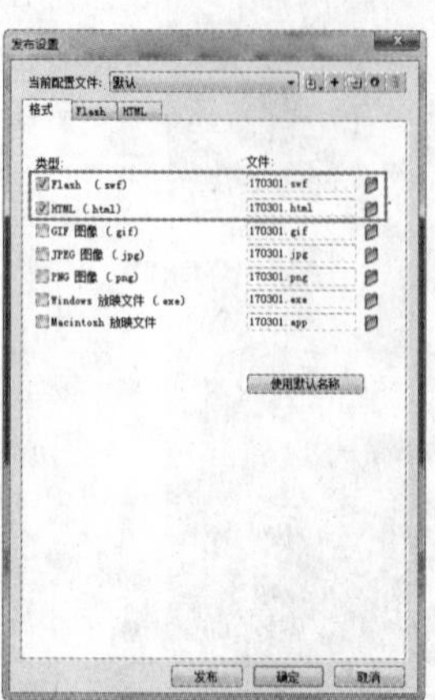

图17-14　“发布设置”对话框

STEP 02 单击“文件”后面的文件夹按钮，弹出“选择发布目标”对话框，在该对话框中选择合适的发布位置，如图17-15所示，设置完成后，单击【保存】按钮，效果如图17-16所示。

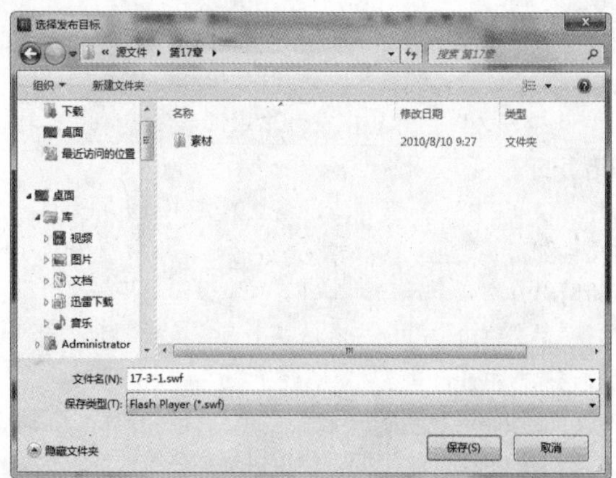

图17-15　“导出发布目标”对话框

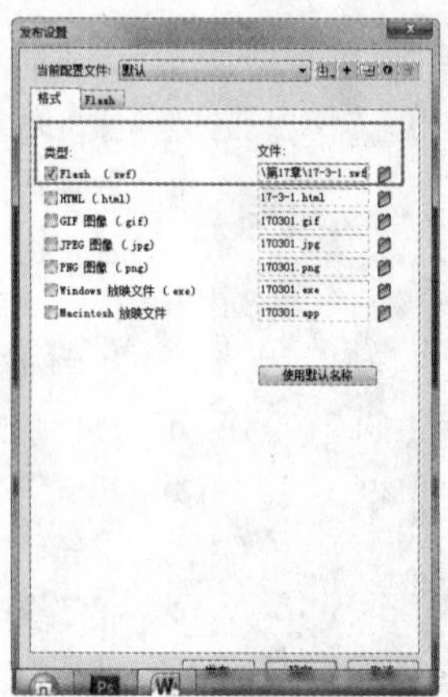

图17-16　“发布设置”对话框

STEP 03 在“发布设置”对话框中选择“Flash”选项卡，在Flash选项下设置“高级”选项，如图17-17所示。设置完成后，依次单击“发布”和“确定”按钮。将光标定位到刚才选择的发布目标位置，可以看到发布的结果如图17-18所示。

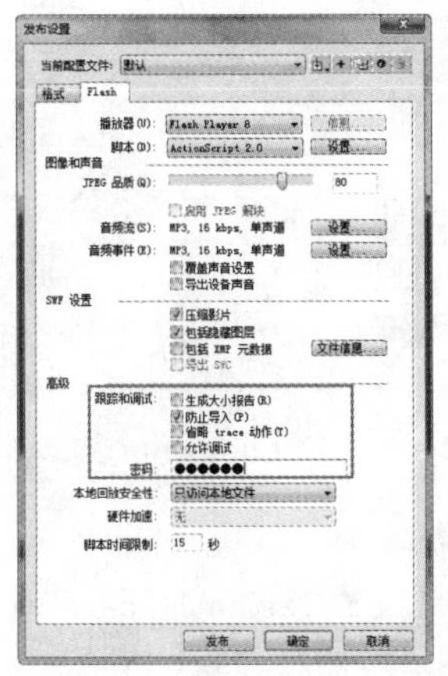

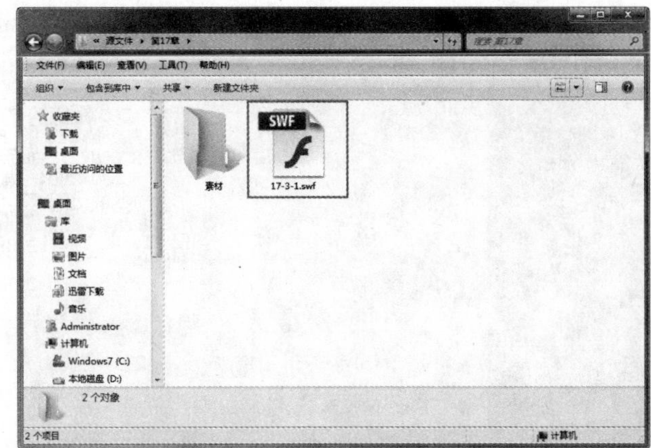

图17-17　设置“Flash”选项　　图17-18　发布结果

STEP 04 双击SWF文件，播放效果如图17-19所示，再次执行【文件】|【打开】命令，打开“光盘/源文件/第17章/17-3-1.swf”，会弹出如图17-20所示的提示，这样就完成了SWF加密文件的操作。

图17-19　动画效果

图17-20　“保护提示”对话框

HTML

在“发布设置”对话框中选择“HTML”选项卡，打开HTML发布格式的相关选项，如图17-21所示，如图17-22所示为发布后的HTML图像效果。

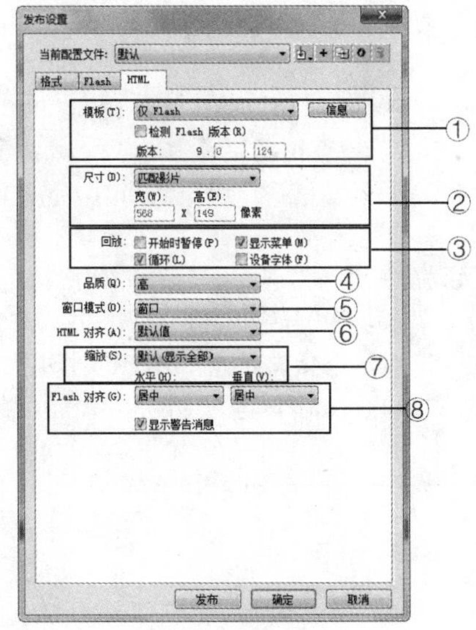

图17-21　“HTML”选项卡

图17-22　发布效果

<table>
<tr><td>①模板</td><td>可以显示HTML设置并选择要使用的已安装模板，如图17-23所示为“模板”列表，默认选项是“仅 Flash”。

Flash HTTPS
带有 AICC 跟踪的 Flash
带有 FSCommand 的 Flash
带有 SCORM 1.2 跟踪的 Flash
带有 SCORM 2004 跟踪的 Flash
带有命名锚记的 Flash
仅 Flash
仅 Flash - 允许全屏
图像映射
用于 Pocket PC 2003 的 Flash 

图17-23　“模板”列表
● 信息：显示所选模板的说明。
● Flash 版本检测：如果用户选择的不是“图像映射”模板，且在“Flash”选项卡中将“版本”设置为 Flash Player 4或更高版本，需要使用Flash 版本检测。“Flash版本检测”可以将文档设置为检测用户所拥有的 Flash Player 的版本，并在用户没有指定播放器时向用户发送替代HTML 页面。</td></tr>
<tr><td>②尺寸</td><td>可以设置object和embed标记中width和height属性的值，在尺寸下拉列表中有3个选项，如图17-24所示。 

匹配影片
像素
百分比

图17-24　“模板”列表
● 匹配影片（默认）：使用 SWF 文件的大小。
● 像素：输入宽度和高度的像素数量。
● 百分比：指定SWF文件所占浏览器窗口的百分比。</td></tr>
<tr><td>③回放</td><td>可以设置SWF文件的缩放和功能。
● 开始时暂停：一直暂停播放 SWF 文件，直到用户单击按钮或从快捷菜单中选择【播放】命令后才开始播放。默认状态下不选中此选项，即加载内容后就立即开始播放。
● 循环：循环内容到达最后一帧后再重复播放。取消选择此项会使内容在到达最后一帧后停止播放。
● 显示菜单：单击鼠标右键(Windows) 或按住“Ctrl”键并单击 (Macintosh) SWF 文件时，会显示一个快捷菜单。若要在快捷菜单中只显示“关于Flash”，请取消选择此选项。默认情况下，会选中此选项（MENU 参数设置为 true）。
● 设备字体：（仅限 Windows）会用消除锯齿（边缘平滑）的系统字体替换用户系统上未安装的字体。使用设备字体可使小号字体清晰易辨，并能减小 SWF 文件的大小。此选项只影响那些包含静态文本（创作 SWF 文件时，创建且在内容显示时不会发生更改的文本）且文本设置为用设备字体显示的 SWF 文件。</td></tr>
</table>

<table>
<tr><td>④发品质</td><td>可以在处理时间和外观之间确定一个平衡点；在此下拉列表中包括5个选项，如图17-25所示。
低
自动降低
自动升高
中等
高
最佳
图17-25　“品质”下拉列表
● 低:使回放速度优先于外观，并且不使用消除锯齿功能。
● 自动降低:优先考虑速度，但是也会尽可能改善外观。回放开始时，消除锯齿功能处于关闭状态。如果Flash Player检测到处理器，消除锯齿功能就会自动打开。
● 自动升高:在开始时是回放速度和外观两者并重，但在必要时会牺牲外观来保证回放速度。回放开始时，消除锯齿功能处于打开状态。如果实际帧频降到指定帧频之下，就会关闭消除锯齿功能以提高回放速度。
● 中等:会应用一些消除锯齿功能，但并不会平滑位图。“中等”选项生成的图像品质要高于“低”设置生成的图像品质，但低于“高”设置生成的图像品质。
● 高（默认:）使外观优先于回放速度，并始终使用消除锯齿功能。如果 SWF 文件不包含动画，则会对位图进行平滑处理；如果SWF 文件包含动画，则不会对位图进行平滑处理。
● 最佳:提供最佳的显示品质，而不考虑回放速度。所有的输出都已消除锯齿，而且始终对位图进行光滑处理。</td></tr>
<tr><td>⑤窗口模式</td><td>可以修改内容边框或虚拟窗口与HTML页中内容的关系，在此下拉列表中包括3个选项，如图17-26所示。
窗口
不透明无窗口
透明无窗口
图17-26　“窗口模式”下拉列表
窗口：默认情况下不会在 object 和 embed 标签中嵌入任何窗口相关的属性。
不透明无窗口：将 Flash 内容的背景设置为不透明，并遮蔽该内容下面的所有内容。使 HTML 内容显示在该内容的上方或上面。
透明无窗口：将 Flash 内容的背景设置为透明，并使 HTML 内容显示在该内容的上方和下方。如果在“发布设置”对话框的“Flash”选项卡中勾选“硬件加速”选项，则会忽略所选的窗口模式，并默认为“窗口”。在某些情况下，当 HTML 图像复杂时，透明无窗口模式的复杂方式可能会导致动画速度变慢。</td></tr>
</table>

⑥HTML对齐	可以在浏览器窗口中定位SWF文件窗口，在此下拉列表中包括5个选项，如图17-27所示。 默认值 左对齐 右对齐 顶部 底部 图17-27 “Html对齐”下拉列表 默认值：使内容在浏览器窗口内居中显示，如果浏览器窗口小于应用程序，则会裁剪边缘。 左对齐/右对齐/顶部：会将 SWF 文件与浏览器窗口的相应边缘对齐，并根据需要裁剪其余的边。
⑦缩放	可以在更改了文档的原始宽度和高度的情况下，将内容放到指定的边界内，在此下拉列表中包括4个选项，如图17-28所示。 默认(显示全部) 无边框 精确匹配 无缩放 图17-28 “缩放”下拉列表 默认（显示全部）：在指定的区域显示整个文档，并且保持 SWF 文件的原始高宽比，而不发生扭曲。应用程序的两侧可能会显示边框。 无边框：对文档进行缩放，以填充指定的区域，并保持 SWF文件的原始高宽比，同时不会发生扭曲，并根据需要裁剪 SWF文件边缘。 精确匹配：在指定区域显示整个文档，但不保持原始高宽比，因此可能会发生扭曲。 无缩放：禁止文档在调整 Flash Player窗口大小时进行缩放。
⑧Flash对齐	可以设置如何在应用程序窗口内放置内容，以及如何裁剪内容。 显示警告消息：如果在标签设置发生冲突时，例如某个模板的代码引用了尚未指定的替代图像时，会显示错误消息。

GIF图像

GIF文件提供了一种简单的方法来导出绘画和简单动画，以在Web中使用，标准的GIF文件是一种简单的压缩位图。

在“发布设置”对话框中选择“GIF图像”选项卡，打开GIF图像发布格式的相关选项，如图17-29所示，如图17-30所示为发布后的GIF图像效果。

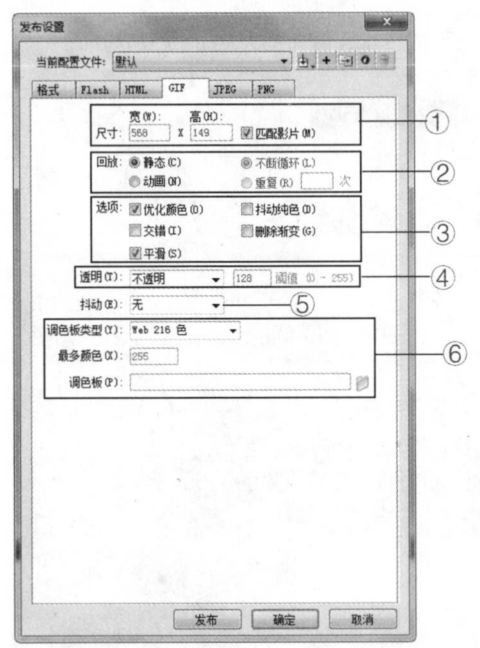

图17-29 “GIF”选项

图17-30 发布效果

①尺寸	可以设置导出的位图图像的宽度和高度值。 ● 匹配影片：使GIF和SWF文件大小相同，并保持原始图像的高宽比。
②回放	可以确定 Flash 创建的是静止图像还是 GIF 动画。 如果选择“动画”，可以激活“不断循环”和“重复”选项，可以选择“不断循环”选项或输入重复次数。
③选项	可以设置发布的 GIF 文件的外观设置范围。 ● 优化颜色：从GIF文件的颜色表中删除任何未使用的颜色。该选项可减小文件大小，而不会影响图像质量，只是稍稍提高了内存要求。 ● 交错：下载导出的GIF文件时，在浏览器中逐步显示该文件。使用户在文件完全下载之前，就能看到基本的图形内容，并能在较慢的网络连接中以更快的速度下载文件。不要交错GIF动画图像。 ● 平滑：消除导出位图的锯齿，从而生成较高品质的位图图像，并改善文本的显示品质。但是平滑可能导致彩色背景上已消除锯齿的图像周围出现灰色像素的光晕，并且会增加GIF文件的大小。如果出现光晕，或者如果要将透明的GIF放置在彩色背景上，则在导出图像时，不要使用平滑操作。 ● 抖动纯色：将抖动应用于纯色和渐变色。 ● 删除渐变：可以用渐变色中的第一种颜色，将SWF文件中的所有渐变填充转换为纯色。渐变色会增加GIF文件的大小，而且通常品质欠佳。为了防止出现意想不到的结果，在使用该选项时，要小心选择渐变色的第一种颜色。

④透明	可以设置应用程序背景的透明度，以及将Alpha设置转换为GIF的方式，在此下拉列表中包括3个选项，如图17-31所示。  不透明 透明 Alpha 图17-31　“透明”列表 ● 不透明：使背景成为纯色。 ● 透明：使背景透明。 ● Alpha：设置局部透明度。输入一个介于0到255之间的阈值，值越低，透明度越高。值 28对应50%的透明度。
⑤抖动	可以设置颜色的像素来模拟当前调色板中没有的颜色，可以改善颜色品质，但是也会增加文件大小，在此下拉列表中包括3个选项，如图17-32所示。 无 有序 扩散 图17-32　“抖动”列表 ● 无：关闭抖动，并用基本颜色表中最接近指定颜色的纯色代替该表中没有的颜色。如果关闭抖动，则产生的文件较小，但颜色不能令人满意。 ● 有序：提供高品质的抖动，同时文件大小的增长幅度也最小。 ● 扩散：提供最佳品质的抖动，但会增加文件大小并延长处理时间，只有选择“Web 216 色”调色板时才起作用。
⑥调色板类型	可以设置图像的调色板，在此下拉列表中包括3个选项，如图17-33所示。  Web 216 色 最合适 接近 Web 最适色 自定义 图17-33　“调整板类型”列表 Web 216色：使用标准的 Web 安全216色调色板来创建GIF图像，这样会获得较好的图像品质，并且在服务器上的处理速度最快。 ● 最合适：分析图像中的颜色，并为所选的GIF文件创建一个唯一的颜色表。对于显示成千上万种颜色的系统而言是最佳的，它可以创建最精确的图像颜色，但会增加文件大小。 ● 最多颜色：在此处输入相应的数值，可以减小调色板创建的GIF文件大小。 ● 接近Web最适色：与“最合适”选项相同，但是会将接近的颜色转换为 Web 216 色调色板。生成的调色板已针对图像进行优化，但 Flash 会尽可能使用Web 216色调色板中的颜色。如果在256色系统上启用了Web 216色调色板，此选项将使图像的颜色更出色。 ● 自定义：设置针对所选图像进行优化的调色板。 ● 自定义调色板的处理速度与“Web 216 色”调色板的处理速度相同。单击“调色板”文件夹图标，然后选择一个调色板文件，可以选择自定义调色板。Flash支持由某些图形应用程序导出的以ACT格式保存的调色板。

JPEG图像

JPEG格式可以将图像保存为高压缩比的24位位图，通常GIF格式对于导出线条绘画效果较好，而JPEG格式更适合显示包含连续色调的图像。

在“发布设置”对话框中选择“JPEG图像”选项卡，打开JPEG图像发布格式的相关选项，如图17-34所示，如图17-35所示为发布后的JPEG图像效果。

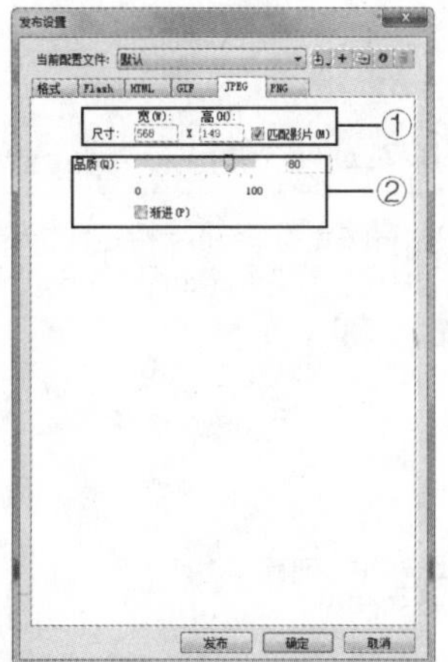

图17-34 “JPEG”选项

图17-35 发布效果

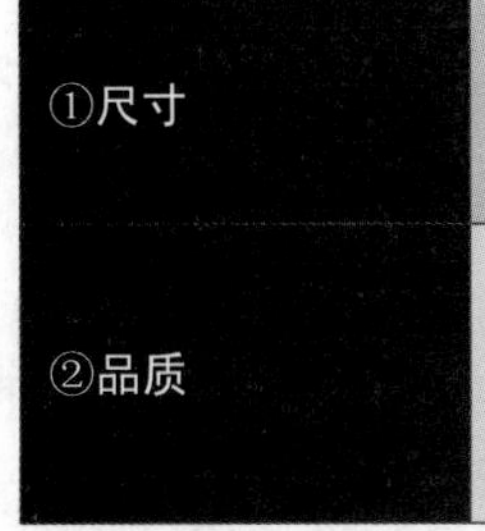

①尺寸	可以设置导出的位图图像的宽度和高度值。 ● 匹配影片：勾选此选项，可以使JPEG图像和舞台大小相同，并保持原始图像的高宽比。
②品质	可以控制JPEG文件的压缩量。图像品质越低，则文件越小，反之越大。 ● 渐进：勾选此选项，可以在Web浏览器中增量显示渐进式JEPG图像，从而可在低速网络连接上，以较快的速度显示加载的图像。类似于GIF和PNG图像中的交错选项。

PNG图像

PNG是一个唯一支持透明度的跨平台位图格式，它也是Adobe Fireworks的本地文件格式。在“发布设置”对话框中选择“PNG图像”选项卡，打开PNG图像发布格式的相关选项，如图17-36所示，如图17-37所示为发布后的PNG图像效果。

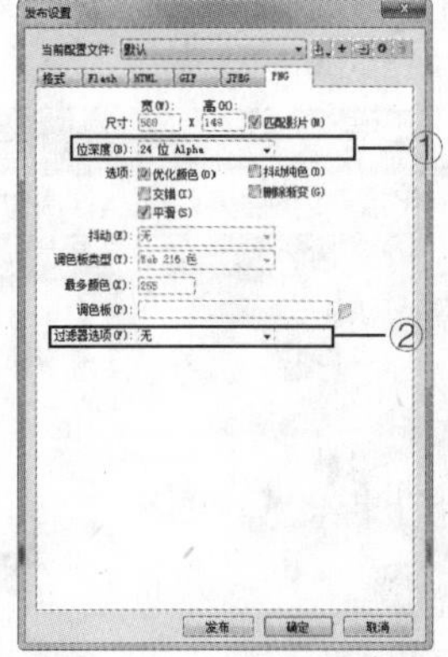

图17-36 “PNG”选项

图17-37 发布效果

<table>
<tr><td>①位深度</td><td>可以设置创建图像时要使用的每个像素的位数和颜色数。位深度越高，文件就越大,在此列表中包括3个选项，如图17-38所示。
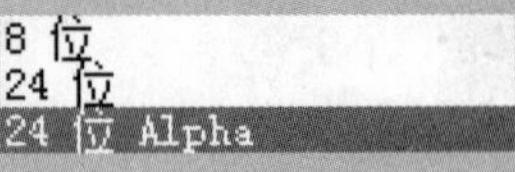
8 位
24 位
24 位 Alpha
图17-38　“位深度”选项
● 8 位：用于256色图像。
● 24 位：用于数千种颜色的图像。
● 24位Alpha：用于数千种颜色并带有透明度(32位)的图像。</td></tr>
<tr><td>②过滤器选项</td><td>如果要选择一种逐行过滤方法，使PNG文件的压缩性更好，并用特定图像的不同选项进行实验，可以在“过滤器选项”下拉列表中进行选择，如图17-39所示。
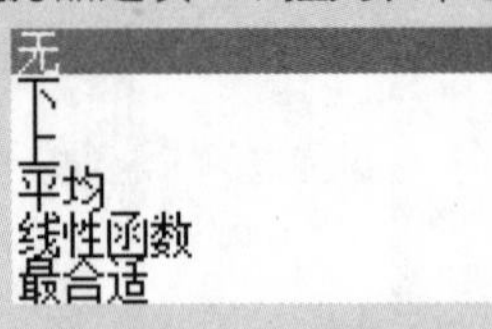
无
下
上
平均
线性函数
最合适
图17-39　“过滤器选项”列表
● 无：关闭过滤功能。
● 下：传递每个字节和前一像素相应字节的值之间的差。
● 上：传递每个字节和它上面相邻像素的相应字节的值之间的差。
● 平均：使用两个相邻像素（左侧像素和上方像素）的平均值来预测该像素的值。
● 线性函数：计算三个相邻像素（左侧、上方、左上方）的简单线性函数，然后选择最接近计算值的相邻像素作为颜色的预测值。
● 最合适：分析图像中的颜色，并为所选 PNG 文件创建一个唯一的颜色表。对于显示成千上万种颜色的系统而言是最佳的，它可以创建最精确的图像颜色，但所生成的文件要比用“Web 216 色”调色板创建的 PNG 文件大。通过减少色彩调色板的颜色数量，减小用该调色板创建的 PNG 文件的大小。</td></tr>
</table>

Windows放映文件和 Macintosh放映文件

Windows和Macintosh是指用户用的系统，即Windows系统和苹果机系统，勾选这两个选项后，在“发布设置”对话框中不会出现相应的选项卡，但可以将Flash影片发布为可执行文件，即在没有安装Flash播放器的Windows系统或苹果机系统中播放此文件，但是发布后的文件比Flash动画文件要大一些，因为EXE文件中内建Flash播放器，两者的播放效果如图17-40、图17-41所示。

图17-40　Windows放映文件

图17-41　Macintosh放映文件

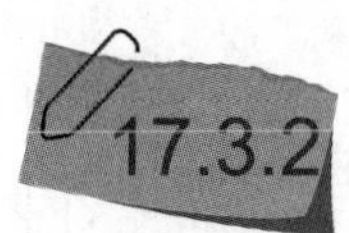

发布预览

使用【发布预览】命令，会发布相应的文件并在默认浏览器上打开预览。【发布预览】命令菜单选项随着格式的设置或被激活或变灰不可用，如图17-42所示为默认设置下的各选项内容，如图17-43所示是勾选了所有发布格式的选项内容。

默认(D) - (HTML)　F12
Flash(F)
HTML(H)
GIF(G)
JPEG(J)
PNG(P)
放映文件(R)

图17-42　默认选项

默认(D) - (HTML)　F12
Flash(F)
HTML(H)
GIF(G)
JPEG(J)
PNG(P)
放映文件(R)

图17-43　更多激活选项

发布Flash动画

完成动画的发布设置后，执行【文件】|【发布】命令，Flash会创建一个指定类型的文件，并将它放在Flash文档所有的文件夹中，在覆盖或删除之前，此文件会一直留在那里。

完成动画的制作后，如果要发布默认的HTML格式文件，可以直接按快捷键“Alt+Shift+F12”。

17.4　导出Flash动画

通过导出动画操作，可以创建能在其他应用程序中进行编辑的内容，并将影片直接导出为特定的格式。一般情况下，导出操作是通过【文件】菜单中的【导出】命令来实现的，如图17-44所示为相关的导出命令。

导出图像(E)...
导出所选内容(E)...
导出影片(M)...　Ctrl+Alt+Shift+S

图17-44　导出

可以看到在Flash中可以导出图像，也可以导出影片，还可以根据需要所选的内容，下面就对这些命令进行详细说明。

导出图像文件

【导出图像】命令可以将当前的帧内容或当前所选的图像导出成一种静止的图像格式或导出为单帧动画。执行【文件】|【导出】|【导出图像】命令，弹出“导出影片”对话框，在对话框中的“保存类型”下拉列表中包括多种图像文件的格式，如图17-45所示，选择相应的选项，单击“确定”按钮，即可将图像文件保存到指定位置。

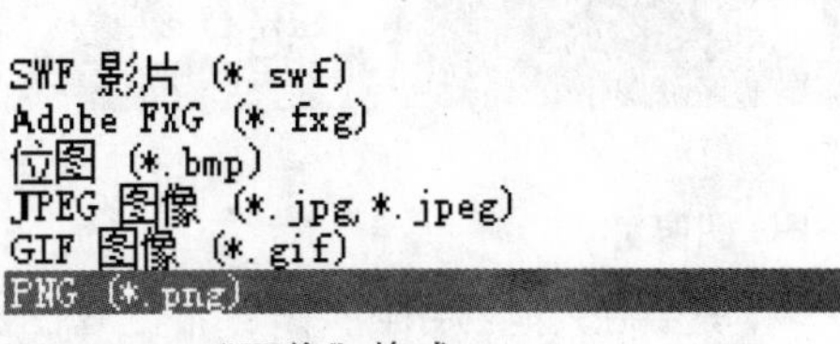

图17-45　“图像”格式

在Windows操作系统中，不同的图像格式将呈现不同的图标，如图17-46所示。

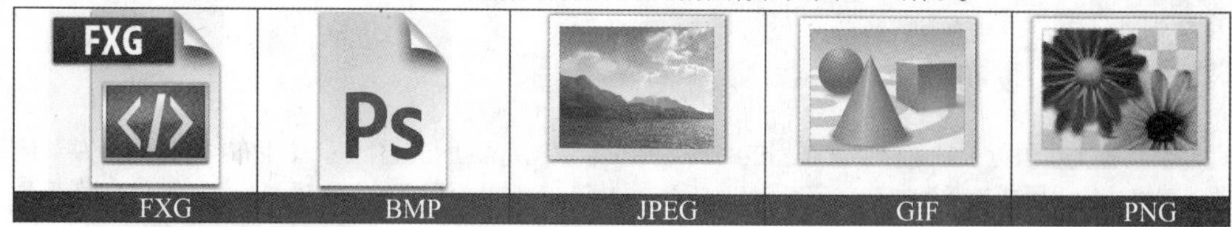

图17-46　不同图像格式的图标

Adobe FXG(*.fxg)

FXG格式是适用于Flash平台的图形交换文件格式，FXG基于MXML（Flex框架使用的基于 XML的编程语言）的子集。FXG格式使设计人员和开发人员可以使用较高的保真度交换图形内容，有助于他们更有效地进行协作。设计人员可以使用相关工具创建图形，以及将图形导出为FXG格式。

创建FXG文件时，会直接将矢量图形存储在文件中。FXG中没有对应标记的元素将导出为位图图形，然后在FXG文件中引用这些图形。这些元素包括位图、某些滤镜、某些混合模式、渐变、蒙版和3D，其中的某些效果也许能够导出为FXG格式，但是可能无法由打开 FXG 文件的应用程序导入。

使用FXG导出功能导出包含矢量图像和位图图像的文件时，会随同FXG文件创建一个单独的文件夹。该文件夹的名称为<filename.assets>，其中包含与FXG文件关联的位图图像。

位图 (*.BMP)

创建要在其他应用程序中使用的位图图像。BMP是一种标准的位图图形格式，支持RGB、灰度、索引颜色和位图色彩模式，但不支持Alpha通道。

“导出位图”对话框具有以下选项，如图17-47所示。

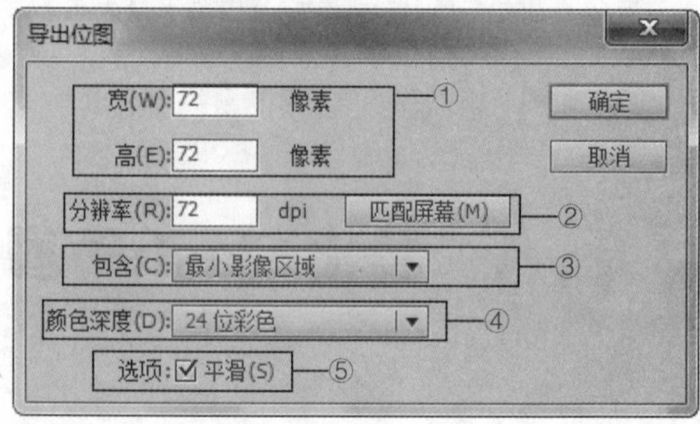

图17-47　“导出位图”对话框

①尺寸	可以设置导出的位图图像的大小。
②分辨率	设置导出的位图图像的分辨率，并根据绘画的大小自动计算宽度和高度。 匹配屏幕：将分辨率设置为与显示器匹配。
③包含	包括导出最小影像区域或完整的文档大小。
④颜色深度	可以设置图像的深度。有些Windows应用程序不支持较新的32位/ 通道(bpc)深度的位图图像；如果在使用32bpc格式时出现问题，请使用24 bpc格式。
⑤平滑	可以对导出的位图应用消除锯齿效果。消除锯齿可以生成较高品质的位图图像，但是在彩色背景中，它可能会在图像周围生成灰色像素的光晕。如果出现光晕，可以取消选择此选项。

JPEG 图像

创建要在其他应用程序中使用的位图图像，它通常用于图像预览和一些文档，如HTML文档等，具有文件小的特点，是所有格式中压缩率最高的格式。“导出JPEG”对话框具有以下选项，如图17-48所示，这些选项与 JPEG“发布设置”选项相似，就不具体进行讲解了。

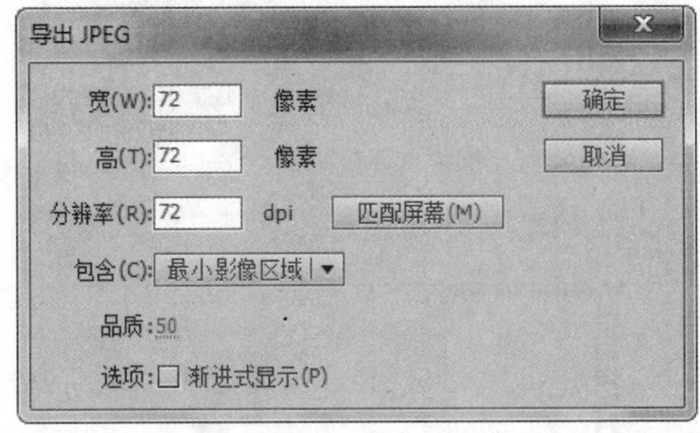

图17-48 “导出JPEG”对话框

PNG 图像

可以导出PNG图像并应用在其他程序中，PNG格式的图像具有保真性、透明性、文件小等特性，所以在网页设计、平面设计中被广泛应用。“导出PNG”对话框中的选项如图17-49所示。

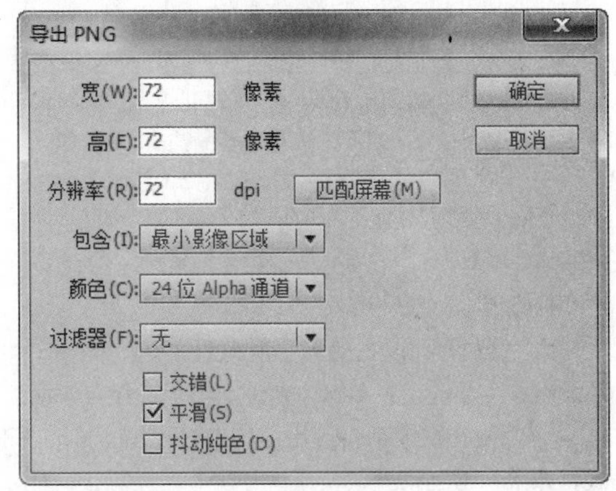

图17-49 “导出PNG”对话框

GIF 图像

可以导出GIF图像并在其他程序中应用，“导出GIF”对话框中包括以下选项，如图17-50所示，其设置与“发布设置”对话框的“GIF”选项卡中的设置大致相同。

颜色可用于创建导出图像的颜色数量。颜色选择包括黑白、4、6、16、32、64、128、256 色或标准色（标准Web安全 216 色调色板）。

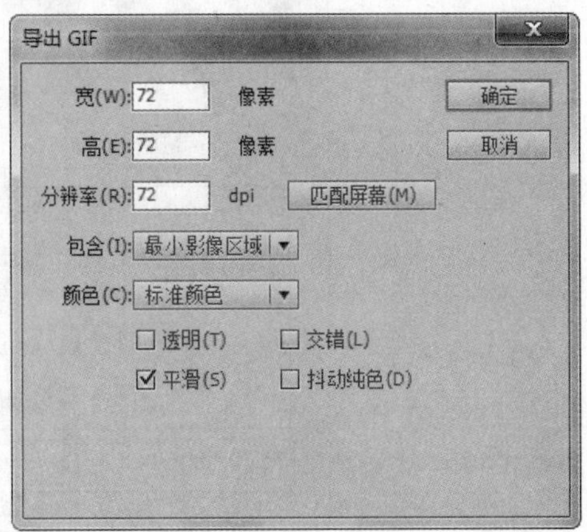

图17-50 “导出GIF”对话框

17.4.2 导出影片文件

导出影片文件可以将Flash动画导出为Flash动画或静止图像，而且可以为动画中的第一帧都创建一个带有编辑的图像文件，还可以将动画中的声音导出为WAV文件。

执行【文件】|【导出】|【导出影片】命令，弹出“导出影片”对话框，在对话框中的“保存类型”下拉列表中包括多种影片文件的格式，如图17-51所示，选择相应的影片格式和文件位置，单击“确定”按钮，即可将影片保存到指定位置。

在Windows操作系统中，不同的影片格式将呈现不同的图标，列举以下几种，如图17-52所示。

SWF 影片 (*.swf)
Windows AVI (*.avi)
QuickTime (*.mov)
GIF 动画(*.gif)
WAV 音频 (*.wav)
JPEG 序列 (*.jpg,*.jpeg)
GIF 序列 (*.gif)
PNG 序列 (*.png)

图17-51 “声音文件”类型

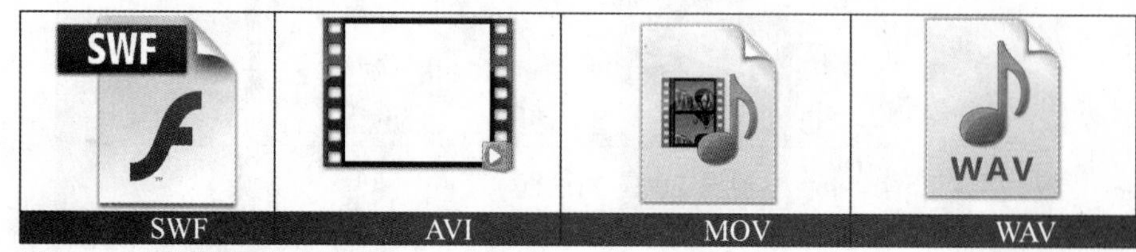

图17-52 不同影片格式的图标

Adobe Flash Player 视频 (Swf)

SWF是Flash的专用格式，是一种支持矢量和点阵图形的动画文件格式，在网页设计、动画制作等领域被广泛应用，SWF文件通常也被称为Flash文件。

使用这种格式可以播放所有在编辑时设置的动画效果和交互功能，而且文件容量小，如果发布为SWF文件，可以对其设置保护。

Windows AVI (Windows)

将文档导出为 Windows 视频后，会丢弃所有的交互性。AVI具有压缩性大的特点，但有损影片的播放质量，主要应用在多媒体光盘上，用来保存电视、电影等各种影像信息。

但对于在视频编辑应用程序中打开 Flash 动画而言，这是一个好的选择。鉴于AVI是基于位图的格式，如果包含的动画很长或者分辨率比较高，文档就会非常大。“导出 Windows AVI”对话框具有以下选项，如图17-53所示。

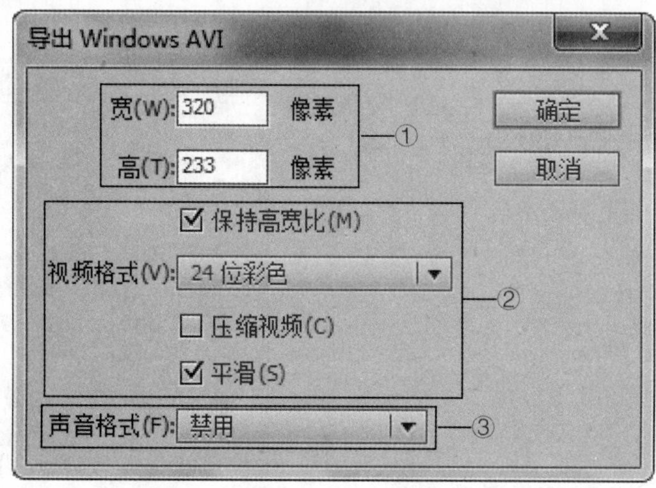

图17-53 “导出AVI”对话框

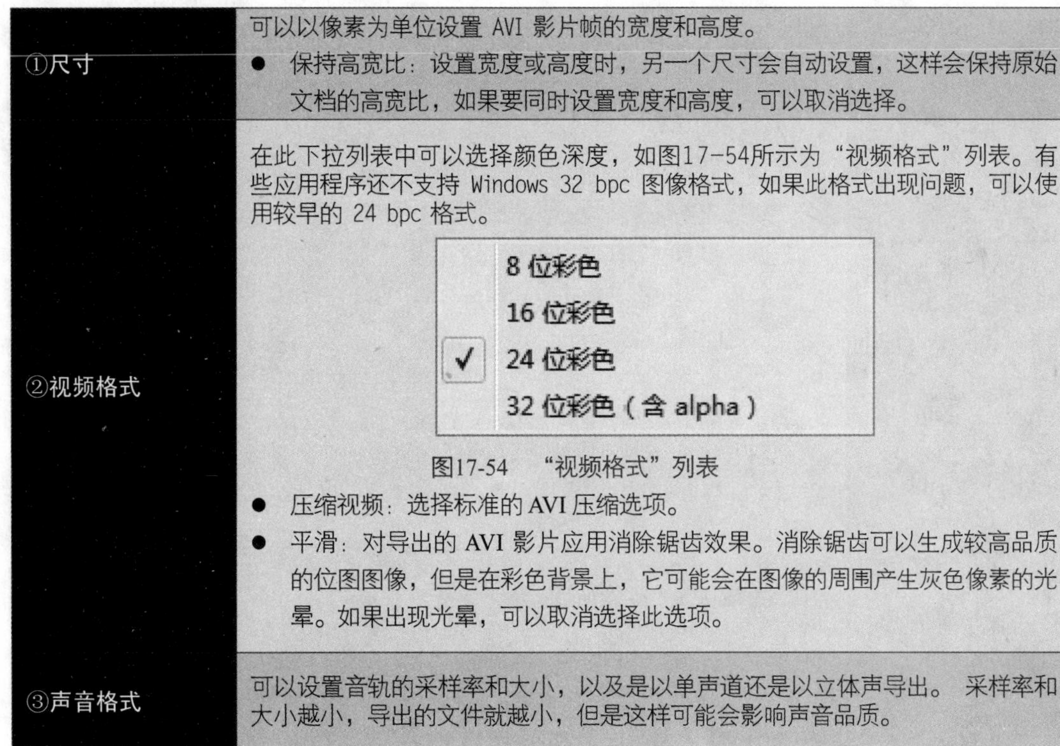

①尺寸	可以以像素为单位设置 AVI 影片帧的宽度和高度。 ● 保持高宽比：设置宽度或高度时，另一个尺寸会自动设置，这样会保持原始文档的高宽比，如果要同时设置宽度和高度，可以取消选择。
②视频格式	在此下拉列表中可以选择颜色深度，如图17-54所示为“视频格式”列表。有些应用程序还不支持 Windows 32 bpc 图像格式，如果此格式出现问题，可以使用较早的 24 bpc 格式。 8 位彩色 16 位彩色 ✓ 24 位彩色 32 位彩色（含 alpha） 图17-54　“视频格式”列表 ● 压缩视频：选择标准的 AVI 压缩选项。 ● 平滑：对导出的 AVI 影片应用消除锯齿效果。消除锯齿可以生成较高品质的位图图像，但是在彩色背景上，它可能会在图像的周围产生灰色像素的光晕。如果出现光晕，可以取消选择此选项。
③声音格式	可以设置音轨的采样率和大小，以及是以单声道还是以立体声导出。 采样率和大小越小，导出的文件就越小，但是这样可能会影响声音品质。

QuickTime（*mov）

QuickTime影片格式是Apple公司开发的一种音频、视频文件格式，用于存储常用数字媒体类型。当选择QuickTime（*.mov）作为“保存类型”时，动画将保存为.mov文件。“QuickTime Export设置” 对话框包含以下选项，如图17-55所示。

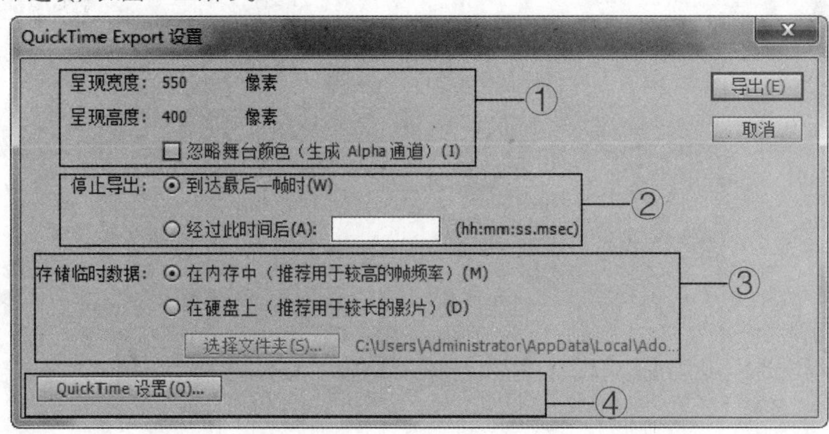

图17-55　“QuickTime 设置”对话框

①尺寸	可以设置影片的宽度和高度。默认情况下，QuickTime Export会使用与源 Flash文档相同的尺寸创建一个影片文件，然后导出整个Flash 文档。 ● 忽略舞台颜色：使用舞台颜色创建一个 Alpha通道。Alpha通道是作为透明轨道进行编码的，这样您就可以将导出的QuickTime影片叠加在其他内容上，以改变背景颜色或场景。要创建带有Alpha通道的QuickTime视频，必须选择支持32位编码和Alpha通道的视频压缩类型。支持它的编解码器包括动画、PNG、Planar RGB、JPEG 2000、TIFF或TGA，还必须从“压缩程序/深度”设置中选择“百万颜色”。
②停止导出	● 到达最后一帧时：将整个Flash文档导出为影片文件。 ● 经过指定时间之后：要导出的Flash文档的持续时间，其格式为：小时、分、秒、毫秒。
③存储临时数据	可以存储临时生成的数据。
④QuickTime 设置	单击“QuickTime设置”按钮，弹出“QuickTime高级设置”对话框。使用“高级设置” 可以指定自定义的QuickTime设置。通常应使用默认的QuickTime设置，因为对于大多数应用程序而言，这些设置都提供了最佳的回放性能。

WAV 音频 (Windows)

WAV音频是最经典的Windows多媒体音频格式，应用非常广泛，是由三个参数来表示声音的，即采样位数、采样频率和声道数。

JPEG序列和PNG序列

在Flash中可以将逐帧更改的文件导出为JPEG序列和PNG序列，这两个导出对话框设置分别与JPEG图像和PNG图像的设置相同，这里就不具体进行讲解了。

GIF动画和GIF 序列

GIF动画文件提供了一种简单的方法，来导出简短的动画序列。Flash可以优化GIF动画文件，并且只存储逐帧更改的文件。

两者的对话框如图17-56所示，设置与GIF图像大致相似，只有一点不同，就是动画仅用于GIF动画导出格式，输入重复次数，0表示无限次重复。

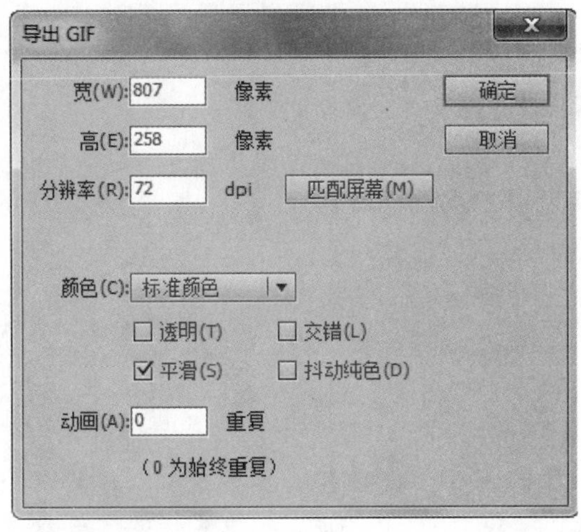

（GIF动画）

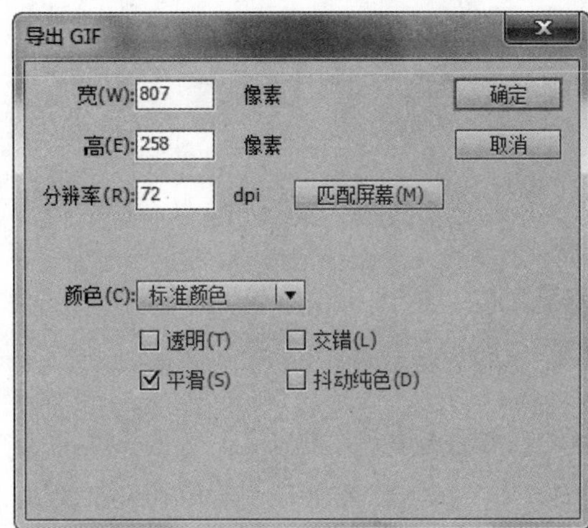

（GIF序列）

图17-56 “导出GIF”对话框

17.5 总结扩展

通过本章的学习，用户在发布影片时要注意各个选项对发布格式的影响，在导出图像时，要注意怎样才能正确导出图像，在导出影片时，要慎重考虑导出后的完整性和质量，总之用户要对自己所学的知识举一反三，以便自己在制作动画的时候能够灵活运用。

17.5.1 本章小结

本章主要讲解了Flash动画测试、发布和导出的格式及方法，包括测试场景、测试影片、发布Flash格式、HTML格式、图像格式、可执行文件格式、导出图像和导出影片等知识点。通过本章的学习，用户应掌握测试动画的方法，发布影片的格式和设置方法，导出图像和影片的格式及注意事项。

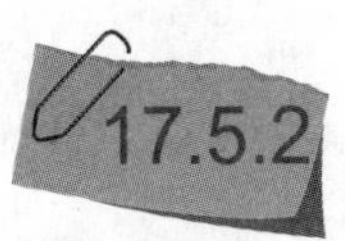

17.5.2 举一反三——使用【发布】命令发布Windows放映文件(.exe)

案例文件：	光盘\源文件\第17章\17-5-2.exe
素材文件：	光盘\源文件\第17章\素材\17-5-2.fla
视频文件：	光盘\视频\第17章\17-5-2.swf
难易程度：	★☆☆☆☆
学习时间：	5分钟

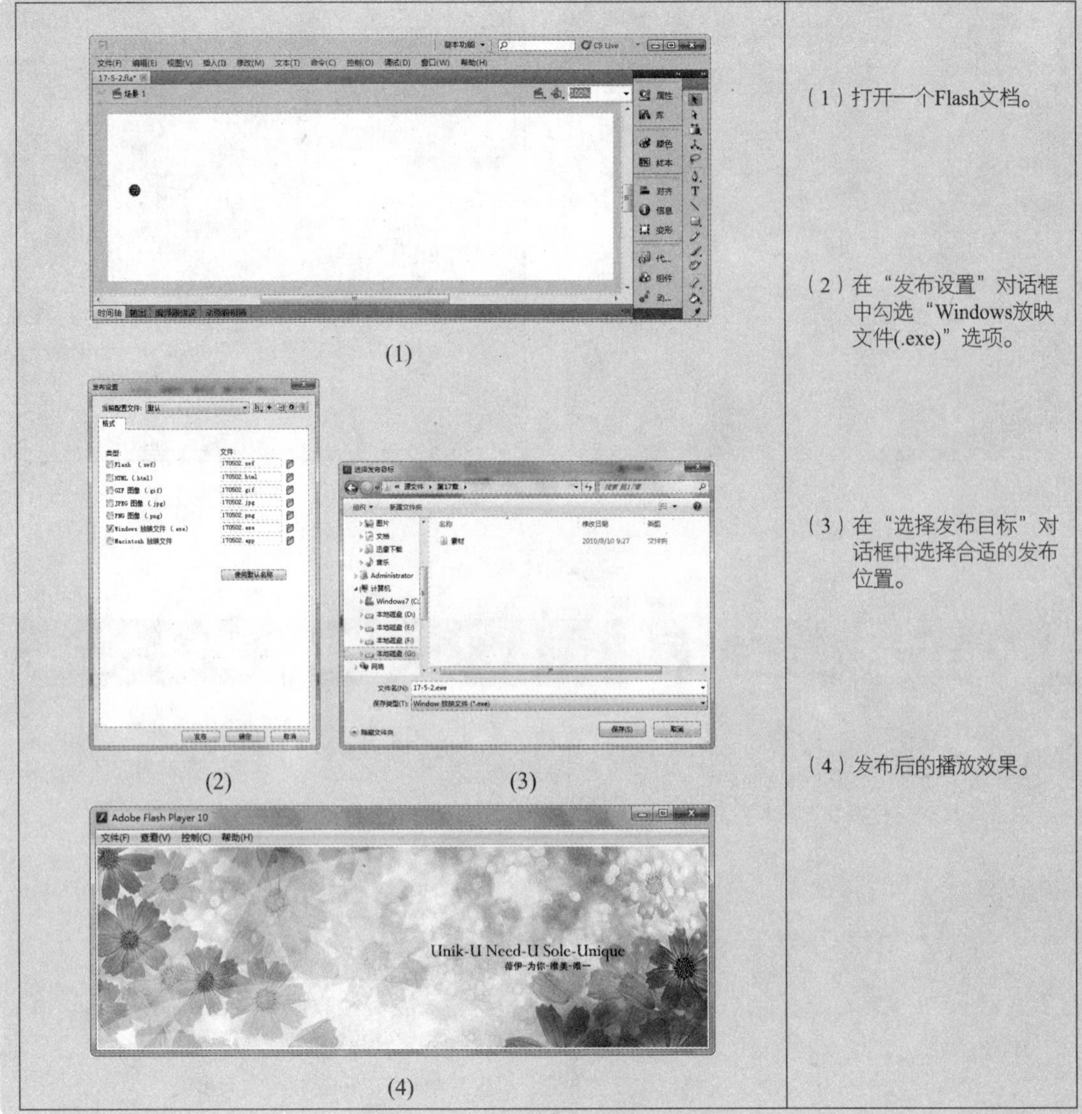

(1)

(2)

(3)

(4)

（1）打开一个Flash文档。

（2）在“发布设置”对话框中勾选“Windows放映文件(.exe)”选项。

（3）在“选择发布目标”对话框中选择合适的发布位置。

（4）发布后的播放效果。

第18章　按钮、导航菜单动画制作

无论对理论知识有多么精通，没有实践的结合也不能从真正意义上理解Flash动画制作的精髓。本章针对按钮和导航菜单动画的相关知识展开具体的讲解，以不同风格的实例制作为出发点，从不同角度对Flash动画制作的方法进行巩固性的讲解。希望读者通过本章的学习，能够在Flash动画制作中体验到快乐的同时，掌握相关知识。

本章学习要点

- 开始游戏按钮动画的制作
- 登入游戏按钮动画的制作
- 游戏网站导航动画的制作
- 娱乐网站导航动画的制作

实例名称：开始游戏按钮动画

源 文 件：光盘\源文件\第18章\18-1.fla

教学视频：光盘\视频\第18章\18-1.swf

实例名称：制作登入游戏按钮动画

源 文 件：光盘\源文件\第18章\18-2.fla

教学视频：光盘\源文件\第18章\18-2.swf

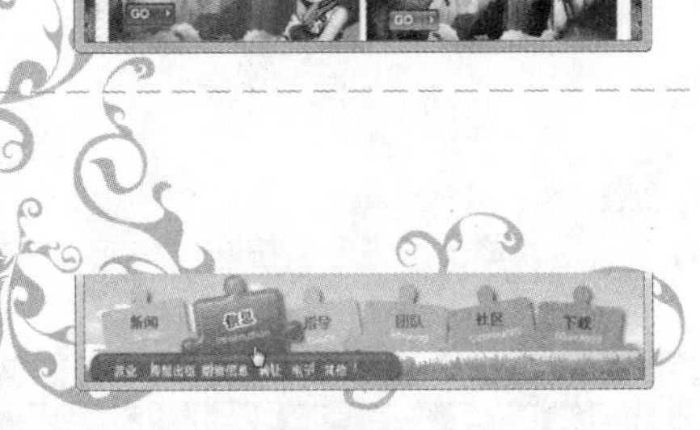

实例名称：制作娱乐网站导航动画

源 文 件：光盘\源文件\第18章\18-4.fla

教学视频：光盘\视频\第18章\18-4.swf

18.1 实例：制作开始游戏按钮动画

随着网络的不断发展，网络几乎承载了所有力所能及的工作，尤其是网络游戏的盛行。

网络游戏的画面通过游戏运营商服务器和用户计算机完美地体现在玩家的眼前，在网络游戏中的一些Flash动画也是网络游戏的主要组成部分，动画的好坏直接影响了游戏的形象。因此呈现一个好的Flash动画尤为重要，本节将向读者讲解制作“开始游戏”按钮动画的方法。

18.1.1 设计分析

本实例将制作一个开始游戏按钮动画，首先新建元件，导入相应的素材，然后制作相应元件的动画，最后回到主场景，将制作好动画的元件拖曳到场景中，并导入外部库，拖入相应的元件，完成动画的制作，最终效果如图18-1所示。

图18-1 动画效果

源文件：光盘\源文件\第18章\18-1.fla

教学视频：光盘\视频\第18章\18-1.swf

18.1.2 动画制作

STEP 01 执行【文件】|【新建】命令，新建一个Flash文档，如图18-2所示。单击“属性”面板上的“编辑”按钮，弹出“文档设置”对话框，参数设置如图18-3所示，单击“确定”按钮，完成“文档属性”的设置。

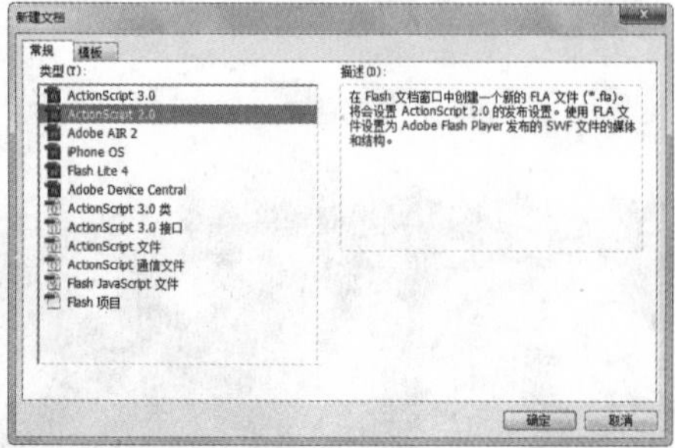

图18-2 “新建文档”对话框

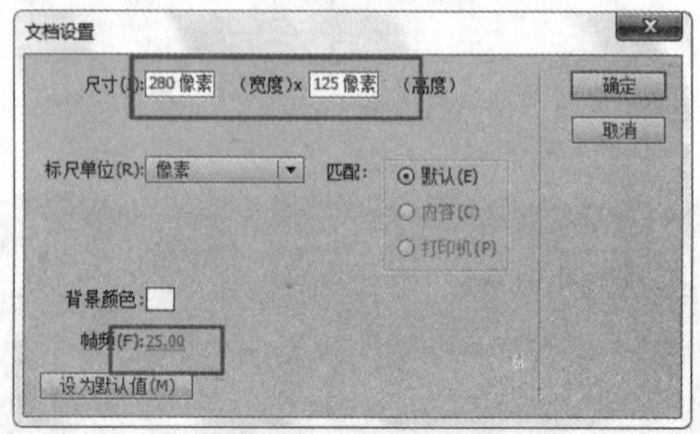

图18-3 “文档设置”对话框

STEP 02 执行【插入】|【新建元件】命令，弹出“创建新元件”对话框，参数设置如图18-4所示。单击“确定”按钮，新建一个影片剪辑元件，执行【文件】|【导入】|【导入到舞台】命令，将图像“光盘\源文件\第18章\素材\18101.png”导入到场景中，如图18-5所示。

图18-4 “创建新元件”对话框

图18-5 导入图像

STEP 03 在第19帧插入帧，选择刚刚导入的图像，执行【修改】|【转换为元件】命令，弹出“转换为元件”对话框，参数设置如图18-6所示。单击“确定”按钮，将图像转换为元件，如图18-7所示。

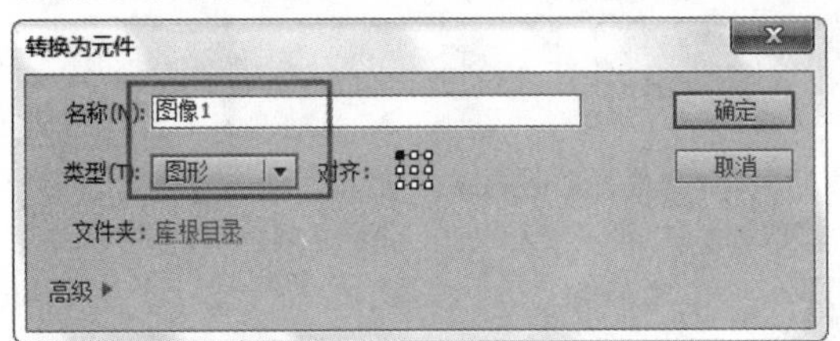

图18-6 “转换为元件”对话框

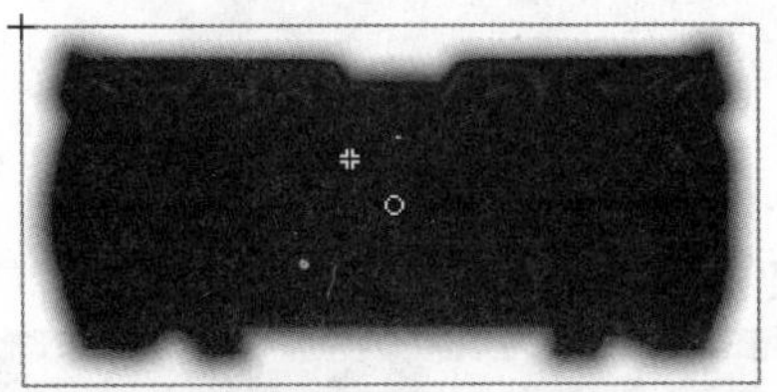

图18-7 元件效果

STEP 04 新建“图层2”，导入素材图像“光盘\源文件\第18章\素材\18102.png”，将该素材图像转换成“名称”为“图像2”的“图形”元件，如图18-8所示。新建“图层3”，执行【文件】|【导入】|【导入到舞台】命令，将图像“光盘\源文件\第18章\素材\18103.png”导入到场景中，如图18-9所示。

图18-8 元件效果

图18-9 导入图像

Tips

不同元件类型有着不同的属性，在创建元件时，应针对元件制作的动画形式不同，按需选择，以避免不必要的麻烦。

STEP 05 执行【修改】|【变形】|【水平翻转】命令，将图像水平翻转，如图18-10所示。将该图像转换成“名称”为“图像3“的“图形”元件。根据前面的方法，将该图像转换成图形元件，并调整到相应的位置，如图18-11所示。

图18-10 变形图像

图18-11 元件效果

STEP 06 在第6帧插入关键帧，选择该帧上的元件，使用“移动工具”使元件向左移动3像素，如图18-12所示。在第8帧插入关键帧，选择该帧上的元件，使用“移动工具”使元件向右移动5像素，如图18-13所示。

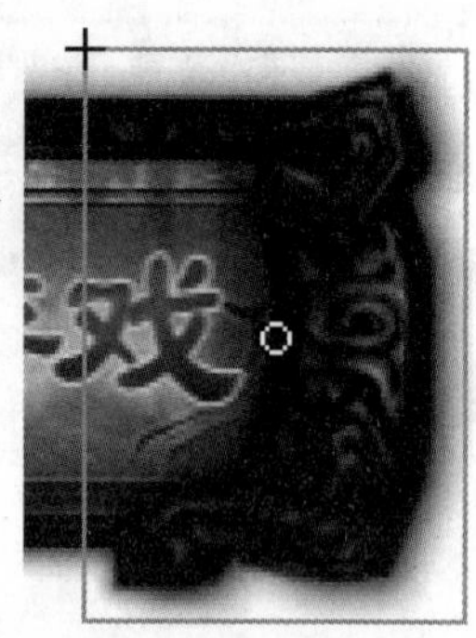

图18-12　移动元件

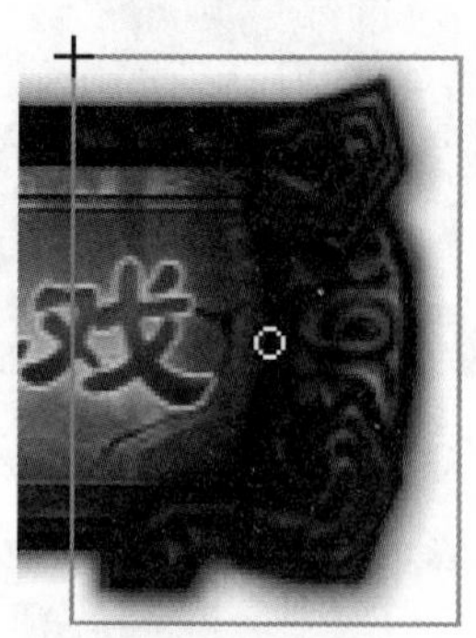

图18-13　移动元件

STEP 07 分别在第1帧和第6帧上单击鼠标右键，在打开的快捷菜单中选择【创建传统补间】命令，“时间轴”如图18-14所示。使用相同的方法，制作出其他帧的内容，“时间轴”面板如图18-15所示。

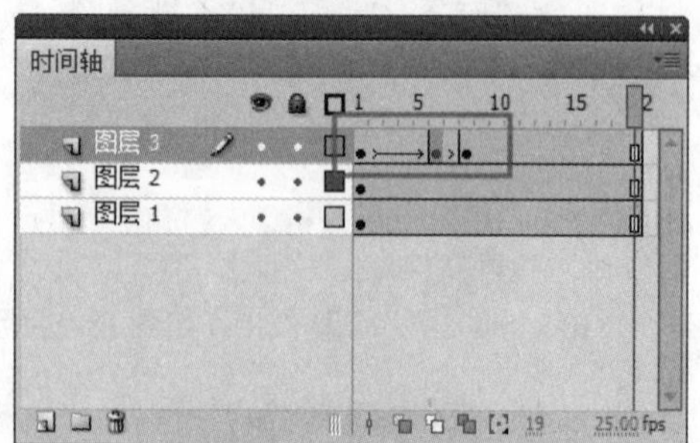

图18-14　“时间轴”面板

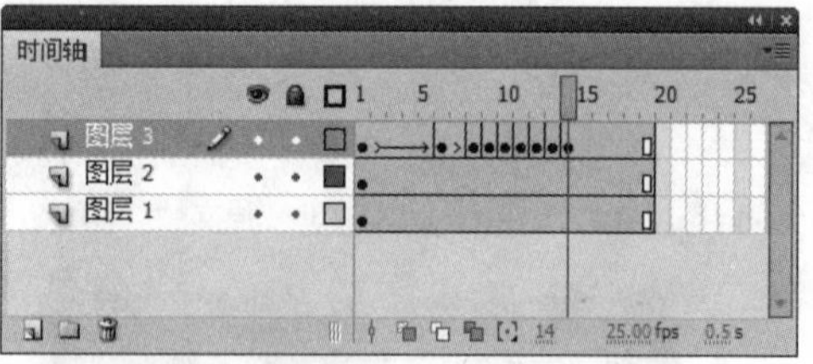

图18-15　其他帧效果

STEP 08 新建“图层4”，将“图像3”元件从“库”面板拖入到场景中，执行“修改＞变形＞水平翻转”命令，将图像水平翻转，将该元件水平翻转，根据“图层3”的制作方法，可以制作出该图层中的动画效果，“时间轴”面板如图18-16所示，场景效果如图18-17所示。

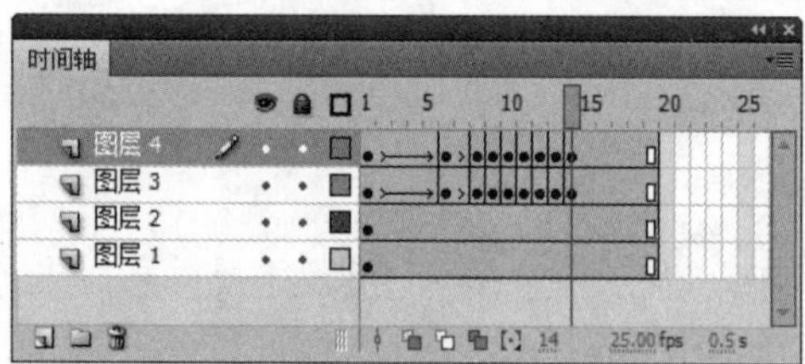

图18-16　“时间轴”面板

图18-17　场景效果

STEP 09 新建“图层5”，单击工具箱中的“椭圆工具”按钮，打开“颜色”面板，设置“填充颜色”中的Alpha值为100%的#FFFFCC到Alpha值为0%的#FFCC66，其他设置如图18-18所示。设置完成后，在舞台中绘制一个椭圆，如图18-19所示。

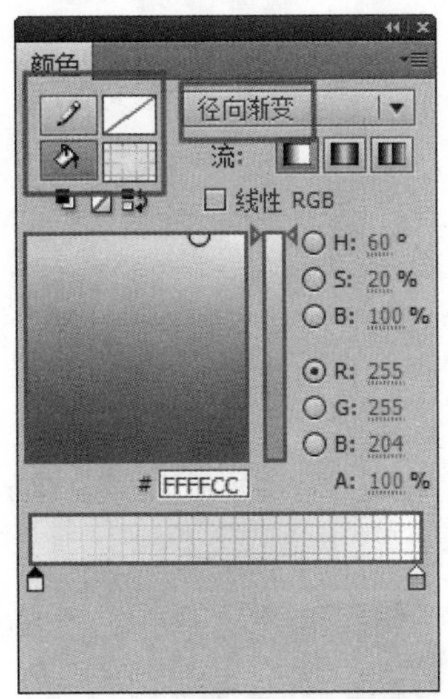

图18-18 “颜色”面板

图18-19 椭圆效果

STEP 10 选择刚刚绘制的渐变椭圆，执行【修改】|【转换为元件】命令，弹出“转换为元件”对话框，参数设置如图18-20所示。单击“确定”按钮，将图形转换为元件，选择第1帧上的元件，设置其Alpha值为0%，效果如图18-21所示。

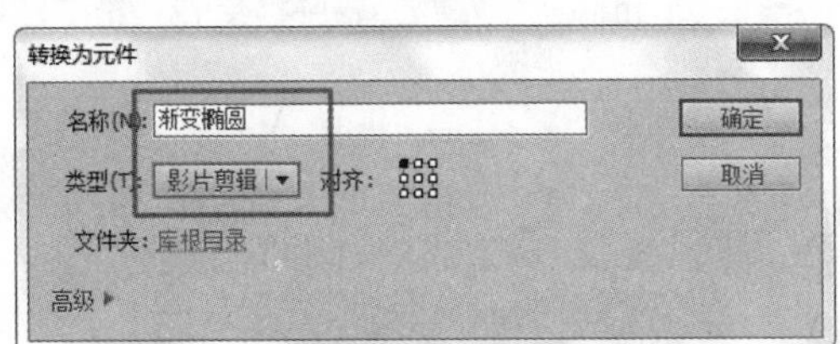

图18-20 “转换为元件”对话框

图18-21 元件效果

STEP 11 在第8帧插入关键帧，设置该帧上元件的Alpha值为80%，如图18-22所示。设置完成后，单击工具箱中的“任意变形工具”按钮，将该帧上的元件等比例放大，如图18-23所示。

图18-22 设置Alpha值

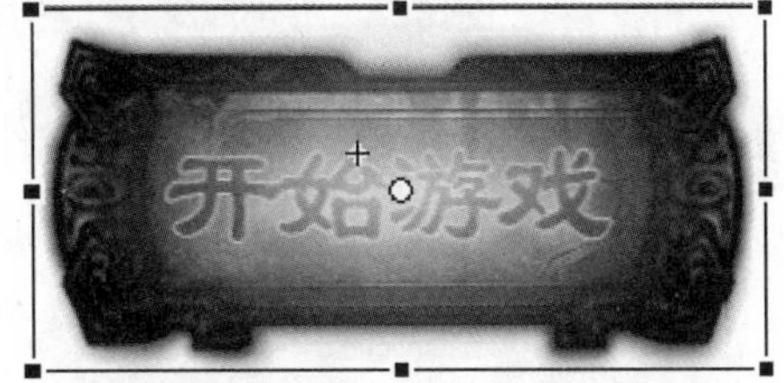

图18-23 变形元件

STEP 12 在第1帧创建传统补间动画，“时间轴”效果如图18-24所示。新建“图层6”，选择第1帧，打开“动作”面板，输入脚本语言，如图18-25所示。

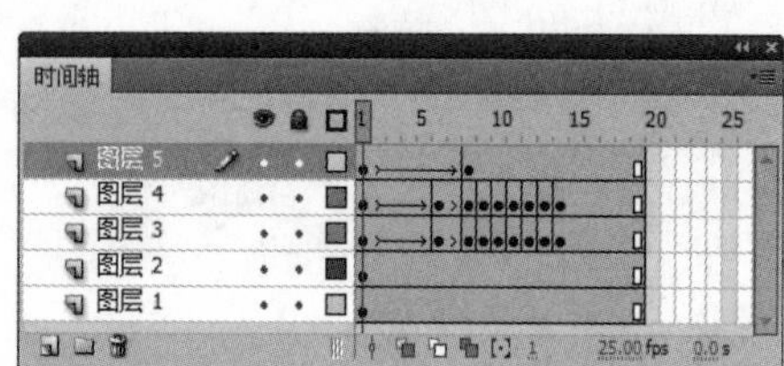

图18-24 时间轴”面板

图18-25 “动作”面板

STEP 13 在第8帧插入关键帧，打开“动作”面板，输入脚本语言，如图18-26所示。回到“场景1”的编辑状态，将“开始游戏”元件从“库”面板中拖曳到场景中，如图18-27所示。

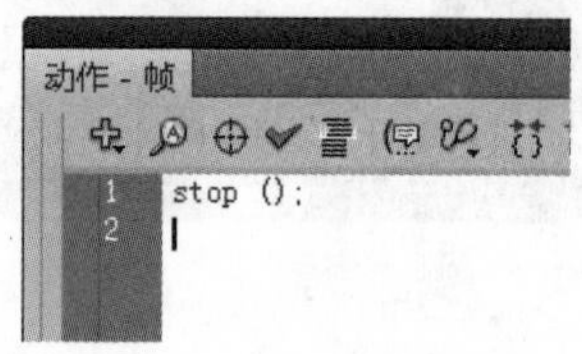

图18-26 “动作”面板

图18-27 拖入元件

STEP 14 新建“图层2”，执行【文件】|【导入】|【打开外部库】命令，打开外部库“光盘\源文件\第18章\素材\18-1.fla”，如图18-28所示。将sprite 21元件从“外部库”中拖曳到场景中，并设置该元件的Alpha值为60%，如图18-29所示。

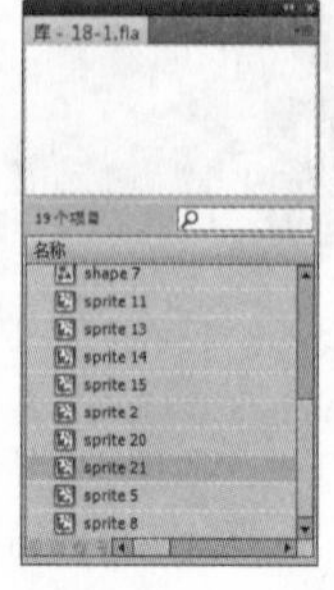

图18-28 外部库

图18-29 拖入元件

STEP 15 新建“图层3”，相同的方法，将sprite21元件从“外部库”中拖曳到场景中，调整到合适的大小和位置，并设置该元件的Alpha值为60%，如图18-30所示。完成动画的制作，执行【文件】|【保存】命令，将动画保存为“光盘\源文件\第18章\18-1.fla”，按“Ctrl+Enter”快捷键测试影片，动画效果如图18-31所示。

图18-30 场景效果

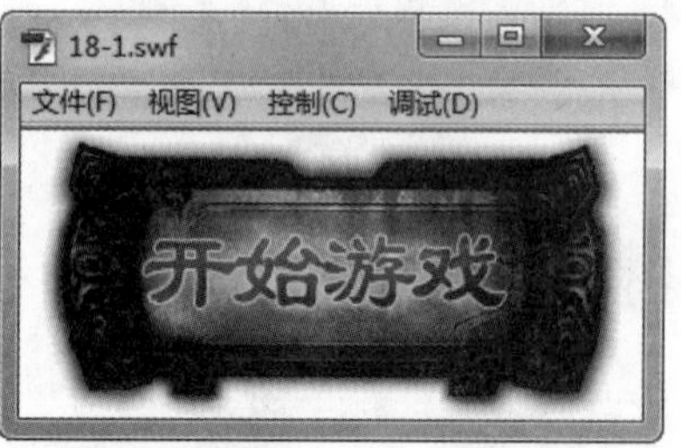

图18-31 动画效果

18.2 实例：制作登入游戏导航动画

随着网络游戏的盛行，游戏中的一些元素也随之在升级，网络游戏运营商会根据不同的游戏，制作网站中不同的游戏元素。在开始游戏之前，都需要单击“登入”按钮进入游戏，因此不少游戏制造商开始在登入按钮上做文章，制作出独具特色的登入按钮界面。本节将向读者讲解制作“登入”按钮动画的方法。

设计分析

本节制作一个登入游戏按钮动画，首先新建元件，通过在“颜色”面板上设置合适的颜色后，在舞台中绘制出不同的元件，制作感应区，然后导入相应的素材图像，并制作相应的动画，最后回到主场景，从“库”面板中拖入相应的元件，完成动画的制作，最终效果如图18-32所示。

图18-32　动画效果

源 文 件：光盘 \ 源文件 \ 第 18 章 \18-2.fla
教学视频：光盘 \ 视频 \ 第 18 章 \18-2.swf

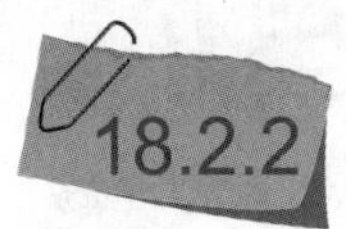

动画制作

STEP 01 执行【文件】|【新建】命令，新建一个Flash文档，如图18-33所示。单击“属性”面板上的“编辑”按钮，弹出“文档设置”对话框，参数设置如图18-34所示，单击“确定”按钮，完成“文档属性”的设置。

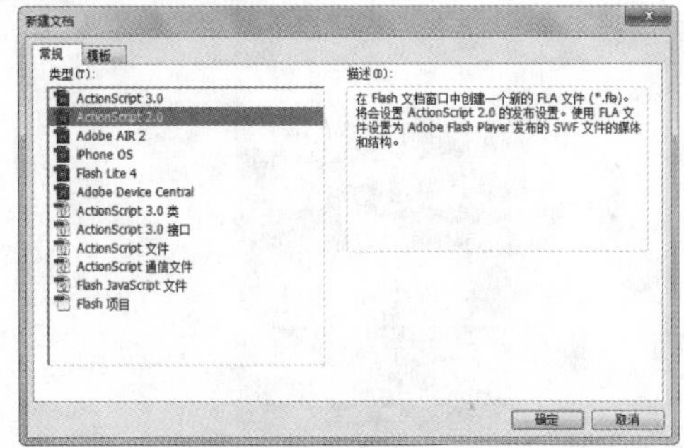

图18-33　“新建文档”对话框

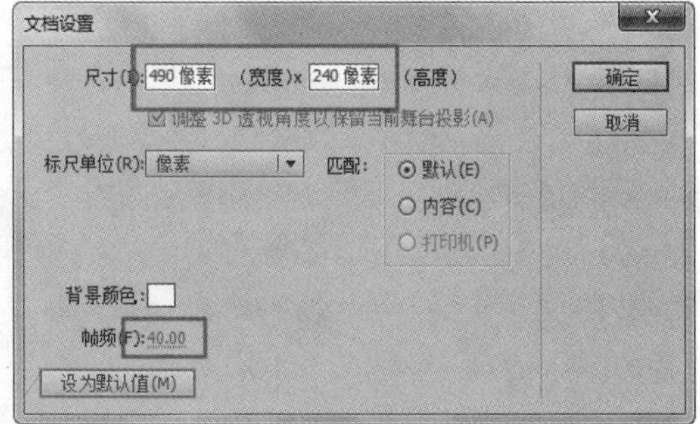

图18-34　“文档设置”对话框

STEP 02 设置完成后，在舞台中绘制一个矩形，效果如图18-35所示。在第34帧插入关键帧，执行“修改 > 转换为元件”命令，弹出“转换为元件”对话框，设置如图18-36所示。单击“确定”按钮，将图形转换成元件。

图18-35 “创建新元件”对话框

图18-36 导入素材图像

STEP 03 执行【插入】|【新建元件】命令，新建一个“名称”为“渐变椭圆1”的图形元件，如图18-37所示。单击工具箱中的“椭圆工具”按钮，打开“颜色”面板，设置如图18-38所示。

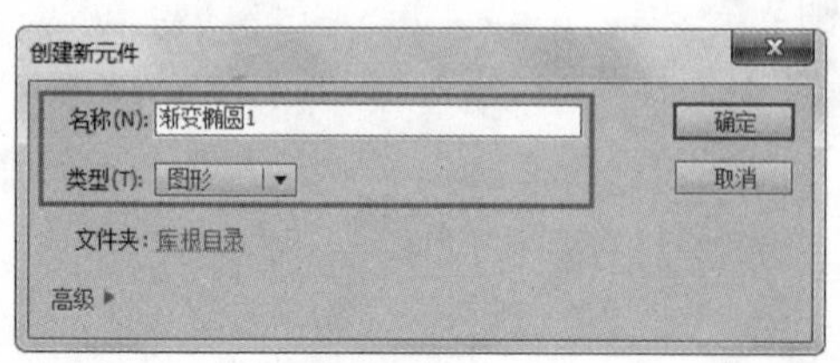

图18-37 “创建新元件”对话框

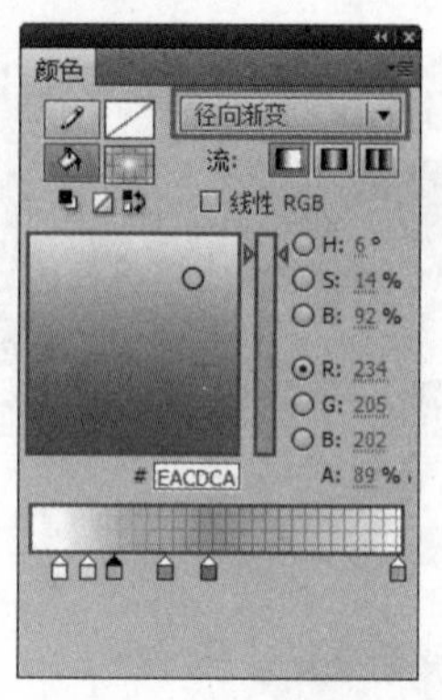

图18-38 设置“颜色”面板

STEP 04 在舞台中绘制一个正圆形，效果如图18-39所示。相同的制作方法，还可以制作出其他的一些图形元件，如图18-40所示。

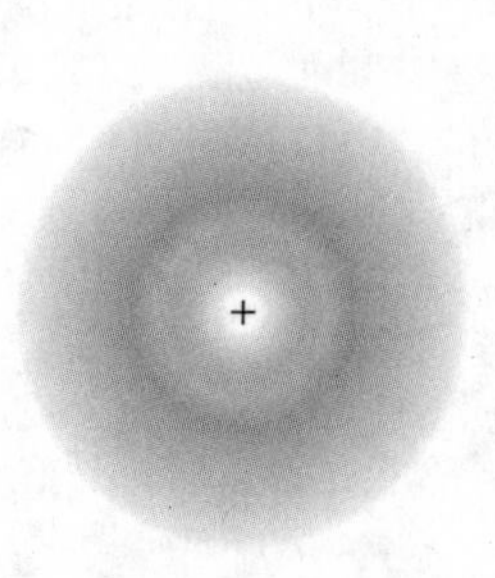

图18-39 绘制正圆形

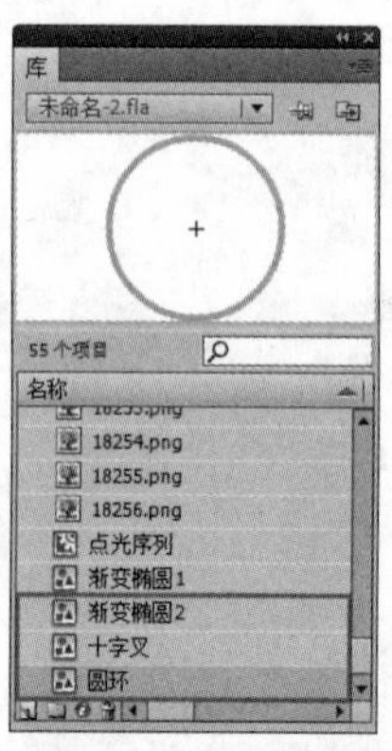

图18-40 制作其他元件

STEP 05 执行【插入】|【新建元件】命令，新建一个“名称”为“光晕动画”的影片剪辑元件，如图 18-41 所示。将“渐变椭圆 1”元件从“库”面板拖入舞台中，并调整到合适的大小和位置，如图 18-42 所示。

图18-41 “创建新元件”对话框

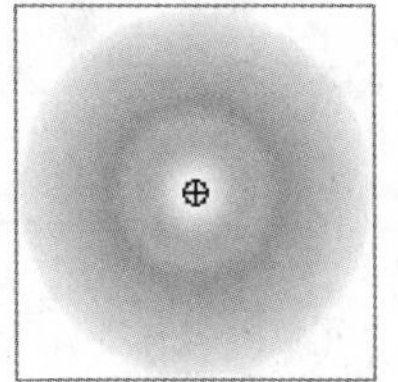

图18-42 拖入元件

STEP 06 分别在第 6 帧和第 70 帧插入关键帧，选择第 1 帧上的元件，将该帧上的元件等比例缩小并设置其 Alpha 值为 0%，如图 18-43 所示。相同的方法，对第 70 帧上的元件进行相应的调整，分别在第 1 帧和第 6 帧创建传统补间动画，在第 350 帧位置插入帧，如图 18-44 所示。

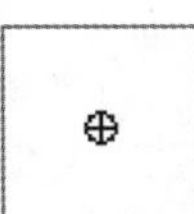

图18-43 元件效果

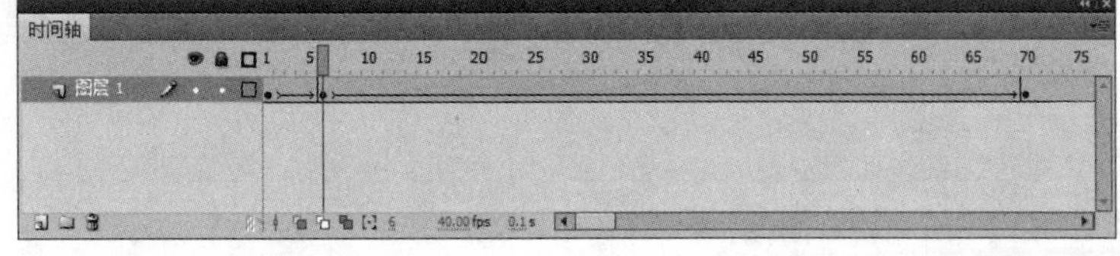

图18-44 “时间轴”面板

STEP 07 相同的制作方法，可以完成该影片剪辑元件动画效果的制作，“时间轴”效果如图 18-45 所示，场景效果如图 18-46 所示。

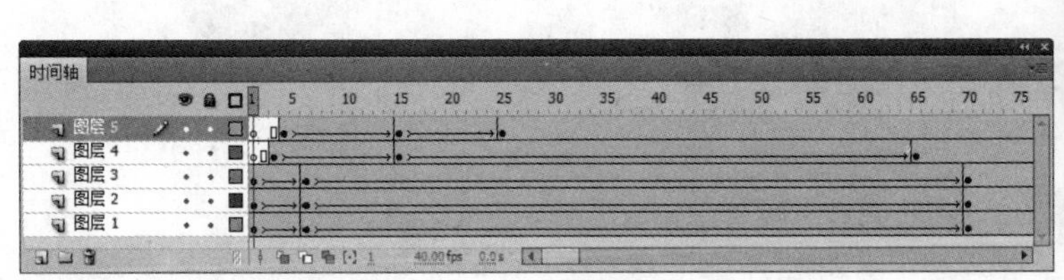

图18-45 “时间轴”面板

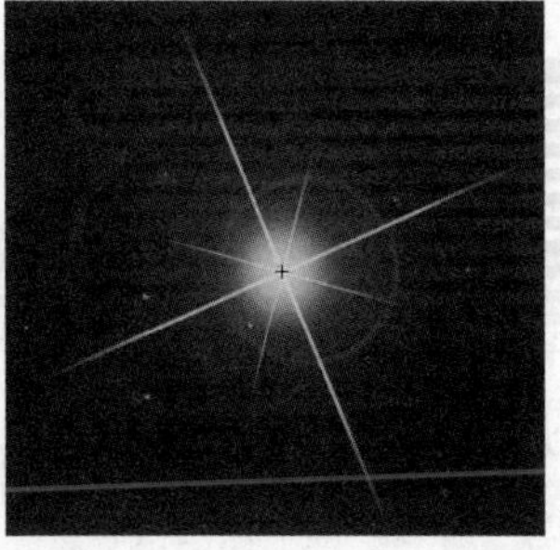

图18-46 场景效果

STEP 08 执行【插入】|【新建元件】命令，新建一个“名称”为“按钮背景动画”的影片剪辑元件，如图 18-47 所示。执行【文件】|【导入】|【导入到舞台】命令，将素材图像“光盘\源文件\第 18 章\素材\18205.png”导入到舞台中，如图 18-48 所示。

图18-47 “创建新元件”对话框

图18-48 导入图像

STEP 09 选中刚刚导入的素材图像，将其转换成“名称”为“按钮背景”的“图形”元件，如图 18-49 所示。分别在第 70、80、120、140、175、185、200 帧位置插入关键帧，选择 80 帧上的元件，在“属性”面板中设置其“高级”属性，效果如图 18-50 所示。

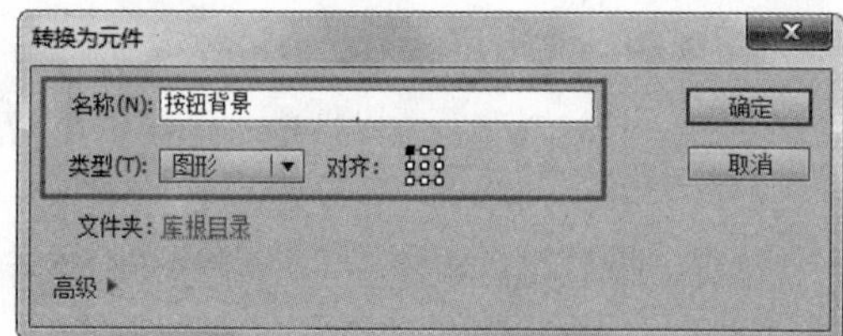

图18-49 “转换为元件”对话框

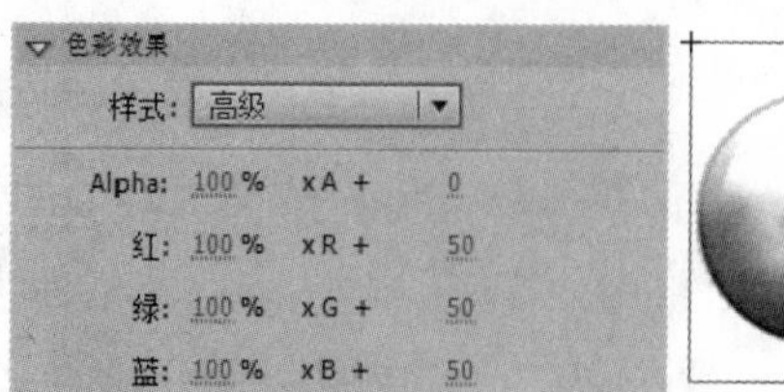

图18-50 设置元件属性

STEP 10 相同的制作方法，分别对第 140 帧、第 185 帧上的元件的“高级”属性进行设置，分别在第 70、80、120、140、175、185 帧分别创建传统补间动画，“时间轴”效果如图 18-51 所示。

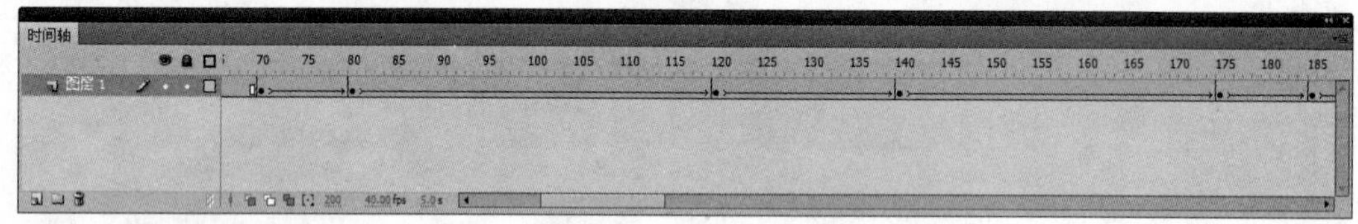

图18-51 “时间轴”面板

STEP 11 执行【插入】|【新建元件】命令，新建一个“名称”为“点光动画”的影片剪辑元件，如图 18-52 所示。在“库”面板中将“按钮背景动画”元件拖入到场景中，如图 18-53 所示。

图18-52 “创建新元件”对话框

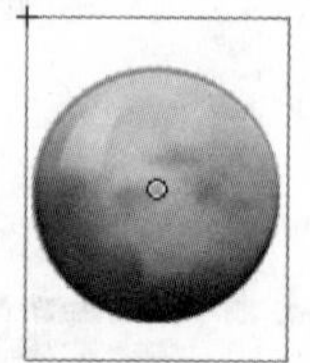

图18-53 拖入元件

STEP 12 分别在第 21 帧和第 33 帧位置插入关键帧，选择第 21 帧上的元件，在“属性”面板上设置其“高级”属性，如图 18-54 所示。分别在第 1 帧和第 21 帧位置创建传统补间动画，“时间轴”效果如图 18-55 所示。

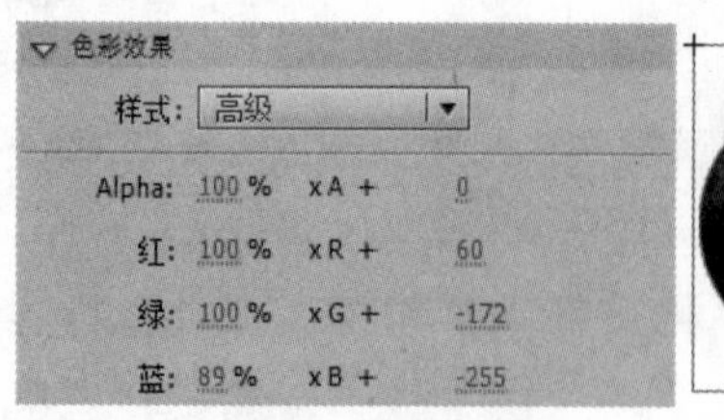

图18-54 设置“高级”属性

图18-55 “时间轴”面板

STEP 13 新建“图层 2”，执行【文件】|【导入】|【导入到舞台】命令，将素材图像“光盘\源文件\第 18 章\素材\18206.png”导入到舞台中，如图 18-56 所示。选中刚刚导入的素材图像，将其转换成“名称”为“按钮文字”的“图形”元件，如图 18-57 所示。

图18-56　导入素材图像

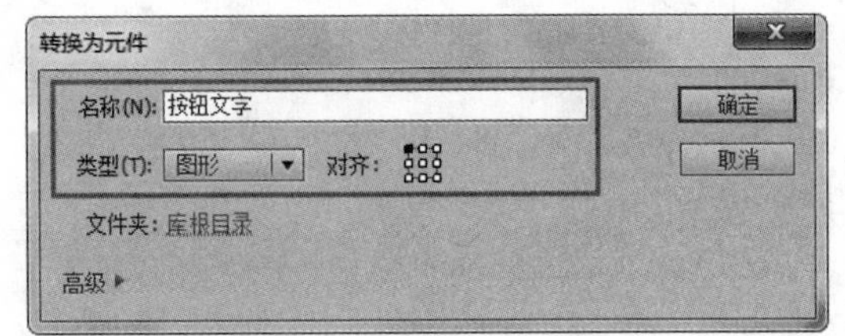

图18-57　“转换新元件”对话框

STEP 14 新建“图层 3”，在第 10 帧插入关键帧，在“库”面板中将“点光序列”元件拖入到场景中并调整到合适的大小和位置，如图 18-58 所示。设置该帧上元件的 Alpha 值为 0%，分别在第 21 帧和第 33 帧位置插入关键帧，选择第 21 帧上的元件，在“属性”面板上设置其“高级”属性，如图 18-59 所示。

图18-58　拖入元件

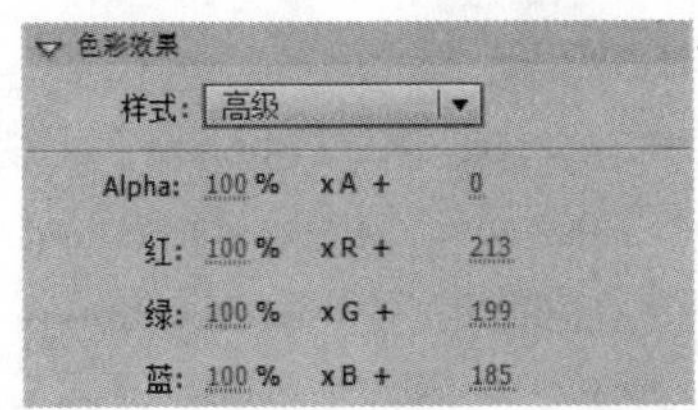

图18-59　设置“高级”属性

STEP 15 分别在第 10 帧和第 21 帧创建传统补间动画，新建“图层 4”，在第 2 帧位置插入关键帧，在“库”面板中将“光晕动画”元件拖入到场景中，如图 18-60 所示。新建“图层 5”，在第 2 帧插入关键帧，在“属性”面板上设置其“帧标签”为 over，如图 18-61 所示。

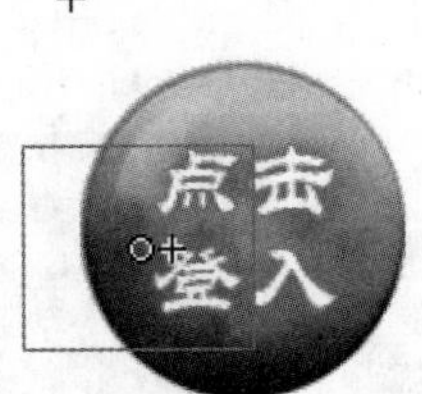

图18-60　拖入元件

图18-61　设置“帧标签”

STEP 16 在“图层 5”第 21 帧位置插入关键帧，设置该帧的“帧标签”为 out，“时间轴”面板如图 18-62 所示。新建“图层 6”，选择第 1 帧，打开“动作”面板，输入脚本代码 stop();，在第 21 帧插入关键帧，输入脚本代码 stop();，“时间轴”效果如图 18-63 所示。

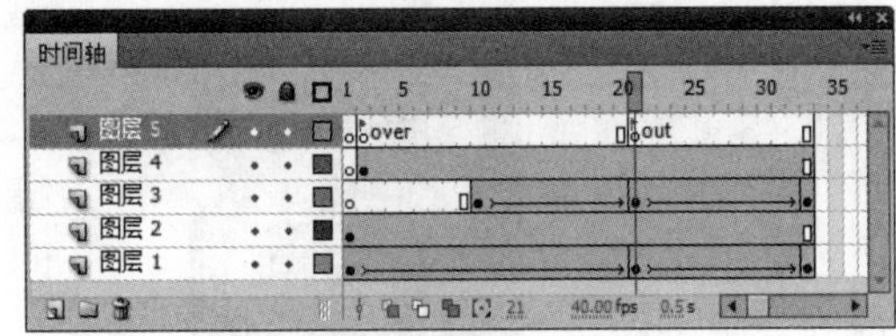

图18-62　“时间轴”面板

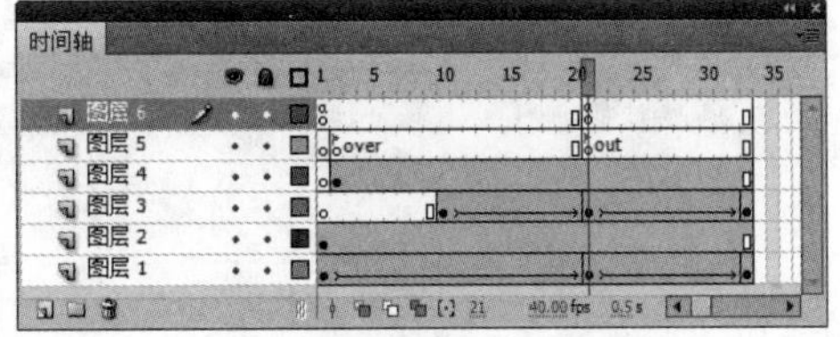

图18-63　“时间轴”面板

STEP 17 相同的制作方法，可以制作出其他的一些元件，如图 18-64 所示。执行【插入】|【新建元件】命令，新建一个“名称”为“按钮动画”的影片剪辑元件，如图 18-65 所示。

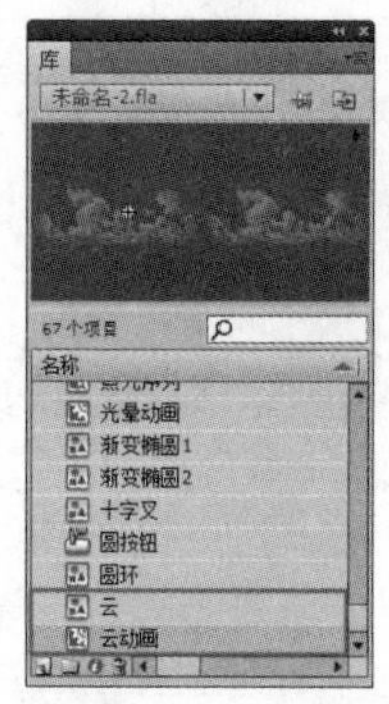

图18-64　“库”面板

图18-65　“创建新元件”对话框

STEP 18 在“库”面板中将“点光动画”元件拖入到舞台中，如图18-66所示。选中该元件，在“属性”面板上设置其“实例名称”为goo，如图18-67所示，在第18帧位置插入帧。

图18-66　拖入元件

图18-67　设置“实例名称”

STEP 19 新建“图层2”，在“库”面板中将“云动画”元件拖入到舞台中，如图18-68所示。新建“图层3”，单击工具箱中的“椭圆工具”按钮，在舞台中绘制一个椭圆形，如图18-69所示。

图18-68　拖入元件

图18-69　绘制椭圆形

STEP 20 在“图层3”上单击鼠标右键，在弹出菜单中选择“遮罩层”选项，创建遮罩动画，“时间轴”效果如图18-70所示，场景效果如图18-71所示。

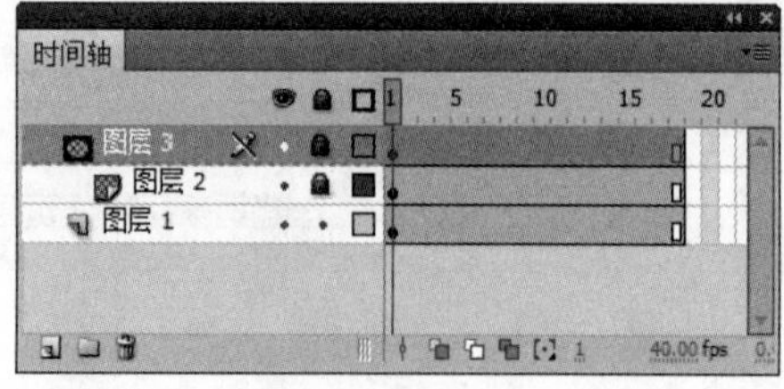

图18-70　“时间轴”效果

图18-71　场景效果

STEP 21 新建“图层4”，在第18帧插入关键帧，在“库”面板中将“圆按钮”元件拖入到舞台中，如图18-72所示。选中该按钮元件，打开“动作”面板，输入相应的脚本代码，如图18-73所示。

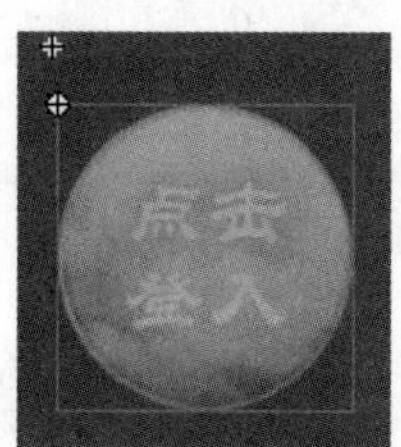

图18-72　拖入元件

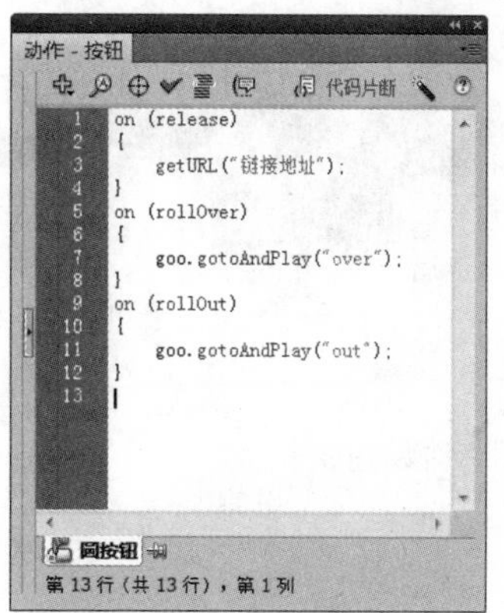

图18-73　输入脚本代码

STEP 22 新建“图层 5”，在第 18 帧插入关键帧，打开“动作”面板，输入脚本代码 stop();，完成该影片剪辑动画的制作，“时间轴”如图 18-74 所示。相同的方法，可以制作出其他元件，如图 18-75 所示。

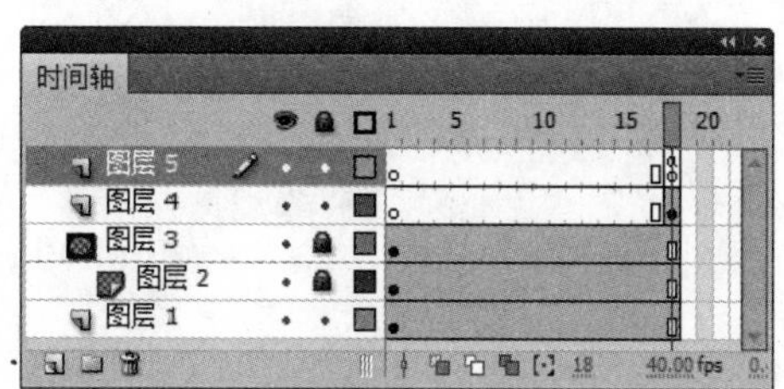

图18-74　“时间轴”效果

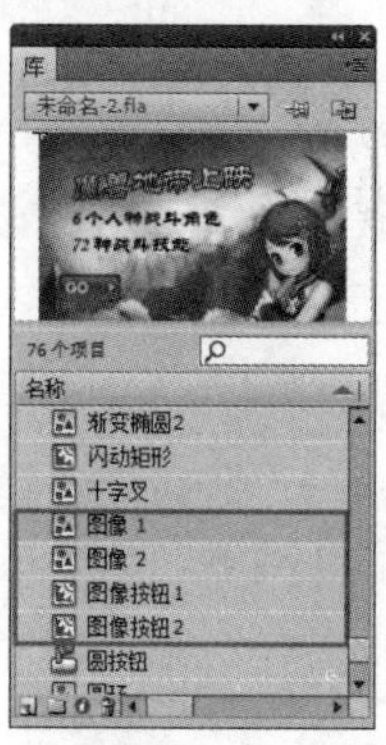

图18-75　“库”面板

STEP 23 返回“场景 1”编辑状态，执行【文件】|【导入】|【导入到舞台】命令，将素材图像“光盘\源文件\第 18 章\素材\18201.jpg”导入到舞台中，如图 18-76 所示，在第 60 帧插入帧。新建“图层 2”，分别将“图像按钮 1”和“图像按钮 2”元件拖入到舞台中，并分别调整到合适的位置，如图 18-77 所示。

图18-76　导入素材图像

图18-77　拖入元件

STEP 24 新建“图层 3”，在第 2 帧位置插入关键帧，将素材图像“光盘\源文件\第 18 章\素材\18261.png”导入到舞台中，如图 18-78 所示，将该素材图像转换成“名称”为“图像 3”的图形元件。在第 16 帧插入关键帧，将该帧上的元件进行旋转操作，并调整到合适的位置，如图 18-79 所示。

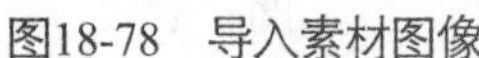

图18-78　导入素材图像

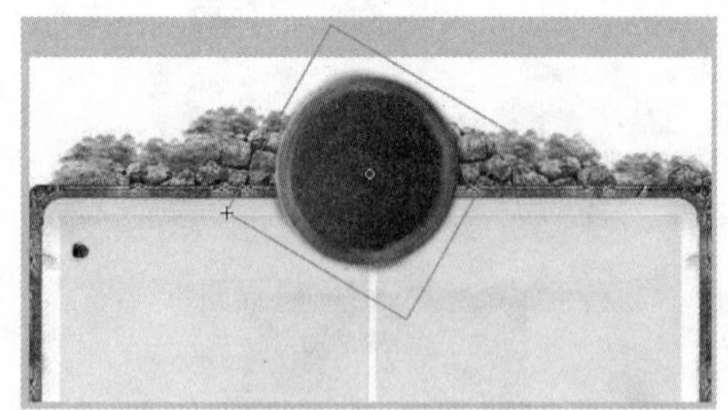

图18-79　元件效果

STEP 25 选择第 2 帧上的元件，将该帧上的元件等比例缩小，并进行旋转操作调整到合适的位置，如图 18-80 所示。在第 2 帧创建传统补间动画，在第 17 帧插入空白关键帧，“时间轴”如图 18-81 所示。

图18-80　元件效果

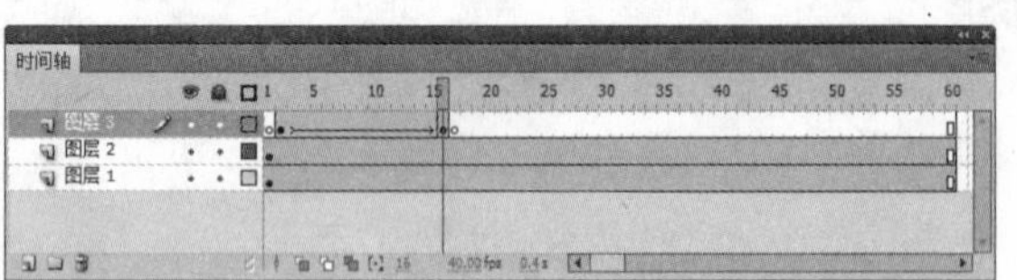

图18-81　“时间轴”效果

STEP 26 新建“图层 4”，在第 17 帧插入关键帧，将素材图像“光盘 \ 源文件 \ 第 18 章 \ 素材 \18263.png”导入到舞台中，如图 18-82 所示，将该素材图像转换成“名称”为“图像 4”的图形元件。分别在第 30、35、55 帧位置插入关键帧，选择第 35 帧上的元件，设置其“高级”属性，如图 18-83 所示，分别在第 30 帧和第 35 帧创建传统补间动画。

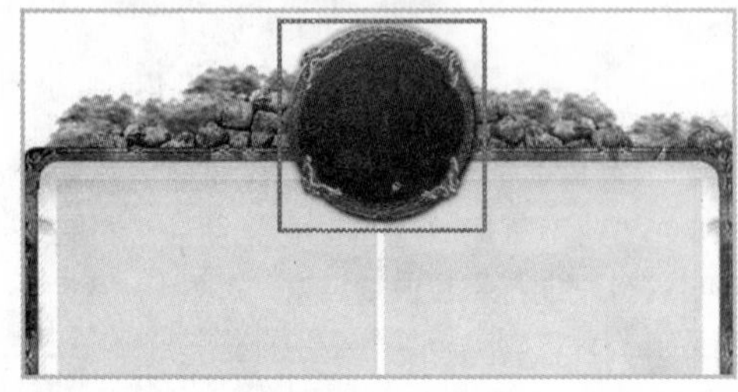

图18-82　导入素材图像

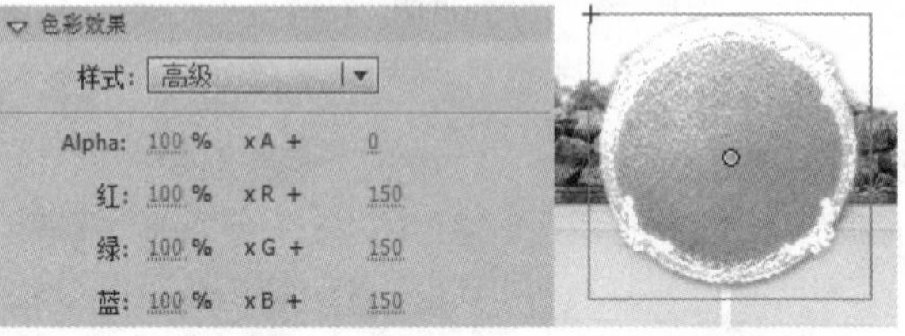

图18-83　设置“高级”属性

STEP 27 新建“图层 5”，在第 18 帧插入关键帧，将素材图像“光盘 \ 源文件 \ 第 18 章 \ 素材 \18262.png”导入到舞台中，如图 18-84 所示，将该素材图像转换成“名称”为“图像 5”的图形元件。在第 25 帧插入关键帧，将该帧上的元件向右移动，如图 18-85 所示，在第 18 帧创建传统补间动画。

图18-84　导入素材图像

图18-85　调整元件位置

STEP 28 新建“图层 6”，根据“图层 5”的制作方法可以完成“图层 6”动画的制作，将“图层 5”和“图层 6”调整至“图层 4”的下方，“时间轴”效果如图 18-86 所示，场景如图 18-87 所示。

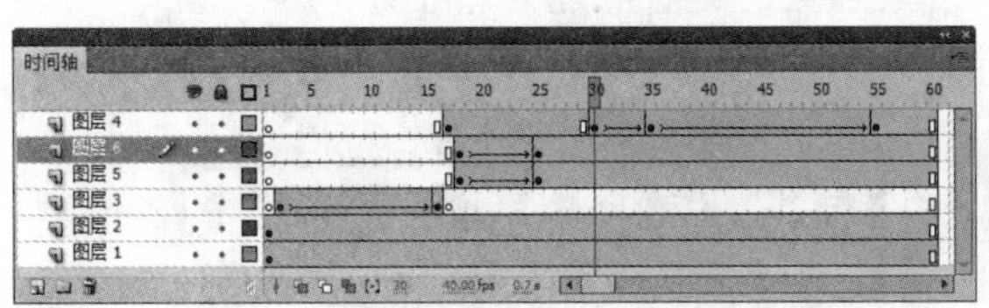

图18-86 “时间轴”效果

图18-87 场景效果

STEP 29 在“图层 4”上方新建“图层 7”，在第 22 帧位置插入关键帧，将“遮罩动画 1”元件拖入到舞台中，如图 18-88 所示。新建“图层 8”，在第 26 帧插入关键帧，将“按钮动画”元件拖入到舞台中，如图 18-89 所示。

图18-88 拖入元件

图18-89 拖入元件

STEP 30 分别在第 34 帧和第 60 帧插入关键帧，选择第 34 帧上的元件，设置其“高级”属性，如图 18-90 所示，分别在第 26 帧和第 34 帧创建传统补间动画。新建“图层 9”，在第 26 帧插入关键帧，在舞台中绘制一个正圆形，如图 18-91 所示。

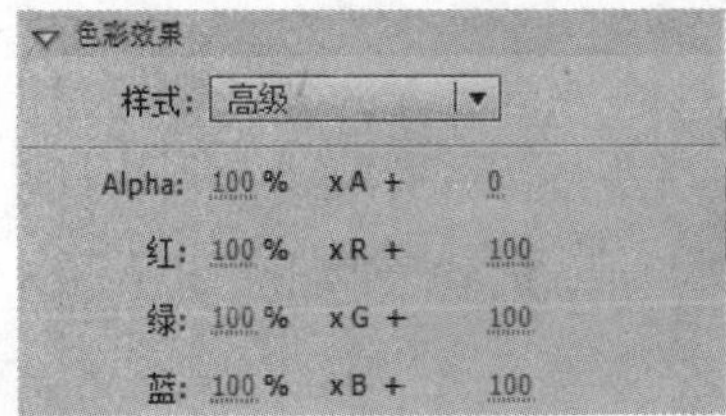

图18-90 设置“高级”属性

图18-91 绘制正圆形

STEP 31 在第 34 帧插入关键帧，将该帧上的图形等比例放大，如图 18-92 所示。在第 26 帧创建补间形状动画，在“图层 9”上单击鼠标右键，在弹出菜单中选择“遮罩层”选项，创建遮罩动画，“时间轴”效果如图 18-93 所示。

图18-92 调整图形大小

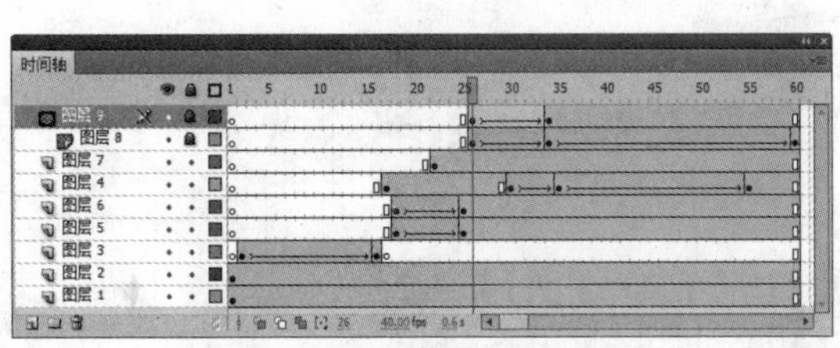

图18-93 “时间轴”效果

STEP 32 新建“图层10”，在第60帧插入关键帧，打开“动作”面板，输入脚本代码 stop();。完成动画的制作，执行【文件】|【保存】命令，将动画保存为“光盘\源文件\第18章\18-2.fla”，按“Ctrl+Enter”键测试影片，预览动画效果如图18-94所示。

图18-94 动画效果

18.3 实例：制作娱乐网站导航动画

在网站构建中，导航起到了重要作用，可以想象，如果一个网站中没有了网站导航，那么所有网站内容都不知道从何看起。一般网站导航中包括了网站中的所有内容，通过选择不同的标题，即可阅读相关内容。本节将向读者讲解制作游戏网站导航动画的方法。

18.3.1 设计分析

本节将制作一个游戏网站导航动画，首先新建元件，导入相应的素材图像，并制作抖动动画，然后制作标题弹出动画，最后回到主场景，拖入相应的元件，通过脚本语言控制动画，完成动画的制作，最终效果如图18-95所示。

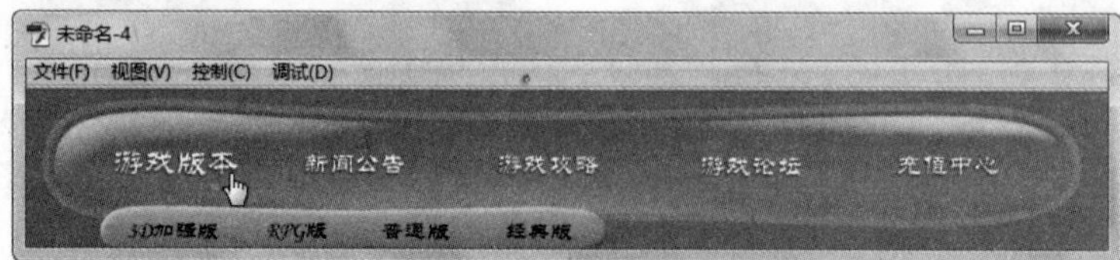

图18- 95 动画效果

源文件：光盘\源文件\第18章\18-3.fla
源文件：光盘\源文件\第18章\18-3.swf

18.3.2 动画制作

STEP 01 执行【文件】|【新建】命令，新建一个Flash文档，如图18-96所示。单击“属性”面板上的“编辑”按钮，弹出“文档设置”对话框，参数设置如图18-97所示，单击“确定”按钮，完成“文档属性”的设置。

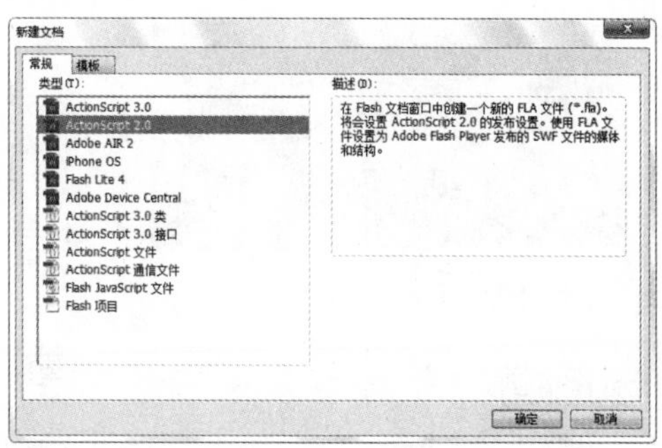

图18-96 “新建文档”对话框

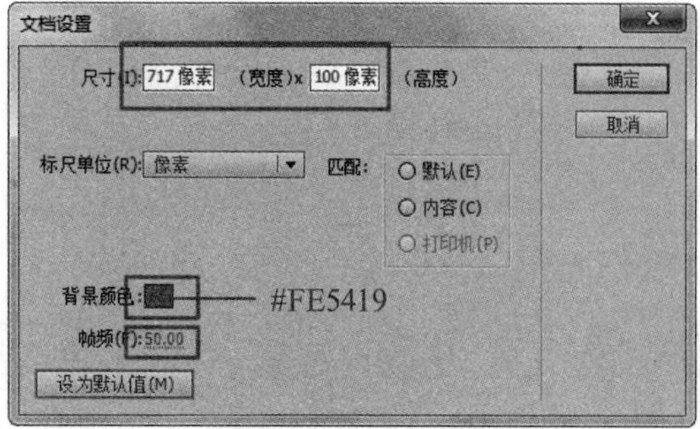

图18-97 “文档设置”对话框

STEP 02 执行【插入】|【新建元件】命令，弹出“创建新元件”对话框，参数设置如图 18-98 所示。单击“确定”按钮，新建一个影片剪辑元件，执行【文件】|【导入】|【导入到舞台】命令，将图像“光盘\源文件\第 18 章\素材\18301.png”导入到场景中相应的位置，如图 18-99 所示。

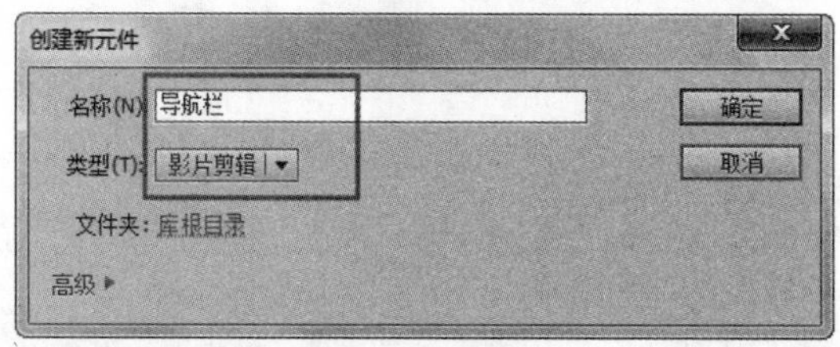

图18-98 “创建新元件”对话框

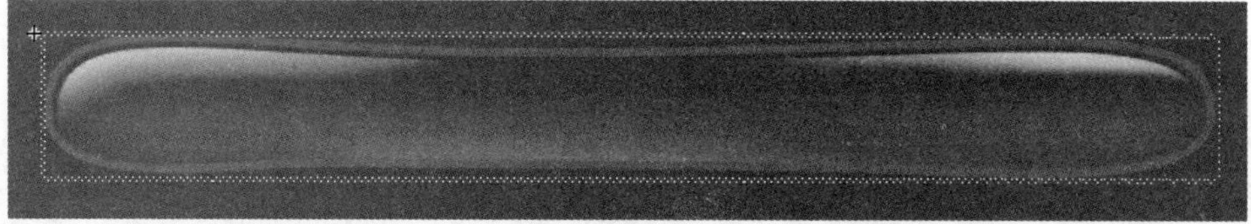

图18-99 导入图像

STEP 03 执行【修改】|【转换为元件】命令，弹出“转换为元件”对话框，参数设置如图 18-100 所示。单击“确定”按钮，将其转换为影片剪辑元件，分别在第 8 帧、第 15 帧、第 24 帧和第 33 帧插入关键帧，如图 18-101 所示。

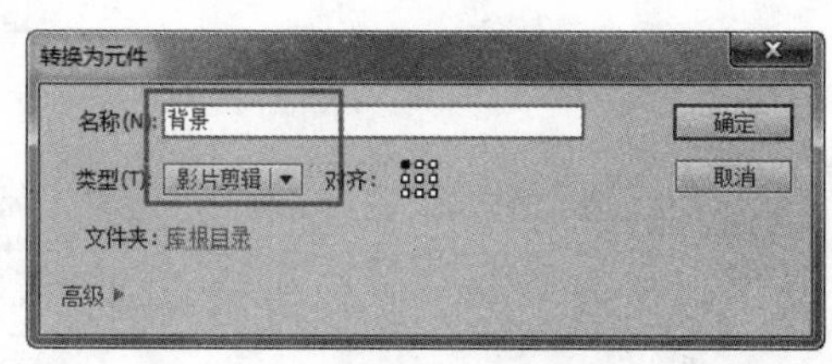

图18-100 “转换新元件”对话框

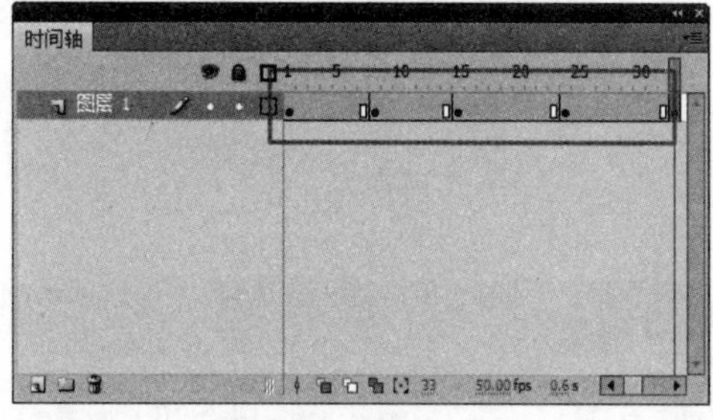

图18-101 “时间轴”面板

STEP 04 选择第 1 帧上的元件，在“属性”面板的“色彩效果”选项下设置 Alpha 值为 0，如图 18-102 所示。选择第 8 帧上的元件，将该帧上的元件等比例放大一些，如图 18-103 所示。使用相同的方法，分别第 15 帧、第 24 帧和第 33 帧上的元件的大小进行相应的调整。

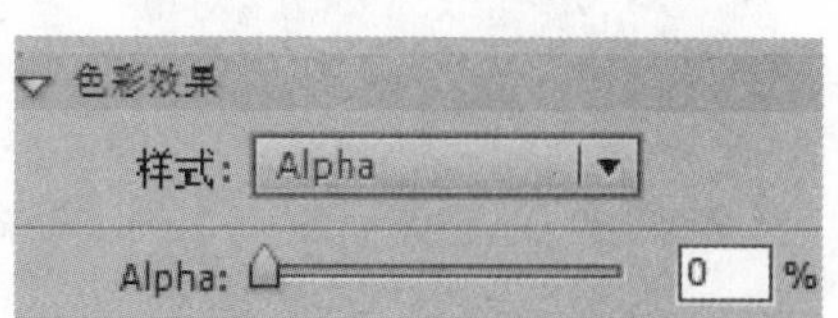

图18-102 设置Alpha值

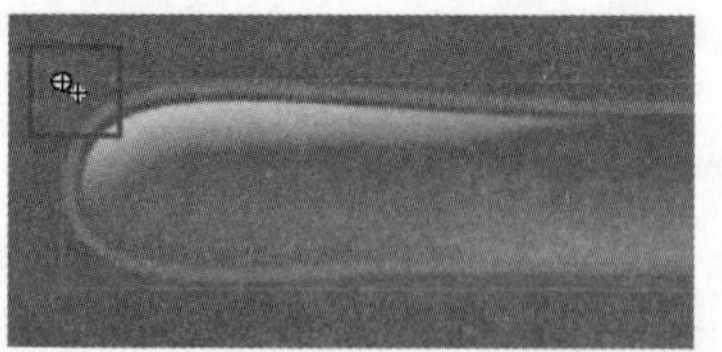
图18-103 变形元件

STEP 05 分别在第 1 帧、第 8 帧、第 15 帧和第 24 帧创建传统补间动画，如图 18-104 所示。新建“图层 2”，在第 33 帧插入关键帧，打开“动作”面板，输入 stop (); 脚本语言，如图 18-105 所示。

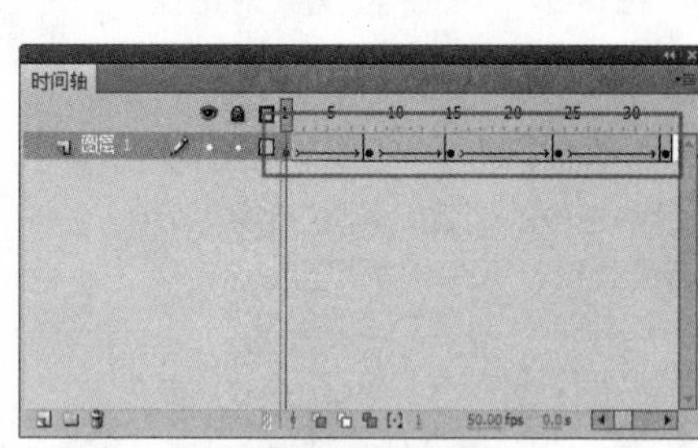

图18-104 “时间轴”面板

图18-105 输入脚本代码

STEP 06 执行【插入】|【新建元件】命令，弹出“创建新元件”对话框，参数设置如图 18-106 所示，单击“确定”按钮，新建一个影片剪辑元件，在第 8 帧插入关键帧，单击工具箱中的“椭圆工具”按钮，打开“颜色”面板，参数设置如图 18-107 所示。

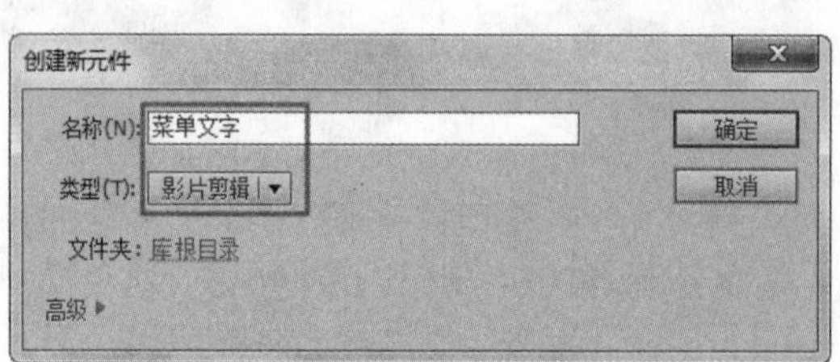

图18-106 “创建新元件”对话框

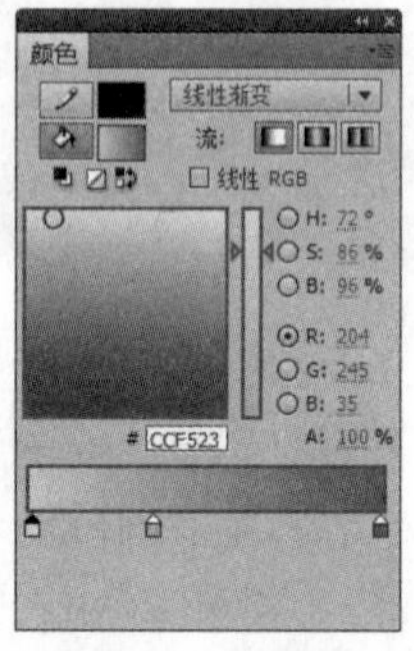

图18-107 “颜色”面板

STEP 07 设置完成后，在场景中绘制一个扁扁的椭圆，并使用“选择工具”调整椭圆形状，如图 18-108 所示。执行【修改】|【转换为元件】命令，弹出“转换为元件”对话框，参数设置如图 18-109 所示。

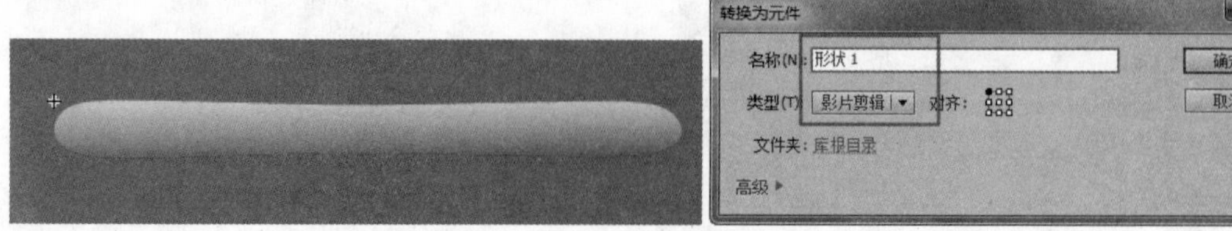

图18-108 绘制形状　　图18-109 “转换为元件”对话框

STEP 08 选择第 8 帧上的元件，在“属性”面板上为该元件添加“斜角”滤镜，设置如图 18-110 所示，并设置该帧上元件的 Alpha 值为 0%。在第 12 帧插入关键帧，选中该帧上的元件，设置其“样式”为无，如图 18-111 所示。

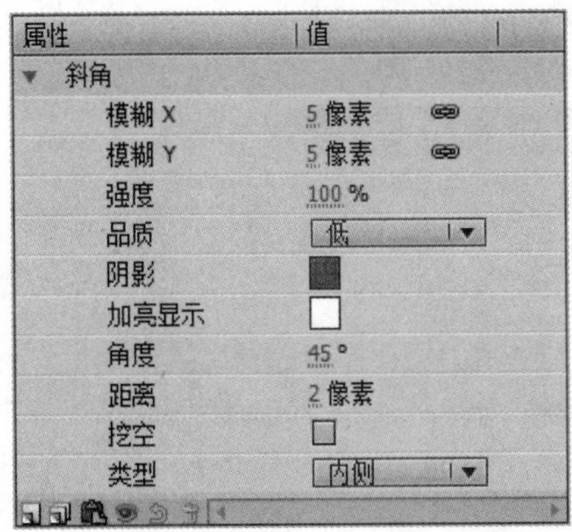

图18-110　添加滤镜效果

图18-111　元件效果

STEP 09 在第 24 帧插入关键帧，将该帧上的元件等比例缩小一些，如图 18-112 所示。分别在第 8 帧和第 12 帧创建传统补间动画，"时间轴 "面板如图 18-113 所示。

图18-112　调整元件大小

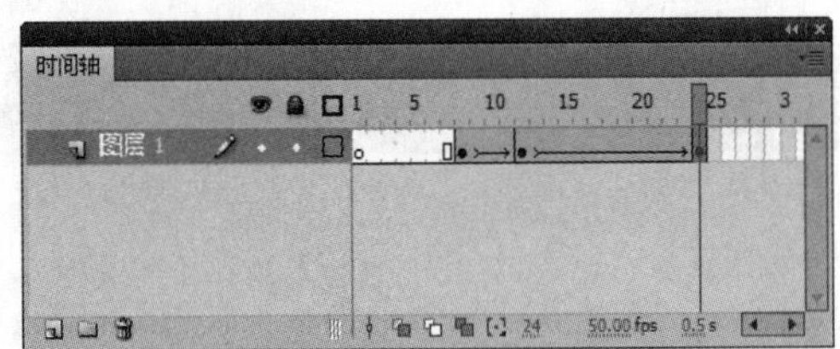

图18-113　"时间轴"面板

STEP 10 新建"图层 2"，在第 13 帧插入关键帧，单击工具箱中的"文本工具"按钮T，打开"属性"面板，参数设置如图 18-114 所示。设置完成后，在场景中输入文字，如图 18-115 所示。

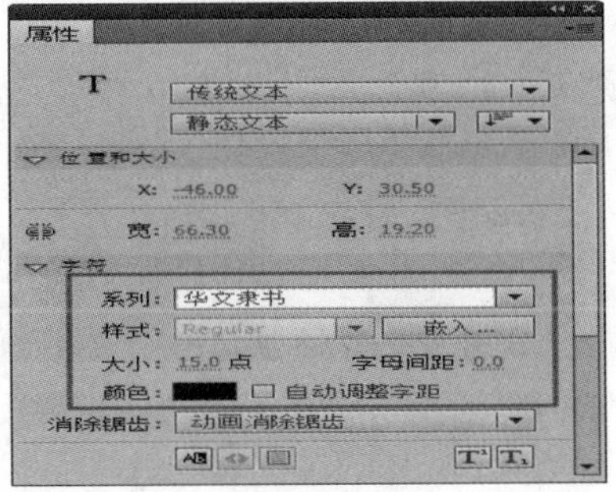

图18-114　设置文字属性

图18-115　输入文字

STEP 11 按快捷键"Ctrl+B"两次将文字分离，将其转换成名称为"文字 1"的影片剪辑元件，如图 18-116 所示。设置该帧上元件的 Alpha 值为 0，如图 18-117 所示。

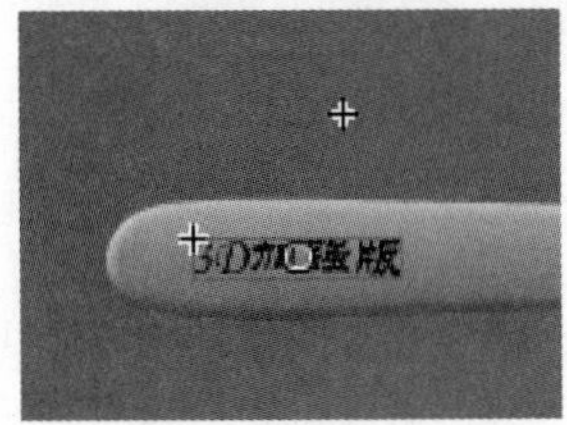

图18-116　文字效果

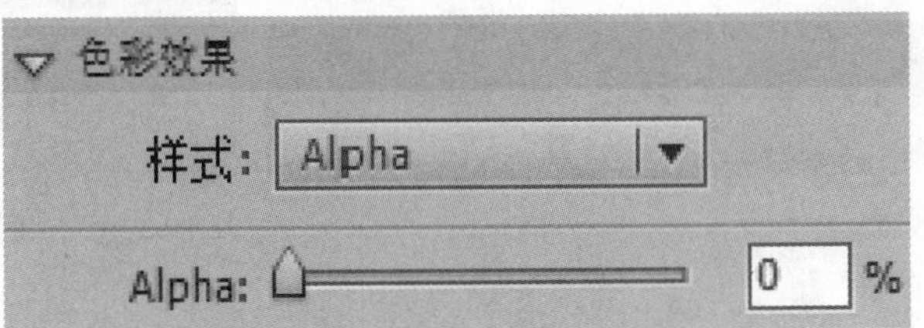

图18-117　设置"色彩效果"参数

STEP 12 在 24 帧插入关键帧，选择该帧上的元件，在“属性”面板上参数设置如图 18-118 所示。设置完成后，在第 13 帧单击鼠标右键，在打开的快捷菜单中选择【创建传统补间】命令，如图 18-119 所示。

图18-118　设置“样式”参数

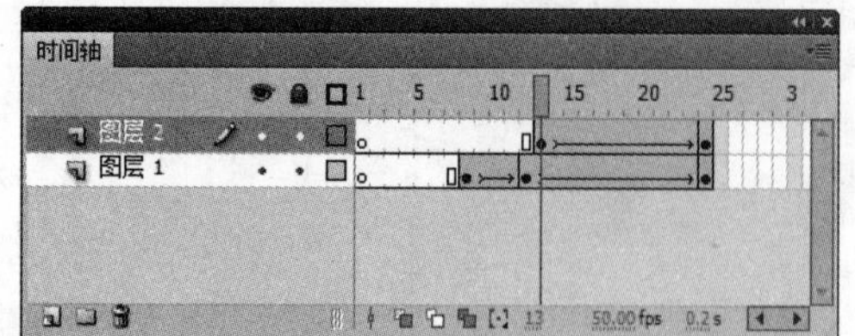

图18-119　“时间轴”面板

STEP 13 相同的方法，制作出其他二级菜单文字效果，场景效果如图 18-120 所示，“时间轴”面板效果如图 18-121 所示。

图18-120　场景效果

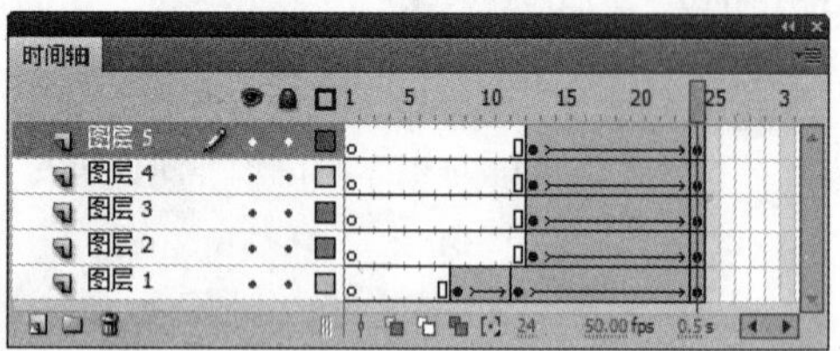

图18-121　“时间轴”面板

STEP 14 新建“图层 6”，在舞台中输入文字并将其转换成“名称”为“标题文字 1”的“影片剪辑”元件，如图 18-122 所示。选中该元件，在“属性”面板上为其添加“投影”滤镜，如图 18-123 所示，效果如图 18-124 所示。

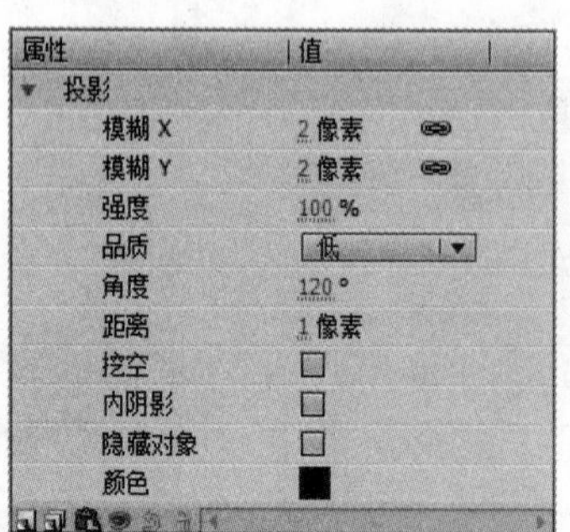

图18-122　输入文字　　图18-123　设置“投影”滤镜　　图18-124　元件效果

STEP 15 在第 9 帧插入关键帧，将该帧上的元件等比例放大一些，如图 18-125 所示。在第 1 帧创建传统补间动画，“时间轴”效果如图 18-126 所示。

图18-125　放大元件

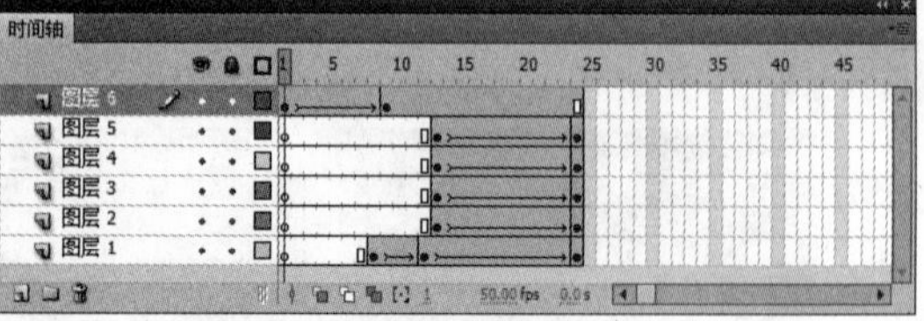

图18-126　“时间轴”面板

STEP 16 新建“图层 7”，使用“矩形工具”在场景中绘制一个透明矩形，覆盖“游戏版本”文字，如图 18-127 所示。新建“图层 8”，选择第 1 帧，打开“动作”面板，输入 stop (); 脚本语言，“时间轴”面板如图 18-128 所示。

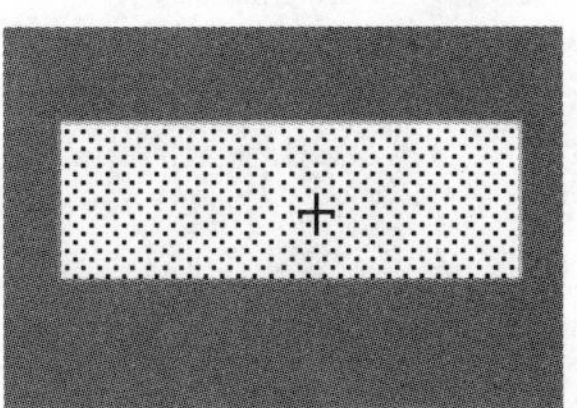

图18-127　绘制矩形

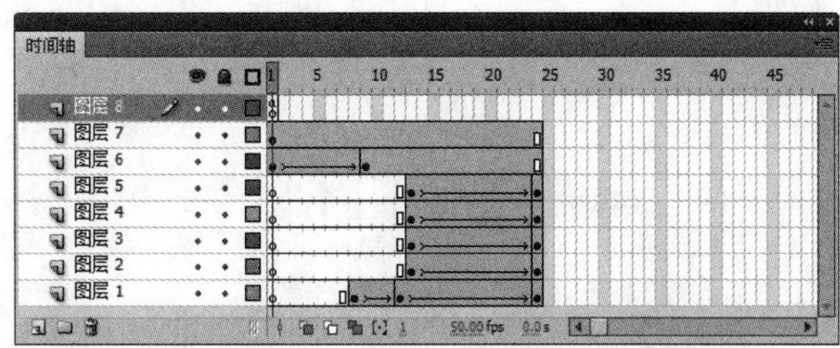

图18-128　“时间轴”面板

STEP 17 相同的制作方法，还可以制作出其他的二级菜单元件，如图 18-129 所示。回到“场景 1”的编辑状态，在“库”面板中将“导航栏”元件拖拽到场景中，如图 18-130 所示。

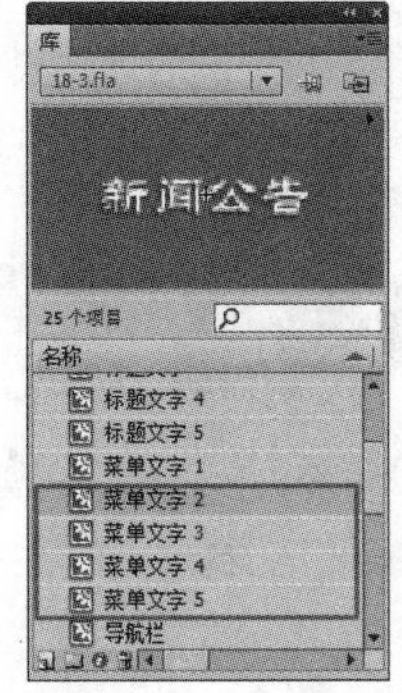

图18-129　“库”面板

图18-130　场景效果

STEP 18 新建“图层 2”，将“菜单文字 1”元件拖拽到场景中的相应位置，如图 18-131 所示。相同方法，制作出导航栏的其他内容，效果如图 18-132 所示。

图18-131　拖入元件

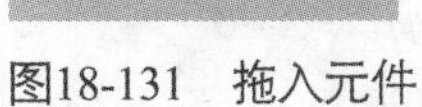

图18-132　场景效果

STEP 19 选择“菜单文字 1”影片剪辑元件，打开“属性”面板，参数设置如图 18-133 所示。使用相同的方法，依次为“菜单文字 2”、“菜单文字 3”、“菜单文字 4”和“菜单文字 5”设置实例名称分别为 mm2、mm3、mm4 和 mm5，新建“图层 7”，打开“动作”面板，输入脚本语言，如图 18-134 所示。

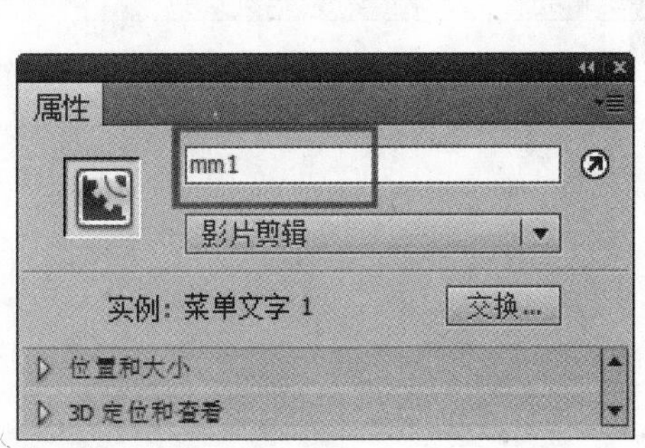

图18-133　“属性”面板

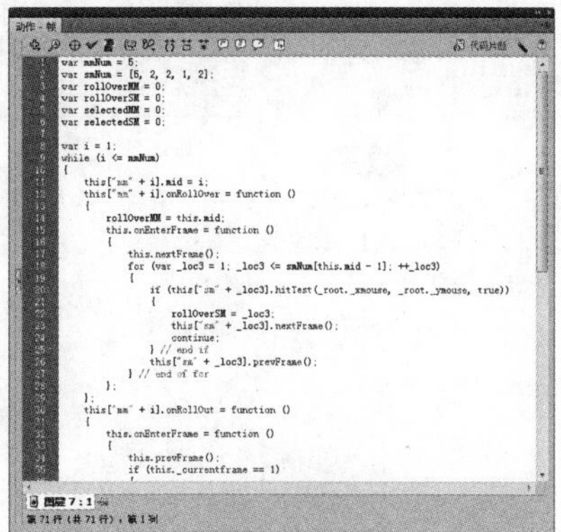

图18-134　“动作”面板

设置“实例名称”的作用就是在使用脚本控制动画时，能够识别每一个元件，从而控制元件动画。

STEP 20 完成动画的制作，执行【文件】|【保存】命令，将动画保存为“光盘\源文件\第 18 章\18-3.fla”，按“Ctrl+Enter”快捷键测试影片，预览动画效果如图 18-135 所示。

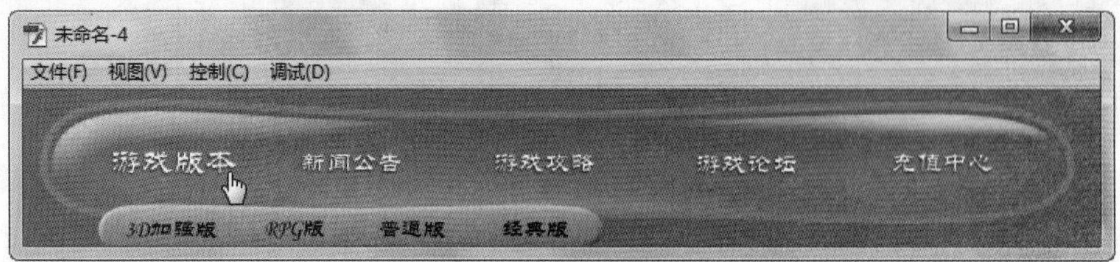

图18-135　动画效果

18.4 实例：制作社区网站导航动画

不论到哪里，娱乐新闻总是最抢眼的，国内一些娱乐节目在很大程度上给人们带来了不少欢笑。网络中各种各样的娱乐网站应有尽有，每天都在更新着娱乐圈中的新闻，通过单击网站导航中的相关标题，即可进入预览。本节将向读者讲解制作娱乐网站导航的方法。

18.4.1 设计分析

本节将制作一个娱乐网站导航动画，首先新建元件，导入相应的素材图像，然后通过绘制图形元件，制作遮罩动画，并设置相应元件的实例名称，最后回到主场景，拖入相应的元件，并通过“动作”面板输入脚本语言控制动画，完成动画的制作，最终效果如图18-136所示。

图18- 136　动画效果

源 文 件：光盘\源文件\第 18 章\18-4.fla

教学视频：光盘\视频\第 18 章\18-4.swf

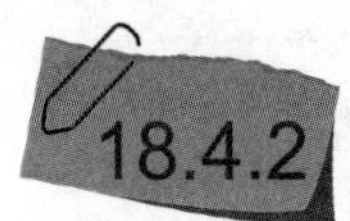

18.4.2 动画制作

STEP 01 执行【文件】|【新建】命令,新建一个 Flash 文档,如图 18-137 所示。单击"属性"面板上的"编辑"按钮,弹出"文档设置"对话框,参数设置如图 18-138 所示,单击"确定"按钮,完成"文档属性"的设置。

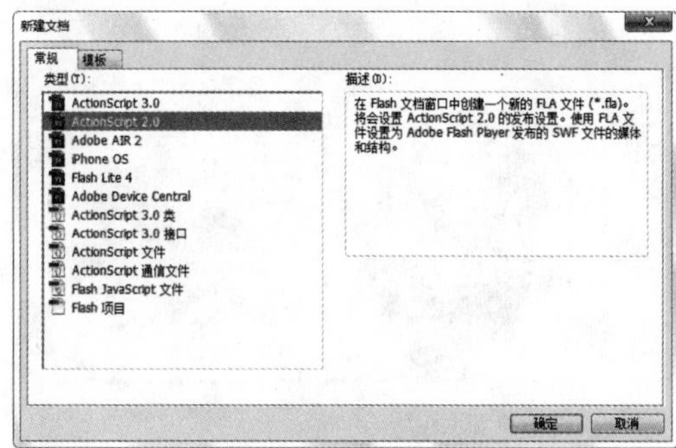

图18-137 "新建文档"对话框

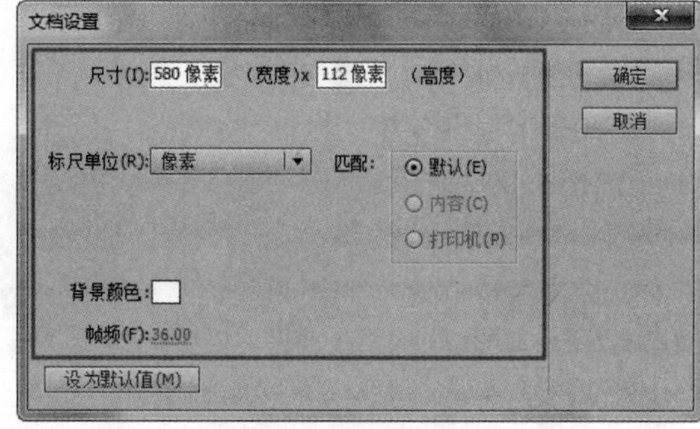

图18-138 "文档设置"对话框

STEP 02 执行【插入】|【新建元件】命令,弹出"创建新元件"对话框,参数设置如图 18-139 所示。单击"确定"按钮,新建一个图形元件,执行【文件】|【导入】|【导入到舞台】命令,将图像"光盘\源文件\第 18 章\素材\18402.png"导入到场景中,如图 18-140 所示。

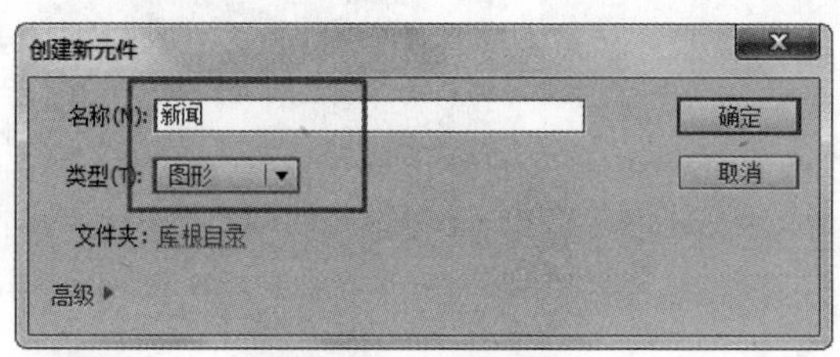

图18-139 "创建新元件"对话框

图18-140 导入图像

STEP 03 执行【插入】|【新建元件】命令,弹出"创建新元件"对话框,参数设置如图 18-141 所示。单击"确定"按钮,新建一个图形元件,执行【文件】|【导入】|【导入到舞台】命令,将图像"光盘\源文件\第 18 章\素材\18403.png"导入到场景中,如图 18-142 所示。

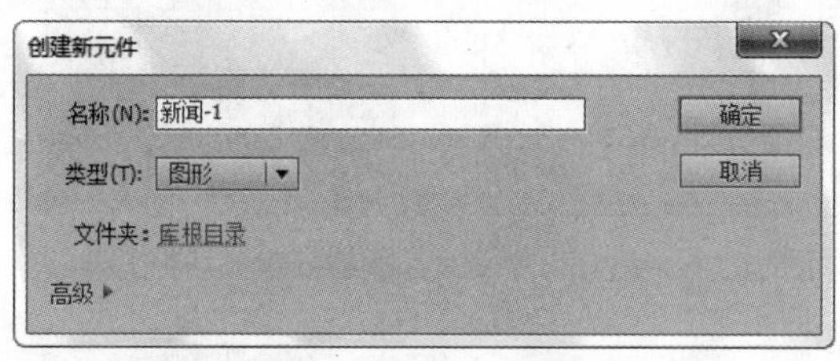

图18-141 "创建新元件"对话框

图18-142 导入图像

STEP 04 使用相同的方法,制作其他图形元件,并依次命名为"信息"、"指导"、"团队"、"社区"和"下载",效果如图 18-143 所示。

图18-143　其他元件效果

STEP 05 使用相同的方法，制作其他图形元件，并依次命名为“信息-1”、“指导-1”、“团队-1”、“社区-1”和“下载-1”，效果如图18-144所示。

图18-144　其他元件效果

STEP 06 执行【插入】|【新建元件】命令，弹出“创建新元件”对话框，参数设置如图18-145所示。单击“确定”按钮，新建一个影片剪辑元件，单击工具箱中的“矩形工具”按钮，在场景中绘制一个矩形，如图18-146所示。

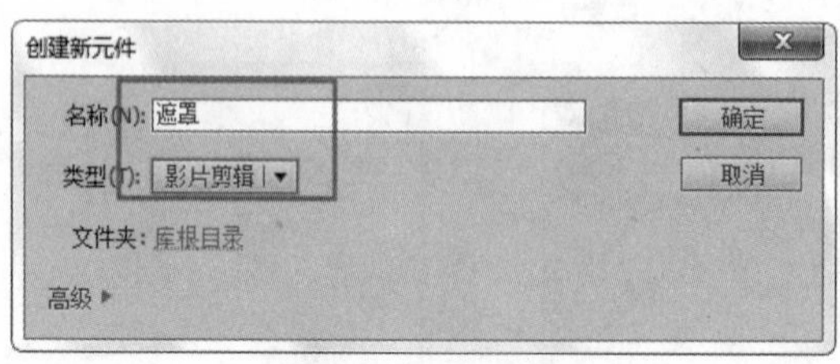

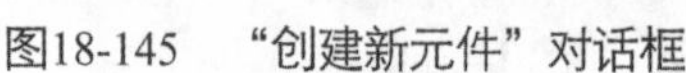
图18-145　“创建新元件”对话框

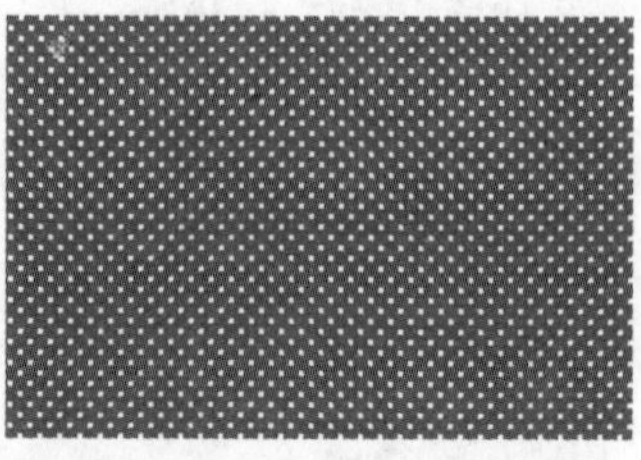

图18-146　绘制矩形

STEP 07 执行【插入】|【新建元件】命令，弹出“创建新元件”对话框，参数设置如图18-147所示。单击“确定”按钮，新建一个影片剪辑元件，使用“矩形工具”在场景中绘制矩形，如图18-148所示。

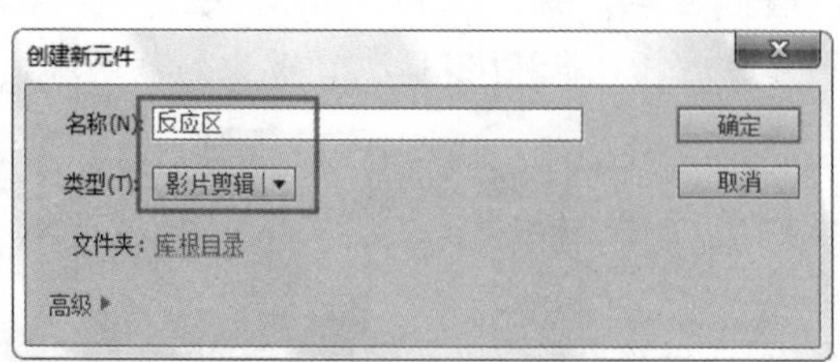

图18-147　“创建新元件”对话框

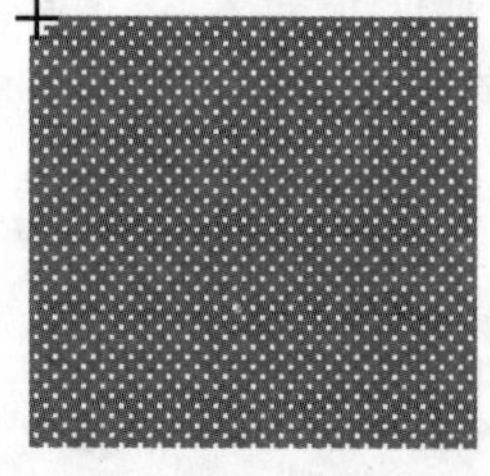

图18-148　绘制矩形

STEP 08 执行【插入】|【新建元件】命令，弹出“创建新元件”对话框，参数设置如图18-149所示。单击“确定”按钮，新建一个影片剪辑元件，返回到“场景1”的编辑状态，打开“库”面板，将“新闻move”元件拖曳到场景中的相应位置，如图18-150所示。

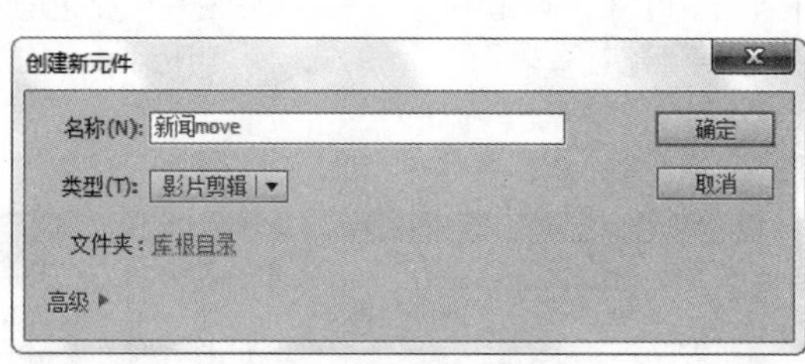

图18-149 "创建新元件"对话框

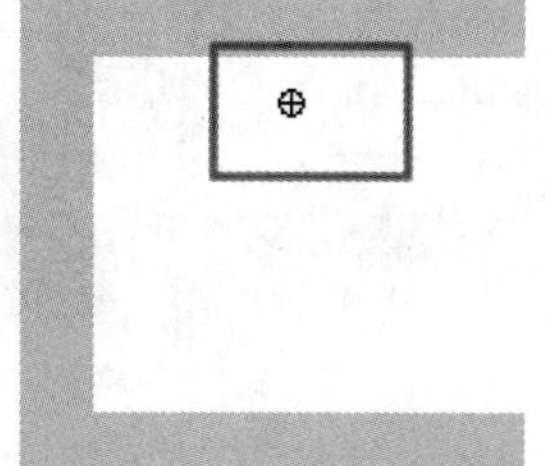

图18-150 拖入元件

STEP 09 双击该元件进入元件的编辑状态，执行【视图】|【标尺】命令，将标尺显示，从标尺中拖出辅助线，如图 18-151 所示。

图18-151 拖出参考线

Tips

在 Flash 动画制作中，通常可以使用辅助线定位。要使用辅助线，首先要显示标尺，将水平和垂直辅助线从标尺中拖曳到舞台中。可以将对象与其他对象或像素紧贴容差范围来对齐对象。

STEP 10 将"反应区"元件从"库"面板中拖曳到舞台中的相应位置，如图 18-152 所示。打开"属性"面板，将"色彩效果"选项下的 Alpha 值设置为 0，效果如图 18-153 所示。

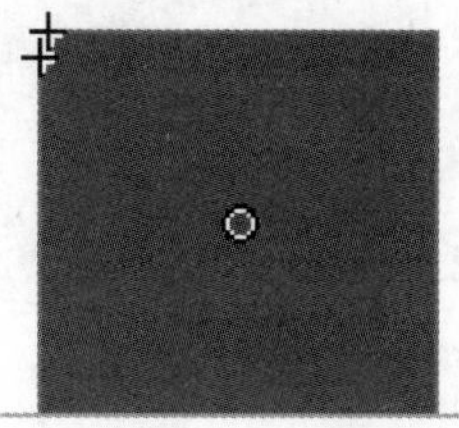

图18-152 拖入元件

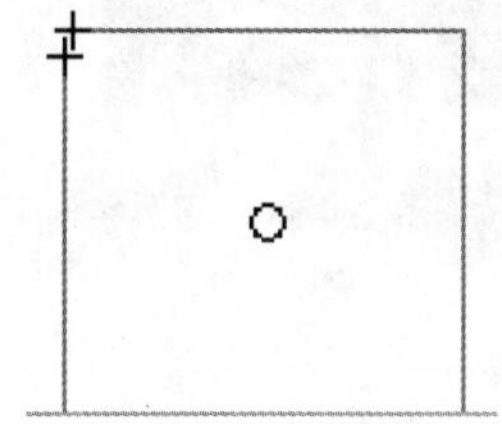

图18-153 设置元件属性

STEP 11 在第 16 帧插入帧，选择该帧上的元件，在"属性"面板中设置"实例名称"为 bt，如图 18-154 所示。新建"图层 2"，在第 7 帧插入关键帧，将"新闻 -1"元件从"库"面板中拖曳到舞台中的相应位置，如图 18-155 所示。

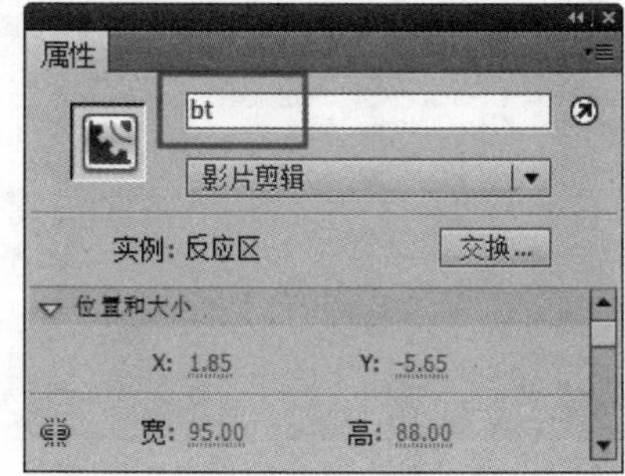

图18-154 "属性"面板

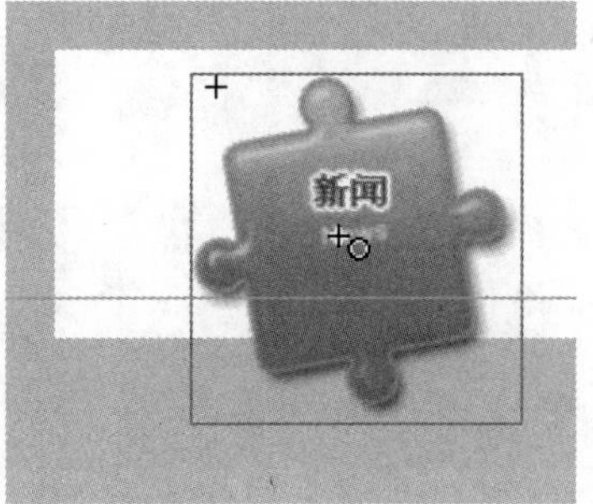

图18-155 拖入元件

STEP 12 在13帧插入关键帧，选择第7帧上的元件，单击工具箱中的“任意变形工具”按钮，调整元件位置和角度，如图18-156所示。在第7帧单击鼠标右键，在打开的快捷菜单中选择【创建传统补间】命令，如图18-157所示。

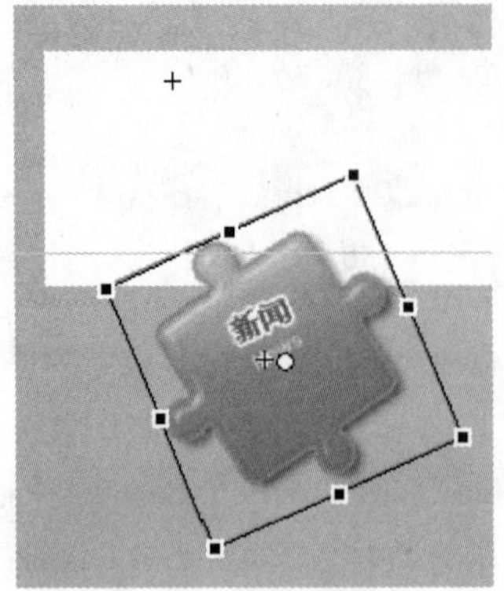

图18-156　改变元件位置

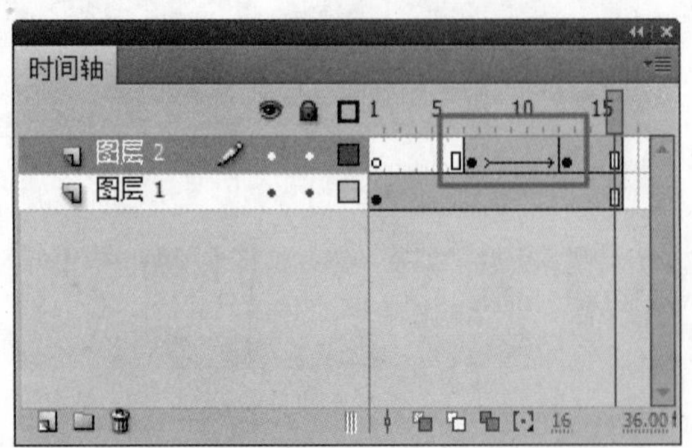

图18-157　“时间轴”面板

STEP 13 新建“图层3”，将“遮罩”元件从“库”面板中拖曳到舞台中的相应位置，并调整大小，如图18-158所示。使用鼠标右键单击“图层3”名称，在打开的快捷菜单中选择【遮罩层】命令，如图18-159所示。

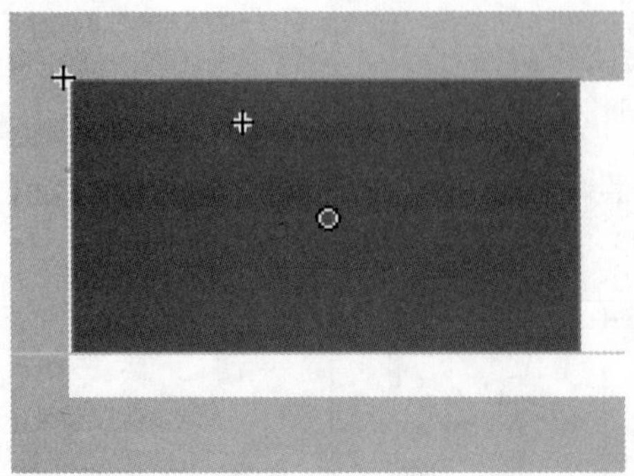

图18-158　拖入元件

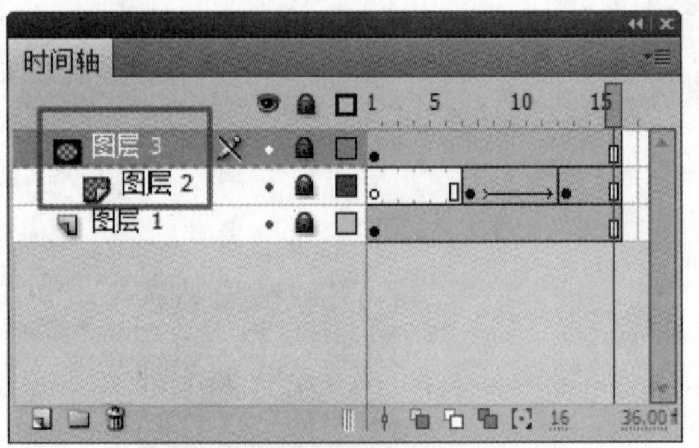

图18-159　“时间轴”面板

STEP 14 使用鼠标右键单击“图层1”名称，在打开的快捷菜单中选择【属性】命令，弹出“图层属性”对话框，参数设置如图18-160所示。单击“确定”按钮，完成“图层属性”对话框的设置，“时间轴”面板如图18-161所示。

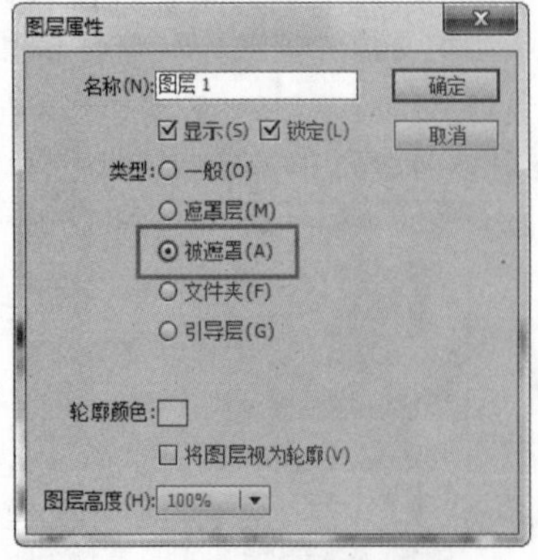

图18-160　“图层属性”对话框

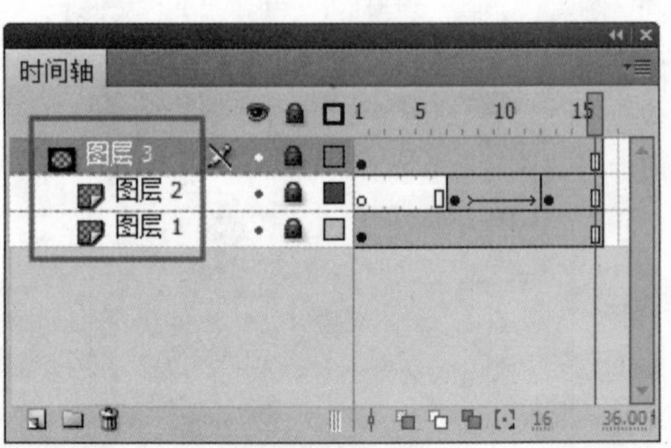

图18-161　“时间轴”面板

STEP 15 新建"图层 4"，在第 7 帧插入关键帧，执行【文件】|【导入】|【打开外部库】命令，打开外部库"光盘\源文件\第 18 章\素材\18-2.fla"，如图 18-162 所示。将"桔黄 2"元件从外部库中拖曳到舞台中的相应位置，如图 18-163 所示。

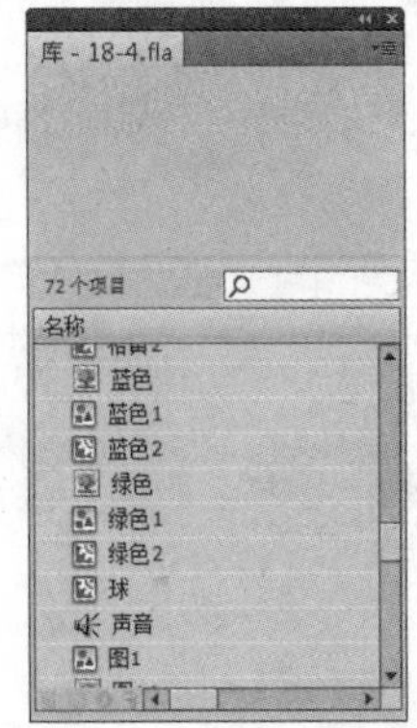

图18-162　外部库面板

图18-163　拖入元件

STEP 16 双击"桔黄 2"元件，进入该元件的编辑状态，新建"图层 3"，单击工具箱中的"文本工具"按钮T，在"属性"面板上进行设置，如图 18-164 所示。设置完成后，在舞台中输入文字，如图 18-165 所示。

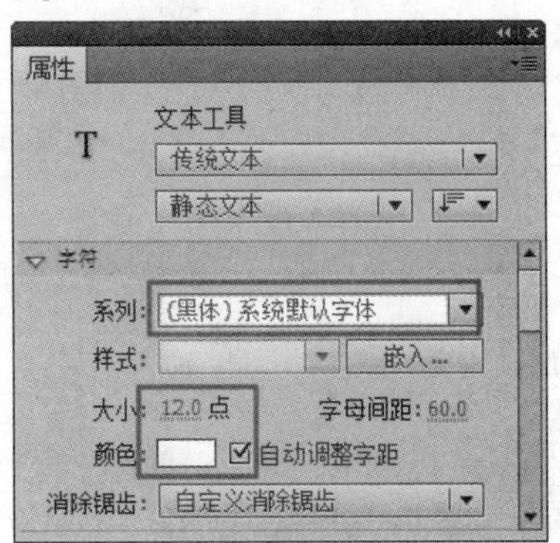

图18-164　设置文字属性

图18-165　输入文字

STEP 17 返回到"新闻 move"元件的编辑状态，在第 16 帧插入关键帧，选择第 7 帧上的元件，在"属性"面板上，将"色彩效果"选项下的 Alpha 值设置为 0，并使用"任意变形工具"调整元件位置和大小，如图 18-166 所示。在第 7 帧单击鼠标右键，在打开的快捷菜单中选择【创建传统补间】命令，如图 18-167 所示。

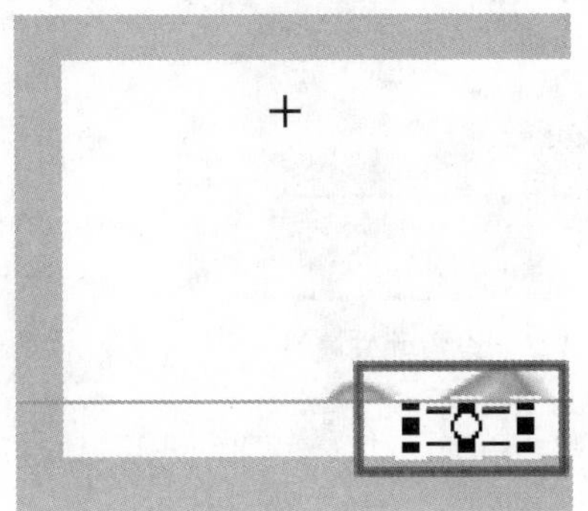

图18-166　设置文字属性

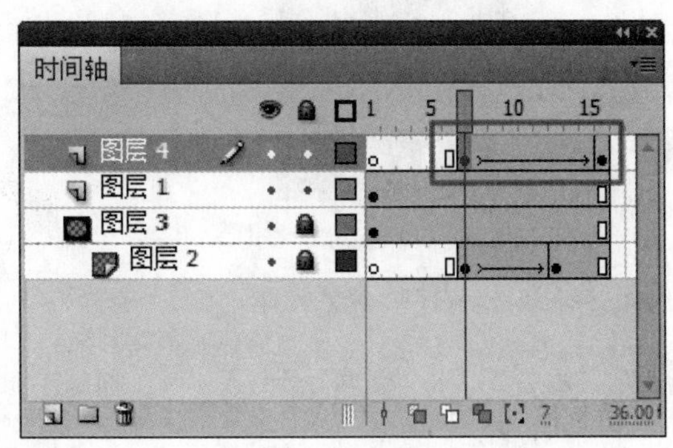

图18-167　"时间轴"面板

STEP 18 新建“图层5”，选择第1帧，打开“动作”面板，输入stop();脚本代码，如图18-168所示。使用相同的方法，制作出其他元件，效果如图18-169所示。

图18-168　输入脚本

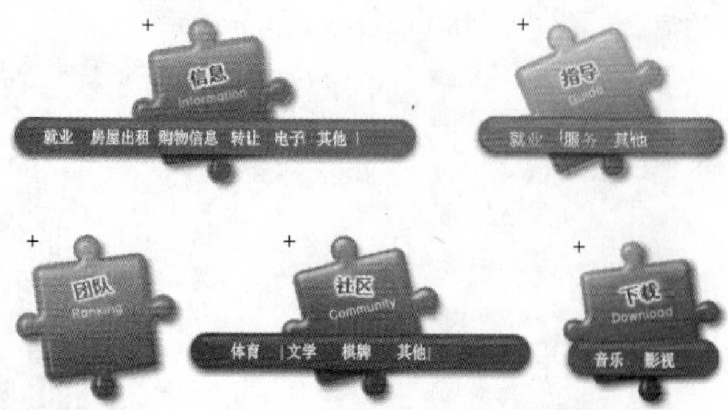

图18-169　其他元件效果

STEP 19 执行【插入】|【新建元件】命令，弹出“创建新元件”对话框，参数设置如图18-170所示。单击“确定”按钮，新建一个影片剪辑元件，返回到“场景1”的编辑状态，将“新闻move1”元件从“库”面板中拖曳到场景中的相应位置，如图18-171所示。

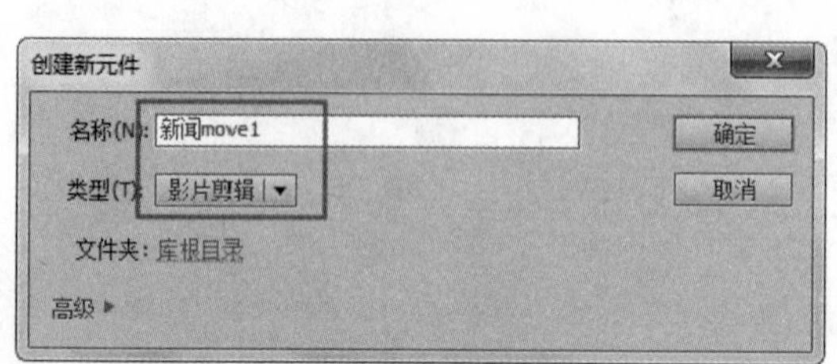

图18-170　“创建新元件”对话框

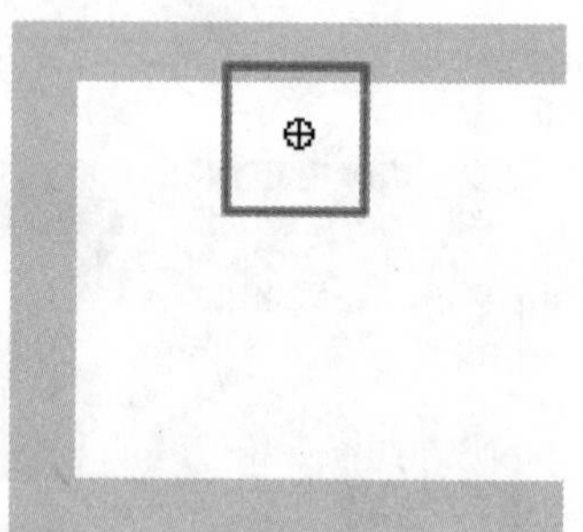

图18-171　拖入元件

STEP 20 双击该元件，进入该元件的编辑状态，将“反应区”元件从“库”面板中拖曳到舞台中，并调整元件大小，如图18-172所示。在第16帧插入帧，选择第1帧的上的元件，在“属性”面板中的“色彩效果”选项下设置Alpha值为0，并设置该元件的“实例名称”为bt，如图18-173所示。

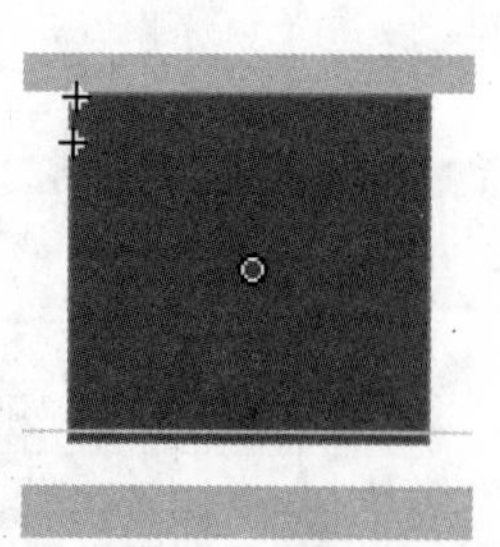

图18-172　拖入元件

图18-173　设置元件属性

STEP 21 新建“图层2”，将“新闻”元件从“库”面板中拖曳到舞台中的相应位置，如图18-174所示。在第10帧插入关键帧，使用“任意变形工具”调整元件位置和角度，如图18-175所示。

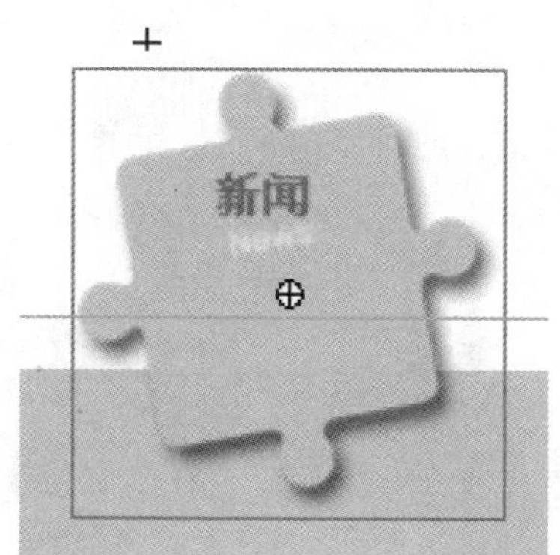

图18-174　拖入元件

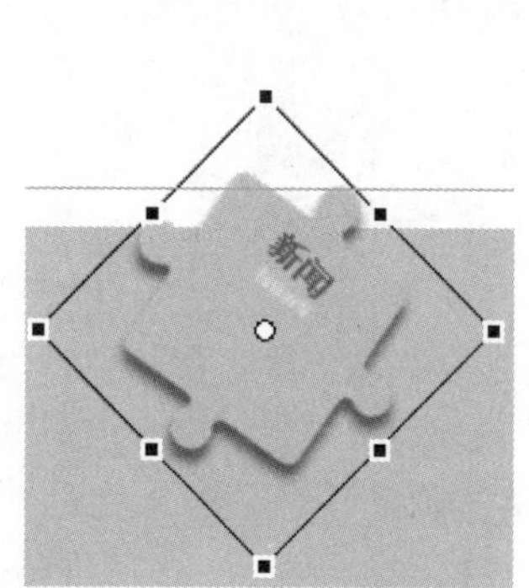

图18-175　改变元件位置

STEP 22 在第 1 帧单击鼠标右键，在打开的快捷菜单中选择【创建传统补间】命令，如图 18-176 所示。新建"图层 3"，将"遮罩"元件从"库"面板中拖曳到舞台中，并调整元件大小，如图 18-177 所示。

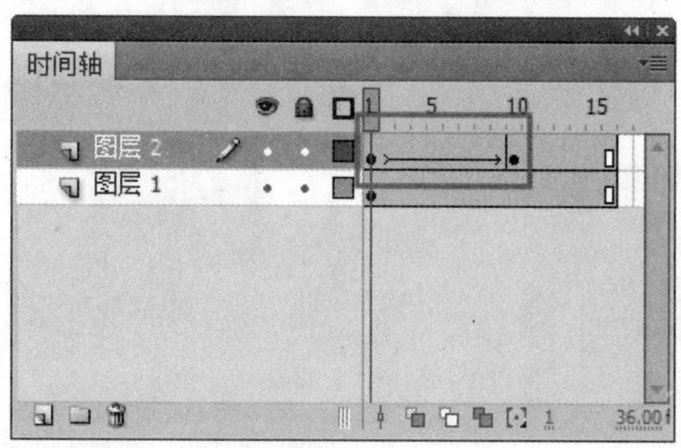

图18-176　"时间轴"面板

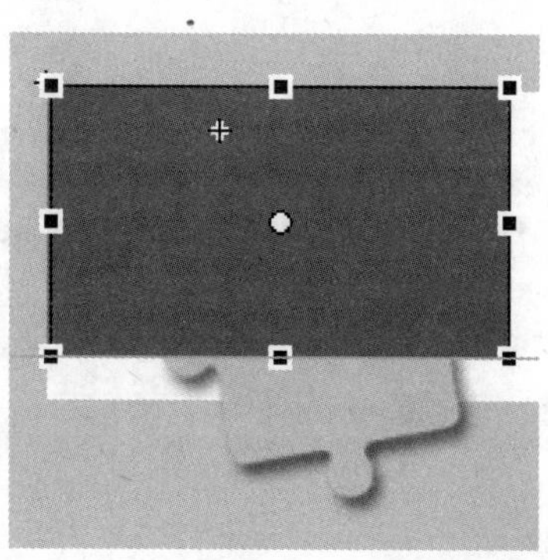

图18-177　拖入元件

STEP 23 在"图层 3"名称处单击鼠标右键，在打开的快捷菜单中选择【遮罩层】命令，如图 18-178 所示，遮罩效果如图 18-179 所示。

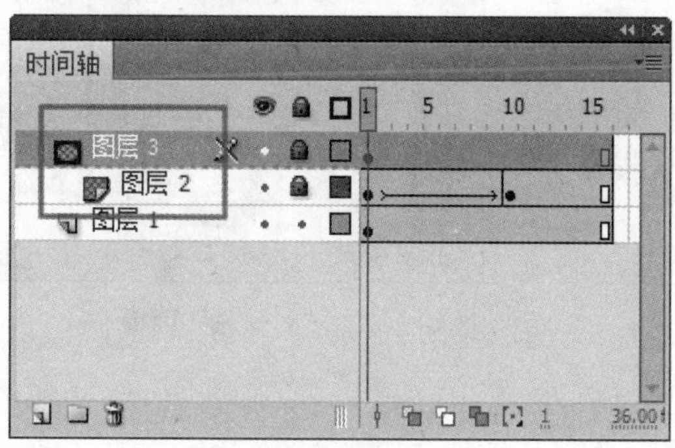

图18-178　"时间轴"面板

图18-179　遮罩效果

STEP 24 新建"图层 4"，选择第 1 帧，打开"动作"面板，输入 stop(); 脚本语言，如图 18-180 所示。使用相同的方法，制作出其他元件，效果如图 18-181 所示。

图18-180　输入脚本语言

图18-181　其他元件效果

STEP 25 执行【插入】|【新建元件】命令，弹出“创建新元件”对话框，参数设置如图 18-182 所示。单击“确定”按钮，新建一个影片剪辑元件，将“新闻 move”、“信息 move”、“团队 move”、“指导 move”、“社区 move”和“下载 move”从“库”面板中拖曳到场景中，并分别创建不同的图层，如图 18-183 所示。

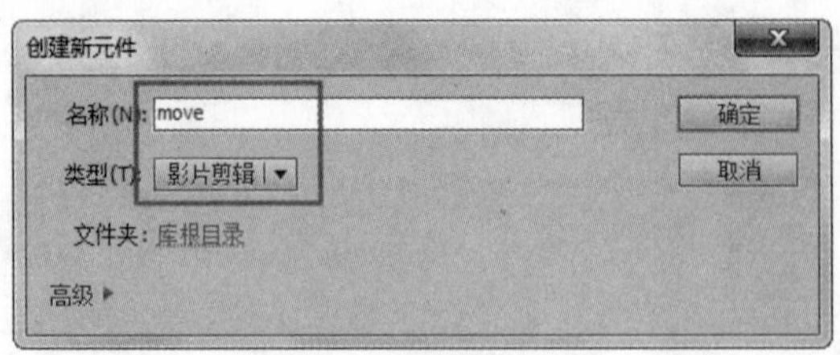

图18-182　“创建新元件”对话框

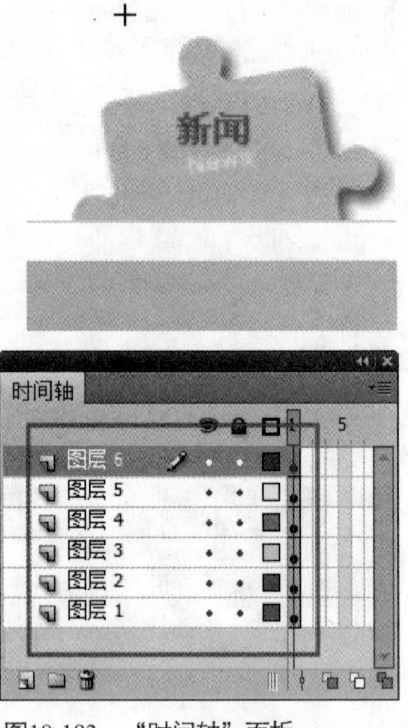

图18-183　“时间轴”面板

STEP 26 选中所有图层的第 4 帧并插入帧，新建“图层 7”，选择第 1 帧，打开“动作”面板，输入脚本语言，如图 18-184 所示。选择第 4 帧并插入关键帧，打开“动作”面板，输入脚本语言，如图 18-185 所示。

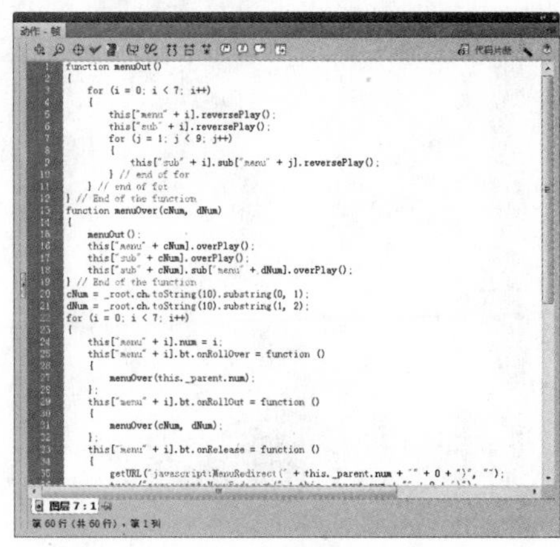

图18-184 “动作”面板

```
menuOver(cNum, dNum);
stop();
```

图18-185 输入脚本语言

STEP 27 导入其他元件，并放置在不同的图层中，依次命名“实例名称”为 menu1~menu6，如图 18-186 所示。返回到“场景 1”的编辑状态，执行【文件】|【导入】|【导入到舞台】命令，将图像“光盘\源文件\第 18 章\素材\18401.jpg”导入到场景中，如图 18-187 所示。

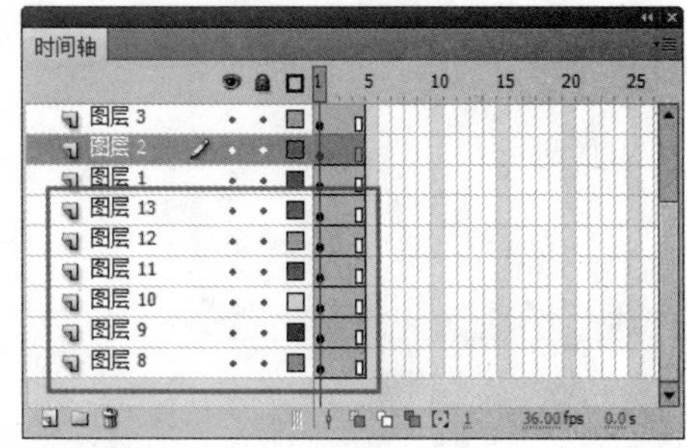

图18-186 “时间轴”面板

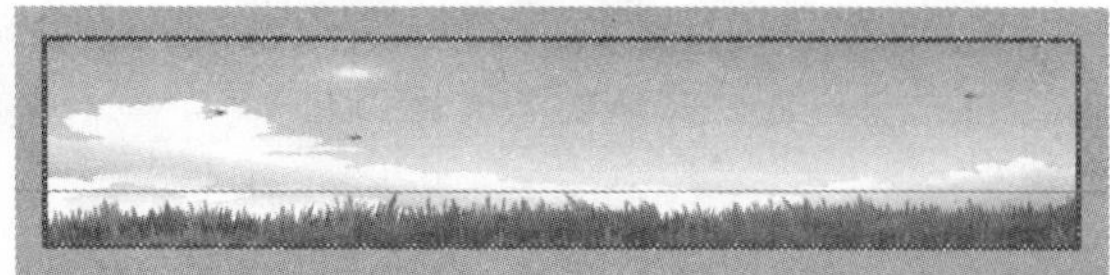

图18-187 导入图像

STEP 28 新建“图层 2”，将 move 元件从“库”面板中拖曳到场景中，如图 18-188 所示。新建“图层 3”，使用“文本工具”在舞台中输入文字，并将其转换为影片剪辑元件，如图 18-189 所示。

图18-188 拖入元件

图18-189 元件效果

STEP 29 双击该元件，进入元件的编辑状态，新建“图层 3”，选择第 1 帧，打开“动作”面板，输入脚本语言，如图 18-190 所示。返回到“场景 1”的编辑状态，新建“图层 4”，选择第 1 帧，打开“动作”面板，输入脚本语言，如图 18-191 所示。

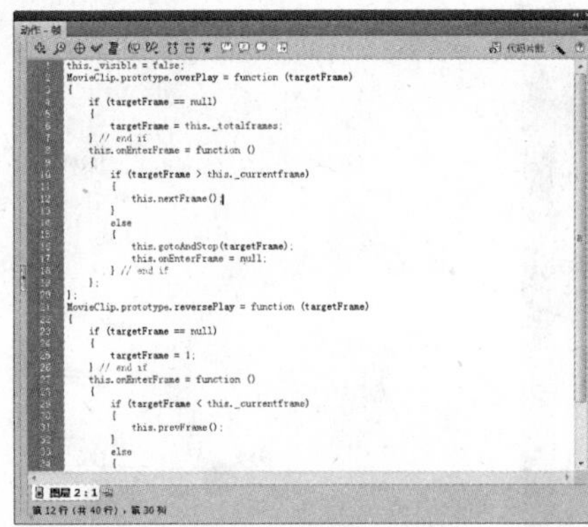

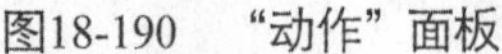

图18-190　“动作”面板

图18-191　输入脚本语言

STEP 30 同时选中“图层1”、“图层2”和“图层3”的第2帧并插入帧，如图18-192所示。选择“图层4”的第2帧并插入关键帧，打开“动作”面板，输入stop(); 脚本语言，如图18-193所示。

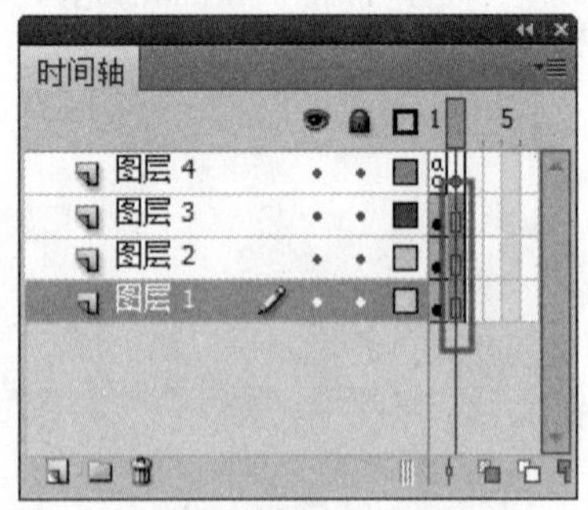

图18-192　“时间轴”面板

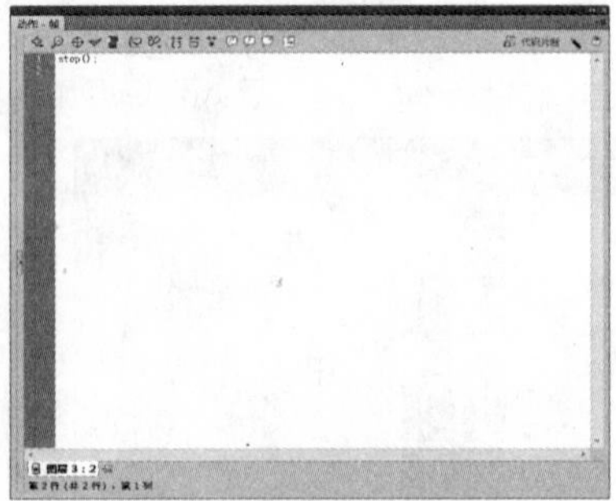

图18-193　输入脚本语言

STEP 31 完成动画的制作，执行【文件】|【保存】命令，将动画保存为“光盘\源文件\第18章\18-4.fla”，按“Ctrl+Enter快捷键测试影片，预览动画效果如图18-194所示。

图18-194　动画效果

第19章　贺卡、MTV和动画短片制作

随着互联网技术的发展，Flash动画在互联网中应用的范围非常广，从简单的Flash广告动画片段发展到长篇的动画故事片。通过Flash将唯美的动画场景、优美的音乐背景、引人入胜的故事情节都综合在一起，将一个色彩缤纷的动画世界呈现给用户。

本章就针对Flash的特点，向读者介绍一些常见的Flash动画制作，如贺卡、MV、片头动画等。

本章学习要点

- 贺卡的制作
- 展示动画的制作
- MTV的制作
- 片头动画的制作

实例名称：制作思念贺卡
源 文 件：光盘\源文件\第19章\19-1.fla
教学视频：光盘\视频\第19章\19-1.swf

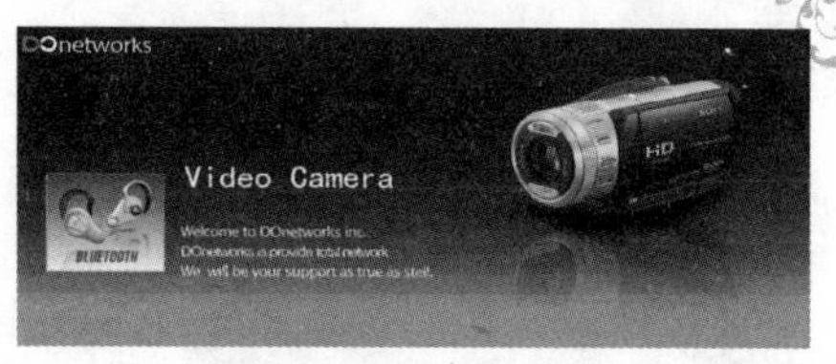

实例名称：制作展示动画
源 文 件：光盘\源文件\第19章\19-2.fla
教学视频：光盘\视频\第19章\19-2.swf

实例名称：制作MTV动画
源 文 件：光盘\源文件\第19章\19-3.fla
教学视频：光盘\视频\第19章\19-3.swf

实例名称：制作片头动画
源 文 件：光盘\源文件\第19章\19-4.fla
教学视频：光盘\视频\第19章\19-4.swf

19.1 实例：制作思念贺卡动画

本实例讲解如何制作思念贺卡，在此类贺卡的制作过程中，最重要的是场景的美观性，以及场景的过渡自然。在贺卡的制作过程中，注意学习场景转换的方法。

设计分析

在本实例的制作过程中，首先制作出局部的影片剪辑元件动画效果，将其放置在“外部库”中，然后在场景中制作主场景动画（包括动画的各个场景，以及文字和过渡的效果），最后为贺卡添加相应的音乐和播放按钮，完成整个思念贺卡的制作，完成后的动画效果如图19-1所示。

图19-1　动画效果

源文件：光盘\源文件\第19章\19-1.fla
教学视频：光盘\视频\第19章\19-1.swf

制作场景动画

STEP 01 执行【文件】|【新建】命令，新建一个Flash文档，如图19-2所示。单击“属性”面板上的“编辑”按钮，弹出“文档设置”对话框，参数设置如图19-3所示，单击“确定”按钮，完成“文档属性”的设置。

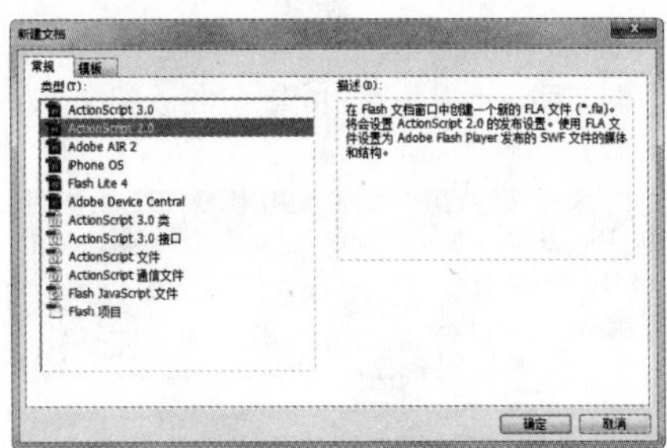

图19-2　“新建文档”对话框

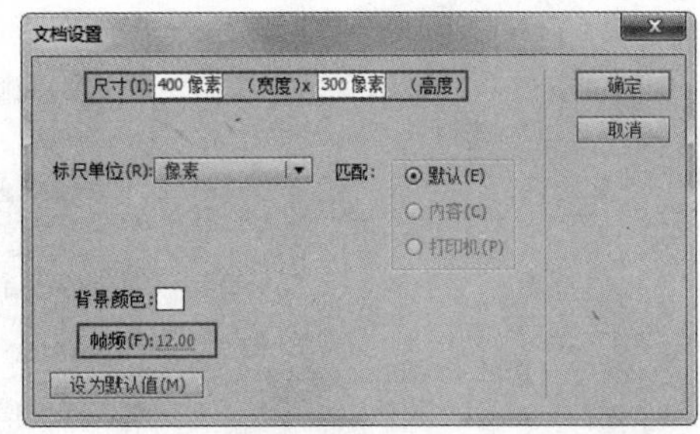

图19-3　“文档设置”对话框

动画类的贺卡根据不同的应用，选择不同的尺寸设置，帧频尽量放慢，不需要有太多的视觉冲击力。

STEP 02 执行【文件】|【导入】|【导入到舞台】命令，将图像“光盘\源文件\第19章\素材\22101.jpg”导入到场景中相应的位置，如图19-4所示。按“F8”键，将其转换成名称为“场景1”的“影片剪辑”元件，如图19-5所示。

图19-4　导入图像

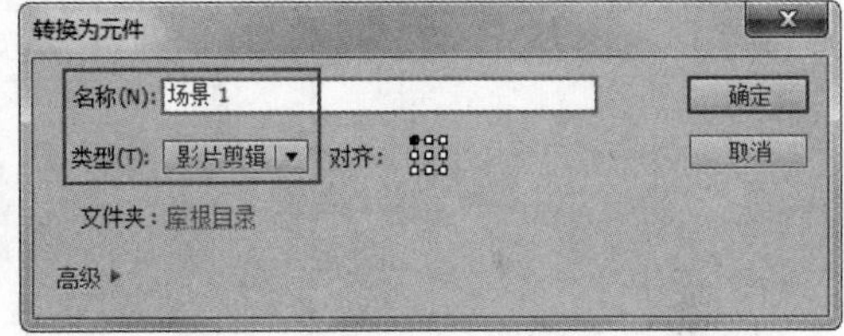

图19-5　“转换为元件”对话框

STEP 03 进入到该影片剪辑中，在第26帧的位置插入帧，新建“图层2”，分别将图像22107.png和22108.png导入到舞台中，如图19-6所示。将“图层2”上的图像转换成名为“摆动”的“图形”元件。

22107.png（头发）　22108.png（裙摆）

图19-6　导入图像

STEP 04 分别在第 13 帧、第 26 帧插入关键帧，选择第 13 帧场景中的元件，设置“属性”面板上的 Alpha 值为 0%，如图 19-7 所示，分别在第 1 帧和第 13 帧上创建“传统补间”，“时间轴”面板如图 19-8 所示。

图19-7 设置Alpha值

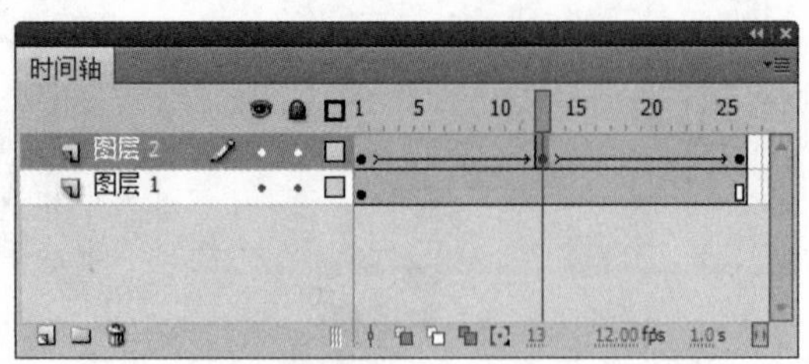

图19-8 “时间轴”面板

STEP 05 返回到“场景 1”，在第 126 帧插入帧。新建“图层 2”，在第 36 帧插入关键帧，将图像 22109.png 导入到舞台中，如图 19-9 所示，按“F8”键，将其转换成名为“天空”的“图形”元件，在第 68 帧插入关键帧，选择第 36 帧上场景中的元件，在“属性”面板中设置 Alpha 值为 0%，效果如图 19-10 所示。

图19-9 导入图像

图19-10 元件效果

Tips

在元件中进行编辑时，单击“编辑栏”上的“场景 1”文字，可返回到“场景 1”的编辑状态，执行【编辑】|【编辑文档】命令，也可以返回到“场景 1”的编辑状态，按快捷键“Ctrl+E”，同样也可以返回到“场景 1”的编辑状态。

STEP 06 在第 36 帧上创建“传统补间”。新建“图层 3”，在第 20 帧插入关键帧，使用“文本工具”在舞台中输入文字，在“属性”面板中进行相应的设置，如图 19-11 所示，文字效果如图 19-12 所示。

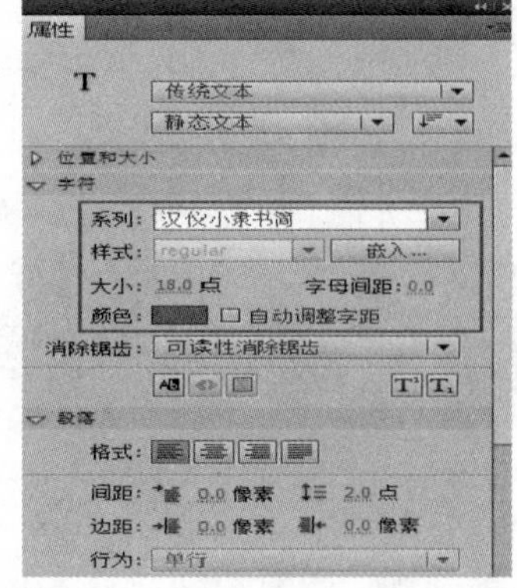

图19-11 设置“属性”面板

图19-12 文字效果

STEP 07 按“F8”键，将其转换成名为 text01 的“图形”元件，分别在第 36 帧、第 81 帧和第 91 帧插入关键帧，在第 92 帧插入空白关键帧，分别选择第 20 帧和第 91 帧上场景中的元件，设置“属性”面板上的 Alpha 值为 0%，在第 20 帧和第 81 帧上创建“传统补间”，如图 19-13 所示。

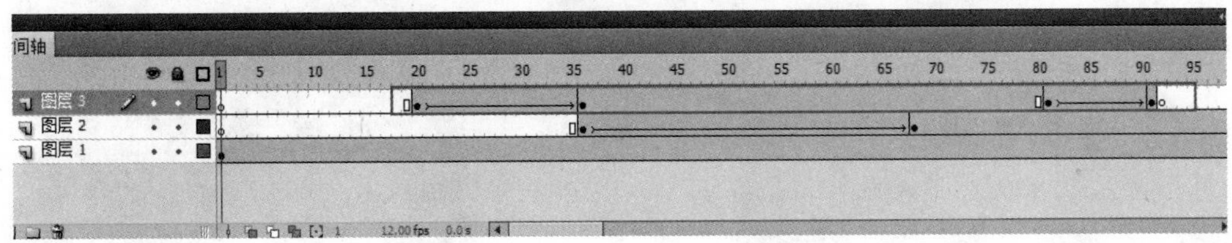

图19-13 “时间轴”面板

Tips

类似于这种文本的淡入效果，经常会应用在动画制作中，最为常见的是制作动画的字幕。

STEP 08 新建“图层 4”和“图层 5”，使用相同的方法制作出这两个图层中的内容，场景效果如图 19-14 所示，“时间轴”面板如图 19-15 所示。

图层4

图层5

图19-14 场景效果

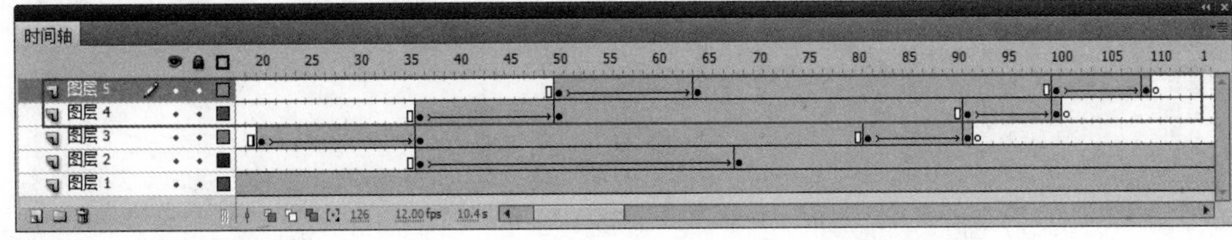

图19-15 “时间轴”面板

Tips

这里“图层 4”和“图层 5”的制作方法与“图层 3”的制作方法相同，都是制作文字的淡入淡出效果。

STEP 10 新建“图层 6”，在第 102 帧插入关键帧，将图像 22102.jpg 导入到舞台中，如图 19-16 所示，将其转换成名为“场景 2”的“影片剪辑”元件，根据“场景 1”元件的制作方法制作出该元件中的内容，元件效果如图 19-17 所示，“时间轴”面板如图 19-18 所示。

图19-16 导入图像

图19-17 元件效果

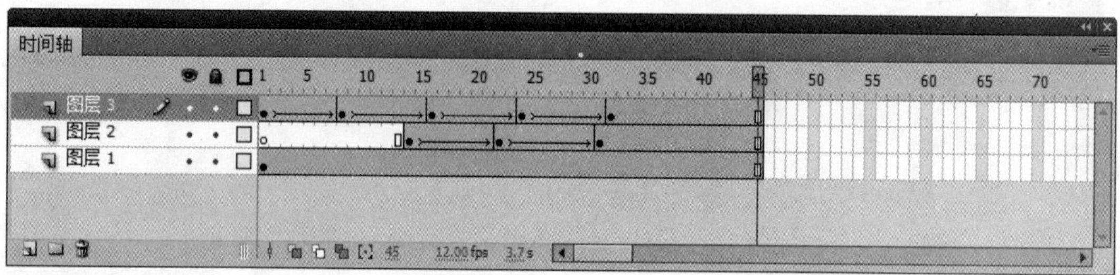
图19-18 “时间轴”面板

STEP 11 返回到“场景 1”中，在“图层 6”的第 126 帧插入关键帧，在第 303 帧插入帧，选择第 102 帧上场景中的元件，设置“属性”面板上的 Alpha 值为 0%，并在该帧上创建“传统补间”，“时间轴”面板如图 19-19 所示。

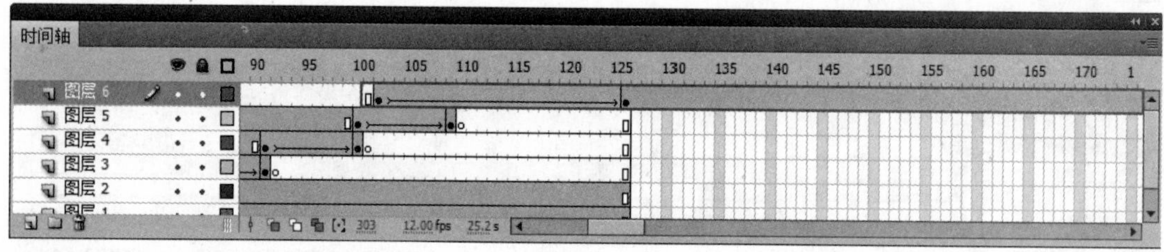
图19-19 “时间轴”面板

STEP 12 使用相同的方法，制作出“图层 7”至“图层 10”中的内容，场景效果如图 19-20 所示。

图层7

图层8

图层9

图层10

图19-20　场景效果

STEP 13 新建“图层 11”，在第 282 帧插入关键帧，执行【文件】|【导入】|【打开外部库】命令，打开外部库“光盘\源文件\第 19 章\素材\素材 19-1.fla”，如图 19-21 所示。将名为“飘花动画”的元件从外部库拖入到场景中，并移动到合适的位置，如图 19-22 所示。

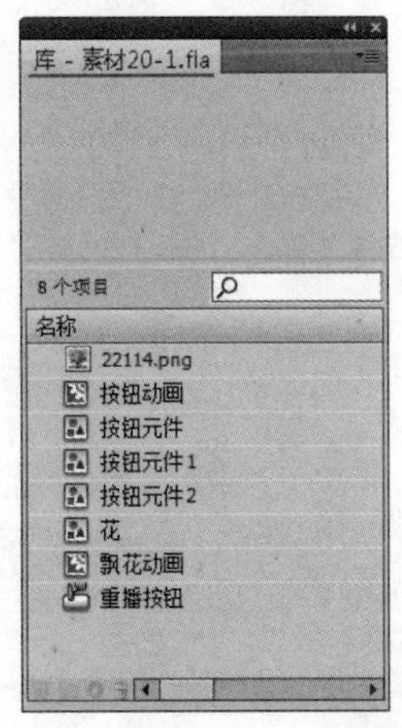

图19-21　打开“外部库”

图19-22　拖入元件

使用外部库元件制作动画是Flash动画制作中比较常见的操作，可以将比较常用的元件组成一个公共库，方便多次使用。

除了执行【文件】|【导入】|【打开外部库】命令外，按快捷键“Ctrl+Shift+O”同样可以打开外部库面板。

STEP 14 新建“图层12”至“图层25”，分别在第282帧插入关键帧，将“飘花动画”元件从外部库中分别拖入到各个图层中，并使用“任意变形工具”适当调整元件的大小，效果如图19-23所示。

图19-23 元件效果

STEP 15 新建“图层26”至“图层40”，分别在第311帧插入关键帧，将“飘花动画”元件从外部库中分别拖入到各个图层中，并使用“任意变形工具”适当调整元件的大小，效果如图19-24所示。

图19-24 元件效果

STEP 16 使用相同的方法，完成“图层 41”至“图层 51”中内容的制作，场景效果如图 19-25 所示。

图19-25　场景效果

STEP 17 新建“图层 52”，在第 502 帧插入关键帧，将名为“重播按钮”的元件从“外部库”面板中拖入到场景中，如图 19-26 所示，在第 510 帧插入关键帧，选择第 502 帧上场景中的元件，设置“属性”面板上的“Alpha 值”为 0%，并在第 502 帧上创建“传统补间”。选择第 510 帧上场景中的元件，按“F9”键打开“动作”面板，输入脚本语言，如图 19-27 所示。

图19-26　拖入元件

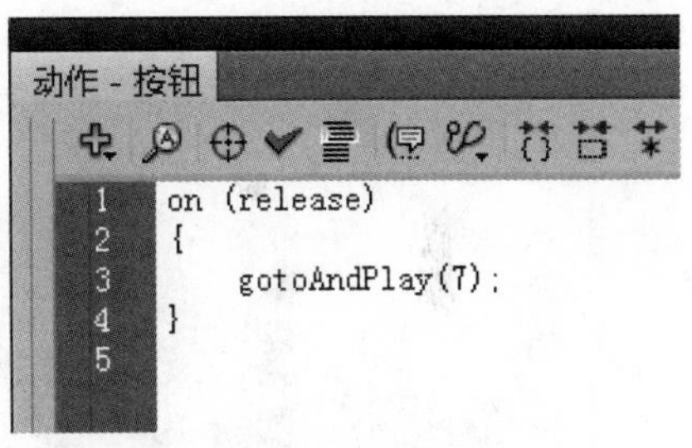

图19-27　“动作”面板

Tips

此处脚本代码的意思为，当鼠标单击该按钮元件时，动画会跳转到第 7 帧的位置开始播放。

STEP 18 执行【文件】|【导入】|【导入到库】命令，将声音 sy02.mp3 导入到“库”面板中，新建“图层 53”，在第 296 帧和第 297 帧插入关键帧，选择第 296 帧，在“属性”面板上的“声音”选项中，选择刚刚导入的声音文件，如图 19-28 所示。

STEP 19 新建“图层 54”，将声音 sy01.mp3 导入到“库”面板中，选择第 1 帧，在“属性”面板上应用声音文件，“时间轴”面板如图 19-29 所示。

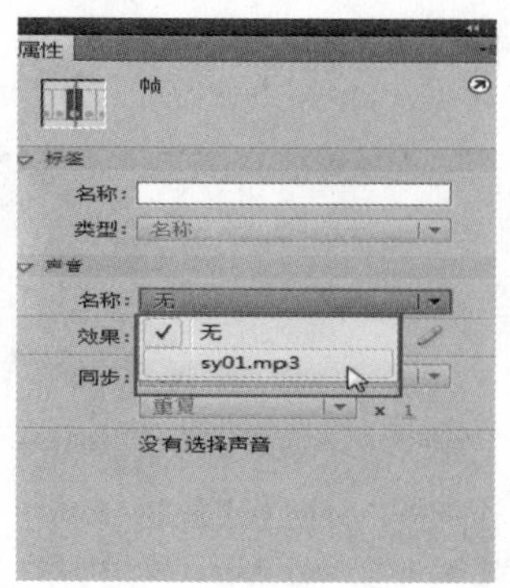

图19-28 “属性”面板

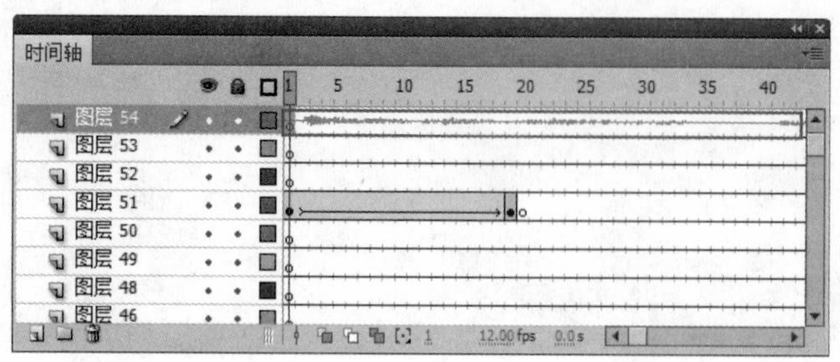

图19-29 “时间轴”面板

Tips

Flash 中除了可以导入视频、图像以外，还可以插入声音。将声音放在时间轴上时，应将声音置于一个单独的图层上，如果要向 Flash 中添加声音效果，最好导入 16 位声音。

STEP 20 新建“图层 55”，在第 510 帧位置插入关键帧，按“F9”键打开“动作”面板，输入 stop(); 脚本语言，完成动画的制作，将动画保存为“光盘\源文件\第 19 章\19-1.fla”。按快捷键“Ctrl+Enter”测试动画，测试效果如如图 19-30 所示。

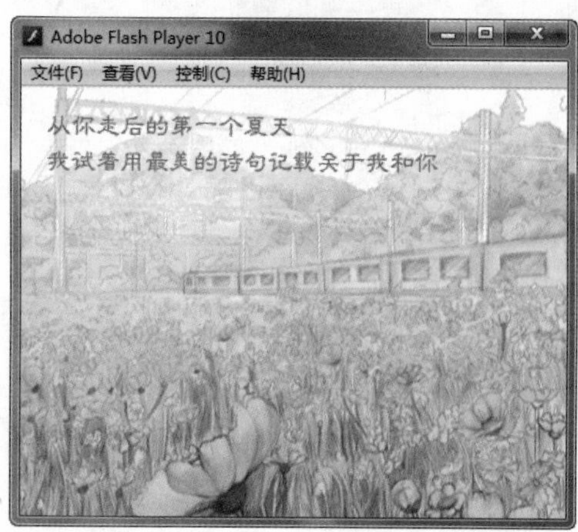

图19-30 测试动画效果

Tips

在制作大型动画时，要养成随时保存的习惯，这样可以防止在软件崩溃或是其他原因造成死机时丢失文件。

19.2 实例：制作产品展示动画

本实例讲解如何制作数码展示动画，这类动画在制作时要能突出展品的科技含量，动画本身可以制作得比较复杂，也可以简单一些，重要的是突出自身的特点。

19.2.1 设计分析

在本实例的制作过程中，首先制作出局部的影片剪辑元件动画效果，然后返回到场景中，制作主场景动画，本例中的产品图片和背景图片的混合是一个难点，并且还需要注意产品图片和背景图片的对齐，完成后的动画效果如图19-31所示。

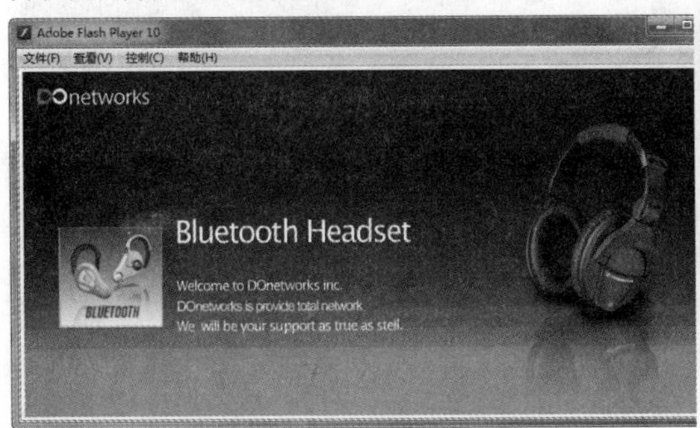

图19-31　动画效果图

源 文 件：光盘\源文件\第 19 章\19-2.fla

教学视频：光盘\视频\第 19 章\19-2.swf

19.2.2 制作场景动画

STEP 01 执行【文件】|【新建】命令，新建一个 Flash 文档，如图 19-32 所示。单击“属性”面板上的“编辑”按钮，弹出“文档设置”对话框，参数设置如图 19-33 所示，单击“确定”按钮，完成“文档属性”的设置。

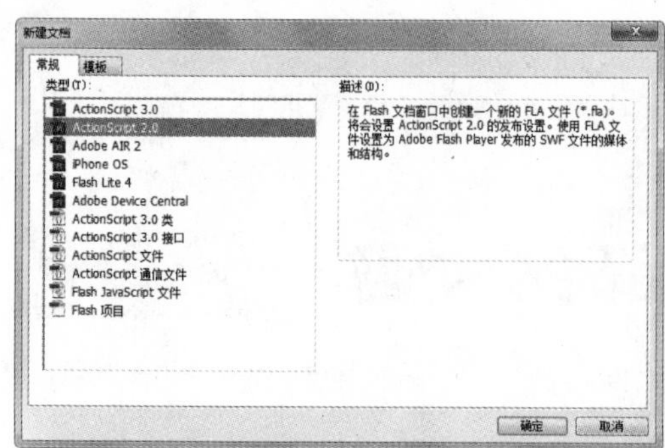

图19-32　“新建文档”对话框

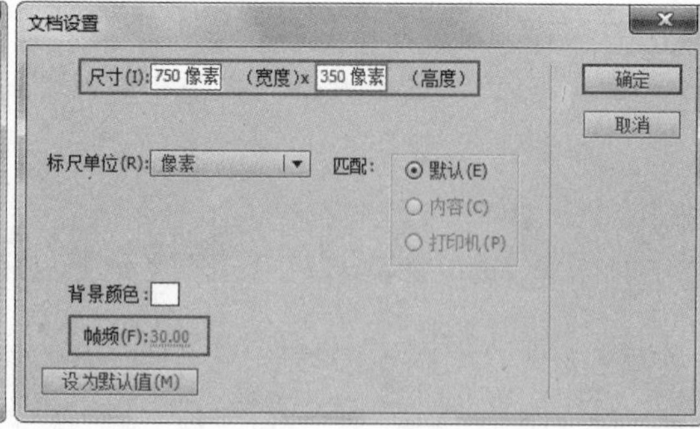

图19-33　“文档设置”对话框

STEP 02 按“Crtl+F8”快捷键，新建一个名为“背景图”的“图形”元件，如图 19-34 所示。按“Ctrl+R”快捷键，将图像“光盘\源文件\第 19 章\素材\22201.jpg”导入到场景中的相应位置，如图 19-35 所示。按“Ctrl+B”快捷键将图像分离。

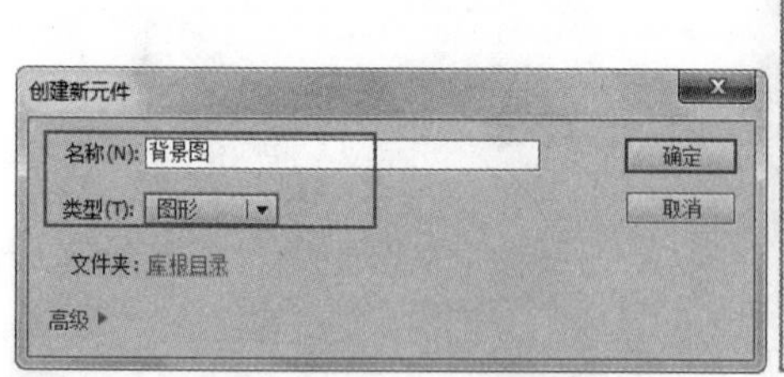

图19-34　“创建新元件”对话框

图19-35　导入图像

STEP 03 使用相同的方法，创建名为 Bluetooth、SLR 和 Video 的“图形”元件，如图 19-36 所示。

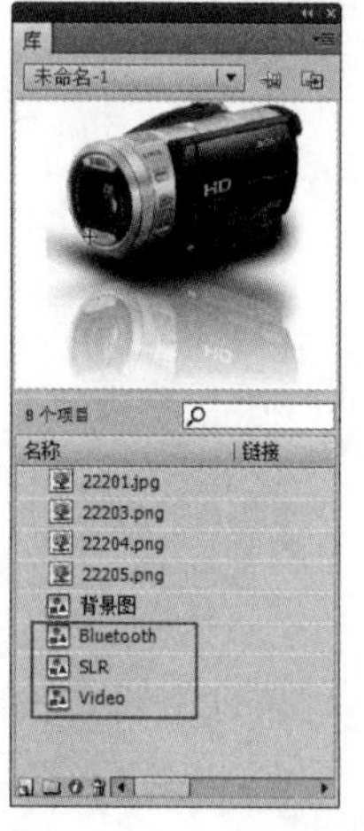

图19-36　创建新元件

STEP 04 新建一个名为 move 的“影片剪辑”元件，使用“矩形工具”，设置“填充”颜色为“无”，“笔触”颜色为 #6C94D1，在场景中绘制一个 740px × 350px 的矩形框，如图 19-37 所示，“属性”面板设置如图 19-38 所示。

图19-37　绘制矩形框

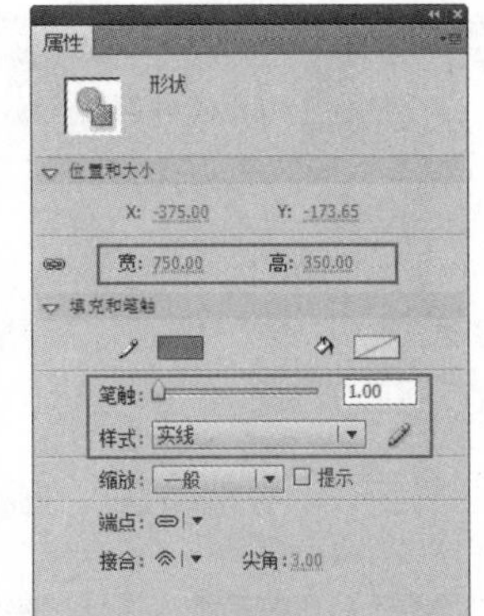

图19-38　“属性”面板

STEP 05 在第 15 帧插入关键帧，在第 87 帧插入帧，选择第 1 帧上场景中的元件，使用“任意变形”工具调整其大小，如图 19-39 所示，在第 1 帧上创建“形状补间”，如图 19-40 所示。

图19-39　图形效果

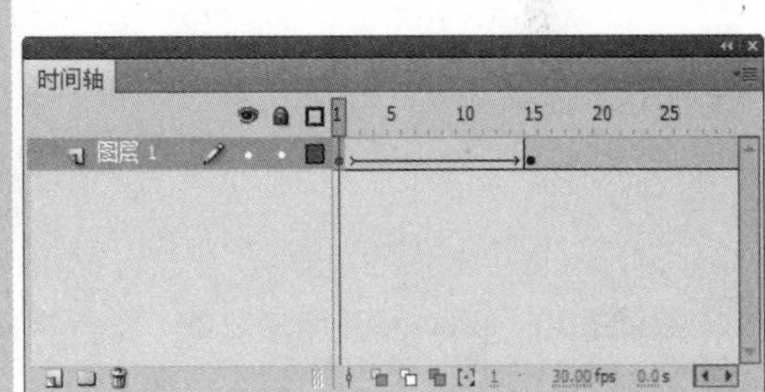

图19-40　“时间轴”面板

Tips

图形尺寸可以通过“属性”面板上的“位置和大小”选项中的“宽”和“高”属性进行设置。当“宽”和“高”选项旁的锁为闭合状态时，设置的宽高为等比例，如果是开放状态，则设置其中一个属性值时，不影响另一个属性值。

STEP 06 新建“图层 2”，在第 16 帧插入关键帧，将“背景图”元件从“库”面板中拖入到场景中，如图 19-41 所示，在第 28 帧插入关键帧，选择第 16 帧上场景中的元件，在“属性”面板上设置 Alpha 值为 0%，如图 19-42 所示，在第 16 帧上创建“传统补间”，如图 19-43 所示。

图19-41　拖入元件

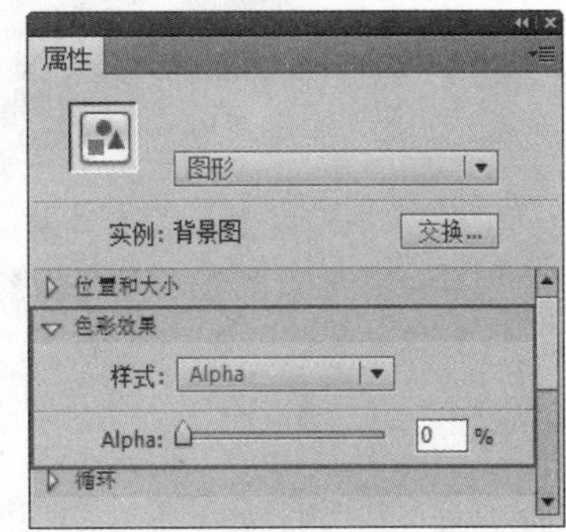

图19-42　“属性”面板

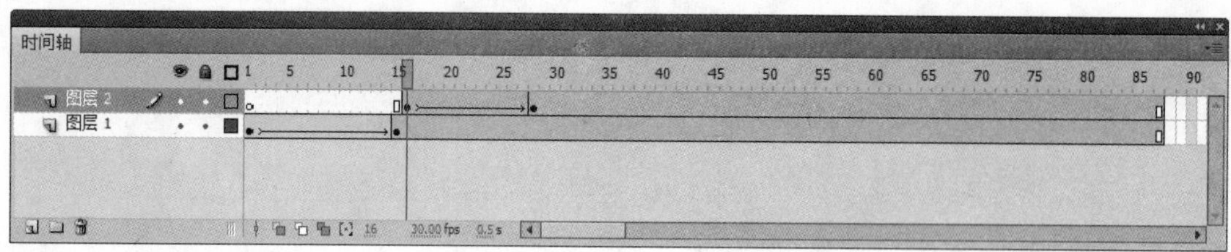

图19-43　“时间轴”面板

STEP 07 新建“图层 3”，在第 87 帧位置插入关键帧，按“F9”键，打开“动作”面板，输入相应的脚本代码，如图 19-44 所示。

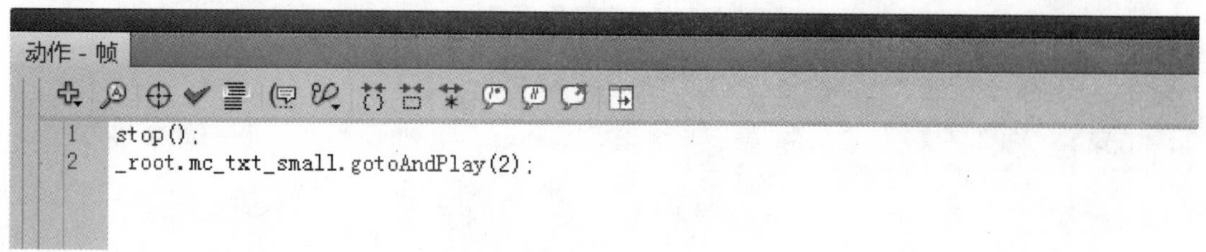

图19-44　“动作”面板

Tips

第 2 行脚本的意思为：当该“影片剪辑”播放到第 87 帧后，主场景中的“实例名称”为 mc_txt_small 的元件，从第 2 帧开始播放。

STEP 09 新建名为“Bluetooth 动画”的“影片剪辑”元件，将 Bluetooth 元件从“库”面板中拖入到场景中，如图 19-45 所示，在第 30 帧、100 帧和 130 帧插入关键帧，分别选择第 1 帧和第 130 帧上场景中的元件，在“属性”面板上设置 Alpha 值为 0%，效果如图 19-46 所示。

图19-45　拖入元件

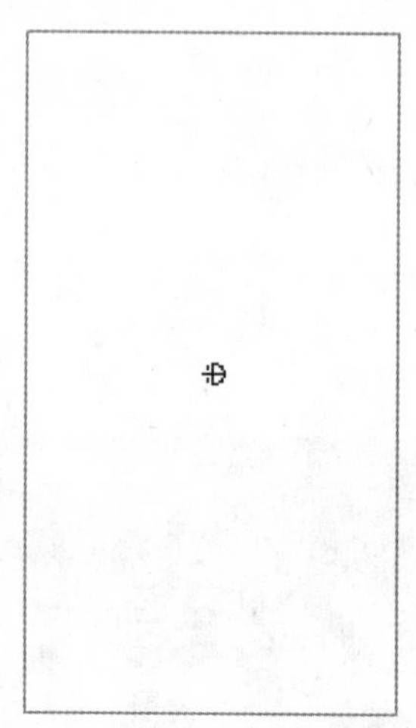

图19-46　元件效果

STEP 10 在第 1 帧和第 100 帧上创建“传统补间”动画，新建“图层 2”，选择第 1 帧，按“F9”键打开“动作”面板，输入 stop 脚本代码，如图 19-47 所示，在第 130 帧插入关键帧，在“动作”面板中输入相应的脚本代码，如图 19-48 所示。

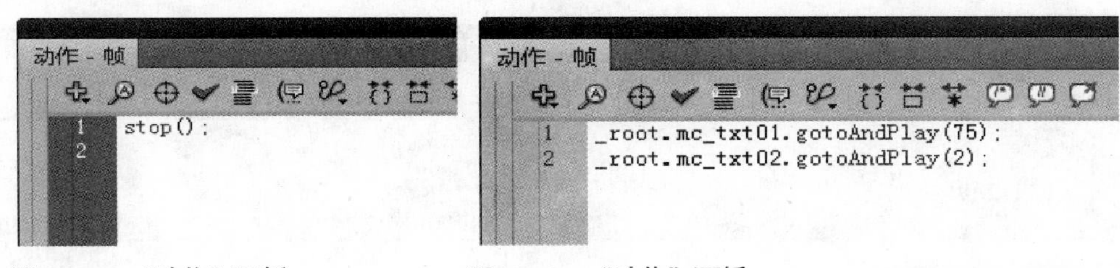

图19-47　“动作”面板　　图19-48　“动作”面板

Tips

此处代码的意思为：当该“影片剪辑”播放到第130帧后，主场景中“实例名称”为mc_txt01的元件，从第75帧开始播放；主场景中“实例名称”为mc_txt02的元件，从第2帧开始播放。

STEP 11 使用同样的制作方法，制作出名为“Video动画”和“SLR动画”的“影片剪辑”元件，如图19-49所示。新建一个名为“文字动画”的“影片剪辑”元件，使用“文本工具”在舞台中输入文字，在“属性”面板中进行相应的设置，如图19-50所示，文字效果如图19-51所示。

图19-49　“库”面板　　图19-50　“属性”面板　　图19-51　文字效果

STEP 12 按“Ctrl+B”快捷键将文字打散，如图19-52所示，按“F8”键，将其转换成名为“”的“图形”元件，如图19-53所示。

图19-52　打散文字　　图19-53　“转换为元件”对话框

STEP 13 在第20帧、70帧和100帧插入关键帧，分别选择第1帧和第100帧上场景中的元件，在“属性”面板上设置Alpha值为0%，在第1帧和第70帧上创建“传统补间”动画，如图19-54所示。

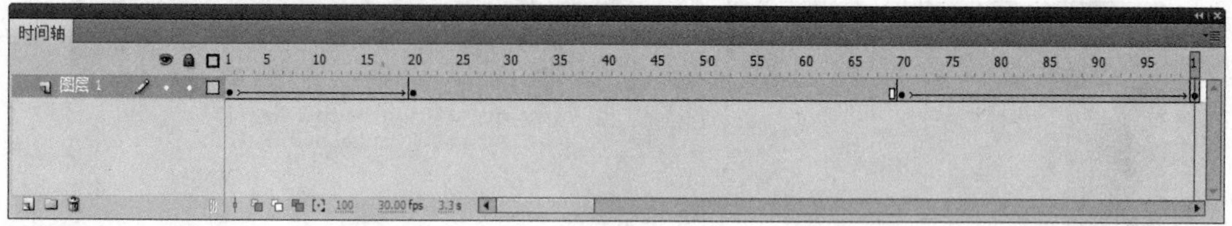

图19-54 “时间轴”面板

STEP 14 新建“图层 2”，在第 20 帧插入关键帧，使用“矩形工具”，打开“颜色”面板，进行相应的设置，如图 19-55 所示，在场景中绘制矩形，如图 19-56 所示。

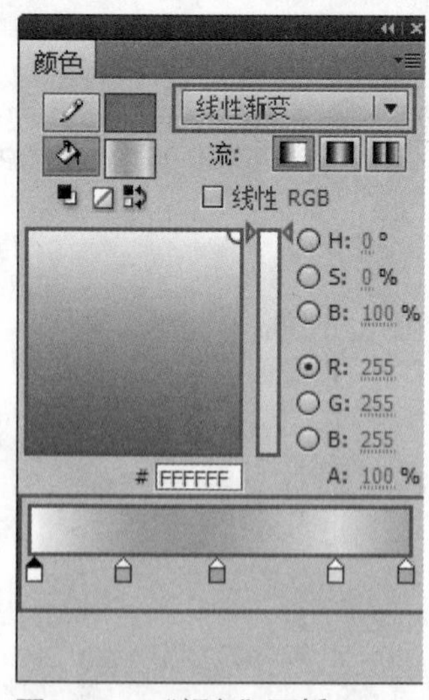

图19-55 “颜色”面板

图19-56 图形效果

STEP 15 在第 70 帧插入关键帧，调整图形的位置，如图 19-57 所示，在第 20 帧上创建“补间形状”。新建“图层 3”，在第 20 帧插入关键帧，复制“图层 1”中第 20 帧上场景中的元件，原位粘贴到该帧上。

STEP 16 新建“图层 4”，选择第 1 帧，按“F9”键打开“动作”面板，输入 stop 脚本代码，在第 70 帧插入关键帧，在“动作”面板中输入相应的脚本代码，如图 19-58 所示。使用同样的方法制作出名为“文本动画 1”和“文本动画 2”的“影片剪辑”元件。

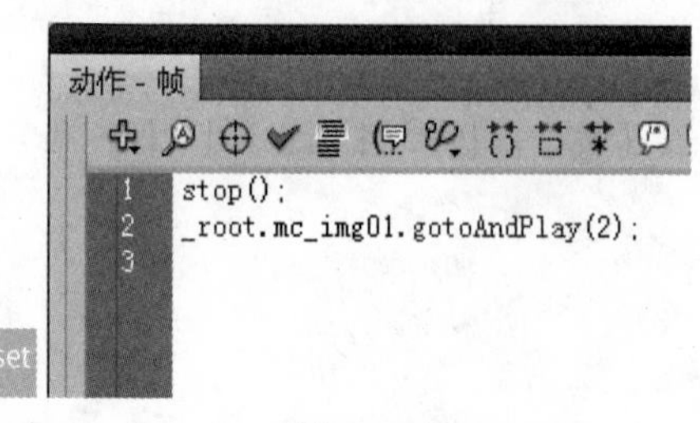

图19-57 元件效果

图19-58 “动作”面板

STEP 17 使用相同的方法制作出名为“文本动画 1”、“文本动画 2”和“正文”的“影片剪辑”元件，如图 19-59 所示。

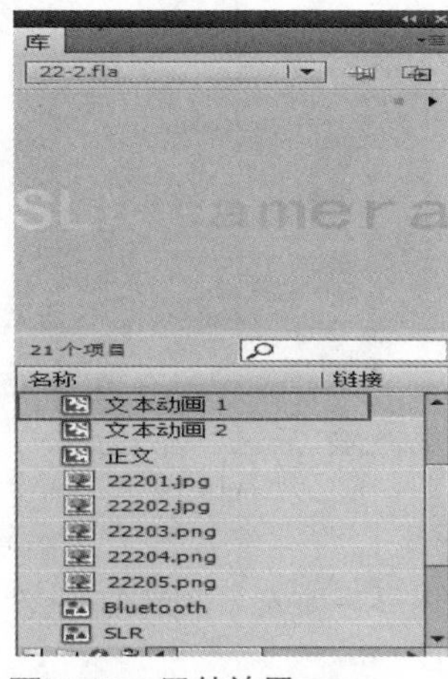

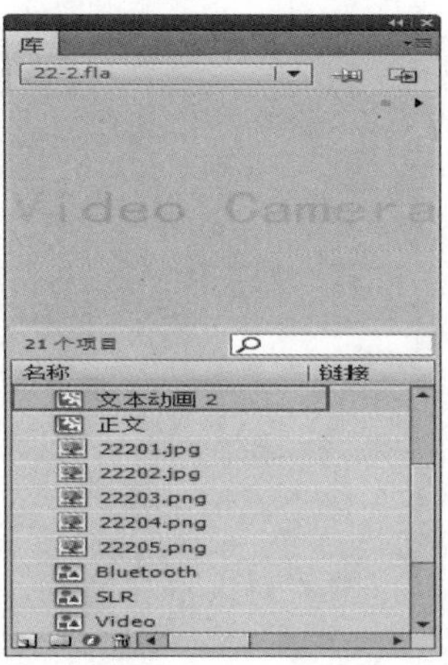

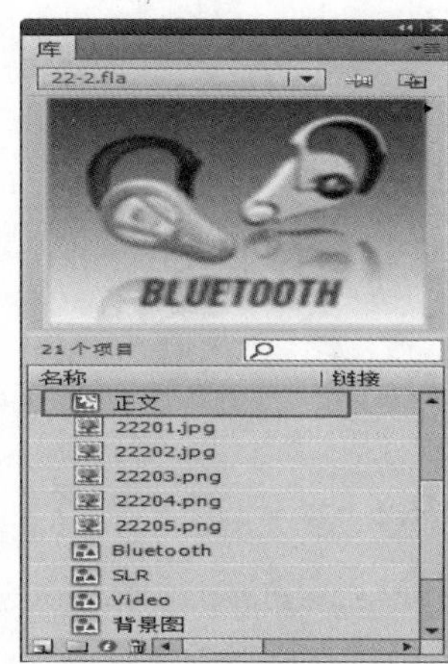

图19-59　元件效果

STEP 18 返回到“场景 1”中，将元件 move 从“库”面板中拖入到场景中，并居中对齐，如图 19-60 所示。新建“图层 2”，将元件“Bluetooth 动画”从“库”面板中拖入到场景中，放置在如图 19-61 所示的位置。

图19-60　拖入元件　　　　图19-61　拖入元件

STEP 19 选中该元件，在“属性”面板上设置“实例名称”为 mc_img01，如图 19-62 所示。新建“图层 3”，将元件“SLR 动画”从“库”面板中拖入到场景中，放置在如图 19-63 所示的位置。选中该元件，在“属性”面板上设置“实例名称”为 mc_img02。

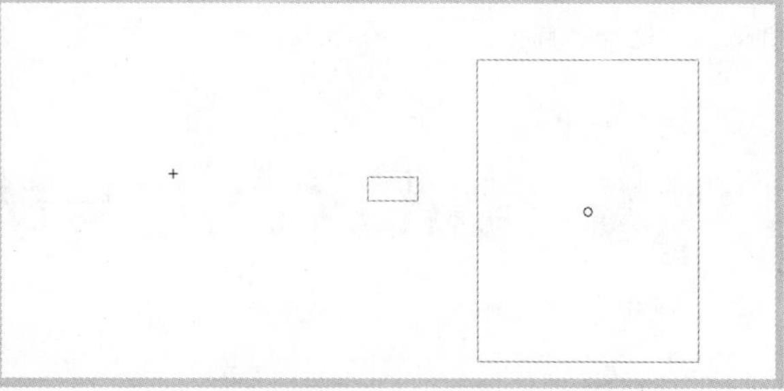
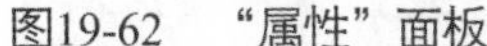

图19-62　“属性”面板　　　　图19-63　“时间轴”面板

STEP 20 新建图层，将其他元件拖入到场景中，如图 19-64 所示，“时间轴”面板如图 19-65 所示，并对拖入的元件设置相应的“实例名称”。

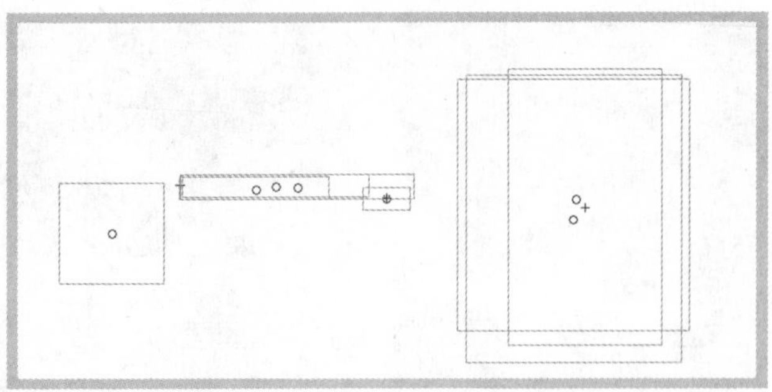

图19-64　场景效果

图19-65　“时间轴”面板

STEP 21 完成动画的制作，将动画保存为“光盘\源文件\第 19 章\19-2.fla”。按快捷键“Ctrl+Enter”测试动画，效果如图 19-66 所示。

图19-66　测试动画效果

19.3　制作MTV短片动画

一个动画短片如果只有很长的动画效果，而没有音乐，则会让浏览者觉得非常无趣，而制作MTV动画更需要加入背景音乐。在互联网上比较常见的是按照流行音乐的故事情节制作动画片段。

19.3.1　设计分析

本实例主要制作主场景动画，一些主要元件都是预先制作完成，完成场景动画的制作后，最后为MTV添加声音，完成后的动画效果如图19-67所示。

图19-67　动画效果

源 文 件：光盘\源文件\第 19 章\19-3.fla

教学视频：光盘\视频\第 19 章\19-3.swf

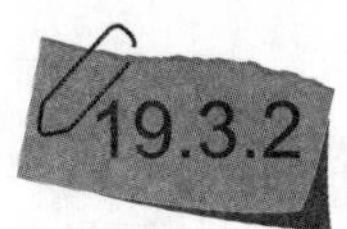

19.3.2 制作场景动画

STEP 01 执行【文件】|【新建】命令，新建一个 Flash 文档，如图 19-68 所示。单击“属性”面板上的“编辑”按钮，弹出“文档设置”对话框中，参数设置如图 19-69 所示，单击“确定”按钮，完成“文档属性”的设置。

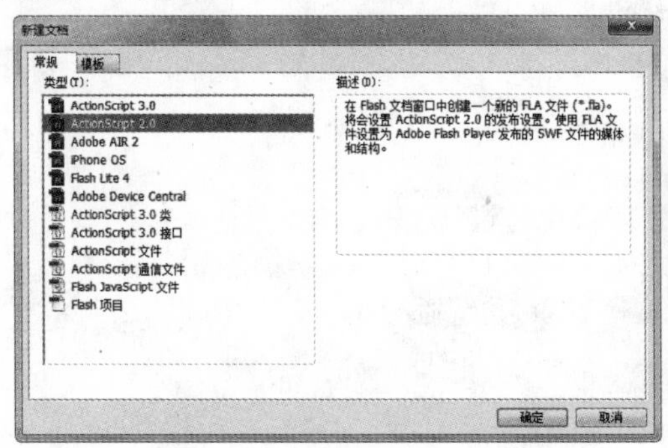

图19-68　“新建文档”对话框

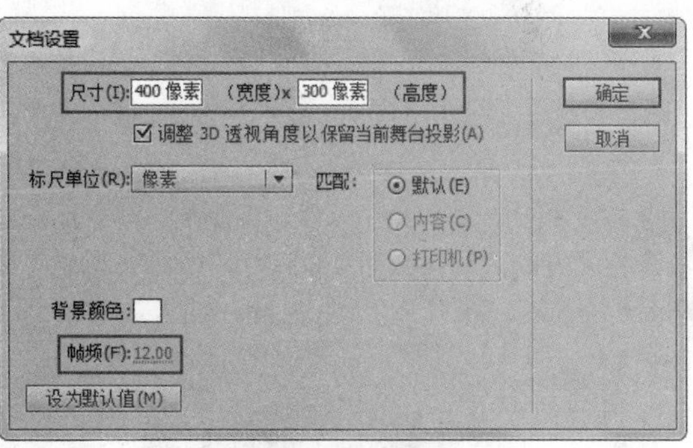

图19-69　“文档设置”对话框

Tips

类似于本实例的动画效果一般都比较庞大。需要很长的制作时间，参与动画制作的元件也很多，制作时要有足够的耐心。

STEP 02 执行【文件】|【导入】|【导入到舞台】命令，将图像“光盘\源文件\第 19 章\素材\20101.jpg”导入到场景中相应的位置，如图 19-70 所示。按“F8”键，将其转换成名称为“场景 1”的“影片剪辑”元件，如图 19-71 所示。

图19-70　导入图像

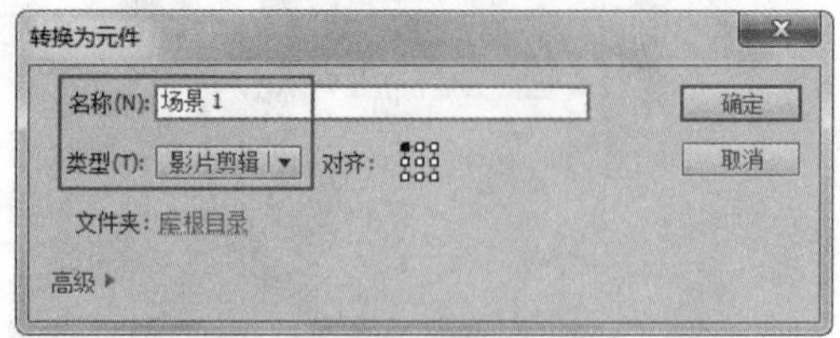

图19-71　“转换为元件”对话框

STEP 03 在第 184 帧位置插入帧。新建“图层 2”，执行【文件】|【导入】|【打开外部库】命令，打开外部库“光盘\源文件\第 19 章\素材\素材 19-3.fla”文件，将元件“浴缸动画”从“外部库”面板中拖入到场景中，如图 19-72 所示，效果如图 19-73 所示。

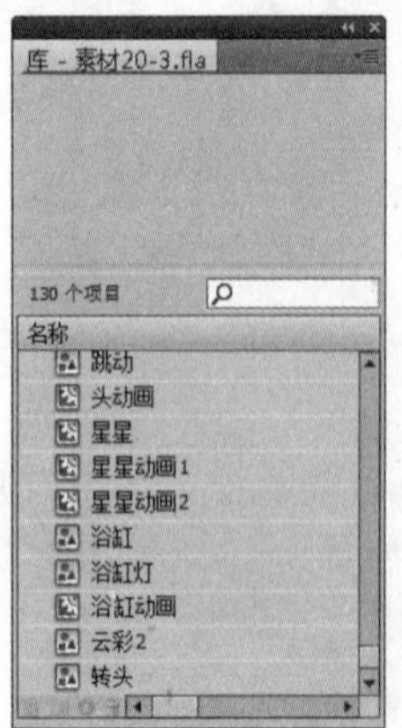

图19-72　打开“外部库”

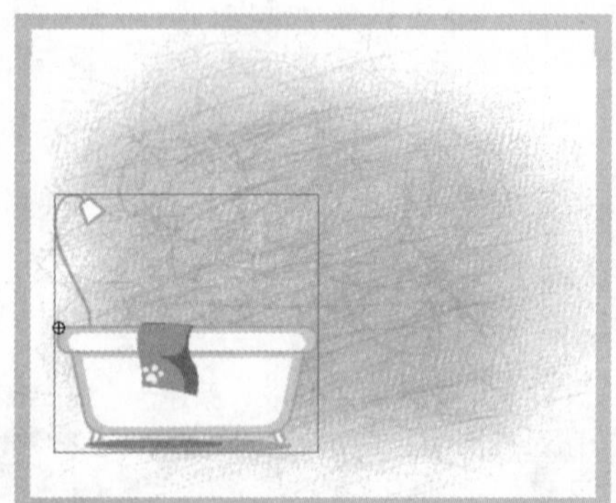

图19-73　拖入元件

Tips

为了避免制作时背景图层上的图形影响其他图形，可以将图层 1 锁定。

STEP 04 新建“图层 3”，将元件“刷牙动画”从“外部库”面板中拖入到场景中，使用“任意变形工具”调整元件的大小，效果如图 19-73 所示。新建“图层 4”，在第 185 帧插入关键帧，将元件“背景 1”拖入到场景中，移动到合适的位置，如图 19-74 所示。在第 285 帧位置插入帧。

图19-74　拖入元件

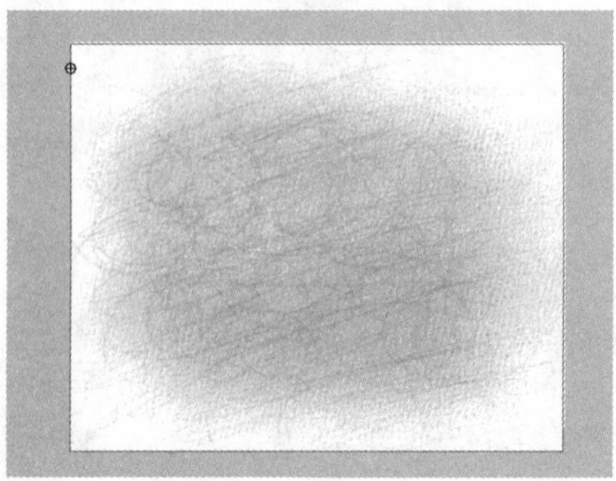

图19-75　拖入元件

STEP 05 新建“图层5”和“图层6”,分别将元件“柜子”和“窗子”从“外部库”中拖入到“图层5”和“图层6”中，如图19-76所示，并分别在“图层5”和“图层6”的第209帧插入空白关键帧，时间轴”面板如图19-77所示。

图19-76 拖入元件

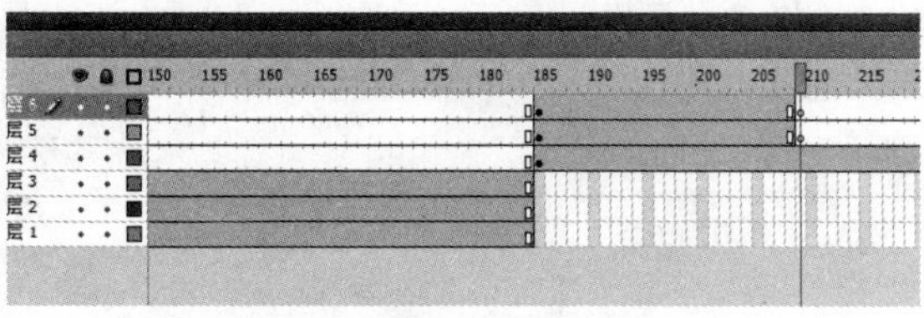

图19-77 “时间轴”面板

STEP 06 按“Ctrl+F8”键，新建一个名为“影子1”的“图形”元件，使用“钢笔工具”，绘制一个闭合路径，如图19-78所示，使用“颜料桶工具”，打开“颜色”面板，设置如图19-79所示。

图19-78 绘制路径

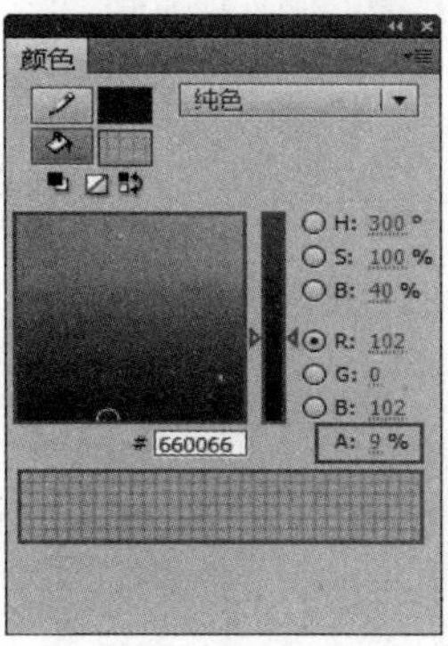

图19-79 设置“填充颜色”面板

STEP 07 在封闭的路径中单击填充颜色，使用“选择工具”删除描边，如图19-80所示。复制该图形，新建“图层2”按“Ctrl+Shift+V”键粘贴在原位，在“属性”面板上更图形的大小，等比例缩小2~3像素，打开“对齐”面板，垂直、水平居中，效果如图19-81所示。

图19-80 图形效果

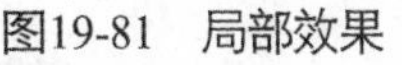

图19-81 局部效果

Tips

“对齐”面板快捷键：按“Crtl+Alt+2”键位水平居中，按“Crtl+Alt+5”键位垂直居中，按“Crtl+Alt+1”键位左对齐，按“Crtl+Alt+4”键位顶对齐，按“Crtl+Alt+3”键位右对齐，按“Crtl+Alt+6”键位底对齐。按“Crtl+Alt+8”设置是否相对于舞台对齐。

相同方法完成“影子 1”元件的制作，效果如图 19-82 所示。

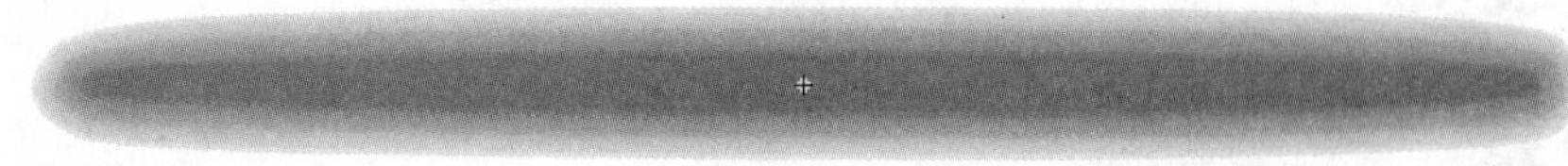

图19-82　场景效果

STEP 09 返回到“场景 1”中，选择“图层 4”新建“图层 7”，将元件“影子 1”从“库”面板中拖入到场景中，并在“属性”面板上设置 Alpha 值为 50%，效果如图 19-83 所示，在 209 帧插入空白关键帧，新建“图层 8”，相同方法制作一个名为“影子 2”的“图形”元件，将其拖入到场景中，如图 19-84 所示，在 209 帧插入空白关键帧。

图19-83　拖入元件

图19-84　元件效果

元件的位置会影响动画的播放效果，所以制作时要多次测试动画，以确认动画元件的位置准确。

STEP 10 新建“图层 9”，将元件“跑动”从“库”面板中拖入到场景中，如图 19-85 所示，在第 206 帧插入空白关键帧。新建“图层 10”，在第 170 帧插入关键帧，设置“工具箱”中的“笔触”为“无”，“填充颜色”为“白色”，在场景中绘制图形，如图 19-86 所示。

图19-85　拖入元件

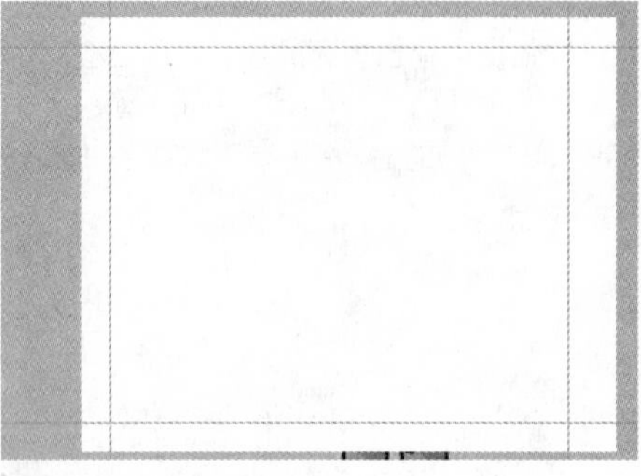

图19-86　绘制图形

STEP 11 在第 178 帧、185 帧和 189 帧插入关键帧，在第 190 帧插入空白关键帧，分别选择 170 和 185 帧上场景中的图形，在“颜色”面板中更改 Alpha 值为 0%，然后再 170 和 185 帧上创建“形状补间”，“时间轴”面板如图 19-87 所示。

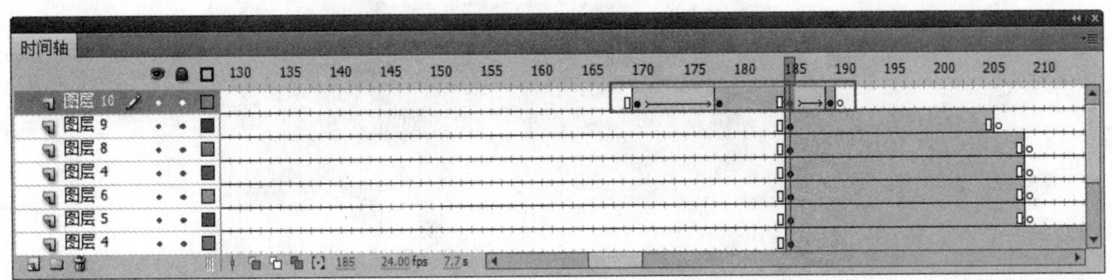

图19-87 “时间轴”面板

STEP 12 新建“图层 11”，在第 209 帧插入关键帧，将图像 20102.jpg 导入到舞台中，并移动到合适的位置，如图 19-88 所示，按“F8”键，将其转换成名为“背景 2”的“图形”元件。新建名为“背景 3”的“图形”元件，使用“矩形工具”在舞台中绘制矩形，打开“颜色”面板，进行相应的设置，如图 19-89 所示。

图19-88 打开“外部库”

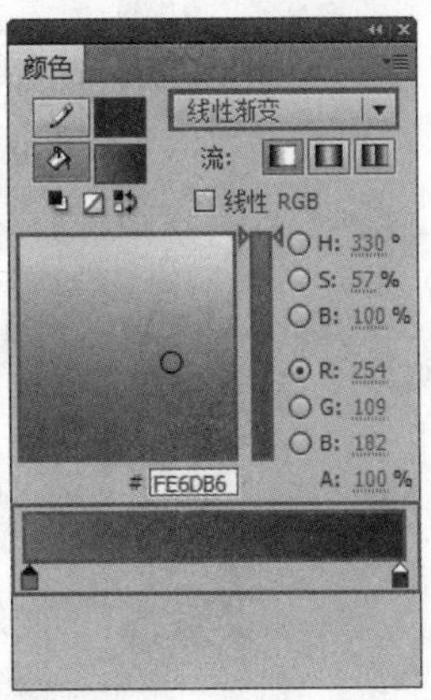

图19-89 拖入元件

Tips

一般情况下，在“颜色”面板中设置渐变后，会自动应用在图形上，如果需要对渐变进行调节，可以使用“渐变变形工具”。

STEP 13 图形效果如图 19-90 所示，返回到“场景 1”，新建“图层 12”，在第 209 帧插入关键帧，将元件“背景 3”从“库”面板中拖入到场景，并移动到合适的位置，在“属性”面板中设置 Alpha 值为 30%，效果如图 19-91 所示。

图19-90 元件效果

图19-91 元件效果

STEP 14 使用相同的方法，新建“图层”，将相应的元件从“外部库”面板中拖入到场景中，如图 19-92 所示，完成主场景动画的制作。

图19-92　元件效果

STEP 15 新建“图层”，将声音 sy03.mp3 导入到“库”面板中，选择第 1 帧，在“属性”面板上应用声音文件，如图 19-93 所示。新建“图层”，在第 285 帧插入关键帧，打开“动作”面板，输入 stop 脚本语言，如图 19-94 所示。

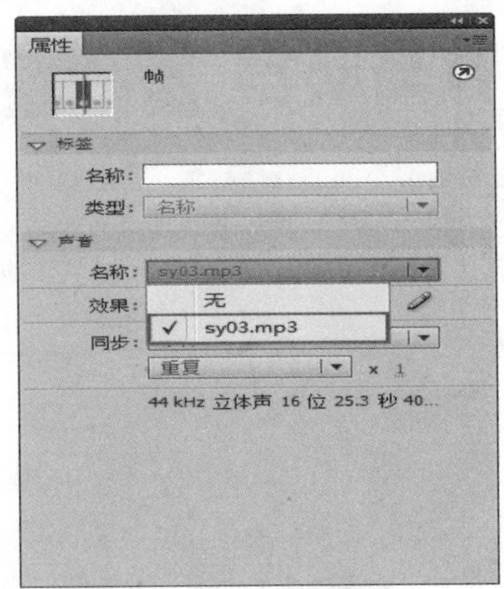

图19-93 “属性”面板

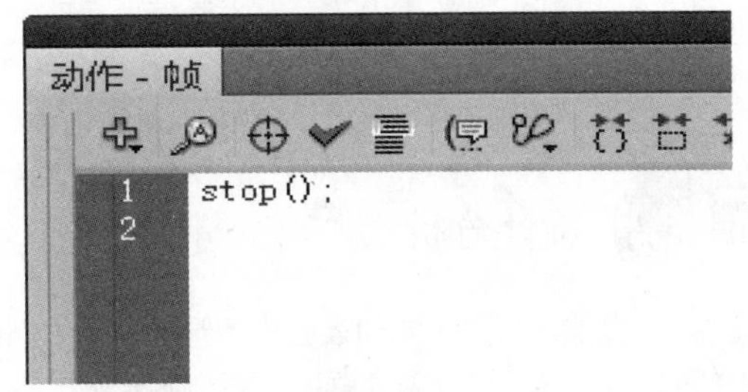

图19-94 “动作”面板

STEP 16 完成动画的制作，将动画保存为“光盘\源文件\第19章\19-3.fla”。按快捷键“Ctrl+Enter”测试动画，测试效果如图19-95所示。

图19-95 测试动画效果

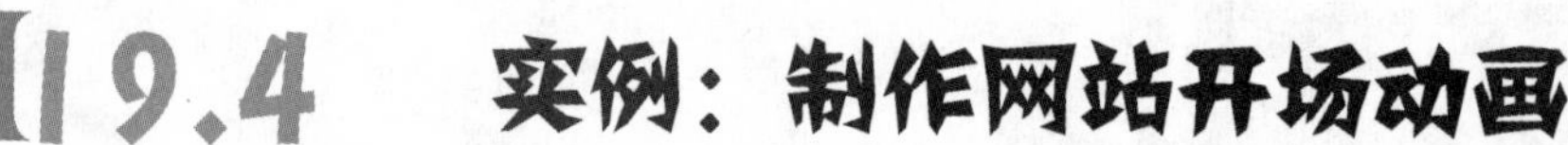

19.4 实例：制作网站开场动画

动画中的片头动画应用范围非常广泛，不同的动画类型往往需要不同的开场动画，其主要的功能是增强动画的趣味性，并且在动画播放的过程中传达网站的主题。制作方法一般都采用时间轴动画，也有少数动画使用脚本编写。

19.4.1 设计分析

通过本实例的学习，主要向读者讲解开场动画的制作方法与技巧，在设计制作开场动画时，无须将动画制作得多么复杂，只要将动画的主题内容表达出来，让浏览者能看懂动画的内容，并能留下一定的印象即可，完成后的动画效果如图19-96所示。

图19-96 动画效果

源文件：光盘\源文件\第19章\19-4.fla

教学视频：光盘\视频\第19章\19-4.swf

19.4.2 制作场景动画

STEP 01 执行【文件】|【新建】命令，新建一个Flash文档，如图19-97所示。单击“属性”面板上的“编辑”按钮，弹出“文档设置”对话框，参数设置如图19-98所示，单击“确定”按钮，完成“文档属性”的设置。

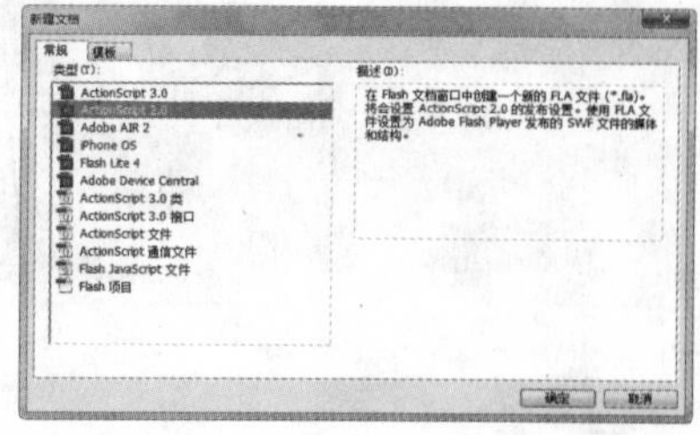

图19-97 “新建文档”对话框

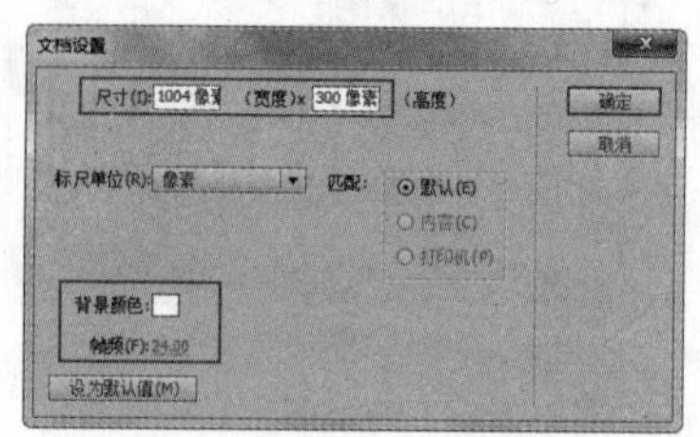

图19-98 “文档设置”对话框

STEP 02 "Crtl+F8"键，新建一个名为"图形 1"的"图形"元件，如图 19-99 所示。使用"线条工具"，在画布中绘制线条，然后使用"选择工具"，调整线条形状，效果如图 19-100 所示。

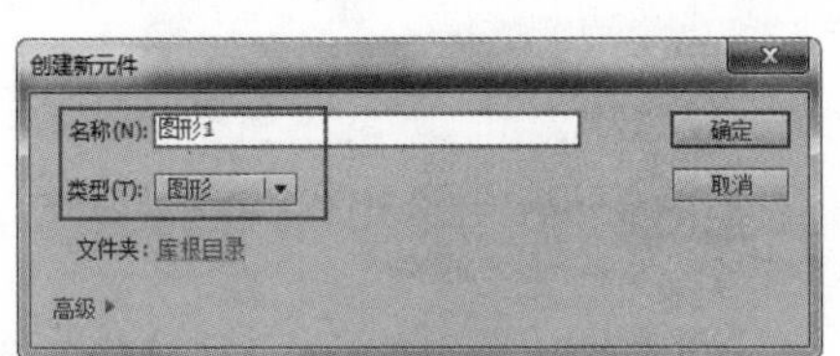

图19-99 "创建新元件"对话框

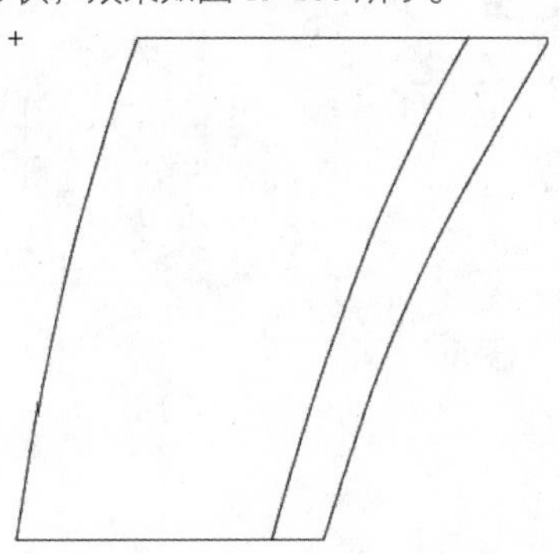

图19-100 绘制线条

STEP 03 用"颜料桶工具"设置"填充颜色"为 #FF3366，在封闭路径中单击填充颜色，如图 19-101 所示，相同方法将另一部分填充颜色，如图 19-102 所示，将描边删除。

图19-101 填充颜色

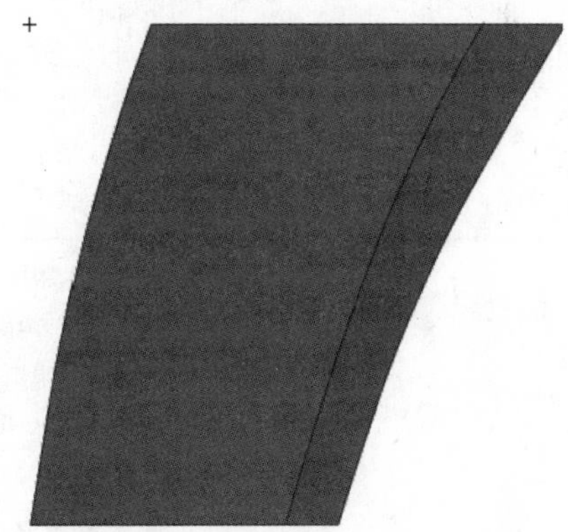

图19-102 填充颜色

STEP 04 新建一个名为"运动动画"的"影片剪辑"元件，将原件"图形 1"从"库"面板中拖入到场景中，将元件水平翻转，如图 19-103 所示。

图19-103 拖入元件

STEP 05 在第 12 帧插入关键帧，选择该帧上的元件，移动并设置"属性"面板上的"高级"样式，如图 19-104 所示，元件效果如图 19-105 所示。

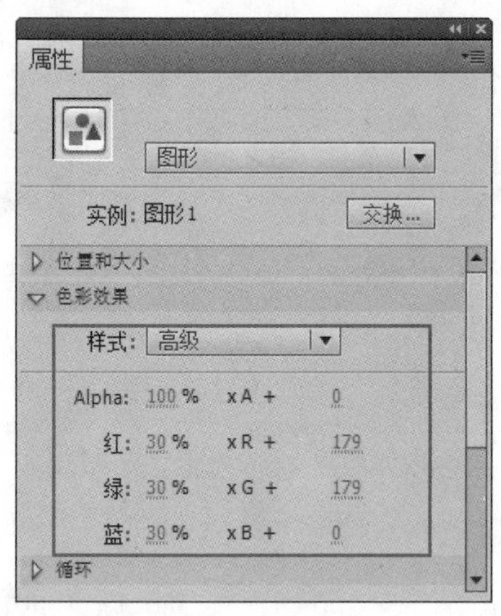

图19-104 “属性”面板

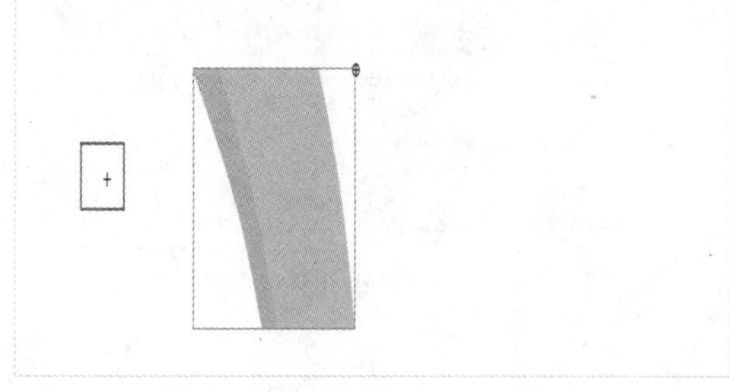

图19-105 元件效果

STEP 06 分别在第16、24、帧插入关键帧，移动第24帧上元件的位置，如图19-106所示，使用相同的方法分别在第30、34、38、43帧插入关键帧，并进行相应的调整，第142帧位置插入帧，选择第1帧上的元件，在“属性”面板上设置Alpha值为0%，如图19-107所示，分别在第1、16、30、38帧上创建“传统补间”，如图19-107所示。

图19-106 移动元件

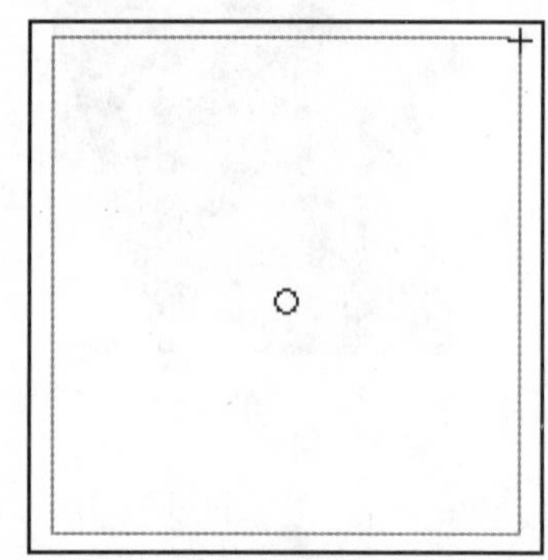

图19-107 元件效果

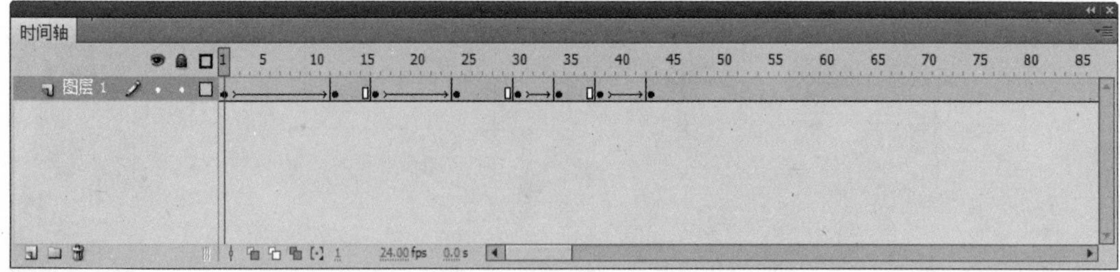

图19-108 “时间轴”面板

STEP 07 使用相同的方法完成“图层2”至“图层6”中内容的制作，如图19-109所示，“时间轴”面板如图19-110所示。

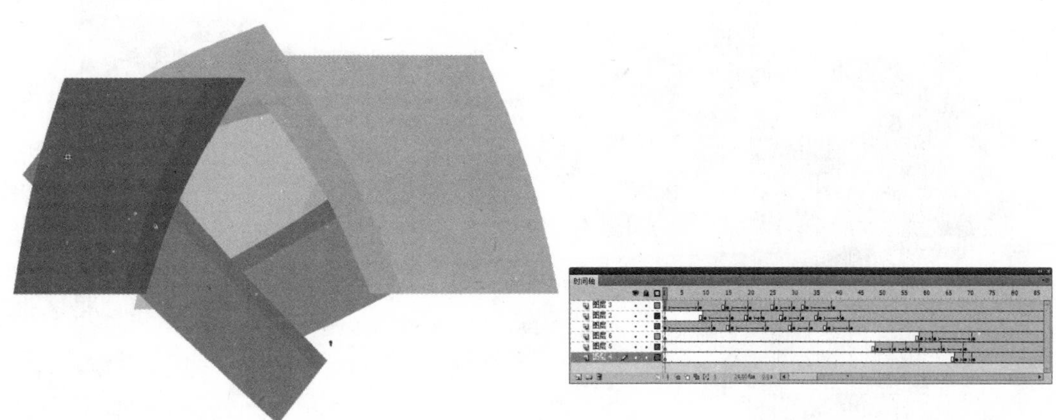

图19-109　元件效果　　图19-110　“时间轴”面板

Tips

这里“图层 1”至“图层 6”全部应用的是“图形 1”元件，通过翻转和调整“属性”面板上的“高级”样式，可达到不一样的效果。

STEP 08 新建“图层 7”，在第 11 帧插入关键帧，将图像“光盘 \ 源文件 \ 第 19 章 \ 素材 \ image01.png”导入到舞台中，按“F8”键，将其转换成为“人物 1”的“图形”元件，如图 19-111 所示，在第 15 帧插入关键帧，选择该帧上的元件，设置“属性”面板上的“高级”样式，如图 19-112 所示，元件效果如图 19-113 所示。

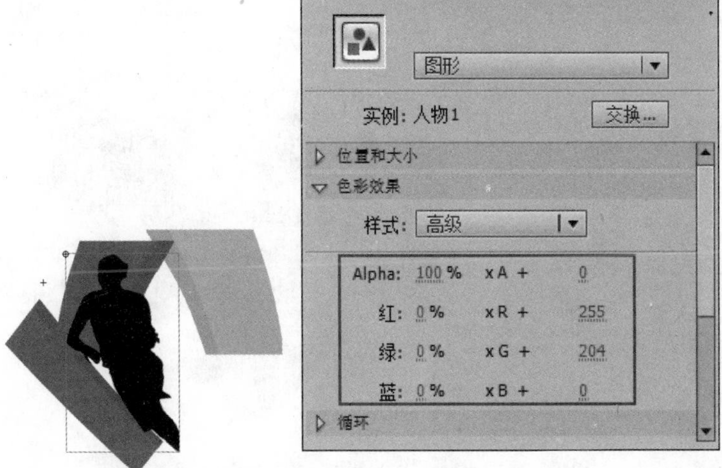

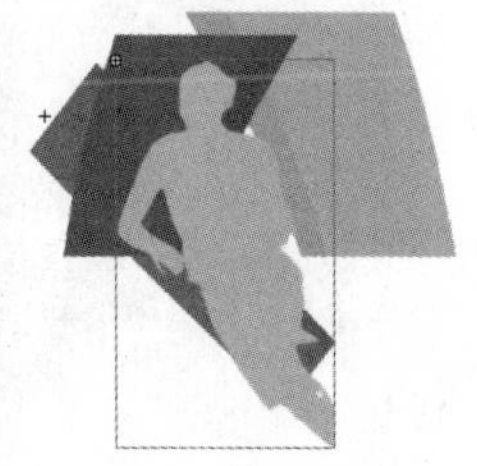

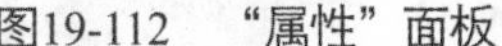

图19-111　拖入元件　　图19-112　“属性”面板　　图19-113　元件效果

Tips

“图层 7”的制作方法基本与前几个“图层 ”的制作方法相同，都是移动元件的位置，调整“高级”样式，来达到动画的效果。

STEP 09 使用相同的方法，完成该图层中其他内容的制作，效果如图 19-114 所示。

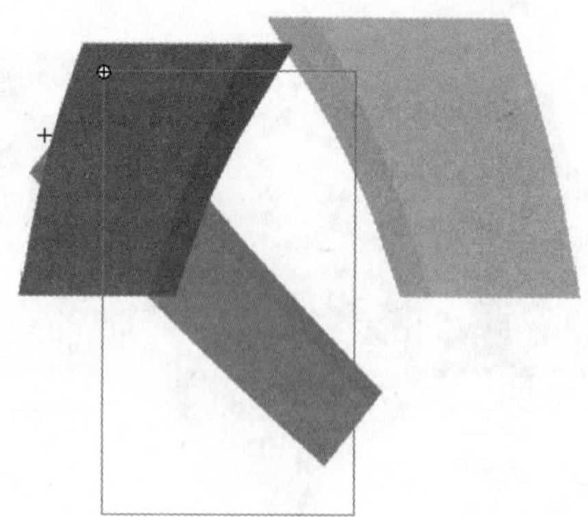

图19-114　场景效果

STEP 10 使用相同的方法，完成“运动动画”元件的制作，效果如图 19-115 所示，新建“图层 16”，在第 142 帧的位置插入关键帧，在“动作”面板中输入 stop 脚本语言，完成后的“时间轴”面板如图 19-116 所示。

图19-115　场景效果

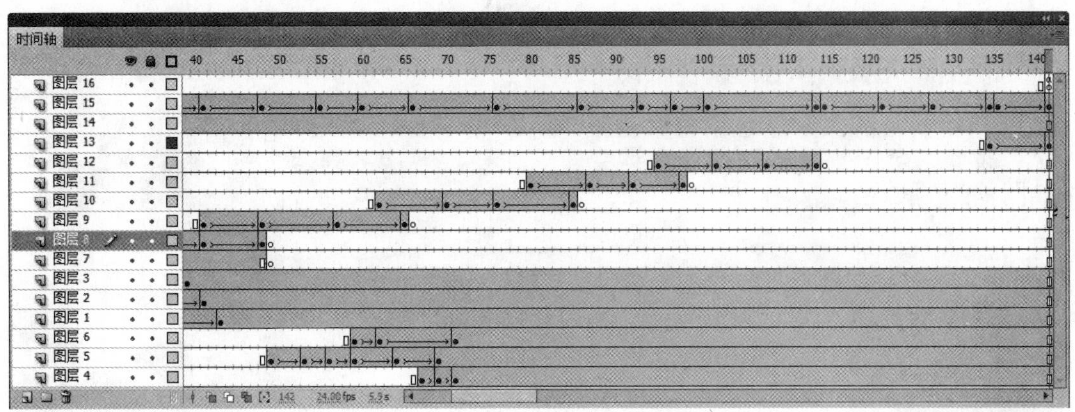

图19-116 场景效果

STEP 11 使用相同的方法制作出名为“文字动画”的“影片剪辑”元件和其他的“图形”元件，如图 19-117 所示。

图19-117 元件效果

STEP 12 返回到“场景 1”，将元件“运动动画”从“库”面板中拖入到场景中，如图 19-118 所示，在第 70 帧插入帧。

TEAM SAVERS

1993年获全国大学生运动会女篮冠军。1996年参加全国甲级联赛、全国锦标赛和两届全运会篮球比赛，多次名列全国第2、第3名。

图19-118　拖入元件

STEP 13 新建“图层2”，将元件“背景3”从“库”面板中拖入到场景中，使用“任意变形工具”调整元件的大小，如图19-119所示，在第9帧插入关键帧，移动元件的位置，如图19-120所示，在第1帧上创建“传统补间”。

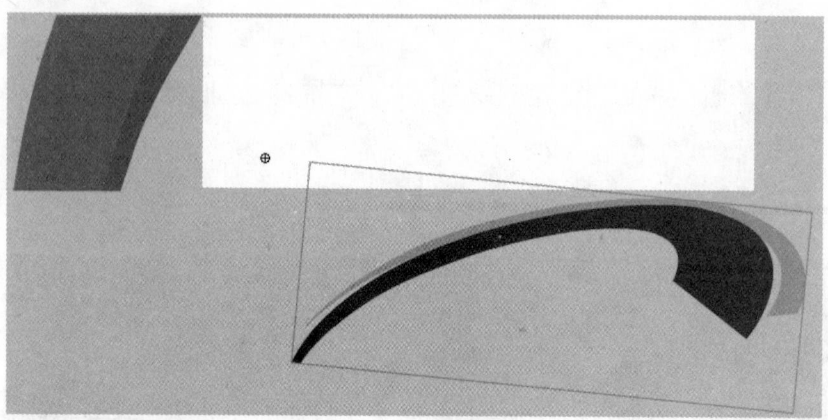

图19-119　拖入元件

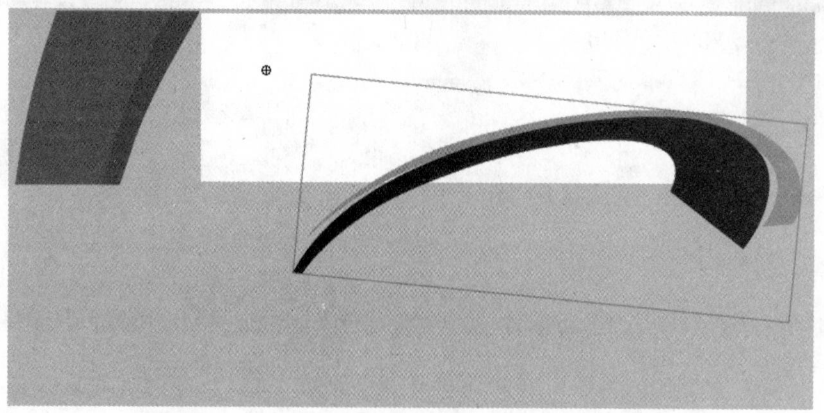

图19-120　元件效果

STEP 14 使用相同的制作方法，完成该动画的制作，场景效果如图 19-121 所示，“时间轴”面板如图 19-122 所示。

图19-121　场景效果

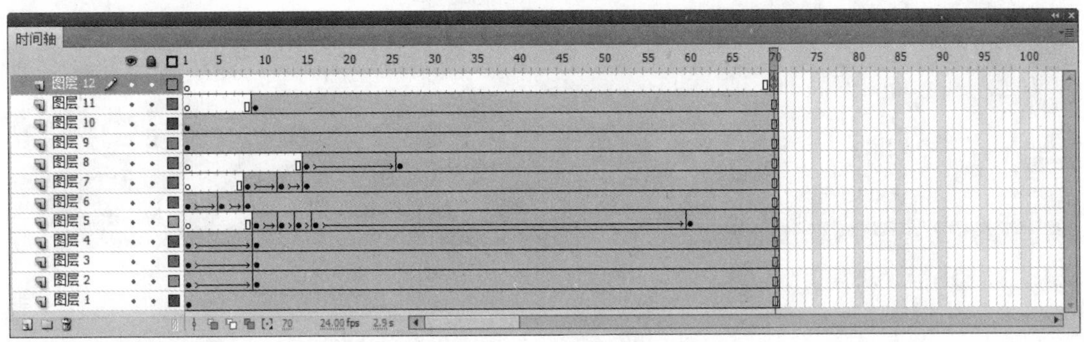

图19-122　“时间轴”面板

STEP 15 将动画保存为“光盘\源文件\第 19 章\19-4.fla”，按快捷键“Ctrl+Enter”测试动画，测试效果如图 19-123 所示。

图19-123　测试动画效果